ISBN 978-0-266-37704-7
PIBN 10455075

This book is a reproduction of an important historical work. Forgotten Books uses
state-of-the-art technology to digitally reconstruct the work, preserving the original format
whilst repairing imperfections present in the aged copy. In rare cases, an imperfection in
the original, such as a blemish or missing page, may be replicated in our edition. We do,
however, repair the vast majority of imperfections successfully; any imperfections that
remain are intentionally left to preserve the state of such historical works.

INHALT.

Seite

INHALT

ZWEI LATEINISCHE METRISCHE VERSIONEN DER LEGENDE VON PLACIDUS-EUSTACHIUS.

II *Eine version in hexametern.*

Unter den fünf bekannten lat. metrischen versionen der legende sind zwei oder vermutlich drei in hexametern verfasst: erstens diejenige, von welcher die AASS september band 6 s. 107 kunde geben quae exstat in Ms. Cisterciensi, post librum Petri Alphonsi ex Judaco Christiani [1], complexa versus circiter 550. *der daselbst mitgeteilte anfang lautet:*

> Claruit in Roma, Trajano sceptra regente,
> Vir, genus egregium ducens ab utroque parente.
> Dum puer esset adhuc, virtute virum faciebat;
> Unde placens cunctis Placidus se (?) nomen habebat.

die deutung des namens Placidus in der letzten zeile erinnert, nebenbei bemerkt, an die von Herder in den Widergefundenen söhnen:

> Was die schickung schickt ertrage;
> Wer ausharret, wird gekrönt.
> Reichlich weifs sie zu vergelten,
> Herlich lohnt sie stillen sinn.

zweitens die unten mitgeteilte version. endlich wird auch eine dem Petrus Remensis zugeschriebene bearbeitung, auf die ich Anglia III 400 hingewiesen habe, in hexametern verfasst sein, obgleich nach dem allein mitgeteilten anfangsverse

[1] *dh. wol die Disciplina clericalis.*

Z. F. D. A. neue folge XIII.

Tempore Trajani studii cultura prophani
auch distichen möglich sind.[1]

Die hs., der ich den nachstehenden text entnehme, befindet sich auf der Bodlejana und trägt die signatur Laud. Misc. 410. ich setze sie in das 11 jh., wie es auch Coxe in seinem cataloge tut, möglicher weise ist sie noch älter. sie stammt nach Coxes angabe aus einem carthäuserkloster bei Mainz. abschrift des textes, von dem ich mir bei meinem letzten aufenthalte in Oxford nur kurze notizen machen konnte, verdanke ich Mr George Parker, der als sorgfältiger arbeiter bekannt ist. herr dr Neubauer vermittelte mit bekannter gefälligkeit die sache.

Beide von mir mitgeteilte versionen gehen auf die in den AASS aao. s. 123 ff abgedruckte griech. prosa zurück, von der die lat. prosa ebenda nur eine mehr oder weniger wörtliche übersetzung ist. doch ist die version in distichen eine sehr freie bearbeitung, während die version in hexametern sich viel genauer, häufig wörtlich, soweit es angeht, an die vorlage hält. doch hat der verfasser der version in hexametern den Virgil ziemlich stark benutzt, indem er phrasen und formen, bisweilen sogar ganze verse mit nur geringen modificationen aus diesem dichter seiner arbeit eingefügt hat. ich habe mir die folgenden stellen notiert:

Auscultans Placidus haec rursum **volvitur arvis** (107)

Excussus curru moribundus **volvitur arvis** *(Aen. x 590).*

---

[1] *die vierte metrische bearbeitung ist die in distichen, die fünfte die von Dümmler Zs. 23, 273 ff nach einer Veroneser hs. mitgeteilte. nachträglich eine bemerkung zu v. 112 der version in distichen, wo ich den namen Codrus angezweifelt habe. Reinhold Köhler hatte die liebenswürdigkeit, mir darüber folgende bemerkung zugehen zu lassen: 'Codrus in aere fuit ist ganz richtig. Sie haben nicht daran gedacht dass Codrus — nach dem Codrus des Juvenal III 203 und 208 — bei den lat. dichtern des mittelalters für einen sehr armen menschen, wie Croesus für einen sehr reichen, nicht selten gebraucht wird. auch v. 214 haben wir den Codrus wider.' die angezogene stelle aus Juvenal lautet vollständig:*

    Lectus erat Codro Procula minor, urceoli sex,
    Ornamentum abaci; nec non et parvulus infra
    Cantharus et recubans sub eodem marmore Chiron;
    Jamque vetus Graecos servabat cista libellos,
    Et divini opici rodebant carmina mures.
    Nil habuit Codrus: quis enim negat? . . . .

in der griech. und lat. prosa der AASS fehlt der name auch an der zweiten stelle.

Uxorique suae cuncta haec ex ordine pandit (129)

Anchisen facio certum remque ordine pando *(Aen.* III 179)

Suscipit Anchises atque ordine singula pandit *(Aen.* VI 723).

˙Cumque Aurora polo radiis dimoverat umbram (173)

Umentemque Aurora polo dimoverat umbram *(Aen.*
          III 589, IV 7).

Regnator Olympi (187) = *Aen.* II 779, VII 558 *(ein sonder-*
          barer titel für Christus).

Omnes dum mare velivolum sani superassent (284)

Despiciens mare velivolum terrasque jacentis *(Aen.* I 224).

Valde gemens pueros lacrimis affatur obortis (294)

. . . . lacrimis ita fatur obortis *(Aen.* XI 41).

Hei mihi, qualis eram, quantum mutatus ab illo (328)

Hei mihi, qualis erat, quantum mutatus ab illo *(Aen.* II 274).

Contigit, ille ut nauta fuisset morte peremptus (369)

Ut venere, vident indigna morte peremptum *(Aen.* VI 163). ˙

Omnes explorat, Placidus si vescitur aura (380)

Quem si fata virum servant, si vescitur aura *(Aen.* I 546).

Maris arva (387) arva Neptunia *(Aen.* VIII 695).

Ille ego non sum, nec tali me dignor honore (452)

Tum Venus: haud equidem tali me dignor honore *(Aen.*
          I 335).

Ille illos omittens omnibus oscula libat (471)

Oscula libavit nautae˙. . . . . . *(Aen.* I 256).

Dahin gehört ferner der gebrauch von olli = illi *(64 usw.),*
arbos *(324), beide formen bei Virgil, des infinitivs* dominarier
(749), ebenfalls bei Virgil (Aen. VII 70*), und einiges andere.*

*Daneben finden sich einige stellen, die aus einer andern quelle
zu stammen scheinen, ohne dass ich dieselbe nachweisen kann.
auch der ganze folgende vers klingt wie entlehnt:*

Utque diem Titan et noctem Cynthia comet (95).

*Verstöße gegen die quantität finden sich nur selten; dagegen
haben viele verse keine regelrechte cäsur. — die schreibung habe
ich ebenso geregelt wie in der ersten version. — den litteratur-
nachweisen von Knust, Köhler und mir füge ich jetzt noch bei
Germania* XXV 132.

*Mein freund Lütjohann, jetzt in Kiel, ist mir auch bei bear-
beitung dieses textes behilflich gewesen.*

Incipit Vita et Passio Beati Eustachii et Uxoris Filiorumque
ejus. *(fol. 1ʳ)*

Rex aeterne poli, mundani rector et orbis,
Exaudire tuum servum dignare precantem,
Ingenium ut mihi concedas et verba loquelae,
Quo valeam Placidi depromere facta beati.

5 Temporibus romana quis Trajanus in urbe
Regnabat mundum antiquo fallente dracone,
Miles erat quidam, Placidus de nomine dictus.
Militis ille fuit princeps custosque catervae,
Insignis factis et nobilitate micabat, *(fol. 2ʳ)*

10 Et pollens opibus, captus sed daemonis astu,
Justitia comptus, meritorum dote refulgens;
Judicio injusto damnatos eripit ille,
Pauperibus multo solamine subveniebat,
Nudis dat vestes, alimentis pavit egentes.

15 Omnes consolans angustia quos retinebat,
Quamvis gentilis complevit opus pietatis,
Nescius et domini mandata secutus ubique
Justum Cornelium exemplis fuit ille imitatus.
Huic vivens fuerat sub cultu daemonis uxor,

20 Aequalique viro vita per cuncta manebat;
Ex illis etenim mares bini generantur.
Aspectu pulcher fuit hic et fortis in armis,
Undique barbarica atque illi gens subdita stabat.
Ille primis industris erat venator ab annis.

25 Sed dominus pius et clemens, qui semper ubique
Quos novit dignos fieri sibi convocat ad se,
Hujus opus non spernit, sed mercede rependit,
Illius et mentem vero de fonte rigavit,
Tuncque modo tali tulit ex cultu simulacrum.

30 Contigit, ut quadam de more die peragraret
Venatum montes turba comitante vasalium.
Ecce, greges stantes cervorum cernit ibidem,
Quos, ut doctus erat, circumdabat agmine magno; *(fol. 2ᵛ)*
Insidiis positis illos canibus sequebatur.

35 Militibus cunctis cervorum indagine captis

---

29 simulacra *hs. vgl. v.* 124

Apparebat ei subito speciosior unus,
Quique sua superans alios pinguedine cervos,
De grege qui fugitans alio silvam repetivit,
Atque cito cursu loca per densissima vadit.
40 Quem Placidus zelo nimio comprendere anhelat,
Atque suum linquens agmen paucos tulit ad se;
Cum simul his ilium grandi studio sequebatur.
Omnibus his lassis Placidus tunc solus anhelat
Affectu nimio cupiens comprendere cervum.
45 Nam pietate dei quod non lassante caballo
Spissus eum locus ullus non tardabat euntem,
Quin alacri citius cursu cervum sequeretur,
Agmine de cuncto tunc ipse remotus abibat.
Cervus in altam conscendens rupemque ibi stabat;
50 Tunc Placidus sine militibus properabat eodem.
Undique prospiciens rupem coepit cogitare,
Insidiis potuisset quis adquirere cervum.
Sed dominus se venantem captare malebat.
Non ut Cornelium per Petrum ad se revocavit,
55 Sed veluti Paulum, qui se ipsum persequebatur,
Quemque suo fecit monstratu ex hoste superbo
Ipse sibi fidum famulum dignumque ministrum,   *(fol. 3')*
Ipse modo clemens Placidum convertit eodem.
Stante diu Placido pastum miranteque cervi
60 Hoc de venatu sese voluit retinere.
Tunc illum dominus monuit, quo fortis adesset,
Illius et molem cervi non ipse timeret.
Antea quique asinae Balaam dedit ora loquelae,
Ipse hominis cervo sermones addidit olli.
65 Cornibus in mediis et ei crux aurea fuisit,
Quae splendore suo solis radios superabat;
Atque suam formam monstrans ibi Christus Iesus,
Quique per os cervi inscitiam Placidi increpat ultro
'O quid tu venatu me, Placide, insequebare?
70 Ecce, salute tui ad praesens animal veniebam;
Christus enim sum, cui servis tu nescius ipse.
Conspexi, tua pauperibus quae dona dedisti,
Et mihi te volui cervum captare per istum,
Retibus atque meis te ducere ab hoste maligno.

75 Non modo fit justum, meus ut famulus simulacris
    Serviat inmundis, qui factis vivit amoenis.
    Haud aliam ob causam terrenum corpus inivi,
    Ni genus humanum ut salvarem ex fraude maligni.'
    Haec audisset cum Placidus terrore repletus,
80 Lapsus equo ruit ad terram, ceu mortuus esset.
    Una hora transacta in se rediens cito surgit (fol. 3ʳ)
    Cautius illa volens spectacula cuncta videre,
    Quae fuerant sibi de pietate dei patefacta.
    Tristis dum secum tacitus coepit cogitare,
85 Visio quam vidit haec quid portendat amoena,
    Tunc studuit dominum sincera mente precari:
    'O bone rex coeli, dignare mihi tua verba
    Pandere, quae stulto mihi per cervum loquebare,
    Ut cognoscere quoque modo in te credere possim.'
90 Tunc pius et clemens dominus dicebat ad illum:
    'Auribus intentis, Placide, auscultare memento.
    Ast ego sum dominus, terrae qui machina feci,
    Et coeli solus firmamina tota peregi;
    Lucem de tenebris, lymphas terrisque removi,
95 Utque diem Titan et noctem Cynthia comet
    Jussi, necnon et coelis ego sidera pinxi;
    Alta maris firmans et quicquid vivit in orbe;
    Postremum formavi hominem de cespite ruris,
    Illius inque manus donabam cuncta creata.
100 Qui ruit in mortem mox suasus ab hoste veterno;
    Exin stirps sua sub serpentis erat dominatu,
    Donec terrenum decrevi sumere corpus,
    Cum quo celsa crucis conscendi robora promptus,
    Et quod concessi tumuli sub jure teneri.
105 Deinde die terna surrexi daemone victo, (fol. 4ʳ)
    Ac genus humanum inferni de fauce reduxi.'
    Auscultans Placidus haec rursum volvitur arvis;
    Cordis ab affectu Christum vocitabat et infit:
    'Credo equidem mundi factorem te fore, Christe,
110 Errantes qui convertis per lumina vitae,
    Optatam qui das et vitam morte sepultis.'

92 machina *hat der verfasser für neutr. plur. gehalten*

Illius ut dominus vidit cor, dicit ad ilium:
'Si credis, Placide, at propera festinus ad urbem,
Pontificem summum conquirere sit tibi cura,
115 Christi qui populi dignus modo pastor habetur.
Illum posce, tibi quo det baptismatis undam,
Sordibus ablutus de cunctis ut merearis
Regna videre dei, quo gaudent agmina coeli.'
Respondens Placidus domino et dicebat ad illum:
120 'Christe, jubes, haec ostenta ut mea femina noscat,
Sicque meis possim natis haec dicere dicta?'
Dicit ei dominus: 'Has illis pande loquelas,
Ut credant et suscipiant purgamina vitae.
Quis dum vos eritis loti ab cultu simulacrum,
125 Tu statim pedibus ne tardes huc repedare.
Hic iterum apparebo tibi, dicamque futura,
Quae tibi provenient cito pro mundamine mentis.'
Credulus his Placidus verbis sua tecta revisit,
Uxorique suae cuncta haec ex ordine pandit, *(fol. 4')*
130 Quaeque sibi Christus monstrabat montibus altis.
Illa haec auscultans nimium se corde resultat,
Atque suum dominum vocitans dicebat ad illum:
'Domne meus, Christum sic vidisti crucifixum,
Quem Christi populi semper recolunt et adorant;
135 Solus enim is verus deus est, qui cuncta creavit,
Hesternae noctis ego quem per somnia vidi,
Necnon talibus et verbis mecum fabulatur:
"Mox ad me venietis, tu simul atque tuus vir,
Necnon vobiscum vestros subducite natos".
140 Et nunc cognovi, quoniam ipse est Christus Iesus,
Qui tibi per cervi voluit se ostendere formam,
Ut magis illius mireris tu pietatem.
Ecce, necesse manet baptismum quaerere sanctum
Nos, quo gens mundata micat Christo numerata.'
145 Respondens Placidus tunc et dicebat ad illam:
'Is mihi sic dicit, montis quem in culmine vidi.'
Ex stratis surgunt ambo mediantibus umbris,
Omnibus illorum famulis somnoque sopitis,

121 sique *hs.*   133 sic] si *hs.*

Binas atque suas secum soboles referebant,
150 Adque sacerdotem pergebant Christicolarum;
Cuncta et ei promunt miracula, quae sibi visa
De Christo fuerant, se et baptizare rogabant.
Ille haec auscultans alacri de corde manebat, *(fol. 5')*
Altithrono laudes et magnis vocibus infit:
155 'Laus et gloria sit tibi, mundi Christe redemptor,
Omnes qui salvare cupis, nec perdere quemquam
Ex illis vis, qui dominum te credere quaerunt.'
Illis tunc statim baptismi arcana retexit,
Et consignat eos baptizans nomine trino.
160 Ac Pla_{ci}do Eustachium nomen donabat habere,
Majoremque suum natum Agapitum vocitabat,
Atque aliud pulchrum notat nomen Theophistum,
Illius uxori nomen posuit Theophistam.
Tunc illos una confirmans chrismate Christi,
165 Dimittens illos domino commendat, et inquit:
'Sit dominus semper vobiscum, Christus Iesus,
Qui dignatus erat vos ad sua regna vocare,
Et sedem vobis dedit in caelestibus aulis.
Vos precor ob Johannem, quo dominum rogitetis,
170 Consors ut vestri valeam sine fine manere.'
Tunc simul ad proprium tectum redeunt in eadem
Nocte, et magnificas domino grates referebant.
Cumque Aurora polo radiis dimoverat umbram,
Ilico et Eustachius paucos homines tulit ad se;
175 Ac silvam repetit, cervos et quaerere jussit,
Et montem notum solus sine milite adibat,
Adque locum properat, quo Christus ei antea fulsit. *(fol. 5')*
Ast dignatus erat Christus sua verba replere,
Atque suam formam illi praesentabat amoenam.
180 Aspiciens hoc Eustachius terram petit imam,
Vocibus altisonis Christum dicens vocitabat:
'Te solum verumque deum modo, Christe, fatebor,
Qui cum patre deo regnas, cum spiritu et almo.
Credo equidem nunc, quod pater est et filius hoc est,
185 Spiritus inde etenim quod nunquam discrepat almus;

162 alio *hs.*   163 Theopistim *hs.*

Has tres personas unum esse deum bene nosco.
Idcirco rogitans rogo te, regnator Olympi,
Ut mihi digneris promissa exponere verba.'
Tunc illi Christus clementer dixit Iesus:
190 'O felix Eustachi, qui lotus renitebis
Purgatusque salutiferi baptismatis unda,
Ecce, tuum modo praedonem, zabulum, superasti,
Ex mortali homine immortalis et efficieris.
Nuncque tuae fidei fuerit virtus patefacta,
195 Ecce, parata manent hostem certamina contra
Antiquum, magna quoniam turbabitur ira
Ille adversum te, quia tu illum deseruisti.
Idcirco erga te cupit exercere furorem
Ille suum, fraudesque suas tibi pandet amaras.
200 Te decet hic sufferre meo pro nomine multa
Adversa, accipias ut caeli praemia regni; *(fol. 6ʳ)*
Et, sicut exaltatus, adhuc nimium renitebis
Multis divitiis vanis opibusve caducis.
Sed pauper rebus debes fore tempore parvo,
205 Ut tua clarescat clare patientia cunctis.
Deliciis iterum veris polles et amoenis,
Tollere quas tibi nulla vaiet fraus hostis avari;
Non ergo tua deficiet modo virtus amoena.
Nec oculus tuus ad priscûm se vertat honorem;
210 Et velut invictum cupiebas te fore semper,
Exque tuis inimicis sumere magna trophaea,
Terreno regi sicuti servire studebas,
Tali namque modo debes certare malignum
Contra hostemque illum pedibus calcare studere,
215 Atque fidem veram regi servare perenni.
Temporibus monstratur in his in te alter et Iob;
Te mollire hostis cupit in temptamine multo,
Viribus e cunctis sed eum superare memento.
Est opus, ut verae fidei callem teneas nunc,
220 Et zabuli insidias contra quo praelia misces.
Ad cor si tibi perveniet blasphemia nulla,
Te tunc inveniet raptim pietas mea magna,

195 et te parta *hs.*   206 *statt* deliciis *wol* divitiis *zu lesen*

Ac rursum citius te gloria pristina captat.'
Tunc iterum Eustachio Christus sic dixerat Jesus:
225 'Vis tibi promissum cito nunc temptamen adesse, *(fol. 6')*
Extremo an hoc ferre tuae sub tempore vitae?'
Eustachius domino respondens dicit ad illum:
'Te rogo, Christe bone, ut sic eveniant tua dicta;
Et nobis modo certamen dignare parare,
230 Quod fac nos et posse pati cum mente benigna,
Fraudibus ullis ne faciat nos ille malignus
Acceptam verae fidei dimittere callem.'
Olli respondit dominus cum voce serena:
'Vobiscum semper maneo vestrasque gubernans
235 Mentes.'   Haec dicens Christus conscendit ad astra.
Eustachius de monte redit, sua tecta requirit,
Uxorique suae promens sibi credita dicta.
Tunc dominum poscunt pariter cum poplite curvo
Dicentes: 'In nobis fit tua, Christe, voluntas!'
240 Postea transactis paucis nam deinde diebus
Accidit, illius ut tectum morbus vacuasset,
Olli nec ullus famulus nec serva remansit.
Eustachius temptamen tunc sibi sensit inesse
Promissum, dignas domino gratesque rependit,
245 Uxoremque suam, quo firma mente maneret,
Admonuit, nec illo deficeret laboratu.
Tuncque mori illius raptim coepere caballi,
Illius omne pecus pestis consumpsit amara;
Quicquid ei vivens fuerat mors omnia sumpsit. *(fol. 7')*
250 Eustachius patienter tunc haec cuncta ferebat;
Uxoremque suam tollens binas sobolesque,
Deque suo templo discessit nocte latenter.
Hoc fures aliqui perversi conspicientes
Invadunt tectumque hinc omnia diripientes,
255 Aurum, gemmas, vestes, argentique metalla.
Rebus eis mundi de cunctis nilque remansit
Vestibus exceptis, velati quis fuerant tunc.
    Contigit ut gens romana istis forte diebus
Cum simul Augusto celebraret gaudia magna

224 *Isus hs.*

260 Illo proque trophaeo, in Persis quod fuit actum.
    Rex tunc illius et proceres mirantur abesse
    Tantis laetitiis Placidum, quia militis ille
    Princeps atque magister erat per tempora multa.
    Tunc ilium caute jusserunt quaerere ubique,
265 Sed nusquam inventus. Magis illos terror habebat,
    Quod tam consummata fuit cito cuncta facultas
    Illius, et nusquam praesens ipse apparuisset.
    Eustachio conjunx sua tunc dicit Theophista:
    'O quid, domne, locis nos expectamus in istis?
270 Nunc nostros natos binos nos accipiamus;
    His exceptis nil nobis superesse videtur.
    Ecce, necesse manet nos hinc abscedere longe,
    Derisum ne simus eis, qui nos bene noscunt.' *(fol. 7')*
    Nocte superveniente ad se pueros revocarunt,
275 Necnon Aegypti cupiunt invadere regna.
    Ast binis transactis cursibus inde dierum
    Ad mare deveniunt, puppimque intrare volebant.
    Inveniunt navim, statimque hanc ingrediuntur.
    Contigit, ut princeps nautarum barbarus esset;
280 Illius in navim ascendunt, maris alta secabant.
    Uxorem Eustachii cymbae dum conspicit herus,
    Illius in magno fuerat deceptus amore,
    Illa fuit vultu quoniam nimium speciosa.
    Omnes dum mare velivolum sani superassent,
285 Tunc classis dominus naulum deposcit ab illis.
    Illi nil tenuere, ob naulum quod dare possent;
    Uxorem Eustachii tenuit pro pignore nauli.
    Conspiciens hoc Eustachius tunc firmiter illam
    Cum manibus retinens, et secum ducere anhelat.
290 Nautarum princeps sociis tunc innuit ipse,
    De prora Eustachium ut mersarent in maris alta.
    Ille videns hoc uxorem dimisit, et ibat,
    Tristis et infantes secum tulit, inde recessit.
    Valde gemens pueros lacrimis affatur obortis:
295 'Heu, datur externo mater nunc vestra marito.'
    Pergens cum gemitu quandam pervenit ad undam

268 theophistim *As.*   281 heros *As.*   289 hanelat *As.*

Horrifici fluvii, quam invadere non fuit ausus *(fol. 8')*
Cum natis ambobus ob iram fluminis alti.
Unum humero tollens, aliumque in litore linquens
300 Illum, quem collo tenuit, trans acquora ponit,
Ac statim repedans, alium ut puerum revocaret.
Cumque teneret iter medii fluctus, leo statim
Adveniens rapuit natum, quem quaerere venit,
Necnon et rapido cursu silvas repetivit.
305 Ille revertens et prolem lacrimis quaeritabat.
De illo desperans alium servare cupibat,
Illum sed lupus arripiens per devia cursat.
Eustachiusque videns hoc stans in fluminis unda,
Et lacrimans crines capitis divellere coepit.
310 Plangens atque ululans voluit se in gurgite mergi,
Sed pietas domini illum constantem fore fecit,
Illius et mentem fidei cum robore firmans.
Illum quem raptat puerum leo servat amoene;
Pastoresque leonem, cum portare viderent
315 Infantem vivum ilium, cum canibus sequebantur;
Ille dei nutu puerum dimisit ab ore
Inlaesum, et silvas vacuus sine pondere adibat.
Ast aliam prolem, ingens quem lupus arripiebat,
Agricolae sanum rapuere ex fauce lupina.
320 Pastores et aratores nam contigit esse
Ex uno vico, pueros qui suscipientes *(fol. 8')*
Cara nutribant illos cura genitorum.
Haec vero Eustachius nescit, sed pergit et infit:
'Hei mihi, qui quondam florebam ut fertilis arbos!
325 Vivo modo orbatus natis uxore perempta.
Hei mihi, quam magnis opibus quondam fruitabar!
More hominis peregrini impellor ducere vitam.
Hei mihi, qualis eram, quantum mutatus ab illo
Milite, qui quondam fueram dux agminis almi,
330 Et qui septus eram magnis turbis populorum!
Amissis natis nunc et sine conjuge solus
Cogor in ignotis terris, heu, quaerere victum.
Sed tu, Christe, meos gressus comitare benigne,

---

306 cupibat *so hs., ebenso* nescibat (363) *und* venibat (729)

Atque meas lacrimas clemens dignare videre;
335 Nam bene te memini quondam mihi, Christe, loquentem,
Quod veris deberem exemplis Job imitari.
Sed mihi majora incumbunt certamina mentis;
Omnis ei quamvis fuerit distracta facultas,
At tamen illi concessum fit stercus in aula;
340 Ast ego de nota patria procul exul abibo.
Ille tenebat amicos etsi ficta loquentes,
Sed tamen illi solamen verbi referebant.
Heu, mala quam solamina donabant mihi beluae
Inmites, mihi quae natos caros rapuere!
345 Ille etenim si ramos non in prole tenebat, *(fol. 9ʳ)*
At tamen illum firma manens in conjuge radix;
His ego dimissis solus superesse videbor.'
Haec dicens dominum sincera mente precatur:
'Christe, tuum famulum ne despice multa querentem,
350 Infandae sed pone meo ori claustra loquelae,
Ne verbis ullis valeam te offendere fictis.
Ex oculisque tuis non me facias procul ire,
Jamque meis dignare malis imponere finem.'
Haec dixit lacrimans. Quendam vicum repetivit,
355 Omnis cui populus nomen dedit esse Dadyscus.
Ille suis manibus ibi victum quaerere coepit.
Post aliquod tempus cumque ille maneret ibidem,
Hujus enim vici proceres illum posuere
Custodem illorum frugum segetumque magistrum.
360 Ille hinc accipiens mercedem vixit ibidem
Ter quinos annos. Alio oppiduloque fuere
Illius enutriti infantes valde decori;
Quod fratres fuerint, nescibat neuter eorum.
Navis enim dominus secum tulit ad sua tecta
365 Uxorem Eustachii, sed Christus eam tuebatur,
Ille quod illam non potuisset tangere amore
Inlicito, sed casta manebat tempore in omni
lilo, quo disjuncta suo fuit exque marito.
Contigit, ille ut nauta fuisset morte peremptus; *(fol. 9ᵛ)*
370 Tunc Theophista beata sui compos remanebat.

339 stercoris aula *hs.*

Accidit his quoque temporibus, quod gens inimica
Imperium romanum invaderet hoste superbo.
Tunc regem retinens angustia magna timoris
Ex tam terrifico concursu gentis amarae;
375 Nescius ipse manens animo, qua vi potuisset
Pellere barbaricam gentem de finibus illis.
Tunc illi in mentem venit Placidi bona virtus,
Praefatos hostes qua sternit saepius ipse.
Tuncque sui regni rex omni gente vocata
380 Omnes explorat, Placidus si vescitur aura.
Hoc omnes illi sese nescire fatentur.
Nam rex militibus cunctis ad se revocatis
Omnia terrarum regna explorare jubebat,
Omnibus illis promittens dare munera larga,
385 Si quis eum prius inventum et sanum sibi ferret.
Tunc regis raptim famuli de rege regressi
Per terras Placidum quaerebant et maris arva.
Tunc etenim regis servi duo valde capaces,
Antiochus quorum unus nomine fit vocitatus,
390 Acatius miles nomen sed et alter habebat,
Qui Placido fidum famulatum saepe ferebant,
Hi studiose illum quaerentes forte venere
Ad vicum, segetum quo custos ipse manebat. *(fol. 10')*
Illos Eustachiusque videns pariter comitantes,
395 Illorum ex incessu nam bene novit eosdem.
Tunc prior illi in mentem conversatio venit;
Inde gemens dominum poscebat sic quoque dicens:
'O caeli rex, qui dignatus es omnibus illis,
Qui fuerint in te credentes, ferre salutem,
400 Spero equidem, quod me, velut hos agnoscere dabas,
Uxoremque meam facias ita, Christe, videre;
Namque meos natos sumpsisse feras ego novi,
Sed me fac illos, caeli rex, posse videre
Inque die illo, cum mundus de morte resurget.'
405 Tunc ex arce poli vox illi missa locuta est:
'O tantum, Eustachi, confidens mente maneto.

---

390 Acatius. *der latein. prosatext in den AASS hat* Achacius,
der griech. Ἀχάχιος, *die lat. metrische version* ι Achaius (*v.* 233)
400 dabas] habebas *hs.*

Cum natis sanis citius tibi redditur uxor,
Invenies statumque priorem tempore in isto.
Horum judiciique die majora videbis,
410 Ac ibi repperies caelestis gaudia regni,
Per gentesque tuum nomen vulgabitur omnes.'
Auscultans hoc Eustachius terrore repletus.
Atque videns illos homines ad se venientes
Tunc demum coepit dinoscere clarius illos.
415 Illi illum clare sed non agnoscere quibant,
Illum adeuntes et verbis affantur amicis:
'O frater, vale!' Et econtra responderat ille: *(fol.* 10')
'Pax sit vobiscum, cari fratres et amici!'
Idem rursus eum coepere viri rogitare,
420 Advena si vicis aliquis mansisset in illis
Cum natis binis comitante et conjuge cara,
Qui Placidus fuerit proprio de nomine dictus.
'Si nobis illum ostendas, te dona manebunt.'
Eustachius rogat illos, quid de illo voluissent.
425 Illorum dicunt quod et esset fidus amicus,
Atque illum quaesissent non per tempora pauca.
Eustachius rursum respondit eis quoque dicens:
'Namque virum talem non novi in finibus istis;
Temporibus multis moror hoc vico peregrinus.'
430 Inque suum hospitium gaudens induxerat illos,
Et pergens illis conquirere munera Bacchi,
Ut potaret eos, quoniam grandis fuit aestus.
Atque domus domino dixit, cum quo ipse manebat:
'Hos homines notos mihi noveris esse et amicos;
435 Idcirco mihi praesta escas et dona Lyaei.
Atque scies haec de mercede mea tibi reddi.'
Is gaudens illi dat quicquid poscit ab illo.
Tunc illis vescentibus Eustachius lacrimare
Coepit, et egrediens tectum, facieque lavata
440 Hospitium rursum rediens, illisque ministrat.
Inter seque viri praedicti verba ferebant: *(fol.* 11')
'Iste vir illi quam par est quem quaerimus ipsi!
Militis ille fuit forsan dux atque magister.'

435 ligei *hs.*

Unus enim aspiciens alium sic dicit ad illum:
445 'Illius in collo fuerit si forte cicatrix,
Illi in bello quae quondam fuit ense peracta,
Tunc illum Placidum cum vera mente teneto.'
Illius inspiciunt collum, verum hoc fore discunt.
Tum flentes illum amplexantur, eique loquuntur:
450 'Militis esne magister tu, Placidusve vocaris?'
Econtra lacrimis respondens ille profusis:
'Ille ego non sum, nec tali me dignor honore.'
Tunc illi in cervice ostendunt vulnera ferri,
Agminis atque ducem affirmant illum fore quondam,
455 Deque suis natis et conjuge multa rogabant.
Cum magna tandem pulsus vi vera fatetur;
Uxorem dicit cum natis esse peremptam.
Inter se flentes haec illi dum fabulantur,
. Hujus enim vici cives veniunt simul illo,
460 Et vulgus velut ad spectamen venit ibidem.
Civibus illis promere tunc coepere viri illi
Virtutem Placidi, quam fortis et esset in armis,
Divitiis cunctis quam clarus ante fuisset,
Extremoque ducem dicunt illum fore plebis.
465 Tunc illi mirari se coepere coloni, *(fol. 11')*
Quod tam magnus eis vir sub mercede ministret.
Hique viri Eustachio regis decreta ferebant,
Olli imponentes vestes multum pretiosas,
Atque viam pariter terni coeptam rapuere.
470 Tunc illi cives illum simul assequebantur;
Ille illos omittens omnibus oscula libat.
Dumque iter arriperent, illis edissere coepit,
In quali forma Christum conspexit Iesum,
Quoque modo baptizatus sit nomine trino,
475 Ille modo Eustachius quali et fuerit vocitatus;
Atque suos casus ex ordine cuncta ferebat.
Ter quinis etenim transactis deinde diebus
Perveniunt pariter gaudentes regis ad aulam.
Praefati regis famuli ingrediuntur ad illum;
480 Inventum Placidum dicebant adfore ibidem.

---

446 ense] esse *hs.*   476 *falsch, da* zu casus *gehörig*

Tunc nimium gaudens graditur rex obvius illi,
Et ruit illius in collum dans oscula et illi.
Omnis eum cum voce salutat deinde senatus.
Tunc regi et cuncto populo depromere coepit
485 Ipsius ex discessu, casibus atque misellis,
Ad mare quoque modo uxorem sibi nauta tulisset,
Qualiter a beluis pueri et capti periere;
Atque suos casus rege auscultante canebat,
Omnes et cunctis illos populis patefecit. *(fol. 12ʳ)*
490 Tunc rex atque sui proceres omnis quoque vulgus
Illius adventum gratanter suscipiebant.
A cunctis rogitatus priscum accepit honorem,
Militis atque fuit factus princeps, velut ante.
Rex illi narrat hostem sua regna tenere,
495 Econtra et raptim bellum debere parari.
Ille etenim totum regis superaspicit agmen;
Ad bellum hoc sibi sufficiens non esse videbat.
Omnes per regni vicos misitque per urbes,
Omnibus ex illis tirones jussit adesse.
500 Accidit ad vicum regis venisse legatos,
Eustachii quo nutriti fuerant duo nati,
Civibus ex illis juvenes binos repetentes.
Tunc cives illi donant illos peregrinos,
Infantes rapuerunt quos de fauce ferarum,
505 Regis ad obsequium, fuerant quia valde decori.
Tirones cuncti ante ducem pariter veniebant,
In numerum caute quos omnes sistere jussit.
Aspiciens omnes vidit juvenes ibi stantes
Illos, quos cuncti reputant fieri peregrinos.
510 Illorum ut speciem conspexit, eos sibi fecit
Esse ministros, quo manibus sibi pocula ferrent.
Deinde dies post paucos militiam revocavit,
Agmen disposuit, bellum committere coepit. *(fol. 12ᵛ)*
Hostes exuperans de finibus expulit illis,
515 Illos trans fluvium sequitur, qui dictus Idaspis.
Necnon ulterius gradiens cum milite multo
Hostes occidit, terram est populatus eorum.

495 parare *hs.*

Ulterius cupiens illorum invadere regna
Ex nutu domini vicum pervenit ad ipsum,
520 Quo pietate dei conjux sua casta manebat,
In cujusdam sola viri quae mansitat horto.
Eustachius pervenit ibi cum milite magno,
Agmine cum toto pausans ibi tres quoque soles,
Ille locus quoniam speciosus valde videtur.
525 Juxta hortum Eustachii fuerant tentoria fixa,
Quo Theophista beata suam casulam retinebat.
Praedicti juvenes matris tecto morabantur
Ignari, quod et ipsa fuisset mater eorum.
Dum mediante die hospitio pariter recubarent,
530 Inter se coepere suos disponere casus,
Quoque modo illis accidit in juvenilibus annis.
Auribus intentis genitrix haec verba recepit.
Tunc senior frater fratri dixit juniori:
'Nam memini, mihi quid puerilibus accidit annis.
535 Nempe meus princeps fuerat pater agminis ante,
Mater enim mea valde fuit facie speciosa;
Pulcher erat junior vultu nimium mihi frater. *(fol. 13')*
Nocte domo digressi nos secum rapientes
Ad mare perveniunt, unam navim ingrediuntur,
540 Ignari, cursum quo vellent tendere coeptum.
Cumque maris cuncti inlaesi superavimus alta,
Mater non fuerat mea nobiscum comitata.
Nescio, quae malefida illam fortuna tulisset.
Nos noster pater arripiens flens coepit abire;
545 Ad quendam fluvium nobiscum cumque veniret,
Ille meum fratrem collo imposuit juniorem,
Illum trans undas portat me in litore linquens.
Cumque iterum flumen repedaret me revocare,
Ecce, meum fratrem lupus arripit, inde recessit.
550 Ante meus pater ad me quamque venire valeret,
De silva veniens leo me subito rapiebat.
Pastores me diripuere ex fauce ferina;
Deinde fui hoc vico nutritus, scis sicut ipse.
Nescio, quid de patre meo vel fratre sit actum.'

538 domum *hs.*   540 ignarus *hs.*

555 Audiit haec frater junior fratrem seniorem
Narrantem, coepit lacrimas effundere dicens:
'Nosco tuis de verbis me esse tuum quoque fratrem;
Namque viri, qui me nutribant, hi mihi dicunt
Me quondam fore direptum de dente lupino.'
560 Se tunc amplexantes, inque vicem oscula donant.
Illorum dum verba audiret mater eorum, *(fol. 13')*
Atque videret eos inter se fundere fletus,
Illius intellexit eos ambos fore natos.
Militis illa die veniens alio ante magistrum,
565 Illius implorans pietatem, sic quoque dicens:
'Romanae mulieris tu miserescito, domne,
Ut me digneris patriae deponere priscae,
Quae captiva fui vicis his tempore multo.'
Haec inter verba aspiciebat cautius illum,
570 Illius in collo vidit fore vulnera ferri.
Inde suum vere cognoscens esse maritum
Illius ante pedes ruit, et flens dicit ad illum:
'O bone domne, tuam miseram ne spernito servam,
Atque tuam clemens vitam mihi pande priorem.
575 Credo equidem Placidum te militis esse magistrum,
Quem dominus Christus per cervum ad se revocavit.
Te praesul lotum Christi baptismate summus
Eustachium vocitans, consignans chrismate sacro.
A domino accepisti qui temptamina multa;
580 Omnibus atque tuis amissis rebus opimis,
Uxoremque tuam cepisti, ego quae fueram ipsa,
Ad mare cum natis veniebas denique binis;
Navim ingressus in Aegyptum descendere mallens.
Nauta ibi me retinebat eo, quod barbarus esset,
585 Et me captivam secum duxit loca ad ista. *(fol. 14')*
Testor enim Christum, qui cuncta abscondita novit,
Quod non ille unquam, nec vir me polluit alter,
Sed pietas domini castam servavit adhuc me.
Signa tibi praedicta habeo, sed dic mihi veram
590 Rem per virtutem Christi, quem credimus ipsi.'
Audiit Eustachius haec, necnon cautius illam

566 mulieri *hs.*   581 accepisti *hs.*

Perspiciens didicit, quod et ipsa foret sua conjux.
Laetitiam ob nimiam lacrimas effundere coepit,
Illam amplexans osculatur eam quoque dicens:
595 'Gloria, laus et honor tibi sit, bone Christe, redemptor,
Omnes qui temet semper solaris amantes.'
Tunc dominoque suo dixit Theophista beata:
'Domne, ubi sunt nostri nati?' Cui dixerat ille:
'Sunt etenim consumpti ex beluis morte cruenta.'
600 Illorum interitum narrabat ei manifeste.
Tunc iterum Eustachio dixit Theophista sacrata:
'Laudemus Christum, qui nos conferre volebat;
Spero, quod ipse facit nostros nos noscere natos.'
Tunc rursum Eustachius respondit ei quoque dicens:
605 'De beluis illos sumptos fieri tibi dixi.
Tu ad praesens illos te posse videre fateris?'
Illa iterum verbis respondit valde modestis:
'Nempe die hesterna, casula dum forte manerem,
Audivi narrare duos, quid contigit illis, *(fol. 14')*
610 Inter se quosdam juvenes juvenilibus annis;
Inde scio, quoniam nostri sunt hi quoque nati.
Illi ignorantes sed adhuc fratres fore sese,
Ni deprompsisset sermo fratris senioris.
Tu cognosce, dei pietas fit qualis in illis,
615 Ex propriis verbis se agnoscere qui dedit illos.
Posce illos; illi tibi quae sunt vera fatentur.'
Eustachius jussit pueros ad se revocare,
Atque rogans illos, qui vel nati unde fuissent.
Illi et ei causam promunt ex ordine cunctam,
620 Erga illos quae facta fuit puerilibus annis.
Inde suos cognovit eos fieri bene natos.
Ambos amplexans illis dat basia cara,
Atque modo simili illis mater et oscula libat;
Illorumque humeros retinentes fletibus almis
625 Magnificas Christo domino grates referebant
Pro magna pietate sua, quam contulit illis,
Laudibus altisonis simul hora deque secunda
Usque poli medium Phoebus dum currit in axem.

627 almisonis *hs.; so wird vielleicht auch v.* 624 altis *statt* almis
zu lesen sein

Dum festina haec fama per agmen convolat omne,
630 Illorum inventu gaudebat militis omnis
Turba magis, quam barbaricae ex gentis superatu,
Atque sequente die sollemnia magna celebrat
Pro ducis inventu uxoris necnon puerorum, *(fol.* 15ʳ)
Et Christo laudes canit illius ob pietatem.
635 Barbaricam Eustachius postquam gentem superavit,
Ac multam victor praedam subduxit ab illa,
Laetitia laetus nimia ad romana revertit
Imperia, et secum ducens sibi munera cara,
Captivos multos retinens alia atque trophaea.
640 Contigit, Eustachius Romam prius inde veniret,
Ad mortis portas Caesar Trajanus ut isset,
Atque alius romana rex surrexit in arce
Barbarus atque ferox, Adrianus qui vocitatur.
Iile venire ducem Eustachium dum sensit ab hoste
645 Illius et socios portantes magna trophaea,
Illorum surrexit in occursum comitante
Multimoda turba, ut Romanis mos fuit ante
Sollemnes celebrasse dies ob tale trophaeum.
Multa rogat rex Eustachium super actibus illis,
650 Qui bello fuerant ex illo fortiter acti;
Multa rogans ex conjugis ac prolum agnitione.
Tunc epulas alacres extendit laetus abunde.
Inque sequente die pergens ad templa deorum,
Munera pro tantis sollemnia ferre triumphis.
655 Dona daturus rex intravit Apollinis aedem;
Substitit Eustachius spernens oracula Phoebi.
Ad se tunc revocans illum rex dicit ad ilium: *(fol.* 15ᵛ)
'Cur non sacra feres dis immortalibus alma
Barbaricae pro magnifico gentis superatu,
660 Conjugis ob carae inventum necnon puerorum?'
Caesaris econtra verbis respondit at ille:
'Oro meum dominum Christum, qui regnat Olympis
Omnipotens cum patre deus spiritu simul almo,
Illum ex ore meo semper manet hostia laudis,
665 Ad patriam qui me dignatus erat revocare,

652 abinde *hs.*

Uxoremque meam ac proprios reddit mihi natos.
Non alium dominum colo necve deum scio quoquam,
Ni qui factor erit caeli, quique arva peregit.'
Commotus nimiam tunc rex Adrianus in iram
670 Jussit ei statim de lumbis solvere zonam,
Ac illum veluti damnatum adstare jubebat.
Illius uxorem et natos ibi fecit adesse,
Et verbis illos blandis terroribus atque
De cultu vero voluit subducere Christi.
675 Sed nec terror eos nec blandimenta valebant
Ulla fide ex vera summi divellere Christi.
Cognoscens mentes firmas fore Caesar eorum
Tunc omnes illos inducere jussit arenam,
Atque leoni illos immiti dat lacerandos.
680 Ille sed accurrens mitis pervenit ad illos
Summittens caput, orare illos ceu voluisset, (fol. 16')
Ac statim citus ex illa discessit arena.
Nam rex aspiciens, illis quod belua fuisset
Innocua, incendique bovem tunc jussit aenum.
685 Machina forte bovis stetit illic aerea magna,
Et sanctos illos huc introducere jussit.
Undique conveniunt populi spectacula ad ista
— Christicolae necnon incredula gens fuit illic —,
Sanctorum ut possint mortem et tormenta videre.
690 Horrendam inducti pecudis formam rogitabant
Sancti carnifices spatium dominum rogitandi.
Aereus ille fuit bos magno accensus ab igne.
Tuncque suas tendunt palmas, ac talibus orant
Vocibus altithronum, caeli qui conditor extat:
695 'O bone Christe, poli qui orbem ditione gubernas,
Qui nobis dignatus eras ostendere temet,
Ac voluisti ad tantum nos revocare triumphum,
Tu, deus omnipotens, audi nos te rogitantes.
Novimus ex pietate tua fore vota peracta
700 Nostra, locis ex diversis quod nos revocati
Sortibus una sanctorum merebamur inesse.
Te, solum verumque deum, nos deinde precamur,
Qui tribus pueris solamen in igne dedisti
Illis, et firmae firmans firmamina mentis,

705 Confer opem nobis divinae tu pietatis, *(fol.* 16ʳ)
    Nosque per ignes ut tua regna intrare queamus.
    Reliquiis nostris tribuas haec munera grata,
    Ut quicumque suis precibus nostri memorantur,
    Quique petunt veniam ex te per suffragia nostra,
710 Partem cum nobis in caelis se quoque gaudent
    Almam et cum sanctis aliis semper retinere,
    Terrenisque bonis hic sufficienter abundent.
    In mare vel venient illis si siqua pericla,
    Seu fluviis aliis aliquod patiuntur amarum,
715 Auxiliumque tuum poscunt per nomina nostra,
    Illorum exaudire preces dignare benigne,
    Deque suis illos tu diripe, Christe, periclis.
    In maculas peccati si suadente maligno
    Inciderint, necnon nos in sua vota vocabunt,
720 Illorum clementer tu peccamina solve.
    Quique tibi laudes reboant nostri in memoratu,
    Illis auxilium largire tua ex pietate,
    In quali fuerint depressi cumque labore.
    Et nobis concede, deus, firmamina cordis,
725 Hujus ut ignis non nobis terror dominetur.
    Sed nostras animas caelo per tale trophaeum
    Adfer, corporibus tribue et magnalia dona,
    Unius illa simul capiat quo fossa sepulcri.'
    Haec illis orantibus alma venibat ad illos *(fol.* 17ʳ)
730 De caelis illos confortans vox ita dicens:
    'Sic vobis fuerit, dominum sicuti rogitastis,
    Necnon his donis cumulantur et altera dona
    Vobis idcirco, quoniam zabulum superastis,
    Atque boni facti bellatores domini estis.
735 Illius et passi pro nomine multa fuistis
    Adversa; in nullis estis quoniam superati,
    Sub pedibus sed quod temptamina cuncta teristis,
    Ecce, venite dei festine nunc benedicti,
    Cum sanctis caeli capturi praemia regni,
740 Proque caducis aeternum munus retinentes,
    Quod vobis fuit ante paratum tempora mundi,
    In quo debetis gaudere per omnia saecla.'
    Auribus haec sancti gratanter suscipiebant,

Ac laudes domino pro tali munere reddunt.
745 Aerea Vulcani intrarunt incendia laeti;
Extinctus nimii statim fit fervor et ignis.
Hymnisonis dominum resonant concentibus illi,
Atque suas animas caelo cum laude remittunt.
Corporibusque nihil potuit dominarier ignis,
750 Nec saltim capitum potuit perstringere crinem.
Post tres deinde dies venit rex impius illo,
Quo fuerant illi passi cum corpore sancti,
Atque bovis jussit molimina magna recludi, *(fol. 17')*
Reliquiis ut conspiceret quid tunc foret actum
755 De sanctis, quas credidit ustas esse per ignem,
Non parvam secum ducens turbam populorum.
Sanctorumque videntes integra membra manere
Credebant et adhuc illos anima vegetari.
Rex illos jussit coram producere sanctos.
760 Omnes adstantes ibi nam mirantur, ab igne
Illorum quod caesaries non tacta fuisset.
Horrescit rex tale videns mirabile signum
Impius, atque suam multum tristis petit aulam.
Ast alius domino gaudens populus canit hymnum,
765 Quique aderant omnes una sic voce ferebant:
'Est dominus deus [unus] et altus Christicolarum,
Non alius deus est in caelis sed neque in arvis,
Ni is solus, quem Christicolae recolunt et adorant,
In se credentum ex membris qui depulit ignem,
770 Ut nec ulla coma ex illis fuit igne cremata.'
Occulte vero veniebat credula turba,
Corpora sanctorum rapiebat noctis in umbra,
Atque loco pariter posuit reverenter amoeno.
Asperitas postquam fuerat finita malorum,
775 Basilicamque ibi Christicolae sanctis fabricarunt,
Laudibus inducunt dignis huc ossa beata,
Magnificis et honoribus illa fovere sepulchro. *(fol. 18')*
Illorum semper sollempnia deinde celebrant
Nempe die prima mense incipiente Novembre.

780   Eustachii certamen hoc est et vita beata,
Illius uxoris necnon geminum puerorum.

Quique tenent in mente illorum nomina semper,
A dominoque petunt veniam meritum per eorum,
Auxilium citius domini accipiunt sibi gratum,
785 Ut vox de caelo promisit eis prius alto,
Quae fuit a Christo dimissa per aethera pura,
Est cui gloria, laus et honor, decus atque potestas,
Qui deus in summis caelorum trinus et unus
Regnat et exstat cuncta per immortalia saecla.

Amen.

Finit feliciter.

786 pura *soll wol kaum zu* vox (785), *sondern zu* aethera *gehören, welche form der verfasser fälschlich für neutr. plur. hielt; vgl. machina v.* 92.

Greifswald.   H. VARNHAGEN.

ZU DEN CAROLINGISCHEN RYTHMEN.

AEbert hat im verein mit Zarncke zu den von Dümmler Zs. 23, 261 ff edierten rythmen der carolingischen zeit eine reihe von berichtigungen geliefert Zs. 24, 144 ff. wenn durch dieselben auch der text der gedichte wesentlich verbessert worden ist, so bedürfen doch immer noch einige stellen der nachhilfe; auch ist hie und da nicht ganz das richtige getroffen worden. daher seien mir die folgenden nachträge gestattet.

II 2 *Iste malet uinum omni tempore*
quem nec dies nox nec ulla preterit
quod non uino saturatus titubet etc.

Ebert verbessert in z. 2 *quam.* das wäre: 'jener wird zu jeder zeit lieber wein wollen, als dass ihm weder ein tag noch eine nacht vorbeigienge, ohne dass' usw. abgesehen von der geschraubtheit des ganzen satzes, steckt in z. 2 ein logischer fehler; es müste heifsen *quam dies aut nox ulla pretereat.* daher möchte ich conjicieren: *calet uino* und *quem* beibehalten. — 3, 4 ist *sic* statt *nunc* zu lesen.

III 33 *Debellauit* für *debellatas* nach Judith 2, 12—3, 15, dessen inhalt die worte *debellauit multas gentes* zusammenfassen. — 14, 1. die rede ist von Vagao, dem kämmerer des Holofernes, welcher allein die kühnheit hat, in das zelt des ermordeten hineinzugehen, Jud. 14, 13. 14. lies daher *praesumenter*.

ɪᴠ. der eigenname *Asuerus* kommt in diesem rythmus je zweimal mit der betonung *Asúerus* (3, 4. 11, 3) und *Asuérus* (1, 2. 4, 2) vor. Ebert hält diesen wechsel für unmöglich und *Asuérus* für die einzig richtige betonung; er stellt daher die beiden stellen mit der entgegengesetzten betonung um: *Asuéro seruiunt* und *Asuérum poposcit.* allein *póposcit* am schlusse des verses ist noch unannehmbarer als *Asúerus*; Ebert selbst gibt s. 145 die übereinstimmung von wort- und versaccent am schlusse des verses wie vor der caesur als regel an; und eine solche unregelmäfsigkeit der betonung findet sich an dieser stelle im ganzen rythmus nicht, mit ausnahme von *Égyptum* 9, 1. diese ausnahme zeigt dass die eigennamen — wol unter einwürkung der griechischen betonung, wie in ᴠɪ — freiere betonung zulassen, dass also auch *Asúerus* an sich nicht unannehmbar ist. — nun stellt aber Ebert zu ᴠ 7, 1 den grundsatz auf: dass ein wechsel der betonung in eigennamen in demselben gedicht sich überhaupt nicht annehmen lasse. wäre diese behauptung begründet, so liefsen sich die beiden stellen 1, 2 und 4, 2 leicht durch einfache umstellung *(ceperat Asúerus* und *Asúerus rex)* heilen, ohne dass damit ein anderweitiges rythmisches gesetz verletzt würde, wie bei der von Ebert vorgeschlagenen umstellung. indessen, wenn dasselbe gedicht bei appellativen tonwechsel eintreten lässt, wie *póstea* ᴠɪ 7, 5, *postéa* 23, 5; *álterum* ᴠɪ 30, 1, *altéram* 10, 2. 12, 2, so sieht man keinen rechten grund, warum eigennamen, deren betonung doch um nichts fester steht, vielmehr bei ihrem selteneren gebrauche sich unsicherer einprägte, nicht dieselbe freiheit geniefsen sollen. in der tat findet sich dies gesetz auch in ᴠɪ keineswegs ganz durchgeführt und Ebert selbst lässt folgende abweichungen passieren: 19, 2 *Pannónie,* neben 37, 4 *Pánnonie,* 38, 1 *Adriánus* neben 40, 1 *Adriánus;* schwebende betonung dürfte hier kaum zur erklärung ausreichen.

ɪᴠ 6, 3 will Ebert folgendermafsen interpungieren: *filia fratris Mardochei nomine, Hester Hebrea;* er zieht *nomine* zu *Mardochei,* weil es 9, 1 heifst: *Judeus ille Mardocheus nomine,* übersieht aber dass an der zweiten stelle *Mardocheus* apposition zu *Judeus* ist, an der ersten *Mardochei* jedoch nicht etwa apposition zu *fratris,* sondern von *filia fratris* abhängiger genetivus possessoris. eine

solche nähere bestimmung wie *nomine* kann nun überhaupt blofs
zu einem appositiv stehenden worte gesetzt werden; man kann
nicht sagen 'die bruderstochter des Mardocheus mit namen'.
noch unsinniger wäre 'die tochter ihres bruders, Mardocheus mit
namen'. zum überfluss heifst die stelle im bibeltexte Esther 2, 7:
*qui fuit nutritius filiae fratris sui Edissae, quae altero n o m i n e
uocabatur E s t h e r*, dagegen v. 5: *erat uir Judaeus, u o c a b u l o
Mardochaeus.* wir müssen also bei der Dümmlerschen interpunction *filia fratris Mardochei, nomine Hester* stehen bleiben. —
12, 4 *Deleatur publice* für *deleantur publicae.* — 16, 4 *spondet.*

Aufserdem scheinen rythmi causa noch einige umstellungen
notwendig: 13, 4 *impletur omnis ciuitas*; 15, 1 *regina deum
postulat*; 15, 4 *nimie perterrita*; 16, 3 *cicius prosiluit.*

vi 9, 3 *in inferno* nach Luc. 16, 22; *torquetur* heifst hier
nicht 'wird geschleudert', sondern ist gleich *cruciari* Luc. 16,
23. 25. — die erste hälfte des verses ist umzustellen: *quas non
tribuit, pro micis*; die ungewöhnliche wortstellung veranlasste die
verderbnis. Eberts zweifelnder vorschlag *pro micis panis, quas
negauit* statuiert erstens einen in diesem gedichte sonst fehlenden auftact und weicht zweitens vom texte der Vulgata v. 21
cupiens saturari de micis et nemo illi dabat weiter ab, als die
überlieferten worte.

vi 3. Eberts änderung *illic* ist unnötig und unrichtig. denn
perpensare heifst nicht anschauend betrachten, was es heifsen
müste, sollte *illic* richtig sein, sondern überlegend erwägen. der
hirsch befindet sich auf dem hohen felsengipfel; Placidas über-
legt, was er mit ihm machen, db. wie er ihm beikommen soll. —
5, 2 ist *tantum* in *tandem* zu bessern. — 6, 4 *et tota domus
illius, uiri et femine.* — 9, 1 *Vicinorúm non ualens* will E. um-
stellen zu *non ualens uicinórum.* unnötiger weise. denn wenn
tulit coniúgem 9, 2, *et perícula* 20, 4, *imperatór* 19, 4. 40, 4, *co-
gitabat* 14, 2 gestattet sind, wird man wol auch gegen *uicinorúm*
nichts einwenden können. — 9, 2 für *tulit* etwa *sumpsit*? —
9, 5 *ut iret in Egypto,* E. *ire* oder *iuit*? aber *ire* neben *exiuit*
ist schwerlich denkbar: *ut sit* oder *pergens in Egyptum.* — 15, 4
ist *itaque* zu trennen in *ita qui*; vgl. 17, 1 *qui sic.* — 24, 1
oderent; dum mit dem conj. auch 2, 1. 3, 1. 14, 1. 19, 1. 25, 1.
28, 3. — 26, 3 *familiam*; das auge des schreibers irrte von
diuicias ab. — 28, 4 *ortum,* E. 'da sonst *h* geschrieben wird,

hortum'; unrichtig, vgl. *ec* für *haec* 7, 1. 12, 3, *ospicium* 18, 3,
ospes 18, 5. 24, 1. — 34, 3 entweder *quae* für *quod* oder ein
comma hinter *uirtutem* mit ergänzung von *factum est.* — 34, 5
periuit; vgl. 9, 5. 33, 1. 38, 1.

vi 42 und 43. in SG fehlt 42, 4 und 43, 1—4. diese verse
betrachtet Zarncke daher als interpoliert, Ebert wegen der griechischen betonung *abyssum* in 43, 2 als erweiternden einschub
durch den dichter selbst. indes liegt auf der hand dass für den
schreiber die versuchung nahe lag, auf das *exaudi preces eorum*
42, 4 sofort das *exauditus est* 43, 5 folgen zu lassen, wodurch
scheinbar eine prägnante responsion hergestellt wurde; weil die
fraglichen verse nichts wesentliches zu enthalten schienen, so
schien ihre weglassung möglich. allein 43, 4 ist nicht wol entbehrlich. in dem verse ruft der märtyrer feierlich gott an, seine
und seiner angehörigen bitten zu erhören; hierauf folgt dann
passend die anzeige der erhörung durch den donner. in 42, 4
dagegen bittet Eustathius' um die erhörung derjenigen, welche in
zukunft an seinem grabe beten werden. der schreiber von SG
verkannte diesen unterschied und liefs auf das 'erhöre' alsbald
ein 'er wurde erhört' folgen, ohne zu bedenken dass jenes sich
gar nicht auf die erhörung des bittenden selbst bezieht. — wie
bei Zarnckes ansicht die widerholung von 41, 4 in 42, 2 'nicht
anzunehmen' sein soll, vermag ich nicht zu durchschauen; durch
die interpolationsannahme wird der widerholte vers 42, 2 doch
nicht aus der welt geschafft.

Wenn der schreiber von SG also durch zusammenziehung
von 42 und 43 seine vorlage gekürzt hat, so hat er sie 44, 5
durch einschiebung von *multis* erweitert. das ist wenigstens aus
demselben grunde wahrscheinlich, den Ebert für die echtheit von
43, 2 vorbringt; *amen* hat griechische betonung:

> *et ibi semper florent uirtutibus. amen.*

bei einem so überaus gebräuchlichen worte nahm SG daran anstofs und schob deshalb das flickwort *multis* ein, wodurch *amen*
aus dem vers hinausgedrängt wurde.

Ich knüpfe noch einige bemerkungen zu den neuerdings
(Zs. 24, 151—157) von Dümmler veröffentlichten rythmen an.

iv De laude dei hat folgendes versmafs:

$$-\cup-\cup-\cup-\quad-\cup-\cup-\cup-$$

elision ist die regel (1, 1. 6, 1. 7, 2. 9, 1. 12, 1. 18, 2. 19, 1.
20, 1). aber daneben findet sich auch hiatus (11, 1. 18, 2.
20, 1), der in der cäsur selbstverständlich gestattet ist (1, 1. 15, 2.
18, 2). — 1, 1 ist *saecula* mit syncope zu lesen *saecla;* in 18, 1
bilden die beiden ersten silben von *Samaritana* zusammen eine
hebung, also verschleifung nach art des deutschen.

Auftact im ersten verse jeder strophe ist an sich nicht wahrscheinlich, weil dann der erste buchstabe, der bei der alphabeti-
schen composition gerade hervorgehoben werden muss, in die
senkung gekommen wäre. so ist er auch an der einzigen stelle,
wo er vorkommt, 22, 1 leicht durch änderung des *canebant* in
canunt zu beseitigen; das präsens ist durch 4, 1. 7, 2. 10, 2
usw. geschützt. aber auch im anfang des zweiten verses findet
sich auftact nur 4, 2 und 16, 2, und an beiden stellen ist er
unsicher, indem an der ersten das präsens *ne uoretur morsibus,
claudit ora quis feris* wegen des präsens im vorhergehenden verse
gröfsere wahrscheinlichkeit hat, an der zweiten *de* zu streichen
sein dürfte.

Für die zweite hälfte des verses ist der auftact dagegen durch
19, 1 sichergestellt; die übrigen stellen sind zweifelhaft. 3, 2
und 10, 1 sind *et* und *a* wol zu streichen; auch 11, 2 kann ausgestrichen werden; über 17, 2 unten. der auftact der zweiten
vershälfte wird auch vor die cäsur geschoben und verleiht dann
der ersten hälfte klingenden ausgang, so dass regelmäfsige tro-
chäische tetrameter entstehen. so 15, 1. 16, 1. 2.

Die form des rythmus gestattet also zwischen der ersten
und zweiten hälfte jedes verses die einschiebung einer senkung,
welche sowol vor als nach der cäsur stehen kann.

Im einzelnen ist aufser dem erwähnten noch folgendes zu
verbessern: 2, 2 vermute ich *parricidae quis pio, parricida* in
der bedeutung kindesmörder (s. Georges). — 5, 1 *Est.* — 6, 1
flentibus nach Exod. 14, 10; die wortstellung ist verschränkt
für *flentibus, fluctus inter uiantibus, quis rectum iter dedit?* —
9, 2 *saltu.* — 10, 2 *potentem.* — 11, 1 wol *lugente.* — 11, 2
ex sepulcro. — 14, 1 *matre.* — 17, 1 *que* ist nicht nur überflüssig sondern anstöfsig, weil es kaum geeignet erscheint, die
hebung zu tragen. also *Regi quis* mit streichung des *quis* in
17, 2. für *transitum* ist *transitu* im sinne von *exitu de uita* erforderlich (IV Reg. 20, 1). — 20, 1 *lamentata paruulos;* 2 *lactentes quis*

infantes coronauit postmodum. — strophe 21 ist in beiden versen
metrisch corrupt und als eine spätere interpolation anzusehen.
den dichter hatte sein latein beim *x* im stiche gelassen, der
interpolator brachte durch einschiebung dieser strophe das gedicht äufserlich auf die der zahl der buchstaben entsprechende
strophenzahl 23. — 22, 2 *ascendens in caelis ad dextram patris.* —
23, 1 *Zelo cuius dēus pater post quinquaginta dies* (für XL also L):
durch den eifer dh. in folge der eifrigen fürsprache wessen.

Rythmus I und II sind im ganzen in ordnung und rythmus III
aufzubessern würde bei der beschaffenheit desselben nicht der
mühe wert sein. I 4, 2 vermute ich *expetenda*; II, 3 *pandit.*
II 5, 1 ist *turbam* zu lesen und *quamque* = *et quam.* II, 1 und 3
weifs ich nicht zu bessern. im übrigen ist dieses fulminante
fluchgedicht inhaltlich von allen vieren bei weitem das interes-
santeste und gelungenste.

Trarbach a, Mosel, juni 1880.   F. SEILER.

DIE BEHANDLUNG DES *e* BEI MAERLANT.

Anzeiger V 77 habe ich vermutungsweise angedeutet dass
im mnl., trotz der schon herschenden dehnung von ursprünglich kurzem *e* in offenen silben, ein unterschied obwalte zwischen diesem und ursprünglich langem *e*, und dass selbst innerhalb des gebietes des letzteren noch unterschiede zu statuieren
seien. im folgenden beabsichtige ich dieser frage der mnl. lautlehre durch eine genauere erörterung des Maerlantschen gebrauches
näher zu treten und das damals angedeutete zu berichtigen oder
klarer darzulegen. ich richte meine untersuchung in der weise
ein, dass ich — wie gewis berechtigt ist — das vorhandensein
strenger regeln bei M. voraussetze und darum die ausnahmen
einer näheren betrachtung unterwerfe. als strenge regel wäre
es hier anzusehen, wenn nur ganz gleiche *e*-laute unter einander
gebunden würden. die ausnahmen von einer solchen regel werden sich uns als nicht gering darstellen, und zwar ohne dass
wir sie ganz oder auch nur zum grösten teile auf schuld der
überlieferung schieben könnten; wir werden vielmehr erkennen

dass zwar eine regel deutlich bei M. obwaltet, aber doch keine
so strenge, dass er ausnahmen davon absolut zu vermeiden für
notwendig erachtet hätte. ich behalte vorläufig die aao. gegebene
classification nebst den bezeichnungen bei.

   e und *ê* fallen, wie allgemein im mnl., zusammen; es bedarf dafür keiner beispiele. diese beiden *e* in der dehnung = *ê*¹
können sowol mit *ê*² (= hd. *ê*) als auch mit *ê*³ (hd. *ei*) reimen.
aber von vorne herein behaupte ich dass dies verhältnismäfsig
viel zu selten geschieht, als dass darum auf gleichheit der laute
geschlossen werden könnte. ich habe mir alle fälle, in denen
ich die bindung antraf, notiert. es mag mir einzelnes entgangen
sein, aber sicher nicht so viel, dass dadurch an dem endresultat
etwas umgestofsen werden könnte. bei einer genaueren betrachtung der einschlägigen stellen wird sich auch manches anders
gestalten, als es auf den ersten blick erscheint. zunächst betrachten wir

   1) *ê*¹ : *ê*². Alex. 1, 519 *heren* (dominos) : *deren*; 695 *be-*
gheren : *leren*; 2, 157 *here* (exercitum) : *sere*; 778 *were* : *ere*;
5, 835 *ter were* : *here* (dominum) fällt mit wahrscheinlichkeit fort;
7, 263 *ghere* : *mere*; 309 *here* (dominus) : *ghere*; 7, 419 *verweren* :
oneren; aufserdem noch *keren* : *weren* im gekreuzten reime 4, 560.
62. — Troy. 3949 *soe willic dat dit here kere / ende laten my ende*
myne here / ende onse vriende met Gode leven. zunächst ist mit
der variante *met goede* statt *met Gode* zu lesen. auch der 2 vers,
der so kaum einen sinn gibt, ist zweifellos verdorben; es stand
vermutlich *late my en myne here* d. i. *in mine ere*, ein hier vorzüglich passender ausdruck. wir haben somit in 11000 von
diesem werke gedruckten versen keinen einzigen fall des reimes
*ê*¹ : *ê*². — Nat. bl. 2, 651 *sere* : *evere ende bere* (acc. plur.). jedesfalls ist ahd. *pér*, ags. *bdr*, Kil. *beer* gemeint; von *bere* (ursus)
müste der acc. plur. auch *beren* lauten. es liegt also eine der
im mnl. nicht ungewöhnlichen pleonastischen ausdrucksweisen
vor, oder es gilt für beide wörter der im DWB 3, 17 gemachte
unterschied, der auch bei Kil. durchleuchtet, wenn er *ever aus-*
drücklich mit *aper, verres silvestris* übersetzt. — 12, 165
in wighen es hi seghevri ter were / ende bejaghet prijs ende ere.
die varianten VAB haben *seghevri sere*, das latein *victoriosus est*
in bello, pacem reconciliat. der fall ist also an und für sich zum
wenigsten zweifelhaft. wir werden uns aber für die lesung der

varianten entscheiden, da sonst im ganzen werke die bindung
von e¹ : e² nicht vorkommt. M. hat sich also auch diesmal derselben vollständig enthalten. — Rb. 33023 *wie so voren stont
int here / hi starf, of₁ behilt die ere.* C und F lesen für *die
ere : de werre (die were).* die lesart der varianten ist gut, da
das gegenteil auch *verliesen die were* lautet. was M. gehört,
lässt sich darnach nicht bestimmt entscheiden, wenn auch in
ansehung der seltenheit von e¹ : e² *were* die gröfsere wahrscheinlichkeit für sich hat. jedesfalls ist die stelle zu den zweifelhaften
zu zählen. aufserdem findet sich nur noch 8479 *die mi dient
dien sal ic eren / ende die mi onwerd, dien salic deren.* die worte
entsprechen 1 Regum 2, 30 *quicumque glorificaverit me, glorificabo
eum, qui autem contemnunt me, erunt ignobiles,* und wir dürfen
vielleicht vermuten dass M. hier von einer älteren geläufigen übersetzung gebrauch machte, wenn er nicht etwa in wörtlicherer
übersetzung *oneren* statt *deren* schrieb. beides liegt graphisch
gar nicht weit von einander ab. ganz gewis aber hindern die
beiden fälle nicht zu constatieren dass auch in diesem 34000
verse zählenden werke das bestreben herscht, der genannten bindung aus dem wege zu gehen. — Heimel. liefert ein beispiel
(169) *hier omme radic elken heere / dat hi te dommelike niet* en
vertere usw. — Franc. 2191 *gods here : metter ere;* 5285 *van
Gode onsen here : in begere;* 7396 *ons heren : in dijn begeren.*
hier wird jedoch im zweiten verse wol *bekeren* zu lesen sein;
10225 *verteert : weder keert.*

Aus dem Spieghel hist. haben wir eine an und für sich
stattliche anzahl von fällen zu verzeichnen, die aber doch im
verhältnis zum umfang des werkes noch gering ist. und nicht
einmal wird alles vor einer eingehenden kritik bestehen bleiben.

1³, 41, 5 *leeren : begheren.* die variante hat ebenso, und es
ist an der lesung nichts auszusetzen. — 1³, 12, 10 *soe versaemde
ten beginne / upten coninc haren here. / jeghen hare quam Syseras
ter were.* die worte sind mir unverständlich. man erwartet,
wenn nicht eine andere verderbnis vorliegt, mit bestimmtheit
hare here (exercitum suum). das latein. (3, 57) gewährt keinen
anhalt *haec mulier liberavit Israel de mann Jabin regis Asorum
exercitus illius duce Sysara per manum mulieris Jael interfecto.*
— 1³, 15, 21 *landsheren : sonder sceren.* es lässt sich nichts
gegen die stelle sagen, doch mag immerhin bemerkt werden dass

sonder sceren flickausdruck ist. — 1⁸, 55, 41 *deren : leeren.* die
variante liest ebenso, und wir haben keine berechtigung die stelle
anzuzweifeln. — 1⁷, 32, 51 *doen* .... *dere : an minen Here;*
1⁸, 75, 5 *gheweert : bekeert.* beidemal liegt nichts anstöfsiges vor.
— 3¹, 18, 53 *met groter eere : ghere.* besser passen würde *met
groten (h)ere.* das latein lässt die wahl zweifelhaft. — 3⁴, 2, 43
*entie Wandelen die streden / uptie mure vander steden; / ende so
machtich was dat here / entie gramscap van onsen Here / dat daer
die porters stonden ter were / dat dat en halp min no mere.* gerade der umstand dass hier zwei fälle zusammentreffen, macht
die stelle um so verdächtiger. die fügung ist denn auch sehr
wenig geschickt. die einfachste änderung, welche die sache in
ordnung bringt, würde folgende lesart ergeben *uptie mure vander steden / daer die porters stonden ter were. / ende so machtich
was dat here / entie gramscap van onsen Here / dat dat en halp
min no mere.* aus dem latein lässt sich auch in diesem falle
keine entscheidung treffen. — 3⁴, 47, 145 *gaet henen dat mi niet
en vertere / die gramscap van onsen Here.* dass etwa *versere* zu
lesen sei ist nicht anzunehmen nach dem latein (19, 29) *ne°me
ob iniuriam tuam celestina ira consumat.* — 3⁷, 18, 41 *d'a-
postele ons Heren : sonder sceren.* hier wäre allenfalls nur wider
der flickausdruck anzumerken. — 3⁸, 37, 15 *ende dat si mochten
verteren, dat gaven hem al die hooftheren.* mit dem letzten ausdrucke sind die maiores domus gemeint, und da diese kurz vorher (vers 12) *hovetmanne van der zale* genannt sind, so bleibt
gegen die stelle nichts einzuwenden. — 3⁸, 93, 217 *es spot ende
sceren / voer alle princen vor allen heren* hat wider nichts anstöfsiges. — 4², 27, 11 *coninc Hughe brocht echter were / ende
besat Karel den here / binnen Lodine met groten here / eene maent
ende oec mere.* abermals treffen hier zwei fälle zusammen, die
sich jedoch noch viel einfacher auf das vermutlich richtige zurückführen lassen. man lese *c. H. b. e. w. / ende besat met groten here / binnen Lodine Karel den here* usw. wenn wir auch
weiter keinen grund haben, an einer derartigen stelle zu bessern,
so muss doch eine so geringfügige änderung gerechtfertigt erscheinen, sobald wir sehen werden dass würklich in der bindung
e¹ : e² etwas lag, was M. veranlasste ihr aus dem wege zu gehen.
— 4², 65, 17 *te blidere so waren wi sere / ic was in wille ende
in ghere.* latein (26, 40) *citerioris ripe accolae ductorum meorum*

*mixti contubernio letiorem cetum fecere. ego studio visendi ul-
teriora transitum maturabam.* gegen die übersetzung ist nichts
zu sagen; aber wer kann wissen, ob nicht an stelle von *sere*
ein anderes wort mit *(ghere* oder) *gare* reimte, zb. in mehr wörtlicher übertragung *te bl. so was die scare?* — 4², 67, 111 *t'ont-
siene metter macht ons Heren | lieden van so cranker weren.*
(2, 41) *homines irreverentes deiiciendos dei auxilio.* zu cran-
ker *weren* liegt keine veranlassung vor, während das bezeichnende
irreverens unübersetzt bleibt. es stand vielleicht *eeren* dort. —
die bindung kann nicht beanstandet werden 4², 79, 61 *ende ghi
dor dese grote heren | uwes vleeschs wille niet wilt ontberen;* 4²,
83, 55 *doe sine renten waren verteert | heefti hem te rove ghekeert;*
4², 30, 41 *dat wildi sterken ende zweren | met sinen princen met
sinen heren.* — in einer noch übrigen stelle bekommen wir durch
die vorliegenden beobachtungen eine handhabe, um einen zweifel
zu beseitigen. 4¹, 39, 37 *elc verloes daer also sere | van sinen
volke, van siere ere.* die Brabanter yeesten, in denen diese stelle
auch aufgenommen ist, haben (II 4637) *van sinen volke, van sinen
here,* und dies möchten die herausgeber auch in den Spieghel
einsetzen. auf die angeführten worte folgt *dat si jegen vremde
viande | niet ne consten hare lande | vort bescermen.* es geht dar-
aus hervor dass ere hier sehr wol erklärt werden kann als 'ansehen, blühender zustand, macht', und wir werden nun nicht
daran zweifeln dass es hier das ursprüngliche ist. mit dem latein
stimmt es ganz gut (25, 35) *et ita eorum vires attenuate sunt,
ut iam nec suos terminos ab extraneis tueri possent.*

Es wird uns nicht verwundern, wenn in den strophischen
gedichten die bindung häufiger auftritt. da sie einmal, wie wir
schon sahen, nicht durchaus unmöglich war, so liefs sie sich
hier, wo 8 resp. 5 gleiche reime erforderlich waren, nicht leicht
umgehen. Wp. M. 1 str. 15 *bekeert* usw. : *verteert* usw.; str.
44 *leren : sceren : eren : deren : keren;* str. 61 *gheleerde : keerde :
eerde* (terra) : *begheerde;* 2, 221 *ontberen : leren* usw.; 2, 258 *here*
usw. : *were* usw.; str. 14 *leren* usw. : *ghederen* usw.; 323 *spere :
here* usw.; Oversee str. 1 *here* (dominus) : *spere : were : onnere :
mere;* Kerk. kl. str. 14 *verkeert : geeert : geleert : onverseert : ge-
meert* (ligati) : *seert : verweert (in weelden) : eert;* Disputac. str.
19 *versweren* usw. : *tonneren;* str. 39 *begeren* usw. : *leren* usw.;
str. 45 *Heren* usw. : *omberen* usw.; Vvrouden str. 2 *Heren*

usw. : deren; str. 30 Here usw. : dere usw.; str. 33 Heren usw.
: sceren.

2) ê¹ : ê². Alex. 3, 117 gheheten : vermeten; 917 hi cusset
[ende] hi helset bede : stede. bede oder ende—bede heifst hier nichts
anderes als et. in vielen derartigen fällen passt sowol bede als
mede; und bei der bekannten willkür der schreiber sind beide
ohne zweifel häufig verwechselt worden. wir werden denn in
diesen untersuchungen auch mehrmals in die lage kommen, beide
zu vertauschen. hier würde mede viel eher der gewöhnlichen
ausdrucksweise entsprechen und zugleich ê¹ : ê¹ herstellen. —
955 ghebede : sede (diceret); 10, 919 van valscen ede : onvrede.
die letztere stelle ist nicht ganz in ordnung, doch glaube ich
dass die beiden wörter wol am richtigen platze stehen. — 10, 413
heten si : eten si. es liegt eine reimspielerei vor, in folge deren
man den fall nicht ganz nach dem gewöhnlichen mafsstabe beurteilen darf. ich notiere noch 6, 333 vrihede : gereede, wie in
der handschrift steht, nicht als mitzählend, sondern nur um die
bemerkung daran zu knüpfen dass hier und unter ähnlichen verhältnissen ei zu schreiben ist, also vriheide : ghereide. die endung
-hede hat, wie wir weiter unten sehen werden, ê¹, vrihede : gherede wäre also ê¹ : ê². da aber die formen mit ei eben so gê-
wöhnlich sind, so ist unter diesen umständen bei genauen dichtern immer ei zu wählen. — Troy. 207 bevreden : sceden. die hs.
hat verleden (undeutlich) : scryden. es fällt mir zwar keine genügende besserung ein (vielleicht beleden : sceden); allein wenn sich
nicht gesicherte beispiele für die zulässigkeit von ê¹ : ê² in diesem
gedichte finden, so kann ich auch obiges nicht annehmen, zumal da
der erste vers den gedanken des franz. originals nicht einmal genau
widergibt, und die änderung an sich keine grofse wahrscheinlichkeit hat. — 1390 vresen : desen. die verse fehlen bei Blommaert,
wo das ganze anders gewendet ist. und offenbar haben wir dort
das richtige, da die fügung in der grofsen handschrift ganz un-
sinnig ist. sie entstand vermutlich, indem der schreiber aus
übereilung al te samen statt al te hande setzte und sich dann
weiter, so gut es gieng, mit den reimen behalf ohne rücksicht auf
situation und sinn. — 5828 mede : gherede. bede würde hier den
genauen reim herstellen, vgl. das oben gesagte. — 6044 teken :
weken. der text ist schlecht, die variante hat viel besser tekijn :
wreken die vriende sijn; wir brauchen also keinen anstand zu

nehmen, diesen fall zu entfernen. ein vollständig überzeugendes
beispiel haben wir also nicht für $e^1 : e^2$ in diesem werke, in
welchem auch $e^1 : e^2$ gemieden ist. ein gleiches resultat werden wir ferner sofort für Nat. bl. bekommen, und diese merkwürdige consequenz kann doch wol nicht mehr als zufall betrachtet werden.

Nat. bl. 2, 1721 *thaer ghesceden : boven sinen oghenleden.*
VAB lesen *boven sinen oghen beden,* was mir auch besser zu sein
scheint; jedesfalls ist die stelle zweifelhaft. — 3, 1899 *doch
vliechter somwijl menech hene, in corten dachvaerden ende in
clenen.* die lesart von VA *doch volghet hi somwilen somich enen*
ist entschieden vorzuziehen, die ganze überlieferung führt darauf
dass so oder ähnlich ursprünglich stand und also gleiche e-laute
gebunden waren. außerdem habe ich noch zwei fälle notiert,
die zweifelhaft erscheinen könnten: 2, 2081 *keten* (casae) *: heten*
und 3390 *een* dier *niet clene : van herten comen* of *van denen.*
von *kete* ist mir die etymologie unbekannt; doch weist auch
Kilians schreibung *keete* auf 'scherplang' e, dh. auf den laut, der
von dem des gedehnten e (zachtlang) unterschieden ist. Kil.
scheint in der bezeichnung dieser laute ziemlich consequent zu
sein (e und ee), und wenn er auch öfter für gedehntes e ee setzt,
so stellt er dann doch die form mit einfachem e daneben. bei
keete findet sich aber kein *kete.* unter dem zweiten worte *denen*
sind *dammae* verstanden *(de genere cervorum vel dammarum).* Kil.
hat nur *deyn, deynken,* eine form, die wider aus dem franz. *daine*
entlehnt ist. vgl. auch Weigand unter *ddmbock.* wir haben hier
mithin entschieden e^2, und so bleibt kein einziger sicherer fall
im ganzen werke.

Rb. 6731 *vermede* (parceret) *: gherede.* BD haben im zweiten
verse *mede,* C wendet die ganze stelle anders und liest im zweiten
vers *aldaer ter stede.* die fassung des textes ist an und für sich
übrigens gut. — 12378 *seide : lachter deide.* der *ei*-laut für e^1
ist bei M. nicht erwiesen, wir müsten also *sede : dede* annehmen.
allein B und C haben übereinstimmend und sehr gut *achter
leide* statt *lachter deide.* — ein ähnliches lautverhältnis haben wir
19087 *leyde* (posuit) *: stede,* wo wir, so lange nicht andere beweise beigebracht sind, für M. *lede : stede* annehmen müssen. C
liest wider ganz anders, aber ohne gewähr. — 33965 *die tye-
ranne troosten hem mede / up ene dinc te haren lede.* zwar hat

nur C *hem beede;* dasselbe ist aber entschieden vorzuziehen. [1] ganz ohne anstofs sind dagegen zwei noch übrige stellen, und somit ist die bindung zuzugeben: 7085 *wart geheeten : wi weten* und 9469 *ter steden : van hem beden.*

Ich verzeichne noch 15331 *bleten* (balare) : *heten.* nach den verwandten ahd. *plazan* (mit welcher berechtigung Martin zu Rein. 2082 *pldzan* schreibt, weifs ich nicht), bair. *blässen* ist zu vermuten dass dem wort ursprünglich kurzer vocal zukommt. allein schon aus Kil. können wir sehen dass in diesem worte der laut sich entschieden von dem gewöhnlichen abhob, er schreibt ausdrücklich *blęten.* die beste auskunft erhalten wir aber aus De Bo Westvlaamsch idiotikon s. 287. wir erfahren hier dass eine besondere 'schwere' aussprache des e, wie sie im jetzigen dialect im allgemeinen nur vor r vorkommt, aufserdem auch wenigen anderen wörtern ohne r und darunter gerade *bleten* eignet. De Bo nennt dieses e eben das 'bletende'. es hat heute nach ihm den klang von franz. *è* in *père.*

Heimel. enthält in seinen mehr als 2000 versen keinen einzigen fall dieser art.

Franc. 2145 *hem beden : daer ter steden.* *beden* kann kaum richtig sein; vgl. 2167. — 2337 *teniger steden : van vleesceliker ondersceden.* es ist klar dass statt *ondersceden* ein anderes substantivum stehen muss, vermutlich *oncuusceden;* vgl. 2234. [2] — 3917 *met karde nerensteliker bede; | ghint haer hi in de clove lede , van den mure* und 5597 *dat hi dat dede | te hant in een vier ende sede* (dixit). man sieht aus den zwei stellen dass in dieser ausdrucksweise sowol *legghen* als *doen* gebraucht werden konnte. wenn wir die zwei praeterita *lede (leide)* und *dede* umgekehrt anwenden, so bekommen wir beide mal reinen reim *bede : dede* und *leide : seide.* es ist ja leicht möglich dass der schreiber zweimal den gleichbedeutigen ausdruck gewählt hat. — 6377 *stede : arebede.* in der hs. ist sowol *stede* als *hede* im ersten verse zu

---

[1] ich verweise hier nochmals auf die notwendigkeit einer untersuchung der Rijmbijbelhandschriften. wäre sie in genügender weise angestellt, so dürften wir an mancher stelle weniger in zweifel sein. oben wagte ich mich nicht durchaus für C zu entscheiden, da ich betreffs des relativen wertes dieser hs. nicht sicher bin.

[2] wie ich nachträglich sehe liest auch Verwijs Bloemlezing uit midteln. dichters II² 65 vers 154 *oncuusheden.*

lesen. eines ist aus dem anderen corrigiert, ohne dass man sehen kann, welches gelten soll. — 10547 *mede : ghelede* gehört dem abschreiber an, dem es beliebte, am schlusse zwei verse anzuhängen.

Spieghel hist. 1', 34, 15 *over zonde souden sijt heten | souden si vleesch van zwinen eten.* zu vermuten *over zonde souden sijt houden |* of *si vleesch van zwinen eten souden* hiefse zu weit gehen, obwol das eine aus dem anderen leicht entstehen könnte. — 1', 19, 69 *stede : leide.* 'so wörtlich in der hs., doch unverständlich' sagen die herausgeber. es lässt sich kaum herstellen, da auf jeden fall verse verloren gegangen sind. — 1', 38, 15 *dus moesten si sceden sonder vrede. | te wighe setten si hem bede.* hier könnten wir durch umstellung zu hilfe kommen *dus moesten si sonder vrede sceden.* — 1', 56, 105 *entien sesten endic hier mede | die sevende die spreect oec gereede.* diese verse sind kaum zu ertragen, sie stören sehr übel den zusammenhang und dürften wol interpoliert sein von einem schreiber, welcher die construction nicht gleich begriff. — 1', 12, 41 *dattem sine windbraeuwen beede | versaemden in den ghesceede | boven der nesen, sine ogen beede | waren van scoenre gestadechede.* es folgt dann noch ganz unsinnig und von den herausgebern auch entfernt *ende sijn ogen scone ende gestadechede.* wir könnten in 43 und 44 einfach *ei* lesen; aber besser passt *mede* statt *beede*, wenn nicht, wie es fast scheint, die ganze stelle eine stärkere corruption erfahren hat. — 1', 38, 35 *gheeft ons brieve, wi scriven ter stede | dat wi saghen ende horden beede.* hier haben wir vermutlich wider die gewöhnliche verwechselung. *beede* steht aufserdem 2 verse vorher am schlusse; l. *mede.* — dieselben worte scheinen zu vertauschen zu sein 1', 58, 21 *dat hi tonge ende lippen at | ende so haddi sine ogen beede | hadde hijs gehat mogenthede.* es wäre zwar wider *ei* möglich, ich glaube aber nicht dass wir damit auskommen. auch *ogen* ist falsch; die herausgeber setzen *handen.* im latein heifst es *id ipsum de membris suis facturus. ende — mede* würde genau dem *id ipsum* entsprechen. freilich lässt sich auch daran denken dass einmal in übereinstimmung mit *membris* im reime *lede* gestanden habe. — 1', 40, 13 *gherechtecheit soutu leden | also wel tusscen tween beden* ist mir nicht klar. — ohne anstofs ist 3', 18, 71 *waren si Lumbaerde gheheten : wi weten.* — 3', 34, 39 *ende alse mi dan die slaep verwan | daer ic jegen vacht*

*nochtan | lagen mine aerme magre lede | cume uptie blote aerde
mede. | van spisen ende van dranke gerede | swigic best hier ter-
stede.* da ende — *mede* im vorletzten vers wider der gewöhnliche
ausdruck sein würde, und *gherede* nichts als ein flickwort ist, so
hatte ich auch hier *mede* vermutet. und würklich bringen die
hinter der ıı partie jetzt veröffentlichten varianten das wort an
dieser stelle *van spise ende van dranke mede.* ob aber im vorhergehenden verse *mede* für den sinn das richtige wort ist, ob
die widerholung desselben in den zwei versen hinter einander
M. zugeschrieben werden darf, und ob dieselben auch sonst ganz
in ordnung sind, kann noch stark bezweifelt werden. das latein
(17, 43) ist hier nicht genau widergegeben *nuda humo vix he-
rentia ossa collidebam.* — 3¹, 43, 7 *heleghe* (sanctos) : *sceleghe*
(solidos). vers 3. 4 reimen *selvere : scaldelvere,* 9. 11 *lijnwevere : vort-
gevere.* wir haben also hier wider eine reimspielerei und müssen
dieser die bindung zu gute halten. — 3¹, 34, 63 *so staerc so
vast so besneden | was ighelove van hem* beden. es geht ein reim
mit e¹de voraus, und wenn sich auch widerholung desselben reim-
klanges öfter bei M. findet, so dürfen wir ihm doch zutrauen
dass er sie nicht allzu leicht zugelassen habe und darum um so
eher vermuten dass hier reines e² gereimt war. mit einsetzung
von *besceden* für *besneden* wäre geholfen. beide ausdrücke kommen
auf dasselbe heraus 'wolgeordnet, woleingerichtet' und 'zugestutzt,
woleingerichtet'. dass die wörter verwechselt wurden zeigt Wp.
M. 1, 297 *hets menich onbesceden swijn te priesterscap gheresen,*
wo eine variante *onbesneden* liest. hieher gehörige beispiele für
besceden sind noch *besceden in sijn leven* Sp. 4¹, 2, 64; *in sijn
spreken besceden* 4¹, 2, 66; *dat ghi sijt wijs, ghetrouwe ende
bescheyden* Melih. 821; *na eens bescedens priesters* rade Prosa
s. 63. — 3¹, 44, 113 *dese keyserinne soe hadde beede | soe diende
alse Marthe dede* (latein 19, 25 *sed in Martino illa regina utrum-
que complevit, et ministravit ut Martha* usw.) ist nicht zu bean-
standen. — 3⁶, 7, 75 *ende dattu braecs dat maec gerede | dattu
anebedes mede | dat brec te sticken.* Vincent. (22, 6) *adora quod
incendisti, incende quod adorasti.* die übersetzung, wie sie hier
vorliegt, hat die würkung bedeutend abgeschwächt, indem sie
ganz unnötiger weise die scharf pointierte ausdrucksweise ab-
stumpft. soll M. nicht geschrieben haben *dattu braecs dat ane-
bede,* und die änderung einem naseweisen schreiber angehören? —

3⁸, 7, 99 *des coninx zustren waren bede | doe ghedoept upter*
stede. wir können hier getrost *mede* lesen; Vincent. (22, 6) sagt
nur *et sorores eius.* und waren es würklich zwei? es ist von
Chlodwig die rede. — 3⁸, 52, 55 *beheten : weten.* wenn *hem be-*
heten die bedeutung 'sich bekehren, sich offen bekennen' in der
tat zukommt, so ist gegen die stelle nichts einzuwenden. —
3⁸, 49, 13 *Puppijn van Harstale dede hem beiden | met eeren dragen*
ende leggen bede | te Coelne in die goede stede. lies *mede* für *bede.* —
die umgekehrte änderung wird wol vorzunehmen sein 3⁸, 52, 63
Leuwen ende Tyberiuse mede | vinc hi tharen groten lede. — ohne
anstofs ist 4¹, 13, 51 *waren leden : versceden.* — 4¹, 21, 65 *ende*
droegene lichte . . . met enen aerme ende lede | in des coninx
Ogiers stede scheint nicht ganz in ordnung zu sein. Vincentius
(25, 15) hat nur *et portavit eum solo brachio in carcerem oppidi*
(wo sich allerdings auch Ogier befindet). *dede* wäre wenigstens
ebenso gut, oder besser als *lede.* — die verse 4¹, 30, 66 *die nu*
Fransoise heten | dat coemt daer bi als wijt weten fehlen in der
hs. und sind aus Brab. y. eingefügt. es könnte ursprünglich
men — heet : men weet gelautet haben; aber gerade *heten : weten*
haben wir schon öfter angetroffen. — 4², 65, 53 *dese Willem . . .*
hi wan | twee sonen ende ene dochter bede. | nu gheviel ene won-
derlichede. hier ist kaum *ei* anzunehmen, sondern es liegt gewis
wider die bekannte verwechselung vor. — 4², 77, 117 *daermen*
hem messe dede, ende hi aldus ten broedren seide. nach dem latein
(26, 57) *ecclesiam . . . intravit ubi strato compositus his qui ade-*
rant fratribus ait zu urteilen, ist die stelle nicht in ordnung.
statt *messe dede* mag eine übersetzung von *strato compositus,*
also wol im reim *leide* gestanden haben.

Zwei wörter sind noch besonders wegen ihrer bindung zu
erwähnen: *spene* (papilla, uber) und vornehmlich *slepen.* das
erstere reimt 1⁴, 41, 55 *: alleene,* und 3⁴, 40, 49 zu *rene.* Kil. hat
allerdings *speene* und sogar *speyne* mit verweisung auf *spene;* aber
das *ei* könnte dasjenige sein, welches sich in niederländischen
mundarten häufig für gedehntes e findet und vor dessen aufnahme
sich Kil. wol nicht ganz gewahrt haben wird. so viel ich weifs,
ist der etymologie nach nur *ē¹* möglich; hd. *spen, spene* (auch
spunne, spünne, spune, spüne) altn. *speni.* — *slepen* habe ich viermal im reim notiert. es zeigt sich immer mit e¹ gebunden.
slepen mit *ē²* = hd. *schleifen* war gewis im mnl. vorhanden,

aber es fragt sich, ob nicht noch ein anderes wort daneben
existiert hat. Kil. verzeichnet wider *slepen* neben *sleipen*. das
anl. hat *slepen* mit 'zachtlang' e, aber nur in intransitiver bedeutung neben dem transitiven *sleepen* (De Vries en te Winkel
Woordenlijst voor de spelling der nederlandsche taal). woher
dieses 'zachtlange' e? die beschränkung des einen wortes auf
transitive, des anderen auf intransitive bedeutung kann differenzierung sein, wie denn auch Kil. *slepen* transitiv hat. aber dass
auch die einführung des 'zachtlangen' e ein künstlicher sprach-
vorgang sei, ist doch sicher nicht anzunehmen. Weigand leitet
unser *schleppen* von nd. *slépen* (= hd. *schleifen*) ab. hat eine
solche verkürzung des vocals bei herübernahme niederdeutscher
wörter analogien? schon eher hefse sich eben an ein *slepen* mit
ursprünglich kurzem vocal denken. eine freundliche mitteilung
von prof. Cosijn bestärkt mich in meinen vermutungen. die
oben angeführte unterscheidung zwischen *slepen* und *sleepen* ist
nach ihm blofs doctrinärismus. der groningische dialect kennt
nur *slepen* (mit 'zachtlang' e) transitiv und intransitiv, auch De
Bo hauptsächlich *slepen* und ableitungen mit 'zachtlang' e. die
existenz von *slepen* muss nach diesen daten als gesichert betrachtet werden. als grundform wäre *slipôn* anzunehmen.

Als sehr merkwürdig muss es angesehen werden dass selbst
in den strophischen gedichten $e^1 : e^3$ kaum angetroffen wird, wo
wir doch dem gebrauche von $e^1 : e^3$ häufig begegneten. *bleet* (ba-
lat) : *ghereet* usw. Disput. 309 kommt nicht in betracht, und
einer der eben erwähnten fälle von *slepen* in Oversee str. 6 muss
wenigstens zweifelhaft bleiben. aufserdem ist nur einmal *diephede* gebunden : *brede*, *gherede*, *veede* usw. Clausule str. 35.
und selbst dieser fall wird noch dadurch gemildert erscheinen
dass *diephede* gemeinschaftlich mit allen anderen reimwörtern
aufser dem einzigen *veede* die nebenform mit *ei* zulässt, während
allerdings die endung –*hede* selbst, wie wir gleich unten sehen
werden, sich sonst streng innerhalb des lautes e^1 hält.

Die statistik weist also aus dass ursprünglich kurzes e in
offenen silben sowol mit e^2 als mit e^3 selten gebunden wird. von
den verhältnismäfsig wenigen ausnahmefällen ist ein gutes teil
noch ohne schwierigkeit zu beseitigen; bei vielen sind wir sogar gezwungen, die richtigkeit der betreffenden reimwörter aus
anderen erwägungen anzuzweifeln, die dann meist auch leicht

zur herstellung der identischen laute führen., bei der allgemein
herschenden unsicherheit der überlieferung ist selbst nicht unmöglich dass sogar der noch bleibende rest nicht vollständig von
M. herrührt.

Ehe wir uns näher darauf einlassen, die resultate aus diesen
ergebnissen zu ziehen, haben wir noch einen kurzen blick auf
das verhalten von e unter einigen besonderen umständen zu
werfen. zunächst erwähne ich einige germanische eigennamen,
die ebenfalls eine bemerkenswerte consequenz zeigen und immer
richtig mit e¹ reimen. *Zweden* : *steden* Sp. 4¹, 38, 63 usw.;
hene : *Zwene* 3², 93, 5 usw.; *Bremen* : *anenemen* 3², 93, 15; *Denen* :
wenen (assuefacere) 4¹, 40, 12; : *schenen* 4¹, 46, 51; : *quenen*
4¹, 66, 29. was unter dem reimworte *steenen* 4², 21, 76 zu
verstehen ist, weifs ich nicht. ebenso ist mir *dormeenen* unklar in 4¹, 56, 60 *si dorreden* ende *dormeenen*. der stellung
nach müste es ein präteritum sein, also von *dorminen*, welches
'durchgraben, durchwühlen' bedeuten könnte. unmöglich ist dies
nicht, kann aber nicht so ohne weiteres angenommen werden.

Ebenfalls zeigt sich die festeste consequenz bei e in der
stellung vor r + dental. dass bindungen wie *begheert* : *keert* und
begheerde : *keerde* vermieden werden, ist aus den früheren ausführungen schon zu entnehmen. aber auch solche wörter, welche
wurzelhaft r + dental haben, in denen also die dehnung nur
folge der svarabhakti sein kann, binden sich nicht mit ursprünglich langem laut, also mit e². wie gewöhnlich die reime *weert*
(dignus) : *begheert*, *eerde* (terra), *heerde* (pastor) : *verteerde* uä. auch
sein mögen, man wird darum doch diese wörter nicht als bindungen zu *keert*, *keerde* uä. verwendet finden.

Selten findet sich *é* als umlaut von â. es reimt mit langem
e und zwar sowol mit e² als mit e³, und dies kann uns für die
nähere ergründung der ganzen frage wichtig werden. *mere*
(nuntium) : *ere* Rb. 7341; *were* (esset) : *ere* usw. Wp. M. 1, 64;
woekenere : *eere* usw. 1, 370; ebenso wie letzteres ist wol zu
beurteilen *canceleren* : *ter eeren* Sp. 4², 40, 29 (kurz vorher reimt
cancelier : *hier*); *drossete* : *behete* Alex. 4, 918; *alreneest* : *gheest*,
meest usw. Wp. M. 2, 243; ähnlich 426. der beurteilung ent-
zieht sich *reten* : *geseten* Oversee 39, da die etymologie von *rate*
unbekannt ist. zuweilen findet sich in den hss. ein derartiges *e*
auch mit kurzem e gebunden in stellen wie *onwerde* : *ververde*

(terruit) Sp. 3⁴, 41, 16; *onverveert : weert* Troy. 3933; *were*
(esset) : *smere* Nat. bl. 2, 1957. in solchen fällen ist jedoch
immer *a* anzunehmen, also *onvervaert, smare* usw., wie beinahe
durchgängig in den hss. auch geschrieben wird. Nat. bl. 4, 47
steht aber falsch *smeere : sere.* hier haben V und B das richtige
smare : sware. der Alex. bietet jedoch auch den fall *tregen :
plegen* (1, 683), das erste wort in transitiver bedeutung 'träge
machen'. ob wir vielleicht *sal* in *sullen* zu verändern und in
tregen das alte wort = alts. trĕgan, ags. *tregian* (vgl. altn. *tregr)*
widerzuerkennen haben, ist eine frage, die wenigstens verdient
aufgeworfen zu werden. im Sp. hist. 1⁴, 48, 33 gebraucht M.
dies verbum gleichfalls (partic. *getreget : gheseget),* jedoch in der
bedeutung 'unmut empfinden'.

Das e der aus dem romanischen entlehnten verba auf *eren*
stellt sich zu gedehntem e, mit solcher regelmäßigkeit, dass die
wenigen abweichenden fälle nicht anders zu betrachten sind, wie
die ausnahmen bei germanischen wörtern auf -ere. von bindungen wie *sturbeeren : eeren* (honore) Sp. 1⁶, 39, 7, *gekeert :
ghevisenteert* 3⁴, 27, 95 habe ich überhaupt nur 5 aus diesem
werke und zwei unsichere aus dem Alex. notiert. ich bin nicht
ganz sicher, ob sie in den anderen werken gar nicht vorkommen,
es scheint jedoch so zu sein. dagegen sind reime wie *deren : vi-
siteren, tebarenteert : verweert* oder auch *regnert : wert* (dignus)
überall sehr gewöhnlich.

Das e in anderen fremden wörtern und namen allerlei art
schliefst sich mit vorliebe an langes e, und dem folgen auch
solche eigennamen wie *Gierberd* (Gerbert) zb. : *geĕrd (= geeert)*
Sp. 4², 32, 49. doch fliefst hier mehr willkür ein, was auch
nicht zu verwundern ist, da ja diese wörter eher eine beliebige
aussprache zuliefsen. und M. erlaubt sich sogar gerade in dieser
beziehung noch gröfsere freiheiten, wenn er zb. nach belieben
den nominativ *Daniel* und *Danieel* gebraucht. kein wunder,
wenn er sich auch gebogene formen mit der geringeren verschiedenheit, die dann in den e-lauten sein konnte, gestattete.
menestrele zeigt übrigens constant e¹, woraus wol auf einen fest-
stehenden nominativ *menestrel* zu schliefsen ist.

Versuchen wir es jetzt aus diesen tatsachen schlüsse zu
ziehen.

Der reimworte auf ere, sowol mit e¹ als mit e², sind sehr

viele. wären die laute nun gleich, so müsten auch, absolut genommen, mehr der reime auf ere $e^1 : e^2$ haben, als $e^1 : e^1$ und $e^2 : e^2$ zusammengenommen. dass dies aber nicht der fall sei, zeigen eigentlich schon deutlich genug die angeführten ausnahmen in ihrer verhältnismäfsig geringen zahl, denn der reim auf *ere* ist beinahe einer der gewöhnlichsten, und wir haben es mit einigen hundert tausend versen zu tun. wir wollen jedoch ein zugeständnis machen. es wäre nämlich sehr wol möglich dass aus der poesie derjenigen zeiten her, in welchen e^1 noch entschieden kurz war, gewisse bindungen eine typische beliebtheit erhalten hätten. solche typen bestehen in der reimgeschichte häufiger, und die verskunst der altniederländischen dichter hängt sehr gern am althergebrachten und einmal durch die vorgänger gegebenen. aber auch dann müste das verhältnis immer noch ein beinahe gleiches bleiben.

Das würkliche verhältnis lässt sich noch anschaulicher ausdrücken. im 4 buche der 1 partie des Sp. hist., welches 1530 reimpare zählt, kommen 29 reime von $e^1 : e^1$ mit der form -ere *(-eren)*, 30 von $e^2 : e^2$ vor, daneben kein einziger von $e^1 : e^2$. bei $e^1 : e^2$ könnte man unter voraussetzung der gleichheit des lautes nicht mit bestimmtheit annähernd gleiches verhältnis zwischen den bindungen $e^1 : e^2$ und $e^1 : e^1 + e^2 : e^2$ erwarten; aber sicher dürfte es doch nicht so sein, wie es sich tatsächlich in dem genannten buche darstellt. unter etwa 200 zweisilbigen reimen mit e (abgesehen von denen auf -ere) kommt nur der einzige erwähnte fall *spene : allene* vor, die übrigen binden $e^1 : e^1$ oder $e^2 : e^2$.

Manchmal kann man sogar fast den dichter beobachten, wie er den als mangelhaft erkannten bindungen aus dem wege geht. er sagt Sp. 1^2, 2, 49 *die quamen jeghen Cyrus met here / die Persiene verloren die were*; 1^2, 48, 9 *hoe Judas Machabeus sijn here/ versleghen hadde met groter were*; 3^2, 7, 2 *d'Alemanne ....* *verloren dien zege entie were; / haer coninc bleef mids int here.* in all diesen fällen wäre das gewöhnliche wort *ere* gewesen, aber M. setzt an seiner stelle *were*. mit geringerer sicherheit könnte man für den anderen fall anführen Sp. 3^2, 68, 61 *alse hem Aystolf so leede dede / so rumde hi Rome die stede*, und nicht *dede so lede*. wer aber achtsam den gebrauch des dichters von *mede* und *bede* zb., welche in vielen fällen beide passen würden, beobachtet, der wird auch für diesen fall die belege bemerken.

überhaupt kann sich schon bei sorgsamer beobachtung einzelner reimwörter niemand der erkenntnis verschliefsen dass unterschiede in den lauten obwalten. die geringe zahl der ausnahmen kann man unmöglich für zufall halten; es kann kein zufall sein, wenn einige werke (von den gröfseren Troyen und Nat. bl., denen sich dann am nächsten Rb. anschliefst) von beiden fällen vollständig rein gefunden werden; es kann auch kein zufall sein, wenn selbst in den schwierigen strophen zwar häufiger zu $e^1 : e^2$ gegriffen, aber von $e^1 : e^3$ so zu sagen gar kein gebrauch gemacht wird, wenn zb. in zwei auf einander folgenden strophen (Wp. M. 1, 56 und 57) die b-reime einmal *lede* (membra), *dorperhede, mede, onghestadichede, onvrede,* das andere mal *bescede, bede* (ambobus), *ede, ghelede, veede* lauten.

. Einen weiteren deutlichen beweis gewähren die wörter mit der endung -*hede.* die nominative -*heit,* -*heide* und -*hede* kommen neben einander vor, und danach die verschiedenen casus mit *ei* und e. a priori wäre anzunehmen dass -*hede* nur monophthongierung von *heide* sei, da im mnl. alle *ei* monophthongiert werden können. dann aber wäre in den formen auf *hede* e^3 zu erwarten. dieser laut ist nun aber nicht darin vorhanden, im gegenteil, sie binden sich mit unverrückter regelmäfsigkeit mit e^1; sie bilden ein sehr grofses contingent der reime (zb. 43 unter den 1530 reimparen von Sp. 1[4]), weichen aber nie von dem gebrauche ab: entweder -*hede* zu e^1, oder -*heide* zu *ei,* niemals -*hede* zu e^3. sie haben also offenbar kein e^3. es wäre trotzdem nicht unmöglich dass es doch nebenformen von -*heide* wären. der vocal könnte sich bei der mindertonigkeit des suffixes geändert, verkürzt oder verdünnt haben. allein es bleibt noch eine andere möglichkeit zu erwägen. häufig fehlt in der endung das *h,* und wenn dies auch selbst bei *heit* wol vorkommt, so kann man sich doch bei formen wie *swarede, sconede, waermede* usw. kaum des gedankens an das suffix got. -*iþa,* ahd. -*ida* erwehren. ahd. *warmida* gäbe regelrecht nl. *waermede,* ehe es zu *waermte* wurde. die beiden suffixe, wenn sie neben einander bestanden, konnten sich vermischen. im allgemeinen wurde -*ede* als nebenform zu -*heide* gefasst, daher in den meisten fällen mit *h;* es erhielt aber den vocalklang von -*ida.* so erklärt sich auch, weshalb äufserst selten, oder vielleicht nie, der nominativ -*heet* erscheint, sondern regelmäfsig

-*hede*, während doch -*heit* häufiger ist, als -*heide*. *heet* mit e^3
würde nicht zu den anderen casus mit e^1 gepasst haben, und
etwa *hĕt* aufzunehmen, gieng einesteils wegen seiner flüchtigkeit,
andererseits neben dem vollen -*heit* nicht an. die tonverstärkung,
welche dem suffix -*ede*, wenn es gleich -*ida* ist, im reim zufällt,
kann nach dieser erklärung nichts auffälliges haben, zumal auch
die endung -*nede* in *graefnede* ua., welche Grimm (Gr. 2, 246 f)
als *in* + *ida* erklärt, mit -*ĕde* reimt. eine frühere betonung *wăr-*
mida brauchten wir nicht einmal heranzuziehen. für die geäufserte
meinung dürfen wir vielleicht auch noch anführen dass im guten
mnl. die substantive auf *te* viel seltener auftreten, als später. vielleicht war das, was man *waerm(ĕ)de* sprach, in der schrift, resp.
in der poesie unter *waermede* verstanden, ähnlich wie im reim ja
auch nur *leringhe* uä. vorkommen. wohin wir aber auch das
suffix stellen, so viel ist sicher dass sein e von dem, welches es
als unbeeinflusste nebenform von -*heit* haben müste, abweicht,
und die trotz der nebenformen mit *ei* bewahrte regelmäfsigkeit
in seiner bindung ist ein um so sicherer beweis für die in dieser
untersuchung statuierten unterschiede. wer sich der mühe unterziehen wollte, sämmtliche substantive auf *hede*, die in Maerlants
werken im reim stehen, zu zählen, und sie dann hundert oder
gar tausend mal mit *mede*, *lede*, *dede* und ähnlichen wörtern, die ursprünglich kurzen vocal haben, gebunden fände,
ohne ausnahme — es sei denn dass sie mit *ei* erscheinen —,
der würde nicht länger zweifeln weder dass die endung *hede*
selbst nur 'zachtlang' e habe, noch auch dass die bindung
von dem, was wir e^1 und e^3 genannt haben, von M. vermieden
wurde.

Ich habe von vorne herein nicht nur einen unterschied
zwischen gedehntem und langem e gemacht, sondern innerhalb
des letzteren wider 2 arten unterschieden: 1) das *é* vor r und
2) *ê* — hd. *ei*. es fragt sich, ob wir berechtigt waren, letzteren
unterschied zu statuieren, ob wir mit den zwei classen, gedehntem
und organisch langem vocale, nicht auskommen. es scheint dass
man würklich noch eine differenz in den lauten fand. Utenbroeke zb., der verfasser der 2 partie des Sp. hist., reimt unbedenklich e^1*re* : e^3*re*, zeigt aber deutlich das bestreben e^1 : e^3 zu
vermeiden. im ersten buch kommen zb. 11 reime der ersten
art vor, während in dem ganzen werke die 2 art nur durch

4 zweifelhafte fälle vertreten ist.[1] auch von dem umgekehrten
meine ich die spuren zu erkennen, dass $e^1 : e^3$ weniger anstofs
gibt, wie $e^1 : e^2$, so zb. im Ferguut. hier darf man auch wider
an das oben berührte verhältnis in Maerlants strophischen gedichten erinnern, welches auf gröfsere strenge gegen $e^1 : e^3$ weist,
als gegen $e^1 : e^2$.

Die tatsachen stehen also fest; es bleibt jetzt noch eine erklärung zu suchen. es fragt sich, ob der unterschied in der
quantität oder qualität des lautes gelegen ist. ich glaube nicht
dass ich mit der Anz. v 77 gemachten und hier der bequemlichkeit wegen beibehaltenen classification in gedehntes e, ahd. ê und
ahd. ei das richtige getroffen habe. einige umlaute von langem d,
und das wort *sweer* zb. (socer, ahd. *swêhur)*, welches sein durch
contraction entstandenes ê mit e^2 bindet, durchbrechen diese anordnung. so wird es wahrscheinlich dass wir nur von einem
gegensatze zwischen gedehntem und organisch langem e zu
sprechen haben; innerhalb dieser classen sondern sich dann
wider die e, welche von einem r gefolgt sind.

Bei diesem stande der dinge liegt es am nächsten, die erklärung in der verschiedenheit der quantität zu suchen. ganz
kurz ist zwar ursprüngliches ĕ und ĭ in offenen silben nicht
mehr, denn dann müsten alle mnl. dichter ungenau reimen. aber
ein unterschied in der quantität kann, wenn die vocale in offenen
silben sich auch schon verlängert haben, doch immer noch bestehen, wie man ja sogar heute im nl. noch zwischen 'scherplang' und 'zachtlang' e unterscheidet. dass zwischen d und $\bar{a}$ von
den mnl. dichtern kein unterschied gemacht wird, beweist nichts
dagegen, denn auch nnl. sind sie zusammengefallen. aber schwerer

---

[1] 2^3, 30, 21 *ter scheden : tevreden*. ich nehme keinen anstand im ersten
verse *ter steden* zu setzen. Vinc. 12, 81 *sed dei providentia aliquando
affuit auxilium adventusque Gregorii*. aus dem verfolg geht hervor dass
Gregor keineswegs in der absicht gekommen war den streit, von welchem
die rede ist, zu scheiden. *ter scheden* kann darum nur misverständnis eines
abschreibers sein. — 2^1, 51, 33 *gebede : gerede*. hier vermuteten die herausgeber schon dass nach dem latein im ersten verse *in bede* zu setzen sei.
dies wird nun um so wahrscheinlicher. — 2^1, 24, 19 *baden om genade
bede : dede* kann man höchst einfach bessern mit *daden om genade bede*.
es bleibt dann nur noch übrig 2^1, 54, 25 *allene : tgene* in versen, die an
sich nichts verdächtiges haben. das latein ist freilich nur sehr gekürzt
widergegeben.

fällt schon ins gewicht dass auch, wie zweifellos feststeht, ó und ő, die doch ebenfalls im nnl. noch unterschieden werden, viel freier sich binden, als die verschiedenen arten von e. man könnte gegen die annahme auch etwa anführen dass — während auch bei den alten schreibern schon die heutige methode durchleuchtet, in offenen silben gedehntes und langes e durch e und ee zu unterscheiden — doch auch für das erstere nicht selten ee gefunden wird. man wird aber auf diese schreibermanier, aus der allerdings hervorgeht dass e' nicht mehr kurz gewesen ist, nicht die behauptung bauen dürfen dass die dehnung bei e völlig mit der organischen länge zusammengefallen war. es gehörte vermutlich schon damals, wie noch heute, ein feineres ohr dazu, die zwei klänge genau zu unterscheiden. hiezu trat dann vielleicht auch noch ein geringer qualitätsunterschied, der beim e bedeutender, als beim o und vielleicht auch je nach dem dialect gröfser oder geringer war. für eine derartige voraussetzung, dass das gedehnte e eine ansehnliche zeit hindurch auf einer stufe stand, die es noch von völliger länge trennte, sprechen auch noch andere gründe. zunächst der umstand dass in der neueren sprache noch einige fälle bestehen, in denen der vocal nicht zur länge durchgedrungen, sondern kurz geblieben, oder zur kürze zurückgekehrt ist. dann scheint häufig die orthographie darauf hinzudeuten. obwol von absoluter kürze nicht mehr gesprochen werden kann, finden wir häufig geschrieben *hi nemt, hi ghenest, spelde* uä. neben *neemt, speelde* usw., und solches haften der kürze, oder rückkehr zu derselben herscht gerade im wfl. dialect. dieses, der quantitätsunterschied, in verbindung vielleicht mit einer geringeren verschiedenheit in der qualität, wird doch die ursache gewesen sein, weshalb M. und mit ihm viele andere den reimen von dehnung mit länge bei e mehr aus dem wege giengen, als bei anderen vocalen. dass dann der vocalklang vor r sich noch als besondere classe absonderte, das wird uns eine bemerkung De Bos in seinem vortrefflichen buche erklären. derselbe unterscheidet 3 arten von langem e 1) 'zachtang' (dh. vom etymologischen standpuncte aus: gedehntes). 2) 'scherplang' (dh. organisch langes). 3) 'schweres' d. i. wie *è* in frz. *père*. das letztere nun hat da statt, wo auf ein ursprünglich k u r z e s *e* ein r folgt, also sowol in *erde, perd, werd* als in *weren* usw., aufserdem nur in einigen wenigen worten, die entweder klangnachahmend sind, wie das oben erwähnte *bleten*, oder in denen doch einmal ein r auf den vocal folgte, welches später umgesetzt wurde, und dann noch in einigen fremdwörtern, nicht also bei langem e vor r; dies bleibt 'scherplang'. trotzdem müssen wir unbedingt die veränderung des vocals auf rechnung des folgenden r schreiben, wie De Bo es auch andeutet. die verbalendung *eren* in roman. wörtern stellt er zu langem e, bemerkt aber dass sie in einigen gegenden auch den schweren laut hat. nach seinen angaben wechseln nun allerdings die klänge nach den verschiedenen gegenden, nicht aber geht aus denselben hervor dass irgendwo auch langes e durch das folgende r afficiert sei. allein das ist auch nicht notwendig, die angaben, welche er macht, genügen meines erachtens vollkommen, um die tatsachen aus dem mnl. zu erklären. es unterschieden sich ursprünglich kurzes und langes e schon durch die quantität und wol auch durch die klangfarbe. deshalb galt die allgemeine regel, die laute nie, auch nicht vor r, zu binden. diese sehen wir im allgemeinen M. befolgen. allein $\breve{e}$ vor r wurde afficiert und veränderte seinen klang in der weise, dass sein unterschied von $\acute{e}$ nicht mehr so grofs war, wie vor anderen consonanten. in folge dessen erschien die bindung von $\breve{e}r : \acute{e}r$ nicht so bedenklich als sonst $\breve{e} : \acute{e}$. auch diese gröfsere freiheit sehen wir bei M. schon durchleuchten, stärker noch bei Utenbroeke und anderen. dass in irgend einer gegend der laut $\breve{e}r$ sich weiter von $\acute{e}r$ entfernt habe als sonst $\breve{e}$ von $\acute{e}$ abstand, ist kaum anzunehmen, und deshalb mag wol die beobachtung, als ob einige eher $\breve{e} : \acute{e}$ als $\breve{e}r : \acute{e}r$ reimen, auf teuschung beruhen. so deutlich wie das umgekehrte ist wäre dies doch keinesfalls zu bemerken. wenn es nicht zufall ist dass M. *bleten* verschiedene mal mit $\acute{e}$ in den reim setzt, dh. wenn nicht nur dieselbe freiheit darin liegt wie in der hier und da stattfindenden bindung von $\breve{e}r : \acute{e}r$, und wenn wir ferner annehmen dürfen dass klangnachahmende wörter ihren laut nicht leicht verändern, so ist auch der schluss gestattet dass $\acute{e}$ bei M. ungefähr den laut hatte, den De Bo als 'schweres $\acute{e}$' bezeichnet. dasselbe verhältnis gilt noch heute in einem teile Flanderns, De Bo erwähnt es beispielsweise von Ipre.

Dies etwa müssen die ursachen derjenigen tatsachen sein, welche wir in diesem aufsatze beobachtet haben, tatsachen, aus denen wir zwar kein gesetz formulieren konnten, welches von irgend einem der mnl. dichter ganz strict befolgt worden wäre, die wir aber trotzdem ohne mühe aus ihrem gebrauche heraus wahrzunehmen vermochten.

Dieselben tatsachen geben uns auch einen mafsstab dafür, in wie weit wir a priori bei M. genauigkeit in der technik, speciell in der reinheit des reimes annehmen müssen. die unreinheit, welche durch den verschiedenen klang der e-laute bewürkt werden konnte, war auf jeden fall eine der mildesten, die sich denken lassen. unter diesen verhältnissen müssen wir für diejenigen werke, in welchen der dichter selbst diese geringfügige ungenauigkeit ganz meidet, die äufserste strenge voraussetzen, ohne dass uns die einzelnen ausnahmen in den anderen gedichten ihrerseits geradezu berechtigen, auch seltene fälle von unreinheit des reimes stärkerer art für möglich zu halten.

Die beobachtungen geben uns im allgemeinen das bild eines mannes, der sich zwar bestrebte strengen regeln nachzufolgen, aber doch nicht mit derjenigen sorgfalt zu werke gieng, die immer wider nachbessernd auch die geringsten spuren von unregelmäfsigkeiten zu tilgen sucht. diese sorgfalt vermisst man öfter bei Maerlants arbeiten.

Bonn, februar 1880.   JOHANNES FRANCK.

DER AUFTACT IN DEN LIEDERN WOLFRAMS VON ESCHENBACH.

Die freiheit, mit welcher Wolfram von Eschenbach den auftact in seinen liedern behandelt, reizt zu einer untersuchung, von deren ergebnissen man bei der geringen anzahl der lieder sich allerdings nicht zu viel versprechen darf. unter den sieben echten liedern Wolframs sind fünf tagelieder. die übrigen zwei, Lachmann s. 5, 16—33 (*Ein wîp mac wol erlouben mir*) und s. 7, 11—40 (*Ursprinc bluomen, loup ûz dringen*) sind völlig regelmäfsig gebaut und geben zu keinen bemerkungen anlass. auch von den tageliedern gewährt das dritte s. 5, 34—6, 9 (*Der helden minne ir klage*) einer auf die art der behandlung des auftactes gerichteten untersuchung keine ausbeute. abweichend ist

in diesem liede blofs der fünfte vers jeder strophe. die erste
derselben hat in diesem verse auftact, die zweite strophe nicht:
doch erklärt sich das fehlen hier ohne schwierigkeit aus dem
fortgange der rede.

Der betrachtung bleiben somit nur die vier tagelieder 3,
1—4, 7 *(Den morgenblic bî wahters sange erkôs); 4, 8—5, 15
(Sîne klâwen durch die wolken sint geslagen); 6, 10—7, 10 (Von
der zinnen wil ich gên),* und 7, 41—9, 2 *(Ez ist nu tac).* im
zuerstgenannten liede haben wir eine eilfzeilige, oder wenn man
die verse 8 und 9 jeder strophe als eine durch cäsur gebrochene
langzeile zusammenfasst, eine zehnzeilige strophe von 3 + 3 + 4
versen. der erste vers des ersten stollen jeder strophe hat auftact, dem ersten verse des zweiten stollen fehlt er. der zweite
vers beider stollen hat durchaus den auftact. der dritte vers
des ersten stollen jeder strophe entbehrt des auftactes, beim
zweiten stollen ist der dritte vers in der zweiten und dritten
strophe mit auftact versehen, in der ersten strophe fehlt derselbe
auch hier (es geht der sinn von dem frühern verse in den
nächsten hinüber.) allenfalls liefse sich das schema so denken:
im ersten stollen vers 1 mit, vers 3 ohne auftact, im zweiten
stollen umgekehrt vers 1 ohne, vers 3 mit anftact: wenigstens
ist dies in der zweiten und dritten strophe durchgeführt. nach
der ersten strophe, deren vierter vers (d. i. der erste des zweiten stollen) freilich lückenhaft überliefert ist, wäre auftact nur
in dem ersten verse des ersten stollen anzunehmen. dem sei
wie immer, wir werden auf eine strophe mit ungleichen stollen
geführt. — der abgesang zeigt verschiedenheit des auftactes nur
in seinem ersten verse, der in der ersten und dritten strophe
ohne auftact erscheint, in der zweiten ihn hat (vielleicht zur
markierung der anrede).

Weiter geht die freiheit in dem liede 4, 8—5, 15. der auftact wechselt sehr häufig, so dass überhaupt nur zwei verse
durch alle fünf strophen hierin ganz gleich gebaut sind, nämlich der zweite vers des ersten stollen, der des auftactes immer
enträt, und der erste vers des abgesanges (vers 7 der ganzen
strophe), der den auftact immer hat. in analogie stehen ferner
die verse 3. 6 und 8, d. i. die dritten verse der beiden stollen,
und der zweite vers des abgesanges. in allen drei versen steht
strophe 2 ohne auftact auf der einen, die strophen 1. 3. 4. 5

mit auftact auf der andern seite.[1] in verwandter weise ordnen
sich die strophen in vers 5 (dem zweiten verse des zweiten
stollen), indem strophe 4 den auftact hat, die strophen 1. 2. 3. 5
seiner entbehren; und in vers 9 (dem dritten verse des abgesanges), indem die strophe 5 hier ohne auftact auftritt, die strophen 1. 2. 3. 4 mit demselben. je zwei strophen einer-, drei
strophen andererseits treten zusammen in den versen 1. 4. 10
(dem ersten verse der beiden stollen und dem letzten des abgesanges). in vers 1 sind strophe 1 und 5 ohne, strophe 2.
3. 4 mit auftact; in vers 4 strophe 2 und 3 ohne, strophe 1.
4. 5 mit auftact; in vers 10 endlich strophe 1 und 2 ohne,
strophe 3. 4. 5 mit auftact.

In dem liede 6, 10—7, 10, dessen schema sich also darstellt: 3 + 3 + (4 + 4 + 1) verse, ist bezüglich des auftactes
alles in ordnung bis auf die verse 1. 3. 10 jeder strophe. vers 1
hat keinen auftact in strophe 1. 2, besitzt ihn in strophe 3.
vers 3 finden wir ohne auftact in strophe 1, mit auftact in
strophe 2 und 3. so steht auch bei vers 10 eine strophe den
beiden andern gegenüber: strophe 2 hat da keinen auftact, wol
aber haben ihn die strophen 1 und 3. da vers 3 noch zum
ersten stollen gehört, würden wir sogar innerhalb eines und
desselben stollen verschiedene behandlung des auftactes haben.
indes erklärt sich das fehlen desselben in vers 3 der ersten
strophe aus dem fortgange der rede, und ebenso in vers 10 der
zweiten strophe. was vers 1 betrifft, so fehlt der auftact in den
beiden ersten vom wächter gesprochenen strophen; die dritte,
die nach kurzer erzählung den ritter redend einführt, setzt den
auftact vielleicht der bessern hervorhebung wegen. — doppelter
auftact (s. zu MSF 154, 21) in zeile 7 der ersten strophe (6, 16).

Wir kommen zu dem liede 7, 41—9, 2. in allen strophen
desselben gleich behandelt sind die verse 2. 3. 4. 7. 12. auch
vers 1, indem er in allen vier strophen gleich viel silben zählt;
während aber in den strophen 1. 2. 4 die binnenreime dieses
verses stumpf ausgehen und der zweite und dritte versteil dann
mit auftact anhebt, sind sie in strophe 3 klingend, in folge
dessen im zweiten und dritten versteile der auftact entfallen
muss. so lassen sich auch die verse 8 und 10 als allen strophen

---

[1] durch aufnahme der lesart von G (4, 25) würde der achte vers aus
dieser gruppierung gelöst.

gleich gemessen betrachten, wenn man nämlich im achten verse
der dritten strophe *obe der* dreisilbig (dh. als eine hebung mit
zwei umgebenden senkungen) mit schwebender betonung lesen
darf, und ebenso im zehnten verse der vierten strophe *weme will.*
es bleiben abweichend die dem abgesange angehörigen verse 5.
6. 9. 11, bei denen wider eine ordnung nach gruppen stattfindet. dieselbe stellt sich wie folgt dar:

vers 5 ohne auftact in strophe 1. 4, mit auftact in strophe 2. 3.

vers 6 ohne auftact in strophe 2. 4 (in 4 fortgang der rede),
     mit auftact in strophe 1. 3.

vers 9 ohne auftact in strophe 1. 2, mit auftact in strophe 3. 4.

vers 11 ohne auftact in strophe 1. 2, mit auftact in strophe 3. 4.

In dieser mehrfach widerkehrenden gruppierung der strophen
eines liedes je nach dem vorhandensein oder fehlen des auftactes
in einzelnen verszeilen darf man vielleicht ein kunstmittel Wolframs erblicken. dies aber nur für die tagelieder, und auch von
ihnen schlagen nicht alle ein: das lied 5, 34 haben wir schon
früher ausgeschieden, und im liede 3, 1 klingt die gruppierung
nur an, man möchte sagen, Wolfram sei erst daran, sie für seinen dichterbrauch zu erfinden.

Das zuletzt betrachtete lied 7, 41 ist auch sonst merkwürdig.
es tritt in seiner ganzen durchführung ab von den zumal in
ihrem schlusse verwandten beiden tageliedern 4, 8 und 6, 10.
die vielen waisen (vers 1 und 3 je am schlusse, dann vers 7.
8. 9. 11) fallen ebenso auf, wie die nach art eines leiches an-
gefangene und dann abgebrochene gliederung des abgesanges.
es ist jedesfalls das originellste der tagelieder Wolframs, und
man begreift, wie Walther sich gerade durch dieses zu seinem
eigenen, einzigen tageliede angeregt fühlen konnte (Lachmann
zu Walther 89, 20). die waisen zwar sind bei Walther durch
das 'verstecken der reime' ersetzt. aber die gruppierung des
auftactes hat er Wolframen abgelauscht: und dass hiezu keine
geringe kunst gehörte, wird sich nachher bei der betrachtung
des unechten liedes 9, 3—10, 22 ergeben, dessen verfasser in
diesem puncte sein ungeschick am deutlichsten verrät.

Über den auftact in Walthers tageliede hat Wilmanns in
seiner Waltherausgabe s. 43 gehandelt. für meinen zweck muss
ich anders auf die sache eingehen. ganz gleich behandelt sind
blofs vers 2, sowie die ersten hälften der verse 3. 7. 8: alle

haben in allen strophen den auftact. die strophe ist eine zweiteilige von zweimal vier versen. wir dürfen also zwischen dem
ersten und dem zweiten teile im bau analogie vermuten, die
allerdings nicht ins kleinste gewahrt zu sein braucht. in der
tat finden wir von den fünf unzweifelhaft echten strophen vier
der erübrigenden einen gegenüber geordnet in den versen 1
und 5, d. i. dem ersten verse der beiden strophenteile. in vers 1
ist auftact in strophe 4, keiner in strophe 1. 2. 3. 5. vers 5
dagegen hat, mit umgekehrtem verhältnis, auftact in strophe
1. 2. 3. 4, keinen in strophe 5. die anordnung 4 : 1 erscheint
ferner in den zweiten hälften der verse 4 und 8 jeder strophe.
vers 4 hat da auftact in strophe 1. 2. 4. 5, keinen in strophe 3;
vers 8 ist mit auftact versehen in strophe 1. 2. 3. 5, entbehrt
seiner in strophe 4. gruppierung von drei gegen zwei strophen
zeigt sich in den zweiten hälften der verse 3 und 7, in der
ersten hälfte von vers 4, und im ganzen verse 6. in der zweiten hälfte von vers 3 erscheint der auftact in strophe 1. 2. 5,
fehlt in strophe 3. 4. biezu tritt vers 7 in seiner zweiten hälfte
in analogie: auftact in strophe 2. 3. 5, fehlt in strophe 1. 4.
die erste hälfte von vers 4 zeigt (im gegensatze zur ersten hälfte
des achten verses) auftact in strophe 2. 5, nicht in strophe 1.
3. 4. in vers 6 stehen, abweichend von dem entsprechenden
verse 2 der ersten strophenhälfte, die strophen 3. 4. 5 mit auftact den ohne denselben auftretenden strophen 1. 2 gegenüber.
fassen wir zusammen, was sich uns ergeben hat: so weit ungleichheit im auftacte waltet, analogie des baues je zweier, in
den beiden strophenhälften einander correspondierender verse,
dabei einmal umkehrung des gruppenverhältnisses, zweimal aber
fallenlassen der analogie — so zeigt sich Walther auch in diesem puncte seines tageliedes nicht als Wolframs blinder nachahmer, sondern als selbständiger bildner. die kunstreiche durchführung des verwickelten schemas wird keinem entgehen.

Wilmanns hat bekanntlich zwei strophen dieses tageliedes
athetiert. diese sechste und siebente strophe, deren unechtheit
er aus innern gründen dartut, lassen sich auch aus äußern anfechten. ⸱ nämlich in beiden strophen hat vers 1 auftact, der
sonst nur die vierte strophe auszeichnet; und ebenso haben ihn
die zeilen 7 und 8 nach der cäsur, wo gerade die vierte strophe
denselben fehlen lässt. es sollte wol der bau der vierten strophe

variiert werden, wodurch aber das metrische.gesammtbild des gedichtes alteriert ward.

Das Wolfram zugeschriebene lied 9, 3—10, 22 hat Lachmann
zwar in den text aufgenommen, aber auf eine bemerkung Wackernagels, 'dass es nichts als ein armseliges gemisch zusammenge-
würfelter gedanken und worte eines nachahmers sei', für unecht
erklärt. Bartsch in seiner ausgabe des Parzival und Titurel, einleitung s. xiii, behauptet, Lachmann beanstande das lied mit unrecht. eine prüfung desselben würde diesen ausspruch nicht
haben aufkommen lassen. die einheit des ganzen ist verfehlt,
indem der verfasser des liedes die in strophe 1 und 2 einge-
haltene anrede der geliebten von strophe 3 an mit der anführung derselben in dritter person vertauscht, ohne ersichtlichen
grund. an ausdrücken ist zu bemerken: *guot wip* 9, 3, auch
von dem verfasser des liedes s. xii z. 21 benutzt, stammt aus
Wolframs liede 7, 14. 29 vgl. *güetlich wip* 7, 24, *daz guote wip*
8, 9. *liebez ende* 9, 13 ist entlehnt aus 7, 32. *ein vlins von
donrestrâlen möht ich zallen mâlen hân erbeten, daz im der
herte entwiche ein teil* 9, 32—35 ist vielleicht reminiscenz aus
Wilh. 12, 16—18 *ein herze daz von flinse ime donre gewahsen
wære, daz müeten disiu mære.* die tauige rose *(alsam ein towic
rôse rôt* 9, 38) liebt Wolfram in vergleichen allerdings (Parz.
24, 10. 188, 10 f. 305, 23. Tit. 110, 1. Wilh. 144, 3. 195, 5.
270, 20), doch im zusammenhange mit den andern gründen für
die unechtheit des uns beschäftigenden liedes muss ihr auftreten
in demselben als nachahmung erkannt werden. war doch dem
schreiber der handschrift K des Willehalm die tauige rose so in
der feder, dass er sie 393, 24 ganz sinnlos anbrachte. — das
wichtigste aber ist dass der verfasser des liedes 9, 3—10, 22
bei dem versuche, die von Wolfram erfundene gruppierung des
auftactes sich anzueignen, kläglich gescheitert ist. unstatthaft
war der versuch von vorne herein, da das lied keine tagweise
ist und, so viel wir urteilen können, Wolfram nur in tagweisen
den auftact in der oben dargelegten freien art zu behandeln sich
erlaubt. und wie sieht die reihenordnung der auftacte in dem
unechten liede aus? die eilf-, genauer zehnzeilige strophe lässt
abweichungen des auftactes zu in den versen 2. 3. 5. 6, und
in der zweiten hälfte von vers 10, dh. im zweiten und dritten
verse der beiden stollen, und im letzten verse des abgesanges.

die verse 3 und 6 sind analog behandelt; es fehlt ihnen der auftact blofs in strophe 5, während die strophen 1—4 und 6 ihn haben. (in dieser strophe 5 geht von vers 3 der sinn in die nächste zeile hinüber, mit vers 6 beginnt ein neuer satz.) vers 2 hat auftact in strophe 1. 2. 5, enträt desselben in strophe 3. 4. 6. vers 5 ist ohne auftact in strophe 1. 2. 3. 6, mit auftact in strophe 4. 5. da die verse 2 und 5 in analogie stehen sollten, fällt schon das verschiedene gruppenverhältnis auf. indem ferner in vers 5 der mangel des auftactes überwiegt, wäre für vers 2 im allgemeinen vorhandensein desselben zu fordern; dies ist aber blofs durchgeführt in strophe 1. 2: in strophe 4 ist das verhältnis umgekehrt, beide verse sind ohne auftact in strophe 3. 6, und beide mit auftact in strophe 5. das durcheinander ist vollständig. am bedenklichsten ist das fehlen des auftactes in der zweiten hälfte von vers 10 der vierten strophe, während die übrigen fünf strophen ihn an dieser stelle haben. denn es treten dadurch zwei hebungen unvermittelt zusammen und muss für strophe 4 eine waise angenommen werden, während für die andern fünf strophen in der zehnten zeile cäsur besteht. über die unechtheit des liedes 9, 3—10, 22 scheint mir also ein zweifel nicht obwalten zu können. [1]

---

[1] Paul (Beitr. 1, 203 ff) scheidet das lied in zwei teile von je drei strophen und sieht in der vierten bis sechsten strophe eine von anderer hand herrührende matte fortsetzung des ursprünglich mit den ersten drei strophen abgeschlossenen liedes. hiemit kann man sich einverstanden erklären: von der verschiedenheit des inhaltes und tones der beiden liedhälften überzeugt man sich leicht, und wem an den ersten drei strophen als einem für sich bestehenden liede etwas gelegen ist, der wird es gerne sehen dass durch jene zerlegung die (von Paul in anderer weise als von mir dargelegten) unebenheiten des metrischen baues aus dem ursprünglichen strophenbestande verschwinden. aber wenn dieser forscher nun weiter die ersten drei strophen für Wolfram in anspruch nimmt, so kann ich ihm nicht folgen, sondern muss dabei stehen bleiben dass wir das werk eines nachahmers vor uns haben. Pauls argumentation hebt nur das hervor, was in diesen ersten drei strophen wolframisch klingt; wobei es nicht einmal richtig ist dass die vierte bis sechste strophe 'nicht eine spur von der weise Wolframs' enthalten: denn gerade die vierte bringt die 'tauige rose' an. hingegen hat Paul versäumt, nach der stellung zu fragen, welche der ersten liedhälfte unter Wolframs übrigen liedern zukäme. als ein in sich abgeschlossenes ganzes genommen, stehen die strophen 1 bis 3, wie schon aus den citaten, die ich oben im texte gegeben habe, erhellt, in einem abhängigkeitsverhältnisse zu dem liede 7, 11—10. wie in diesem spricht der dichter

Für unanfechtbar wird die hier vorgetragene ansicht von der anordnung des auftactes nach gruppen in Wolframs tageliedern nicht zu halten sein: das der untersuchung gebotene material ist zu dürftig. aber ich denke, mit den gewöhnlichen gründen, die man für das dem strophenschema widersprechende fehlen des auftactes anführt, wird man weder bei Wolfram noch bei Walther auskommen. die ungleichen stollen aber, auf die uns die betrachtung von Wolframs tageliede 3, 1 geführt hat, sollten einmal im zusammenhange untersucht werden. wo Lachmann in liedern Walthers ungleiche stollen zuliefs, war es unschwer, die gleichheit herzustellen, s. Wilmanns, Walther s. 67 (zu 1, 1). 77 (zu 24). 83 (zu 41, 4); und es bleibt noch auszumachen, ob und wann ungleichheit der stollen bei guten dichtern zulässig sei.

in 9, 3—35 die geliebte mit *guot wîp* an; wie in diesem verlangt er von ihr dass sie seinem liebessehnen *ein liebez ende* bereiten möge; und wenn die schlusspointe in beiden gedichten verschieden gewendet wird, in 7, 11—40 der dichter noch auf erhörung hofft, während in 9, 3—35 höchstens von einem eingreifen gottes eine umstimmung der spröden geliebten erwartet wird, so trifft es sich für den verfasser des letztern liedes besonders unglücklich dass ihm auch bei diesem anlaufe, den er zu einer originalleistung nimmt, eine reminiscenz aus Wolframs Willehalm (sieh oben) in den schlussworten die feder führt. einem dichter von der selbständigkeit und dem selbstbewustsein Wolframs mag man manier, nimmer wird man ihm dass er sich selbst copiere nachweisen. es bleibt also dabei dass auch die ersten drei strophen des liedes 9, 3—10, 22 einem nachahmer gehören — einem nachahmer allerdings, der sein vorbild genau studiert hat.

Wien, 8 juni 1880. RICHARD MÜLLER.

NACHTRAG ÜBER DEN HEINERSDORFER STEIN.

Durch briefliche mitteilungen, die mir über die inschrift gemacht sind, bin ich jetzt in der lage, dem, was wir Zs. 24, 455 ff ausgeführt hatten, noch einiges teils ergänzend teils berichtigend hinzuzufügen. zur erläuterung der lithographischen tafel habe ich zunächst noch zu bemerken dass an der linken seite des zweiten zeichens der ersten reihe sich eine ganz gering-

fügige vertiefung findet, in der richtung nach links oben. an
dem stein selbst ist diese vertiefung wegen der dunklen färbung
des gesteins nicht zu erkennen, sie ist schwach zu sehen auf
meinem gipsabguss. auf dem papierabklatsch, den Henning und
Hoffory genommen hatten, muss sie auch sichtbar gewesen sein.
der ganzen form nach, die auf dem stich nicht ganz getroffen
ist, kann man diese vertiefung nur für eine zufällige halten,
besonders da die fortsetzung des rechten astes nach links unten
sichtbar ist. ich habe daher die obere vertiefung mit einem
fragezeichen versehen.

Die aussage des försters Müller habe ich trotz ihrer bestimmtheit doch jetzt grund für unzuverlässig zu halten. der
mann ist allerdings seit dem anfang der 60er jahre in seiner
jetzigen stellung; aber wie mir herr pastor Pfitzner aus Buckow
bei Züllichau freundlichst mitteilte, ist er selbst schon vor dem
förster in seinem amte gewesen. gleich nachdem herr Pf. sein
amt angetreten hatte, führte ihn der damalige, jetzt verstorbene
pastor Wehrban von Heinersdorf zu dem stein und zeigte ihm
die inschrift im ringe. danach hat dieselbe in der tat schon
existiert, bevor Müller ins amt kam. ich meine dass die aussage des herrn pastors Pfitzner, als eines wissenschaftlich gebildeten, unbedingt mehr glauben verdient als die des wenig
gebildeten försters, um so mehr als hr Pfitzner mir noch andere
nachrichten hat zu teil werden lassen, die meiner meinung nach
die angelegenheit völlig aufhellen.

Die töchter des genannten pastors Wehrban, deren zwei
in Züllichau, eine (frau pastor Krüger) zu Neubruch bei Wronke
lebt, versichern dass sie den stein lange ohne inschrift gekannt
haben, bis ihr vater eines tages ihnen die nachricht brachte dass
eine inschrift in den stein eingehauen sei; ein gemeinsamer
spaziergang dorthin führte ihnen die neue inschrift vor augen.
Heckers anteil an der entstehung der inschriften wird nun auch
durch eine nachricht des herrn pastors Pfitzner klar. der letztere berichtet, er habe selbst den mann gekannt, der die obere
inschrift auf geheiß des herrn von Unruh eingemeifselt hat.
dieser mann, namens Mattner, war jahre lang factotum auf dem
gute und wurde oft zu dergleichen arbeiten, die geschick er-
forderten, gebraucht; er starb 1865 zu Buckow, also im pfarr-
dorfe des herrn pastors Pfitzner. dieser gibt auch ganz bestimmt

an dass Hecker die untere inschrift später ausgestemmt habe;
da nun an des försters aussage, dass er Hecker bei der arbeit
getroffen habe, füglich nicht gezweifelt werden kann, so scheint
es dass des försters irrtum aus Heckers falschen aussagen herrührt.

Endlich scheint sich auch aufzuhellen, wer die inschrift geliefert hat. herr pastor Pfitzner teilte mir mit: gebildete personen, die mit der von Unruhischen familie seit langen jahren
auf vertrautem fuß stehen, wissen dass der ehemalige besitzer
der Nicolaischen buchhandlung zu Berlin, Veit mit namen, dem
alten herrn von Unruh, mit dem er in briefwechsel stand, auf
dessen wunsch die inschrift geschickt hat; dieselbe bedeute:
Veit fecit. auf diese deutung habe ich schon Zs. 24, 462 anm.
hingewiesen und was gegen dieselbe spricht angeführt. ein mann
namens Veit (oder ähnlich) hat, wie ich ermittelte, nie die Nico-
laische buchhandlung besessen, wol aber hat es einen buchhändler Veit zu Berlin gegeben, der seiner zeit berühmt war.
das geschäft desselben gieng — wenn ich recht berichtet bin
1858 — in andere hände über und wurde später nach Leipzig
verlegt, wo es noch jetzt unter der firma Veit & cie. besteht.
Veit war ein vielseitig gebildeter mann, der akademische studien
(geschichte und philologie) gemacht hatte; er ist verleger be-
rühmter hebräischer werke (Zunz usw.) gewesen und war selbst
jude. Veit starb am 5 februar 1864 zu Berlin. wenn in der
tat die inschrift von diesem buchhändler Veit herrührt, dann
gewinnt die deutung derselben als hebräischer buchstaben eine
sehr bedeutsame stütze.

Tegernsee, den 22 juli 1880.   ERNST HENRICI.

BESCHREIBUNG
EINER SEEREISE VON VENEDIG NACH
BEIRUT IM JAHRE 1434.

Die hs. Arundel 6, Plut. CLXIII *D, des British museum, papier folio, ist durchweg von einer hand des 15 jhs. zweispaltig
geschrieben. der inhalt ist folgender:*

1. *Eine übersetzung der goldenen bulle, fol. 1ʳ—26ʳ.*

2. *Gedicht vom römischen reich.*

3. *Hie hebt sich ann das puch genant prouinciale (enthält die bischofssitze etc. der christenheit), fol. 29ʳ—40ʳ.*

4. *Hie hieben sich an die orden die der Romisch kunig Sigmundt hat lassen malen zu constintz in der kirchen zu den augustinern, fol. 40ʳ—42ʳ.*

. *Wie man den ablas vordienen soll, fol. 42ʳ—44ʳ.*
   Der appias von dem heyligenn grabe, fol. 44ʳ—48ʳ.
   Vonn dem applas zw Bambergk, fol. 48ʳ—50ʳ.
   Vonn dem applas zu Rom, fol. 50ʳ—53ʳ.

⁵⁄₆. *Eine seereise von Venedig nach Beirut vom jahre 1434; gleichzeitig datierung der hs. 1460, fol. 53ʳ—58ʳ.*

10. *Chronik der kaiser. anfang:* Hie hebet sich an die vorrede vber die Cronicken der Romer die pruder Mertein ein penitencier vnd Caplan des pabsts hat geschriebnn, *fol. 59ʳ—173ʳ.*

11. *Chronik der päbste bis Eugenius iv, fol. 174ʳ—241ʳ.*

12. *Trojanerkrieg des Guido de Columna in deutscher übersetzung, fol. 242ʳ—342ʳ.*

Dahinter steht noch angefangen: Hie hebt s, aber die hs. bricht damit ab.

Der codex ist dem Brit. mus. von Henry Howard in Norfolk geschenkt worden.

Ich teile im folgenden die oben genannte reise nach Beirut mit, welche kulturhistorisch besonders interessant ist. die abkürzungen der hs. sind aufgelöst, falsche worttrennungen berichtigt und die interpunction hinzugefügt. wo ich von dem text der hs. abzuweichen genötigt war, ist die lesart derselben stets in den anmerkungen angeführt. die letzteren sollen im übrigen nur dazu dienen, das verständnis zu erleichtern. die vorkommenden italienischen seemannsausdrücke habe ich nach bestem vermögen zu erklären gesucht; aber es ist mir nicht gelungen, für alle eine befriedigende erklärung zu finden. die absätze, welche sich im folgenden finden, sind der hs. eigen.

Anno domini millesimo quadringentesimo tricesimo quarto adi[1] octavo septembrio fur ich von venedig auß vber mer mit

---

[1] = a die, a *offenbar in romanischer bedeutung* = lat. ad

tzehen gallein, der gingen vier gein Alexandria vnd vier gein
Barutti vnd ein gein trypolim vnd ein gein iaffo, vnd ich fur
mit den vier gallein genn baruthy. Do was Capitonio mischer[2][5]
lorenzo[3] minio vnd patro[4] mischer luca dudo. auff der selben
galleyn fur ich, vnd darauff waren anderhalb hundert Ruderer
vnnd funflzig schutzen vnd ein Comita[5], der das schiff regirt
myt acht seyner gesellen, die nach den carthen vnd den sternen
faren, vnd ein pedotta[6], der das wasser mist myt eynem pley[10]
an eyner langenn snur, das er weys alweg, wie tiff das wasser
ist, oder wo er in dem mer ist; das vindt er do pey, vnd smirt
das pley vnd lest hinab, so klep der sandt vnten an dem pley.
Do sicht er, ob es gryssig oder rotvar ist, Do pey er denn weys,
Inn was gegent er denn ist; vnd eyner, der das schiff wendt[15]
binden an dem Thymon[7], vnd ein gesworner patron, der das
schiffs wart, ob es icht pruck hat oder zu wenig oder zu vil
geladen sey. vnd man hat eynenn prister, der spricht allnacht
ein Collecten[8] vonn vnnser frauwen vnd eyne von sant peter,
vnd lest alle suntag ein truckne meß[9] vnd gesegent das weych-[20]
wasser. mer so hat man eynen schreiber, der beschreibt yderman sein lon vnd was man ein ledt vnd auß ledt Inn das schiff.
Mer so hat man ii koch, die da kochen den herrn. vnnd mer
man hat eynen Richtr vnd eynen patel[10]; wenn sie kumen In
caw dehystria[11] am widerfarn, vnd wer den zu dem andern zu[25]
sprechen hat, der thut das vor dem Richtter, vnd so muß man
ym thun ein genug oder sicherheyt. warumb ist, die weyll sy
auff dem mer sein? wann wen sie an das lant kumen, So ist
all man frey. vnd mer man hat ii pusaunner vnd drey pfeyffer,
vnd wen sie farn tzw eyner stat, So pfeyffen sye anff, und wen[30]
Man essen will zu morgens vnd zu nachts; Vnd so die nacht

---

[2] *hs.* mischr', *die stark zusammengezogene form ist frz. ursprungs,
vgl. Diez Etym. wb.* I *s.* 383. *in der Schweiz sagte man früher* misser
statt messire [3] *hs.* lotz'enzo [4] — *ital.* il padrone [5] *ital.* co-
mito, *befehlshaber der ruderknechte auf den galeeren* [6] pedoto, pe-
dotto, pedotta = *steuermann* [7] il timone = *steuerruder* [8] 'collecta,
oratio, quam is qui clero vel monachis praeest, finito et expleto quolibet
canonico officio, velut omnium astantium vota et preces in unum colligens,
publice et voce altiori recitat' *(Du Cange)* = *ital.* colletta, *gebet, das
in die messe eingelegt wird* [9] *s. Du Cange s. v.* missa sicca
[10] = *ital.* bidello, *frz.* bedeau, *sp. prov.* bedel, *mlat.* bedellus
[11] *Capo d'Istria*

her get, So pfeyffon sey, das sich die andern gallein darnach
wissen zu richtten. vnd ein schalko [12], das ist ein außgeber,
der kaufft ein fur die herschafft vnd wider rechet dem patron.
35 vnd vier knecht, der koren zwen dem patron vnd zwen dem
Capitani, vnd ein kon' [13]. Also das ich rechent, das gesatzten
vnd genant person auff eyner galein mussen sein, das ytzlicher
sein ampt hat, Bey drithalb hundert person, an kauffleut vnd
an pilgram; der sint auch offt bey funfftzig, also das ein galein
40 furt bey dreyhundert person; vnd ein vyscher vnd ein smyd vnd
eyn tzymmerman, eynn schuster, ein schnyder vnd ein barbir.
Do dar nach schreyb ich, wie ein galein gestalt ist. So ist ein
ygliche gallein grosser achtzig schryt langk vnd tzweintzig schryt
weydt, vnd auff yder seyten In der galein sein xxv penck, do
45 man auff rudert, vnd auff yder benck drey Rudrer; vnd so sitzt
vor yder penck ein schutz. vnd so hat ein galein vier lochr,
do man hinab steigt.

Daz erst loch oben an der galein, vnd do ligt der hern
kleyder vnd truhen jnn. Das ander loch das heyst sentna [14],
50 das ist der keler, vnd do leytt wein, prot vnd fleysch vnd fysch
jnnen. Vnd das drit loch heyst maula porta de schrina [15], da
ligt jnne allerley kauffmanschaft, die sie allenthalbin [16] holen
vnd hin vber bringen. Vnd das vierd loch heyst maula porta
dei Sarthy [17], do ligt jnnen seyler vnnd segeltucher vnd oben
55 in dem popen [18] do sitzen dye herren vnd haben ein tebich ob
jnn, das es nicht geregen mag auff sy. vnd so sytzt der pedotta in dem kelin [19] schifflein bey dem seyle, do er das wasser

---

[12] = ital. scalco, *vorschneider, küchenmeister*   [13] *ich finde
keine befriedigende auflösung für dies wort. der haken hinter* n
dient sonst zur bezeichnung von er   [14] *ital.* sentina, *jetzt in der
regel bezeichnung für den ort im schiffe, wohin aller unrat abfliefst.
afrz. wird mit* sentine, sentaine *auch ein kleines fischerboot bezeichnet, vgl Du Cange s. v.* sentina. — *heifst das erste loch etwa* fon-
tepuzzolo? *vgl. anm.* 80   [15] manla *ist wol ital.* mánuglia = lat.
manülea, manucüla, manücla, *welches* 1) *einen langen ärmel (Plautus),*
2) *drücker, scheere in der katapulte (Vitruvius) bezeichnet. Du Cange
führt* χυρίς *als alte glosse dazu auf. die lesung* manla *ist sicher, da
gleich darauf* mala *geschrieben ist.* — schrina = *ital.* scrigna, *gewöhnlich* scrigno, *schubkästchen,* = lat. scrinium   [16] *hs.* enthalin   [17] *hs.*
der Sarthy. *das letztere ist plural zu* il sarto = *schneider*   [18] *ital.*
poppa *fem., port. span.* popa = puppis   [19] = *dem bald folgenden*
kallein, *also 'galeere'*

myt myst, vnd so sitzt der Comitu auff der truben vorn am popen
vnd sicht was not am tuch vnd ann seylern sey vnd sicht auch
den stern vnd die Carthen an,·darnach er vert. vnd der vnter 60
patron Sitzt mytten in der kallein vnd sicht ob das schyff woll
geladen sey oder auff die seyten hang. vnd so sitzt der zym-
merman vorn jn der proben [20] vnd arbeyt wes not ist an den
Rudern vnd an der gallein vnd der schrina [21] in dem loch, do
alle kauffmanschafft jnnen·ligt. vnd so sitzt der kelner in dem [22] 65
keller vud der koch vnd der schalko bey dem hert vnd des Ca-
pitaners knecht, der do hat der kleyder, sitzt vnden vntter
dem popen, also das ein yder sein stat hat vud weis, wo er
sitzenn soll.

Item so hat der mastpaum, der do gericht stet, an yder 70
seyten funff seyler, die heist man le sarthe [23], die halten den
panmen, das er steet [24]. vnd so hat der siegelpaum dreyerley
tocher. Das erst heist man la wela [25], das thut man an, wenn
ein schlechter kleyn wint ist. Das ander tuch heyst man tertzerola [26], das thut man an, wenn das grosser wint ist, das man 75
sorg hatt, es zereys den paumen, wan das tuch tertzerola ist
nicht alß groß vnnd vecht nicht als vil wintz als das ander.
Das iiite tuch heyst papafigo [27], das ist vierecket vnd ist thun [28]
vnd kurtz, vnd das thut man an, wen ein gross wint ist, das
man sorgt, es prechen pet [29] Bawmen. vnd so sein am segell- 80
paum, der vber twerch ist, zwey seiler, die heyst man soste [30],
vnd das ander an der lincken seyten heyst lortza [31], vnd das ann

---

[20] *es gibt provenz. span. port.* proa, *ital.* prua — *lat.* prora, *das
vorderteil des schiffes. aber im ital. marit. gibt es auch* il provero, *der
vorderruderer, und dieses setzt eine form* prova *voraus; davon also unser
wort* [21] *hs.* schrinā [22] *hs.* der dem [23] *ital.* le sarte, *nur plur.,
seile, die den mast halten* [24] *hs.* stet steet [25] *ital.* la vela — *das
segel* [26] *ital.* il terzeruolo, terzaruolo (*zu* il terzo *der dritte) ist das
stagsegel* [27] *hs.* papasigo. *es ist ital.* pappafico, *port.* papafigo, *span.*
papahigo, *das focksegel.* Du Cange *erklärt:* Papafigo, vox Italica. Bern-
hardi de Breydenbach Iter Hierosolym. pag. 243: 'Unde maximus in galea
ortus fuit clamor invocantium Deum Sanctosque omnes et vota repromit-
tentium, unde et illud tunc expansum fuit velum, papafigo Italico sermone
cognominatum, quod non nisi in extremo periculo et ultimo exicio appo-
nitor'. Nautis nostratibus papefis vel paquefic, maius velum mediani mali
[28] — *dünn* [29] — *beide, mastbaum und raa* [30] *plur. zu ital.*
sosta — *ruhe, stillstand, zu* sostare *hemmen* [31] *ital.* l'orza, *das seil*

der Rechten seyten heyst potza [32], vnd das seyll, das am eck am
segl herein get, das heyst kaynola [33], vnd das hin auß geet
85 am eck, das heyst mantikio [34]. das klein seyll an dem Bawmen
das heyst Außolo [35], vnnd mit dem selbenn seyll do ledt man
alle spetzerey myt vond enttledt das dinnen ist vnd zeucht auch
das teyll am tuch, das da heyst potza, auff, wenn man nicht vast
wyll faren, vnd man zeucht lent daran auff, die sich verschulden,
90 also das man dasselb mer nutz den der anndern keins. Item so
dan die nacht her get, So stet der Comitu anff vnd hebt an zu
sprechen zw den lewten: 'Stet auff zu boren das gotz wort.'
So antwort ydr man: 'gepeutl' So spricht der Comitu diese
hernach geschrieben antiphonen: 'Virgo mater ecclesiae [36], in terra
95 porta gloriae [36], Esto nobis refugium aput patrem et filium.' So
spricht seyn gesellen dy andern hernach: 'Virgo [36] clemens virgo
pya, virgo dulcis o maria, Exaudi, Christe, omnes; ad te mariam
confugimus.' So spricht der Comitu wieder: 'Gloriosa dei mater,
cuius natus est ambitor, ora pro nobis his omnibus, in te con-
100 fidimus.' So hebt an der priester vnd spricht versiculum: 'Dignare
me laudare te, virgo sacrata.' Respondetur: 'Da michi virtutem
contra hostes tuos.' Collecta: 'Omnipotens sempiterne dens, qui
gloriose virginis matris marie corpus et animam [37], vt dignum
fylij tui habitaculum effici mereretur [38], spiritu sancto cooperante
105 praeparasti: da, vt eius commemoracione letamur, et eins pya
intercessione ab instantibus malis et a morte perpetua atque
subytania lyberemur per Christum dominum' etc. Oremus: 'Deus,
qui sanctum petrum appostolum tuum super aquam ambulantem
ad te [39] venire fecisti, Da et [40] famulis tuis super mare nauigantibus,
110 in tuam misericordiam confidentibus, vt misericordia tua jubeat,
ad x ystmata [41] sine impedimento inColume [valeas] peruenire.
Visita, quesumus, domine, galeam istam et omnes ynsidias [42] inimicj

---

links an der raa, port. orça *(nur seemannsausdruck), die linke seite des
schiffes, span.* orza, *frz.* orse, ourse 'côté gauche du vaisseau, cordage à
l'extrémité gauche de la vergue, *ital.* orza, *prov.* orsa, du moyen néerlan-
dais lurts, bavarois lurz — gauche' (*Scheler Dict. d'étymol. française*)
    [32] *woher? die richtige form ist wol das mehrmals vorkommende*
portza   [33] *woher?*   [34] *vielleicht verschrieben oder dialectisch? ital.*
manico *griff, handhabe*   [35] *woher?*   [36] *hs.* ecclesia, gloria, Vir
    [37] *hs.* anima   [38] *hs.* efficime metur   [39] *hs.* ate   [40] *hs.* vt
[41] *vor* ystmata *ist* hoc *durch unterstreichen getilgt. was bedeutet das
wort?*   [42] *dahinter steht es durch puncte getilgt*

ab ea longe repelle. angeli tui sancti habitent in ea, qui[43] nos
jn pace custodiant[44], et benedictio tua sit super nos semper.
dens, qui continet mundum, da nobis mare quietum et ventum 115
secundum; perducat nos ad portam[45] salutis sine jmpedimento et
liberat nos ab omni malo et de manu inimicorum nostrorum. Tu
es benedictus in secula seculorum, amen. Noctem quietam et
finem perpetuum concedat nos dinina maiestas, pater et filius
et spiritus sanctus, amen.' So man diese gotz worter gesprochen 120
hatt, so spricht der Comitu, in welsch der Capytany[46]: 'vnd der
patron vnd die hern begern eyn guten nacht von euch, vnd
Richt eur seyler vnd thut gute wart in dem proben, vnd ein
selige nacht dem[47] tymon vnd dem der den tymon went.' vnd
wen man diese wort gesprochen hat, Vnd so muß der gesellen 125
eyner sitzen jn dem pope ob eynem pucbßlein[48] vnd sicht an
den sternen vnd an dem puchslein, ob er recht var vnnd schreyt
ymer dar: 'la santa via, la bona via', vnd vmber dar, das ist
'ein heyliger guter weck'. vert er aber vorecht auff die lincken
seyten[49], So spricht er: 'faportza'.[50] Vert er aber auf die Rech- 130
ten seyten, So spricht er: 'fa lorcha'.[50] vnd der selb geselle
hat ein orglass an eynem arm, vnd do weys er wye vill or ist
vnd wie vill or er vert. vnd der selbenn gesellen mues yder
ein halbe nacht also sitzen ob dem puchslein, sunderlich ob man
die nacht vert. 135

Vnd so dar nymant Reden laudt noch singen laut, vnd
yderman muß still sein. Vnd eyner ob dem tymon vnd zwen
voren in der gallein dye mussen sich vmbsehen, ob sey kein
pergk sehen, oder ob sie icht veindt vernemen, vnd vier gesellen
mytten, die da die lewt ann ruffen zu den saylern, also das man 140
pey der nacht ghar ordenlich muß sein. vnd wenn das der tach
ber pricht, zwo orr vor,[51] so weckt der Comitu die Rudrer anff
zu Rudern, ob das der wint klein wer; vnd yder gesell musß
ein halbe nacht sitzen ob dem puchßlein vnd eyn ob dem tymon.
Item da hernach schreyb ich, in wie vill tagen wir dar kumen 145

---

[43] *hs.* quis, *s durchgestrichen*   [44] *hs.* custodiat   [45] *l.* portum?
[46] *dh. womit man im welschen den capitän bezeichnet*   [47] *hs.*
des   [48] *dh. dem kompass. derselbe wurde* 1302 *von Flavio Gioja in
seiner jetzigen gestalt erfunden*   [49] *vor* seylen *ist* hant *durch puncte
getilgt*   [50] *vgl. anm.* 31 *und* 32   [51] *dh. zwei stunden vor tages-
anbruch*

mit winde vnd an wint von venedig bis genn Barutti, vnd wie
vill tagreys sindt, die man vert mit winde etc. Item von venedig fur wir gen pola. [52] Das ist zwey hundert meyl, die fur
ich in iij tag ann wint myt der nacbt. wen nicht wint ist, So
150 vert man die nacht auch myt Rudern, aber nicht gantz, man
leyt offt in pergenn [53] still. Item von pola piß geenn Zara [54]
ist drey hundert meyll, die fur ich in dreyen tagen vnd ein-
halben. Do kaufft wir speys, vnd zwischen pola vnd zara Vnnd
ist ein perg [53], der heyst golffo de pola. auff dem perg besucht
155 man dye Ruderer vnd die schutzen vnd die gesellen; ob eyner
entrinn, so schreyb der gein venedig dem signor denotte [55], das
er schicht schergen in der stat. wo man den sehe ein solche
gestalt vnd solche cleyder, So solt man in vahen vmb das gelt,
vnnd darnach so schlug man in myt geyselen von sandt marxs
160 biß an den Rygal, [56] vnd muß dennoch das geit wider geben,
das man [57] ym geben hat von der galleyn etc. Item von Zara
gein kurfu ist dreyhundert meyl, vnd man vert sy mit windt in
zweyen tagen myt der nacht. vnd darzwischen leyt ein stat die
heyst Agorus [55], die selb stat leyt An dem windischen gepirg
165 vnd ist vntter dem keyser, vnd von dannen kumen die korallen
die reser [59], die grebt man jn dem selben gepirge, vnd do selb
stest das vngrisch lant ann. Item von kurfu [60] gen modon ist
vierhundert meyll, vnnd man vert sie mit windt in dreyen tagen
myt der nacht, Aber myt Rudern kumen sie kaum jn tzehen
170 tagen myt der nacht halt. Item von modon gen Coron ist vier
hundert meyll, [61] vnd man vert sie mit windt, als ob geschrieben
steet.

Item von Coron genn Rodes [62] ist dreyhundert meyll, vnd

[52] *Pola, festung an der südspitze Istriens* [53] von bergen *abzuleilen,
also hafen* [54] *in Dalmatien* [55] *personenname? nach der scheint
etwas zu fehlen* [56] *Ponte Rialto am Canale grande zu Venedig?*
[57] *man fehlt in der hs.* [58] *welche stadt ist dies? sie muss etwa in
Montenegro liegen; ich habe an Czernagorzen gedacht* [59] *mir unverständlich, die hs. bietet es deutlich* [60] *vor kurfu steht noch:* modon
gen Coron, *aber durch puncte getilgt* [61] Modon *an der südwestspitze
der Peloponnes,* Coron *genau fünf meilen davon am meerbusen von Coron.
hier muss notwendiger weise ein irrtum vorliegen. ich vermute, es ist
etwas ausgefallen, und zwar erst die entfernung von Modon nach Coron,
und dann eine andere station auf dem wege nach Rhodus, etwa auf
Creta: die entfernung würde dann stimmen* [62] *Rhodus*

die selb stat ist kriesch vnd ist frey vnd wonenn die teutschenn
herren dar junen, vnd die streyten all tag wider die heyden anff 175
dem wasser. Vnd ist zu mercken, das die gallein Stiegen newr
in funff steten ab mugen werffen [63], das ist poia vnd kurfu,
Modon, Coron vnd Rodes, vnd do man menigklicher zw vert den
zu den andern.

Item von Rodes ist biss gen barutti [64] funffhundert meyll 180
grosser, vnd man vert sy myt windt redtlichen jn [65] dreyen tagen.
vnd es ist zu mercken, so man gen Barutto kumpt, So muß man
eynenn poten [66] haben von dem soldan zu geleyt, das yderman
frey in das ertrich mag geen. vnd so schicht man auch gein
damasco eynen potenn von der venediger wegen gein dem Con- 185
sulo, das ist vntter der venediger gewerb [67]. vnd so haben die
venediger ein gcsetz, das man nichtt lenger dar zu Baruto sein
dann dreyssig tag, sy laden oder laden nicht. Vnd welche galein vert pey der [68] fur den Capitany, der ist verfallen. Darnach
in der Capitany der herschafft [69] furgipt. oder welhe galein vert 190
ee zw eyner stat denn der capytany, der ist auch verfallenn.
oder welche Galein ver zu eyner stat, do der Capitany nicht
vert, der ist auch verfallen. vnnd wen sie wieder farn, so varn
sie zu keyner stat zw, es wer dann not von speyss oder von
der armen lewt wegen, die dar anff sein Ruderer. Summa vonn 195
venedig bis genn Barutto ist zweytausent zweyhundert meyl
welscher. vnd wenn man die specerey lett, so tregt man alle
specerey fur das tor an dass wasser, vnnd wen man auß tregt,
So ist eyner von des Soldans wegenn vnd hat ein holl eysenn,
das vor spitzig ist, vnd do myt stick er jnn die seck, das er 200
will wissenn, was specerey man hin aus fur, das man nicht
ander dingk furre, dan das sie kauffen. So ist zw wissen, das
man eym yglichem Ruderer zw solt gipt cynn monadt gemeinigk-
lichen drey ducaten, etlichen mer, darnach eyner stercker vnd
redlicher ist; Wann viii alter lewt darauff seint, dy da Rudren. 205
So gipt man eynem schutzen vier ducaten, vnd ist zu mercken,

[63] stiegen abwerfen *bedeutet hier: die landungstreppe auf das land
setzen, vor anker gehen* [64] *Beirut, der hafenplatz für die grofse
karawanenstrafse, welche aus Persien über Damascus führt* [65] *hs.* jm
[66] suldan *ist vor* poten *durch puncte getilgt* [67] *dh. die Venediger
treiben handel dahin* [68] *verderbt* [69] *hinter* herschafft *ist vorgeben durch
puncte getilgt. das erstere bedeutet hier: obrigkeit*

das man inn essen vnnd trincken nicht gipt, Sundern man gipt
yr ydem vj vntz protz [70] vber den andern tag, vnd das wigt
man bey dem gewicht, vnd das prot ist zwyrnt gepacken vnd
210 heyst pischotto [71], also das es woll dreyssig oder vyrtzig iar alt
wirt. Item die her nach geschrieben amptleuten, den gipt man
essen vnd trincken zu yrem soldt. Item auff eynes Capytanyers
gallein mussen sein vier schutzen, die mussen sein von gentelomen [72] aus venedig. den gipt man Ir ydem ein monadt x du-
215 caten zu soldt, vnd die selben gentelomen mussen den Capita-
nyer bewarn, vnd was er sie heyst, das mussen sie bey leyb vnd
bey gut thun, oder er pringt sy vor der herschafft vmm das
gelt, das sie gebnn mussen.

Item so gipt man dem Comitu ein gedingt gelt, sy faren
220 lanck oder kurtz, das gelt gab man dem Comitu anff der vorgeschrieben galein, was dreyssig ducaten ein auszyhen. [73] Item
so gipt man dem pedotta, Das ist der, der das wasser mist, so
sy zu lande [74] faren [75] wollen, ein monet [76] ein guldenn.

Item so gipt man dem patron zu Radon [77], das ist der
225 gesworn patron, der dye gallein versicht myt laden vnd entladen, fl. [78]

Item so gipt man dem schreyber, der alle dingk verschreybt,
ein fl.

Item So gipt man dem koch, der denn herrn besunder kocht, fl.
230 Item So gipt man dem vnter koch fl zwen ducaten vnd
essen vnd drincken all monedt.

Item so gipt man dem schalcko, das ist dem außgeber auff
der Galein fl. iii ducaten, essen vnd trincken vnd ein stat in
der gallein, do er etwas hinleg vonn kauffmanschafft.
235 Item so gipt man dem kelner fl.

Item [79] so gipt man dem fontepuzoll [80] zwen ducaten, das
ist, der der herren kleyder Innen helt vnd bewart.

---

[70] unze *hier ein gröfseres gewicht*   [71] = *ital.* biscotto = *biscuit,*
hier schiffszwieback   [72] *ital.* il gentiluomo *der edelmann*   [73] *die*
stelle ist offenbar verdorben; es hat wol gestanden: das gelt, das man
gab. — ein auszyhen ist eine seereise   [74] *vor* lande *ist* lãt *durch puncte*
getilgt   [75] faren *zweimal, das erste mal durch puncte getilgt*
[76] = *für einen monat*   [77] *was heifst dies?*   [78] *es fehlt die angabe*
der summe hier und öfters   [79] *hs.* Ite   [80] *ich kann keine auskunft*
über das wort geben; puzzolo *wäre lat.* puteolus; *vielleicht nannte*
man so die kleiderbehälter auf den schiffen

Item So gipt man des Capitani vnd patrons knecht fl. 2. ducaten vnd ein ducaten, darnach als sie redlich sindt.

Item So ist zw wissenn, das man den vorgeschriebenn ampt-240 leuten gipt mer dann anndern [61] lewten, wan der schrina [62], kelner, koch, schalcko vnd patron sein schutzen gleich als woll als die andern; wie sie nicht helfenn die seyler richtenn, So thun Si doch nottigers dan daß selb, wann scholt man zu den selben ampleuten schutzen dingen, so hetten sie zw eng. vnnd 245 ein yder schutz mues selber habenn ein armprost, pfeyll vnd ein platen, das ist er alles gepunten.

Item So hat ein gallein newr ein hert, do man auff kocht, vnd auff dem selben hert kochen woll bey hundert person das essenn, vnd der hert ist kaum eyner claftern lanck vnd breyt, 250 aber eß ist zu mercken, das ye vier oder funff Ruderer vnd schutzen essen miteinander aus eynem hauen. wann solt yder kochenn, so wer es der hert zu klein, wann man [63] kocht den herren besundere darauff vnd brett auch darauff.

Item ann demselbenn hert ist ein huner korpf, der stet 255 gein merwartz. Do hat man albeg ein hennen oder virtzig vnd Copawn. ob das sach wer, das der wint so lang weret, das sie nicht zu lande mochttenn vnd das sie nicht frisch fleysch mochten kauffen, So essen dan die herren dieselbenn huner, das sie doch nicht fleysch mangelten. vnnd auch desgleichen myt vi-260 schenn; wan sie nicht frysch fisch gehabenn mugen, So habenn sie ein gesaltzt visch, heyschen Tumy, die recht man gern a pola Bey dem schola [64]. vnd man tar auff dem hert nicht kochen wen grosser windt ist von fewrs wegen, vnd man muß das fewr gar woll bewarn des nachts, das icht schaden geschehe. 265

Item So ist zu barutto ein kleynes keppellein, do lisst man denn cristen messe Innen. Do hat sandt Jorg der ritter jnnen gewont. vnd da pey ist ein steynen pruck myt eynem swipogen, Do erstach sandt Jörg den lindwurm, vnd durch dieselb prucken do flewßt ein suess wasser in das mer, vnd ist ein vnterscheidt 270 in dem mer, das man woll sicht, wo das suess wasser an das mer stozt, vnnd rint doch ineinander. vnd die kirch ist alle zustort, vnd man mueß heymlich meß lesen von der heyden wegen.

[61] hs. ann   [63] hs. schrinam   [63] fehlt in der hs.   [64] a pola = in der stadt Pola; was bedeutet recht und was ist der schola?

275 Item so man dann die specerey hat gekaufft zu damasco,
So ledt man dieselben specerey anff kemelteren vnd sendt oft
bey viertzig oder bey funfftzig, die miteinander genn durch das
gepirg, vnd ein knecht damit. vnd das selbig thier mag gar wol
geleyden hunger vnd durst, vnd ist gar groß, lanckhelsig vnd
280 arbeyt gar vast. vnnd wen sie kumen an die stat, do man sy
ab ladenn will, So kan man sie nit derreichen, vnd so thut
der knecht den tyren ein zeichen myt dem mund, vnd von stundt
an So legt es sich nyder; So let man sy dan abe. vnd das
thyr ist auch gar gern prot, wann man nicht alweg fntr furenn
285 mag, das sy essenn, vnnd yst oft vngessenn vnd onn trincken
woll [85] drey tag.

Item so belt man kemellthir, die gar palt lauffenn, do man
botschafft darauff schicht, vnd das selb thyr ysset nicht anders
denn prot, vnd wenn man ein heyden auß schicht in botschafft,
290 So hat er alleweg ein prot oder vier vnd ein legelein myt zucker-
wasser, vnd wenn err Reyt, So schneyt er das prot zw pysse-
lenn, vnd wen das tyer hungere, so went es den hals hinumb
zu dem heyden vnd gucgt anff. So wurft er dann dy pißlein
des protz eines nach dem anndern hinein, vnd ruet nicht vnd
295 laufft offt dreyssig oder viertzig meyll wellischer in eym tage. [86]

Finitum et completum per me Johannem schumann de
lutzenburg anno domini millesimo quadringentesimo sexagesimo
feria secunda post exaltationis [87] sancte crucis.

[85] *vor woll steht in der hs. noch:* woll trincken   [86] *raum für*
3 zeilen, danach die notiz des schreibers. unter derselben rot:

e
e   e
sch

[87] *hs.* exultationis

Berlin, den 6 februar 1880.   ERNST HENRICI.

SPRUCH VOM RÖMISCHEN REICH AUS DEM JAHRE 1422.

Im folgenden teile ich aus der oben s. 60 beschriebenen foliohs. Arundel 6 des British museum ein gedicht mit, das eigentlich auf diese bezeichnung keinen anspruch erheben kann, denn es ist nur von historischem interesse. der text wurde genau nach der hs. gegeben, doch sind die wenigen compendien derselben aufgelöst, falsche worttrennungen berichtigt und die interpunction hinzugefügt. mehrere stellen verstehe ich nicht.

In dem spruch vindt man war anff[1] das Romisch reich
Im anfang gesetzt sey vnd wie das her komen sey.

    GEystliche ertzundung warer mynnenn,
    Got herr, tzundt an das flammen prinnen
    Gemeingklich fur alle cristenheyt.
    Was ich vor ye han geseyt,
5   Das ist alles gewesen ein schimpff.
    Ich furcht erst grossen vngelimpff,
    Der vnter den hossen will auff stan,
    Als ich vor offt gemeldet hann,
    Das man die seck[2] pillich het deutten,
10   Die cristen glauben also scheutten
    Und leyder reichenn thut als weyt.
    Ir secht waran es ytzundt leyt,
    Das woldt ich yezů ertzelen.
    Hort zu vnd lat her prellen.
15   Zw den tzeiten do Octauianus
    Reichßnet der erst augustus,
    Dem rufft lucas auß seyen[3] teytell
    In seynem andern Capitell:
    Exijt edictum,
20   Er wolt wissenn zale vnd sum,
    Das menigklich in der werlt wurd tzelt.
    Wer sich ytzunt des gleichen stelt

---

[1] auff war *hs., durch zeichen umgestellt*   [2] *l.* seckt; *der sinn der zeile ist mir jedoch unklar*   [3] *l.* seynen

Vnnd sich auss [1] augustus nennet
Vnd bey dem name nicht erkennet,
25 Wie der name sey komen her,
Darumb merck meyne wort vnd ler:
Er heist ein merer alletzeyt.
Denn namen man eynem keyser geyt
Vnd rechtenn kuniglichen schall;
30 Also nennet man die noch all
Biß noch heut auff diesen tag,
Das nymant nicht wol gewissen mag,
Wie lang sie beleybenn der keyserthum
Denn Romischen fursten zu Rom.
35 Nach cristi gepurt dreyhundert iar
Und Eylfer mer, das wisset fur war,
Darnach wurden sie verschaltten,
Das sie nicht mer sollten waltten
Eyner keyserlichenn wall.
40 Das geschach durch suntlich vall.
Merkt, yr furstenn, diesen coppell [2]
Der wonet genn Constantinopell
Gleich als man ein kunig erwelt,
Als euch hernach wirt ertzelt,
45 Wie das du belyben sey
Das die furstenn bestanden dapey
Der wall, ob das ymant wundertt,
Zweyntzig iar vnd auch sechshundert
Ist belieben in der teutschen hant.
50 O teutsch zunge, piß gemant,
Das dir die ere nicht werde entzogen!
Suntliche hoffart wurden betrogenn
Romer vnd auch die kriechenn.
Secht wie der gelaub ytzundt begynt siechen,
55 Dartzu Cristenlich gepott.
Ert noch den almechttigen got,
Vnd tret nicht von der kur,
Demmet den ketzerlichen schawer
Vnd secht an gottes hantgethatt;

---

[1] l. auch   [2] *die construction dieser und der folgenden zeilen ist*
unklar

60 Laß¹ boehfart vnd neyt, das ist meyn rat,
   So wirt auch nicht entzogen das.
   Als ich in eyner Cronick laß,
   Wie lublich begabt sie teutsche zunge,
   Der grunt vnd der vrsprunge
65 Will ich ertzelen, ob ich kann.
   Myt denn kurfursten heb ich ann,
   Der siebend² sindt, die ich kenne.
   Drey ertzpischoff, die ich nenne:
   Meintz, cölen vnd darzu Trier,
70 Als keyser karell das geuiell,
   Die gewalt sullenn habnn in der cantzley
   (Ir teutschen, merckt diese krey),
   Doch vglicher in seyner prouintz.
   Noch sind mer redlicher printz,
75 Die macht nach keyserlichen stat:
   Sachsen das marschalckamptte in hat,
   Der truckseß ist pfaltzgraue pey Rein,
   Der von brandenburgk soll kamerer sein.
   Denn vierdenn nennen ich euch³ sueß:
80 Kunig pinterna⁴ boheymus.
   Welenn ein den man kronen soll,
   Wer inn darzu tut geuallen wol:
   Das heyst ein kunig der Romisch kronn,
   Den sollen wir pillich halten schonn
85 Mit aller vnnser gehorsame.
   Altzeit Augustus ist sein name;
   Doch das er sey teutscher zungen,
   Sust menigklich ist der wal verdrungen.
   Er soll sein streng, gerecht vnd frum,
90 an⁵ geuerde gleicher schirmung,
   Vnd setzen die cristenheyt in frydt.
   Des sullenn ym geholffenn sein seyne gleder⁶,
   Die dem reich do sind gewant,
   Die myr ertzeygent⁷ sindt bekant,
95 Darauff des reichs grund ist gesetzt,

---

¹ *l.* Lasst   ² *l.* sieben   ³ *hs.* euch ich, *durch zeichen umgestellt*
⁴ *mir unklar, vielleicht verdorben aus* Pincerna kunig   ⁵ *vor an ist* Alle
durch zeichen getilgt   ⁶ *der reim erfordert* glid   ⁷ *verstehe ich nicht*

Die sehen wie man ytzundt letzt
Das reich der heyligenn cristenheyt.
Das solt von denn haben gelayt,
Wann teutsche zunge ist dartzu gestifft,
100 Das die andern zungenn vbertrifft
Myt fursten grauen freyen,
Die ich altzeyt will bekreyen
Vnd hie ertzelen wer die sint:
Pfaltzgraue pey reyn eins fursten kindt,
105 Luttringen vnd dartzu braunstzweyg,
Swaben nach Ritterlicher eyle
Das sind des reichs vier hertzogen.
Vier marggraue vnbetrogen:
Brandenburg vnd auch meychsen,
110 Merbern sich[1] man auch gleyssenn;
Der wirdt[2] marggraue von lottringen.
Nu sicht man her dringenn
Wier[3] lantgrauen myt grosser wirdt:
Von doringen, hessen myt gezirde,
115 Der uon leuchttenberg mit erschein
Vnd der in elsaß zu eßeßheym.
Also sint ir noch woll vier
Vnnd vier burggrauenn nennt man myr:
Meydburgk vnd nureinbergk,
120 Reyneck[4] vnd dortzu strumbergk.
Noch sindt vier grauen bey dem reich:
Von kleff vnd Swartzpurck bede gleich,
Von lunpurck vnd von Tusiß,
Westerburg[5] ich dartzu myß,
125 Der wierdt[6] ist vonn allewalden.
Vier Ritter thut man haltten:
Der ein ist von andlan[7],
Von strundeck den ken ich schon,
Der drit ist von meldingen,
130 Frawenburg[7] sicht man dringen.

---

[1] l. sicht   [2] l. vierdt   [3] l. Vier   [4] unweit der mündung des Rheins in den Bodensee   [5] auf dem Westerwald, in der alten grafschaft Leiningen-Westerburg   [6] l. vierdt   [7] im Unter-Elsass, kreis Schlettstadt gibt es Andlau, Frauenburg am frischen haff

Vier stet: der erst heyst Cesaris,
Augspurck nennt man sie ytzunt gewiß,
Mentz, ach, lübegk.
Vier dorffer banner ich auff steck:
135 Bambergk vnd sletstat,
Vlme, hagenaw dartzu wat.[1]
Mer vier des reichs gepauwern:
Cölnn, Regenßpurgk an trauren,
Constantz vnd Saltzpurg ich auff mytz,
140 Das sindt vier mechtig pauro myt witz;
Der grunt soll das reich auch halten.
Nu ist der glaub leyder gespaltenn,
Das dem reich grossen schadenn pringt,
Die keytzerey myt dem glauben ringt
145 Wider gotlich ere vnd wirdt,
So ist ordnung vnd gezirdt,
Das man doch pillich wenden thut.
Ir stoltzen fursten woll gemut,
Gedenek[2] an alle ewern stat,
150 Handelt die sach nach weysen rat,
Doch das die ketzer wern vertrieben;
Secht ann wie lang seyt yr belieben,
Das yr seyt der hochst senat,
Wann keysers wall von euch zu gat,
155 Das doch ein grosse wirdt heyst.
Darumb, yr teutschen, seyt gereytz,
Das yr waren l.ben .ilf[3]
Kumpt trostlich ytzundt zu hilff.
So rat ich das, keyser Sigmundt,
160 Habe die fursten lieb auß rechttem grundt,
Wann sie vonn bebstlichen wesen
Besunder hat auß gelesen
Kuniglich kron. darnach solttu dich betrachtten
Vnd nach hilff der teutschen achten,
165 Die man dir freuntlich teylt hat myt.
Heb an, flehe, gepewt vnd pit,
Tu auff den schatz, silber vnd golt,

---

[1] l. vat   [2] l. Gedenckt   [3] *an der stelle der puncte je ein*
buchstabe undeutlich; vor ilf scheint b zu stehen; unverständlich

Vnd gib der Ritterschaft iren solt,
Auch sprich denn fursten gutlich zu,
170 Damit die cristenheyt kumpt wider in rw
Durch der fursten hilff vnd crafft,
Vmb cristenliche Ritterschafft
Vnd auch vmb manig lebendig schar,
Der die herolt nement war.
175 Der was an tzall vnd vbervill.
Der wappen ich blaßmyrn will.
Als ydem seynem stat do zymmet
Hann ich getrachttet vnd gestympt
Nach der rechtten visiment
180 Durch fursten vnnd auch ander gent,
Von golde, silbervarb vnd gestein
Verwapent adenlich vnd reyn:
Der schar daucht ich mich[1] gemeyt.
Nu will ich sagen vnderscheyt
185 Der wappen ein teyll, ob ich kann,
Wie cleydet was maniger stoltzer man.
Hundert tansent man do sach,
Als mir manig berolt das vergach,
Auff das mag sprechen ich,
190 Ains dem andern was nicht gleich.
Als do man schylt vnd helm verpant,
Vil manig tyer ich do bekant
Bede[2] tzam vnd dartzu wildt,
Auf pirg, gestreuß vnd auff geuildt
195 In sprungen, gengen ich sie vand
In spur, in pellen vnd in Rampand.
Ir was auch manges gepochen
In last vnd auch auff getzogen;
Ein teyl stunden in schonn in stagk,
200 Ains das stundt, etlichs das lach.
Zeltten, trabn, Esell vnnd maull;
Geturnet, gepfert, gerste vnd sewll;
Vnd manig schilt gewolkenyrt,
Vme geben vnd gestagnyrt,

---

[1] micht *hs.*   [2] Bedem *hs.*

203 Schilt kuchen vnd auch das roch.
    Schilt in schilt sach man auch,
    Vnnd manger schilt durch plencket
    Swer ploß in pundt geschrencket [1]
    Vnd manig wappen das nicht wirt ertzelt,
210 Domyt gewappent was manig helt;
    Also was beheym walt durch strewt,
    Des sich manig hertz vnd mut erfrewet.
    Die schar, die man da thut sehenn,
    Als myr die herolt des verjehenn,
215 Do was grosser gewalt vnd vbermacht; [2]
    Wie sich das biß her hat gesacht,
    Das Will ich nu zu mall vertragenn
    Und von der sach nichtz mer sagenn
    Doch die rede, die ich denn fursten [3]
220 Die soll damit haben ein ennde.
    Die stuck verkundet offenbar
    Do man tzalt viertzenhundert iar
    Vnd zweyvndtzentzig iar da pey.

[1] *die letzten zeilen sind mir unklar*   [2] *in der hs. steht* macht *in der folgenden zeile*   [3] *die stelle ist wol verderbt; es scheint ein vers zu fehlen. auch am ende mangelt vielleicht einer*

Berlin, den 6 april 1880.   ERNST HENRICI.

NIBELUNGENHANDSCHRIFT U.

Durch die güte meines freundes Alfred Heinrich, gymnasiallehrers in Cilli, erhielt ich die möglichkeit, das folgende bruchstück einer neuen Nibelungenhandschrift zu veröffentlichen.

Das pergamentblatt befindet sich im besitze des herrn Ploner, kaufmanns in Innsbruck, der es zufällig in einem bilde, in welchem es als hinteres deckblatt verwendet war, auffand; es ist in klein-quart und stammt aus dem 13 jh. ursprünglich war es ein doppelblatt, wie der über den mittelbug, in welchem sich 5 löcher zur aufnahme des fadens befinden, hinausreichende teil des weggeschnittenen gegenblattes zeigt. an den vier ecken des blattes befinden sich löcher, die vom durchschlagen der nägel herrühren, wie sich aus den umgebenden rostflecken ergibt.

*Auf jeder seite befinden sich 28 zeilen je einen langvers ent-
haltend, jede zeile beginnt mit einem gröfsern, rot durchstrichenen
buchstaben; die strophenanfänge sind durch rote initialen, welche
nach ausweis der ihnen vorgeschriebenen kleinen buchstaben später
gemalt sind, gekennzeichnet. die schrift ist deutlich und regelmäfsig, nur die letzte zeile der ersten seite hat durch abschaben
erheblicher gelitten; der text schliefst sich im ganzen enge an den
von C an.*

Ich lasse den diplomatisch genauen abdruck folgen.

Seite 1.

1212,3 [1] zwiv sold ich minē vienden lan so michel gv̂t
       ich weiz wol waz div vrowe mit dem schatze getv̂t

1213 vū prehten si in hintz den hivnen ich wil gelv̂ben daz
     er wrde doch zerteilet niht wan ŝf minē haz
     si babent v̂ch niht d' roffe die in solden tragen.
     in wil behalten hagene daz sol man chrimhildē sagē

1214 do si v'nam div mere do wart ir grim̃e leit
     ez wart v̂ch den chvngen allen drien geseit
     si woldenz g'ne wenden do des niht geschach
     Rudeg' der edele dar zv herlich sp'ch

1215 vil richiv chvneginne zwiv chlaget ir daz golt
     iv ift d' chvnich etzel in d' maze holt
     gesehent iveh siniv v̂gen er git iv also vil
     daz irz zerteilet nimmer def ich iv æide fwerē wil.

1216 do fp'ch div chvneginne vil edel Rvdeger
     ez gewan nie chvneges tohter die richeit mer.
     denne d' mich hagene ane hat getan.
     da chom d' ftarche Gernot hin zv̂ d' chemenatē gegā

1217 mit gewalt des chvneges fluzel ftiez er an die tv̂r
     golt daz chrimhilte ræichte er h'fv̂r.
     ze driezech tv̂fent marchen od' dennoch paz
     hiez er nemē die geste lip was Gvnther daz

1218 do sp'ch võ pechlaren d' Gotelinden man
     ob ez min vrowe allez mohte han.
     swaz sin ie wart gefvret võ nibelvnge lant
     sin gervret nim' marche min noch d' chvnegim̃e hant

---

[1] *Holtzmann* 1295. *Bartsch* 1272.

1219 Lat ez nemen vrowe ſwˢ ez gˢne haben wil
ich praht vz minem lande des minen also vil

Seite n.

daz wir ſin v̂f dˢ ſtraze haben gvten rat
vū vnſer choſte binnē mit vollen bˢlichen ſtat
1220 da vor I aller wile erſvllet wrden zwelf ſchrin
des aller peſten goldes daz ī dˢ werlte mohte ſin
heten noch ir maide daz ſvrt man vū dan
mit der chvneginne daz andˢ mvſte ſi da lan.
1221 gewalt des vhelen hagenen dˢ dvbte ſi zeſtarch
si het ir opfer goldes noch wol tv̂ſent march
daz teilte ſi dˢ ſele irˢ vil liben man.
daz dvhte Rvdeger ī vil grozen triwen getan.
1222 do spˢch div vrowe chrimhilt wa nv ſrivnde min
die durch ellende ze hivnē wellen ſin
vū mit mir ſulen rieten ī etzelen lant
die nemē golt daz mine vū chv̂ſſen roſſ vū v̂ch gewāt
1223 des antwrt ir ſehlre dˢ marchrave ekkewart.
sit ich iwer geſinde ie vū erste wart.
so entwˢich ich iv nie triwen spˢch dˢ chv̂ne degen
vū wil iv immˢ dinē die wile wir bæide geleben.
1224 ich wil v̂ch mit mir ſv̂ren hvndert minˢ man.
dˢ ich iv zedienste wol mit triwen gan.
wir ſin vngeſchæiden ez tv̂ denn dˢ tot.
dˢ rede neig im chrimhilt do irz dˢ helt ſo wol erbot
1225 do zoch man die more ſi wolden varen dan.
do wart vil michel wæinē vū vrivnden getan
vrow v̂te div gv̂te vū manich ſchone meit
die erzaigten daz in were nach dˢ chvneginne læit
1226 hvndert ſchoner maide div vrowe mit ir nam
die wrdet ſo gechlaidet. als in daz wol gezam.

1220,4 *über* ſt *von* mvſte *ist ein querstrich*   1221,2 *das* o *über*
v *in* tv̂ſent *ist mit roter farbe nachgetragen*   1223,4 geleben] ge *aus*
be corr.   1224,4 *über* neig *ein kleines* a, *nach* im *zwei buchstaben,
von denen der letzte gewis* t *war, wegradiert*

Graz, am 4 august 1880.   DR FERDINAND KHULL.

JEROSCHINFRAGMENTE.

Im kreisarchive zu Amberg befinden sich 5 halbe, vor jahren von acten, in welche sie miteingebunden waren, losgetrennte pergamentbll., von denen zwei dermafsen zerschnitten sind, dass nur mehr versreste gelesen werden können. ursprünglich befasste jede (quart-)seite zwei columnen zu 32 zeilen aus der Deutschordenschronik des NvJeroschin. auf der vorderseite des ersten blattes befinden sich v. 2092—2123 sowie die anfangsbuchstaben der vv. 2124—2153 (citiert nach Strehlkes ausgabe im 1 hande der Scriptores rerum Prussicarum), auf der rückseite v. 2186—2217. bl. 2 enthält vorn v. 10449—10478, rückwärts 10538—10569, das zerschnittene dritte bl. auf der vorderseite v. 22921—22950 ohne die anfänge der zeilen (auch die überschrift nach 22939 ist nicht vorhanden); die rückseite, auf welcher 23015—23046 standen, jedoch mit fehlenden versenden, ist völlig abgerieben. die vorderseite von bl. 4 bietet die vv. 25051—25078 und die anfangsbuchstaben von 25079—25110, die rückseite die schlüsse der vv. 25111—25142 und die vollständigen zeilen 25143—25173. ähnlich wie das dritte bl. ist auch das fünfte zerschnitten; es ergänzt das vierte, indem es vorne die reste von 25079—25110, rückwärts die anfänge von 25111—25142 enthält.

Im allgemeinen stimmen die bruchstücke, orthographische differenzen abgerechnet (wie *yn* statt *in*, *her* statt *er*, *cit* statt *zit*, *vries* statt *vriez*, *irging* statt *irginc* usw.), mit Strehlkes texte überein. nur folgende abweichungen wären zu bemerken: 2101 *sam* für *als*. 2215 *nicht e yntet* für *nicht intet*. 10562 *Er sprach ist daz wir ab* für *er sprach: 'Ich râte, daz wir ab*. die rote überschrift nach v. 25057 lautet: *mit nûn vnd zwencig brudren vnd mit gar vil volkis* (*brudren unde vil volkis* Strehlke). 25158 *vugir* für *vuer*. 25159 *vngehugir* für *vngehuer*. 25165 *blik* für *pflic*.

HANS NIGG.

ZU SCHILLER UND KÖRNER.

Die königl. bibliothek zu Berlin hat kürzlich 224 originalbriefe Christian Gottfried Körners an Schiller von dem auto-
graphensammler herrn Künzel in Leipzig angekauft. wie nach
der vorrede zum zweiten bande der Goedekeschen ausgabe des
briefwechsels zu erwarten war, ist die nachlese aus der vergleichung des gedruckten textes mit den originalen nicht gerade
von bedeutendem wert. dennoch wird ein neuer herausgeber
an den originalen nicht vorübergehen dürfen. da nun leider,
wie ich von herrn professor Goedeke erfahre, eine neue auflage
des briefwechsels auf lange zeit hinaus nicht in aussicht steht,
so will ich hier aus den originalen einige besserungen und nachträge für die besitzer der alten auflage verzeichnen und zugleich
die aufmerksamkeit der forscher auf den erwähnten neuen wertvollen erwerb der königlichen bibliothek richten.

Manches hat Goedeke mit bedacht fortgelassen, und ich gebe
ihm selbstverständlich zu dass zumal in Körners briefen nicht
jedes wort an sich von bedeutung für uns ist. aber gerade für
diesen briefwechsel scheint mir unbedingte vollständigkeit doch
von wert; zumal die richtige auswahl nicht von vorn herein nach
einem festen principe getroffen war, und Goedeke auch wider
nichts weglassen wollte, was in der ersten auflage einmal gedruckt war. auch sagt Fielitz (Archiv für litteraturgeschichte
v 127) mit recht dass die auslassungen im verhältnis zum umfange des buches und der masse des an sich unwichtigen, das
naturgemäfs doch darin steht, so verschwindend klein sind, dass
um ihretwillen von dem ziele, die originale in allen einzelheiten
getreu herzustellen, nicht abgewichen werden sollte.

Was aber für einen künftigen herausgeber einer neuen auflage gilt, gilt nicht in gleicher weise für mich; hier kann es sich
verständiger weise nicht darum handeln genau die ausgabe nach
den originalen bis auf die kleinsten einzelheiten durchzucorri-
gieren und aufserhalb des zusammenhanges eine menge kleiner
an sich unwichtiger sätze nachzutragen, sondern ich habe mich
auf die verbesserung einiger fehler und auf die ausfüllung einiger

lücken zu beschränken, in denen das ausgefallene mir von wichtigkeit erscheint.

Als eine pflicht betrachte ich es, hier ausdrücklich hervor-
znheben, wie bei der vergleichung der ausgaben mit den originalen, die leider Goedeke nicht vorlagen, die weit gröfsere genauigkeit der Goedekeschen ausgabe gegenüber der ersten auflage
des briefwechsels deutlich zu tage tritt.

Im briefe vom 14 august 1785 lies am schluss: *Bundes
Grufs von meiner Frau und Schwägerinn* (statt *Beider Grufs*).
— im briefe vom 31 december 1786 ist ein wunderliches verschreiben Körners zu constatieren. er hat am schluss statt des
eigenen namens in der unterschrift den namen des adressaten
Schiller gesetzt. Goedeke vermutete, *Schiller* sei accusativ, und
es sei zu lesen: *Alles grüfst Schiller.* dem widerspricht das
original, das nach dem wort *grüfst* einen punct zeigt und nach
einem absatz erst als unterschrift das wort *Schiller* aufweist. auch
müste der accusativ nach Körnerscher schreibweise *Schillern*
heifsen. — im briefe vom 2 januar 1787 lies: *Ich bin sehr auf
die Antwort von Ch. begierig* (statt *von G).* *Ch.* ist natürlich
auf Charlotte von Kalb zu deuten. — im briefe vom 24 juli 1787
lies: *dass die verdrüfslichsten Besuche gemacht sind* (statt
verdriefslichen).

Aus dem jahr 1788 bemerke ich zunächst dass der bei
Goedeke vom 4 juni datierte brief, wie Goedeke bereits in den
berichtigungen nachgetragen hat, vom 4 januar datiert werden
muss. nach Körners abkürzungen kann jan. und jun. sehr
leicht verwechselt werden. hier aber zeigt das original deutlich
Jan. auch treten als beweis für diese datierung die schlussworte des briefes vom 17 juni hinzu, die bei Goedeke fortgelassen
sind: *Meinen letzten Brief mit dem Journalplan hast Du doch
erhalten?* diese worte zeigen dass diesem briefe Körners brief
vom 3 juni unmittelbar vorangegangen war. — im briefe vom
13 januar 1788 lies: *aus würklicher Kleimuth* (statt *wirklichem).* —
im briefe vom 2 may 1788 ist der absatz, welcher beginnt: *Deinen
Entschluss wegen Götz* usw. vor den bei Goedeke voranstehenden
absatz zu stellen. unter den gevattern der Emma Körner lese
ich: der *alte Wagner* (statt *die alte).* — im .briefe vom
31 october 1788 lies: *die Aussöhnung des Menelaos* (statt
die Aufführung) und in dem nachtrag vom 2 november lies:

ohne natürlich zu seyn (statt *unnatürlich*). — im briefe vom
19 december 1788 ist im original das datum verschrieben. es
steht da von Körners hand: *19 Sept.* erst von fremder hand
ist mit roter tinte *December* darüber geschrieben.

Im briefe vom 30 januar 1789 lies: der *Zusammenhang mit
dem Folgenden immer schwer werden* (statt *schwerer*). — im briefe
vom 19 febr. 1789 lies: *bis zur Karrikatur blofs* (statt *blafs*)
und: *Henke* (statt *Hanke*). am schluss ist vor der grufsformel
ein absatz fortgefallen, aus dem ich wenigstens die erste hälfte
hier nachtrage: *Die göttingische Recension von den Niederlanden
habe ich noch nicht bekommen können. Ich schreibe Dir gleich,
sobald ich sie gelesen habe.* — der brief, welcher bei Goedeke
vom 14 april datiert ist, ist im original vom 12 datiert. — das
undatierte blatt, welches bei Goedeke dem briefe vom 24 oct.
folgt, liegt im originale auch vor. die originale sind in späterer
zeit mit roter tinte nummeriert. schon derjenige, welcher diese
nummern geschrieben hat, hat das blatt fälschlich hier eingeschaltet (vgl. Archiv für litteraturgesch. iv 99).

Im briefe vom 28 may 1790 schalte vor den worten: *Wir
leben jetzt* usw. folgende worte ein: *Für Huber weifs ich keine
Adresse als entweder unmittelbar nach Maynz, wie ich jetzt schreibe,
oder an Herrn Geheimen Rath Johann Ludwig Willemer in Frankfurt.*

Aus dem briefe vom 16 juni 1791 ist vieles ausgelassen.
ich erwähne hier nur folgenden satz: *Was sagst Du zu Wielands
Peregrin? Der Schlufs ist nicht so interessant als einiges von
dem vorhergehenden.*

In dem briefe vom 4 juni 1792 lies: *Kunstpedanten* (statt
Kunstgedanken). — zwei briefe aus diesem jahre sind bei Goedeke
ganz ausgelassen. ich schalte sie hier ein.

Dresden den 19 Okt. 92.

*In Eil ein Paar Worte über Mirabeau. Die Idee gefällt mir
sehr. Vielleicht liefsen sich auch Anmerkungen dabey machen,
wenn es verlangt würde. Willst Du vorläufig bei Deinen Bekannten unter den Buchhändlern darüber anfragen, so geschieht
mir ein Gefalle. Die Mefs Catalogos von Ostern und Michael
habe ich noch nicht, und das Buch selbst muss erst verschrieben
werden. Hier ist jetzt ein Buchhändler Gefsner, der zu der Zürcher Handlung gehört und viel Unternehmungsgeist hat. Mit diesem werde ich auch sprechen.*

Lebewohl, nächstens mehr. Viele Grüfse

Dein K.

6*

*Unter den genannten Buchhändlern kenne ich nur Crusius.
Doch gilt es mir gleich, wenn sie nur bezahlen. Eben sehe ich
im Oster Messkatalogus dass es nichts ist. Rockow, ein fa-
moser Erzieher, hat es schon Ostern mit Anmerkungen übersetzt
herausgegeben.*

Dresden d. 4 Nov. 92.

*Nur ein Paar Zeilen heute über das Nothwendigste. Nächstens
mehr. Pezold plagt mich um sein Manuscript über den Magnetis-
mus. Er hat keine Abschrift davon behalten und bittet Dich nebst
vielen Grüßen es ihm baldigst wiederzuschicken.*

*Von Zerbst habe ich nun die 3000 Thlr. erhalten und dieß
ist alles. Weber schreibt mir im Vertrauen, Ayrer habe mir 12000
Thlr. vermacht gehabt, habe aber nachher mir nur die Interessen
davon legiren und das Kapital der Handlung lassen wollen. Dieß
hat die Tante als ehrenrührig für mich nicht zugeben wollen.
Dass ich also meine Reputation bey den alten Weibern in Zerbst
erhalte, kostet mich eine hübsche jährliche Rente. Denn um sich
aus der Affaire zu ziehen hat der Onkel das Legat — ganz weg-
gestrichen. — Lebewohl und schreib bald. Viel Grüße von uns
allen und an Dich von M. u. D.*

Dein Körner.

Liest Du denn wirklich ein Publicum? Und schadet Dirs nicht?

Im briefe vom 20 dec. 1793 ist nach den worten *immer
höher steigen* folgender absatz ausgelassen: *Ich schicke Dir von
der Copie der verlangten Briefe so viel fertig geworden ist. Das
übrige folgt nächstens. Bloß die Antworten auf meine Briefe und
was nicht aesthetischen Inhalts ist, habe ich weggelassen. Vergiss
nicht mir die Briefe an den P. v. A. zu schicken.*

Im briefe vom 11 jan. 95 sind hinter den worten: *Auch
Sachtrieb klingt hart* folgende bemerkungen Körners fortgelassen:

S. 14ᵇ wäre nicht Härte besser als Rigidität.

S. 18ᵇ statt dynamischen vielleicht Macht der Empfindungen.

S. 20 für Genesis Entstehung.

S. 21 für Consummation Vollendung.

S. 27 (Fläche in Flachheit) für Fläche wünschte ich ein andres
Wort etwa wie *Deutlichkeit.*

S. 27ᵇ Species kann auch wohl hier durch eine von beyden
Arten *gegeben werden.*

*Noch fällt mir ein, dass S. 18ᵇ bey dem was vom Noth-
wendigen und Zufälligen gesagt ist, vielleicht das Anwendung
findet, was ich beym 11ten Brief bemerkt habe.*

Im briefe vom 27 april 1795 sind die worte fortgefallen:
*Von Humbolden höre ich gar nichts mehr. Frage ihn doch, wa-
rum er mir gar nicht schreibt. Lebewohl.*

Im briefe vom 23 febr. 96 lies: *das Nichtich* (statt *Nichtig*).
— im briefe vom 12 april 96 schalte vor und nach der unterschrift noch ein: *Mündlich bald mehr. Lebewohl und halte Dich
brav. Herzliche Grüße von M. u. D. an Euch Beyde*

Dein Körner.

*Göthen sage recht viel schönes von uns. Wir freuen uns
sehr ihn wieder zu sehen. Die Horen bleiben diefsmal lange aus.*

Im nächsten briefe fehlen ebenfalls vor der unterschrift einige
worte. lies: *Mittwoch Nachmittag in Jena. Du erhältst noch
einen Brief von mir. Herzliche Grüße an Lottchen von uns allen.
Göthen sage recht viel schönes von uns. M. u. D. grüfsen und
freuen sich über Deine bessere Gesundheit.*

Dein Körner.

Es ist noch eine Möglichkeit usw.

Statt des datums *Dresden den 13 Jun.* 96, lese ich im original: *den* 15.

Ein brief vom 15 juli 96 ist bei Goedeke fortgelassen. er lautet:

*Nur einen herzlichen Willkommen für den kleinen Weltbürger,
und unsre besten Wünsche für Deine Frau. Da sie das Kind
ausgetragen hat, so dächte ich, wäre auch von ihrer Schwächlich-
keit weniger zu fürchten. Vielleicht wird sie nun erst gesunder,
wenn die Wochen vorbey sind. Auch hat sie noch einige gute
Monate vor dem Winter zur Erholung. Sag ihr recht viel herz-
liches von uns. Aber wie solls werden, wenn die beyden Jungen
zu lärmen anfangen. Nun noch meinen dazu, und wir müssen
alle aus dem Hause laufen.*

*Heute nichts mehr. Ich stecke in Acten bis an den Hals.
Lebe recht wohl und schreibe bald den weiteren Erfolg.*

Dein Körner.

Im briefe vom 17 april 97 lies: *Minna hat ihr begegnet*
(statt *ist*).

Im briefe vom 16 jan. 99 hat Goedeke den schluss fortgelassen, in der vorrede jedoch in aussicht gestellt dass die weiteren bemerkungen Körners über den Wallenstein vielleicht für
den liebhaber in einer zeitschrift nachgetragen werden würden.
da dies meines wissens bisher noch nicht geschehen ist, schalte
ich sie hier ein:

Nun zu dem, was mir bey einzelnen Stellen eingefallen ist.
Piccol. 1 *A.* 11 *Sc. Illo.*

*Ich habe einen Einfall — Giebt uns Terzky
Nicht ein Bankett heut Abend?*

Ist es gut, dass Illo hier dem Wall. diesen Wink giebt?
Wäre es nicht besser, wir hörten davon erst im 2ten Acte?
In ebendieser Scene Illo:
        O Du wirst auf die Sternenstunde warten.

Hier möchte ich nicht gern die Idee aufkommen lassen als
ob W's Unentschlossenheit sich blofs auf astrologische Vorurtheile
gründete. Seine Antwort scheint mir der Astrologie ein zu grofses
Gewicht zu geben. Eine Vertheidigung seiner Liebhaberey ist zwar
hier ganz an ihrem Platze; aber es sollte doch zugleich angedeutet werden, dass diese Liebhaberey ihn nicht beherrscht, dass
sie mehr ein Spiel ist, womit er solche Menschen wie Illo und
Terzky und vielleicht auch sich selbst täuscht, wenn die bessern
Triebfedern nicht zum Bewufstseyn kommen. Vielleicht wäre nach
dieser Scene ein kurzer Monolog an seiner Stelle.

        II *A.* 1 *Sc. Illo*
                Er seine alten Plane aufgegeben.

Diese Stelle dürfte vielleicht irre führen, wenn man W. nicht
schon besser kennte. Illo mag immer glauben, was er hier sagt.

        II *A.* 7 *Sc.*

Dass mit dieser Scene ein Act schliefsen sollte, hast Du selbst
schon gefühlt; aber andere Gründe haben Dich bestimmt, die Tafel-
scene unmittelbar darauf folgen zu lassen. Gleichwohl bedarf
man nach der Spannung in dem Monolog der Thekla durchaus
einen Ruhepunkt, und die Scenen bey der Tafel verlieren zu sehr,
wenn sie nicht einen Act anfangen. Lieber würde ich 6 Acte
machen.

        8 *Sc.*

Für den Verfälscher der Urkunde bitte ich um irgend einen
andern Namen. Ich habe keinen Beruf, mich für den hiesigen
Neumann zu interessiren, und ich begreife, wie er Dir eingefallen
seyn kann, da Du für einen Schuft einen Namen suchtest. Aber
es würde mich verdriefsen, wenn mancher eine besondere Absicht
bey der Wahl dieses Namens vermutete. Und bey der jetzigen
litterarischen Klätscherey könnte diefs leicht geschehen. Der Gedanke an ein so armseliges Subjekt darf bey einem Kunstwerk
dieser Art gar nicht aufkommen. Ich wenigstens mag auch nicht
einen Augenblick dabey an ihn erinnert seyn.

        III *A. Sc.* 1

Vorausgesetzt dafs Du nach obigem Vorschlage im Anfange
des 2 Akts noch eine Scene zwischen W. und Max einschaltetest,
so würde sich in dieser Scene Vortheil davon ziehen lassen.

        IV *Act.*

Die Planeten Bilder wünschte ich schon am Schluss der 1 Scene
durch einen Vorhang verdeckt, der in der siebenden Scene zum
Theil von der Gräfinn weggezogen werden könnte. Seni könnte
den Vorhang vorziehen, indem Terzky hereinträte.

3 *Sc. Wall.*

> *Von meiner Handschrift nichts, Dich straf ich Lügen.*

Verliert nicht W. durch diese Äußerung? Zudem ist dieser Umstand, den ich nicht besonders wichtig finde, schon im ersten Act erwähnt.

5 *Sc. Wrangel*

> *Seine Freyheit*
> *Vertheidigte der Baltische Neptun.*

Ist diese Stelle wohl passend zu dem Charakter und Ton des Schweden?

7 *Sc. Wall.*

> *Hetzt diese Zunge nicht an mich, ich bitte euch.*

Sind diese Ausdrücke nicht hier fast zu hart?

Ebenda Gräfinn:

> *Heißt man Dich morden — gewagt und ausgeführt.*

Eine Stelle die entbehrlich scheint.

Ebend. Wall.

> *es hielten mir*
> *Die Königlichen Söhne selbst das Becken.*

Prüfe doch ja diese Stelle noch einmal. Sie hat für mich etwas störendes an diesem Platze.

Ebend. Gräfinn:

> *Denn lange bis es nicht mehr kann behilft sich dieß Geschlecht.*

Eine treffliche Stelle, nur wünschte ich dieß lieber von Max zu einer andern Zeit, als von der Gräfinn zu hören.

Ebend. Wallenst.

> *selbst den Fürstenmantel, den ich trage,*
> *Verdank' ich Diensten, die Verbrechen sind.*

Ist es noch in den Gränzen der Wahrscheinlichkeit dieß W. sagen zu lassen?

Ebend. Wall.

> *Recht stets behält das Schicksal.*

Der Ausdruck erscheint hier noch zu dunkel.

v A. 2 Sc. Max.

> *O das bleibt niemals übrig.*

Diese ganze Stelle scheint noch einer Nachhilfe zu bedürfen. Sie hat etwas Dunkles und einen Mangel an Nachdruck, besonders am Schlusse.

5 *Sc. Buttler*

> *in allen Mannestiefen schwer zu leiden.*

Das Wort hat etwas Gesuchtes, was mir an dieser Stelle auffällt.

Ebend. Buttler

> *Nur von ihm trennen! O, er soll nicht leben!*

Ist es gut, dass B. dieß hier so deutlich sagt? Besonders da er nachher noch dunkler darüber spricht.

6 *Sc. Max.*

> *Wär's möglich, Vater — als gerettet sehn?*

Diese Stelle hat für mich etwas zu hartes für Maxens Charakter. Das darauf folgende: 'Du steigst durch seinen Fall' fände ich hinlänglich.

Wallenstein I *Act* 9 *Sc. Wall.*

> *Religion ist in der Thiere Trieb.*

Diese Worte haben etwas dunkles, das den Nachdruck schwächt.

II *Act* 1 *Sc. Wall.*

> *Und wie des Waldes liederreicher Chor.*

Diefs Bild scheint mir nicht ganz dem Charakter und der Situation angemessen.

3 *Sc. Wall.*

> *Mit Blumen sich den Weg bestreut sehen.*

Auch ein Bild, das ich an der Stelle nicht erwartet hätte. Uebrigens fragt sichs, ob W. damit anfangen sollte, dass ein andrer bestimmt ist Frieden zu machen, ob diefs vorzüglich auf die Kürassiers würken kann, ob nicht die gleich darauf folgende Stelle damit in Widerspruch stehe?

6 *Sc. Wall.*

> *Er sog sich schwelgend voll an meiner Liebe Brüsten.*

Das Bild scheint für die leidenschaftliche Situation zu ausgemahlt.

Ebend.

> *Weit offen liefs ich des Gedankens Thor.*

Derselbe Fall. Die ganze Stelle dünkt mir zu bilderreich.

Ebend. Wall.

> *Nicht jedem ziemts auf seiner schmalen Bahn.*

Eine Widerholung des Vorhergehenden unter einem andern Bilde. Ueberhaupt würde diese Rede durch einige Abkürzungen gewinnen. Es macht auch, däucht mich, keinen günstigen Eindruck, dass W. so lange bey dieser stolzen Idee verweilt. Die Skansion Arktür (ἀρκτοῦρος) dürfte sich schwerlich rechtfertigen lassen.

9 *Sc. Max.*

> *Ein Geist fährt in sie, die Erinnyen*
> *Ergreifen sie.*

Wäre es nicht besser dieser Idee, die ich durchaus nicht missen möchte, einen andern Ausdruck zu geben, der mehr zu dem Costüme des Stückes und zu der Cultur passte, die man bey Max voraussetzen kann?

11 *Sc. Max.*

> *Alle Schwerdter, die ich hier*
> *Entblöfst muss sehen, stäcken mir im Busen.*

Das Wort **stäcken** *macht mir hier eine Dissonanz.*

III *Act 2 Sc. Gordon.*

> *Tiefsinnger wurd' er, das ist wahr*
> *Er machte sich Katholisch.*

Ist dieser Zug wohl von aesthetischer Wirkung? Gleichwohl könnte er hier die Aufmerksamkeit auf sich ziehen. Auch wünschte ich den Ausdruck anders.

8 *Sc. Buttler*

> *Ein grofser Rechenkünstler war der Fürst.*

Eine von den Stellen, wo Buttler meines Erachtens zu deutlich spricht.

Ebend. Buttler

> *Es denkt der Mensch die freye That zu thun.*

Diefs sieht einer Rechtfertigung Buttlers gleich. Ich möchte ihn aber weder weifs noch schwarz sondern wie eine dunkle Nebelgestalt im Hintergrund.

9. *Sc.*

Wenn ich über Buttler Recht habe, mufs dieser Monolog ganz wegbleiben. Auch wäre Gordons letzte Rede in der vorhergehenden Scene ein guter Schluss des dritten Acts. Soll ein Monolog bleiben, so wünschte ich, dass ihn die Erbitterung über das Bewusstseyn seiner verletzten Pflicht endigte. Was nachher kommt, bezieht sich blofs auf Egoismus und Nothwehr, und ist daher trotz der schönen Verse von schwächerer Wirkung.

IV *Act 2 Sc. Deveroux*

> *Komm Macdonald. Er soll nicht länger leiden.*

Eine Äufserung, die mir nicht recht für Deveroux zu passen scheint. Ernst kann es nicht wohl seyn und als Spott hat es etwas unnatürliches.

V *Act 1 Sc. Wall.*

> *Er ist der glückliche — verschleyert bringt.*

Ist Wallenstein hier nicht zu weich? Wenigstens weifs ich nicht, ob er diefs jetzt so deutlich denken konnte. Auf alle Fälle wünschte ich hier keine Andeutung einer Ahndung eigenen Unglücks. W's Sicherheit in dem folgenden contrastirt so schön mit den Anstalten zu seinem Verderben, die wir wissen.

2 *Sc. Wall.*

> *Wohl weifs ich, dass die irdschen Dinge wechseln — niederschlagen.*

Diese Stelle hat etwas fremdartiges für den Ton der übrigen Scene. Auch macht die egoistische Wendung von dem Gedanken an Max auf mich einen unangenehmen Eindruck. Ich weifs wohl, dass er es nicht im Ernst so meynt, aber der kleinste Mislaut stört mich in dieser Scene.

Im briefe vom 5 märz 1802 lies: *ein vollendetes Exemplar* (statt *vollständiges*). — der brief, der bei Goedeke vom 23 april 1803 datiert ist, trägt im original das datum des 25sten. —

der anfang des briefes vom 19 juni 1803 lautet: *Hier sind wir seit heute.*

Ein vollständiges verzeichnis aller 224 briefe hier zu geben, welche die königliche bibliothek zu *Berlin* gekauft hat, wäre zu weitläufig. seit dem jahre 1785, aus dem ein brief vorliegt, sind aus jedem der folgenden jahre mehrere briefe erhalten. wo Schillers briefe und die übrigen briefe Körners aufbewahrt werden, weifs ich nicht zu sagen. sie scheinen leider versplittert zu sein. doch will ich erwähnen dass im Körnermuseum in Dresden durch herrn dr Peschels bemühungen einige sich wider zusammengefunden haben. schon vor jahren habe ich dort von Schiller die briefe vom 27 aug. 95, 8 april 99, 5 märz 1801, 4 sept. 1804 und den undatierten brief aus Tharandt bei Goedeke ɪ s. 57; und von Körner die briefe vom 20 april 1787, 9 sept. 1795, 8 oct. 1797, 17 may 1799, 18 märz 1801, 17 sept. 1804, sowie die vollständigen besprechungen der Musenalmanache auf die jahre 1798 und 1799 gesehen.

Noch füge ich eine anzahl von findlingen an, die zwar nicht unmittelbar zum Körner-Schillerschen briefwechsel gehören, aber alle auf Schiller oder Körner bezug haben.

Zum 7 aug. 1785, dem hochzeitstage Körners sandte Schiller mit einem par vasen eine kleine dichtung ·in prosa, die den wettstreit der liebe, der tugend und der freundschaft zum gegenstande hatte. diese dichtung ist im briefwechsel abgedruckt (bei Goedeke ɪ 32). auf sie nimmt bezug das folgende gedicht, das Friedrich Förster zum 50jährigen doctorjubiläum Körners verfasst hat. ich drucke es hier nach dem original ab, das in meinem besitz ist:

Dem Herrn Geh.-Ober-Regierungs-Rath
Dr. Körner
 ˙*an seinem funfzigjährigem Doctor-Jubiläum d. 21 Febr. 1828.*

Festlich geschmückt ist der Saal, es klingen und kreisen die Becher,
 Die, von der Blume des Rheins duftend, zum Rand wir gefüllt.
Siegel werden gelöst von Flaschen und von Programmen
 Und manch Vivat ertönt in dem geselligen Kreis.
Sandte der Pontifex uns, der Kaiser uns goldene Bullen,
 Fand in Persepolis man, fand man in Memphis, in Rom,
In dem befreiten Athen,·in Corinth verwitterte Rollen,
 Die uns zur Lösung hierher etwa der Sultan geschickt?

Oder sitzet die Jugend, die academ'sche beisammen,
  Singt bei dem Doctorschmaus frisch jubilirend ein Lied? —
Ja, so ist's, wir erkennen das Wappenschild Philyreas,
  Glänzend entrollt sich vor uns stattlich das neue Diplom.
Und wir begrüfsen den Freund, den jubilirenden Doctor,
  Sehen mit Hut und mit Ring heut ihn auf's neue geschmückt.
Muse, die Du zurück zu längst entschwundenen Zeiten,
  Zu dem entlegenen Raum leicht uns zu führen vermagst;
Deinem Flügel vertrauen wir uns, o trag uns nach Leipzig,
  Dass wir belauschen den Freund dort in der goldenen Zeit,
Als dem Deutschen begann der freiere Sinn sich zu regen,
  Und Du mit freierem Flug selbst Deine Schwingen versucht.
Gottsched regierte nicht mehr und Clodius; heitere Scherze
  Hatte schon Gellert gelehrt; Klopstock gewaltigen Ernst.
Wieland wagte noch mehr und Lessing zeigte den Deutschen,
  Dass ein urkräftiger Geist auch in dem Norden wohl glüht.
Sieh! da erschien an dem Himmel des Vaterlandes mit einmal
  Leuchtend ein Doppelgestirn, leitend das schwankende Schiff.
Göthe war es und Schiller und, wie wir die Namen nur hören,
  Flieht wie verschollen zurück eine veraltete Zeit.
Glücklich, wen so wie Dich bei dem morgendlich ersten Erwachen
  Jene Gestirne begrüfst, wem sie mit glühendem Strahl
Rührten die innerste Seite des jugendfreudigen Herzens,
  Das mit verwandtem Akkord bei ihrem Frühroth erklang.
Jetzt erwachte zuerst die Jugend zu froher Begeistrung
  Und das Wissen nur galt, welches die Muse geweiht.
Darum suchen wir nicht bei Bücherstaub und dem Roste
  Todter Gelehrsamkeit unsern begeisterten Freund.
Fröhlich zu and'ren gesellt bei Gläserklang und Gesange,
  Sucht in dem Keller ihn auf, wo einst der Doctor, der Faust
Abentheuer bestand und auf dem Weinfass davon ritt
  Dass man noch heutiges Tags Zeichen und Wunder erblickt.
Oder ihr findet ihn auch im Musen-Vereine bei Puzzi,
  Den sie die Sympathie heimlich bedeutsam genannt.
Wer hier die Weihen empfing, der durfte zum fröhlichen Kreise
  Nicht die Geschäfte des Tags, oder was sonst ihn bedrängt
Bringen, hier galt es allein dem heiligen Dienste der Dichtkunst
  Sich zu weihen, und wie über die stygische Fluth
In das Elisium nichts, was oberirdisch, geführt wird,
  War von dem traulichen Kreis jedes Profane verbannt.
Ja selbst die Namen vertauschten sie dort, und so finden den Freund wir
  Sänger des Orients oder Abdallah genannt.
Der ihm zur Seite dann sitzt, ist Alcest, der treue Vertraute,
  Agathon hat sich dazu heiter ironisch gesellt.
Aber es regten dem Freund sich andere Sympathien
  Tief in dem Herzen, ihm ward holde Begegnung zu Theil.

Denn wo Goethe gelernt in schwarzer Kunst nur zu ätzen,
    Da erblühten dem Freund Rosen und Lilien auf.
Sieh! es neigte Maria mit sanftem Blick ihm Gewährung
    Und zu der Hochzeit sang Schiller ein göttliches Lied! —
Und drei Genien nahten: die Liebe, die Kunst und die Freundschaft
    Führten ins Leben ihn ein, folgten durchs Leben ihm treu.
Aber, wo eilest, o Muse, du hin, du entführst ja den Freund uns,
    Den mit der Gegenwart traulichem Band wir umringt.
Kehre denn wieder zurück von dem traulichen Fluge zur Heimath,
    Freund, Du findest auch hier jene drei Genien noch,
Die niemal dich verliefsen, die Liebe, die Kunst und die Freundschaft,
    Die Dir die Schläfe bekränzt reichlich mit duftendem Grün.
Wenn auch die Stürme des Lebens die schönsten Blüthen Dir bracken,
    Mit sanft heilender Kraft nahten die Genien Dir.
Und so mögen fortan die Liebe, die Kunst und die Freundschaft
    Heiter zur Seite Dir stehen, wie es ein Gott Dir gegönnt.

Als beilage zu seinem briefe vom 25 oct. 1802 schickte Körner an Schiller einen plan zu einer zeitschrift, dessen er im briefe vom 19 nov. 1802 unter dem namen Annalen erwähnung tut. das original dieses planes ist in meinem besitz. es lautet:

Plan zu einer periodischen Schrift unter dem Titel:
Annalen der Dichtkunst.

    Eine vollständige Anzeige von dem neuesten Zustande der poetischen Litteratur in Deutschland, Frankreich, England und Italien würde dem Freunde der Dichtkunst willkommen seyn. Sein Bedürfniss ist durch das nicht befriedigt, was hierüber sich in den vorhandenen Zeitschriften findet. Theils fehlt es an einer Zusammenstellung der zerstreuten Materialien, um zu einem Ueberblick des Ganzen zu gelangen, theils sind die einzelnen Nachrichten zu einseitig, um jeder Art von Verdienst Gerechtigkeit widerfahren zu lassen.

    Es ist schwer nicht Parthey zu nehmen, wo man nicht kalt bleiben kann; aber der Annalist der Kunst soll über sich wachen, dass das Persönliche in seiner Vorliebe oder Abneigung nicht sein Urtheil bestimme. Auch hat er sich besonders vor gewissen Theorien zu hüten, die zum Behuf irgend eines Unvermögens ausgedacht sind, und von manchem trefflich benutzt werden, um seine Ungeschicklichkeit oder Geistesarmuth als bessern Geschmack geltend zu machen. Keiner Autorität darf er huldigen, zu keiner Secte sich bekennen. Selbständig und frey überschaut er das Gebiet der Kunst, der er sich widmet, von dem höheren Standpunkte der ruhigen Betrachtung. Jede Spur eines ächten Talents erfreut ihn, auch wenn die Anwendung noch manches zu wünschen übrig lässt.

*Denn auch er kann nicht betrachten, ohne zu urtheilen, nicht ur-
theilen ohne die Gründe seines Urtheils zu prüfen, und auf diese
Art entsteht auch für ihn eine Theorie, die aber nur bestimmt ist,
die Wirkung der Kunst zu erhöhen, nicht ihre Sphäre zu beschränken.*

*Zu einem Versuche nach diesem Ideale für die Dichtkunst
Annalen zu liefern gehört besonders die Unterstützung eines ver-
mögenden und thätigen Buchhändlers, um alle bedeutende Produkte,
auch was das Ausland betrifft, zeitig genug zu erhalten. Das
Unbedeutende und Schlechte ist ganz mit Stillschweigen zu übergehen.*

*Das neue Jahrhundert wäre eine Epoche, von der füglich der
Anfang gemacht werden könnte.*

*Die Erscheinung der Annalen dürfte nicht an eine bestimmte
Zeit gebunden seyn; doch würde es nicht an Stoff fehlen, um jähr-
lich wenigstens einen Band zu liefern.*

Von den biographen Schillers ist meines wissens noch nicht
hervorgehoben worden dass Schiller in seinen jungen jahren die
persönliche bekanntschaft seines späteren gegners Friedrich Nicolai gemacht hatte. dieser nennt in seinem breiten werke: Beschreibung einer reise durch Deutschland und die Schweiz im
jahr 1781 im zehnten bande s. 82 (Berlin und Stettin 1795)
unter den gelehrten, die er in Stuttgart habe kennen lernen, auch
Schiller und schreibt: *Den berühmten Hrn. Schiller, damals noch
Regimentsarzt des Infanterieregiments Augee, der zwar von Leuten,
welche einsehen konnten, was von einem so trefflichen Kopfe noch
zu erwarten seyn möchte, etwas gerühmt ward; aber doch sehr
unterdrückt war.* eine anmerkung zu diesen worten sagt: *Dieser
Gelehrte, welcher seinem Vaterlande so viel Ehre macht, musste es
nachher verlassen. Er sagt selbst: man habe ihm bey Strafe der
Festung untersagt zu schreiben* [1] *(S. deutsches Museum 1784
S. 565). Es ist schrecklich! Diefs geschah wegen des Schauspiels,
die Räuber, wegen dessen er sich an dem angeführten Orte auf
eine so edle als genugthuende Art erklärt. Nähere Umstände von
dieser Sache findet man in Armbrusters schwäbischem Magazine
1 Bd. S. 225. Man lieset da mit äufserstem Widerwillen den
Abdruck der eigenhändigen Briefe des niedrigen Angebers, der ihn
beym Herzoge verunglimpfte.* Von dieser persönlichen begegnung Nicolais und Schillers

---

[1] in der ankündigung zur Rheinischen Thalia.

hat sich noch ein andres zeugnis erhalten, ein stammbuchblatt in Nicolais *oder seines sohnes* stammbuch:

> *Ein edles Herz und die Musen verbrüdern die entlegensten Geister*
>
> Stutgart d. 20 Jul. 1781.
>
> > *Dieses erlaubt mir mich Ihrer werthesten Freundschafft zu empfehlen*
> >
> > > *C. D. Schiller.*

Das *C* in *der* unterschrift weifs ich mir nicht zu erklären. es ist nicht ganz *deutlich und könnte auch ein deutsches E sein.* das stammbuch ist im *besitz der* familie Parthey in *Berlin.* ists *schalkheit oder neckisches* spiel *des zufalls dass dieses* stammbuchblatt die *entlegenheit* eines Nicolaischen *geistes* vom Schillerschen *voraussetzt?* übrigens ist das *edle Herz* Nicolais *schönster* schmuck geblieben; die musen *dagegen* haben diesen biedern verstandesmenschen nie zu ihrem lieblinge *erwählt,* und sie gerade haben *es* zu einer verbrüderung Schillers mit Nicolai nicht kommen *lassen.*

In dem briefe Schillers an *seine schwester* Christophine vom 6 nov. 1782 schreibt Schiller: *Sobald ich in Berlin bin, kann ich in der ersten Woche auf festes Einkommen rechnen, weil ich vollgültige Empfehlungen an Nicolai habe, der dort gleichsam der Souverain der Litteratur ist, alle Leute von Kopf sorgfältig anzieht, mich schon im Voraus schätzt, und einen ungeheuren Einfluss hat, beinah im ganzen teutschen Reich der Gelehrsamkeit.* gleichviel ob Schiller den plan nach *Berlin* zu reisen würklich hegte *oder* nur den herzog in seinen befürchteten nachforschungen nach Schillers aufenthaltsorte irre leiten wollte, *so* zeigen die worte doch wol *dass* er eine verbindung mit Nicolai für möglich hielt *und* auf eine gute aufnahme bei demselben rechnen zu können glaubte. es erklärt sich dies um *so leichter,* wenn beide sich im jahre vorher persönlich kennen gelernt hatten.

Nach Schillers tode schrieb sein schwager Reinwald in mehreren briefen an Nicolai auch über Schiller. die originalbriefe befinden sich in *der* grofsen von Nicolai hinterlassenen sammlung der geschäftsbriefe an ihn, die jetzt im besitz seiner nachkommen, *der* familie Parthey ist.

Die bezüglichen stellen aus Reinwalds briefen an Nicolai lauten:

Meiningen 21 May 1805.

— — *Der Begriff Tod ist der einzige Uebergang, den ich glücklicherweise von dieser Erzählung zur Erwähnung des Ihnen auch nunmehr bekannten Verlusts meines Schwagers Schillers machen kann. Er wäre den 10 Nov*ber *dieses Jahres erst 46 Jahr alt geworden. Der Hr.-Oberhofmeister v. Wolzogen, der mir diesen traurigen Fall berichtete, meldet mir zu meinem — wiewohl leidigen — Troste, dass seine edlen Theile ganz desorganisirt bei der Section gefunden worden, so dass es noch ein Wunder gewesen, wie er jenes Lebensziel erreichen konnte. Die liebenswürdige Großfürstin hat sogleich sich von der Wittwe gebeten, dass sie S's beide Söhne erziehen dürfe und die beiden kleinen lieblichen Mädchen müssen der Mutter, welche übrigens Vermögen hat, zur einzigen Freude bleiben. S. war ein zärtlicher glücklicher Gatte, und der angenehmste Freund und Gesellschafter für 3 bis 4 Personen, die er kannte.*

Aus dem briefe Reinwalds vom 24 7br 1805:

— *Was Sie theuerster Herr und Freund! von meines sel. Schwagers Schillers Diät neulich äusserten, dass sie sein Leben muthmaßlich verkürzt habe, leidet so, wie die Nachrichten in N°. 98 und 99 der Zeitung für die elegante Welt, manche Einschränkung. Diese Diät war in verschiedenen Perioden von S's Leben sehr verschieden. Am wenigsten regelmäßig mag sie wohl in Mannheim gewesen seyn, wo der Character des Schauspielerstandes und der Landsmannschaft überhaupt nicht sehr regelmäßig zu seyn schien, denn ich habe ihn in jener Periode selbst in Mannheim besucht. Hr. Iffland müsste das am besten wissen. Von Hause aus und von der Karlsschule her hat er eben keine Gewohnheit unordentlich zu leben mitbringen können, außer dass er vielleicht am letzten Ort, wo dem Zögling jede Stunde seine Beschäfftigung vorgeschrieben war, vielleicht zum nächtlichen Arbeiten einen Hang bekommen, den er auch mehrere Jahre in Jena ausgeübt haben mag. In Weimar begann sich diese Gewohnheit zu mindern, wo sein Arzt Hofr. Starke und seine sanfte Gattin stets mehr über ihn vermochten, und überhaupt seine Humanität jedes Jahr gewann. Aber eine fast ganz (besonders von seiner Mutter) angeerbte fehlerhafte Organisation hätte auch die behutsamste Lebensordnung unwirksam gemacht; denn Hr. v. Wolzogen berichtete mir mit dessen Tode zugleich den Umstand 'man habe bey der Section alle edle innern Theile zerstört* [1] *gefunden, so dass es unbegreiflich sey, wie er noch so lange habe leben können.'* spezieller

---

[1] *desorganisirt wie er sich ausdrückt.*

*habe ich von diesem visum repertum keine Nachricht, und die
Wittwe darnach zu fragen, würde ihre Zartheit beleidigen.*

*Es ist Schade, dass man kein getroffenes Portrait von Schiller
hat; das Kupfer von Müller und Frauenholz ist viel zu ernsthaft
und überhaupt nicht ähnlich genug, obgleich nach einem Gemählde
von Graf, das ich aber nie bey Schillern gesehen habe, und an
dessen Aehnlichkeit ich zweifle.[1] Die Büste, die im deutschen Mer-
kur steht ist so idealisirt, dass sie alles Characteristische entbehrt.*

*Ein Trinker war S. nie, wie sonst die Würtemberger, nur
trank er oft starke und feurige Weine mäfsig, um sich von seinen
angestrengten Geistesarbeiten zu erhohlen, Kaffee aber um die Dauer
seiner Dichterlaunen zu verlängern.*

Aus Reinwalds brief vom 5 7br 1807:

*— Der Plan des Don Carlos von Schillers eigner Hand liegt
hier bey; denen jungen Herrn die Schillers Andenken durch falsche
Nachrichten von seinem Leben verunehren und wie neulich im
Cottaschen Morgenblatt ihn auf Kosten seiner Ältern loben, hätte
ich ihn nicht geliehen. Ich werde noch einiges über diese Materie
in den Münchener Litterarischen Anzeiger[2] setzen lassen, da Hr.
v. Arctin doch einmal mich zu Beiträgen in denselben aufgefordert
hat und da der Unfug noch nicht aufhört.*

Wie sich Reinwald hier über den unfug falscher anecdoten
und nachrichten über Schillers leben in briefen an Nicolai beklagt, so klagte noch mehr denn dreifsig jahr später die wittwe
Körners über ähnlichen unfug in einem briefe an Nicolais enkel,
den verstorbenen verdienstvollen gelehrten dr Gustav Parthey
mit bezugnahme auf das buch: Litterarische zustände und zeitgenossen. in schilderungen aus Karl August Böttigers handschrift-
lichem nachlasse. herausgegeben von KWBöttiger hofr. und prof.
zu Erlangen. Leipzig, FABrockhaus. — *der* brief der frau Körner an Parthey *lautet:*

Berlin den 11 April 38.

*Sie erhalten hierdurch mein werther Freund den Bötticher
zurück! Der zärtliche Sohn empört! wie er den Vater so am
Schandpfahl stellen kann. Doch der Verleger wird seine Rechnung finden, weil die Welt den Skandal liebt. Im Jahr 1785
zur Zeit der Buchhändler Messe kam Schiller nach Leipzig, um
mit uns zu leben, blieb bey uns in Dresden 2 Jahr, wo Körner
ihn bestimmte nach Weimar zu gehn, um dem Herzog zu danken*

---

[1] vgl. der Wolzogen urteile: Schillers Leben (1850) s. 373.
[2] vgl. Schillers Briefw. mit Christophine und Reinwald. herausgeg.
von Maltzahn, Leipzig 1875, anhang ɪv.

*für den graziöser Weise überschickten Rathstittel, welcher aber
ohne Gehalt war, wenn Sie noch nicht Schillers Leben von Frau
v. Wolzogen gelesen haben? so lesen Sie es! Der Minister Hum-
bold schätzte Styl und Behandlung, als was ausgezeichnetes, Sie
finden darin die frühere Jugend Schillers, seine Erziehung, sein
Leben bis zu seiner Reise zu uns. Die Details waren der Frau
v. W. von Schillers ältsten Schwester Räthin Reinwald dazu gegeben, welche in Meiningen lebt. Die spätere Zeit, sind mündliche
Erzählungen von Schiller an Frau v. W. und aus den Briefen
an Körner, so ist die Erzählung von seiner ersten Vorlesung in
den Briefen, nur anders dargestellt. Ich war ein Kind von 5 Jahren, wie mein Vater und Göthe unzertrennlich bis zu seinem Abgang von der Universität waren. Im Jahr 89 waren Körner mit
mir und Schiller meiner Schwester in Weimar, Göthe war in
Eisenach, wo er von unserer Erscheinung hörte, und sich erinnerte,
dass wir die Töchter · seines Jugendfreundes wären, er schickte
einen Boden, wo er dringend bat, dass wir ihn erwarten sollten —
von da an waren wir in freundlicher Verbindung mit ihm bis
zum Jahr 13, wo uns die Meynung trennte — Er war ein leiden-
schaftlicher Verehrer Napoleons — und wir hatten den einzigen
Sohn als Freywilligen bey der preußischen Armee. Doch wozu
hat mich mein Verdruss an Böttcher gebracht — das ich nach
alter Frauenweise Ihnen vorgeplaudert habe. Nehmen Sie meinen
Dank für die freundliche Sendung und für das elegante Exemplar.
Mit großer Achtung*

Marie Körner.

Es ist bekannt dass, während Arndt im april 1813 bei
Körner sich einquartiert hatte und Theodor Körner auf dem
durchmarsche durch Dresden von den eltern abschied nahm,
Goethe im Körnerschen hause das *kleinmütige* wort aussprach
*Schüttelt nur an euren Ketten, der Mann ist euch zu groß —
ihr werdet sie nicht zerbrechen.* Körner war darnach noch mit
Goethe in Teplitz zusammen, aber sie stimmten nicht mehr zusammen und einen späteren verkehr beider vermag ich nicht
nachzuweisen, außer dass noch ein brief Goethes aus Teplitz
vom 28 juli 1813 (vgl. Hirzels *Neustes* verzeichnis einer Goethe-
bibl., 1874, s. 217) vielleicht an Körner gerichtet war. die
innere *trennung* beweist auch ein brief Körners an Friedrich
Schlegel aus *Töplitz am 28 May* 1813, aus dem ich einige stellen hier einrücke. das original besitzt die Berliner königl.
bibliothek aus der vRadowitzschen sammlung. hier schreibt Körner:

— *Ich flüchtete mit den Meinigen hieher kurz ehe die Franzosen in Dresden einrückten, und wir wollen hier eine bessere*

Zeit abwarten. Mein Glaube daran ist vielen ein Ärgerniss und eine Thorheit, aber dieß ficht mich nicht an. Einen schweren Kampf habe ich erwartet, und Hoffnungen, die mir soviel werth sind, gebe ich so leicht nicht auf. —

Göthen sehe ich oft, aber über das, was mich jetzt am meisten interessirt, lässt sich mit ihm nicht sprechen. Er ist zu kalt für den Zweck um zu hoffen. Jede Entbehrung und Unruhe ist ihm daher ein zu kostbares Opfer. Um seine und vieler andern klugen Leute höhere Weisheit beneide ich Niemanden.

Bey Hartknoch habe ich eine kleine Schrift drucken lassen unter dem Titel: Deutschlands Hoffnungen.

Unwillkürlich drängte sich den nahen freunden Goethes und Schillers die frage auf: wie würde auf Schiller bei der lebhaftigkeit seiner empfindungen das nächste jahrzehnt nach seinem tode gewürkt haben? man mag die frage eine müfsige schelten, da er ja eben dieses jahrzehnt nicht mehr hat erleben sollen. aber im gedächtnis der freunde blieb er lebendig, und sie konnten nichts grofses, bedeutsames erleben, ohne seiner zu gedenken und ihn sich als gegenwärtigen vorzustellen.

Sein verklärtes idealbild würkte auf die freunde läuternd und erhebend fort. so schrieb die Wolzogen in ihrem Leben Schillers: *Hätte Schiller dem Welteroberer gegenüber gestanden, er würde wie der edle Greis Wieland, im vollen Bewusstsein der Menschen- und Dichterwürde von jener hohlen, kolossalen Größe ungeblendet geblieben seyn, die zusammenstürzen musste, da sie nicht auf Gerechtigkeit und Wahrheit ruhte. — — Schiller starb im Jahre vor der Schlacht, deren Donner er, wenn er gelebt, gehört haben würde, die unsere bis dahin ruhige Heimath in die äufserste Bedrängniss brachte. Hätte er die grofse deutsche Zeit des Jahres dreizehn erlebt, wie würde ihm der Geist und der Muth, mit dem unser Volk Thaten übte und Opfer brachte, erfreut haben!* und Körner schrieb, nachdem er dieses buch der frau vWolzogen über Schiller gelesen, im briefe vom 24 jan. 1831 an diese: *Wohl unserm Schiller, dass er das Unglück des Jahres 1806 nicht erlebte! Wie tief würde es ihn ergriffen haben!*

Berlin, april 1880.   F. JONAS.

WALAHFRID STRABUS ÜBER DEUTSCHE SPRACHE.

Libellus Walafridi Strabonis de exordiis
et incrementis quarundam in obseruationibus ecclesiasticis rerum.

(c.) VII. Dicam tamen etiam secundum nostram barbariem,
quae est theotisca, quo nomine eadem domus dei appelletur,
ridiculo futurus Latinis, si qui forte haec legerint, qui uelim
simiarum informes natos inter augustorum liberos computare.
Scimus tamen et Salomoni, qui in multis typum gessit domini 5
saluatoris, inter pauones simias fuisse delatas. [1] Et dominus qui
pascit columbas, dat escam pullis coruorum inuocantibus eum. [2]
Legant ergo nostri et sicut religione, sic quoque rationabili locutione, nos in multis ueram imitari Grecorum et Romanorum
intellegant philosophiam. Multę res sunt apud singulas gentes, 10
quarum nomina ante cognitionem ipsarum rerum apud alias incognita sunt. Sicque fit saepissime, ut rerum intellectus alii
ab aliis addiscentes nomina quoque et appellationes earum uel
integre uel corrupte cum noua intellegentia in suam proprietatem trahant. Ut ab Hebreis Greci Latini et barbari 'amen' 'alle- 15
luia' et 'osanna' mutuati sunt. A Grecis Latini et omnes, qui
libris Latinorum et lingua utuntur, 'ecclesiam' 'baptismum' 'chrisma'
et omnium paene radices dictorum acceperunt. A Latinis autem
Theotisci multa et in communi locutione, ut 'scamel' 'fenestra'
'lectar', in rebus autem dinino seruitio adiacentibus paene omnia; 20
item a Grecis sequentes Latinos, ut 'chelih' a calice, 'phater' a
patre, 'moter' a matre, 'genez' a genetio, quae grece dicuntur
'cylix pater moter et genetion', cum in quibusdam horum non
solum Latini, ut 'genitor' et 'genetrix', sed etiam Theotisci pro-
prias habeant uoces, ut 'atto' et 'amma', 'todo' et 'toda'. Ab 25
ipsis autem Grecis 'kyrica' a 'kyrios', et 'papo' a 'papa' (quod
cuiusdam paternitatis nomen est et clericorum congruit dignitati),
et 'heroro' ab eo quod est 'heros', et 'mano' et 'manoth' a 'mene',
et alia multa accepimus. Sicut itaque domus dei 'basilica' id est
regia a rege, sic etiam 'kyrica' id est dominica a domino nun- 30
cupatur, quia domino dominantium et regi regum in illa seruitur.
Si autem quęritur, qua occasione ad nos uestigia haec grecitatis
aduenerint, dicendum et barbaros in Romana republica militasse,
et multos predicatorum grecę et latinę locutionis peritos inter
has bestias cum erroribus pugnaturos uenisse et eis pro causis 35

[1] 3 *Reg.* 10,22   [2] *Psalm.* 146,9

multa nostros, que prius non nouerant utilia didicisse. Prçci-
pueque a Gothis qui et Gete, cum eo tempore, quo ad fidem
Christi licet non recto itinere perducti sunt, in Grecorum pro-
uinciis commorantes nostrum, id est theotiscum, sermonem habue-
40 rint, et, ut historiae testantur, postmodum studiosi illius gentis
diuinos libros in snae locutionis proprietatem transtulerint, quorum adhuc monimenta apud nonnullos habentur; et fidelium
fratrum relatione didicimus, apud quasdam Scytharum gentes,
maxime Thomitanos, eadem locutione diuina hactenus celebrari
45 officia.   Hae autem permixtiones et translationes uerborum in
omnibus linguis tam multiplices sunt, ut propria singularum iam
non sint paene plura, quam cum aliis communia uel ab aliis
translata.

*Diese für die geschichte der deutschen sprache nicht uninter-
essanten bemerkungen gebe ich hier nach der ältesten SGaller hs.
446 saecl. 10 p. 228—230 (weniger correct ist Cod. Vindob. 914),
da die drucke, zb. Bibl. max. 15, 184, mehrere fehler aufweisen.
wichtig erscheint dies capitel auch darum, weil es, soviel ich weiß,
die erste quelle ist, welche das substantiv* Theotisci *(z. 19) aufweist, freilich auch nur mit bezug auf die sprache.*

Halle.   E. DÜMMLER.

ZU S. 28.

Der bibliothekar der stiftsbibliothek zu SGallen, herr Idtensohn, hatte
die güte, mir auf meine bitte die von der Dümmlerschen publication des
Eustachiusrythmus (Zs. 23, 273) abweichenden lesarten des SGaller codex
561 vollständig mitzuteilen. darnach folgt nicht, wie Ebert Zs. 24, 150 angibt, auf strophe 42, 4 in SG 43, 5, sodass ausser 43, 1—4 auch 42, 5 ausgefallen wäre, sondern es ist nur 43, 1—4 ausgefallen; 42, 5 ist vorhanden
und bietet statt *ut* die lesart *ubi*. somit fällt sowol die Zarnckesche inter-
polations- als auch die Ebertsche selbsterweiterungsannahme zusammen;
der Dümmlersche *text* ist, wie ich vermutete, der ursprüngliche. — dass
die strophen 37—44 in SG mit dem von Dümmler edierten Veroneser texte
auf eine quelle zurückgehn, zeigt die beiden codices gemeinsame sinnlose
widerholung von 41, 4 in 42, 2, wobei SG sogar *nemo* beibehalten hat.
dass auch sonst SG nicht überall das ursprüngliche bietet — wie es nach
Eberts anführungen s. 150 *(conuersi, et dixit)* scheinen könnte — zeigen
folgende verderbnisse: 37, 4 *liberatae*. 40, 2 *praecepit leonem magnum.*
41, 5 *cupimus*. 42, 5 *ubi*; das ursprüngliche dagegen scheint er ausser an
den von Ebert angeführten stellen auch 44, 4 *sunt omnes sepulti* zu bieten.
— 44, 5 hat SG nicht *multis* nach *florent*, wie Ebert angibt, sondern *in
multis florent uirtutibus*. da so der vers vollkommen in ordnung ist, so
wird sowol meine vermutung, dass *amen* in den vers gehöre, als auch Eberts
conjectur *et ibi* hinfällig.

Trarbach, im august 1880.   F. SEILER.

DIE DICHTUNGEN RULMAN MERSWINS.

5. Epilog.

Nicht mit unrecht hat man sich bisher durchgehends über das geheimnisvolle dunkel beklagt, welches über die ganze gestalt, die schriften und die umgebung des G.s ausgebreitet ist und das aufzuhellen sich jedermann aufser stande fühlte. und gerade dies geheimnisvolle dunkel war es vorzüglich, welches dem G. viele freunde zuführte; je mehr er dem suchenden entschlüpfte, je mehr alle versuche, ihn aufzufinden, an seiner unnahbarkeit scheiterten, desto eifriger spürte man ihm nach und erfreute sich an der nebelhaften gestalt, die man sich zum teil selbst schaffen muste.

Nunmehr ist der schleier gelüftet; alles erklärt sich durch die eine annahme, dass der G. gar nicht existiert hat und Rulman Merswin der dichter der schriften und der schöpfer der gestalt des G.s ist. der wirre knäuel ist gelöst. hätte ich diese lösung, dass sich nämlich alles aus der nichtexistenz des G.s erkläre, von vorne herein gebracht, so wäre sie als eine petitio principii erschienen und der vorwurf hätte gegen mich erhoben werden können, ich mache mir die aufgabe durch einfaches weglaugnen leicht; nicht einer lösung, sondern einem durchhauen des knotens gleiche meine methode. so aber ergibt sich das resultat organisch aus den äufseren und inneren gründen, die ich für die nichtexistenz des G.s beigebracht habe; anstatt eine petitio principii zu sein ist es vielmehr eine letzte nicht zu unterschätzende bestätigung aller früheren untersuchungen.

Die widersprüche im leben des G.s, den wir als eine Proteusnatur bezeichnet haben, finden jetzt ihre erklärung. es schien unbegreiflich, wie derselbe mann über sich selbst so viele sich widersprechende viten in umlauf setzen konnte. die sache ist nun einfach. er hat nicht gelebt. nicht würkliche erlebnisse irgend einer person sind in diesen viten enthalten, sondern dichtungen, entstanden zu verschiedenen zeiten und fabriciert von einem manne, der jedes mal in einem anderen gedankenkreise lebte und dasjenige nicht mehr vor augen und in der erinnerung hatte, was er früher geschrieben. dadurch erklären sich auch

die widersprüche, die sich sonst aus den schriften des G.s ergeben haben. es liefs sich zb. leicht niederschreiben, der G.
habe im jahre 1350 an so verschiedenen orten sich aufgehalten.
denn in dieses jahr fällt die bekehrung des meisters, zu dem
der G. 30 meilen hin und zurück brauchte — und bei ihm blieb
er lange zeit —; in diesem jahre war er bei einem gottesfreunde
in Ungarn; in demselben jahre fand eine unterredung statt, die
er der Geistlichen stiege zu folge mit einem anderen gottesfreunde
gehabt hat. nun erklärt sich auch, warum dieser heilige mann
ein schwätzer war und sich mit einer jungfrau versündigte;
warum er überhaupt solchen wert auf die unreinen versuchungen
legt. hätte er gelebt, so wären dies unerklärliche dinge. die
nichtexistenz des G.s erklärt auch den widerspruch zwischen
seiner lehre und seinem leben. wer wundert sich jetzt noch
über den widerspruch in den jahrzahlen bei den einzelnen
schriften, über die unmöglichkeiten · im berichte über die Romreise, über die schlechte ortskenntnis usw.? was ich in meiner
schrift Taulers bekehrung s. 129 in bezug auf das MB bemerkt
habe, dass sich alles recht gut auf pergament oder papier niederschreiben lasse, ohne dass ein einziges wort an der ganzen geschichte wahr sei, das gilt auch hier. wir begreifen jetzt auch,
warum der G. sich jeden besuch einer historisch beglaubigten
person versagt und warum ihn niemand findet. er ist nur
eine fiction.

Auch wird niemand jemals mehr darüber in staunen versetzt
werden dass die genossen des G.s keine greifbaren gestalten sind,
dass sie in sich ebenso voll der widersprüche sind wie der G.
selbst. wie er, so haben eben auch sie nicht existiert. die ähnlichkeiten, die sie alle unter einander und mit personen aufserhalb der engeren gesellschaft des G.s aufweisen, deuten gleicher
mafsen auf erdichtung hin, und zwar auf erdichtung von einem
und demselben dichter. ebenso liefse sich der nachweis auch
auf die übrigen puncte anwenden.

Dies allein genügt aber noch nicht. nur wenn Merswin
der dichter ist, dann fällt das volle licht auf die ganze Gottesfreundlitteratur. ist er der dichter, dann begreift man, warum
er die einzige historisch beglaubigte person ist, welche vom G.
etwas weifs, und warum alle briefe des G.s nur bei ihm ein-
laufen, seine umgebung nur durch ihn briefe an den G. senden

kann. er hat ja die idee vom G. im oberlande der welt mitgeteilt und dessen briefe verfasst. der einzige weg, den betrug
fortzusetzen, war der dass Merswin sich zum centrum der bewegung machte. in der angegebenen tatsache ist auch der grund
zu suchen, warum keine andern briefe als an Strafsburger adressaten vorhanden sind. ferner findet auch die gleichheit der
beiderseitigen schriften, der des G.s und Merswins, hierin ihre
erklärung. der eine dichter Merswin muss auch verantwortlich
gemacht werden für den mangel an abwechselung in allen
schriften.

Ist Merswin der dichter, dann erklären sich noch andere
unbegreifliche dinge. im jahre 1380 schreibt der G. an Merswin,
sie beide dürften sich nicht mehr briefe schreiben, sie müsten
aller creaturen ledig stehen und abwarten, was gott von ihnen
haben wolle. dies sollte wenigstens drei jahre dauern (NvB
s. 336. 338 f). was geschieht nun? im sommer 1381 sendet der
incluse, d. i. der abgeschiedene G., *die tovele* herab ins Niederland, d. i. zunächst nach Strafsburg, *zuo einre getruwen frünt-
lichen warnunge in den erschröckenlichen sterbotten.* aber wenn der
G. würklich existiert und sich jener strengen abgeschlossenheit
unterzogen hätte, wie wäre er zur kenntnis des 'sterbens' im Elsass, resp. Strafsburg, gelangt (vgl. Königshofen, Deutsche städte-
chron. 9, 772)? wie stimmte ferner die übersendung der *tovele*
zu dem vorsatze, sich jeglichen verkehres mit der aufsenwelt,
ja selbst mit Merswin zu entschlagen? so ist aber alles klar.
Merswin selbst ist der übersender, er lebte in Strafsburg und
wuste natürlich vom 'sterben'. dass er damit in widerspruch
mit seinen früheren mitteilungen komme, daran dachte er nicht
im geringsten. dasselbe passierte ihm, dem vergesslichen manne,
auch noch ein jahr später. die johanniter baten ihn, als er auf
dem todbette lag, er möge sie wissen lassen, wo sich der G.
aufhalte, damit sie nach seinem tode mit ihm verkehren könnten.
die natürlichste und allein consequente antwort wäre gewesen,
die johanniter an die eingeschlossenheit des G.s zu erinnern, die
eventuell erst im frühsommer 1383 beendet werden solle, wahrscheinlich aber gar nicht aufhören werde. allein das vergafs
Merswin wider und erteilte vielmehr die bekannte antwort, sein
bote sei gestorben. nur dadurch dass der G. nicht existiert und
sich die ganze geschichte nicht in würklichkeit zugetragen hat,

lassen sich solche dinge erklären. ähnliches erfährt man im
leben sehr häufig. erdichtet jemand irgend eine geschichte, die
er erlebt haben will, so wird dieselbe ebenso oft wandlungen im
munde des dichters durchmachen, als er davon spricht. der G.
schrieb vor seiner einschliefsung einen brief auch an den comthur
(NvB s. 340). allein dieser brief ist so verfasst, dass er dem
gedanken raum lässt, der G. werde noch öfter schreiben und es
habe mit dem einschliefsen keine grofse eile. vor einem solchen
entschlusse schreibt man nicht so. dieser brief findet wider nur
durch die nichtexistenz des G.s seine erklärung. es fragt sich
auch: was ist nach der einschliefsung aus den genossen des G.s
geworden? denn nur mit Johannes schloss er sich ein (vgl. NvB
s. 330 und 343). der dichter vergafs die übrigen.

Es ist ferner auch klar, warum mit Merswins tode stillschweigen eintritt. Merswin konnte recht wol in der maske des
G.s sagen dass, wenn Merswin länger lebe als der G., er den
namen desselben bekannt geben werde (NvB s. 133), da er immerhin früher als seine fiction sterben muste und er deshalb nie in
die lage kommen konnte, sein versprechen zu erfüllen. man
begreift weiter, warum Merswin diejenigen schriften, die er als
seine eigenen angesehen wissen wollte, bis zu seinem tode zurückbehielt. nur auf diese weise entgieng er der entdeckung, da
man keinen vergleich zwischen den beiderseitigen erzeugnissen
anstellen konnte. was nachher geschah, brauchte ihn wenig zu
kümmern. ein helles licht wirft die annahme der nichtexistenz
des G.s auf die notiz, Merswin habe von den vom G. an ihn
gesandten schriften copien gemacht, in denen er die namen der
orte und personen weggelassen, worauf er die originale ver-
brannte (Schmidt NvB s. xiii; Jundt s. 271). natürlich! Merswin
muste ja dies sagen, sonst wäre man hinter den betrug gekommen.
wenn er keine orte angab und niemanden nannte, konnte man
keine controle üben; wenn er dann vorgab, er habe copien angefertigt, die originale aber verbrannt, konnte er den johannitern
recht wol seine eigene handschrift übergeben, ohne dass dieselben
auch nur der schatten eines argwohns beschlich. keinem fiel es
auch ein, noch nach den originalen zu fragen. hiemit steht in
verbindung dass bei den einzelnen erzählungen häufig die phrase
vorkommt, dieser oder jener verbitte sich dass sein name genannt werde. keiner hat eben existiert. nicht weniger begreif-

lich ist es nun, warum alle erzählungen des G.s in eine verhältnismäfsig frühe zeit gesetzt werden, während sie in der tat
um dieselbe zeit, in der sie publiciert, d. i. an die bewohner von
Grünenwörth mitgeteilt wurden, also spät, abgefasst worden sind.
dass die abfassung in eine späte zeit falle, kann wenigstens in
bezug auf einige derselben nachgewiesen werden. in betreff des
MBs habe ich es in meinem buche Taulers bekehrung s. 130 getan.
andere schriften setzen die veröffentlichung von Seuses exemplar
voraus, welche erst um 1362 stattfand. wenn Merswin die daten
früh ansetzte, wurden die geschichten glaubwürdiger, denn es
fiel niemandem mehr ein, untersuchungen anzustellen; das wäre
bedeutend leichter gewesen, wenn diese fictionen den bewohnern
von Grünenwörth als berichte über gleichzeitige erlebnisse wären
vorgelegt worden.

Nun verstehen wir auch, warum besonders Tauler in den
schriften des G.s, wenn auch schlecht, benützt wird. hätte der
G. existiert und zwar in der Schweiz, so könnte ich mir dies
factum nicht erklären. ich fand in der ganzen Schweiz nur
zwei späte Taulerhandschriften, und diese nur in SGallen. Tauler
war in der Schweiz, wenn wir *Basel* ausnehmen, so gut wie unbekannt (vgl. auch Meyer vKnonau in den Gött. gel. anz. 1880
s. 29). woher hätte der G. Taulersche ideen nehmen sollen? da
jedoch Merswin der dichter ist, so ergibt sich die erklärung sehr
einfach: Merswin hörte Tauler oft in Strafsburg predigen. von
mancher predigt Taulers liefse sich auf diese weise der nachweis
liefern dass und wann ungefähr sie Tauler in Strafsburg gehalten
hat. allein, da in den schriften Merswins keiner einzigen jahrzahl
zu trauen ist, so muss man wenigstens von dem versuche abstehen, die predigten zu datieren.

Wir erhalten nun auch einige anhaltspuncte dafür, warum
Merswin den G. seinen sitz in dem lande der herzoge vÖster-
reich nehmen liefs. dasselbe lag ihm als Strafsburger gewisser
mafsen am nächsten, denn sowol Oberelsass als auch *Breisgau*
gehörten diesen herzogen.

Auch die erzählung von dem vom himmel gefallenen briefe
erhält nun einen hintergrund. Merswin war in Strafsburg, als
die geifsler sich dort 1349 auf einen vom himmel gefallenen
brief beriefen. Merswin, der so ziemlich eine geifslernatur besafs, hatte bei ihnen dies manöver kennen gelernt.

Ist Merswin der dichter, dann begreift sich auch die mangel-
hafte ortskenntnis. er scheint wenig gereist zu sein, und so
waren ihm, dem Strafsburger, gegenden wie die um Verona, von
denen er im Leben der Ursula berichtet (vgl. Jundt s. 368; J.
übersetzt aber wider falsch s. 111), noch mehr aber die umstände
einer Romreise unbekannt. [1]

Diese andeutungen mögen für jetzt genügen. [2] Merswin
gleicht in seinen dichtungen einem angeklagten, der, nachdem
er die gravierende tatsache weggeläugnet, sich fortwährend, weil
er unverhofft gefragt wird und die ganze situation bis in die
kleinsten details sammt allen consequenzen nicht mit éinem blicke
überschaut, in den eigenen aussagen widerspricht. der fatale
ausgangspunct für alle widersprüche in den aussagen Merswins
war eben die fiction der existenz des G.s. durch die verschiedenheit der personen, welche er mit seiner fiction vertraut machte,
und durch den beständigen wechsel der umstände wurde sowol
die situation Merswins als auch die seiner fiction stets eine neue,
andere. Merswin wies seiner fiction einen zu grofsen und zu
ausgebreiteten würkungskreis an, er liefs sie zu vieles erleben,
besafs aber nicht das allerdings seltene talent, von vorne herein
die consequenzen zu überblicken und seine idee einheitlich auszuführen. wie Merswin es machte, muste er sich fortwährend
in widersprüche verwickeln.

Aus all dem wird klar dass die bewohner von Grünenwörth
zum teil einfältige leute, zum teil flüchtig im denken waren.
hätten sie nur einiger mafsen acht gehabt, so wären sie notwendig
dem betruge auf die spur gekommen. wie einfältig sie aber
waren, beweist, um von allem übrigen abzusehen, das Zs. 24, 472
angegebene factum, dass sie keinen argwohn fassten, als sie den
boten, und zwar nicht éinmal, sondern oft, auflauerten, dieselben
aber niemals zu gesicht bekamen (NvB s. 62).

[1] ich machte bereits Zs. 24, 314 darauf aufmerksam dass der G. sich
in einer gegend aufgehalten habe, wo kleinere berge waren, die mit wagen
befahren werden konnten. dies wird nun klar. Merswin, der dichter der
Romreise, wuste zb. von dem nur 780 m. hohen und befahrbaren übergange
von Markirch nach SDié in den Vogesen; dadurch mag er auf die vermutung gebracht worden sein dass auch auf der Romreise wagen im gebrauche gewesen.

[2] auf die briefe des angeblichen G.s komme ich alsbald bei behandlung des zweckes der dichtung zu sprechen.

Ehe wir weiter gehen, müssen wir noch eine im letzten
aufsatze (s. 540) ungelöste frage ins auge fassen, warum nämlich
Merswin beim fabricieren des Fünfmannenbuches gerade das *a*
statt *e* als eigentümlichkeit wählte und inwiefern ihm hier eine
mundartliche spielart vorgeschwebt habe. *a* statt *e* in den endungen kommt öfter vor und an mehr orten als man bisher angenommen. man dachte in letzter zeit fast nur an die Schweiz,
und hier blofs an die gegenden südlich vom Bodensee (siehe
Zs. 24, 303). wäre dem also, dann liefse sich schwer erklären,
wie Merswin bei solcher entfernung von diesem teile der Schweiz
auf den gedanken kommen konnte, gerade jene eigentümlichkeit
bei seiner fiction zu wählen. Merswin war, wie ich bereits bemerkte, ein mann, der grofse reisen nicht machte. man müste
also annehmen, er sei das eine oder andere mal mit jemandem
aus dieser gegend zusammengekommen und habe ihm bei der gelegenheit die erwähnte eigentümlichkeit abgelauscht. aber die
erklärung ist viel einleuchtender, wenn *a* statt *e* in gegenden gesprochen wurde, die Merswin näher lagen und woher er es
dann herüber nahm. nur dies stimmt zu Merswins character,
der, wie wir gesehen haben, in der regel auf das ihm zunächst
liegende sein augenmerk gerichtet hielt. in der tat fand sich das
a statt *e* oder *o* in solchen gegenden, die nicht allzu weit vom
Elsass entfernt sind, und zwar in viel umfassenderer anwendung
als in der Schweiz. man vergleiche den (gekürzten) brief des ritters *Burckhardt Saltzvasse,* wahrscheinlich eines Würtembergers
oder Badensers, in Mones zs. 7, 164, vorzüglich aber die beiden
lieder in oberschwäbischer mundart aus dem 16 jh. bei Frommann
Die deutschen mundarten 4, 86—99. in diesen gedichten findet
sich das *a* statt *e* oder *o* häufiger als im FM. der volksdialect
des 16 jhs. war aber in jenen gegenden nicht wesentlich verschieden von jenem des 14 jhs. aus dem verkehre mit personen
aus diesen gegenden lernte Merswin die eigenheit; dieser verkehr war gewis ein lebhafterer als mit Schweizern. da im Elsass
diese eigentümlichkeit sich nicht findet und der Elsässer dialect
niemals mit dieser eigentümlichkeit gesprochen wurde, so konnte
den johannitern die sprache des FMs als eine mischung des elsässi-
schen dialectes mit einem fremden gelten.

**Welchen zweck hatte denn aber Merswin bei
seinen dichtungen?** warum fingierte er einen Gottesfreund

im oberlande? welcher gedanke leitete ihn bei abfassung der
verschiedenen schriften und briefe des von ihm fingierten G.s?
der zwecke gab es verschiedene. wir können sie einteilen in
allgemeine und in besondere.

Der oberste zweck Merswins bestand darin, die gottesfreunde
als die einzigen stützen der christenheit darzustellen. dass die
gottesfreunde die stütze der christenheit seien, dieser idee begegnen wir bereits beim verf. des Opus imperfect. in Matth.; aus
Taulers munde jedoch nahm sie Merswin in sich auf, modelte sie
nach seiner weise um und schraubte sie bis auf die äufserste spitze.
in Merswins schriften hat jene idee folgende gestalt: nur wenige, an
den fingern zu zählende, sind die säulen der christenheit, und zu
ihnen gehört auch Merswin. die gnaden- und heilsmittel der kirche
sind allerdings auch notwendig — das bildet Merswins voraussetzung —, aber die unterwerfung unter die gottesfreunde, seien
diese nun priester oder laien, ist gerade deshalb, weil sie ihm zu
folge die einzigen stützen der christenheit sind, die hauptsache, und
nur diese unterwerfung führt zur vollkommenheit. sie lehrt auch
den richtigen gebrauch der gnadenmittel, sowie die gehörige anwendung äufserer übungen. nicht die wissenschaft ist es, welche
dazu dienlich wäre, noch die lehrer und beichtväter als solche
vermögen etwas dazu: ein erleuchteter gottesfreund allein ist ein
tauglicher führer und helfer. diese idee führt Merswin sowol im
leben und in der würksamkeit des G.s im oberlande durch, als
auch behandeln denselben gegenstand erzählungen, die sich auf
das leben und die würksamkeit anderer gottesfreunde beziehen.
über allen gottesfreunden steht der G. im oberlande; er wird als
das ideal eines gottesfreundes hingestellt. gleichwie sein leben
das höchst mögliche, so ist es auch seine würksamkeit, welche sich
auf den papst, bischof, domherrn, einfache priester, ordensleute,
meister der hl. schrift, lectoren, weltweise, ritter, reiche, eheleute,
andersgläubige usw. erstreckt. weil wie kein anderer mit dem
lichte des hl. geistes durchgossen weifs er auch überall wie kein
anderer rat zu schaffen. und er schafft diesen in Rom, in Italien,
in Ungarn, in Metz, in seiner heimat. und welch heilige ganz über-
natürliche menschen werden nicht unter seiner leitung gebildet!

Dies ist der grundgedanke, der sich wie ein roter faden
durch alle historischen dichtungen Merswins hindurchzieht. wäre
Merswin dabei stehen geblieben, so stünde noch immer die frage

offen, warum er einen G. fingierte, denn als solcher nütze er
doch nichts. allein in unmittelbarer verbindung mit dem ausgesprochenen allgemeinen zwecke steht die andere absicht Merswins, manche wahre oder eingebildete schäden der kirche auf
diese weise zu heben und die kirche selbst in gewissen puncten
zu reformieren. wie diesen zweck sein *Büchlein von den neun
felsen* verfolgt, so auch das sogenannte Sendschreiben des G.s,
das MB, die geschichte der bekehrung Eckharts usw. manche erzählungen hatten den zweck, den lesern, die einem ähnlichen
stande wie die geschilderten personen angehörten, lehre und beispiel zu geben, wie sie unter gleichen umständen handeln sollten.
ausdrücklich wird dieser zweck für die abfassung des FMs angegeben (NvB s. 309 f).

Um diese zwecke zu erreichen, war kein mittel geeigneter
als erdichtete erzählungen, wie ich bereits in meiner schrift
Taulers bekehrung s. 130 bemerkte. ohne sich selbst zu verraten konnte Merswin auf die christenheit nach belieben und so
gut es gieng einwürken und seinen ideen eingang verschaffen.
die hauptrolle spielt dabei immer ein gottesmann, der sich in den
augen anderer der höchsten erleuchtung und der aufserordentlichsten begabung erfreute, dem in seiner tätigkeit sichtlich der
schutz gottes zur seite zu stehen schien, und der um so mehr
die verehrung aller gewinnen muste, in ein je mysteriöseres
dunkel er gehüllt war. weil der unnahbare G. in seinem täg-
lichen leben nicht beobachtet werden konnte, fehlte jeder mafsstab, um die wahrheit der aussagen über ihn zu prüfen. die
existenz des G.s deshalb zu bezweifeln lag nicht im geiste jener
zeit; es blieb also nichts übrig als zu glauben. Merswins tactik
war fein berechnet, wenn gleich die ausführung oft ziemlich
plump ausfiel.

Durch diesen von Merswin fingierten G. gewann auch Merswin selbst ungemein. er lässt sich in seinen ansichten, plänen
und handlungen von einem so aufserordentlichen phänomene leiten
und führen: das muste in den augen seiner umgebung zu seiner
eigenen erhöhung beitragen, um so mehr, als er auch den G.
von sich abhängig sein lässt (NvB s. 338). dies war ihm vorzüglich bei seiner stiftung von Grünenwörth und der leitung der
dortigen inwohner nach seinem sinne von grösstem nutzen. auf
diese weise setzte er alles durch. ein teil der briefe des G.s

wurde nur zu diesem zwecke erdichtet. mit welcher schlauheit
er dabei verfahren, ist wahrhaft bewundernswert. er selbst spricht
wenig und ordnet nicht viel an, seine wünsche legt er dem G.
in den mund und in die feder, und lässt ihn die briefe meist an
andere, nicht an ihn selbst adressieren. dafür werden aber die
adressaten erinnert, sich mit Merswin zu besprechen, seinem rate
zu folgen oder ihn die briefe lesen zu lassen. doch trotz dieser
feinen berechnung tragen alle briefe das gepräge an sich, dass
sie dort verfasst seien, wo die adressaten sich befanden, nämlich
zu Strafsburg. es wird in ihnen gar zu genau alles bis in die
kleinsten details beschrieben und berichtet, was sich zu Strafsburg zugetragen, als dass der verfasser irgendwo anders hätte
sein können als eben dort. diese briefe sind die frucht eigener
anschauung, und der verfasser häufte in jedem briefe alles zusammen, was ihm eben im momente notwendig schien. so erklärt
sich vor allem der schlusssatz im 8 briefe und überhaupt der
ganze 8 und 13 brief. so erklärt sich auch, warum der G. alle
einzelheiten in betreff des chores und der kirche zu Grünenwörth wuste (vgl. denselben 8 brief), warum ihm der kummer
des comthurs bekannt war (9 brief), warum er immer darüber
unterrichtet war, wann Merswin krank lag (vgl. NvB s. 324.
331 f): der G. war eben kein anderer als Merswin zu Strafsburg.
die johanniter scheinen stets in grofser geldverlegenheit gewesen
zu sein, darum fortwährend die vertröstung Merswins durch den
G. auf reiche brüder (NvB s. 298. 305. 308. 315. 318. 336 ff).
im 11 briefe (s. 310) setzt Merswin durch dass in den chor der
johanniter nicht mehr so viele weltleute zugelassen werden sollen;
aber es geschieht das wider, um der gröfseren autorität willen,
durch den G. auch die wunder und erscheinungen, die sich bei
und vor der gründung von Grünenwörth zugetragen haben sollen,
erfahren die johanniter erst viele jahre später. Merswin lässt den
G. sagen, er glaube, Merswin habe ihnen noch nie recht mitgeteilt, wie der Grünenwörth entstanden sei. und er erzählt nun
von sich und von Merswin dieselben träume und dieselben
krankheiten, die sie zu derselben zeit gehabt hätten (NvB s. 303).
dass Merswin dieselbe göttliche bevorzugung zu teil wurde wie
dem G., das verschaffte ihm neues ansehen; dass er aber erst
so spät von ihr sprach, lag darin begründet dass diese mirakel
eben nur von ihm erdichtet sind, um seinen willen in sachen

des baues durchzusetzen. s. 315 wird auf die gleiche weise ma-
növeriert; ähnlich auch s. 324 f.

Dieser letztere gedanke bildet einen anderen der besonderen
zwecke, den Merswin bei abfassung mancher briefe gehabt hat.
er wollte beim baue seine eigenen pläne gegenüber denjenigen
des comthurs verwürklicht wissen. dabei wird fast durchgehends
der G. mit seinen visionen vorgeschützt; natürlich war man dann
einem solchen manne gegenüber folgsam. einmal gieng es aber
doch schief. aus dem 12 brief erhellt nämlich dass Merswins
rat hinsichtlich des chores sich nicht bewährt hatte; darob war
der comthur, der schon manches geld verbaut hatte, betrübt.
nun gibt Rulman nach. in demselben briefe vom 6 juli 1377
(s. 312) lässt er den plan des comthurs durch den G., oder vielmehr durch den boten Ruprecht, bevorzugt werden. der G. ge-
riert sich sonst immer, als verstehe er die baukunst: hier räumt
er seine unbekanntschaft mit ihr ein. das war aber alles nur
wol berechneter schein. nach ablauf kaum eines monats, am
1 august, liefs Merswin den G. wider nach Strafsburg schreiben,
es sei ihm eine himmlische erscheinung zu teil geworden, in der
sich gott gegen des comthurs ansicht ausgesprochen, und ein
neuer plan ihm geoffenbart worden (s. 316 f), der aber in der
tat nur der alte war (vgl. auch Schmidt in der Revue d'Alsace
7, 195). zur beglaubigung führt er ein höchst komisches wor-
zeichen an. in der himmlischen vision wurde ihm angekündigt,
zuo stunt so du nuwent von dem bette kummest so luoge zuo dir
selben so solt du bevinden daz du vor dime hertzen bevindest eine
grose geswollene blotere vor dime hertzen stonds, und muost ouch
die selbe bloters alse lange haben untze an die zit daz du einen
brief wider abe geschribest von dirre selben sache wegen und nüt
anders; und zuo wortzeichen wenne es nuwent beschiht daz du
den brief geschribest so sol dir die blotere on alles we zuo stunt
zergon. dass die johanniter einem solchen briefe, den Merswin
an sich selber gerichtet sein liefs, glauben schenkten, beweist
neuerdings, wie einfältig sie waren, und was alles ihnen Merswin
zutrauen durfte. es war ihm deshalb ein leichtes, seinen willen
durchzusetzen.

Derselben politik Merswins begegnen wir, wenn er den G.
etliche monate früher aus Merswins brief ein kleines brieflein
herausschneiden und dem comthur übersenden läset mit der be-

merkung, Merswins plan gefalle ihm besser als der des comthurs
(NvB s. 304). oder wenn er dem G. in demselben briefe die
worte in den mund legt, Merswin solle dem comthur beim baue
raten (s. 306). da die johanniter überzeugt waren, der angebliche
G. handle und rate nur aus dem hl. geiste, so galten ihnen die
ratschläge des G.s auch in betreff des baues als anordnungen des
hl. geistes, die sie um so lieber befolgten, als sie den eifer und
die sorge des G.s um den Grünenwörth kannten. der G. beträgt
sich ja immer als einer, der die johanniter nicht blofs geistlich,
sondern auch materiell sei es durch neue brüder, sei es durch
geld unterstützen will (vgl. NvB s. 305. 336 usw.), ja der sogar
selbst einmal johanniter zu werden vor hat (s. 294 ff).

Auf diese weise konnte Merswin dem comthur und den
johannitern auch solche ermahnungen geben, die er ohne den
G. nicht so leicht hätte anbringen können. unter diesem gesichtspuncte sind die ratschläge und ermahnungen im 16 bis
18 briefe, gerichtet an den comthur, aufzufassen. dieselbe absicht hatte Merswin bei den dem G. in den mund gelegten ermahnungen an Johann von Schaftolzheim, an die priester und
die johanniter von Grünenwörth. kaum verrät sich aber auch
in einem anderen briefe so sehr der Strafsburger als in diesen
briefen. der sogenannte G. weifs die kleinsten umstände, die
manigfaltigsten situationen, in denen sich diejenigen befinden, an
welche er seine briefe sendet. da man nicht mehr an die erleuchtung des G.s denken darf — denn er ist fingiert —, so
bleibt nur die einzige annahme, Merswin habe an die adressaten
nach ihren jeweiligen bedürfnissen geschrieben, die ihm als ihrem
genossen recht wol bekannt waren.

Nun besitzen wir auch den schlüssel für manche abge-
schmacktheiten und absonderlichkeiten in den von Merswin verfassten schriften des G.s, die sonst unerklärbar wären. da er
zunächst für die johanniter schrieb, so schrieb er in dér weise,
wie sie dessen eben bedürftig waren. es gab, wie es scheint,
unter ihnen solche, die von den versuchungen zur unkeuschheit
stark geplagt wurden (vgl. Gottesfr. s. 185). ihnen zum troste
dichtete er nun schriften, aus denen sie ersahen dass selbst so
heilige männer, wie der G. und seine genossen und andere, derartige versuchungen zeitlebens tragen musten. bei anderer gelegenheit, wo dieser zweck bei der erdichtung nicht vorlag,

stellte Merswin den G. allerdings in einem anderen, verschiedenen lichte dar. um die johanniter von dem umgange mit personen des anderen geschlechtes abzuhalten, stellte er ihnen vor dass selbst der G. gefallen sei (zb. in der Geistlichen stiege). wie gefährlich der umgang selbst mit heiligen frauen sei, konnten sie aus der geschichte der Ursula ersehen.

Die letzten briefe verfolgen einen mehrfachen zweck. einmal wollte Merswin abbrechen. schon früher liefs er den G. erklären, sie beide wären übereingekommen, sich nur mehr wegen ernstlicher dinge zu schreiben (NvB s. 308). im jahre 1380 muss Merswin, der damals bereits 72 jahre alt war, krank gewesen sein; es geht dies aus dem 19 briefe (s. 331 f) hervor. er mag gefühlt haben dass er nicht mehr lange leben werde, er wollte endlich ruhe. dies war nur möglich, wenn er sich den johannitern gegenüber einerseits vom G. lossagte, und wenn er andererseits den G. von ihm sich lossagen liefs. kurz, Merswin muste seiner fiction den untergang bereiten. er, immer extravagant, fühlte sich zu einem leben hingezogen, das damals besondere anziehungskraft besafs, nämlich zum inclusenleben (NvB s. 335). doch hatte er nicht den mut, völlig incluse zu werden, gelegentlich wollte er sich doch in die angelegenheiten seines hauses mischen können. die gründe, warum er nicht ganz das inclusenleben erwählte, legt er wie gewöhnlich dem G. in den mund (s. 336). dafür liefs er aber sein geschöpf, den G., ein strenges inclusenleben führen. der G. erbat sich die erlaubnis, nicht mehr ihm gehorsam sein zu brauchen: er müsse dem bruder Johannes (einer anderen fiction) gehorsam sein; Merswin solle sich dem comthur unterwerfen. vorher richtete sich aber Merswin das leben und die tagesordnung so ein, wie es ihm beliebte. natürlich geschah dies widerum durch den G. (s. 336 f). so konnte der comthur eigentlich doch nicht befehlen.

Der G. sollte ein würdiges ende haben: als opfer der lasterhaftigkeit der welt liefs ihn Merswin verschwinden. Merswin sah sich nämlich schon seit längerer zeit in seinen hoffnungen getäuscht. von jahr zu jahr hoffte er, es würden grofse plagen über die christenheit von gott verhängt werden. aber sie kamen nicht. in mehreren briefen liefs er sie durch den G. prophezeien (NvB s. 322. 326); dasselbe thema behandelt auch das Leben der Ursula (bei Jundt s. 389), vorzüglich aber das sogenannte Sendschreiben und das *Büchlein von den neun felsen.* der G. war aber ein schlechter prophet. in den augen der johanniter freilich nicht, denn Merswin gab als grund, warum die plagen nicht einträten, das gebet des G.s an; ihn liefs er teils allein, teils im bunde mit anderen gottesfreunden die stütze der christenheit und der wankenden welt sein. dem 17 briefe vom 16 april 1379 zu folge sollte die rache nach einem jahre kommen (NvB s. 326). ein par monate darauf lässt Merswin durch den G. den comthur ermahnen, er möge in der predigt die leute warnen (s. 329). aber keine anzeichen von plagen traten ein. da wartete Merswin nicht einmal das jahr ab, sondern schloss einstweilen das leben des G.s mit der bekannten dichtung von den 13 gottesfreunden bei der felsenkapelle und dem vom himmel gefallenen briefe ab. der G. sollte vom jahre 1380 ab drei jahre lang, ja, wenn es gottes wille wäre, sogar den ganzen rest seines lebens als incluse die christenheit stützen (s. 335). die johanniter werden damit getröstet dass sich der G. nach diesen drei jahren vielleicht am Grünenwörth zeigen werde (s. 323. 337. vgl. 136). unterdessen starb aber Merswin. dass sich der G. natürlich nicht nach den drei jahren zeigte, konnte den johannitern nicht auffällig vorkommen, da sie meinen musten, er bleibe vielleicht sein leben lang incluse, und da überhaupt dieser eventualität Merswin vorgebeugt hatte (s. 337 und oben s. 108). es unterliegt aber keinem zweifel dass Merswin den schwindel fortgesetzt hätte, wäre ihm gesundheit und ein längeres leben beschieden gewesen. gereute es ihn doch schon ein jahr nach der erdichteten einschliefsung des G.s, seine fiction so früh vom schauplatze entfernt zu haben, denn er lässt, wie wir sahen, den G. 1381 wider tätig sein.

Ein anderer zweck bei mehreren der letzten briefe war durch das ausgebrochene schisma vorgezeichnet. in folge desselben entstand nämlich auch im johanniterorden grofse verwirrung (vgl. Vertot Histoire des chevaliers hosp. de S.Jean de Jérusalem, Paris 1772, 2, 246). so weit es sein alter und seine gebrechlichkeit zuliefsen, wollte Merswin in dieser angelegenheit mitsprechen. um dies besser zu vermögen, schützte er, wie immer, den G. vor. bald aber stand er am ende seines wissens. denn als der comthur vom G. aufschluss verlangte, zu welchem papste er sich halten solle, antwortete dieser, er solle tun, was der ganze orden tue. diese antwort war aber unter den umständen, unter denen sich der comthur befand, keine antwort. denn der comthur fragte ja nur deshalb, weil der orden selbst in verwirrung und der grofsmeister eingesperrt war. auf die frage des comthurs aber, zu welchem papste der G. sich halte, erwiderte Merswin durch den vermeintlichen G.: ihre stellung sei eine verschiedene; der bischof dränge ihn sammt den genossen nicht, tue vielmehr was sie wollten. zudem besäfsen sie viele privilegien, die sie vom papste erhalten und welche viele cardinäle besiegelt hätten, nämlich die bulla consistorialis (NvB s. 343). Merswin wuste hier wol nicht was er schrieb. es ist derselbe schwindel wie im berichte über die Romreise. wie er dort den papst abhängig sein liefs vom G., so hier den bischof. haben ferner die zuletzt angeführten worte dem zusammenhange nach einen sinn, so können sie nichts anderes bedeuten, als dass der G. und seine genossen auf grund der päpstlichen privilegien bei ausbrechendem schisma vom gehorsame eximiert seien. wo aber und wann wurde je ein solch unerhörtes privilegium von irgend einem papste erteilt? mit diesem briefe (er ist der letzte) hat Merswin seiner dichtung die krone aufgesetzt.

Wir besitzen nun auch die erklärung, warum Merswin doch auch einige briefe des G.s an sich selbst adressiert hat. unter den 21 briefen sind nur drei an Merswin gerichtet. der erste (nr 13) hatte zum zwecke, Merswins willen hinsichtlich des baues am Grünenwörth durchzusetzen; die anderen zwei (nr 19. 20) wurden, wie wir soeben gesehen haben, vorzüglich deshalb geschrieben, um die geschichte des G.s abzuschliefsen. selbstverständlich konnte dieser zweck durch briefe, welche vom fingierten G. an Merswin gerichtet waren, am besten erreicht werden.

Das sind die hauptsächlichsten absichten, welche Merswin bei seinen dichtungen verfolgte. allerdings ist es nicht möglich, in jedem einzelfalle den zweck herauszufinden und für alle von Merswin geschriebenen sätze die inneren gründe anzugeben. um dies zu vermögen müste man mit Merswin gelebt haben und alle einzelheiten, umstände und ereignisse im johanniterhause zu Strafsburg genau kennen; denn zunächst schrieb Merswin doch für die johanniter. auch gelingt es jetzt nicht mehr, Merswins inneres so vollständig aufzuhellen, um seine jeweilige intention zu begreifen. manches in seinen schriften diente auch zur ausschmückung, anderes mochte einen historischen hintergrund haben. denn dem

steht nichts entgegen, dass mancher erzählung Merswins der kern
der einen oder anderen von ihm gehörten geschichte zu grunde
liege, die er dann zu seinen zwecken gebrauchte und mit dem
von ihm fingierten G. in zusammenhang brachte. diesen kern
jedoch herauszufinden ist nicht mehr möglich; davon hängt aber
auch gar nichts ab.

Damit besitzen wir auch einige anhaltspuncte für die beurteilung von Merswins character. man hat mir in letzter
zeit hier und da vorgeworfen, ich sei mit diesen laien zu scharf
ins gericht gegangen. ich glaube, man kann mir vielmehr den
vorwurf machen, ich habe Merswin, denn nur von diesem allein
kann noch die rede sein, als menschen zu günstig beurteilt. der
nimbus, in den man ihn eingehüllt, ist ja geschwunden. Merswin
hat seine ganze umgebung betrogen und zum besten gehabt.
damit ist alles gesagt.

Dass es Merswin mit der wahrheit nicht ernst nahm, davon
habe ich schon mehrere beispiele angeführt (s. Zs. 24, 507 f.
509 anm. 2). das beispiel, dessen ich s. 531 gedachte, verdient
noch eingehendere berücksichtigung. was CSchmidt in der vorrede zu seiner ausgabe der Neun felsen s. v sagt, dass die vorlage dieses büchleins mit denselben schriftzügen geschrieben sei
wie die urschrift des *Buches* von den vier jahren des anfangenden
lebens Merswins, kann ich jetzt nach vergleich des letzteren
buches mit dem facsimile in den Neun felsen nur bestätigen.
darüber kann kein zweifel mehr obwalten dass die bisher als
autographa Merswins angesehenen zwei actenstücke es in der tat
auch sind. Merswins eigenen worten zu folge schrieb er beide
büchlein, das der Neun felsen und der Vier jahre, im gleichen
jahre, nämlich 1352 (s. Zs. 24, 508 f). ist nun auch die orthographische verschiedenheit zwischen beiden nicht so grofs, als
ich, gestützt auf die fehlerhafte und nachlässige ausgabe der Vier
jahre von CSchmidt, aao. s. 530 behauptete (s. darüber meine
bemerkungen in der Deutschen litteraturzeitung sp. 244 f), so
existiert doch immerhin eine derartige, dass die zwei schriften
nicht in demselben jahre, sondern nur innerhalb eines längeren
zeitraumes geschrieben worden sein können. wenige verschiedenheiten blofs will ich hier widerholen. zu den häufigsten wörtern
in beiden büchlein gehören *unze, herze, zit.* consequent werden sie aber in beiden verschieden geschrieben (s. Zs. 24, 530). ein

ähnliches verhältnis besteht bei den wörtern *schiere* (s. s. 536),
heillig (s. 530), *fürthende* (ebenda) usw. [1] meiner ansicht nach
wurde das Büchlein von den neun felsen nach dem Sendschreiben, also nach 1357, geschrieben; das Sendschreiben war
für Merswin die ursprüngliche idee, die er dann in den Neun
felsen weiter ausführte. keinesfalls ist es zur selben zeit wie
die Vier jahre verfasst worden. Merswin hat, wie öfters, so auch
hier gelogen.

Eine der hauptlügen repräsentiert sein *Büchlein von den vier
jahren.* er erzählt darin von sich die grösten wunderwerke. wir
haben aber Zs. 24, 515 ff gesehen dass das ganze nur eine
schablonenmäfsige dichtung ist. ein derartiges leben, wie es
Merswin als von sich erlebt im genannten büchlein darstellt,
hätte sich doch auch das eine oder andere mal nach aufsen
offenbaren müssen. allein, seine intimste umgebung ahnte und
bemerkte nichts davon, im gegenteile erfahren die johanniter erst
nach seinem tode aus seinen schriften die wunder, die gott mit
ihm gewürkt hat (s. Zs. 24,517 f). wir erhalten hier eine weitere
andeutung, warum Merswin seine schriften bis auf seinen tod
zurückbehielt. er entgieng dadurch der controle. wer sich derartige gnaden- und wunderwerke fälschlich zuschreibt, ist auch
im stande einen solchen betrug zu üben, wie Merswin es mit
seinem G. getan hat. er hat dadurch seinem character einen
der widerlichsten flecken angeheftet.

Merswin besafs einen sehr unruhigen sinn. dies gibt sich
durchgehends, vor allem aber bei der gründung von Grünenwörth kund. 1367 besetzte er ihn mit weltpriestern (Gottesfr.
s. 38). 1369 waren sie noch dort. 1371 finden wir aber daselbst schon johanniter. zwischen 1369 und 1371 unterhandelten
nicht weniger als drei orden um den Grünenwörth: augustiner,
cisterzienser und dominicaner (aao. s. 39). Merswin kam mit
niemandem aus [2]; erst mit den johannitern gieng es *uns noch
allen unsern willen* (NvB s. 294). Merswin war eben eigensinnig.

---

[1] bei solchen vergleichen darf man nicht unsere, sondern die damalige
zeit in betracht ziehen, oder, wenn man auch unsere zeit hineinziehen will,
so können nur landleute aus der früheren schule berücksichtigt werden.

[2] allerdings wird die schuld immer anderen ursachen zugeschoben.
die augustiner, cisterzienser und dominicaner waren niemals am Grünenwörth eigentlich ansässig.

das factum mit Tauler (vorausgesetzt dass es wahr ist) beweist
dies am besten. Tauler verbot ihm die bufswerke bis zu einem
gewissen zeitpunct; als dieser vorüber war, sagte Merswin ihm,
dem beichtvater, nichts mehr, sondern übte sich wider recht in
den bufswerken, weil er es gar so gerne tat (Gottesfr. s. 59).
Merswin schwieg also aus furcht, Tauler möchte sie ihm wider
verbieten. er handelte demnach nur aus dem in der ganzen
askese verpönten eigensinn. dieser eigensinn war auch die trieb-
feder beim bau am Grünenwörth und der grund, warum er sich
mit dem comthur überwarf. die notwendige folge dieses eigen-
sinnes war die, dass Merswin sich in alles einmischen muste. er
wollte herschen. was ich am schlusse von Taulers bekehrung
s. 134 in bezug auf den G. sagte, das gilt natürlich nunmehr von
Merswin. da er mit seiner zeit vollständig zerfallen war — diesen
eindruck erhält man aus seinen fortwährenden klagen über die
schlechten menschen und zeiten —, so wollte er wenigstens eine
gesellschaft nach seinem sinne einrichten, nämlich die zu Grünenwörth. einige johanniter konnten es auch wol nur deshalb dort
nicht aushalten (NvB s. 289). Merswin hätte gar so gerne auch
die regeln der johanniter umgestaltet. Nicolaus vLaufen rät er
(durch den G.), er solle nur unter der bedingung johanniter
werden, dass man ihn nicht versende und ihm kein amt gebe
(NvB s. 287 vgl. mit 288). er hätte auch gewünscht dass die
johanniter verpflichtet gewesen wären, wie versperrte klosterfrauen zu hause zu bleiben (Gottesfr. s. 50). er wollte nicht blofs
pfleger sondern der eigentliche leiter der brüder am Grünenwörth
sein. jede seite der briefsammlung spricht dafür.

So zeigt sich der character Merswins als ein gemisch von
unruhe, eigensinn und überspannung, factoren, die so häufig
den character sogenannter betbrüder ausmachen. Merswin war
nichts anderes, nur in einem schlimmeren grade, als die gewöhnlichen betbrüder. gleichwie es diesen niemals einfällt dass
sie durch üble nachrede eine sünde begehen, so sah auch Merswin in seinem betruge nichts böses. beide sind verblendet
durch dasselbe gefühl, es ist das gefühl der selbstgerechtigkeit.
dieses gefühl ist der hauptpunct im character Merswins, um den
sich die anderen factoren gruppieren, gleichwie es der central-
punct im character der betbrüder ist. aus diesem falschen gefühle der selbstgerechtigkeit lässt sich das ganze leben und die

tätigkeit Merswins construieren. alle um ihn herum sind räudige
schafe, nur er selbst ist ein wahrer freund gottes (vgl. Zs. 24, 508).
um nun .alle zu seiner stufe hinaufzuführen wird kein mittel
vernachlässigt.

Einen gewissen ernst besafs also Merswin doch bei seinen
dichtungen, er glaubte etwas gutes damit zu vollbringen. leider
aber waren sein standpunct und seine anschauungsweise verfehlt.
er handelte moralisch schlecht, wenn auch im grofsen und ganzen
sein talent, romane und novellen zu schreiben sowie einen derartigen betrug bis ans ende fortzuspinnen, zu bewundern ist.[1] in
dieser hinsicht steht er allerdings fast einzig in der geschichte
da und gehört zu den interessantesten erscheinungen.

Nur einen einwand könnte man hier erheben. das johan-
niterhaus zu Strafsburg war doch eine gute stiftung und spielte
in der folge eine schöne rolle. der stifter dieses hauses war
aber Merswin. wie konnte also das unternehmen eines mannes,
für den als menschen man mehr verachtung als verehrung hegen
muss, derartig gedeihen? ich antworte mit einer ganz ähnlichen
geschichtlichen tatsache. in den letzten drei jahrhunderten hat
sich kaum ein anderer orden so viele verdienste in der kirche
erworben als der capuzinerorden, der zudem an individuen wenn
nicht der zahlreichste, so doch sicher einer der zahlreichsten ist.
wer waren aber seine gründer? der annalist des ordens, *Bove-
rius*, ruft aus: *en ordinem sine parente genitum, absque propa-
gatore diffusum* (Apparatus ad annal. capuc. n. 60. vgl. n. 58 f.
52 f). und warum? weil er die ersten generalvicare des ordens,
die denselben eigentlich ins leben gerufen und geleitet haben,
nicht als gründer ansehen kann und will. Matthäus *Bassi*, der
erste capuziner und zugleich generalvicar, hatte nur den drang
nach unabhängigkeit und freiheit; der zweite, Ludwig von Fos-
sombrone, wurde nur vom ehrgeize geleitet und mit päpstlicher
genehmigung aus dem orden gejagt, während der erstere von
selbst gieng. vom dritten, Bernardin vOchino, der sogar vom
glauben abfiel, will ich gar nicht sprechen. die zwei erstge-

---

[1] natürlich fiel, wie wir gesehen haben, die dichtung im einzelnen
oft recht plump aus. nur die einfalt der johanniter bewahrte Merswin vor
aufdeckung des betruges. ein beispiel solcher einfalt ist vor allem Nicolaus vLaufen (man vgl. nur seinen brief an den G. NvB s. 284 ff), der, wie
es scheint, am Grünenwörth sehr angesehen war.

nannten galten sogar als heilige männer, der zweite bis zur ca-
tastrophe, der erste auch noch nach seinem austritt aus dem
ordensverband. wenn man nun erwidert, ihnen sei man doch
auf die spur gekommen, während die johanniter bei Merswin
nichts bemerkten, so ist die antwort leicht. einmal waren die
zwei capuziner in einer anderen situation. sie standen an der
spitze eines gröfseren $_{un}te_{rn}ehme_{ns}$ und kamen mit vielen in
berührung; dem papste, den bischöfen und einem ganzen orden,
dem franziscanerorden, den sie nämlich auf die ursprüngliche
strenge zurückführen wollten, befanden sie sich gegenüber. und
dann beweist der einwurf nur dass Merswin eine gröfsere ver-
stellungskunst besafs als die zwei capuziner. er brachte es so
weit, dass die johanniter einen litterarischen betrug für einen act
der demut von seite Merswins ansahen (s. Zs. 24, 509 anm. 2).

Die genannte tatsache beweist dass an der spitze grofser
werke auch männer stehen können, die wahrhaftig nicht ursache
sind dass dieselben gedeihen, sondern bei denen ganz andere
höhere factoren eingreifen. Grünenwörth gedieh eigentlich erst
nach Merswins tod, nicht während seines lebens. selbst der
materielle bau, die kirche, stand noch zwei jahre vor seinem
tode *gar wueste ungebuwen, rechte also eine schúre* (NvB s. 337).

Ob Merswin bei seinen dichtungen einen gesinnungsgenossen
und gehilfen oder wenigstens einen abschreiber gehabt habe,
lässt sich nicht genau ermitteln. ich möchte es fast annehmen,
schon wegen des Fünfmannenbuches, das er höchst wahrscheinlich abschreiben liefs. auch muss er jemanden gehabt haben,
der ihm hier und da geld verschaffte. vgl. zb. NvB s. 336 f.

In bezug auf die gottesfreunde muss die litteraturgeschichte umgearbeitet werden. weder von einem Gottesfreund
im oberlande noch von einem bunde und haupte der gottesfreunde
kann noch die rede sein. die specielle Gottesfreundlitteratur repräsentiert lediglich Rulman Merswin. mit dieser litteratur haben
aber auch weder Tauler noch Sense noch irgend ein anderer deutscher mystiker etwas zu schaffen. Rulman Merswin bildet für
sich allein glied und kette.

Nicht blofs die geschichte des Gottesfreundes ist ein roman,
auch die bisherigen untersuchungen über ihn tragen das gepräge
eines romans an sich. zuerst stempelte man ihn zum bäretiker
Nicolaus von *Basel*, dann liefs man ihn ein heiliges leben am

Schimberg führen, darauf machte man aus ihm den frommen einsiedler Johann von Rütberg, endlich muste er ins reich der fabel verwiesen werden. der fehler der früheren forscher, auch ich gehöre zu ihnen, war und ist verzeiblich. es hielt sehr schwer, sich durch dies labyrinth von widersprüchen hindurchzuwinden, um endlich ans licht zu gelangen. nur zwei forscher sind anzuklagen, die zwei Strafsburger CSchmidt und AJundt. hätte ersterer die texte vollständig, vor allem aber correct herausgegeben, man wäre wenigstens aufserhalb Strafsburgs schon vor einem decennium auf den betrug Merswins gekommen. Jundt aber hat gar nicht gewust, was mit dem überreichen materiale anzufangen sei. er hat bewiesen dass das dilettantentum sich kaum irgendwo anders mehr räche als auf dem gebiete der deutschen mystik und gottesfreunde. sein werk war veraltet, als es kaum das tageslicht erblickt hatte.[1] das gute will ich ihm jedoch nicht schmälern dass es mich zu weiterer forschung über und vollständigem bruche mit dem Gottesfreund angeregt hat.

Zum schlusse sage ich allen jenen, die mich bei diesen forschungen, welche im laufe des nächsten jahres erweitert im verlage der Weidmannschen buchhandlung erscheinen werden, mit rat und tat unterstützt haben, meinen verbindlichsten dank, namentlich herrn staatsarchivar dr ThvLiebenau in Luzern, der mich besonders in bezug auf die Schweizer geschichte und topographie mit reicher litteratur versorgt hat.[2]

---

[1] seither kam mir AJundts artikel: Johann vChur, genannt von Rütberg und die gottesfreunde in Herzogs Realencycl. f. prot. theol. und kirche, heft 61 s. 21—28, zu gesicht. darüber brauche ich wol kein wörtchen mehr zu verlieren. denn einerseits teilt dieser artikel, weil ganz im sinne von Jundts Amis de dieu und (wahrscheinlich) vor meiner Antikritik in den Hist.-pol. bll. verfasst, das schicksal des genannten gröfseren werkes, dh. er ist, weil überholt, ganz umsonst geschrieben; andererseits steht er glücklicher weise, dank der unglaublichen sicherheit des verfassers und der allzu grofsen nachsicht der redaction, an einem so unglücklichen platze, dass wol nur Jundt, aber auch er allein, den G. an jener stelle suchen wird.

[2] es ist natürlich einem jeden erlaubt, meine beweisführung anzugreifen, nur möge dies in ernsterer weise geschehen, als es bisher von seite AJundts der fall war, und letzthin von seite ARitschls in betreff des Buches von geistlicher armut (Zs. f. kirchengesch. iv 3). das verfahren des ersteren kennen nunmehr bereits die leser. dasjenige aber herrn Ritschls ist allerdings ein wolgemeinteres, aber nichts weniger als ein ernstes. es macht den unabweisbaren eindruck des misbehagens, dass nicht er, son-

dern ich der erste war, dem es gelungen ist zu ermitteln dass das genannte
buch nicht Tauler zum verfasser hat. ich habe nichts dagegen, wenn R.
diesen satz mit neuen beweisen zu stützen versucht oder meine beweise,
wenn sie ihm nicht stringent genug erscheinen, ergänzt oder bekrittelt.
allein was tut R.? er wirft sich lediglich auf meine *letzte* nach abschluss
meiner beweise ausgesprochene v e r m u t u n g, der verfasser des buches sei
viel eher ein moderierter (dies wörtchen *lässt* R. weg) anhänger der lehre
der fraticellen als ein dominicaner, unterlässt es aber, auf irgend einen
meiner eigentlichen beweise tiefer einzugehen, und insoweit er eingeht,
nimmt er den ausgangspunct aus mangel an kenntnis Taulers von einer ganz
falschen voraussetzung. solch ein verfahren verbitte ich mir. jeder ernste
forscher hat das recht, zu verlangen dass der angriff auf seine forschungen
auch in ernster weise geschehe. es genüge hier Ritschls bemerkungen, insoweit sie sich auf meine arbeit beziehen, mit ein par bemerkungen abzu-
fertigen; mehr folgt in der oben angekündigten schrift. wäre R. wol auf den
nachweis der nichtidentität des verfassers des Bvgs mit Tauler ohne meine
vorarbeit gekommen? handelt es sich denn bei meiner beweisführung darum,
ob der verfasser ein dominicaner oder ein franciscaner gewesen sei, sondern
nicht vielmehr um den éinen satz, dass er nicht Tauler war? war nicht
das die allein richtige methode für denjenigen, der zuerst die bisherige tradition umstofsen wollte? aber warum genügt hrn R. nicht diese methode?
hören wir. 'soweit eine abweichung zwischen Tauler und dem Bvgs auf
diesem puncte (in betreff der lehre über die armut) obwaltet, ist sie nur
daraus zu erklären dass Taulers predigten an die laiengemeinde gerichtet
sind, das vorliegende buch aber auf die mönchsgemeinde berechnet ist.
wir kennen Tauler nur aus seinen an laien gerichteten predigten' (s. 338. 339).
aber leider ist diese ganze voraussetzung falsch, denn gerade das gegenteil
ist wahr. allerdings haben nicht *alle* predigten Taulers klosterleute vor
augen, wie ich s. xi bemerkt habe, aber der g r ö s t e *teil* derselben ist, wie
sich aus den hss. ergibt, von denen R. keine einzige verglichen hat, vor
klosterleuten, speciell klosterfrauen, gehalten worden. wie ungerecht ist
Ritschls verfahren! ich gab mir bei meiner einleitung die mühe, durchweg
nach den hss. zu arbeiten, da ich einsah, die drucke lägen im argen (s. s. x);
nun kommt R. und fertigt meine arbeit durch eine phrase ab, die man sich
allenfalls noch vor 30 jahren hätte können gefallen lassen, die aber jetzt
schon durch Hambergers ausgabe *teilweise* widerlegt werden könnte. entweder hat R. Taulers predigten gar nicht gelesen, oder ohne verständnis.
letzteres ist sicher der fall beim Bvgs, denn die stellen die ich s. xii—xvi
aus demselben citiere, haben — davon kann sich jeder überzeugen —
grofsenteils a l l e und nicht blofs bettelmönche im auge. aber wie kam R.
zu solchen merkwürdigen aufstellungen? einmal ist er in der deutschen
mystik nur *dilettant*. und dann construierte er s e i n e n nachweis, das
buch sei scotistischen ursprungs, durch einzelne stellen dazu verführt, a
priori, und betrachtete daasjenige, was nicht zu diesem gedanken passte, als
spätere zutat. ist das die richtige methode? doch hier genug davon.

Rom 7. 11. 80.　　　　　P. HEINRICH DENIFLE O. P.

DIE DRESDNER IWEINHANDSCHRIFT.

Bei den vorarbeiten für eine neue ausgabe von Hartmanns Iwein hielt ich es nach früher gemachten erfabrungen für geboten, die handschriftliche grundlage des gedichtes und zunächst Lachmanns material neu zu vergleichen. da ich durch zufall zuerst die von Lachmann a genannte Dresdner handschrift erhalten habe, so will ich die ausbeute derselben hier mitteilen, denn die untersuchung hat zu mir unerwarteten ergebnissen geführt.

Auf meine durch gütige vermittelung der *Berliner* universitätsbibliothek nach Dresden gerichtete bitte, mir die von Lachmann benutzte papierhandschrift nr 65 zu schicken, erhielt ich nicht diese sondern nr 175; denn es ist in Dresden wol bekannt dass Lachmanns angabe der nummer falsch ist: er hat unter a in seinem apparat nicht lesarten aus nr 65, sondern aus nr 175 angegeben. zu der falschen angabe wurde Lachmann wahrscheinlich verleitet durch die bemerkung von JChAdelung bei FAdelung Altd. ged. in Rom s. xx. Adelung redet an dieser stelle jedoch von einer ganz anderen handschrift, derjenigen Gottscheds, folio, vom jahre 1415, während die von Lachmann benutzte in quart ist, keine jahreszahl trägt und niemals Gottsched gehört hat, sondern im vorigen jahrhundert im besitze des JEARust zu *Bern*burg war, wie dieser in einer ausführlichen 'nachricht' mitteilt. Adelung s. xxii und danach vdHagen, Grundriss s. 122, gibt für die hs. die nr 87 an, welche sie früher getragen hat.

Rust teilt über seine hs. mit dass er sie 1750 in Dresden gekauft und neu habe einbinden lassen. bei dieser gelegenheit liefs er eine anzahl leerer blätter an den anfang und das ende setzen. 1763 schickte er den band an Gottsched, damit dieser zwei fehlende blätter ergänzen sollte, am anfang eins und das neunte. Gottsched besafs damals noch keinen Iwelu, erwarb aber einen solchen bald und schickte 1765 den band an Rust zurück, mit der bemerkung dass er aus seiner hs. blatt 9 habe ergänzen lassen; der anfang fehle aber auch bei ihm.

Der hs. a mangelt also am anfang ein blatt mit v. 1—52, ferner blatt 9 (v. 518—573). endlich sind durch den buchbinder die blätter 155. 156 in falsche folge gekommen: blatt 156 muss vor 155 stehen. durch den buchbinder sind also v. 7971—8018 hinter 8066 gestellt.

Von diesen tatsachen weiſs Lachmann nur dass v. 1—52 fehlen; er gibt die lesarten von 518—573 an, als ob sie der hs. a gehörten, und meint dass v. 7971—8018 in der hs. hinter 8066 stehen. dass er von dem wahren sachverhalt keine kenntnis hatte, erklärt sich daraus, dass er die Dresdner hss. überhaupt nie gesehen hat, sondern nur von einer (a) die Adelungsche abschrift benutzte. diese abschrift aber ist ganz unkritisch und enthält keine bemerkung über die beschaffenheit der vorlage. nur die verse 518—573 sind in anführungszeichen eingeschlossen, und das muss für jeden unverständlich bleiben.

Diese *Berliner* abschrift Ms. germ. fol. 32 ist äuſserlich sehr schön aber sonst voll fehler: falsche lesungen, schreibfehler, auslassungen halber und ganzer verse, ja sogar willkürliche änderungen, um einen leidlichen sinn herzustellen, finden sich in nicht geringer menge. die hs. enthält etwa 200 gröbere irrtümer. — auf dem ersten blatte derselben steht die bemerkung 'Aus No. 65 der Churfürstl. *Bibl.*' diese, wie oben gezeigt, falsche angabe ist nicht vom schreiber der abschrift, sondern von späterer hand, ich glaube von Lachmann, auf grund der notiz Adelungs s. xx, nachgetragen.

Die hs., aus welcher Gottsched blatt 9 der Rustschen hs. ergänzen lieſs, ist Msc. Dresd. M. 65, kl.-folio (von Paul f genannt). derselben fehlt der anfang, v. 1—92, jedoch ist v. 53—92 aus der Rustschen hs. ergänzt durch denselben schreiber, der das erwähnte blatt 9 herstellte, dh. durch Gottscheds schreiber oder durch Gottsched selbst.

Das ergebnis ist also: in Lachmanns variantenapparat haben die lesarten aus a keine zuverlässigkeit; was er aus v. 518—573 mit a bezeichnet, muss mit f angesetzt werden, und die angabe 'v. 7971—8018 stehen hinter 8066' ist zu streichen.

Lachmann hat für den Iwein fast ausschlieſslich fremde abschriften und abdrücke benutzt. ich glaube daher zu dem schlosse berechtigt zu sein dass die untersuchung der übrigen hss. zu ähnlichen ergebnissen führen wird, dass also auch die von Lachmann benutzten hss. einer neuen vergleichung bedürfen. er hat aber nur wenig mehr als die hälfte der vorhandenen hss. herangezogen und von manchen überhaupt nichts gewust.

Was bisher über die Iweinhss. geschrieben ist, entbehrt also

der sachlichen grundlagen. ich weiſs nicht, was das endliche
ergebnis sein wird, aber soviel steht mir schon jetzt fest dass
Pauls untersuchungen völlig gegenstandslos sind. denn er stützt
sich nicht nur ausschlieſslich auf den mangelhaften apparat Lachmanns, gibt also zb. lesarten aus a 518—573 an, sondern hat
die verwickelten verhältnisse noch durch dasjenige verwirrt, was
er aus der von ihm eingesehenen Gottschedschen hs. f angibt.
denn er bringt (s. 348. 349. 360. 361) lesarten aus f 53—92,
verse, welche, wie ich gezeigt habe, mit a identisch sind. das
muste Paul sehen, als er die Gottschedsche hs. benutzte, dass
das erste blatt erst 100 jahre alt ist. — auf ähnliche fehler
habe ich schon früher, Anz. ıv 15 f, hingewiesen.

Über das alter und den schreiber der Rustschen hs. a kann
ich noch einiges feststellen. auf eins der vorgebundenen blätter,
hinter der vorrede Rusts, ist ein bruchstück von einer urkunde
geklebt, welche deutlich die jahreszahl trägt ... *Crysti geburt
dryczehen hundert jar yn deme ... nczigisten jare an deme nesten
... ostern.* das fehlende ist durch das darüber gedrückte siegel
zerstört. nach *deme* hat entweder *czweinczigisten* oder *niunczi-
gisten* gestanden, ich glaube das letztere, und dann wäre 1390
das jahr der urkunde. die urkunde ist aber von demselben
schreiber wie die hs.; sie zeigt nicht nur dieselbe tinte und
schrift, sondern auch der gebrauch gewisser buchstaben *(cz, y, i
statt e, β)* stimmt genau zu der schreibweise der hs. das docu-
ment ist eine deutsche verfügung, dass *vorbenante juden* (die
namen fehlen) die nicht eingelösten pfänder verkaufen dürfen.

Über die nationalität des schreibers dieser urkunde und der
hs. lässt sich aus der hs. folgendes ermitteln. der Iwein hat
viermal die redensart *wizze Krist;* diese ändert der schreiber,
welcher sonst zu willkürlichen änderungen nicht neigt, jedes mal:
815 *daz dis,* 3127. 4786 *an diser frist,* 5485 *biz an die frist.*
ferner *ez wolde unser herre Krist* ist 8062 geändert in *nu walt
unser herre got diz.* 6989 ist statt *dem heiligen geiste* gesetzt
dem heiligen gotte. endlich steht 7935 von dem verse *und dise
quote heiligen* nur das wort *und* — der rest der zeile ist frei
gelassen, was sonst in der hs. unerhört ist. also: dem schreiber
wollten weder Christus noch der heilige geist noch die heiligen
aus der feder hervorkommen, denn auſser den angeführten sieben
stellen kommen diese worte im Iwein überhaupt nicht vor. der

verfasser war also ein gegner des christentums, ein atheist, jude
oder muhamedaner. das erste ist unwahrscheinlich, weil der
schreiber *got* immer stehen lässt, für das letzte fehlt jede möglichkeit, dagegen das zweite lässt sich beweisen: die lagen der
hs. sind zum teil mit hebräischen characteren (quadratschrift)
signiert und zwar so, dass stets das letzte blatt einer lage und
das erste der folgenden dasselbe zeichen tragen. was diese
zeichen bedeuten, kann ich nicht feststellen, ich glaube, sie sind
willkürlich gewählt, denn zahlen oder ziffern stellen sie nicht
dar. dass sie aber würklich hebräisch sind, habe ich mir durch
zwei unparteiische bezeugen lassen. im vierzehnten jahrhundert
verstanden jedoch nur die juden hebräisch, also war der schreiber
ein bei irgend einem fürsten als hofkanzlist dienender jude, der
auch in der angenehmen lage war den schutzbrief für seine landsleute selbst mundieren zu können, vorausgesetzt dass dieser nicht
gefälscht ist. — noch später war die hs. in den händen eines
juden, denn auf einem der letzten zur hs. gehörenden leeren
blätter steht vom jahre 1433 eine aufzeichnung über eingenom-
mene geldsummen, und die hier als zahler aufgeführten scheinen
mir sämmtlich juden zu sein, einige sind es gewis. dass aber
mehrere juden éinem Deutschen zahlung geleistet hätten, ist
ausgeschlossen. die schrift dieser aufzeichnungen ist jünger als
die hs. und nicht vom schreiber derselben. daher ist auch die
angabe falsch, welche vdHagen s. 122 nach Adelung s. XXIII macht,
dass die hs. aus dem anfange des 15 jhs. stamme. schon Rust
in seiner 'nachricht' bemerkte dass die notizen von 1433 viel
jünger seien. — die hs. gehört in das ende des 14 jhs. und dadurch wird ihr wert erhöht. leider vermindert ihn der umstand
dass der jude ein fälscher war und ebenso, wie er weder die
heiligen noch den heiligen geist noch Christus schreiben konnte,
auch wol sonst willkürlich geändert hat. — seine arbeit ver-
richtete er nur widerwillig, denn er hat fast gar keine plusverse,
dagegen sehr grofse lücken, manchmal mehrere hundert verse,
und am ende gibt er seinem ärger über die unangenehme beschäftigung ausdruck durch den zusatz:

Explicit explicuit sprach dy kacze wider den hunt
     der dicz buch geschriben hat
     dez sell(?) werde numer rat
vnd werde kurczlich erhangen.

dahinter ist eine zeile total ausradiert. ich kann kaum glauben
dass der schreiber mit dem, der dies buch geschrieben hat, sich
selbst meinte. es ist wol unzweifelhaft dass er dem armen Hartmann noch lange nach seinem tode den strick gewünscht hat.
an letzter stelle muss eine grobe lästerung der christen gestanden haben, die ein späterer besitzer der hs. tilgte.

Berlin, 26 september 1880.   EMIL HENRICI.

SCHILTEBÜRGER ALS NAME DES TODES.

Zu Iwein 7162.

RKöhler teilt in der Germania 25, 360 in versen aus dem
17 jh. *Schiltebürger* als eine bezeichnung für den tod mit, und
bemerkt dass er diesen namen nicht zu erklären wisse. die
deutung ergibt sich aber aus Iwein 7162; vgl. dazu die vom
Mhd. wörterbuch citierte stelle Grimm Myth. 806 [2 aufl. ii 705].
das citat Beneckes zu Iwein 7162 'mythol. s. 492' ist falsch.
nach den hier zu findenden ausführungen bestand im mittelalter
die vorstellung, dass der tod als gläubiger seinen anspruch an
dem menschen, dem schuldner, gerichtlich geltend macht durch
schelten. — schiltebürger, dem darauf reimenden *menschenwürger*
gleichgesetzt, ist ein compositum wie *slintezgeu* (Meier Helmbr.
1237): der tod *schilt* die bürger. — bestätigt wird diese erklärung durch das dem worte an der betreffenden stelle beigelegte attribut; er heißt *der unmild Schiltebürger,* weil er seine
forderungen ohne barmherzigkeit eintreibt. — der ausdruck *des
tôdes schelten* hat somit eine parallele erhalten, so viel ich weiß
die einzige.

Berlin, 28 august 1880.   EMIL HENRICI.

ZUR MARIENLYRIK.

I. *Bruder Hans.*

Glossenlieder über den englischen gruß sind in der lateinischen hymnenlitteratur des ma.s ziemlich zahlreich. Mone druckt
solche unter nr 392—403 seiner sammlung ab und gibt in den

anmerkungen auch beispiele aus den volkssprachen. ein akrostichon ganz in der art, wie es bruder Hans durch die ersten buchstaben seiner hundertstrophigen gesänge gebildet hat, habe ich
indessen nur bei Bonaventura Opp., Lugd. 1668, tom. 6, 468 ff
gefunden. dieses autors Laus b. virginis Mariae besteht aus
100 achtzeiligen strophen, deren anfangsbuchstaben den englischen grufs ergeben. der inhalt ist eine aufzählung meist alt-
testamentlicher typen für Maria, am schlusse die auch von unserem
dichter mehrfach verwertete apocalyptische vision (Apoc. 12, 1).
ich glaube dass wir in diesem gedichte das vorbild für Hansens
Marienlieder besitzen und kann diese vermutung dadurch stützen
dass ich die kenntnis anderer schriften Bonaventuras bei dem
niederrheinischen dichter nachweise.

Fast alle alten bilder und typen für Maria konnte Hans aus
jenem loblied und dem Psalterium minus b. Mariae v. entnehmen.
dazu tritt das umfangreichere Speculum b. M. v. in prosa aao.
s. 429 ff: ich hebe hier nur die deutung des Ave hervor, das
mit anknüpfung an den dreimaligen weheruf des adlers Apoc. 8, 13
als erlösung von diesem dreifachen weh gefasst wird (s. 430ᵇ ═
v. 1497 ff). während sonst fast überall Bernhard die quelle Bonaventuras ist, lässt sich das hier nicht nachweisen. sollte Hans
aufser hymnen noch anderes von Bernhard selbst gekannt haben,
so kämen zunächst dessen vier predigten De laudibus virginis
matris in frage (Opp. ed. Mabillon vol. ι 739—761), sowie diejenige auf dom. infra octavam assumptionis b. v. M., die eben
an Apoc. 12, 1 anknüpft.

Mit der Vita Christi, aus der unser Hans Bernhards predigt
über den streit der töchter gottes kennt *(sam ich in vita Christi
vint beschreben* v. 1675), sind die Meditationes vitae Christi des
Bonaventura gemeint (aao. s. 334 ff), die in cap. 2 einen ziemlich getreuen auszug aus jenem sermon enthalten. die quelle
ist ausdrücklich genannt. *Bon.* lässt die ganze einleitung, wonach jene vier die verlorenen tugenden des menschen sind, fort

---

[1] im anschluss an die von Heinzel ua. gegebene litteratur führe ich
hier noch an: eine lat. predigt bei Werher von SBlasien (Migne Patrol.
tom. 157 sp. 1039 f), die lat. fassung in den Gesta Romanorum (Österley
nr 57), wo Bernhard ausdrücklich genannt wird, und schließslich zwei me.
gedichte, die unsere parabel aus Robert Grosseteste schöpfen: Cursor mundi
v. 9517—9816 und Piers Plowman C passus xxi v. 117 ff.

und kürzt im weiteren die darstellung unter geschickter beibehaltung der schlagworte. Haus folgt ihm anfangs frei und die
reden erweiternd, dann nahezu wort für wort. schon den schluss
von cap. 1 hat er benutzt, hier bitten die *angelici spiritus — ante
thronum Dei simul congregati* gott um erbarmen; vgl. v. 1676 ff
*daz is de himmelgeyste tete swermen zusamen uber eynen houf
und baten got daz her sich wold erbarmen.* cap. 2 beginnt: *His
dictis misericordia pulsabat viscera patris,* Hans v. 1679 f *Preslich
wart da getrucket midliidlich gottes hertze.* ich führe nur noch
zwei stellen an, um die wörtliche übersetzung des kürzeren textes
bei Hans zu zeigen. *B. mors peccatorum pessima, sed mors sanctorum pretiosa et janua vitae.* H. v. 1788 ff *her sprach: der sunder tot ist ongehure, aber der tot der heilghen der ist ein dur des
lebens costlich ture.* — *B. inveniatur qui ex charitate moriatur
non obnoxius morti: et sic mors non poterit tenere innoxium, sed
faciat in ea foramen per quod transeant liberati.* H. v. 1791 ff
*Man suech eyn der uys minnen sterb den tod onsculdig, an alle
smits von binnen der sculden mus her siin und gar verduldig. so
mag ym der tod zwar nicht behalten, her sol den tod durlochen.
dadurch sol Adam gan zer hogen salden.*

Mit v. 1846 schliefst die benutzung der Meditationes. die
vergleichung fällt nicht zu ungunsten des deutschen dichters aus,
und eben darum habe ich darauf hingewiesen.

II. Die Mariengrüfse.

Zs. 18, 14 anm. stellte Steinmeyer die vermutung auf dass
die disposition der von Pfeiffer Zs. 8, 276 ff mitgeteilten dichtung
auf die dreiteilung des psalters zurückgehe. in der tat bilden
diese 150 strophen einen Marienpsalter, der metrisch durchaus
demjenigen Bonaventuras (Psalterium minus b. M. v. Opp., Lugd.
1668, tom. 6, 473 ff, varianten einer besseren hs. bei Mone
Lateinische hymnen u 245) nachgebildet ist; im gleichen versmafs
ist auch nr 504 bei Mone, nur roher und wol auch jünger. die
in den drei abschnitten verschiedene anrede *(wis gegrüezet, vröuwe
dich, hilf uns)* zeigt ähnlich auch eine hs. des letztgenannten
gedichts, sie ist dem *Ave salve, gaude, vale* entnommen und
in verschiedenen variationen auch in deutschen poesien zu finden,
vgl. Bartsch Erlösung s. XLVI.

Am meisten anklänge an *Bonaventura* zeigt naturgemäfs
der beginn der strophen; vgl. *B.* v. 77 *Ave Jesse stirps beata* —
M. v. 1 *Wis gegrüezet, Jessé künne.* *B.* v. 381 *Ave virgo vellus
roris* — M. v. 81 *Wis gegrüezet, vel des schaffes.* *B.* v. 9 *Ave
David germen justum* — M. v. 93 *Wis gegrüezet, reiner edme.*
B. v. 113 *Ave virgo favus mellis* — M. v. 145 *Wis gegrüezet,
honeges vlade.*

Von den drei strophen des ersten abschnitts, die nach
v. 278 interpoliert sein müssen, hat Steinmeyer aao. s. 15 die
mit v. 165 und die mit v. 257 beginnende richtig erkannt. aber
v. 265 ff ist tadellos, eben so wenig darf v. 129 ff wegfallen, die
ausscheidung muss vor allem v. 216 ff treffen, die einzige strophe,
die einen stumpfen reim aufweist:

> *Wis gegrüezet, himelrinc,*
> *aller tugent ein ursprinc,*
> *entsliuze uns ûf die himelporten,*
> *Marjâ, mit dînen süezen worten.*

himelrinc und *himelporte* finden sich v. 241 und 245; der entscheidende beweis aber liegt in der zweisilbigen aussprache von
Maria. in allen echten strophen, siebenmal im reim und dreimal im innern des verses, ist die aussprache dreisilbig (136. 209.
276. 376. 656. 742. 780. — 56. 320. 788). nun verstehen
wir auch v. 257 ff: der interpolator entschuldigt sich dass er
wegen der *rîme nihte* (oder *rihts*, mangel oder reinheit) den
namen der jungfrau so selten anführe, klingende reime auf *Mârjâ*
oder *Mârje* waren eben schwer zu finden.

Strafsburg im november 1880.   EDWARD SCHRÖDER.

ÜBER DIE ENTWICKLUNG DES PETER-
SQUENZ-STOFFES BIS GRYPHIUS.

Das älteste zeugnis für die unursprünglichkeit des Gryphischen schimpfspieles 'Absurda Comica. Oder Herr Peter Squentz'
bildet Gryphius eigene vorrede zu demselben. diese ist wie das
stück selbst (s. Neudrucke 6, vorbemerkung von *Braune*) 1657
zuerst gedruckt worden, und in ihr bekennt 'Philip-Gregorio

Riesentod', *der nunmehr in Deutschland nicht unbekante, und seiner Meynung* nach *Hochberühmbte Herr Peter Squentz* sei zum ersten von Daniel Schwenter zu Altdorf auf die bühne gebracht worden, von dannen er je länger je weiter gezogen, bis er endlich Gryphius begegnet, welcher ihn besser ausgerüstet und mit neuen personen vermehret bereits neben einem seiner trauerspiele habe aufführen lassen. von Gryphius habe e r sich das manuscript geben lassen und wage jetzt es zu veröffentlichen. ich glaube weder dass man in der bezeichnung *der nunmehr in Deutschland nicht unbekante* einen hinweis auf ausländischen ursprung des Squenz zu erkennen habe, noch zweifle ich im mindesten an der rückhaltlosigkeit des Gryphischen geständnisses. Gottsched jedoch setzte ein jahrhundert nach dem erscheinen desselben in seinem Nötigen vorrat s. 217 unter den titel des Gryphischen stückes folgendes notabene: *Obwohl der Verfasser in diesem Stücke nicht so ehrlich als in der Vorrede des vorigen* (der Säug-amme) *gestanden, woher er es entlehnt hat: so ist es dennoch eine ausländische Erfindung. In Shakespeares Summer-Nights-Day ist ein Zwischenspiel eingeschaltet, das den Schulmeister Quince nennet Das ist unser Squenz, doch hat Gryphius viel hinzugesetzt und alles auf deutschen Fufs eingerichtet.*

Es fällt auf dass Gottsched den Daniel Schwenter ganz ver-schweigt.

Noch 1757 erschien der dritte band von Wills Nürnbergi-schem gelehrtenlexicon. es nannte unter Schwenters schriften auch *Peter Squenz, ein kurzweiliges Lustspiel* und fügte hinzu: *Andreas Gryphius hat es herausgegeben, es ist aber nicht seine, sondern unseres Schwenters Arbeit. Nach Hn. Gottscheds Meynung in der dramatischen Historie p. 217, soll die Erfindung aus dem Englischen des Shakespears genommen sein usw.* hier finden wir zum ersten male die drei namen Shakespeare, Schwenter und Gry-phius bei einander, und von nun an begegnen sie uns, ich glaube, wo auch immer der Peter Squenz besprochen wird. so 1764 in Joh. Heinr. Schlegels vorbericht zu Joh. El. Schlegels Vergleichung Shakespears und Andreas Gryphs (Joh. El. Schlegels Werke III 31); 1775 in der ersten und 1780 in der zweiten auflage von Eschen-burgs Shakespeare-übersetzung (Über den Sommernachtstraum); 1785 in Christian Heinrich Schmids Nekrolog der vornehmsten deutschen dichter (I 122); 1787 in Flögels Geschichte der komi-

schen litteratur (IV 314 f); 1800 in Nassers Vorlesungen über
die geschichte der deutschen poesie (II 270). der erste, der
daran zweifelte, ja es läugnete, dass der Sommernachtstraum
Schwenters vorbild gewesen, war GGBredow (1816, Nachgelassene
schriften 104); er erklärte den stoff des Peter Squenz für *ächt
altdeutsch.* dasselbe taten die Voss in ihrer Shakespeare-übersetzung 1818 (I 506) und Wachler in seinen Vorlesungen über
die geschichte der teutschen nationallitteratur 1819 (II 60). Friedrich Bouterwek dagegen fand es 1817 (Geschichte der schönen
wissenschaften X 163 f) am wahrscheinlichsten dass ein unbekannter die burleske episode des Shakespeareschen stückes mit
nach Deutschland gebracht habe.

In demselben jahre erschien der anfang von Tiecks Deutschem theater, in ihm (II 233 ff) der Peter Squenz des Gryphius
und in der vorrede ein absatz über dieses stück. hier wird die
bekannte entwickelungskette noch um ein benanntes glied vermehrt, sie lautet jetzt: Shakespeare, Cox, Schwenter, Gryph, oder:
Sommernachtstraum, Bottom the weaver, Peter Squenz von Schwenter, Peter Squenz von Gryphius. Tieck sagt wörtlich: *Während
der Puritanischen Revolution, als alle Theater in London geschlossen
und die Schauspieler zerstreut waren, fiel es diesen, die in grofser
Dürftigkeit lebten, zuweilen ein, heimlich in der Stadt, oder auf
den Gütern des Adels Schauspiele, so gut sie konnten, aufzuführen.
Oft fehlte es an Personal, und so lag die Erfindung nahe, Episoden aus alten Stücken, die ehemals gefallen hatten, vom Schauspiel zu trennen, und diese ihren Gönnern vorzustellen. Man
liefs auch einige dieser Schwänke, denn das waren sie in ihrer
Einzelnheit wieder geworden, unter dem Titel Drolls drucken, wie
z. B. Acteon and Dian, 1656, by R. Cox. Dieser Cox war ein
vortrefflicher komischer Schauspieler, der die Hauptrollen dieser
kleinen Lustspiele darstellte und selbst der Umarbeiter der Stücke
war. Ein solches Droll hatte man aus der lustigen Episode von
Shakespears Sommernacht, unter dem Titel Bottom the Weaver gemacht. Cox hat noch die Feenköniginn und ihre Liebe zu Zettel
beibehalten. Dieser Scherz kam nach Deutschland, und ein Gelehrter, Daniel Schwenter, arbeitete ihn für ein deutsches Theater
in Altdorf um; diese Arbeit sah Gryphius, verbesserte sie und vermehrte sie mit neuen Personen, wie er in seinem Vorberichte sagt
usw.* — also ein neues licht war in der Sommernachtstraum-

Peter-Squenz-frage aufgegangen, angezündet von dem manne, dem wir auch die einreihung des Sommernachtstraumes in das deutsche bühnenrepertoire verdanken. jedoch es sollte für so ziemlich alle, die es überhaupt bemerkten, ein irrlicht werden, selbst für die, die es für ein irrlicht erklärten.

Die einwürfe, die man gegen diesen Tieckschen Cox erhoben hat, sind alle gleicher, nämlich chronologischer, art. Koberstein in seiner Litteraturgeschichte, sowol fünfter (n 255) wie schon vierter auflage, verwirft Cox mit den worten: *Aber unmöglich kann diese Bearbeitung* (die englische, die nach Deutschland kam) *die von dem Engländer Cox gewesen sein, wofern Cox sein sogenanntes Droll erst während der puritanischen Unruhen, da alle Theater in London geschlossen waren, angefertigt hat;* denn damals sei Schwenter († 1635) bereits jahre lang tot gewesen. für Koberstein gilt also das alte schema: Shakespeare, Schwenter, Gryph; nur denkt er dabei, wie ja schon Bouterwek, nicht an ganz unmittelbare übertragung aus Shakespeare in Schwenter, sondern an die durch wandernde englische comödianten. Albert Cohn (Shakespeare in Germany cxxxi) hat gegen Cox einzuwenden dass er nicht vor 1660 gedruckt und gewis nicht lange vor 1660 gespielt worden sei, und meint, das Gryphische stück sei direct aus Shakespeare abgeleitet. Schwenters stellung lässt er unentschieden. Genée (Geschichte der Shakespeareschen dramen in Deutschland s. 178) weist Cox zurück, weil er nicht vor 1640 'erschien', wie ziemlich fest stehe, und erklärt die entlehnung Schwenters von Shakespeare für zweifelhaft, weil englische comödianten ein vorshakespearesches stück zu Schwenter getragen haben könnten.

Im gegensatz zu Koberstein, und in der Bartschischen auflage in bewustem, steht Gervinus (Geschichte der deutschen dichtung m² 558) ganz auf dem Tieckschen standpuncte; jedoch gebürt ihm das verdienst, auf die erzählung Johann Rists von einer durch englische comödianten in einer grofsen stadt veranstalteten aufführung des Pyramus und der Thisbe zuerst hingewiesen zu haben. die fassung des stückes bei dieser aufführung bezeichnet er als eine nochmalige ungeheure verzerrung des Coxschen Pyramus, reiht sie aber nicht in die kette Midsummer night's dream, Bottom the weaver, Squenz von Schwenter, Squenz von Gryph ein. dieselbe kette nimmt er, wenn auch mit auslassung

Schwenters, in seinem Shakespeare (vierte suflage s. 251) an, welcher mit anmerkungen von Genée versehen ist, jedoch trotz Genées abweichender ansicht mit keiner anmerkung an dieser stelle.

Interessant ist es zu beobachten, wie nicht allein die ansichten über die stellung von Bottom the weaver zu Peter Squenz, sondern auch die vorstellungen der einzelnen vom inhalte der . Coxschen farce aus einander gehen. es hat nämlich keiner von ihnen, auch wol Tieck nicht, dieselbe gelesen. was Koberstein, Gervinus, auch Cohn, nur durchklingen lassen, spricht Genée deutlich aus mit den worten: *So war auch die Handwerker-Posse unter dem Titel 'Bottom the Weaver' von B. Cox bearbeitet worden, wobei natürlich der köstliche Gegensatz dieser grob realistischen Gestalten zu der luftigen Geisterwelt verloren ging.* diese äuserung muss, da Genée Tiecks bemerkung über Cox, und also auch den satz *Cox hat noch die Feenköniginn und ihre Liebe zu Zettel beibehalten,* gekannt, sehr befremden. weit merkwürdiger aber ist die folgerung, die freiherr von Vincke (Shakespeare-jahrbuch v 359) aus Tiecks mitteilung, und gerade mit aus diesem satze, zieht. *Die Tatsache,* sagt er, nachdem er in seiner unbefangenheit nicht allein das Coxsche, sondern auch das Schwentersche (nie erschienene) stück nicht gelesen zu haben bekannt, *wird durch jene Mitteilung festgestellt, dass hier,* (er meint bei Cox und Schwenter) *mit Ausscheidung des athenischen Hofes, nur Elfen und Rüpel in ihrer Wechselwirkung den Gegenstand der Handlung bildeten.* also Genée: rüpel und hof, Vincke: rüpel und elfen, und das dazu gleich für Cox und Schwenter. nun, dass beide recht haben, ist nicht wol möglich. —

Tittmann hat 1870 (Dramatische dichtungen von Andreas Gryphius s. LII) eine besondere schrift über den zusammenhang von Shakespeare, Schwenter und Gryphius und eine bearbeitung des Shakespeareschen spieles versprochen, in der gestalt, wie englische comödianten dasselbe in Hamburg auf die bühne gebracht hatten. diese bearbeitung steht nach Tittmann in der mitte zwischen Shakespeare und Gryphius. es ist eben die, über welche Rist berichtet.

Schon 1874 hatte Moltzer (Shakesperes invloed op het nederlandsch tooneel) in einem lustspiele von M Gramsbergen, welches im ersten drucke vom jahre 1650 den titel führt 'Kluchtighe Tragoedie: Of den Hartoog van Pierlepon', eine bearbeitung des

Shakespeareschen zwischenspieles erkannt, Gryphs verhältnis zum
Hartoog van Pierlepon aber unerörtert gelassen. die erörterung
dieser frage hat in allerjüngster zeit Kollewijn (Archiv für litteraturgeschichte ix 445 ff) geliefert. nach ihm soll Peter Squenz
auf ein und dasselbe original mit dem Hartoog van Pierlepon
zurückzuführen sein. dieses original soll eine entstellung von
Shakespeares interlude gewesen sein, und aus diesem entstellten
texte sollen ohne einfluss des holländischen auf das deutsche
oder des deutschen auf das holländische diese beiden stücke entstanden sein.

Wir wissen demnach von vier zeitlich zwischen der Shakespeareschen und Gryphischen liegenden fassungen des Peter-
Squenz-stoffes, und es gilt nun das gegenseitige verhältnis aller
genauer, als es bisher geschehen, zu bestimmen.

Wann *Bottom* the weaver zuerst erschienen, darüber gehen
die angaben aus einander, jedesfalls aber ist er auch 1673 im
zweiten teile der von Francis Kirkman zu London herausgegebenen sammlung von drolls abgedruckt worden, die den titel
'The Wits, or, Sport upon Sport' trägt.[1] in dem rühmenden
vorwort, mit welchem der herausgeber diese sammlung versehen
hat, wird der schauspieler Cox (er scheint damals schon todt gewesen zu sein) bis in den himmel gehoben, jedoch wird er
nicht als der verfasser aller in ihr enthaltenen stücke bezeichnet,
wie man nach David Erskine *Bakers Biographia* dramatica (London 1782), (einer, wiewol nicht der alleinigen quelle Tiecks) annehmen sollte, sondern nur als verfasser der meisten. ob *Bottom*
the weaver würklich von Cox herrührt, ist also zweifelhaft. und
eben so zweifelhaft ist, was hier von gröfserer wichtigkeit, die
abfassungszeit des stückes. Kirkman sagt keineswegs ausdrücklich dass die drolls seiner sammlung erst nach dem schlusse der
öffentlichen theater in London (diese wurden zeitweise um das
jahr 1642 und auf die dauer 1647 geschlossen) geschrieben oder
aufgeführt worden seien.

Hiernach ist es nicht möglich, die einwürkung des drolls
Bottom the weaver auf die continentale entwickelung des Peter-
Squenz-stoffes aus rein chronologischen gründen zu läugnen.
wir müssen uns bequemen den text selbst zu prüfen, um seine

---

[1] Brit. mus. nr 840 b 12. unser *droll* heifst vollständig 'The Merry
conceited Humours of *Bottom* the Weaver'.

abweichungen vom Shakespeareschen festzustellen und uns dann zu fragen, ob sich in ihnen eine annäherung an unseren Peter Squenz erkennen lasse.

Ein blick auf *The Names of the Actors* belehrt uns schon über die bedeutsamste abweichung des drolls vom Sommernachtstraume: Hermia und Helena sind ohne irgend welchen ersatz gestrichen, der vater der Hermia gleichfalls; mithin fehlen im stücke selbst die reden dieser drei personen und die der übrigen personen zu ihnen oder über sie. für die ersten vier (Shakespeareschen) acte (das droll hat weder act- noch scenenüberschriften) teilen dies schicksal sämmtliche gespräche des hofes; die vornehme gesellschaft tritt erst im fünften (Shakespeareschen) acte überhaupt auf.[1] aber aus diesen voraussetzungen lassen sich noch lange

---

[1] abgesehen von solchen abweichungen, die für unseren zweck vollkommen bedeutungslos sind, wie verschiedenheit der orthographie, verwechselung eines wortes mit einem synonymon oder einem dem Shakespeareschen nur ähnlich sehenden worte, umstellung einzelner worte, ganz winzigen auslassungen, verrückung einiger scenischer bemerkungen um ein par zeilen, abgesehen von dergleichen abweichungen unterscheidet sich der text des *drolls* vom Shakespeareschen dadurch dass im droll 1) fehlt: a) Shakespeare II 1 ganz, b) II 1 bis abgang Titanias, c) II 1 *But who comes here?* — — — *Thou shalt fly him, and he shall seek thy love,* d) II 2 *Enter Lysander and Hermia.* — — — *Either death or you I'll find immediately.* [*Exit.*, e) III 1 *Peasblossom! Cobweb! Moth! and Mustardseed!,* f) IV 1 *Titania, music call;* — — — *Music, ho! music, such as charmeth sleep!,* g) IV 1 *Obe: Sound, music* — — — *And, by the way, let us recount our dreams.* [*Exeunt.,* h) V 1 *Phil.: No, my noble lord;* — — — *So please your grace, the Prologue is address'd.,* i) V 1 *The iron tongue* — — — *And Robin shall restore amends.* [*Exit.;* 2) statt: a) Shakespeare II 1 *Well, go thy way:* .... *Till I torment thee for this injury* steht:
I am resolved and I will be revenged
Of my proud Queen Titania's injury,
And make her yield me up her beloved Page, b) II 1, 2 *Hast thou the*
   flower there? — — — *Enter Titania, with her Train* steht:
Welcome wanderer; what, ar't return'd with it?
   Pugg: I, there it is.
   Ob: Come, give it me?
There is a bank Titania useth oft
In nights to sleep on, but see where she comes
   [*Enter Queen and Fairies.*
I'le stand aside, you may depart. [*Exit Pugg,* c) II 2 *Then, for the third part of a minute, hence;* .... *At our quaint spirits. Sing me*

nicht alle abweichungen des drolls von Shakespeare folgern; es
haben ganz unabhängig von ihnen auch grofse kürzungen innerhalb der elfenscenen statt gefunden. die ganze begegnung Pucks
mit dem diener Titanias zu anfang des zweiten actes ist einfach
gestrichen. ja selbst Oberon und Titania streiten sich nicht auf
der bühne; Titania erscheint zum ersten male da, wo sie bei
Shakespeare bereits zum zweiten male auftritt, usw. kleine flicken
hat der verfasser des drolls begreiflicher weise des öfteren auf
die löcher setzen müssen, die er Shakespeares werke gerissen,
zu anderen zusätzen hat ihn sein dichtergenius nicht getrieben,
aufser zu einem, gleich zu anfang des stückes. da Bottom die

now asleep steht: *To please my eye first, then intice me sleep,* d) III 1
Enter Peas-blossom, Cobweb, Moth, and Mustard-seed. — — — *Where
shall we go?* steht: *Enter Pease-blossom, Cobweb and Mustard-seed, three
Fairies.*

   Fair: Ready, and I, and I, and I; where shall we go?, e) III 2 *But
hast thou yet latch'd the Athenian's eyes* — — — *The man shall have
his mare again, and all schall be well. [Exit.* steht:
   I shall now be avenged upon my Queen:
   But see, she comes, I'le stand aside., f) ▼ 1 *Scene* I. *Athens.
An apartement in the palace of Theseus.* — — — *Merry and tragi-
call* steht:
      Enter Duke, Dutchess, and two Lords.
   *Egaeus: May all things prove propitious to this match,
And heavens pour down whole showers of joy to wait
Within your Royal walks, your Board, your Bed.*
   *Duke: Thanks, kind Egaeus, but what pleasant maskes,
What dances have we now to wear away
This long age of three hours, which yet we have
To spend e're bed time?*
   *1. Lord: And't please your grace, there is a scene,
Tedious, yet brief to be presented of
The love of Pyramus and Thisbe,
Mirth very Tragical.*
Duke: Merry and Tragical; 3) zugesetzt ist: (vor Shakespeare I 2 *Quin:
Is all our company here?*) *Bottom: Come, Neighbours, let me tell you,
and in troth I have spoke like a man in my daies, and hit right too,
that if this business do but please his Graces fancy, we are made men
for ever.* und (vor *Is all our company here?*) *I believe so too, Neigh-
bour, but.*
   Einige der für uns gänzlich bedeutungslosen abweichungen sind übrigens
bei genauer vergleichung mit Shakespeare aus den angeführten abweichungen
zu erkennen, und viele sind wahrscheinlich nur von den heutigen abweichende lesarten des Sommernachtstraumes selbst.

titelrolle ist, fand er es wahrscheinlich passend dass dieser die
handwerkerversammlung mit ein par überflüssigen worten eröffne.
sonst ist das verhältnis zwischen Quince und Bottom ganz das
alte geblieben: Quince ist der leiter der gesellschaft, Bottom
ihr hauptschreier.

An der Pyramus- und -Thisbe-aufführung ist keine irgend
erhebliche änderung vorgenommen. von Hermia und Helena ist
während derselben schon bei Shakespeare wenig zu merken.

Die der aufführung vorangehende hofscene ist arg verstümmelt. sie beginnt gleich mit dem glückwunsche zu Theseus
hochzeit, der hier etwas länger ist als im Sommernachtstraume.
bei Cox trägt ihn nicht Lysander vor; denn was Lysander, Demetrius und Philostrate bei Shakespeare zu sprechen haben, ist,
soweit es überhaupt geblieben, zwei lords zugefallen, von denen
der eine vor jener glückwunschrede und in dem auf sie folgenden
danke des herzogs, aber nirgends sonst, auch nicht im personen-
verzeichnisse, Egaeus genannt ist, wie im Sommernachtstraume
Hermias vater heifst.[1]

Das register der lustbarkeiten, unter denen ihm zu wählen
frei stehe, *The battle with the Centaurs, to be sung by an Athenian eunuch to the harp* usw. ist Theseus erlassen vorzulesen.
die beiden lords ersparen ihm die wahl, sie wissen nur von Pyramus und Thisbe.

Es leuchtet ein, wie irrig sowol Genées wie vVinckes vorstellung von Bottom the weaver ist, und wie unzutreffend und
zu misverständnissen herausfordernd in seiner vereinzelung der
satz Tiecks, Cox habe die feenkönigin und ihre liebe zu Zettel
noch beibehalten. ja freilich hat er die beibehalten (Cox oder,
von wem sonst Bottom the weaver stammt), aber auch Oberon
und Puck hat er beibehalten und nicht minder Theseus und Hip-
polyta und andere, wenn er schon die namen 'Theseus' und 'Hip-
polyta' zu vermeiden sucht und vor die reden beider personen
Duke oder *Dutchess* setzt. nichts desto weniger kam für ihn
gewis der umstand in betracht, den schon Kirkman in seinem
vorwort erwähnt, und in dem Tieck den grund sieht, aus welchem
überhaupt derartige schauspielbruchteile von den schauspielganzen
losgetrennt worden, nämlich der mangel an darstellern. hierfür

[1] Sommernachtstraum II 1 kommt ein glückwunsch des Egeus vor,
auf den Theseus antwortet: *Thanks, good Egeus* usw.

zeugt, noch lauter als die streichung von rollen, die mehrmals
im personenregister zu je zweien gefügte andeutung dass ein
schauspieler für beide genüge. ein teil der handwerker könne
zugleich elfen vorstellen, Oberon den herzog, Titania die herzogin,
Puck einen lord. —

Überblicken wir *the merry conceited humours of Bottom the
Weaver* im ganzen, so können wir ihnen ein historisches interesse
nicht absprechen. das stück zeigt uns, wie der Sommernachtstraum im herabsteigen von seiner phantastischen höhe einmal auf
einer stufe halt gemacht hat, die, wenn nicht die erste vom gipfel
aus, so doch ganz nahe dem gipfel ist, und ich wenigstens hätte
ohne kenntnis von Bottom the weaver wahrscheinlich stets geglaubt, er habe diese stufe überhaupt übersprungen. — ob er
diese stufe aber, angenommen selbst, sie sei nicht nur englischer,
sondern englisch-continentaler boden, damals nicht übersprungen,
als er vom gipfel hinab zu der ebene stieg, auf der wir ihn im
jahre 1657 angelangt sehen, diese frage müssen wir unentschieden lassen. durch die grofsen streichungen, zumal die der Shakespeareschen liebeswirren, offenbart Bottom the weaver allerdings
eine unbestreitbare annäherung an die uns bekannten festländi-
schen fassungen des Peter-Squenz-stoffes, jedoch diese art von
annäherung genügt nicht, um ihn für das letzte, ja überhaupt
mit sicherheit für irgend ein original einer unserer fassungen
zu halten, oder auch nur an einen nachträglichen einfluss von
ihm aus auf eine derselben zu glauben. zu beidem müste er
nicht nur negative ähnlichkeit mit ihnen haben; er müste die
keime ihrer eigentümlichkeiten, mindestens zum teile, entwickelter
in sich tragen als der Sommernachtstraum. statt der weiterentwickelung irgend eines keimes aber lässt sich sogar der verlust
eines in mindestens dreien unserer fassungen erhaltenen, und
zum teile hoch entwickelten, bemerken, der verlust des register-
motives (s. s. 138).

Sicherlich ist also Bottom the weaver nicht eins mit der
von Kollewijn gefolgerten entstellung des Shakespeareschen zwischenspieles, aus der das Gramsbergische und Gryphische stück
entstanden sein soll. aber ist es überhaupt unbedingt notwendig,
ein nachshakespearesches gemeinsames original für diese beiden
stücke vorauszusetzen? bei dem bis jetzt zu tage geförderten
materiale ist es nur möglich und natürlich, das aber im vollsten

maſse; ich schlieſse mich daher dieser voraussetzung an. Kollewijns behauptung jedoch, dass nicht an einen etwaigen einfluss des holländischen auf das deutsche stück, oder umgekehrt,
zu denken sei, scheint mir mit seinem satze: *Es findet sich
nämlich hier und da eine groſse Ähnlichkeit zwischen Shakespeares
Episode und dem deutschen oder auch holländischen Stücke, wo
die beiden Bearbeitungen unter sich ganz und gar verschieden
sind* durchaus noch nicht bewiesen und eben so wenig überhaupt beweisbar, mag man nun unter dem holländischen und
dem deutschen stücke nur die einzelne Gramsbergensche und
Gryphische fassung des stoffes verstehen oder die ganze entwickelung, die derselbe in Holland und Deutschland bis zu der
zeit durchgemacht hat, wo er von Gramsbergen und Gryphius
bearbeitet worden ist; und diese zweite auffassung ist bei dem
deutschen stücke durch das vorhandensein der zwischenstufe
Schwenter geboten. ich sehe nicht ein, was uns hindern könnte,
anzunehmen dass, sei es vor, sei es nach, sei es vor und nach
der bearbeitung durch Schwenter, vermischung der holländischen
und deutschen fassung statt gefunden habe. um eine solche
vermischung beweisen zu können, dazu wissen wir von der
Schwenterschen bearbeitung bei weitem zu wenig. unser material gestattet uns nicht einmal mit bestimmtheit zu sagen, um
welche personen Gryphius den Schwenterschen Peter-Squenz-
stoff vermehrt habe, und von den letzten strichen der vollkommenheit, die herr Peter Squenz sonst dem Gryphischen pinsel zu verdanken, vermögen wir nur einen einzigen zu erkennen. —
    Daniel Schwenter lebte von 1585—1636, wurde an der
universität Altdorf 1608 professor der hebräischen sprache, 1625
der orientalischen sprachen überhaupt, 1628 auch noch der ma-
thematik. mit solcher wissenschaftlichen vielseitigkeit verband er
reichen witz und dichterische begabung, die sich sogar in orientalischen sprachen äuſserte. auſser einer menge gelehrter arbeiten
und dem Peter Squenz schrieb er noch eine andere comödie, die
jedoch auch nicht gedruckt worden ist, von Seredin und Violandra
(dieser titel erinnert sofort an Gryphs prinzen und prinzessin).
    Wann er jedoch seinen Peter Squenz verfasst habe, darüber
fehlt uns jede angabe. 1613 gaben des kurfürsten von Branden-
brug diener und englische comödianten in Nürnberg mehrere
comödien und tragödien in deutscher sprache. möglich dass da--

mals Schwenter die anregung zu seinem Peter Squenz erhielt,
möglich durchaus, aber auch nicht eine spur mehr als möglich,
wenigstens nach dem, was ich weifs. gegen 1613, als zu früh,
liefse sich höchstens einwenden dass unsere posse in die Englischen comedien und tragedien vom jahre 1620 noch nicht aufgenommen sei; jedoch beweist dieser einwand nichts. für 1613
könnte man vorbringen dass im folgenden jahre Gabriel Rollen-
hagen seine Amantes ameutes mit 'einer aufsbündigen schönen
Tageweifs von Pyramo und Thysbe aufs dem Poeten Ovidio' versehen habe; aber auch das ist vergeblich; denn Rollenhagens
'Tageweifs' verrät durchaus keine directe verwandtschaft mit Shakespeares zwischenspiel, sondern schliefst sich eng an die Metamorphosen iv 55—166 an, und das interesse für das babylonische
liebespar war in Deutschland bereits durch Steinhöwel wider-
erweckt worden und wurde vornehmlich durch die zahlreichen
ausgaben des von Wickram erneuerten Albrecht von Halberstadt
wach erhalten.[1] kurz, wir müssen auf die datierung der bekanntschaft Schwenters mit dem Sommernachtstraume verzichten.

Alles, was ich positives von dem inhalte des Schwenterschen
Peter Squenz weifs, oder doch von einer bearbeitung, die aller
wahrscheinlichkeit nach von Schwenter herrührte, beschränkt
sich auf einige zeilen des Joh. Balth. Schuppius. diese entdeckt
zu haben ist zwar nicht mein verdienst, aber ich habe sie noch
in keinem buche für unseren zweck benutzt gefunden. sie
sind enthalten in der zuschrift des tractätleins 'Der beliebte und
belohte Krieg, oder kurtze Aufsführung, dafs sowohl Menschen
als Vieh, ja die Natur selbst, mehr zum Krieg und Wieder-
spenstigkeit als zur Einigkeit und Frieden geneigt sei, durch An-

---

[1] in den Niederlanden hatte Mathys de Casteleyn (1488—1550) die
'Historie van Pyramus ende Thisbe' sogar schon 'speel-wyse ghestelt'. (eine
ausgabe dieses werkes von 1612 wie des Gramsbergenschen von 1650 hat
mir die Maatschappy der nederlandsche letterkunde te Leiden bereitwilligst
geliehen.) ich glaube weder dass Gramsbergen, wenn er die narrheiten
der 'rederyker' geifselt, gerade Casteleyn im auge habe, noch dass sein
Pyramus- und -Thisbe-text eine parodie des Casteleynschen sein solle; auch
nicht dass Shakespeares zwischenspiel gerade mit dieser 'Historie van Pyramus ende Thisbe' in zusammenhang stehe, aber es ist mir viel wahrscheinlicher dass ein dem Casteleynschen im dialoge ähnliches stück, vielleicht sogar schon die parodie eines solchen, aus Holland zu Shakespeare
gelangt sei, als dass er den Pyramus- und -Thisbe-stoff aus seinem Ovid
oder Chaucer genommen habe.

leitung der vorigen Kriegsläuffte zu Papier bracht.' der älteste
erhaltene druck dieses opus (Goedeke nennt es überhaupt nicht)
ist der von 1683 in der zugabe zu Schupps schriften.[1] es ist
Hamburgern gewidmet, also nicht nur, wie der titel bezeugt,
nach dem westfälischen frieden, sondern auch nach der übersiedelung Schupps nach Hamburg, die 1649 statt fand, verfasst,
vielleicht sogar geraume zeit später.

Um das befremdende einer abhandlung von solcher tendenz
aus der feder eines pfarrers zu entschuldigen, beginnt Schupp
nach der üblichen anrede *Wohl Edle* etc. etc., *Herren, werthe
Gönner und Freunde* folgender mafsen:

*Denenselben mufs ich vorhero, ehe sie diese Schrifft lesen, eine
Historie erzehlen. Man sagt, dafs vormals zu Nürnberg von
etlichen Handwercks-Leuten seien Comödien oder Schauspiele, und
unter denen auch die Fabel aufs dem Ovidio angestellet worden.
Da haben sie nun lang gerathschlagt, wer doch den Löwen in
diesem Spiel präsentiren könte? Endlich seien die meisten Stimmen dahin gangen, dafs keiner geschickter darzu sey, als Meister
Hanfs der Kürschner. Meister Hanfs der Kürschner macht sich
hierzu fertig, und als die Ordnung an ihn kömpt, tritt er mit
einem Überzug von Hasen- und Katzen-Fellen zusammen gesetzet,
auffs theatrum und redet die Zuseher mit diesen Worten an: Ihr
lieben Zuseher, es möchten etwan einige furchtsame Jungfrauen
oder schwangere Frauen unter dem Hauffen sein, die vielleicht er-
schrecken werden, wenn ich anfange zu brüllen. Aber ich habe
ihnen vorher anzeigen wollen, dafs sie dessen keine Uhrsache haben,
und sich zumahlen nicht fürchten möchten, denn ich bin kein Löw,
sondern Meister Hanfs der Kürschner. Meine hochgeehrten Herren
wollen ja nicht etwan meinen, dafs ich auch ein Löw, oder eine
der Kriegsgurgeln sey, welche ihre Freude und Ergetzlichkeit im
Krieg und Streit suchen, sondern ich bin Tityrus, Ille ego qui quondam tenui modulabar avena, der offtmals auf dem Elbstrohm, zu
sitzen pflag in einem Bötgen, und spielt ein Lied auf seinem Flötgen.*

Daraus dass Schupp das geständnis des löwendarstellers aus

---

[1] das auf der universitäts- und landesbibliothek zu Strafsburg befindliche exemplar von Schupps schriften enthält aufser anderen nichtschuppi-
schen schriften 'Johann Risten Starker Schild GOTTES Wider die giftige
Mordpfeile falscher und verleumderischer Zungen' usw. Hamburg MDCXLIV.
vgl. Goedeke Grundriss s. 455.

einer von ihm selbst nicht gesehenen Nürnberger aufführung
citiert, kann man wol schliefsen dass er es auch nirgends sonst
von der bühne herab gehört habe; dass er jedoch weder den
namen des dichters noch den der comödie selbst nennt, nicht
'Peter Squenz', nicht einmal 'Pyramus und Thisbe' sagt [1], sondern
schlechtweg 'die Fabel aufs dem Ovidio', das verrät dass diese
fabel damals in Hamburg als theatralische darstellung ziemlich
bekannt gewesen. entweder haben wir anzunehmen dass man
Pyramus und Thisbe frei von allem Sommernachtstraumhaften
spielte, oder dass in der fassung des Peter-Squenz-stoffes, die
man spielte, sich der löwendarsteller nicht zu erkennen gab.

Bei Gryphius tritt meister Klipperling als löwe zwar in einem
alten grünen friesrocke auf, jedoch fragt ihn meister Lollinger
bei der beratung: *Wie bringen wir aber die Löwenhaut zu wege?
Ich habe mein lebtage hören sagen, ein Löwe sehe nicht viel anders
aus als eine Katze. Wäre es nun rathsam, dafs man so vil Katzen
schinden liefse, und überzüge euch nackend mit den noch bluttigen
Fellen, dafs sie desto fester anklebeten?*

Es ist dies motiv um so unverkennbarer ein rest der Nürnberger fassung, als unmittelbar vorher auch die schwangern
weiber als gegenstand der rücksicht für den löwen hervorgehoben werden. und wenn selbst die aufführung *zu Nürnberg,*
von der Schupp gehört hat, nicht identisch mit der *zu Altdorff*
sein sollte, und auch der ihnen zu grunde liegende text nicht
völlig ein und derselbe, so ist doch die verwertung, die dieses
motiv im texte der ersteren gefunden, ein stadium, welches es
durchgemacht hat, bevor es in das Gryphische eingetreten. in
diesem einen puncte können wir die Gramsbergensche fassung
mit einer vorgrypbisch-Gryphischen, und zwar wahrscheinlich der
Schwenter-Gryphischen vergleichen, in allen anderen vorerst nur
mit der Gryphischen, und jener eine punct kann uns, wie schon
angedeutet, nicht irgend welche vermischung der holländischen und
deutschen fassung beweisen, allerdings auch nicht die selbständige
entwickelung beider aus einem nachshakespeareschen originale.

[1] als das 'Possenspiel von Pyramus und Thisbe' ist unser stoff in der
quelle Fürstenau (Geschichte der musik und des theaters am hofe Johann
Georg II. III. IV) bei gelegenheit einer aufführung durch englische comödianten in Dresden 1660 bezeichnet, und der verfasser wird auch gelegentlich einer aufführung am 20. 2. 1672 noch nicht genannt. das stück heifst
hier vielmehr des 'M. Peter Squenz Comödia' (s. Fürstenau I 205. 235).

In dem holländischen stücke wird in der beratung der darsteller weder über die haut noch die rede des löwen ein wort verloren. worin die erstere bestehe, können wir überhaupt nicht wissen, wol aber dass die letztere keineswegs den zweck hat, dem publicum, speciell dem frauenzimmer und namentlich etwa dem schwangeren, die angst vor ihrem sprecher zu benehmen. im gegenteile der löwe sagt:

Het vervarelijkste Beest, van alle Dieren, ben ik geschapen:
Daarom behoef ik geen schilden of eenig wapen,
Want ik vernieΓt al mit mijn Bek en deze Kleouw,
Om zulken reeden heel men mijn den vreezelijken Leouw.

die hier zu tage tretende verschiedenheit des holländischen lustspieles vom deutschen und zum teile auch vom englischen hat ihren grund in der grösten abweichung der holländischen fassung vom originale, der veränderung des ganzen rahmens der Pyramus- und -Thisbe-aufführung. im Hartoog van Pierlepon (eine analyse desselben zu geben halte ich nach Moltzers und Kollewijns mitteilungen für überflüssig) sind die Pyramus- und -Thisbe-darsteller schauspieler von beruf, ihr eigentliches publicum besteht aber nur in einem von ihnen selbst als herzog verkleideten bauern. sie führen vielleicht so gut wie eine herzogstracht auch eine löwentracht mit sich, sie haben, wenn auch nicht vollkommen im kopfe, ihren ganz bestimmten Pyramus- und -Thisbe-text und brauchen weder an ihm aus zartgefühl für ihr publicum zu ändern noch überhaupt allzu rücksichtsvoll gegen dasselbe zu sein. hieraus folgt auch einerseits dass bei der verteilung der rollen weder einer der spieler nach der bedeutung der ihm zuerkannten fragt, noch Snipsnap, der, wiewol an character Bottom und Pickelhäring am ähnlichsten, die stelle des directors oder regisseurs einnimmt, erst die ganze fabel von Pyramus und Thisbe erzählt; andererseits dass die schaupieler dem Hartoog van Pierlepon nicht die wahl unter mehreren stücken lassen, ihm nur Pyramus und Thisbe anbieten, und die aufführung selbst durchaus spaßhaft behandeln. sie fühlen sich herren der situation und machen sich über die comödie, die sie vor und mit dem bauern Mieuwes aufführen, lustig. das zeigt sich vornehmlich in der sorglosigkeit und ungeniertheit, mit der sie stecken bleiben, improvisieren und den souffleur fragen, die um so komischer würkt, da jener so tut, als ob er die sache ernst nehme und sich über das schlechte spiel würklich ärgere.

Wenn sich Mieuwes zwischenreden erlaubte so wie Shakespeares und Gryphs publicum, so wären sie sicher mehr albern
als beifsend; aber er erlaubt sich, was ja bei seinem mangel an
gesellschaft nur natürlich ist, keine. wie in der einkleidung des
ganzen, so steht auch in vielen einzelnen davon unabhängigen
puncten, wo das holländische und das deutsche lustspiel verschieden sind, das letztere dem englischen näher.

Eine eigentümlichkeit wol der meisten poetischen nachahmungen ist es, dass sie motive, die in ihrem originale blofs angedeutet waren, vollkommen oder doch weiter ausführen. eine solche
unseren beiden nachahmungen gemeinsame weiterführung ist das
forttragen der Thisbe durch ihren geliebten. das Shakespearesche
motiv steckt in der bemerkung des Theseus *Moonshine and Lion
are left to burg the dead* und der ergänzung des Demetrius *Ay, and
Wall too.* für eine ähnliche weiterführung könnte man leicht das
in beiden nachahmungen vorkommende verspätete auftreten des
Pyramus halten, das Kollewijn zu den von Shakespeare nicht ge-
teilten eigentümlichkeiten derselben rechnet; dann müste man es
aus der kleinen verspätung der Shakespeareschen Thisbe vor ihrem
ersten auftreten herleiten; jedoch die worte Spillebiens *Uit, uit,
hoorje niet? hoe meugje lui dus temen* usw. und die des Gryphischen Squenz *Ho, Piramus! Piramus! Piramus! ho! machet* doch
fort, usw. vergleichen sich einfach denen des Shakespeareschen
Quince (III 1) *Pyramus enter: your cue is past; it is, 'never tire.'*

Zweifelhaft kann es erscheinen, welche nachahmung dem
originale näher stehe, wenn die eine ein unbedeutendes motiv
desselben fortlässt, die andere es ausspinnt und zu einem bedeutenden macht. bei Gramsbergen sind die stichelworte des
Theseus *The wall, methinks, being sensible, should curse again*
gleich allen zwischenreden des publicams ausgelassen; bei Gryphius sagt Violandra an entsprechender stelle: *Das muss eine
fromme Wandt sein, dafs sie sich gar nichts zu verantworten be-
gehret.* Bullabutän widersteht zunächst, wie Snout, der heraus-
forderung, als aber Pyramus von neuem schimpfworte regnen
lässt, droht er ihm mit schlägen, und sofort kommt es zu tätlichkeiten, *worüber die Wand schier gantz in Stücken gehet.* hiermit hat sich vielleicht irgend ein vorgryphischer bearbeiter begnügt, Gryphius nicht, er lässt, in einer zweiten schlägerei, dem
brunnenkruge dasselbe schicksal wie der wand zu teil werden.

Gryphius entfernt sich entschieden weiter als Gramsbergen von Shakespeare nur dadurch dass sein personenregister um den brunnen reicher ist als das englische, dass die wand bei ihm nicht in einem mit lehm beschmierten menschen besteht (wiewol ja diese darstellungsart in der Grypbischen beratung zur sprache kommt), sondern in einem menschen, der eine papierne wand trägt; dadurch dass seinem monde (vielleicht in folge der auf den mond bezüglichen stelle der Shakespeareschen beratung) der hund fehlt; ferner durch die art der mantelbefleckung, die bereits erwähnte löwentracht und schliefslich durch einzelne stellen des dialoges. bei allen drei dichtern denken die schauspieler, als es sich um die darstellung des mondes handelt, zunächst an die verwertung des natürlichen mondes, aber nur Snipsnap führt den gedanken so weit aus wie Bottom, indem er sagt: *Zoo zelle we het licht van de natuurlijke Maan laten deur een venster vallen.* im Sommernachtstraum sagt Bottom, nachdem er bereits die rolle des Pyramus erhalten, als sich Flute weigert die der Thisbe zu übernehmen: *An I may hide my face, let me play Thisbe too* usw., und als er hört, des löwen rolle sei nichts wie brüllen: *Let me play the lion too* usw. das verlangen Bottoms nach der Thisberolle erkennen wir wider in Snipsnaps vorschlag *Dat ik dan veur Piramus en Thisbe gelijk speulde, wat souje daar of zeggen;* das nach der löwenrolle, wenn Pickelhäring sagt: *By so wil ich der Löwe seyn, denn ich lerne nicht gerne viel aufswendig;* der Shakespearesche witz aber ist bei Gryphius ganz verloren gegangen; Pickelhäring ist zur zeit noch mit gar keiner anderen rolle betraut, denn bei Gryphius werden Pyramus und Thisbe nicht wie bei Shakespeare und Gramsbergen zuerst, sondern erst nach prolog, epilog, löwe, mond und wand mit darstellern bedacht.

Wer in der reihenfolge des auftretens der personen dem Shakespeare getreuer geblieben ist, lässt sich kaum sagen. darin stimmen beide mit ihm überein, dass in der ersten scene Pyramus vor Thisbe und noch vor Pyramus die wand, in der zweiten Thisbe vor Pyramus und noch vor Thisbe der löwe erscheint; aber während Gryphius in der zweiten noch vor dem löwen den mond und zwischen diesen beiden seinen hruunen auftreten lässt, fasst bei Gramsbergen zu allererst der mond und unmittelbar nach ihm die wand posto, und beide bleiben unverändert stehen bis zum ende des ganzen zwischenspieles.

Das letzte ist nur möglich, wenn beide scenen an dem nämlichen orte spielen, und dies ist in der holländischen comödie
würklich der fall. Thisbe verabschiedet sich in der ersten scene
(aus einem grunde, der dem verspätungsgrunde des Gryphischen
Pyramus sehr ähnlich ist) von ihrem geliebten mit den worten:

o! *Piramus, ik kan niet meer spreeken, mijn hart word zoo*
beswarelijk,
Ik krijg daar zoo een groote snijing vervarelijk:
Komt over een half uur eens weder op deze stee,
Want ik zal 'er zelver perzoonelijk komen mee,
En spreeken dan van de Liefde in abondantien,
Ja genieten veel kusjens, met grooter plaizantien.
Adie dan Piramus, ik moet gaan eer dat het mijn ontgaet.

'deze stee' ist ein 'Veldeken' mit einer 'Fonteine', also der nur
dem stelldichein gebürende schauplatz. hierin und darin, dass
die liebenden zuerst mit ihrem ganzen zärtlichkeitsaustausche auf
das loch in der wand angewiesen sind, Thisbe sich aber nachher
ihr schienbein trotz der wand an dem leichnam des Pyramus stöfst
usw., zeigt sich eine verzerrung des alten stoffes, gegen welche
die deutsche umwandelung von Nini grab in den *Brunnen hinter*
jenem End bei Nachbar Kunzen Hofgewend nicht aufkommen kann.
vergleichen lässt sich damit allenfalls die burleske ersetzung von
Thisbes mantel durch ihr *Neusdoek.*

In demselben verhältnisse wie in bezug auf die schlägereien
stehen die drei fassungen, was den epilog betrifft. Bottom lässt
den Theseus zwischen epilog und bergomasker tanz wählen, und
Theseus zieht den letzteren vor; im Hartoog van Pierlepon findet
sich keine spur eines epiloges; der Gryphische Squenz dagegen
hält würklich einen langen.

In der verwertung des schauspielregistermotives steht, kann
man wol sagen, Gryphius dem Shakespeare näher als Gramsbergen.
in beiden nachahmungen rührt das ganze repertoire von den Py-
ramus- und -Thisbe-darstellern her, bei Gryphius gelangt es aber
wenigstens schwarz auf weifs vor den könig, während Bollebebijn, Poffel und Snipsnap es uns nur bei ihrer beratung hören
lassen.

Bei dem stummen auftreten und mehrmaligen herumgehen
sämmtlicher figuren des spieles, mit ausnahme des löwen, vor
dem beginne der aufführung im Peter Squenz hat man gewis,

wiewol es ein mit nur geringer abweichung aus dem Sommernachtstraume entlehntes motiv ist, an eine satirische absicht
Gryphs und, wenn in dem sonst ebenfalls tendenziösen holländischen stücke von jener ganzen procedur gar nichts geblieben,
an den fortschritt zu denken, den die theaterpraxis im siebenzehnten jahrhunderte, wenigstens bei guten schauspielern machte,
der darin bestand dass man, anstatt die personen des stückes in
der Gryphischen weise vorzuführen, zunächst nur vor jedem acte
die in ihm spielenden dem publicum vorstellte und schliefslich
die ganze vorstellung fortliefs.

Mit dieser letzterwähnten verschiedenheit Gramsbergens von
Shakespeare und Gryphius hängt eine andere zusammen, die des
prologes. bei Shakespeare besteht er, wie das *Enter the Prologue* und *Enter the Presenter* schon andeutet, aus dem eigentlichen prologe, der namentlich über den zweck der aufführung
unterrichtet, und der vorstellung der figuren, bei der die zuschauer zugleich über den inhalt des stückes aufgeklärt werden.
diese zweiteilung ist bei Gryphius, wenn auch nicht so scharf
gekennzeichnet wie bei Shakespeare, doch keineswegs verwischt.
im Hartoog van Pierlepon dagegen besteht der prolog aus einem
Rey (Zang und *Tegenzang)* und gibt nur *d'Inhoud van't Spel.*

Es liefsen sich vielleicht noch einzelheiten herausfinden, in
denen sich unser dichter eng an den englischen anschliefst, der
holländische ihn in stich lässt (die Thisbe Bollebebijn hat zb.
keinen bart), und solche einzelheiten des dialoges sind sogar zahlreich und bisweilen überraschend (so steht das pendant zu der
ermahnung, die Squenz an Klipperling richtet, er solle sich die
nägel fein lang wachsen lassen, nirgends im Hartoog van Pierlepon, wol aber im Sommernachtstraume und zwar iv 2) — ich
will nur noch eine den ganzen dialog betreffende besonderheit
der holländischen comödie hervorheben.

Am kunstvollsten abgestuft ist der dialog bei Shakespeare:
der Pyramus- und -Thisbe-text ist in gereimten versen abgefasst,
der hof spricht, abgesehen von den kurzen, prosaischen, in die
Pyramus- und -Thisbe-aufführung eingestreuten bemerkungen, fast
nur in ungereimten, die handwerker in prosa. bei Gryphius
ist die letzte und vorletzte stufe geebnet: auch der hof spricht
prosaisch. auf alle und jede abstufung aber verzichtet hat Gramsbergen: sein dialog bewegt sich fast durchgängig, ja, da es auf

die silbenzahl der verse bei ihm ohnedem nicht ankommt, durchgängig in reimen. in diese form hat man unseren stoff sicher
erst in den Niederlanden gekleidet. sie war die niederländische
uniform der meisten damaligen stücke. —

Die Aller Edelste Belustigung Kunst- und Tugendliebender
Gemühter, vermittelst eines anmühtigen und erbaulichen Gespräches,
Welches ist dieser Ahrt, die Vierte, und zwahr Eine Aprilens-
Unterredung, Beschrieben und fürgestellet von Dem Rüstigen: so
ist die 1666 [1] erschienene schrift des wedelschen pfarrers Rist
betitelt, in der jener zuerst von Gervinus herangezogene bericht
einer aufführung von Pyramus und Thisbe enthalten ist. Rist
hat diese aufführung mit eigenen augen in seiner jugend von
englischen comödianten, wie er sagt, *in einer grossen und uns*
sämtlich wolbekandten Stadt gesehen, und zwar als zwischenspiel
in einem stücke *von einem Könige, der seinem eintzigem Printzen,*
eines andern Königs Tochter, ehelich wolte beylegen lassen.

Rist hat bis zu seinem einundzwanzigsten jahre, also bis
1628/29, die schule zu Hamburg und das gymnasium zu Bremen
besucht. in unserem berichte selbst lässt er eine person einmal sagen: — — *dafür wil ich lieber einen gantzen Tag guht*
Hamburger Bier und Taback sauffen. und einige seiten später
erzählt er von einem stücke, das *von einem Könige* handele, *der*
seinen Sohn, den Printzen mit des Königs von Schottland Tochter
wolte verheirahten. auch von diesem stücke sagt er dass er es
in seiner *Jugend von den Engelländern habe gesehen spielen in*
einer grofsen und Volkreichen Statt. die stadt will er nicht
nennen, doch beschreibt er ihre situation zur zeit der aufführung
dieses stückes so [2], dass man mit grofser wahrscheinlichkeit auf

---

[1] die ausgabe, die ich benutzt habe, ist von 1666, aber aus Hamburg.
vgl. Goedekes Grundriss s. 455.

[2] er sagt: *Es hatte eben dazumahl ein grosser und hertzhaffter*
Potental, mit welchem die Statt nicht gahr zu wol stund, eine stattliche
Krieges-Macht auff die Beine gebracht, welche ihr Lager nahe bey der
Statt hatte, nicht zwahr zu dem Ende, dass er derselben feindlich wolte
zusetzen, sondern vielmehr, einem andern Krieges-Herren, die gleich da-
zumahl anderswoh' gegen einander zu Felde lagen, etlicher mahsen eine
Furcht inzujagen. Nun begab sich, dass täglich viele fürnehme Krieges-
Bediente, aus dem Lager in die Statt giengen, ritten und fuhren, aller-
hand Sachen, derer sie benöhtiget waren zu kauffen, da sie denn auch
häufig bey den Komœdien sich finden liessen, und eine sonders grosse
Lust aus denselben schöpften.

Hamburg, und zwar Hamburg im jahre 1626, schliefsen darf.
den nahe liegenden argwohn, dass beide anfführungen (ihre titel
sind ja so ähnlich) identisch seien, verbietet der inhalt der zweiten, der mindestens darin von dem der ersten abweicht dass
den comödianten, die auf der hochzeit des prinzen ihre künste
zeigen wollen, vom könige die erlaubnis dazu verweigert wird;
die möglichkeit dass beide aufführungen im grofsen und ganzen
dasselbe thema, nur mit verschiedener wendung, behandelten, ist
hierdurch aber noch keineswegs ausgeschlossen. Tittmann hat
ohne ausdrückliche angabe eines grundes Hamburg als den ort der
Pyramus- und -Thisbe-aufführung angenommen. zu behaupten
dass nicht nur der ort beider aufführungen identisch sei, sondern
auch ihre zeit ungefähr die nämliche, das jahr 1626, wäre allerdings voreilig, aber die vermutung, dass sie es sei, kann ich
nicht unterdrücken. ein anderes zeugnis für die anwesenheit
englischer comödianten in Hamburg zu jener zeit oder überhaupt
während Rists jugend fehlt uns. die möglichkeit ihrer anwesenheit liefse sich mit eben so triftigen gründen, wie sie von Lappenberg (Zeitschrift des Vereins für hamburg. geschichte ı 139 f)
für das jahr 1620 erwiesen ist, für jedes beliebige seit der abfassung des Sommernachtstraumes verflossene jahr erweisen. —
Rist erzählt die hamburger aufführung als eine satire auf
solche lumpencomödien, wie marktschreier, zahnbrecher und
fratzendichter dem volke zu verkaufen pflegten. er beginnt, es
hätte sich, als einmal vornehme und gut ausgerüstete englische
comödianten ihre spiele eröffneten, eine anzahl nichtsnutziger
handwerksburschen zusammengefunden, die unter der direction
eines ehemaligen dorfschulmeisters ebenfalls vorstellungen geben
wollten. die Engländer fürchteten diese concurrenten und beschlossen sie lächerlich zu machen. hierzu spielten sie eine
schöne comödie *von einem Könige, der seinem eintzigem Printzen,*
eines andern Königs Tochter, ehelich wolte beylegen lassen.
Unter stattlichen mahlzeiten, lustigen tänzen, prächtigen aufzügen, kostbaren feuerwerken und dergleichen lustbringenden
händeln findet die hochzeit statt. da tritt der marschall in den
saal und meldet das gesuch einer neuen comödiantengesellschaft,
vor den hohen herschaften etwas darstellen zu dürfen. der
marschall hat bisher nur den director gesehen. der könig be-
fiehlt diesen zu holen. er erscheint mit vielen kratzfüfsen und

Bna dies, Bna dies meine grofsgünstige Herren usw. Rist beschreibt sein aussehen sehr anschaulich: er ist klein, trägt einen schäbigen mantel, eine kleine balskrause, einen hut, aus welchem man etliche pfund fett oder schmeer schmelzen könnte, ein halbzerrissenes buch, einen geschälten haselstab, unter dem mantel ein par grofse ruten. der könig redet mit ihm, und er erklärt, in der schauspielkunst habe er seines gleichen nicht, früher sei er ein halber geistlicher gewesen, habe aber einen größeren titel geführet als der allergeneralste generalissimus, superintendens oder probst im ganzen königreiche. der könig möchte den titel hören, und nun betet er ihn her: *wenn fürnehme Leute an mich schreiben, so ist dieses mein rechter Titul: Dem Halb Ehrwürdigen, nicht viel besonders Gelehrten, mit einem feinen Knebelbahrte, wolstaffierten, Hellscheinenden, Embsigen, Vorsichtigen, Genaufleifsigem und nöhtigen Handlangern am Wohrte Gottes, Manteltragern und Nachtretern des Pfarrers, Innhabern des grofsen Kirchen-Schlüssels, des heiligen Ministerii dekanten, der Strenge und Strikke, wie auch der kleinen und grofsen Glokken Regenten und Directorn, Seigerstellern, auch der Dorff und Bauren-Gerichte, Kundschreibern und Assessorn in Ehesachen, wolbeschwätzelen Freiwerber, Hochzeitbitter und Abdancker, wie den auch in optimd formd Erdichtern der Gevattern-Briefe, Glokken und Kirchenfeger, Amen-Singern und Grützschlingern, des nächtlichen Hahnen-Geschreyes genauen Observanten, auch der Knechte und Mägde treufleifsigen exsuscitanten und Aufwekker, Meinem sonders grofsgünstigen, hochgeehrten Herren.* der könig versteht jetzt dass der comödiant dorfküster gewesen. dieser sagt endlich auch seinen namen, er beifse: *Ambrosius Caprimulgius, zu Teutsch Brosius Ziegenmelcker,* wie er denn auch ein par ziegenbockshörner im wappen und oben *dem Helm* einen bunten bahn führe.

Besonders empfehlen kann er dem könige *die Comödia von Markolfus, wie derselbe die Katze lehret das Licht halten, item die Komödia von der schönen Magellona, von Ritter Pontius, von der schönen Frauen im Berge mit ihren sieben Zwergen, vom Kayser Octavianus, von Pyramidus und von Thysbas, die sich selber ümgebracht, von Didonis und Aenatias, von Kayser Julius und Brutius, von dem Schornsteinfeger, von Matz Pumpen* und noch (so sagt er selbst) *wohl tausend andere.* doch gebe er auch *geistliche Historien, als von Kain und Abel, von Esther und Haman,*

11*

*von Judith und Holofernes, von Tobias und seinem Hunde, und
mehr andere dergleichen.* (bekanntlich sind bearbeitungen von
vielen dieser stoffe im sechszehnten und siebenzehnten jahrhunderte nachweisbar.) seine majestät überlässt dem Ambrosius die
wahl des am abende aufzuführenden stückes und geht zunächst
mit ihren hohen gästen, aber hinter der scene, auf die jagd.

　　Ambrosius ruft inzwischen seine truppe herbei. sie besteht
aus achtzehn personen: einem pusterflicker (blasebalgflicker), einem
quacksalber, einem ratzenfänger, einem schweinschneider, einem
schornsteinfeger, einem zigeuner, einem besenbinder, einem beu-
telschneider, einem bürstenbinder, einem diebesfänger, einem seiltänzer, einem kartenmacher, einem kohlenträger, einem scheren-
schleifer, einem müller, einem kuppler, einem leinweber, und der
achtzehnte ist, wie Rist sagt, *unser ehrbahr Monsieur Pikkelhering.* in dieser ordnung treten sie im gänsemarsche auf; nur
der müller, kuppler und leinweber alle drei in einem gliede; ein
jeder in seiner gewerbstracht und mit seinen berufswerkzeugen.
meister Ambrosius legt ihnen die frage vor, ob man ein geistliches oder ein weltliches spiel vorziehen solle; von geistlichen
habe er fünf: *vom heiligen Hiob, von Esther, von Judith, von
Tobias, vom reichen Mann und vom armen Lazarus.* fünf handwerker, der pusterflicker, ratzenfänger, schornsteinfeger, bürstenbinder und kartenmaler, sind aus princip für ein geistliches spiel,
die übrigen wegen der darstellungsschwierigkeiten der einzelnen
geistlichen, wie zb., es würde keiner den alten Tobias spielen
wollen und sich von der schwalbe in die augen schmeifsen lassen,
oder keiner sei klein genug, die schwalbe vorstellen zu können,
sind für ein weltliches spiel. Rist berichtet die debatte sehr
ausführlich und fast stets in directer rede. sie endet mit un-
verständlichem lärme und allgemeiner schlägerei. der küster
kriegt auch sein teil davon, stiftet aber schliefslich frieden, und
endlich, nachdem die entscheidung einem ausschusse von vier
mitgliedern anvertraut worden, wird für heute *eine ernsthaffte
Tragedia oder Traurspiel* bestimmt, für den folgenden tag aber
nach Belieben, eine lustige Komedia, und zwar soll heute *die be-
trübte Geschicht und jämmerliche Begebenheit von Pyramus und
Thysbe* aufgeführt werden.

　　Jetzt folgt eine rollenverteilung mit zank, bei der Pickelhäring trotz seines grofsen bartes (er verspricht denselben ent-

weder ins maul zu nehmen oder aber ein pflaster darüber zu
legen, auch sonst für ganz mädchenhaftes aussehen zu sorgen
und gar klein und subtil zu reden) die Thisbe erhält, der schornsteinfeger wegen seines kläglichen angesichtes den Pyramus.

An dieser stelle heifst es bei Rist wörtlich weiter: *Wie nun
dieses, und was sonst mehr dazu gehöhret, von ihnen also angeordnet war, da kahm der König mit seiner Gesellschaft widerumb
von der Jagd, worauff die Herren Komedianten den Schauplatz
so lange quitirten, bifs der König und alle andere hohe Fürstliche
Personen, ein jedweder seine Stelle genommen, und der Herren
Komedianten Gegenwahrt mit Verlangen haben erwartet.* nach
einer hunde zum heulen bringenden musik der comödianten tritt
Ambrosius als prolog auf mit einem grofsen prügel statt eines
scepters, mit ein par gänseflügeln auf seinem mantel und einer
papierkrone auf dem kopfe. (er ist nämlich ein engel, wie
wenig sich auch sein langer ziegenbart für einen engel schicken
will.) das buch in der hand behaltend, um nicht zu irren, fängt
er an, wie Rist selbst sagt, *mit ungefehr diesen Worten: Gott
grüss' eüch Herren allzusammen, die ihr hie seyd zusammen
kommen ein schönes Spiel zu schauen an, das ein gahr hochge-
lahrter Mann, euch wil fürstellen itz allein, von Pyramus und
Thijsbe fein, die sich so schrecklich sehr geliebet, dafs sie der Tod
auch hat betrübet, und haben sich selbst ümbgebracht, hierauff nun
gebet fleissig acht.*

Rist fährt fort: *Es brachte dieser Monsieur Prologus oder Ambrosius noch vielmehr dergleichen Reime herfür, welche ich aber
nicht alle behalten, würde auch zu weitläufftig fallen, alle seine
Narrenpossen zu erzehlen. Wie nun dieser Stümper war abge-
treten, kahmen Pyramus und Thijsbe auff den Platz, da dann der
König, nebenst den sämptlichen Herren und Frauenzimmer sich fast
zu Tode gelachet hatten, wie sie Pikkelhering mit seinem rohtem
runden Bart, mit Frauen Kleideren so schön angethan, sahen
daher spatzieren, er gieng so enge und redete so klein, als wenn
er ein Mägdlein von zehen Jahren gewesen, damit man festig-
lich glauben solte, dafs er gahr gewisse Thysbe wäre, wie er dann
auch gahr verliebte Gebehrden führete, wenn er mit seinem Liebhaber dem Piramus redete, endlich, (damit ich es kurtz mache)
nahmen sie beyde Pyramus und Thysbe Abscheid, dafs sie bey
deme, ihnen wol bewusten Brunnen widrumb wolten zusammen*

kommen, worauff sie mit vielen Hertzen und Küssen von einander giengen.

Jetzt, mitten in der Pyramus- und -Thisbe-aufführung, tritt Ambrosius nebst dem ratzenfänger, schweinschneider, zigeuner und seiltänzer auf und berät mit ihnen, wie man den mond zu stande bringen solle. der eine schlägt vor einen mond aus rotem und gelbem papiere oben an die decke zu kleben; der andere ein stück von dem verfaulten und bei nacht glimmenden holze aufzuhängen; denn ein papierner mond gebe keinen schein von sich. dem dritten stimmen schliefslich alle bei. er meint, man solle eine leuchte mit zwei oder drei lichtern an eine fleischgabel hängen, und diese solle einer stets halten, jedoch alle viertel-stunde ein wenig damit weitergehen; denn der mond stehe ja nicht die ganze nacht hindurch an derselben stelle. der seil-tänzer tritt sofort den mondposten an. die vier anderen gehen ab, und es tritt der brunnen auf, bestehend in einem grofsen kübel wasser, an dem zwei tragen. sie setzen ihn mitten auf die bühne, sagen: *Dieses ist der aufsgehauhene Brunne, bey welchem Pyramus und Thysbe sollen zusammen kommen,* und gehen ab. *Flugs drauf, kahmen abermahl zwene, die trugen ein grofses, etwas dick gepaptes Papir, darauff waren Striche gemacht, als ob es eine Maur sein solte. Dieses, sprach der eine, ist die Maur bey dem Brunnen, hinter welcher Piramus und Thysbe sich hertzen und ümpfangen werden, dieweil aber dieses pepappete Papir von sich selber nicht stehen konte, berichten sich die beide, dafs sie niederknien, und die Maur gleichsahm also wolten halten, denn wann sie beide auffrecht stünden, müchten sie etwann können ge-sehen werden. Wie sie nun also auff den Knien safsen und die Maur hiellen, fragten sie den Mohnd: Ob er sie auch sehen könte? Der Mohnd oder Seildäntzer mit der Fleischgabel ant-wohrtete nein, gahr nicht, damit winckten sie dem Mohnd oder Gabelträger, dafs er ja nichts mehr reden solte. Worauff die Thysbe oder Monsieur Pikkelhering in Frauen-Kleidern, welcher seinen rohten Bahrt steiff hatte auffsetzen lassen, herfür trat, und kläglich anfieng zu singen: Wo bleibest du lieber Pyramus mein, ohn dich kan ich nicht frölich sein, bey diesem klahren Mohnden-Schein, Ach komme doch bald und küsse mich fein, und, wie sie nun weiter fohrtfahren wolle, kam einer, der sonst der Besem-binder war, auff allen vieren daher gekrochen, diesen hatten sie*

vier oder fünff Schaff-Felle üm den Leib gebunden, damit er ja
einem Löuen ähnlich sehen möchte. Unter den Schaff-Fellen hatte
er drey junge Katzen, und einen Topff mit Bluhte. Wie nun
dieser auff Händen und Füßen also daher kroch, fieng er erschreck-
lich an zu brüllen, und sagte unterweilen dazu: Ich bin die Löuin, ich bin die Löuin, worüber das arme Jungfräulein Thysbe
oder Pikkelhering so hefftig erschrack, daß sie eiligst davon lieff
und ihren Mäntel im Stiche ließ, worauff sich die brüllende Leüin
legte und herüm weltzete, ließ damit ihre junge Katzen hinter
den Schaffhäuten herfür kriechen und auff den Platz lauffen, und
diese solten die junge Löuen sein, welche die Löuinn gebohren.
Darauff gosse sie das Bluht aus dem Topffe auff der Thysbe
Mäntel, und warff hernach den Topff unter die Zuschäuer in
Stükken, und wie sie noch etliche mahl starck gebrüllet und dabey
gesaget hatte: Nun habe ich meine junge Löuen gebohren, samlete
sie ihre Katzen wieder zu hauffe unter die Schaffs-Peltze, und
kroch damit von der Schau-Bühne hinweg. Bald darauff kahm
Pyramus oder der Schorsteinfeger, mit einem starcken Prügel auff
den Platz getretten, der folgender Gestalt anfieng zu reimen: Nun
Glück, wirst du mir lassen kommen, die ich hab' in mein Hertz
genommen, die aller schönste Thysbe mein, die wil ich küssen
hübsch und fein. Was aber sehe ich für mir liegen, da solt' ich
wol bald Furcht von kriegen, ich sehe es ja ohn' alle List, daß
diß der Thysbe Mäntel ist, Ach ach, ein Loü hat sie zerrissen,
itzt muß ich mich für Angst beseichen. Der Loü hat sie hinweg
getragen, ach könt' ich diesen Schelm nachjagen! Nein sie ist
tod, ich wil nicht leben, itz wil ich meinen Geist auffgeben. Auff
diese bittere Klage, risse der tapfere Pyramus sein Wambs auff,
und gab sich mit dem Prügel einen Stoß oder drey auff die Brust
daß er jämmerlich zurükke fiel, und Mors todt blieb. Kaum war
ihm die Seele zu den Elenbogen außgefahren, da kahm die un-
glückselge Thysbe, sonst Pikkelhering genandt. Diese schöne Dame,
wie sie vermeinte, ihren Piramus frisch und gesund daselbst an-
zutreffen, fand sie ihn Stein todt liegen. Dieses brachte ihr solche
Schmertzen, daß sie dem Schornsteinfeger alsobald auff den Leib
fiel und ihn wol tausendmahl küssete, und dabey diese klägliche
Wohrte herauß stieß: Ach Piramus nun ists geschehn, muß ich
dich tod, tod, tod itz sehen? Ach Piramus du treues Hertz, was
fühle ich einen grossen Schmertz, ich kan für Heülen nicht mehr

singen, ich wil mich auch üms Leben bringen, das Schwehrt, das dir dein Hertz durchstossen, sol mich auch tödten gleicher mahssen, und damit ergriff sie des Piramus Prügel, gab sich damit von hinten zu etliche Stösse in den Rükken (welches gar possirlich war anzusehen) und damit fiel sie bey ihren Liebsten nieder, und war ja so todt, als er war. In dem sie aber niederfiele, rieff sie gar kläglich, ach nun bin ich todt, worauff der Piramus antworhtete: Fürwahr, ich bin nicht todt, worauff die Thysbe versetzete: Ach mein liebster Piramus, ich bin ja so todt als du bist. Darauff kahm des Piramus Echo: Ach mein hertzliebste Thysbe, ich bin ja so todt, als du bist, und wie nun diese Todten sich also mit einander unterredeten, da kam einer mit der Trummel herfür gesprungen, hinter welchem alle andere Komödianten herlieffen, hatten weisse Himbder angezogen, die doch fast alle schändlich versiegelt und vergüldet waren, und trugen beschmutzte Leüchten, welche an statt der Faklen sein solten, in Händen, diese wolten Gespenster heissen, und tantzeten nach der Trummel mit ihren Leüchten üm den todten Piramus und Thysbe, welche bißweilen die Häubter empor huhben und mit zu sahen, biß endlich der Seildäntzer, der bißhero der Mohnd gewesen, länger nicht stille stehen konte, denn er war des Dantzens besser gewohnet als die andere, kahm derowegen mit unter den Hauffen, und sprang lustig nach der Trummel, versahe es aber, und ließ die schwehre Fleischgabel mit der Leüchten unter das Volck fallen, welches einem fürnehmen vom Adel ein grosses Loch in denn Kopff schlug, auch einem anderen die Hand schwehrlich verwundete, worüber ein grofser Tumult und ein solches Geschrey entstund, das kein Mensch sein eignes Wohrt höhren konte, welches den König, der sonst zuvor über die gahr zu alberne Possen hefftig gelachet, dermahssen verdrofs, dafs er seinen Trabanten befahl, sie die Komedianten alsofohrt solten vom Platz prügelen, welches alles viel ernstlicher ward verrichtet als es befohlen, und kriegten diese ungehobelte, grobe Knollen greüliche Stösse, wobey auch der Halb-Ehrwürdiger Herr Ambrosius nicht ward verschonet, musten also mehrentheils alle mit bluhtigen Köpffen davon lauffen, welches dann der klägliche Aufsgang dieser herrlichen Tragedien gewesen.

Wir stehen dieser fassung anders gegenüber als einer der vorher besprochenen, nicht nur in so fern, als sie uns blofs erzählt wird, und zwar erst viele jahre, nachdem sie über die bühne

gegangen, sondern auch, weil sie uns tendenziös erzählt wird.
Rist will keine analyse geben, er erzählt nicht alles gleich ausführlich, es kommt ihm nur auf die darlegung der absurditäten
der hamburger aufführung an. wenn zb. die zuschauer in ihr,
wie im Sommernachtstraume, ironische bemerkungen über die
tölpelhafte leistung gemacht haben, so ist es nur natürlich dass
Rist dieselben unerwähnt lässt; denn sie müssen das einzige gewesen sein, was ihm an der ganzen aufführung vernünftig vorkommen konnte. ob er ihre unvernünftigkeiten nicht vielleicht
übertreibe, das ist eine heikle frage, doch wird auf sie, wenigstens in einzelnen puncten, die vergleichung mit den übrigen
fassungen antwort geben.

Der rahmen der hamburger Pyramus- und -Thisbe-aufführung
ist dem der Shakespeareschen sehr ähnlich. sie wird nicht nur,
wie auch bei Gryphius, von handwerkern vor einem würklichen
hofe veranstaltet, sondern soll auch zur verherlichung einer fürstlichen hochzeit dienen. ein so enger, organischer zusammenhang, wie zwischen dem Shakespeareschen interlude nebst seinen
vorbereitungen und dem übrigen des Sommernachtstraumes, besteht zwar nicht zwischen dem eigentlichen comödienstoffe *von
einem Könige, der seinem einizigem Printzen, eines andern Königs
Tochter, ehelich wolte beylegen lassen,* und der handwerkertragödie,
aber es sitzt dieser doch gleichsam das kleid fester an als der
Gryphischen das ihre. bei Gryphius hat der hof nichts weiter
zu tun als sich aus langer weile über die handwerker lustig zu
machen, er wird daher überhaupt erst eingeführt, als das vorhaben dieser so weit gediehen ist, um sich bewundern oder be-
lachen zu lassen, db. nach der beratung und probe. nicht so
in der hamburger fassung. hier hat der hof eine hochzeit zu
feiern, und seine berührung mit den handwerkern findet noch
vor der beratung statt. dagegen folgt aufführung und beratung
dicht auf einander.

Die annäherung der hohen und niederen gesellschaft geschieht fast genau wie im Peter Squenz: der marschall meldet
dem könige in gegenwart des hofes die ankunft neuer comödianten. der director derselben hat zunächst ein verhör zu bestehen. er entpuppt sich, nicht etwa als ein zimmermann, nein
als ein dummer, aufgeblasener handlanger am worte gottes. mit
lateinischen brocken ist er sparsamer als Peter Squenz, doch

fehlen sie ihm nicht. das pendant zu seinem ellenlangen titel
ist Squenzens beweis, der vornehmste mann in der ganzen welt
zu sein. nach seinem namen nennt Caprimulgius sein wappen.
selbst dieses finden wir bei Gryphius wider, wenn schon nicht
in unserem stücke, so doch in dem dem Horribilicribrifax ange-
hängten ehecontracte. [1] das Squenzsche wappen hat natürlich
keine veranlassung so scharfsinnig auf den namen 'Ziegenmelker'
anzuspielen wie das des Ristschen schulmeisters, aber die beiden
ruten und den haselstab, mit denen Ambrosius auftritt, erkennen
wir ziemlich deutlich in Squenzens *Signet* wider.

Die ähnlichkeit der beiden küster lässt sich noch weiter
verfolgen. nicht nur haben beide ansehnliche bärte, halten beide
während ihres prologes ein scepter in der hand, das allerdings
bei dem einen in einem hölzernen oberrocken besteht, während
das des anderen-als ein prügel bezeichnet wird; sie kommen
auch beide nicht ohne hilfe des manuscriptes zu rande, nur dass
Squenz seinen zettel erst da aus dem linken ärmel hervorholt,
als die erste *Sau* bereits gemacht ist, Ambrosius dagegen sein
buch von vorn herein in der hand behält, um nicht zu irren.
Noch mehr! Caprimulgius heist einmal bei Rist schlechtweg
der alte Huhster und fängt, ehe er seinen titel aufsagt, an, sich
dergestalt zu räuspern und zu husten, dass es durch den ganzen
saal erschallt. als man im Gryphischen stücke den beginn des
schauspiels erwartet und ein gepolter vor der tür hört, erklärt
Serenus: *Herr Peter Sq. beginnet sich zu reuschpern.* ja Peter
Squenz hat würklich ein recht *Expectant des Pfarr-Ampts* zu
heissen: in seinem prologe richtet er an den hof die bitte:

> *Speyet aus und räuschpert euch zuvor,*
> *Und gebet uns denn ein liebreiches Ohr.*

auch die beweggründe für die ganze Pyramus- und -Thisbe-auf-
führung sind bei beiden directoren dieselben, ja sie drücken sie
fast mit den nämlichen worten aus. sie sind. bei beiden nicht

---

[1] in dieser urkunde kehrt auch der name *Schlierenschlaff* und im
Horrib. selbst *Peter mit dem silbernen Schlüssel* und *Pontus* wider, und
Cyrilla betet schon: *Ach du lieber heiliger Squentz, bewahre mir Hüner
und Gäns!* trotzdem ist Bredows behauptung dass Gryphius den Peter
Squenz auch in seinen anderen lustspielen als eine bereits renommierte person behandele, unrichtig. aufser in dem bezeugter mafsen nach unserem
stücke erschienen Horrib. kommt der name 'Peter Squenz' in keinem Gryphischen lustspiele vor.

allein *Ehre und Ruhm* einzulegen, *sondern auch*, und nun bei
dem einen *eine gute Verehrung*, bei dem anderen *ein gutes Stück
Geldes* zu erhalten.

Dieser letzte so materielle beweggrund klingt bei Shakespeare nur ein einziges mal deutlich durch und an fein berechneter stelle, ıv 2, also weder in der beratung noch während der
darstellung selbst. bei Gryphius dagegen ist davon vor, in und
nach der aufführung die rede, und wie ausführlich! man braucht
nur den schluss des ganzen stückes anzusehen.

Ähnliche umstellung der einzelnen motive, oder ich will,
vorsichtiger, sagen: verschiedenheit in der stellung, wie wir sie
bei dem räuspern bemerkt haben, tritt öfter zwischen dem schimpf-
spiele und der hamburger fassung zu tage. die prügelei der
handwerker findet in jenem während der aufführung selbst statt,
in dieser während der beratung. aufserdem ist sie dort zu zwei
prügeleien erweitert.

Umgekehrt beinahe steht es mit dem registermotive. dies
spielt bei Rist zwei mal hinein, und, was nicht zu übersehen, es
erinnert das eine mal an die verwendung desselben motivs bei
Gramsbergen. Caprimulgius zählt erstlich dem könige seine weltlichen und geistlichen spiele her und dann seinen gesellen die
vorrätigen geistlichen. dass den schauspielern überhaupt tatsächlich die auswahl unter mehreren stücken frei steht, ist eine auffallende übereinstimmung zwischen Rist und Gramsbergen, die
jedoch aus der weiteren herrührt dass die darsteller von 'Pyramus und Thisbe' bei Gramsbergen und Rist auch aufserhalb dieser
darstellung comödianten sind. aber das repertoire der holländischen comödianten erinnert nicht nur in seiner anwendung an
das der hamburger, sondern auch in seinem inhalte. unter den
vier stücken, die überhaupt, Pyramus und Thisbe mit eingerech-
net, bei den Gramsbergischen schauspielern zur sprache kommen,
sind zwei, unter vieren, eigentlich schon unter dreien, sind zwei,
die auch Caprimulgius seinen cumpanen nennt, nämlich das von
Tobias und das vom reichen manne. ich würde das für keinen
zufall halten, und wenn von diesen beiden stoffen hunderte von
bearbeitungen damals in Holland und Deutschland im schwange
gewesen sein sollten.

Das eine mal verweist uns also das Ristsche repertoire auf
den Hartoog van Pierlepon. eben so sicher deutet es das andere

mal auf Peter Squenz. Caprimulgius schliefst vor dem könige
die aufzählung der weltlichen stücke mit den worten *und noch
wohl tausend andere*, die der geistlichen mit *und mehr andere
dergleichen*. darin wird niemand die absicht verkennen wollen,
in der meister Lollinger bei Gryphius das grofse comödienregister
vorschlägt. den in diesem aufgeführten *Ritter Pontus* dürfen wir
wol ohne weiteres dem *Ritter Pontius* des Caprimulgius gleichsetzen; ob aber sein *Kayser Julius und Brutius* mit dem *Julius
unus* Gryphs identisch sei, muss ich dahin gestellt sein lassen.
Tieck vermutete unter dem letzteren titel den Julius redivivus
des Nicodemus Frischlin. dass Gryphius diesen wenigstens in
der Ayrerschen entstellung gekannt habe, ist nicht unwahrscheinlich[1], und in ihr kommt Brutus nicht vor.

Wie in der holländischen verwerfen die schauspieler auch
in der hamburger fassung ihr ganzes repertoire bis auf Pyramus
und Thisbe; nur nicht so schnell wie dort, sondern mit ausführlicher erörterung der gründe. bei den darstellungsschwierigkeiten, die sie geltend machen, denken wir natürlich sofort an
das kopfzerbrechen, das denselben comödianten nachher, wie den
Shakespeareschen, Gramsbergischen und Gryphischen, auch die
doch nun einmal durchaus naturgetreu sein sollende aufführung
von Pyramus und Thisbe bereitet; zugleich aber erinnern *jene*
hinderungsgründe an die scharfsinnigen ausflüchte, die Peter
Squenz macht, als ihn Serenus mit meister Lollingers comödienregister so erbärmlich blamiert. die zerstörung Jerusalems, meint
er, wollten sie wol tragieren, aber man müsse ihnen zuvor Jerusalem bauen lassen; dann wollten sie es zerstören und einnehmen usw. wenn sich die Ristschen comödianten dadurch
dass sie würklich unter mehreren stücken zu wählen haben als
comödianten von fach documentieren, so compromittieren sie sich
hier als pfuscher.

[1] eine stelle des Peter Squenz erinnert, vielleicht nur zufällig, an die
in jener enthaltene beschreibung des augsburger brunnens, *den sie neulich
gebaut jetzunnen:*

> *Drauff steht Keiserliche Majestat*
> *Der dise Stadt erbauet hat,*

und der pfeil des Pyramus mahnt an ein anderes drama Ayrers, das von
der schönen Phänicia. in diesem tritt Jan *mit einem pfeil, der ihm noch
im gesefs steckt,* auf. allerdings zieht Jan sich den pfeil nachher selbst
heraus.

Ihre gesellschaft ist überraschend bunt zusammengewürfelt. wir können kaum gleich Rist alle glieder derselben unter den titel 'handwerker' zusammenfassen, zum grofsen teile aber haben sie würklich früher ein handwerk getrieben, und obgleich nicht alle uns am nächsten liegenden gewerke, wie bäckerei, schlächterei, tischlerei, unter ihnen vertreten sind, nennt Rist doch handwerker, die auch vor Theodorus und schon vor Theseus spielen, einen pusterflicker und weber. wie im Peter Squenz hat sich den handwerkern auch hier Pickelhäring zugesellt, wenn schon zwischen dem edlen, woledlen, hochedlen, woledelgebornen herrn [1] *Pickelhäring, von Pickelhäringsheim und Saltznasen*, des königs lustigem rate, dem königlichen diener, und unserem *ehrbar Monsieur Pikkelhering* schlechtweg ein unterschied ist. die von Gryphius beabsichtigte auffassung tritt noch etwas klarer zu tage in der Bredowschen bearbeitung; nach der Ristschen auffassung ist Pickelhäring etwa gleich dem *Jehan Potage*, auf den der Gryphische mit so grofser verachtung herabschaut.

Der wunsch Bottoms und seines holländischen stellvertreters, die Thisbe zu spielen, kommt in der hamburger fassung würklich zur erfüllung. zum Pyramus wird hier der schornsteinfeger ernannt, nicht Pickelhäring. freilich begehrt dieser auch gar nicht die rolle des helden, geschweige die des helden und der heldin zugleich, zu spielen. er ist nur auf die Thisbe versessen und, während Flute sich wehrt: *Nay, faith, let not me play a woman, I have a beard coming*, verspricht er bereitwilligst seinen grofsen bart zu verbergen.

Die verteilung der titelrollen bildet nächst der auswahl des stückes und nebst der anordnung dessen, *was sonst mehr dazu gehöhret*, den gegenstand der grofsen beratung aller schauspieler. bei dem, *was sonst mehr dazu gehöhret*, hat man vielleicht an den brunnen und die wand zu denken, der mond ist aber nicht einbegriffen. die darstellung und verleihung dieser figur wird erst gleichsam nach dem ersten acte von Pyramus und Thisbe erledigt. an die notwendigkeit eines mondes hat Caprimulgius bisher gar nicht gedacht. die sache macht keine unüberwindliche schwierigkeit, der seiltänzer wird mond. dornbusch und,

---

[1] vollkommen correct ist Kollewijns angabe (aao. 447) nicht. aufser einmal *Mons.* und zweimal *Juncker* wird Pickelhäring im anfange des stückes auch *Herr* tituliert.

wie auch bei Gryphius, hund werden gar nicht als erforderliche
attribute erwähnt; dagegen scheint die fortbewegung unerlässlich.
erinnert nicht diese grofse inconsequenz lebhaft an die noch
gröfsere im Sommernachtstraume? die rollen sind dort bereits im
ersten acte verteilt, sie sind schon auswendig gelernt, jeder hat
eine rolle, es soll geprobt werden; da beschliefst man erst, Peter
Quince solle einen prolog und eine löwenrede, *another prologue*,
dichten, und zwei *properties*, die Quince noch zur aufführung
braucht, sollten ebenfalls menschlich dargestellt werden, der mond
und die wand. wer diese rollen erhält, wird gar nicht erst bestimmt; man fängt sofort mit der probe an, deren zwecklosigkeit
man gewis ohne Bottoms verwandelung bald selbst einsähe. die
probe ist zwecklos, da drei personen, die im stücke ursprünglich vorkommen sollten, der Thisbe eltern und des Pyramus vater,
stillschweigend gegen drei neue rollen, prolog, wand und mond
gestrichen sind. [1] mir scheint, diese umänderung des ursprünglichen tragödientextes im Sommernachtstraume ist das vorbild für
jene sonderbare unterbrechung der vorstellung gewesen, wie sie
nach Rist die englischen comödianten eintreten liefsen. Gramsbergens und Gryphs bearbeitung haben nichts ihr entsprechendes.
motive aus der bei Shakespeare der probe voraufgehenden beratung sind bei ihnen in die erste beratung, in die grofse und
einzige ihrer fassungen, verlegt; motive aus der probe selbst in
allen drei fassungen in die aufführung. ein aus der probe entlehntes motiv sehe ich in einer absonderlichkeit der hamburger
Pyramus- und -Thisbe-aufführung, welche der bei der holländischen darstellung hervorgehobenen verzerrung fast gleich kommt,
in dem fehlen der wand während des ersten Pyramus- und -Thisbe-
auftrittes. bei des herzogs eiche wird dieselbe scene mit derselben scenerie, d. i. mit keiner, gespielt.

---

[1] in dem, was hier würklich alberner weise geprobt wird, in den
wenigen sätzen, die Pyramus und Thisbe hersagen, und die, wol nur zur
vermeidung der widerholung, von den entsprechenden in der würklichen
aufführung ganz verschieden sind, haben sich unsere übersetzer, aufser der
reimung der bei Shakespeare auf *sweet* und *awhile* ausgehenden verse, eine
feine, wolbedachte abweichung vom englischen texte erlaubt. in ihm geschieht keiner der drei gestrichenen personen erwähnung, in den deutschen
übersetzungen jedoch, mit ausnahme der Vossischen, von der Wielandschen
herab bis auf die von Bernays revidierte, auch in der Fischerschen, spricht
Pyramus einmal von seinem vater.

Nichts desto weniger kommt auch in der hamburger bearbeitung nach Rist eine mauer vor, aber erst in dem zweiten
Pyramus- und -Thisbe-auftritte, und mit ganz eigentümlicher bestimmung. hinter ihr wollen sich die liebenden *hertzen und
ümpfangen*; sie bildet keine scheide zwischen ihnen beiden, sondern höchstens zwischen ihnen und der übrigen menschheit. ich
würde zweifeln, ob nicht erst von Rist der wand diese aufgabe
zuerteilt sei, wenn nicht die Kluchtighe tragödie ein analogon böte.

Die scenische darstellung der wand ist der Gryphischen am
ähnlichsten; die des brunnens weicht zwar beachtenswert von der
Gryphischen ab, doch ist das blofse vorhandensein des brunnens
in zwei fassungen gegenüber seinem nichtvorhandensein in den
übrigen wol beachtenswerter als der unterschied der inscenierung.

Derjenige, dem der Peter-Squenz-stoff die bereicherung um
den brunnen verdankt, hat ihn nicht erfunden, und die bereicherung des Pyramus- und -Thisbe-stoffes um ihn ist nur eine
widerbereicherung. schon *ad busta Nini* fliefst ein fons, wiewol
nicht er, sondern der grabhügel des Ninus selbst der zum stelldichein verabredete ort ist. der quell ist für Pyramus und
Thisbe ganz unwesentlich, er übt nur anziehungskraft aus au
die durstige bestie und wird dadurch allerdings sehr verhängnis-
voll für das liebespar.

Gleichfalls nur eine reform auf grund des Ovidischen textes
haben wir darin zu erkennen dass das tier, welches den jähen
untergang der liebenden herbeiführt, in der Gryphischen und
hamburger fassung weiblichen geschlechtes ist. bereits in den
Metamorphosen ist es, freilich aus keinen anderen, wenigstens
mir erfindlichen, gründen als metrischen kein *leo*, sondern eine
leaena oder *lea*. den mantel der Thisbe aber besudelt es dort
nicht mit seinem eigenen blute, sondern mit dem erleger rinder,
und das, komischer weise, obgleich es soeben seinen durst an
der reichlichen flut des nahen quelles gestillt hat. die niederkunft der löwin, die von den englischen comödianten so drastisch
dargestellt wurde, bei Gryphius, weil meister Klipperling vermeint,
*er hätte keine junge Löwen in dem Leibe, derowegen könte er auch
keine aufhecken,* der phantasie der zuschauer überlassen bleibt,
diese löwengeburt ist also eine würkliche bereicherung des Py-
ramus- und -Thisbe-stoffes.

Schade ist es dass wir aus den wenigen zeilen Schupps über die nürnberger aufführung nicht entnehmen können, ob der mantel der Thisbe in ihr schon auf dieselbe art wie hier befleckt wurde. die vermutung dass es der fall gewesen, könnte sich auf die ähnlichkeit des löwencostümes der nürnberger fassung mit dem der hamburger und dem in der Gryphischen wenigstens erwogenen stützen, und mit dem einwande dass Schupp das tier als löwen, nicht als löwin, bezeichne, wäre sie noch nicht gestürzt. das ungetüm heifst auch bei Gryphius stets *Löwe*, und doch ist sein weibliches geschlecht hier unzweifelhaft.

Im gegensatze zu allen übrigen fassungen betritt das tier in der der englischen comödianten erst da die bühne, als es in die handlung des stückes so schaudervoll eingreift. nicht nur fehlt wie bei Gramsbergen die gesammtvorstellung der figuren vor der ganzen aufführung, während der auch im Peter Squenz der löwe hinter der scene bleibt; selbst *another prologue* Snouts ist fortgelassen, oder doch umgestellt und arg verkümmert. die absicht, in der ihn Snout fordert, ist hier so wenig mehr wie im Hartoog van Pierlepon zu spüren. Rist weifs zwar, wer die löwin spiele, aber entweder weifs er es von der beratung her, oder er erkennt von selbst in der löwin den besenbinder wider; ausdrücklich zu erkennen gibt sich dieser nicht. (ich erinnere an die zweite der aus Schupps worten vorher gefolgerten möglichkeiten. s. s. 143.)

Noch mehr hat der mond eingebüfst. da die beratung über denselben vor versammeltem hofe abgehalten worden, hat der seiltänzer eine erklärung seiner leuchte nicht mehr nötig. fast eben so schlimm ist es der rede der wand und des brunnens ergangen. wer die träger des gepappten papieres und des kübels seien, erfahren wir gar nicht.

Was uns Rist sonst von dem Pyramus- und -Thisbe-texte mitteilt, ist so gering, dass wir nur wenige puncte desselben mit dem der anderen bearbeitungen vergleichen können.

Der prolog, der übrigens wie bei Gryphius vom hofe ungeduldig erwartet wird, und dem wie im Sommernachtstraume musik, wenn auch schlechte, voraufgeht, scheint nach den versen, die Rist reproduciert, ganz im tone des Squenzschen gehalten. auf die entdeckung wörtlicher übereinstimmungen müssen wir nicht allein hier, sondern auch bei der grofsen liebesscene verzichten. als form ihres dialoges hat man dieselbe anzunehmen, in die der

prolog und die katastrophe gekleidet ist, gereimte verse, wie bei
Shakespeare, Gryphius und Gramsbergen. die erklärung des brunnens, der wand und der löwin dagegen wurde wahrscheinlich
auch bei der aufführung in prosa gegeben. wenigstens dürfen
wir aus Rists erzählung auf nichts anderes schliefsen. von der
unterhaltung der wandträger mit dem seiltänzer, so wie dem zwie-
gespräche der toten haben wir sicher nichts im idealen texte
der Pyramus- und -Thisbe-tragödie zu suchen; auch sie sind daher, wie das aus der rolle fallen im Peter Squenz und Sommernachtstraume, prosaisch.

Ein mittelding zwischen prosa und gereimten versen, reim-
lose verse, enthält der ideale text in keiner unserer vier fassungen,
wol aber kommt ein mittelding in ihnen, abgesehen von der holländischen fassung, zu tage bei der Pyramus- und -Thisbe-auf-
führung, nämlich fehlgereimte verse. aus solchen besteht bei
Gryphius die ganze rede der wand:

Ihr Herren höret mir zu mit offnen Ohren,
Ich bin von ehrlichen Leuten gezeuget usw.

Squenz, der ja während der ganzen aufführung nichts weiter zu
tun hat als wol acht zu geben in seinem büchelein, *Ob sie das*
Spiel tragiren fein, und bei andern *Säuen* auch wie das donner-
wetter drein fährt, lässt diese wunderbare 'Equifox'-dichtung ge-
duldig über sich ergehen; aber trotzdem können wir unmöglich
annehmen sollen dass sie in der gestalt aus seinem oder meister
Lollingers hirn entsprungen sei. es bleibt nichts übrig, als sie
für eine inconsequenz Gryphs zu erklären. man kann nicht
bestreiten dass Gryphius das vorbild seiner fehlreime vielleicht
anderswo gefunden habe, etwa in den Schildbürgern oder einer
nachahmung derselben, möglich aber ist es auch dass sich dies
motiv, von bearbeitung zu bearbeitung anwachsend, von Shakespeare bis auf ihn vererbt hat. gleich nach seinem ersten verse
wird der Shakespearesche mond durch die kritischen glossen seines
hohen publicums unterbrochen. er widerholt den ersten vers (ein
vers ist es unbestreitbar):

This lantern doth the horned moon present

und fährt fort mit einem fast eben so regelrecht gebauten:

Myself the man-i-'the-moon do seem to be.

diese beiden verse reimen sich nicht. dass es mit ihnen, so wie
sie der mond vorbringt, nicht seine volle richtigkeit habe, muss

jedem, der nicht schon durch die vergleichung mit dem ganzen
vorausgegangenen Pyramus- und -Thisbe-texte darauf kommt, sofort klar werden, wenn er den mond nach ein par witzen der
vornehmen gesellschaft und der bitte, fortzufahren, sprechen hört:
*All that I have to say is, to tell you that the lantern is the moon;
I, the man-in-the moon; this thorn-bush, my thorn-bush; and this
dog, my dog.* der mond hat also von dem, was er zu melden
hat, in jenen beiden versen gerade die hälfte gemeldet. nach
dem idealen texte des interludes hätte er den rest seiner mel-
dung wahrscheinlich in noch zwei versen abzustatten, von denen
der eine auf *(pre)sent,* der andere auf *be* reimte. möglich wäre
allenfalls auch dass er schon in den beiden mühsam heraus-
gebrachten versen irgend eine verdrehung vorgenommen hätte;
sicher aber muste jedem aufmerksamen hörer oder leser des
Sommernachtstraumes die reimlosigkeit jener beiden auffallen [1],
und er konnte leicht darin einen lächerlichen fehlreim sehen,
den der arme Starveling in seiner verlegenheit verbräche.

Dass Quince bei dieser blamage nicht dazwischenredet, kann
uns so wenig wundern wie dass Caprimulgius es nicht tut bei des
schornsteinfegers fehlreim; Quince und Caprimulgius fungieren
gar nicht als souffleure bei der aufführung wie Squenz und Spil-
lebyn. in der verzweiflung über den ledigen mantel der Thisbe
ruft Pyramus bei Rist: *Ach ach, ein Loü hat sie zerrissen, itzt
mus ich mich für Angst beseichen.* die komische würkung des
fehlreims ist hier jedenfalls am stärksten. der witz liegt einmal
im fehlreime an und für sich, dann aber darin dass der schornsteinfeger der anständigkeit zu liebe das textgemäße reimwort
aufgibt und es schließlich doch durch kein anständigeres wort
ersetzen kann.

Ob in der bearbeitung der englischen comödianten mehr
fehlreime vorkamen, und ob, wenn nicht, der eine in der tat gerade an dieser kritischen stelle stand, können wir nicht wissen.
an der entsprechenden stelle des Peter Squenz steht keiner, wiewol dieselbe ihre verwandtschaft mit den beiden von Rist angeführten versen nicht verläugnen kann, und fehlreime gerade an

---

[1] aufser der Vossischen kenne ich allerdings keine deutsche Shake-
speare-ausgabe, die bewiese dass ihrem verfasser, besorger oder revisor die
reimlosigkeit jener beiden verse aufgefallen wäre. überall aufser bei Voss
sind sie gereimt.

derartigen stellen beliebt waren. [1]   die stelle des Gryphischen
textes lautet:

Ein grimmes Thier hat sie erbissen,
Mir ist als hätt' ich in die Hosen gesch.

das anklingen eines dreimaligen *tod* der hamburger Thisbe an
die letzten worte des sterbenden Pyramus bei Shakespeare mag
zufällig sein; bei di e s e r stelle aber wäre zufällige ähnlichkeit
ein wunder.

Eher könnte man das für zufall halten dass Thisbe bei Gryphius wie Rist in ihrem schwanengesange ausdrücklich erwähnt,
sie wolle sich mit Pyramus schwert erstechen; aber ich glaube
auch hier nicht im entferntesten an zufall. ich glaube an ihn,
doch ohne die möglichkeit seines gegenteiles zu bestreiten, wenn
des helden schwert bei Rist in einem prügel besteht und Thisbe
bei Gryphius das ihres geliebten einmal mit einer stange vergleicht, und bei ähnlichen zügen. die komischen selbstmord-
einzelheiten in der Gryphischen, Gramsbergischen und comö-
dianten-fassung, wie dass Pyramus in zweien sein wams vor der
erstechung öffnet, in der dritten es auszieht; Thisbe sich das
schwert in der einen unter den rock, in der anderen unten
durch die röcke, in der dritten in den rücken stößt usw., und
das wiederaufstehen der todten sind selbstverständlich nicht *jedesmal* ganz von neuem erfunden. der tanz, mit dem die hamburger aufführung endet, oder doch dass sie mit einem tanze
endet, mahnt an den Sommernachtstraum. —

Ich hoffe durch die vergleichung mit den übrigen fassungen
einige auf den ersten blick vielleicht unwahrscheinliche züge der
Ristschen schilderung gerettet, dh. als rechtmäßiges eigentum
der fassung der englischen comödianten erwiesen zu haben.

Dass die ähnlichkeit dieser mit den übrigen fassungen erst
nachträglich von Rist hergestellt sei, die vergleichung also triege,
ist nicht, mindestens im allgemeinen nicht, zu befürchten. motive aus Shakespeare, Gramsbergen und Gryphius, selbst Schwenter, sind in der hamburger bearbeitung vereinigt, und nicht nur
vereinigt, zum teile auch eigenartig fortgebildet, und machen in

---

[1] zb. in der schon 1580 gedruckten 'Narren-Schul zur Fastnacht' von
Valentin Appelles heißt es:

. . . ich wil dich schmeißen,
Daſs du solt in die Hosen hofieren.

ihr nicht den eindruck, als ob sie von einem einzelnen fortgebildet wären, geschweige von Rist. woher sollte er überhaupt
den Shakespeare gekannt haben? kenntnis der nachahmungen,
namentlich kenntnis des Gryphischen Peter Squenz, der circa
neun jahre vor Rists schrift gedruckt erschienen war, wäre leichter
bei ihm vorauszusetzen; aber dann doch eben so leicht bei Rists
publicum die kenntnis desselben. und wenn Rist diese hätte voraussetzen müssen, so hätte er auf wenig interesse für seinen bericht rechnen dürfen, so hätte er einfach auf Gryphs Peter Squenz
zu verweisen brauchen. und wenn er selbst ihn kannte, ihn
aber bei seinen lesern, wenigstens dem engeren kreise derselben,
als unbekannt voraussetzen durfte, hätte er ihn dann wol nicht
einmal beiläufig erwähnt? den zweifel völlig zu heben vermag
ich nicht. mir ist die unbekanntschaft Rists mit dem Gryphischen
Peter Squenz das wahrscheinlichste. ich glaube daher weder an
absichtliche noch unabsichtliche vermengung desselben mit der
hamburger fassung durch Rist.

Keineswegs bin ich von der glaubwürdigkeit aller züge der
Ristschen schilderung überzeugt; die grofse zahl der handwerker,
das gewerbe und costüm der meisten, die reihenfolge beim gänsemarsche, manche nummern des repertoires und viele andere einzelheiten mögen der wahrheit nicht völlig entsprechen, mögen teilweise sogar bewuste entstellungen sein; — das ist eine sache
für sich. die übereinstimmungen mit Gryphs Peter Squenz erkläre ich mir auf dieselbe weise wie die mit dem holländischen
stücke, nämlich aus der gemeinsamkeit ihres ältesten originales:
Shakespeares Sommernachtstraum und der vermischung aus ihm
entsprungener fassungen mit einander. ob auch mit ihm selbst,
fragt sich. ein gemeinsames nachshakespearesches original für
die hamburger fassung, Schwenter-Gryphius und Gramsbergen
zu reconstruieren scheint mir nicht möglich. versucht man es,
dh. trägt man alle ihre Shakespeareschen eigentümlichkeiten oder
doch alle im Shakespeare liegenden keime, aus denen ihre eigentümlichkeiten erwachsen sind, zusammen, so baut sich einem,
falls man nicht selbst ein neues dichtet, ein stück auf, das in
nichts wesentlichem von Shakespeares interlude nebst vorbereitung
verschieden ist.

Bezeugt ist ein nachshakespearesches original nur für Gryphius, nämlich in Schwenter. es braucht, vorausgesetzt (und ich

setze es voraus) dass die personen, um die Gryphius sein original vermehrt hat, Screnus und Violandra seien, die Schwentersche fassung, bis sie zu Gryphius gelangt ist, nach dem wenigen,
das wir von ihr wissen, nicht notwendig noch mit einer anderen
vermischt worden zu sein.

Geschlossen ist, und ohne leichtsinn, von Kollewijn auf ein
nicht erhaltenes gemeinsames original für Gramsbergen und
(Schwenter-)Gryphius. geben wir Kollewijn einmal zu, zwischen
den beiden aus diesem originale geflossenen fassungen habe seit
ihrem austritte aus demselben keinerlei berührung statt gefunden:
ohne anderswo vermischung anzunehmen, kommen wir nicht ins
reine. kam zb. in jenem originale schon der brunnen vor;
warum fehlt er dann bei Gramsbergen wie bei Shakespeare? kam
er im originale noch nicht vor; wie so hat ihn dann Gryphius
wie die hamburger fassung? verfinsterte sich der mond im originale wie bei Shakespeare und Gryphius; warum tut er es bei
Gramsbergen so wenig wie in der hamburger fassung? behielt er
im originale wie in der hamburger fassung sein licht; warum
lässt Gryphius wie Shakespeare es ihn verlieren? bestand die
wand des originales gleich Shakespeares in einem beschmierten
menschen; woher bei Gryphius wie in der hamburger fassung
das papier? bestand sie im originale aus papier; wie so besteht
sie bei Gramsbergen in einem beschmierten menschen wie im
Sommernachtstraume? war die wand im originale zeuge der katastrophe wie in der hamburger fassung; warum ist es die Gryphische wand gleich der Shakespeareschen nicht? war sie es im
originale gleich der Shakespeareschen nicht; woher kommt es
dass sie es in der holländischen wie in der hamburger fassung
ist? — zufällige übereinstimmung schliefse ich in diesen und
ähnlichen fällen von vorn herein aus. dann sind für jeden
einzelnen punct drei möglichkeiten denkbar. die erste ist: das
original hatte sich bereits, gleichviel, ob mitteilend oder empfangend, mit der zweiten entwicklung vermischt, der, die für uns
ihren abschluss in der hamburger aufführung findet; die eine
aus dem originale geflossene fassung vermischte sich nicht weiter;
die andere vermischte sich empfangend mit der Shakespeareschen.
zweitens kann das original unvermischt geblieben sein; eben so
die eine aus ihm geflossene fassung; die andere sich, nachdem
sie von beiden selbständig abgewichen, mitteilend mit der zweiten

entwicklung vermischt haben. die dritte möglichkeit ist: original und eine aus ihm geflossene fassung blieben unvermischt; die andere vermischte sich empfangend mit der zweiten entwicklung.

Die erste möglichkeit kann am wenigsten glauben an ihre ehemalige verwürklichung erwecken; diese erforderte für jeden einzelnen punct zweifache vermischung (dh. aufser der des originales mit der zweiten entwicklung noch hier die des Gryphius, dort die des Gramsbergen mit Shakespeare), für alle puncte zusammen also dreifache vermischung, dabei zweifache mit der Shakespeareschen fassung. zur verwürklichung der beiden anderen möglichkeiten waren für jeden einzelnen punct nur je eine, für alle puncte also nur je zwei vermischungen nötig. ob die erste oder die zweite dieser beiden möglichkeiten im einzelnen falle den vorzug verdiene, liefse sich nur danach entscheiden, ob die abweichung einer der beiden aus dem Kollewijnschen originale geflossenen fassungen von Shakespeare, oder die der hamburger fassung mehr ursprünglichkeit verrate. das urteil hierüber ist oft schwierig. mir scheint im allgemeinen das erste der fall zu sein. ist es der fall, so geht daraus hervor dass das Kollewijnsche original schon vor der hamburger aufführung, die vermutlich 1626 statt fand, bestanden habe. —

Dieses sind die unsicheren und winzigen ergebnisse meiner betrachtungen. wir wollen hoffen dass bald jemand aus reicherem materiale oder aus dem vorhandenen mit mehr scharfsinn sichrere und wichtigere folgerungen ziehe.

Strafsburg, im sommer 1880.   FRITZ BURG.

ZUR HERODIAS-SAGE.

Mit der einführung des christentums verschwanden bekanntlich nicht ohne weiteres die alten götter und mythischen gestalten im bewustsein des volkes, sie erhielten vielfach nur christliche gewandung, ihre mythen schlossen sich an christliche heilige oder an den christlichen teufel an. aber auch umgekehrt lehnten sich christliche gestalten, wie die jungfrau Maria, Petrus usw. wider an naturanschauungen an und in doppelter weise, was nicht zu übersehen, wucherten inmitten des christentums wider so üppig heidnische vorstellungen.

Ein beispiel von beiden entwickelungsprocessen geben die sagen von der Herodias. einmal geht sie nämlich einfach gleichsam historisch in den kreis der zur verdammung ruhelos umfahrenden geister über, wie auch der ewige jude sich mit dem wilden jäger im volksglauben berührt, dann aber sah die phantasie in neuer naturwüchsiger anschauung speciell in dem 'tanzenden' wirbelwind ua. den geist der Herodias, indem man an ihre 'durch tanzen' ermöglichte missetat dachte und sie so zum 'ewigen tanzen' verurteilt wähnte. andere accidentien in der natur schlossen sich daran an und halfen den mythus weiter spinnen. deutete man zb., wie einst das griechische heidentum die windbringende ,wetterwolke — bei welcher Lucrez an das haupt von giganten denkt und welche deutscher aberglaube noch heute gewitter- und grummelkopf nennt — auf das haupt des 'singenden' windgottes Orpheus bezog, vom christlichen standpunct aus nun dasselbe naturphänomen als das 'blasende' haupt des Johannes, so schien dieses dann den dem gewitter 'voranziehenden', von dem nachtosenden sturm gleichsam verfolgten oder gejagten 'wirbelwind', dh. also die Herodias, zur strafe vor sich her durch alle welten zu treiben usw.

Das betreffende sagenmaterial ist schon von Grimm in den hauptsachen in diesem sinne zusammengestellt, und speciell in letzterer hinsicht von mir im Ursprung der mythologie s. 213 gedeutet worden. kürzlich fand ich nun bei Abraham a Sancta Clara noch eine Herodias-sage, die ich noch nicht erwähnt gefunden, welche, wenn gleich nicht besonders poetisch, so doch characteristisch ist, insofern sie zeigt, wie eine sage, nachdem sie einmal einen mittelpunct gewonnen, sich nach allen seiten unter heranziehung aller möglicher elemente gleichsam auszubauen pflegt. Abraham a Sancta Clara sagt in seinen Abrahamischen Lauber-Hütt, Wien 1828, II s. 29: 'die bestrafte Herodias oder gott zahlt uns mit gleicher münze'! 'diese Herodias wuste so schön zu tantzen, dass sie endlich Joanni den kopf abgesprungen. aber eine kleine geduld, meine üppige prinzessin! wie du dich gegen gott und den seinen verhalten, so wird dich

auch gott bezahlen. wart nur ein wenig, jetzt hast du mit dem
tantzen und deinen füfsen Joanni das haupt genommen, schaue,
du wirst bald müssen den kehraus tantzen, und mit gleicher
münz bezahlt werden: Parem scit reddere vocem. Nicephorus
Callistos schreibt: dass einmal diese prinzess seye über einen ge-
frornen fluss gangen, auf dem eyfs, und, weifs nit, mit denen
füfsen etwas gestrauchelt, so seye das eyfs gebrochen, sie in
das wasser gefallen, doch mit dem kopff noch heraus, weil sie
aber ihre boshafte tantzenden füfse bewegte, hat ihr das scharfe
eyfs den kopf wurz vom leib abgeschnitten. da hasts Herodias!
beklag dich dessen! hast du Joanni das haupt genommen, hat
gott dir auch dasselbige genommen; hast du mit denen füfsen
dem anderen das leben geraubt, hast du gleicherweifs wiederum
durch die füfs das leben verloren: poena Talionis, mit was maafs
du ausgemessen, ist dir wieder gemessen worden.' man sieht,
mit welcher anschaulichen lebendigkeit sich Abraham a Sancta
Clara die sache ausmalt und gläubig dem Nicephorus horcht, der
da sagt (c. XXII): *Furibunda sedenim, et adultera, incestaque adeo*
illa, quae quidem Herodis habebatur, revera autem Philippi erat
conjunx, vita longius acta, quum prius filiam et saltatricem acerbo
fato sublatam vidisset, deinde ipsa quoque decessit: — — Filiae
autem ejus (dignum enim est, qui memoriae commendetur) talis
fuit obitus. Eundum ei quopiam brumali tempore erat, et fluvius
trajiciendus: qui quum glacie constrictus coagmentatusque esset,
pedes eum transibat. Glacie autem rupta (idque non sine Dei
numine) demergitur illa statim capite tenus: et inferioribus cor-
poris partibus lasciviens, molliusque se movens saltat, non in
terra, sed in undis: caput vero frigore et glacie concretum, deinde
etiam convulneratum, et a reliquo corpore, non ferro, sed glaciei
crustis resectum, in glacie ipsa saltationem letalem exhibet: spec-
taculoque eo omnibus praebito, scelestum hoc caput, in memoriam
ea quae fecerat, spectantibus revocat. ich habe beide berichte
neben einander gegeben, da sie deutlich zeigen, wie nicht blofs
das volk, sondern auch die geistlichkeit im mittelalter mitarbeitete
an der schöpfung neuer mythischer massen, nur von einem christlichen ausgangspuncte aus. natürlich tat sie dies meist mehr
vom historischen standpunct aus den stoff weiterspinnend, da es
ihr mehr auf eine moralische nutzanwendung ankam', während
das volk mehr die andere seite cultivierte, nämlich die ihm so

unverständlichen naturerscheinungen sich im anschluss an die seine phantasie erfüllenden bilder klar zu legen, s. Schwartz Heutiger volksgl. s. 3 (2 aufl. s. 5).

Posen 25 october 1880. W. SCHWARTZ.

DIE HELIANDVORREDEN.

In seiner Heliandausgabe handelt Sievers s. xxiv ff von der Praefatio in librum antiquum lingua saxonica conscriptum und von den Versus de poeta. es ist kein zweifel dass sich an diese beiden zeugnisse die wichtigsten fragen über den Heliand und den Helianddichter anschliefsen. Roediger in seiner recension von Sievers ausgabe (Anzeiger v 267 ff) bemerkt mit recht (s. 278) dass diese fragen noch keineswegs erledigt sind, und geht selbst auf dem von Sievers beschrittenen wege weiter.

Es fällt auf dass noch niemand versucht hat, auf grund der form der beiden documente ihr alter zu bestimmen. abgesehen von den im wesentlichen verfehlten arbeiten Schultes finde ich in der litteratur hierüber nur eine kurze bemerkung bei Rückert in dessen ausgabe s. ui. dazu bemerkt Sievers in seiner einleitung s. xxv f: dass die latinität und der bau der hexameter in den Versus die beiden stücke auf die scheide des x und xi jhs. verweise, wie Rückert Hel. iii will, vermag ich weder zu begründen, noch zu widerlegen.

Ich untersuche zunächst die Versus, da sie die sichersten handhaben bieten.

Das gedicht besteht aus leoninischen hexametern, untermischt mit wenigen reimlosen versen. untersuchen wir zuerst die reime.

Die mehrzahl der reime ist rein, nämlich: *privatam : vitam* 2. *impresso : aratro* 3. *modico : agro* 4. *casula : testa* 5. *illum : regum* 11. *nulli : ulli* (die überlieferung *illi*) 13. *latam : terram* 14. *modico : agello* 15. *quadrum : mundum* 16. *atris : umris* 17. *paucos : juvencos* 18. *larga : herba* 20. *somno : quieto* 22. *: alto* 23. *agis : perdis* 24. *propriam : linguam* 26. *tanti : 27. *agricola : poëta* 28. *docta : lingua* 30. *adventum : munȝ. *tetri : Averni* 34. nur 13 ist klingend, die übrigen ȝpf. ·

Die unreinen reime scheiden sich in vocalisch und consonantisch ungenaue. die ersteren sind *obtrivit : studebat* 7. *pacem : quietam* 10. *divinas : leges* 25. consonantisch ungenaue:
nimium : censu 8. *fomitem : dire* 9. *vates : amore* 29. *relaben-
tis : secli* 32. alle sind stumpf.

Die reimenden silben im inneren des verses verteilen sich
auf die arsis des zweiten, des dritten und des vierten fufses.
auf der arsis des zweiten fufses reimen 7 und 24; auf der des
dritten 2. 3. 4. 5. 8. 9. 10. 11. 14. 15. 16. 22. 23. 25. 26.
27. 28. 30. 32. 33; auf der arsis des vierten fufses 13. 17.
18. 20. 29. 34.

1 und 6 entbehren des gereimten schlusses, entschädigen
aber durch den innenreim: *fortunam : studium* (1) und *postes :
acclives : sonipes* (6).

Reimlos endlich erscheinen 12. 19. 21. 31.

Prosodisch fällt folgendes auf: kurzes *a* ist lang gebraucht
in *agricolā* 28, langes *a* ist gekürzt in *trādidisset* 22. langes *e*
ist gekürzt in *fŏmitem* 9 und *menandŏ* 18. in *menando* steckt
noch ein zweiter fehler: das *e* ist lang gebraucht. endlich ist
nec vor einem vocal als länge verwandt 13.

Stilistisch ist auffallend der viermalige gebrauch des plus-
quamperfectums, wo man das imperfectum resp. das perfectum
erwartet: *fuerat* für *erat* 5. 27, *egerat* für *egit* 18, *coeperat* für
coepit 31. *suus, a, um* wird für *ejus* gebraucht 6. 7. *nimium*
steht gleich *admodum, valde* und wird zur steigerung des adjectivs verwandt 8, entsprechend steht *nimius* in der bedeutung
grofs, ungeheuer 29.

Alle diese eigentümlichkeiten lassen sich nun in lateinischen,
in Deutschland entstandenen gedichten des 10 und 11 jhs. nachweisen. über leoninische verse in Deutschland vgl. JGrimm Lateinische gedichte des x und xi jhs. s. xxiv f, WGrimm Zur geschichte des reims s. 138 ff. leoninische verse mit wenigen
reimlosen vermischt enthält zb. der Ruodlieb. die reime in
unserem gedicht mit ihren vocalischen und consonantischen freiheiten entsprechen ungefähr denen des Ruodlieb. wie in den
gedichten des 10 und 11 jhs. wird die regel beobachtet dass der
reim auf die hauptcäsur gelegt werde. über den reim auf der
arsis des zweiten und vierten fufses vgl. aao. s. xxvii. über den
innenreim vgl. s. xxviii. auch die prosodie ist hier die gleiche,

wie dort: verlängerung des ă des nominativs wie im Ruodlieb
und in der Ecbasis (s. xx), verkürzung des ablativischen ŏ der
gerundien wie im Waltharius, Ruodlieb und in der Ecbasis (s. xxı),
veränderung der quantität des stammvocals (s. xx). über die plusquamperfecta vgl. Grimm zum Waltharius aao. s. 69 f, Schmeller
zum Ruodlieb s. 228, Grimm zur Ecbasis s. 325. zu *suus — ejus*
vgl. s. 227, über *nimis — admodum, valde* s. 234.

Eine ganze reihe von ausdrücken und wendungen sind auf
Vergil zurückzuführen. zu *impresso terram vertebat aratro* v. 3
vgl. Georg. ı 1 f:

> *Quid faciat laetas segetes, quo sidere terram*
> *Vertere, Maecenas* . . . . . .

ferner Georg ı 45 f:

> *Depresso incipiat jam tum mihi taurus aratro*
> *Ingemere* . . .

Georg ı 147 f:

> *Prima Ceres ferro mortales vertere terram*
> *Instituit* . . .

Georg ıı 203:

> *Nigra fere et presso pinguis sub vomere terra*

Georg ıı 356:

> *Aut presso exercere solum sub vomere.*

die stelle *sonipes sua lumina nunquam Obtrivit, tantum armentis
sua cura studebat* 6 f ist ebenfalls auf den anfang der Georgica
(ı 3) zurückzuführen, wo von der *cura boum* die rede ist. zu
fomitem 9 vgl. Aen. ı 175 f:

> *Suscepitque ignem foliis, atque arida circum*
> *Nutrimenta dedit, rapuitque in fomite flammam.*

zu *scindebat terram* 14 vgl. Georg ııı 160 f:

> . . . . . . *scindere terram*
> *Et campum horrentem fractis invertere glebis.*ı

zu *agello* 15 vgl. Bucol. ıx 3: *possessor agelli.* ähnlich wie 16
erscheint Aen. ıv 584 f und ıx 459 f:

> *Et jam prima novo spargebat lumine terras*
> *Trithoni croceum linquens Aurora cubile.*

zu *vasti per pascua saltus* 19 vgl. Georg. ııı 323:

> *In saltus utrumque gregem atque in pascua mittet.*

zu *incipe* . . . . *recitare* 25 vgl. Georg. ı 5:

> *Hinc canere incipiam* . . .

Der dichter scheut widerholungen nicht. man vergleiche *terram vertebat aratro* 3 und *scindebat vomere terram* 14, ferner *modico et victum quaerebat in agro* 4 mit *spemque suam in modico totam statuebat agello* 15, *linguam* 26 und *lingua* 30. 27 und 28 enthalten denselben gedanken wie 29. 30. schwerfällig und ohne die Vergilstelle kaum verständlich ist der gegensatz zwischen *sonipes* und *armenta* 6 f. ungeschickt sind ausdrücke wie *pacem quietam* 10, *laetus et attonitus* 20. auch *linguā doctā* scheint mir kein glücklicher ausdruck im hinblick auf deutsche verse. 29 und 30 mit ihrem *tunc* und *post* sind schleppend.

Ich glaube nicht dass ein 'ungeschickter stümper' am schluss an die stelle des vorigen 'leidlich gewandten' dichters getreten ist. was Sievers dafür s. xxvii f anm. anführt, ist hinfällig. die verdächtigten plusquamperfecta 27 und 31 werden von Sievers selbst durch ein drittes (*fuerat* 5) gestützt, und das vierte (*egerat* 18) fügt Roediger (s. 280) hinzu, so dass sich die erscheinung fast gleichmäfsig auf das ganze gedicht verteilt. es kommt hinzu dass jene formen nicht nur nicht verdächtig, sondern im gegebenen falle durchaus erklärlich und berechtigt sind. Jacob Grimm sagt in der oben citierten stelle zum Waltharius: 'was aber einen entschieden deutschen eindruck durch das ganze gedicht macht, ist die unrichtige verwendung der tempora. weil nämlich unsere alte sprache keine abstufung der vergangenheit kennt, sondern ihr prät. für das lat. imperf., perf. und plusq. braucht, so zeigt der dichter kein deutliches gefühl für die lateinischen formen dieser drei tempora und verwirrt sie häufig. zumal liebt er, plusq. anstatt der perf. zu setzen.' es folgt eine längere reihe von beispielen aus dem Waltharius.

Ebenso wenig glaube ich mit Roediger s. 279 f an eine interpolation von 27 f. gewis stören 27. 28, weil sie ungefähr dasselbe sagen wie 29. 30; aber der dichter scheut solche widerholungen nicht, wie ich nachgewiesen habe. mit demselben rechte müsten wir 14. 15 ausscheiden.

Die metrik macht einen durchaus einheitlichen eindruck. der reim ruht auf der hauptcäsur, und die ausnahmen verteilen sich auf das ganze gedicht, desgleichen die verse ohne gereimten schluss: 1. 6. 12. 19. 21. 31. auch in den reimen herscht consequenz. die mehrzahl ist rein. bei den unreinen reimen gilt die regel: bei ungleichen vocalen müssen die consonanten,

bei ungleichen consonanten die vocale identisch sein. die ungenauen reime verteilen sich gleichfalls auf anfang, mitte und
ende der Versus. desgleichen die prosodischen freiheiten, die
vergilischen wendungen.

Es war immerhin leichter, prosa zu interpolieren, als leoninische verse, namentlich verse mit so ausgeprägten eigentümlichkeiten, wie die vorliegenden. und wenn letzteres geschehen
wäre, so würde sich der interpolator schon durch seine technik
von dem ursprünglichen dichter deutlich abheben.

Wir werden demnach die einheit der Versus nicht anzweifeln
dürfen.

Suchen wir uns nun eine vorstellung von der entstehung
des gedichtes zu machen. es ist sicher dass die Versus in un-
mittelbarem zusammenhang mit Bedas erzählung in der Hist. eccl.
iv 24 stehen. schon Scherer (Zs. für die österr. gymn. 1868, 849 f)
hat dies gesehen, und Sievers führt es (s. xxvii f) weiter aus. von
Beda entnimmt der dichter seine motive. die *stabula jumentorum*,
bei denen Caedmon die nacht zubringt, in der er das gesicht hat,
geben veranlassung, den helden zum ideal eines landmannes um-
zubilden, und die farben zu dem bilde muss Vergil hergeben.
der mann erhält plötzlich durch ein traumgesicht die anweisung,
gewisse stoffe dichterisch zu behandeln und er erfüllt diesen
göttlichen befehl. den *clarissima dogmata* Versus 26 entspricht
der ausdruck *doctrina* bei Beda.

Es kommt nun vor allem auf den schluss der Versus an,
und ich behaupte mit Windisch (vgl. auch Sievers s. xxxvii und
Heyne Zs. f. d. phil. 1, 282 f) dass sich die verse 31—34 nicht
nur auf den Heliand beziehen, sondern direct aus demselben hervorgegangen sind. ich halte sie für ein mislungenes excerpt der
Heliandverse 38—53 (vgl. Windisch Quellen 14 fl). was Roediger s. 278. dagegen anführt, überzeugt mich nicht.

Die erwähnung der sechs weltalter an beiden stellen würde
an sich gewis nicht auffallend sein, aber man beachte die art,
wie sie erwähnt werden. in beiden gedichten ist ausdrücklich
zunächst nicht von sechs sondern von fünf weltaltern die rede,
und diesen wird das sechste, das christliche, gegenübergestellt.
Man vergleiche Hel. 46 ff:

> ...... *En uuas iro thuo noh than*
> *frio barnun biforan,   endi thiu fiui uuarun agangan:*

> *scolda thuo that sehsta* *saligligo*
> *cuman thuru craft godes* *endi Cristas giburd*

mit Versus 32 f:

> *Quinque relabentis percurrens tempora secli*
> *Venit ad adventum Christi . . .*

man beachte ferner dass nicht nur das voraufgehende, sondern auch das folgende in beiden gedichten zusammenstimmt. Hel. 38 ff ist von der erschaffung der welt die rede, desgleichen Versus 31. man vergleiche *fan them aginne . . . . thuo hie erist thesa uuerold giscuop* mit *a prima nascentis origine mundi.* den *fauces Averni* (Versus 34) entspricht *dernero dualm* (Hel. 53).

Aus den Vergilstellen, die der dichter der Versus herbeizieht, ergibt sich dass er eine eigentümliche vorliebe für die anfänge von büchern hat. er plündert den anfang des ersten buches der Georgica (v. 1. 3. 5. 45) und Bucol. ix 3, ferner den anfang der Aeneis (i 175). er plündert auch den anfang des Heliand und misversteht ihn gründlich. die ausdrücke *coeperat* (31) und *percurrens* 32 lassen keinen zweifel dass er in Hel. 38—53 eine inhaltsangabe vor sich zu haben wähnte und demgemäfs berichtete. entweder lag ihm nur der anfang des Heliand vor, oder er las nicht weiter, in jedem falle glaubte er, der dichter habe das alte und neue testament behandelt. nur von diesem gesichtspunct aus ist meines erachtens die aufforderung an den vates v. 25 *(Incipe divinas recitare ex ordine leges)* zu verstehen: eine anspielung auf das alte testament. es entsprechen genau die *sacrae legis praecepta* in der praefatio B (Sievers 4, 21).

Zarncke hat zuerst (in den Berichten der sächs. ges. der wiss. philol.-hist. cl. xvu (1865) 104 ff) von der sogenannten Praefatio den schluss abgesondert (B) und interpolationen nachgewiesen. auf diesem wege sind Sievers in seiner ausgabe und Roediger aao. s. 278 weiter gegangen. Sievers hat (s. xxxi) wahrscheinlich gemacht dass die Praefatio B, die interpolationen in A und die Versus demselben verfasser angehören. B kannte Bedas bericht über Caedmon und benutzte ihn direct (Sievers s. xxviii). wir haben ein recht, an der ursprünglichkeit alles dessen in der sogenannten Praefatio A zu zweifeln, was mit Beda und B übereinstimmt. Bedas bericht steht Hist. eccl. Angl. iv 24 und ist bei Sievers (s. xxvi f) abgedruckt, aber ohne die inhaltsangabe der dichtungen Caedmons. diese lautet: *Canebat autem de creatione mundi et origine humani generis et tota Genesis historia, de egressu Israel ex Aegypto et ingressu in terram repromissionis, de aliis plurimis sacrae scripturae historiis, de incarnatione dominica, passione, resurrectione et ascensione in coelum, de spiritus sancti adventu et apostolorum doctrina: item de terrore futuri judicii et horrore poenae gehennalis ac dulcedine regni coelestis multa carmina faciebat, sed et alia perplura de beneficiis et judiciis divinis, in quibus cunctis homines ab amore scelerum abstrahere, ad dilectionem vero et solertiam bonae actionis excitare curabat.*

Den gesammtinhalt dieser dichtungen kann man sehr wol mit dem ausdruck 'das ganze alte und neue testament' zusammenfassen. das hat schon Windisch (aao. s. 24) gesehen, aber ohne die consequenzen daraus zu ziehen. jene inhaltsangabe muste nun B kennen, da sie bei Beda direct auf die nachweislich von B benutzte erzählung von Caedmon folgt. B konnte sie ebenso gut benutzen, als er die voraufgehende erzählung benutzte, und er konnte es um so eher, als das, was er hier vorfand, mit dem, was er über den Heliand eruiert zu haben glaubte, übereinstimmte. müssen wir nun nicht, wenn wir in der Praefatio die angabe finden dass der dichter *vetus et novum testamentum* behandelt habe, mit notwendigkeit schliefsen dass diese angabe durch B von Caedmon aus hineingetragen sei? noch eins kommt hinzu. ich habe aus den Versus nachgewiesen dass B widerholungen liebt. er ist ein eifriger mann, der sich nicht scheut, etwas zweimal zu sagen, der deutlichkeit und eindringlichkeit wegen. Sievers (s. xxx f) und Roediger (s. 278) haben dieselbe eigentümlichkeit in der prosa von B bemerkt und darauf hin interpolationen ausgeschieden. wie characteristisch nun dass gerade der ausdruck, auf den es hier ankommt, ebenfalls widerholt wird. er kommt zuerst 4, 3 und kehrt dann verstärkt 4, 13 wider: *Totum vetus et novum testamentum.* wer noch nicht überzeugt ist, für den habe ich ein drittes argument. die inhaltsangabe bei Beda beginnt: *Canebat autem de creatione mundi . . . . . et tota Genesis historia . . . . . de aliis plurimis sacrae scripturae historiis . . . .* damit vergleiche man Praef. 4, 10 ff: *Igitur a mundi creatione initium capiens, juxta historiae veritatem quaeque excellentiora summatim decerpens.* das ist klärlich ein versuch, die inhaltsangabe Bedas selbst einzuführen. es mochte aber sogar B bei der langen aufzählung unheimlich werden, er begnügt

sich mit dem anfang und versichert nur zusammenfassend nochmals dass der dichter das ganze alte und neue testament behandelt habe.

Was folgt nun hieraus? doch zunächst dass auch diese
nachricht von einer poetischen behandlung des alten testamentes
durch den Helianddichter durchaus unglaubwürdig ist. wenn
wir nun sehen dass von den beiden zeugnissen hiefür das eine
auf einem misverständnis beruht, das andere auf einer contamination dieses misverständnisses mit Bedas inhaltsangabe von Caedmons dichtungen, so müssen wir meines erachtens jene nachricht als unhistorisch preisgeben, und alle hypothesen, die sich
auf sie gründen, sind haltlos.

Aber es ist noch mehr zu folgern. es dürfte schwer, ja unmöglich sein, dasjenige, was ich B zugewiesen habe, von dem
wenigen, was nach der ausscheidungen von Zarncke, Sievers
und Roediger von dem zweiten teile der Praefatio A noch übrig
bleibt, zu trennen. nehmen wir 4, 2 ff das zweimalige *vetus ac
novum testamentum* und ebenso *Igitur a mundi creatione initium
capiens, juxta historiae veritatem quaeque excellentiora summatim
decerpens* weg, so fehlt der hauptinhalt, auf den sich alles bezieht. es blieben dann im wesentlichen von der sogenannten
alten Praefatio von 4, 2 an nur noch zusammenhangslose fragmente übrig, nämlich: 1) *vir quidam de gente Saxonum, qui
apud suos non ignobilis vates habebatur* 4, 2 f; 2) der ausdruck
mystico sensu depingens 4, 12 f; und 3) die fitten 4, 18. 2) hat
man auf den Heliand gedeutet; 3) auf die kenntnis alt- resp.
angelsächsischer epen zurückgeführt. 1) konnte B, der den Heliand vor sich gehabt hatte, ebenfalls sehr wol behaupten. man
beachte auch die durchgehende bezeichnung des dichters als *vates*
von 4, 2 an: 4, 3; 4, 20; Versus 24. man vergegenwärtige sich
dass wir in B einen mann erkannt haben, der jeglichen historischen sinnes bar ist, einen compilator, der die verschiedensten
nachrichten und kenntnisse zusammenrafft und vereinigt, wenn
sie auch nur eine entfernte beziehung zu dem haben, was ihm
am herzen liegt. wir müssen völlig davon absehen, das zu ur-
gieren, was uns heute mit recht anstofs erregt. das ist nicht
der richtige gesichtspunct, und jede gegenargumentation in diesem
sinne muss ich · von vorne herein zurückweisen. ich begnüge
mich damit, die richtigkeit der überlieferung nachzuweisen, und

verzichte darauf, ihre vortrefflichkeit zu erweisen, weil sie, wie ich gezeigt zu haben glaube, im vorliegenden falle nicht existiert.

In diesem sinne behaupte ich die einheit der Praefatio A von 4, 2 an, der Praefatio B und der Versus.

Es bleibt also von A übrig das stück 3, 1—4, 1 incl., abgesehen von den widerum durch Zarncke, Sievers und Roediger ausgeschiedenen interpolationen. dies stück kann sehr wol eine selbständige Praefatio gewesen sein. die tätigkeit von B denke ich mir nun so: er dichtete die Versus und vereinigte in ihnen das, was er vom Heliand zu wissen glaubte, mit der sage von Caedmon. er fand die Praefatio vor. möglich dass sie sich auf den Heliand bezog, jedesfalls bezog er sie darauf. er führte das dort nur angedeutete weiter aus (4, 2 ff) und verquickte es widerum mit dem, was er wuste, einerseits und mit der Caedmonsage andererseits. dass bei der zusammenfügung so verschiedenartiger elemente etwas einheitliches nicht herauskommen konnte, versteht sich.

Nur in der alten Praefatio (A) ist Ludwig der fromme genannt. nur in B ist das werk, welches auf seine veranlassung entstanden sein soll, so genau bezeichnet, dass man an den Heliand denken muste. A und die bezüglichen angaben von B fasste man bisher als ein ganzes. wenn sich nun zeigt dass ein solches ganze ursprünglich nicht existiert hat, dass vielmehr A und B künstlich zusammengefügt sind, zusammengefügt durch B, den wir hinreichend kennen, um ihm ein historisches gewissen nicht zuzutrauen, so wird damit die beziehung zwischen Ludwig und der Helianddichtung von dem standpunct einer wol überlieferten tatsache auf das niveau einer möglichkeit herabgedrückt, die von wahrscheinlichkeit oder gar sicherheit weit entfernt ist.

Erlangen.   A. WAGNER.

ZU WALTHER UND HILDEGUNDE.

Weinhold hatte in den Mitteilungen des historischen vereines für Steiermark ix 51 f die bruchstücke einer hs. des gedichtes von Walther und Hildegunde publiciert, Müllenhoff dann Zs. 12, 280 f dieselben wider abgedruckt. durch die besondere güte des directors unseres landesarchives, herrn prof. dr vZahn, ist es mir möglich geworden, die fragmente neuerdings in aller muße zu prüfen. seit Weinhold sie las, ist offenbar einiges mehr als damals zum vorschein gekommen; die säuberung oder angewandte reagentien haben erst allmählich gewürkt, auch habe ich unter sehr günstigen umständen arbeiten können. so erklärt es sich dass die folgenden bemerkungen nicht unerhebliche zusätze bieten.

Auf einem von Weinhold nicht erwähnten stückchen pergament, das früher durch leim und papier ganz verdeckt war, lässt sich nun der anfang der letzten zeile einer seite erkennen mit den drei buchstaben .*ret.*, welche das ende eines verses gebildet haben. — auf dem stückchen, das als schluss einer seite und zeile (rechts ausgehend) *michel vn* enthält, ist nun als anfang der letzten zeile der anderen seite (links beginnend) zu lesen: *vngewan.d....* s. ı sp. 1 z. 2 ist der buchstabe vor *v* sicher *e* gewesen. z. 5 ist statt *ir er* nunmehr deutlich *wær* zu sehen. z. 8 steht *mte* vor *Walther*, darnach: *n.* sp. 2 z. 8 nach *ich* fünf spitzen von buchstaben, alle nicht über die linie ragend; vor *lde* ist *o* ˙erkennbar, der buchstabe vorher wahrscheinlich *w*, gewis nicht *s*. s. ıı sp. 1 z. 8 ist noch zu lesen: *sprach nemen(?) sold icht mit mir* —; sp. 2 z. 7 nach *d* noch *i* und z. 8: *chet. nimm⸲ vor* —. *chet* steht also am ende eines verses.

Graz, 17. 1. 81. ANTON SCHÖNBACH.

BEMERKUNGEN ZU DER REISE VON VENEDIG NACH BEIRUT.

Die von Henrici oben s. 59 ff herausgegebene höchst interessante beschreibung der reise von Venedig nach Beirut verdient in mancher weise unsere aufmerksamkeit. es lassen sich dazu aber in bezug sowol auf die italienischen termini technici wie auf das seewesen überhaupt mehrfache erklärungen oder auch besserungen bieten.

Zunächst im allgemeinen ergibt sich klar dass die gesammte mannschaft und die passagiere kein logis unter deck haben, die letzteren also sämmtlich nach heutigem ausdruck deckpassagiere sind; sogar die 'herren' scheinen unter ihrem regendach im 'popen' dh. auf dem hinterdeck ständig oben zu bleiben; der

raum unter deck ist nur magazin- und laderaum, der durch quer-
schotten in 4 getrennte abteilungen (compartments) geschieden
ist; möglicher weise, wie unten s. v. sentna anzugeben, auch
nur in drei.

Die galei oder galeere führt nur e i n e n mast, auch keinen
bugspriet; der mast nur e i n e rah, den *segelpaum ubertwerch*,
s. 63, 80 f: dadurch ist die bezeugung mit segeln durchaus
bedingt.

Der *capitanio* (61), *capitaner* (63, 66), *capitany* (65, 121) ist
nicht unser capitain oder schiffer; er ist der von der signoria
bestellte flotten- oder geschwadercommandant, weshalb er auch
4 edelleute als diener hat. diese stellung ergibt sich aus dem
zusammenhange ganz klar, darnach erklären sich denn auch die
zeilen 67, 189 ff, die nicht verdorben erscheinen.

Die öfter genannten *herren*, die 'im popen' sitzen, sind nach
61 deutlich capitanio und patrono, wozu wol priester und richter
zu zählen; nach dem 65, 121 gemachten gegensatze: *der capitany und der patron und die hern* scheinen auch vornehme passagiere dazu gezählt zu werden.

Zu den eigentlichen officieren der besatzung gehört auch
nicht der *patro* oder *patrono* (61. 65, 121), wol zu unterscheiden
von dem *geswornen patron*. er erhält daher ebenso wenig sold
wie der capitaner, er ist eben der eigentümer oder rheder des
schiffes selbst, wie ich auf amerikanischen schiffen ihn als *the
owner* getroffen, der nicht selber schiffer ist, sondern nur die
kaufmannschaft besorgt.

Der erste officier, dem die navigation obliegt, und der auf
unseren kauffarteischiffen capitän heifsen würde, ist der *comita*
(61), seine 8 gesellen, die nach den karten und den sternen
und, wie sich nachher ergibt, dem compass fahren, sind die
eigentlichen seeleute gegenüber den. ruderern und der kriegsbe-
satzung, den schützen. sein platz ist *auf der truben vorn am
popen* (63, 58), was eine erklärung nicht fand. der reisebe-
schreiber hat augenscheinlich ein italienisches wort verderbt oder
misverstanden; vermutlich ist *in der truben* aus *intrapertura*, fr.
entrouverture, entstanden, ein halbgeschlossener raum vor dem
hinterdeck; oder der mittelraum, wo ruderer und schützen hausen,
hiefs *troppa, truppa*, fr. *la troupe*.

Der zweite officier ist der *pedotta* (61), von Breusing im

Jahrb. f. niederd. sprachf. 5, 9 ff richtig abgeleitet von πηδόν, πηδάλιον, etwa πηδώτης, aber insofern irrig definiert, als er mit 'lothen' nichts zu tun haben soll. hier lothet er gerade, misst mit dem blei, und sitzt mit der lothleine (62, 57) im *kelin schifflein.* während *kelein == kalein == galein* von Henrici richtig gedeutet ist, fragt es sich aber, was *kelin schifflein* heifst. schwerlich hat der reisende geradezu übersetzen wollen, er hörte also *schifo* oder *schiffetto,* kahn oder trog, und das war vermutlich der name des behälters zum aufbewahren und zum ablaufen lassen der lothleine.

Mit dem nächsten officier ist der erzähler in eine gewisse verwirrung geraten; er nennt ihn (61) *eyner der das schiff wendt hinden an dem thymon*; aber er selbst sagt später dass einer der gesellen des comita am timon (steuer, eig. steuerhandhabe, lat. *temo,* die deichsel) steht, wie auch richtig ist: der mann am steuer ist ein matrose, nicht der steuermann. aufklärung gibt 65, 124: *ein salige nacht dem (des) tymon und dem der den tymon went;* offenbar ist ersteres nicht das steuerruder, sondern der officier: der *timoniere* oder *timonista,* der zweite ist der mann am steuer. ersterer kann auch s. 61 nur gemeint sein.

Der nächste officier ist *ein gesworner patron* (61) oder *unterpatron* (63, 61), welcher seinen platz nahe dem mastbaum *mitten in der kallein* hat. im soldverzeichnis ist offenbar der *padron zu Radon* (68, 224) derselbe officier und ist nur *patrono giurato* (vom schreiber gesprochen: *zurado)* zu lesen; 69, 242 ist abermals derselbe zu verstehen.

kon' (62, 36), hinter den knechten, ist für *keln'* verlesen oder verschrieben, denn der 63, 65 genannte *kelner* fehlt hier.

61, 27 ist zu interpungieren: *oder sicherheyt, warumb ist, die weyll sie auf dem mer sein* dh. sicherheit geben für die strittige sache *(warumb ist),* so lange man noch auf see ist.

62, 46. die *vier locher, do man hinabsteigt* sind die 4 luken, sie werden von hinten *(oben)* nach vorn gezählt. die erste, namenlose 62, 48 kann nicht, mit H., *fonte puzzolo* genannt werden, sondern nur *porta della fondega,* wie unten zu sehen. die zweite kann auch nur *porta della sentna* heifsen, ist aber statt 'kellerluke' kurzweg auch 'keller' genannt; sie führte in den tiefsten, untersten schiffsraum, wie der name *sentna* ergibt, der als proviantmagazin diente; war dieser zugang schornsteinartig angelegt, so konnte der mittlere raum (eine art zwischendeck) in 3 compartments oder magazine geteilt sein.

62, 51 ist zu lesen: *das drit loch heyst man la porta de schrina*; ebenso 62, 53 *das vierd loch heyst man la porta dei sarthy*, nicht von *sarto*, schneider; sondern = *dei sarte*, der taue des takelwerks. 63, 64 *schrinā* kann nur *schrinar (scrinarius)* gelesen werden, der mit dem 'schreiber' (61, 22) identisch zu sein scheint; ebenfalls 69, 241 ist *scrinar* zu lesen; auch diese stelle passt für den schreiber.

63, 70. der mastbaum, jederseits durch 5 taue [1] *(sarte)* gehalten, hat einen *segelpaum übertwerch*, also eine dwars stehende rahe. die 3 aufgezählten segel werden nach dem text stets nur einzeln gebraucht; daher ist hier die erklärung als stagsegel [2] und gar focksegel irrig, ebenso die von Du Cange zu BvBreydenbach, der wahrscheinlich auch nur einen mast, also keinen *medianus malus* hatte. *terzeruolo, le tercerol*, heifst urspr. drittelsegel, weil es nur ⅓ der fläche des grofsen bot, vermutlich war es dreieckicht. *papafico* ist urspr. ein schleier, wie es denn 63, 78 dünn und kurz (schmal), aber viereckicht genannt wird.

63, 81 *soste*, taue an den enden (nocken) der rahe: *sosta, sorte de corde dans un vaisseau*, Veneroni (di Castelli) Dittionario imperiale. es ist nicht mit *scotto*, der aus dem deutschen stammenden 'schote' zu verwechseln, stammt vom lat. *substare* und bedeutet die 'brassen'. *la orza* (63, 82) ist die backbordbrasse, die mit niederländisch und bairisch nichts zu tun hat. daher 65, 131 das rudercommando *fa lorcha* 'backbordruder' nach der admiralitätsvorschrift.

64, 83 *potza* ist richtig, ital. *poggia*, die steuerbordbrasse (rechts); *poggiare*, das segel hissen, auch anluven. daher 64, 88 *das teyll am tuch, das da heyst potza*; woraus hervorgeht dass nur die backbordhälfte der vela an die rah angeschlagen war, die steuerbordhälfte aber als rutensegel benutzt wurde *(vela mezzana* nach Breusing). das commando: 'steuerbordruder' muss 65, 131 daher *fa potza*, nicht *portza*, heifsen.

64, 83. für das tau *kaynola* habe ich keine deutung; es

[1] auf den Lübecker, Wismarer und Neucremper siegeln halten je 3 taue den mast. siegel des mittelalters aus den archiven der stadt Lübeck.

[2] insofern das *terceruolo* am stag geführt wurde, könnte man es freilich stagsegel nennen.

wird ein 'quarnara' bei Veneroni genannt, doch scheint dies zu
weit vom namen abzuliegen.   mantikio könnte auf ital. amanti,
stehendes tau, zurückführen; wenn nicht anzunehmen, es sei
geredet wie 62, 51 und 53 und müsse gelesen werden das keyst
man tikio; aber auch so ist eine bedeutung nicht zu finden,
wenn nicht etwa taglia 'talje, flaschenzug' hier verderbt wäre, ein
ausdruck, der freilich sehr auffällig vermisst wird.

64, 85 das klein seyll an dem baumen, das heifst Aufsolo. da
es zum laden und löschen (entladen), zum hissen des potzabalb-
segels (wol richtiger zum niederholen des rahenendes oder der
nock) dient, ebenso zum hissen von leuten zur strafe, so muss
es ein in der talje laufendes tau sein. es ist anssola zu lesen,
ital. anzola (von uncus), eigentlich der haken, in welchem der
glockenschwengel hängt, hier die talje mit dem tau; die vielleicht
an einem haken oben am top befestigt war.

65, 121 ist zu lesen: gesprochen hat (nämlich lateinisch),
so spricht der Comitu in welsch (dh. italienisch): der capitany und
der patron und die hern usw. die erklärung anm. 46 ist irrig.

66, 150 man leyt offt in pergen still; dazu anm. 53: 'von
bergen abzuleiten, also hafen.' das scheint aber nicht richtig,
denn 65, 138 muss die wache im ausguck umbsehen, ob sey kein
pergk sehen, keine klippe; das liegen in pergen heifst daher nur:
auf einer von bergen geschützten rhede. zu widersprechen scheint
66, 154: zwischen Pola und Zara ist ein perg, der heyst golffo
de Pola. auff dem perg besucht (rectius besicht?) man dye ruderer usw. das muss aber eine landstätte sein, wo die mannschaft
gemustert wird, ob in Pola oder schon in Venedig einer ent-
laufen sei. weshalb diese stätte golfo genannt wird, ist unsicher.

66, 156. es kann heifsen: so schreib der patrono, letzteres ·
wort kann aber als selbstverständlich auch fehlen. der signore
de notte kann nur der polizeiherr in Venedig sein, der abends
visitieren lässt; die gefundenen deserteure werden von SMarco
nach dem Rialto gepeitscht und müssen dann das anheuergeld
herausgeben.

66, 164 Agorus muss Ragusa sein; die korallen die reser
bedeutet doch nur: dei rezze (der netze) oder di rezzare (vom
netzfang); der reisende hatte misverstanden, als würden sie dort
im windischen gepirg gegraben, da er rezze oder rezzare nicht
verstand und für einen korallennamen hielt.

66, 170 *Coron* kann nicht Koron im Peloponnes sein, weil, wie 66, 173, besonders aber 67, 177 ff zeigt, keine station ausgefallen ist. es muss in Kreta gesucht werden; vielleicht ist der hafenplatz des binnenländischen Cortina di Candia, des alten Gortyna, gemeint.

67, 174 *die teutschen herren* sollen natürlich die *johanniter* sein. nach 67, 177 wäre in Zara trotz der dort gemachten einkäufe nicht gelandet.

67, 186 *das ist unter der Venediger gewerb* kann nicht heifsen (anm. 67) 'die Venediger treiben handel dahin.' der reisende scheint *Consulo* für einen ort gehalten zu haben; dann hiefse jenes: 'das ist unter der. Venediger verwaltung.'

67, 189. es wird *peyder* = 'weiter' heifsen sollen, oder auch 'wider' = zurück. dann ist der sinn: keine galeere darf weiter (ab-)fahren vor der admiralsgaleere, keine darf eher anlegen, keine für sich eine andere stadt anlaufen; oder der (sc. *patrono)* ist verfallen, sobald der admiral ihn der signoria meldet.

67, 195. die summe der italienischen meilen von Venedig nach Beirut berechnet sich nach den einzelangaben auf 2400. wenn hier 2200 *meyl welscher* angegeben sind, so ist die rückfahrt, wo nur im falle der not angelaufen werden soll, aus diesem grunde kürzer gerechnet.

68, 208. die 6 unzen gedörrtes brot, schiffszwieback, auf 2 tage werden die üblichen unzen sein; es ist unmittelbar daneben erzählt dass ruderer und schützen sich für ihren sold selbst beköstigen müssen, auch nachher werden sie abkochend am herde erwähnt. den nicht überall käuflichen, knochenharten zwieback, in Italien unzweifelhaft aus weizenmehl, bekommen sie überher.

68, 217. es ist zu verstehen: er (der capitaner) *pringt sy vor der herschafft* (der signoria) *umm das gelt* (den sold), *das sie* (die signori) *gebnn mussen.*

68, 220. die stelle ist nicht verdorben. zu interpungieren: *kurtz. das gelt* usw. — dh. das geld wurde ihm auf dieser galeere ausgezahlt, es betrug 30 ducaten in einem abmachen.

68, 226. bei *fl.* ist die zahl nicht ausgefallen, es ist abkürzung für *florenum* = 1 fl., einen goldgulden. vgl. 68, 223; dagegen ist z. 230 und 69, 238 das *fl.* zu streichen.

68, 236. in *fontepuzoll* stecken zwei worte: ital. *fontego*

= *fondaco* (magazin, rüstkammer, armamentarium, gerwekamer)
und *pulcello, pusillo,* masc. zu *pulcella, pusilla. fontepuzoll* also
= rüstbursche, garderobier.

69, 262. die thunfische *die recht man gern a pola bey dem
schola;* lies: *vecht; schola* ist *scoglia, scoglio,* scopulus, also: die
thunfische fängt man viel zu Pola bei den klippen.

Rostock, 3 januar 1881.   K. E. H. KRAUSE.

KLEINE MITTEILUNGEN.

1. Zu Zs. 22, 422 f.

Von den an dieser stelle durch Dümmler veröffentlichten
sprichwörtern stammt die gröfsere hälfte aus Otlohs Liber prouerbiorum (Pez Thesaurus anecdot. ɪɪɪ 2). nr 2 steht daselbst
s. 511, 4 s. 515, 6 s. 517, 10 s. 536, 14 s. 526 in folgender fassung: *rara fides homini tribuenda est pro dolor! omni,* 18 s. 532
ebenfalls in etwas anderer fassung: *testis ueridicus regi uero manet
aptus,* 22 s. 494 mit weglassung von *fidus,* 26 s. 530.

2. Zum Memento mori v. 115 — 122.

Das bild von dem wanderer, welcher auf seiner fahrt unter
einem baume einschläft und darüber das ziel seiner reise vergisst,
ist nicht erfindung des deutschen dichters, sondern kirchlich-
parabolische überlieferung. es findet sich ähnlich, nur mit weglassung des schlafes, auch bei Otloh Dialogus de tribus quaestio-
nibus cap. 50 (Pez Thes. ɪɪɪ 2 s. 247): *uiator ille stultus est, qui
in itinere amoena prata conspiciens obliuiscitur, quo tendere disponebat.* daraus ist es widerholt im Liber prouerbiorum s. 534,
wo nur *tendebat* für *tendere disponebat.* die quelle dieses gleich-
nisses vermag ich nicht anzugeben; sie ist jedesfalls in der patristischen litteratur zu suchen.

Trarbach, 5 dec. 1880.   F. SEILER.

WOLFRAMS TITURELLIEDER.

Die sogenannten bruchstücke des Titurel sind zuerst von
Müllenhoff in übereinstimmung mit Haupt als lieder nach der
weise des volksepos erkannt worden. 'man wird wol tun', schreibt
er Zs. 18, 297 anm. (vgl. zGNN s. 15) 'nicht mehr von Titurel-
bruchstücken, sondern von Titurelliedern zu sprechen.'
ein folgenreicher satz für die characteristik wolframscher kunst,
den Bartsch in seiner sonst ausführlichen einleitung zu Wolframs
von Eschenbach Parzival und Titurel (zweite auflage 1877) nicht
geflissentlich ignorieren durfte, wenn er sich auch von seinem
standpunct aus natürlich nur polemisch dagegen verhalten konnte.
aber von gewisser seite scheut man einmal alles, was episches
lied heifst und die viel bestrittene liedertheorie an weiteren beispielen bestätigt. für jeden unbefangenen muste Müllenhoffs bemerkung schon aus äufseren gründen einen hohen grad von wahrscheinlichkeit gewinnen. sie mögen meiner untersuchung als einleitung voranstehen.

1) strophische form trotz des umfangreichen stoffes.

Ohne uns von der späteren ausfüllung Albrechts von Scharfenberg verleiten zu lassen, können wir aus den andeutungen im
Parzival und den bruchstücken selbst die Titurelfabel ihren umrissen nach so ziemlich reconstruieren: geburt und kindheit ihrer
helden, Sigune und Schionatulander, bis zu deren liebesgeständnis
und darauf folgender trennung, als Schionatulander Gahmuret
nach Bagdad begleitet. Schionatulanders schicksale im orient,
heimkehr nach Gahmurets tode und neues zusammenleben mit
Sigune. reise beider liebenden (zur zurückgezogenen Herzeloide?[1]); das verhängnisvolle brackenseil und Sigunens verschul-
dung, die vermessen ihren besitz dem freunde an die widererlangung des seiles knüpft. Schionatulanders abenteuer im suchen
nach dem seile, in der verteidigung von Parzivals erbe gegen
Lähelin; sein frühes ende durch Orilus. Sigunens büfsende
trauer an der leiche des geliebten und schliefsliche versöhnung
im tode.

[1] so im J. Tit. 1123 ff. unterwegs — nach dem J. Tit. 1135 ff auf
der heimkehr — treffen wir das par in Wolframs Tit. 132.

Also ein stoff, der verarbeitet zum roman ein umfangreiches werk ergeben hätte, und dazu die künstlich gebaute lyrische strophe! solcher misgriff in der form kann uns bei Albrecht von Scharfenberg und den sammlern unserer Nibelungen und Kudrun mit ihrem flickbandwerke nicht wundern. bei einem meister wie Wolfram ist er undenkbar. doch Bartsch weifs einen ausweg: Wolfram sah im laufe der arbeit das verfehlte seines beginnens ein und hörte noch rechtzeitig auf, ehe er anfieng langweilig zu werden. denn 'das ganze würde schwerlich den herlichen eindruck der bruchstücke machen.' wir dürfen wol fragen, welche stelle in diesen 'bruchstücken', aus denen doch allein ein schluss auf die vermutliche gesammtdarstellung möglich ist, uns zu einem so absprechenden urteil berechtigt? bei welcher misratenen strophe der autor zu jener späten einsicht könnte gekommen sein? von den uns erhaltenen überbietet eine die andere an glut der empfindung und wollaut der sprache. wahrlich kein grund, entmutigt von seinem vorhaben abzusteben! ich meine, wir werden dem genius Wolframs von Eschenbach gerechter, wenn wir ihm von vorn herein den künstlerischen tact zutrauen, romane nicht in lyrische strophenform einzugiefsen. die sogenannten bruchstücke des Titurel müssen epische lieder sein, in denen der dichter abschnitte seiner sage besungen hat.

2) volkstümlicher character der Titurelstrophe. [1]

Wolfram steht im gebrauche der strophe einzig da unter den höfischen epikern seiner zeit. im übrigen ist sie nur dem

---

[1] ich könnte vorher noch auf gewisse stereotype formeln aufmerksam machen, die der Titurel mit dem epischen volksliede gemeinsam hat. so die ankündigungen (56, 2 *nu hœret mœglîch sorge* ... 56, 3 *ich wil âventiure künden*. 141, 3 *âventiure hœrt, obe ir gebietet.* 41' 1 ... *ich wil des kindes art iu benennen*. 138, 1 *lât ez iu nennen*). die beglaubigung der erzählung (83, 1 *das rede ich wol mit wârheit, ninder nâch wâne*). die übergänge (37, 4 *des wil ich hie geswîgen, und künden iu von magtuomlîcher minne.* 83, 2 *nu suln wir ouch gedenken des jungen fürsten* ... 108, 2 *ouch sule wir* ... *niht vergezzen.* 52, 4 *ich seit iu von ir kintlîer minn vil wunders, wan das ez sich lenget*). die vorausdeutungen (vgl. 32, 4. 74, 4. 78, 4. 82, 2. 132, 4. 138, 2. 158, 4. 163, 2. 170, 2) und noch viele ähnliche stellen, an denen der dichter ein persönliches verhältnis zu seinem publicum, wie der sänger zu seinem zuhörerkreise, voraussetzt. aber man würde mir derartige wendungen auch bei anderen höfischen epikern entgegen halten, wenn auch nicht in solcher anzahl innerhalb von nur 170 strophen.

volksepos eigentümlich. Wolframs bekanntschaft mit diesem liegt im Parzival und Willehalm klar zu tage, ja seine Titurelstrophe scheint sogar directe weiterbildung der volkstümlichen, speciell der Kudrunstrophe zu sein (Müllenhoff Kudr. s. 124. Scherer Deutsche stud. ı 3. Liliencron Zs. 6, 90). wenn wir nun wissen, mit welcher zähigkeit sonst die einmal herschend gewordene norm von den höfischen dichtern befolgt wird, so kann hier von einem zufälligen abweichen gar nicht die rede sein. Wolfram ahmt durchaus absichtlich die form des volksepos nach. dann aber heifst es dem philologen überhaupt jede folgerung von dem gewissen auf das ungewisse nach analogie ähnlicher erscheinungen verbieten, wenn er in den sogenannten bruchstücken des Titurel, sofern nicht gewichtigere gründe dawider sind, nicht auch lieder nach der weise des volksepos voraussetzen darf.

3) verhältnis des Titurel zum Parzival.

Dass der Titurel seiner entstehung nach später fällt als der Parzival, hat Herforth Zs. 18, 281 ff erwiesen und neuerdings Lucae im Anzeiger vı 154 mit weiteren gründen bekräftigt. ich brauche daher auf Bartschs widerholte gegengründe (aao. s. xv f) hier nicht weiter einzugehen. wenn dieser gelehrte nach wie vor auf seiner erklärung von str. 37 besteht, dass nämlich Wolfram hier auf einen damals erst beabsichtigten commentar vertröste, so hat er leider immer noch nicht verraten, wie vor dessen erscheinen die zahlreichen darauf bezüglichen anspielungen und erst dort erklärten vorausssetzungen im Titurel dem leser verständlich gewesen sind. denn Wolfram erzählt hier wie von bekannten personen und verhältnissen, in denen wir längst bescheid wissen. aber darin mag Bartsch recht haben: 'das ist nicht die art und weise, wie mittelhochdeutsche dichter auf ein vollendetes werk hinweisen.' aufserdem, wie ungeschickt wäre es vom standpunct höfischer kunst aus gewesen, durch beständige bezugnahmen den fluss der erzählung zu unterbrechen. nein, so pflegt nur der volkssänger sein einzelnes lied mit der ganzen sage zu verknüpfen und, wo es not tut, seine zuhörer an den bekannten zusammenhang zu erinnern. bei ihm hat dies verfahren einen sinn und gibt auch dem kurzen abschnitte einen bedeutenden hintergrund und grofse verhältnisse.

Weil Parzival und Titurel demselben sagenkreise angehören, konnte Wolfram nur in dieser volkstümlichen manier zum zweiten male an seinen stoff herantreten, ohne sich zu widerholen. wer sein erstes werk gelesen, war zugleich über die schicksale Sigunens und Schionatulanders, vor allem über ihre familienverhältnisse in der hauptsache orientiert. darum sehen wir den dichter im Titurel weniger neues bringen *(ein mære niuwen)*, als gewisse puncte des schon früher gesagten stärker hervorheben und mehr im detail ausmalen. die verbindende erzählung ist abgerissen, kurz andeutend und springend, bald längst vergangenes hineinziehend, bald auf zukünftiges ein unerwartetes licht werfend, und der hauptaccent liegt durchaus auf den reden der einzelnen personen, in die oft (zb. in die abschiedsrede des Titurel str. 1 bis 10) mit berechnetem kunstgriff der nötige bericht übertragen ist. jedem leuchtet es ein dass Wolfram im Titurel nach keinem französischen musterroman arbeitete. das sujet war ihm in der fabel des Parzival gegeben, und mit originellem griff hob er es aus dem vollen sagenkreise heraus, um es auf eigene hand zu gestalten.

Schlossen wir in nr 1 und 2 aus der strophischen form dass Wolfram seinen stoff in epischen liedern behandelt habe, so erfuhren wir in nr 3 aus dem inhalt, weshalb er ihn so behandeln muste. dies aus äufseren gründen gewonnene resultat ist nun an der überlieferung selbst zu erproben.   .

Wir halten uns zuerst an str. 1—131. die erzählung gipfelt in dem liebesgeständnis Sigunens und Schionatulanders, wie Wolfram str. 37, 4 sagt, er wolle *von magtuomlicher minne* künden.[1] alles frühere ist vorbereitend auf diesen moment, alles nachfolgende davon bedingt und zum abschlusse strebend. das aber characterisiert die technik des epischen liedes, dass sich nicht mit ängstlicher spannung, wie im drama, die katastrophe bis nahe an das ende zu verschiebt, gleich einer welle höher und höher sich türmend, um dann auf einmal jäh zu stürzen, sondern dass der zuhörer, wie er schritt für schritt emporgeleitet wurde zu dem höhepunct, so auch allmählich wider zum tale herabsteigt. die katastrophe liegt durchaus in der mitte.

Am eingange unseres abschnittes steht bedeutsam die abschiedsrede des Titurel. eine hohe minne hat den greis sein

---

[1] eingeleitet wird das gespräch str. 56, 2: *nu harret magtlich sorge unde manheit mit den arbeiten.*

leben lang begeistert und soll auch in zukunft bei seiner nach-
kommenschaft nicht aussterben. 4, 3:

daz mac niht min junger art verderben:

jâ muoz al min geslähte   immer wდre minn mit triwen erben.

so ist die liebe dem hause der gralkönige angestammt, ein ver-
mächtnis seines ersten begründers, und wir ahnen, ein beispiel
dieser familientradition wird in dem folgenden erzählt werden.
das thema ist gegeben.

Aber erst Sigune, die urenkelin Titurels, ist zur heldin der
handlung bestimmt. über ihren stammbaum muss uns der dichter
vor ihrem auftreten orientieren, und er tat es, indem er den
nötigen bericht kunstvoll in die worte des Titurel zu verflechten
wuste: Titurels sohn ist Frimutel (str. 7); dessen kinder sind
Anfortas, Trevrezent (str. 9), S c h o y s i a n e, Herzeloide und Ur-
repanse de schoyen (str. 10). in doppelter weise also, historisch
und der intention gemäfs, ist die exposition geleistet.

Schoysianens vermählung leitet über zu der geburt Siguneus.
die erzählung wird bis an den punct geführt, wo das verwaiste
kind nach Kanvoleiz zu seiner muhme Herzeloide übersiedelt.
hier soll sich sein künftiges schicksal entscheiden.

Der dichter eilt nun, den anderen faden seiner geschichte
gleich weit zu spinnen. es handelt sich um Schionatulander
und seine vergangenheit, die kürzer abgemacht werden kann,
weil ihr der grofse hintergrund der abstammung von den gral-
königen fehlt. an Herzeloidens hofe trifft der junge dauphin
mit der herzogin zusammen: sie von ihrem ahnherrn her zu
einer hohen minne gleichsam prädestiniert, er nicht unerfahren
im frauendienst (str. 54, 2):

von manger süezen botschaft   die Franzoyse künegin Anphlise

tougenlîche enbôt dem Anschevîne.

die kinder suchen ihre wachsende liebe in schamhafter zucht
einander zu verbergen.

Endlich tritt Schionatulander mit offener erklärung vor Sigune. das mädchen antwortet. in reizvoller mischung kindlicher
naivität und altkluger ehrbarkeit ist dieses gespräch, der mittel-
und kernpunct des ganzen, gehalten.

Um dieselbe zeit tut Gabmuret eine ausfahrt nach Bagdad,
und Schionatulander soll ihn dahin begleiten. er scheidet von Sigune nicht ohne erneute versicherung ihrer zuneigung zu erhalten.

In der fremde weifs Schionatulander die sehnsucht nach der geliebten nicht zu verbergen. er entdeckt sich Gahmuret, der ihn aufrichtet und seiner hilfe gewis macht.

In gleicher weise verzehrt sich daheim Sigune nach dem entfernten freunde, bis auch sie sich Herzeloiden eröffnet. und als diese nun gleichfalls zu dem bunde der beiden kinder ihre einwilligung gegeben, jubelt das mädchen ähnlich wie vorhin Schionatulander: wol mir dass ich den Grabarzois nun vor aller welt mit erlaubnis minne!

Wo ist hier eine lücke in der composition? wo ein motiv, das eingeführt und nicht auch bis zu ende durchgeführt wäre? wo irgend ein punct, der zu seinem verständnis noch eine einleitung oder directe fortsetzung vermissen liefse? nur dürfen wir nicht die art und weise, wie der grundstock der sage als bekannt vorausgesetzt wird — eine freiheit, die dem epischen sänger zukommt —, mit lücken in der composition verwechseln. kurz und präcis ist ort und zeit der beginnenden handlung angegeben, nämlich inmitten der gralritter, als Titurel alt geworden war. und ebenso deutlich offenbart sich str. 131 in ihrem parallelismus zu str. 107 als schluss des abschnittes. freilich für ein episches lied liegt ein ungewöhnlich grofser zeitraum dazwischen: vom alter des Titurel bis zum liebesfrühling seiner urenkelin Sigune; und demgemäfs wechselt auch das local. aber der dichter, sahen wir, hat es verstanden, den lose zusammenhängenden stoff unter einem einheitlichen gesichtspunct zu einem künstlerischen ganzen zusammen zu raffen. es soll nun an der formellen composition, an dem inneren bau des gedichtes eine symmetrie erwiesen werden, wodurch sich die totalität unseres abschnittes noch weiter bekundet.

Wer der inhaltsangabe gefolgt ist, hat bemerkt dass sich die handlung ungezwungen in eine einleitung und sechs kleine abschnitte zerlegen lässt. wir wollen zuerst sehen, wie jedes dieser stücke aus 12, 18 oder 24 gesetzen besteht, mit anderen worten, seine strophenzahl immer durch 6 teilbar ist.

Zu diesem zwecke haben wir uns mit der handschriftlichen überlieferung aus einander zu setzen. bekanntlich ist der Titurel am vollständigsten in der Münchner hs. (G) und bis zur 68sten strophe in dem Ambraser heldenbuch (H) erhalten. beide aufzeichungen weichen, so weit sie sich controlieren, in der anzahl

und anordnung ihrer strophen von einander ab. H weist str. 30.
31. 33. 34. 36. 53 mehr auf als G. aus gründen, denen ich bei-
stimme, hat Haupt (Zs. 4, 396 f) die str. 33 und 34 als unecht
verworfen. str. 36, wie sich zeigen wird, muss ihnen folgen.
die übrigen gesetze (30. 31. 53) sind nicht zu beanstanden. es
folgt dass in den ersten 68 strophen H zusätze und G lücken
hat. ebenso lehrt die vergleichung dass auch die ursprüngliche
reihenfolge der strophen in beiden vorlagen gestört ist.[1] weil
nun aber zwischen str. 35 und 37 eine den hss. G und H gemeinsame lücke zu erkennen sein wird, ergibt sich folgendes
schema:

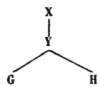

Auch G bietet im verlaufe fremde zutaten. als unecht erkläre ich str. 94 und in dem zweiten stücke str. 135 und 136.
für die lücken dieser hs. sind wir von da an, wo H abbricht,
auf eine vergleichung mit dem J. Tit. (J) angewiesen. mehrere
plusstrophen in J, die unzweifelhaft wolframsches gepräge tragen
(vgl. Lachmann Einl. s. xxix und Bartsch Germ. 13, 8 ff), lehren
dass Albrecht von Scharfenberg eine andere vorlage benützte, als
in G überliefert ist. eine genauere unterscheidung des handschriftlichen verhältnisses, auch desjenigen von J zu H — die
plusstrophen in H finden sich alle auch in J — ist bei dem
Hahnschen abdrucke mislich und für unsere untersuchung nicht
von wesentlicher bedeutung.

Gesammtresultat ist dass Wolframs Titurel schon vor der
bearbeitung Albrechts von verschiedenen händen gewalt erlitt[2],
und es kommt darauf an, die lücken im text festzustellen und für
die zusätze sichere kriterien zu finden.[3] beides soll an ort und

---

[1] das strophenverhältnis in H gegenüber G verteidigt Zarncke in den
Beiträgen vii 603 ff. doch vgl. unten s. 198 anm. 1.

[2] Albrecht selbst klagt darüber str. 885:
ze vil ze klein, des werdent liet verswachet.
her Wolfram si unschuldec, ein schriber dicke reht unrihtec
machet.

[3] Bartsch legt in seiner ausscheidung echter strophen aus dem J. Tit.
(Germ. 13, 1 ff) unbegründetes gewicht auf die formelle seite: stumpfer

stelle geschehen; hier genüge es zu sagen dass die kennzeichen des unechten in unserem falle ganz ähnlich denen sind, die Müllenhoff als solche für die Nibelungenlieder präcisiert hat (zGNN s. 2 f). es zeigt sich eben in der erweiterung und sammlung epischer lieder überall dasselbe princip, das von der zeitrichtung und der geschmacklosigkeit gewisser compilatoren bestimmt wurde.

Das zwiegespräch Sigunens und Schionatulanders wird str. 56 angekündigt:

Al die minne phldgen   und minne an sich leiten,
nu hœret magilich sorge   unde manheit mit den arbeiten:
dd von ich wil dventiure künden
den rehten, die . . .   durch herzeliebe ie senende nôt erfünden.

es endet mit str. 73, deren letzte verse schon den übergang zu der folgenden situation enthalten:

Diz was der anevanc   ir geselleschefte
mit worten, an den ziten   dô Pompeius für Baldac mit krefte
het ouch sine hervart gesprochen . . .

das ganze besteht aus 18 strophen, zwischen denen nichts ausgefallen oder zugesetzt ist.

Ebenso scharf hebt sich die einleitung mit str. 12 ab:

Sus was der starke Titurel   worden der swache
beidiu von grôzem alter   und von siecheite ungemache.
Frimutel besaz dd werdecliche
den grâl ûf Muntsalvâtsche: daz was der wunsch ob irde-
                                        schem rîche.

Zwischen 13 und 55 sollen zwei abschnitte liegen: Sigunens kindheit und ihr zusammentreffen mit Schionatulander. str. 37 und 38 stechen hervor, die erste eben berührtes abbrechend und etwas anderes ankündigend:

des wil ich hie geswigen,   und künden iu von magtuomlicher
                                        minne.

reim in der cäsur, stumpfe cäsur in dem vierten verse, fehlen der senkung oder des auftactes — alles freiheiten, die sich Albrecht widerholt auch an anderen stellen seines werkes gestattet. in gleicher weise scheint es gewagt, die als echt erkannten strophen in der wolframschen fassung wider herstellen zu wollen. wie könnte man zb., falls der eingang des ersten liedes verloren gegangen wäre, aus den strophen 476—572 des J. Tit. auch nur mit einiger wahrscheinlichkeit die ersten 10 strophen Wolframs reconstruieren. Bartschs verfahren liefert eine neue umdichtung, keine widerherstellung.

die zweite an einem ganz neuen puncte der erzählung beginnend.
str. 37 ist schluss des einen, str. 38 anfang des folgenden abschnittes. von 38—55 haben wir 18 gesetze. die plusstrophe 53
in H ist nicht anzufechten.

Schwieriger ist die klärung der vorhergehenden partie 13
bis 37. dass 33 und 34 interpoliert sind, hat Haupt bewiesen.[1]
aber auch von den str. 36 und 37 muss die eine unecht sein.
zum mindesten dürfen sie nicht neben einander stehen, da sie
sich gegenseitig ausschliefsen. beide enthalten ankündigungen
eines neuen abschnittes:

36, 1 *Nu hœret fremdiu wunder   von der maget Sigûnen.*
37, 4 *(ich wil) künden iu von magtuomlîcher minne.*

doch wird, was 36, 1 versprochen ist, in der folgenden strophe
nicht gehalten, die anknüpfend an 35 von Herzeloiden und Gahmuret erzählt. da nun 37 weiter auch mit 38 und 39 in logischer verbindung steht (von Gahmuret und der 'Franzoisinne' ist
der übergang zu Schionatulander), so muss der fehler in 36
stecken, einer strophe, die wie 33 und 34 nur in H (und J)
überliefert ist. sie unterbricht den zusammenhang von 35 und 37
und kündigt etwas an, was noch nicht an der reihe ist. i stellt
36 zwischen 32 und 33, wol an ihre ursprüngliche stelle, weil
dann der zusammenhang gewahrt bleibt, und die drei verdächtigen,
in G fehlenden strophen (36. 33. 34) neben einander kommen.
aber auch dort ist die ankündigung von 36, 1 nicht am platze:
Sigunens kindheit war 32, 4 abgeschlossen:

lât ir lîp in diu lobes jâr   volwahsn sîn, ich sol ir lobes
sagen mêre.

Sigunens ferneres schicksal, ihre liebe zu Schionatulander, wird
erst 37, 4 in aussicht gestellt. dazwischen liegt der bericht über
Herzeloide und Gahmuret. str. 36 ist also augenscheinlich fremde

---

[1] str. 33 wird durch die fassung in J, der Bartsch (aao. s. 2) den vorzug gibt, nicht besser:
si reiniu fruht, gar lûter, valsches âne.
sœlic sî diu muoter diu sie gebar! daz was Tschoisiâne.
abgesehen davon dass bei solcher vorlage die veränderung in H durchaus
unerklärbar wäre, offenbarte sich v. 4 dann noch deutlicher als in Lachmanns text als flickvers, der mit seinem schluss *daz was Tschoisiâne* eine
mislungene nachbildung von str. 24, 4 ist:
die sich der grâl zem êrsten   tragen lie, daz was Schoysiâne.

zutat. der interpolator fand die beschreibung des kindes Sigune 32, 2:

er kôs si für des meien blic,   swer si sach, bi tounazzen bluomen:
ûz ir herze blüete sælde und êre

in ihrer prägnanten kürze nicht umständlich genug und suchte
sie — verleitet von 32, 4 — durch ein bild der heranwachsenden
jungfrau str. 36 und 33 zu ergänzen. die hübsche metapher 36, 2:

dô sich ir brüstel dræten

ist Parz. 258, 25 ff abgeborgt. zu v. 4: *si begunde stolzen lösen*
vergleiche man Wh. 296, 4 f:

sin muol begunde im stolzen,
gein prîse truoc er stælen muol.

Neben der interpolation haben wir zwischen 35 und 37 noch
eine beiden hss. gemeinsame lücke zu constatieren. es ist nämlich nicht erzählt worden dass Gahmuret es war, der vor Kanvoleiz Herzeloidens minne errungen, und dass derselbe held früher
einmal zu Belacanen und Anphlisen in beziehung gestanden hat.
der dichter will aber str. 37 nur verschweigen wie Gahmuret   .
diese ersten verbindungen löste und wie er Herzeloiden sich
erkämpfte. mit bezug auf 35, 4 ist die lücke ungefähr folgender
mafsen auszufüllen: das geschah durch Gahmuret. er hatte früher
mit der mohrenkönigin Belacane in der ehe gelebt und vorher
Anphlisens liebe besessen. wie er aber von beiden sich lossagte
und Herzeloidens gatte wurde, fährt dann 37 fort:

des wil ich hie geswigen und künden iu von magtuomlicher minne.

Der vorliegende abschnitt ist uns in 25 gesetzen überliefert.
von den plusstrophen in H wurden 36. 33. 34 als unecht verworfen. an 30 und 31 ist nichts auszusetzen, und das *alsus* in
str. 32, 1 deutet darauf hin dass eben ein characteristischer zug
Sigunens erzählt worden ist, wie ihn *jene* beiden gesetze so anmutig enthalten. dürfen wir nun von dem zahlenverhältnis, das
wir oben angaben und schon an drei beispielen bestätigt fanden,
gebrauch machen, so muss die erwiesene lücke aus 2 strophen
bestanden haben. unsere gruppe umfasste dann 24 gesetze. [1]

---

[1] es lässt sich schon nach den ersten 12 strophen (nach str. 24) ein
absatz machen. das begräbnis Schoysianens und die taufe Sigunens giengen
hand in hand. und ehe der dichter nun zu der geschichte der lebenden
übergeht, blickt er noch einmal zurück auf die herlichkeit der toten:

die sich der grâl zem êrsten   tragen lie, das was Schoysiâne.

Der zweite teil unseres abschnittes enthält folgende drei nummern: die reise nach Bagdad, das geständnis Schionatulanders
an Gahmuret und das Sigunens an Herzeloide. str. 83 und 108
fallen auf. sie haben die eigentümlichkeit dass sie in ihrer
ersten hälfte das vorausgegangene abschliefsen und in der zweiten
die ankündigung des folgenden entbalten. str. 107 kennzeichnet
sich in ihrem parallelismus zu str. 131 als schluss eines ab-

in str. 25 sehen wir Sigune in ganz neuer umgebung. das gröfsere stück
13—37 zerfällt also in zwei hälften (13—24 und 25—37) zu je 12 strophen.
aus diesem grunde scheint mir die umstellung von str. 24 vor 22, wie sie
Zarncke Beitr. vn 605 auf autorität von H vorschlägt, nicht ratsam. ebenso
möchte ich str. 28 an ihrem alten platze in G lassen. Zarncke fragt, warum
bei dieser anordnung Herzeloide, die tante Sigunens, fünf jahre als kinder-
lose witwe wartet, ehe sie sich der schwestertochter erinnert. die antwort
lautet: weil sie vor dem tode des königs Tampunteire ihre ansprüche auf
die nichte nicht geltend machen konnte. denn dieser stand nicht nur als
vaterbruder Sigunen genau ebenso nahe wie Herzeloide als mutterschwester,
sondern hatte sich dadurch, dass er zuerst das kind bei sich aufnahm, als
sein pflegevater und zugleich lehensherr, das vorrecht auf dasselbe erworben.
erst nachdem durch seinen tod Sigune abermals verwaist ist, empfängt sie
Herzeloide. die erklärung dagegen, die Zarncke aus der reihenfolge der
strophen in H herausliest, dass nämlich Herzeloide vor ihrer vermählung
mit Kastis, dh. so lange sie auf dem gralschlosse lebte, sich des kindes
nicht annehmen konnte, hätte doch wol von Wolfram ausdrücklich angeführt werden müssen. sie ist aber unwahrscheinlich, weil es nicht ein-
leuchtet weshalb der eintritt in die väterburg Sigunen sollte verwehrt gewesen sein. str. 44 wird ihre zugehörigkeit zu *des gráles diet* so besonders
hervorgehoben, und Parz. 250, 22 ff unterrichtet sie wie eine augenzeugin
den unwissenden Parzival von Munsalvæsche. — ferner hält es Zarncke für
eine *poetisch* 'unmotivierte, ja zweckwidrige gleichzeitigkeit', wenn in G
die übersiedelung Sigunens zu Tampunteire und der tod des Kastis zusammenfallen. ich möchte in dieser anordnung eher einen kunstgriff des
dichters erkennen. Sigune lebt fünf jahre mit Kondwiramurs an dem hofe
Tampunteires. von dieser ganzen zeit weifs Wolfram nichts weiter zu erzählen als 25, 4:
die zwuo gespilen wuohsen, daz nie wart gesaget von ir prües vlüste.
da wendet er, um uns die leere dieser stelle weniger fühlbar werden zu
lassen, absichtlich unsere aufmerksamkeit eine zeit lang auf andere verhältnisse: auf Herzeloide und Kastis. ähnlich, nur in viel ausgedehnterem mafse,
macht er es bekanntlich im Parzival, wo Gawan sechs bücher hindurch den
tatenlosen Parzival vertreten muss. — endlich ist noch auf den notwendigen
zusammenhang von str. 28 und 29 hinzuweisen: Sigune und Kondwiramurs
müssen sich scheiden (29), denn Herzeloide nimmt Sigunen zu sich. Kondwiramurs weint beim abschied (29) — ein zusammenhang, der durch die dazwischen tretenden strophen 26 und 27 in H getrennt wird.

schnittes. demnach muss str. 108 und ebenso str. 83 der anfang
eines neuen abschnittes sein.

Von str. 74—82 reicht also die erste gruppe. eine vergleichung mit J[1] lässt hier in G lücken erkennen. wenn str. 79
und 80 Gahmuret sich heimlich davon stiehlt, so wundern wir
uns, ihn str. 81 von Herzeloiden ein liebespfand auf seine reise
empfangen zu sehen. es muss str. *56 vorausgegangen sein,
worin der abschied Gahmurets von Herzeloiden erzählt wird. der
innere reim kommt natürlich erst auf rechnung des überarbeiters.
ebenso ist gegen die ursprünglichkeit der strophen *55 und *61
nichts einzuwenden. sie stehen in J zwischen echt wolframschen
stücken und sind sogar frei vom cäsurreim (str. *61 ist wenigstens ungenau gebunden). die vertauschung des wappenzeichens
str. *55 fehlt an der entsprechenden stelle im Parzival (102, 19.
vgl. 101, 7 ff). hätte Albrecht jenes gesetz hinzugedichtet, so
könnte es also nur nach analogie von Parz. 14, 12 ff geschehen
sein, wo die ausrüstung Gahmurets zu seiner ersten heidenfahrt
beschrieben wird:

> *nu erloubt im daz er müeze hdn*
> *ander wdpen denne im Gandin*
> *dd vor gap, der vater sin.*
> *der herre pflac mit gernden siten*
> *ûf sine kovertiure gesniten*
> *anker licht hermin:*
> *dd ndch muos ouch daz ander sin*
> *ûfme schilt und an der wdt.*

legte aber der interpolator gewicht auf diesen zug, so dass ihm
ein zusatz im Titurel nötig erschien, dann hätte er sich schwerlich bei der zweiten vertauschung des schildzeichens eine anspielung auf die erste entgehen lassen. in beiden fällen gilt der
anker als bedeutsames emblem für den abenteuernden glücks-
ritter. *der anker ist ein recken zil*, erklärt Gahmuret Parz. 99, 15
und an unserer stelle heifst es:

> *von zobel ein anker tiure*
> *sluoc man ûf sinen schilt, als in recken wis fuor der gehiure.*[2]

---

[1] ich citiere J nach Lachmanns zählung (der zählung des alten druckes
von 1477 cap. vn und x) und bezeichne ihre plusstrophen mit einem *.

[2] fälschlich vergleicht Bartsch (aao. s. 8) v. 1 *Sin pantel wart ver-*

wie die ähnlichkeiten, so lag es dann nahe, auch die verschiedenheiten der beiden situationen hervorzuheben. denn damals war
Gahmuret als jüngerer bruder seines angestammten erbes verlustig gegangen und hatte desbalb auch sein väterliches wappen
aufgegeben. er nahm es erst wider an (Parz. 99, 13. 101, 7 f),
als ihm mit dem tode des Galoes das königreich Anjou zufiel.
diesmal hingegen stahl er sich heimlich fort von land und leuten.
— endlich noch eine kritische frage trat an den gewissenhaften
fortsetzer und interpolator Wolframs heran, nämlich aus welchem
stoffe der anker auf Gahmurets schilde bestehen sollte. im Parzival ist er bekanntlich bald aus hermelin, bald aus zobelpelz, bald
aus gold gefertigt[1] (Parz. 14, 17. 27. 18, 6 ff. 23, 4 f. 59, 8. 64, 29.
71, 3). alle solche andeutungen, wie sie eine zweite hand verraten würden, fehlen unserer strophe. wir haben keinen grund,
sie Wolfram abzusprechen. bei ihrer conception war ihm offenbar die stelle im Parzival nicht gegenwärtig, sondern ihn leitete
einfach die logische folge der ereignisse: Gahmuret, der nicht
erkannt sein will, muss natürlich auch sein schiltzeichen verändern. — für die beurteilung von str. *61 ist schon von Herforth (Zs. 18, 293 f) hervorgehoben dass nur Wolfram dem 1216
verstorbenen landgrafen, seinem gönner, diesen nachruf widmen
konnte, nicht aber der 30 jahre später dichtende Albrecht von
Scharfenberg. und richtig bemerkt Bartsch (aao. s. 10) dass erst
durch aufnahme dieses gesetzes die beteuerung in str. 83, 1:

> daz rede ich wol mit wârheit,   ninder nâch wâne

ihre volle bedeutung erlangt.

Die strophen *57 — *59[b] sind natürlich zusätze (vgl. Bartsch
aao. s. 9). str. *58, 4 und *59[b] lassen Gahmuret schon abgereist sein, der in str. 81 noch abschied nimmt. die trennungsscene ist in diesen interpolierten strophen nach gewöhnlicher
schablone weiter geführt: thränen und das versprechen baldiger
heimkehr.

---

kêret mit Parz. 99, 11 *kêrt ûf den schilt.* die richtige erklärung der letzteren stelle bringt er selbst in seiner ausgabe II v. 1215: 'kehrt den schild
wider um wie er ursprünglich war.' wobei auf II v. 643 (Lachmann 80, 9.
vgl. 91, 11. 98, 15) zu verweisen war: 'der trauernde trug das wappen
umgekehrt. vgl. Bech in Germania 7, 291.'

[1] das steirische wappen, das Wolfram dem königsgeschlecht von Anjou beilegt (vgl. Zs. 11, 48), war ein weißer panther in grünem felde.

Unser abschnitt besteht also aus 12 strophen, 9 in G überlieferten und 3 plusstrophen aus J. str. *61 ist ein effectvoller
abschluss.

Die strophen 83—107 bilden die nächste gruppe. störend
darin ist str. 94. die versicherung v. 1 *Nu sult ir wol gelouben*
usw. unterbricht unnötig die rede des Gahmuret; die frage v. 3
durh waz hât sich geloubet dîn antlütze lûterlier blick? ist schon
str. 92, 4 getan: *wie vert sus Anphlisen knabe?* und die selbst
gegebene antwort darauf v. 4 *diu minn sich selben an dir roubet*
wird str. 95, 1 widerholt: *ich spür an dir die minne.* das zweimalige *minne* str. 94, 4 und 95, 1 ebenso wie das gleichklingende
gelouben 94, 1 und *geloubet* 94, 3 ist unschön. J bringt str. 94
nach 97 an dem schlusse von Gahmurets rede. auch in dieser
verbindung ist sie aus den angeführten gründen zu verwerfen,
wenn es gleich scheint, als ob hier ihre ursprüngliche stelle wäre.
wir haben schon bei den strophen 36. 33. 34 gesehen dass zusätze, die J mit einer der beiden älteren überlieferungen gemeinsam hat, sich dort in besserer ordnung erhalten haben. im
vorliegenden falle können wir in der reihenfolge in J noch die
veranlassung zur interpolation erkennen. Schionatulander fürchtet
str. 98 dass Gahmuret seine liebe misbilligen werde. wie wir
sahen, ist diese sorge ganz unbegründet. das sucht str. 94 besonders hervorzuheben. die verse:

Nu sult ir wol gelouben   dem werden Anschevîne,

daz er gerne hulfe,   ober möht, dem jungen seneden talfine

entsprechen genau den worten des knaben 99, 1:

Du maht, wilt du, ringen   den last ungefüege.

Str. 94 getilgt, begreift unser abschnitt in G 24 gesetze.
die plusstrophen *85 und *86 in J sind nicht zu verteidigen
(vgl. Bartsch aao. s. 10).

Es bleibt das letzte stück str. 108—131 übrig. 2 plusstrophen *97 und *102 begegnen in J, die manches verlockende
haben und auch von Bartsch in den text aufgenommen sind. aber
die überlieferung in G bietet keine lücken, und gerade an stellen
wie die vorliegende, wo sich die bilder und metaphern drängen,
lag für den interpolator auch die versuchung besonders nahe,
das original noch zu überbieten und die reihe der vergleiche mit
eigener erfindung fortzusetzen. genauer besehen treffen die beiden
strophen auch wйrklich nicht den innersten ideengang des ersten

dichters. sie sind nicht aus einem gusse mit den übrigen gesetzen hervorgegangen.

Sigune hat str. 116 ihre liebe zu Schionatulander gestanden:
er quelt mîn wilde gedanke   an sîn bant, al mîn sin ist im
bendec.

in dem folgenden beschreibt sie die gröfse ihrer liebesqual nach
den symptomen, nach der würkung: sie tritt an das fenster,
sie wartet von der zinne, sie späht auf dem meere aus, ob der
freund wol zurückkehrt. dagegen bringt str. *97 nicht eine
äufserung, sondern einen vergleich dieser unbegrenzten
sehnsucht: kein anker ist so tief in die see, wie ihr herz in
jammer versunken. man fühlt, wie viel anschaulicher die erste
art der darstellung ist, als diese zweite. äufserlich ist das widerholte *jâmer* in str. 116, 2 und *97, 3 zu bemerken. das bild
des flüchtigen hasen *(alsam ein hase wenket)* stammt aus Parz.
1, 18 f. bei der vergleichung mit dem anker schwebte vielleicht Parz. 461, 14 f vor.

Str. *102 unterbricht den zusammenhang von 120, 4 und
121, 1, oder schwächt doch die würkung. denn auf die klage
120, 4 dass der geliebte sie *kan mîden* folgt 121, 1 der ausruf:
Owê des, mir ist sîn   kunft alze tiure.
dazwischen aber versichert str. *102 in halbem widerspruch dass
der freund sie im traume besuche. das *kumt* in str. *102, 1 neben
kunft in str. 121, 1 klingt ungeschickt. eine umstellung aber
von str. *102 vor str. 120 scheint nicht ratsam, weil das dreimalige *ôwê* in str. *102. 121. 122 sicher beabsichtigt ist, und
str. *102 mit den vorhergehenden gesetzen nicht harmonieren
würde, in denen Sigune in activer *(ich hân . . . mîn schouwen.*
ich gên . . . an die zinnen. ich warte verre), nicht wie hier in
passiver weise *(er kumt mir vil dicke)*, ihre sehnsucht zu erkennen gibt. mag dieser grund pedantisch erscheinen, ich glaube
nicht dass ein und derselbe dichter die symmetrie der darstellung
so verletzen konnte.

Ohne die beiden plusstrophen in J enthält unser abschnitt
24 gesetze.

Das schema des ganzen stückes ist also dieses: auf eine einleitung von 12 strophen folgen zweimal drei gruppen von 24. 18.
18 (= 60) und 12. 24. 24 (= 60) strophen. das geständnis Sigunens und Schionatulanders schliefst nach den ersten 60 strophen. —

Wir gehen jetzt zur betrachtung des zweiten stückes str. 132
bis 170 über. in der gruppe п der hss. des J. Tit. wird es
mit einer strophe eingeleitet, die seine ursprüngliche zweireimig-
keit und zugleich seinen titel uns melden:

Rîme die zwîfalden   dem brackenseil hie wâren.

die geschichte von dem brackenseile ist sein inhalt. aber wir
sind hier mit der überlieferung nicht so günstig daran, wie in
der vorhergehenden partie. str. 170 ist augenscheinlich schluss
des abschnittes, indem eine fortsetzung, die allerdings in aussicht
gestellt wird:

anevanc vil kumbers, wie wart der geletzet!
daz freischet wol der tumbe und ouch der grîse
von dem unverzageten sicherboten,   obe der swebe od sinke an
dem prîse,

mit ganz neuer situation beginnen müste. allein str. 132 kann
unmöglich liedanfang sein. denn wenn auch bei dem epischen
sänger eine prosaische einleitung denkbar wäre, die den zuhörer
bis an den punct orientiert, wo die handlung des liedes einsetzt,
so muss doch dies nun folgende lied immer ein in sich abgeschlossenes ganzes bilden, das nicht mit unbezüglichen *sus* in
der luft schweben darf. vor allem gilt das bei Wolfram, der
trotz der volkstümlichen form seines Titurel ein höfischer dichter
blieb und sein werk gewis vornehmlich zur lectüre, dh. für
schriftliche verbreitung bestimmte. unser urteil wird auch dadurch nicht umgestimmt, dass sich die ankündigung der ursprünglich zweireimigen strophen, von der wir sprachen, in J 'unmittelbar vor dem beginne' unseres abschnittes, also vor str. 132
findet.[1] freilich geht daraus hervor dass schon Albrecht von
Scharfenberg denselben in keiner anderen gestalt als der vorliegenden benützt hat. aber wir wissen dass er selbst str. 885
über die schlechte überlieferung der Wolframschen lieder klagt,
und können uns nach der bisherigen untersuchung ein unge-
fähres bild seiner vorlage machen. sie war weder G noch H,
allein sie hat zu beiden hss. direct oder indirect in beziehung
gestanden. denn die unechten strophen 36. 33. 34 in H, 94 und,
wie wir sehen werden, 135. 136 in G finden sich sämmtlich
auch in J; ebenso die gemeinsame lücke zwischen str. 35 und 37.
es müssen auch am eingange unseres zweiten liedes schon vor

---

[1] Zarncke aao. s. 606.

Albrecht strophen verloren gegangen sein. wie aus dem folgenden erhellt, waren sie des inhaltes dass Sigune und Schionatulander sich unterwegs an einem waldrande lagern.

Da kommt (str. 132) ein bracke auf der spur des wildes durch das dickicht gebrochen. er wird von Schionatulander aufgefangen und trägt an seil und halsband eine reichverzierte schrift. ehe Sigune sie völlig gelesen, entwischt der hund.

Schionatulander, der mitteler weile angeln gegangen war, springt auf das geschrei hin dem entlaufenen tiere nach, kehrt aber unverrichteter sache wider zurück. Sigune knüpft ihren besitz an die widererlangung des seiles, und Schionatulander verspricht es zu suchen.

Das fragment enthält zwei gruppen. die erste schliefst str. 158, wo der hund entflieht, mit einer prophezeiung trauriger folgen; die andere beginnt str. 159 mit veränderter scene: Schionatulander angelt. von str. 159—170 sind in G 12 strophen überliefert. die plusstrophen in J sind sämmtlich unhaltbar (vgl. Bartsch aao. s. 12).

Ich glaube dass str. 132 das ende des sonst verlorenen ersten abschnittes ist. das trauliche beisammensein der liebenden wird durch die ankunft des hundes gestört. wie str. 12. 73. 170 schliefst str. 132 das vorausgegangene ab und meldet zugleich die eintretende verwandlung.

Dann bilden str. 133—158 die mittelere gruppe. darin sind str. 135 und 136 schon äufserlich verdächtig durch den übergang der construction aus der einen strophe in die andere. sie hemmen den fortgang der handlung, die str. 134 schon so weit gediehen ist, dass sich Schionatulander zum fange bereit macht, und nicht durch unzeitige erklärung, weshalb der hund sich in die nähe der reisenden verirrte, und durch gehäufte vorausdeutungen und klagen unterbrochen sein will. wem der bracke gehörte, sollen wir erst str. 146 aus der inschrift des seiles, und dass er seinem ersten besitzer entfloben sei, bei seiner zweiten flucht str. 157 erfahren. die *strâlsnitec mâl* str. 136, 2 sind schon str. 132, 2 beschrieben: *ûf rôtvarwer vert nâch wundem tiere*. tilgen wir str. 135 und 136, so bleibt ein geordneter zusammenhang.

Die plusstrophen in J sind von Bartsch (aao. s. 11 f) als zusätze erkannt, bis auf str. 138ª (bei Hahn str. 1151), eine strophe, die bei Lachmann fehlt und sich nur in einem teile der hss. findet. sie lautet nach Bartsch:

Der bracke was harmblanc gevar   ein klein vor an der stirne,
diu ôren lanc, rôt al sin hâr, ze reht gestalt und mit breitem hirne,
ze bracken wîs gemûlet und gelêret.

daz wilt daz er dô jagte,   mit guldîner strâl was ez geséret.

dem 'männlichen cäsurreime und dem ganz wolframisch gebildeten *gemûlet* (vgl. *gehundet* 142, 2)' zu liebe hat Bartsch diese strophe für echt erklärt. es muss billig auffallen dass, nachdem wir bereits 5 strophen hindurch mit dem bracken beschäftigt gewesen sind, uns *jetzt* erst die beschreibung seines äufseren nachgeliefert wird. gestalt und farbe pflegt sonst das erste zu sein, was sich an fremden objecten uns bietet, und kann nur so lange interessieren, als uns andere kennzeichen zur beurteilung fehlen. wenn sie überhaupt gebracht werden sollte, gehörte die beschreibung des hundes nach str. 137, 1, wo das tier durch das dickicht bricht und den augen der reisenden sichtbar wird, oder spätestens nach str. 137, 4, wo Schionatulander es gefangen hat. für Wolfram war aber das brackenseil weit wichtiger, als sein träger. kaum zeigt sich der hund, so wird nicht er, sondern sein halsband beschrieben; kaum ist er gefangen, so werden die unseligen folgen angekündigt, die sich an dieses halsband knüpfen. bei solcher spannung der erzählung blieb keine zeit, uns vorher noch mit den ohren und der harfarbe des bracken bekannt zu machen. unsere plusstrophe wird daher auf rechnung des interpolators kommen, der seinen nachtrag nicht anders einzuschieben wuste. weil die nötigen vier verse mit der trockenen aufzählung der gliedmafsen des hundes nicht ausgefüllt waren, werden wir am schlusse noch einmal an das verwundete wild, das der bracke jagt, erinnert.

Der abschnitt str. 133—158 besteht aus 24 gesetzen.

Das schema des ganzen stückes ist nicht mehr zu bestimmen. nur die beiden letzten teile von 24 und 12 strophen sind uns erhalten. aber allzu viel kann nicht verloren sein, denn das eigentliche thema bildete offenbar die begebenheit mit dem brackenseil, die uns vollständig überliefert ist. das zweite lied ist demnach bedeutend kürzer gewesen als das erste von dem liebesgeständnis Sigunens und Schionatulanders, was sich dadurch rechtfertigt dass in str. 170 auf eine fortsetzung verwiesen wird.

Unsere untersuchung hat an stelle der bruchstücke zwei nach inhalt und form scharf begrenzte einheitliche abschnitte, db. lieder nach der weise des volksepos ergeben, wie Müllenhoff voraussagte. dem steht nicht entgegen dass Schionatulander str. 39, 4 *dirre dventiure ein hérre* heifst. denn *dventiure* bedeutet den 'schriftlich aufgezeichneten bericht, die urkundliche quelle', ohne dass damit über die dichtungsart (ob lied oder epopöie) etwas entschieden wäre. selbständig erhalten neben der überarbeitung im J. Tit. bestätigen die vorliegenden gesänge die reconstruction epischer lieder, die die kritik an den Nibelungen und der Kudrun vorgenommen hat. und ebenso wenig, wie an diesen die heptaden, wird man an jenen die teilungszahl sechs mit wolfeilem spotte widerlegen.

Berlin 6. 1. 81.   JOHANNES STOSCH.

ZUM WIGALOIS III.

a, fragment aus Freiburg i. B.

Herr professor Hermann Paul hat die besondere güte gehabt, mir die abschrift dieses neuaufgefundenen bruchstücks einer Wigaloishs. zum geschenk zu machen: ich statte ihm meinen herzlichsten dank dafür ab. nach seiner brieflichen angabe wurde das fragment, der quergeschnittene streifen eines doppelblattes, der schrift nach dem XIII jh. angehörig, von dem einbandrücken eines Laurentius Valla, Elegantiae linguae latinae auf der universitätsbibliothek zu Freiburg i. B. abgelöst. ich gebe den text hier genau nach Pauls copie.

1ᵃ *Pfeiffer* 248, 21:

swaz ich [1] rowen han bechant. ode mit den [2] ov nu gesach.
der ˙chone machet din schone swach. dv bist ir aller · · · ·
gel. ich han noch .her ciegel. fur luter glas an gesehen.
diner schone mvz man prises ieben. dv scolt ir aller chro
ne trag·n [3]. din schone manigen hat erslagen. der noch
wol lebte sin cit. ich wene din svziv minne git. dē her
cen iamers stimme. dv bist div war minne. vil senlich·

---

[1] *solche puncte bedeuten dass buchstaben abgeschabt sind*   [2] *den nicht ganz deutlich; hinter* ov, *wie es scheint, nur ein buchstabe ausgekratzt*   [3] *wo e stehen sollte, ist das pergament durchstochen*

15*

minne. des bercen .vn̄ der sinne. icbn gan din niemen
so wol. als dē der dich da baben sol. mit dē du frowe solt
genesen. ir scult mit frouden beidiv wesen. swar ich
in der werlte var. got hat sinen fliz gar. cewͦnsche
wol an euch geleit. vn lat er euch ane leit. also mit
frevden alten. vn̄ welt ir danne bebalten. die sele
so wirt daz ende gut. nv geb er iv den selben mvt. der
iwer minne gesamet bat. dar zu hapt ir minen ra·   249, 9.
1ᵇ 250, 2:

eidiv¹· isen vn felt. vollez ritterscbefte lacb. da man bv
bvrdirens phlacb. alle tage vnze an die nabt. svs was mit
Frrvden bedaht. daz lant daz e iamers phlacb. vil reuwic
lichen manigen tacb· Erek vn̄ min her Gawein. Lanze
let vn̄ min her ywein. die buburdierten ovcb da vil.
svs wert daz rit'liche spil. volliclichen zewelf tage.
nach der aventivre sage. also div hobcit do ende nam.
do chom ein garzun ane scham. vf den sal gel···en². der
begunde sich rovfen. vn̄ gebarn iamerliche. wan er
was iamersriche. ich wene sin swere div was groz. er
lief nacbet vn̄ bloz. aller hande cbleider. niewan dir
re beider. zeweier schube vn̄ einer nider wat. im
was aller hande rat. anders vil tivre. der brabt aven
tivre. ein blutich sper cebrochen. da mit was erstochen.
der cbvnich amyre von lybia. daz chunte er den ritern da. 250,32.
2ᵃ 263, 17:

geschar. vn̄ daz ir aller widerbot. were sin tagli
cher spot. ern forhte si cenibte. vn̄ wolde zir ange
sihte. gein in ligen mit sine ber. si funden rit'lich
wer. strenge iost vn̄ berten strit. ob si cbomen im
encit. mit manlicbem mute. her Gawein der gute.
vn̄ sin gesellen die wͦrden fro. div massenie bereit
sich do. vil snelle zů der herfart. da manich schilt
verbowen wart. ov³··········· der chvnigin. da
si inne scold sin. die varte durch des chuniges bet.
daz ovcb si vil gerne tet. wan ez ir beider minne
riet. div si nimer mer geschiet. swar min her Gwi
galoys nv rite. frowe Larie volgte im mite. wan
er die schone gerne sacb. er hiez bereiten dvrch

¹ *etwas abgerissen*   ² *durchlöchert*   ³ *durchlöchert*

ir gemach. ein harte schone chastel. cemaze hoch vn̄
sinwel. gerihtet vf einen helpfant. daz man vil wol 264, 5.
2ᵇ 264, 37:

bringet si von des alten lant. vil ferre vz der heiden
schaft. von solhen witzen hat si chraft. die man mit
golde wider wigte. da von ir svzer smach gesigte. von
rehte allen witzen an. als ichs vernomen han. ir svze
sich niht gelichen chan. Daz¹ netze was gestrichet
wol. guldiner schellen hinge ez fol. niden an dē ende.
ovch warn die wende. mit beten vmbe leit. von richen
phellen kvlter br · · · · ² da vf gestrechet. die wen
de gar bestechet. mit blumen vn daz hvs bestrevt.
der tach des schin div berce frevte. schein alvmbe
dvrch div glas. swenne ez an sinē cite was. svs was ge
cieret schone. dar inne der frowen chrone. des wns
ches amie. div chvniginne larie. durch gemach scolt
riten. in vil churcen citen. nach ir willen ez was
bereit. gezieret mit grozer richeit. swenne div fro 265, 25.

¹ *grofser roter anfangsbuchstabe*   ² *durchlöchert*

Zwischen 1ᵃ *und* 1ᵇ *liegen* 32 *verse,* 29 *enthält* 1ᵃ, *also standen
auf der vollständigen seite* 61 *verse; zwischen* 2ᵃ *und* 2ᵇ *liegen*
32 *verse,* 2ᵃ *hat* 28, *im ganzen also* 60. *ich denke, man geht
nicht fehl, wenn man diese zahl von* 60—61 *versen als durch-
schnittszahl für die seiten der hs. annimmt. denn zwischen* 1ᵇ
und 2ᵃ *fehlen* 504 *verse, und zieht man in betracht, wie* 1ᵇ *nur
etwa zur hälfte bewahrt ist, so ergibt sich dass zwei doppelblätter,
ungefähr* 480 — 8 × 60 *verse, zwischen* 1ᵇ *und* 2ᵃ *gelegen waren.
da die bewahrten reste nur éiner lage angehören, so ist es nicht
möglich, den umfang der hs. zu berechnen.*

*Das verhältnis der lesarten von a zu denen der damit zu-
sammentreffenden wichtigen hss. und fragmente ABCFR lässt sich
in folgender übersicht darlegen:* 248, 21 *bechant* + F *gegen alle
erkant* 22 *ode* + BCF *gegen alde* A; *nu gegen ie bei allen*
25 *den* + F *fehlt gegen alle* 27 *muoz man* + F *gegen m. ich
bei allen* 33 *fehlerhaft minne gegen gimme bei allen* 34 *vil* + F,
welches allen fehlt 36 *ichn* + B, *gegen ich en* A, *ich* CF; *so
gegen also bei allen* 37 *da* + ACF, *fehlt* B 39 *mit frouden
gegen min fröude bei allen; beidiu* + A *gegen beyde* BC

249, 1 vil *fehlt mit BFR gegen AC*   3 lat $+$ *C gegen andere formen in ABF*   5 welt $+$ *ACF gegen* wolt *B*   6 wirt $+$ *ACF gegen* wert *B*   7 nu $+$ *ABF gegen C*   8 gesamet $+$ *FR gegen alle* gesament   9 hapt *gegen alle* habt   **250,** 2 beidiu $+$ *A gegen* beyde *BR;* wisen $+$ *BCR gegen* wise *A*   3 allez *fehlt mit AC gegen BR*   4 buhurdirens $+$ *BC gegen* buhurdieres *A*   5 unze $+$ *AC gegen* biz *BR*   8 reuwiclichen $+$ *AC gegen* ruwellichen *BR*   9 her $+$ *AC gegen* herre *BR;* Gawein $+$ *BC gegen* Gawin *A, auch* 263, 27   10 Lanzelet *und* min her $+$ *C gegen ABR, denen* min *fehlt*   12 riterliche sp. $+$ *AB gegen* riterspil *C*   13 -lichen $+$ *A gegen* -liche *B(C)*   15 do *gegen alle*   16 ane $+$ *BC gegen* an *A*   17 sal $+$ *AB gegen* hof *C*   18 sere in *B (B* vaste*) fehlt mit AC*   19 gebarn $+$ *B gegen* gebæren *A,* gebâren *C*   22 nachet $+$ *AB gegen* nakkent *C*   24 niewan $+$ *B gegen* niwan *A,* nûwan *C,* nuwant *B*   25 zeweier $+$ *ACR gegen* ztwier *B;* schuhe $+$ *A gegen* schûn *B,* schûch *C*   29 cebrochen $+$ *AB gegen* zerbrochen *C*   31 amyre *eher* $+$ *A* Amire *als B* Àmiere, *C* Amere   32 chunte $+$ *A gegen B* tet er kunt (kundet *R);* den $+$ *BC gegen schreibfehler* dern *A*   **263,** 19 taglicher *gegen alle* tegelicher   20 ern $+$ *A gegen* er en *B,* er *C;* forhte $+$ *B gegen AC* forht   21 wolde *AB;* zir $+$ *A gegen* ztû iʃ *B,* ir *C*   22 gein *gegen alle* gegen; in $+$ *BC gegen A* im; *in* sine *ist nur der abkürzungsstrich ausgefallen*   23 riterlich *gegen alle* -liche   24 strenge $+$ *B gegen AC* strengen; iost *gegen B* tschûst   25 chomen $+$ *A gegen* kæmen *BC;* im $+$ *AB gegen C*   28 sin $+$ *A gegen* sine *B*   33 scold *gegen alle* solde, *auch* 265, 20   34 varte— bet *gegen* vart —bete *bei allen*   35 tet *gegen* tete *bei allen*   36 wan *gegen alle* wand(e), *auch* 40   38 swar $+$ *AC,* swa *B*   39 voigte im $+$ *A gegen* im volgte *BC*   40 schone *gegen alle* schœnen   **264,** 1 $+$ *BC* er hiez bereiten durch ir gemach, *während A liest* er h. ir machen ein g.   2 schone $+$ *B gegen AC* schœnez   3 cemaze *gegen B* ztû mazen; hoch $+$ *BC gegen* ho *A*   4 gerihtet *gegen alle* geriht   5 daz $+$ *A gegen* den *B*   37 von $+$ *AC gegen* uz *B*   38 uz $+$ *AB gegen* von *C*   39 die *fehlt mit B*   40 wider $+$ *BC gegen* wirder *A;* wigte: gesigte *gegen alle* wiget: gesiget   **265,** 2 witzen *falsch gegen alle* wurzen   3 s$=$ez $+$ *B gegen A, dem* es *fehlt*   4 sich $+$ *BC gegen A, dem es fehlt*   6 hinge *gegen alle* hieng   7 unde *B fehlt* $+$ *AC*   8 im *A fehlt* $+$ *BC*   9 mit beten $+$ *BC gegen A; es fehlt* und umbe

beleit, *was aber darauf hinweist dass* beleit *in der vorlage ge-*
standen war 10 richen + *AC;* pfellen + *AC;* kvlter + *B*
11 da uf *gegen* dar uf (druf) *AC(B)* 14 berce + *A gegen* berzen *BC*
   15 schein *fehlt nicht wie in A;* diu + *A gegen BC* 16 swenne
+ *A gegen B;* cite + *A gegen den plural in B* 18 frowen
gegen alle frouden; *die entgegengesetzte vertauschung E* 247, 33
   23 ez was + *C gegen* was ez *AB* 25 swenne + *AC gegen*
wen de *B.*

Daraus ergibt sich, trotz vielfacher kleiner einstimmungen
mit A, zweifellos dass a zu der gruppe y in meinem diagramm
Zs. 22, 363 *gehört, welche die haupthandschrift B einschliefst. es*
fällt sofort auf dass a, obschon es nur 29 verse mit F gemeinsam
hat, doch an 13 wichtigen stellen mit dieser hs. geht, darunter an
4 *mit F allein gegen alle anderen. a kann nicht die vorlage von*
F gewesen sein: 248, 33 *ist* minne *fehler für das in F richtig*
conservierte gimme. *aber es kann auch nicht F vorlage gewesen*
sein für a. dagegen spricht die lautbezeichnung in a. ich hebe
folgendes hervor: i für ie, u *für* uo, üe; ou *für* öu, o *für* œ,
(a *für* e) eu *für* iu; ow, uw *für* ouw, iuw; ẘ *für* wu, zew *für*
zw. f *für* v, pf *für* ph, ch *für* k, ck, *besonders im auslaut,* c *für* z.
wenn man damit vergleicht, was ich in meiner schrift Vorauer
bruchstücke des Wigalois (Graz 1877) *s.* 6 f *über F beigebracht*
habe, so ist es sicher dass die lautgebung von F starke fortschritte
in der richtung nach der österreichischen mundart hin aufzeigt.
aao. *s.* 17 f *habe ich dargelegt dass F höchst wahrscheinlich aus*
E abgeschrieben ist. der schreibweise dieser hs. nun steht die
von a sehr nahe (vgl. Pfeiffer Quellenmaterial i *s.* 49 f), *sie trägt*
nur etwas jüngeren character, insbesondere durch weglassung der
längezeichen. die annahme dass a direct von E abstamme, erklärt
die übereinstimmungen mit F und findet in der schreibung kein
hindernis. es scheint noch erwähnenswert dass EF und a in un-
abgesetzten versen geschrieben sind und mit ganz ähnlicher zahl
der verse auf einer seite: E circa 58, *F* 60, *a* 60 — 61 *(in E*
schliefst ein blatt mit 248, 20, *in a beginnt eines mit* 248, 21).
dadurch unterscheidet sich diese gruppe von allen anderen hss.,
denn auch A, das noch unabgesetzte verse enthält, hat auf seinen
27 *zeilen einer seite nur* 40 — 41 *verse. mit a ist die zahl der*
Wigaloishandschriften und -fragmente zu 25 *angewachsen. —*
   Bei dieser gelegenheit komme ich auf eine anmerkung zurück,

welche Bartsch in seiner Germania 25, 127 gegen mich gerichtet hat. nachdem er erwähnt hatte dass in der Zs. 19, 237 f das Wigaloisfragment J von Müllenhoff (nach abschrift Storms) wider abgedruckt worden sei, welches schon in Pfeiffers Quellenmaterial I 55 (nach abschrift von Munch) gegeben war, bemerkt er weiter: 'Schönbach, dem bei der zusammenstellung des handschriftlichen materials hinterher der sachverhalt bekannt wurde, fügt freilich hinzu 'besser von Müllenhoff'. das hat den anschein, als wenn M. den 'schlechteren' abdruck bei Pfeiffer einfach mit stillschweigen übergangen hätte usw.' und zum beweise dass ich die bezeichnung 'besser' zur entschuldigung von Müllenhoffs übersehen erfunden habe, bespricht Bartsch zwei stellen, woraus dann einleuchten soll, Pfeiffers abdruck sei der 'bessere'. die erste stelle 269, 7 ist arg corrumpiert (vgl. meine oben citierte schrift s. 18 f) und es ist keineswegs so sicher, wie Bartsch meint, dass mit richtig sei. und an der zweiten stelle 271, 33 ist im, was Munch las, ebenso falsch wie nu von Storm, denn es muss in heifsen. nun aber weiter. an und für sich schon machte Storms abschrift den eindruck größerer zuverlässigkeit auf mich als die Munchs, was nicht zu verwundern ist, da man 1875 größere anforderungen an die genauigkeit bei lesung von hss. stellte als in den vierziger jahren, aus denen das blatt von Munch stammt.

Graphische détails (ſ für s, ʒ für z, nordisches ð für d), beschaffenheit der anfangsbuchstaben, silbentrennung und zeilenumfang werden von Storm an vielen stellen sorgfältiger angegeben als von Munch; ebenso verzeichnet Storm die abkürzungen, welche Munch meistens auflöst. 269, 10 orte Storm, orde Munch, wäre im fragment vereinzelt. 270, 2 liest Storm nu vruowen (= vrowen), Munch das vollkommen sinnlose iuncvrowen. 270, 10 hat Munch Her ecke, was nichts heißt, während bei Storm Her erke als corruption von Êrec erkennbar ist. 270, 39 vôr Storm, vȟr Munch. aus dem angegebenen ist ersichtlich dass ich in gutem rechte war, wenn ich die von Müllenhoff benutzte abschrift 'besser' nannte, als die, welche Pfeiffer gebraucht hatte. Bartsch aber hat die eben beigebrachten stellen bei der vergleichung ebenso sehen müssen, wie er die zwei gesehen hat, welche er benutzte, um mich zu verunglimpfen; er hat aber nur die beiden namhaft gemacht, von denen er meinte, sie könnten seinen zwecken dienen, die anderen hat er verschwiegen. ich überlasse es den fach-

*genossen, für dieses verfahren die gebürende bezeichnung zu finden.
— noch scheint es nicht überflüssig zu erinnern dass es derselbe Bartsch ist, der in seiner bearbeitung von Kobersteins Grundriss I, wo exactheit der bibliographischen daten seine hauptauf-
gabe war, die nur wenige jahre vorher erschienene schrift seines
freundes Pfeiffer: Quellenmaterial I. II selbst ganz vergessen hatte
(was er eben Müllenhoff vorwirft) und sich genötigt sah, in den
nachträgen s. 454 den inhalt derselben vollständig aufzuführen.*

Graz, 17. 1. 81.   ANTON SCHÖNBACH.

REIMPREDIGT.

In seiner lehrreichen recension von Cruels Geschichte der
deutschen predigt im mittelalter, Anz. VII 189, spricht Edward
Schröder zweifel aus daran, dass die von mir Zs. 16, 165 ff publicierte Cäciliendichtung als gereimte predigt aufzufassen sei. die
von ihm auf 'gut drei stunden' vielleicht etwas zu hoch veran-
schlagte dauer der recitation scheint mir keine zureichende ein-
wendung gegen meine aao. s. 223 aufgestellte vermutung. ich
habe noch hinzuzufügen dass sowol die verbindung der Cäcilienlegende mit dem einleitenden evangelischen text von den zehn
jungfrauen wie manches détail des gedichtes auch in der predigt
bei Honorius Spec. eccl. ed. Migne p. 1027 ff sich findet. ähnlich wird mit der Agneslegende von Gregor dem grofsen in der
11 homilie in evangelia derselbe text verbunden. die Vita Wil-
librordi wird mit einer vorangehenden homilie Alcuins vorgetragen. — die existenz der gereimten predigt als gattung hätte
durch Vogt Beiträge 2, 293 nicht angezweifelt werden sollen.
indem ich zunächst aus der fremde an die von Suchier Halle 1879
edierte reimpredigt und an die Metrical homilies ed. John Small,
Edinburgh 1862, erinnere, führe ich etliches aus der deutschen
litteratur an. einzelne gereimte stellen in predigten, besonders
am schlusse, kommen öfters vor, vgl. Pfeiffer Mystiker I 557 anm.
zu 372, 11, wozu noch Grieshaber II p. XXIX zu notieren ist.
eine gereimte parodische predigt steht in Lassbergs Liedersaal
3, 125 ff, aus einer anderen hs. bei Keller Erzählungen aus altdeutschen hss. s. 26 ff, auch in einer Wiener hs. vgl. Kellers

anmerkung aao. in reimen gibt den inhalt einer protestantischen und einer katholischen predigt wider Hans Sachs Werke 1 397 ff. Scheibles Kloster enthält 1 156 ff eine gereimte fastnachtpredigt.

Graz.   ANTON SCHÖNBACH.

ALTHOCHDEUTSCHE EIGENNAMEN.

Codex palat. 494 der vaticanischen bibliothek m. 8°, 11 jhs., enthält bl. 1—75[b] das Evang. Matth., gebete an verschiedene heiligen, sonstige gebete. aufserdem auf 75[b] von einer zweiten hand (b):

> *Liubburc Rihsuint G . . . bbern Liutgart*
> *Odigeba Regingart. Gozzo. Wienant.* [1] *Emhilt*
> *Hildibolt Otsuint. Uodelart Gunda Uodelart*
> *Gunbolt Bernhelm hildibolt Adaluuib*
> *Hermfrid Sigebolt Gimbolt Engilburc*
> *Berehderat Uuicburc Herrihc Kunigunt*
> *G . . . Waltharius Diederad Irmingart.*

auf 76[a] in der linken oberen ecke: *Ruobbrath. Gerbraht;* dann in der ersten zeile:[2] *Guntharius aduocatus.*

Es folgt nun von einer gleich alten dritten hand (c): *In nomine sanctæ et indiuiduæ trinitatis. Notum sit omnibus fidelibus christianis. præsentibus et futuris qualiter ego* **Gerhartdus** *ob salutiferam animæ meæ memoriam. emi a* **gezone** *libero homine uineam unam in marca* **gozenesheim.** *sitam cognomine* **kelewere.** *ea uidelicet conuentione. ut ipse scilicet* **gezo** *libera manu sua traderet eam super altare sancti philippi. et mihi et posteris meis in stabilem hereditatem manciparet. ea conditione ut quamdiu uiuerem ego omni anno et posteri mei in anniuersario die meo. fratribus. domino[3] et sancto philippo seruientibus lx. panes. et unam uictimam porcinam. v. solidos ualentem. et unam hamam uini. persoluerem. facta est autem haec traditio in conspectu plurimorum. clericorum. ac laicorum. Clericorum.* **Adalberti.** *praepositi. et fratrum eius.* **Drutkindi. Vocmanni. Heregeri. Henrici. Liuboldi. Liutdolfi. Vezelini. Eme-**

---

[1] l. *Wicnant.*   [2] wahrscheinlich von derselben hand b.
[3] oder *deo.*

zelini. Ellemanni. Vocconis. Adalberti. Gezmanni.
Eggezonis. Laicorum. Adalberti. aduocati. Drudewini.
Regenoldi. Gerungi. Hunberti. Adalberti. Dimonis.
et aliorum quam plurimorum Quicumque infidelis et peruersus hanc
traditionem infirmauerit. infernalis puteus. animam illius cum
corpore. suscipiat. et numquam inde exeat. nisi cum diabolus
gratiam saluatoris acquirat. Amen.

Die vergleichung der eigennamen lehrt dass beide teile von
éinem gesichtspuncte aus behandelt werden können. über eine
einzige orthographische abweichung *(td = d, t)* in der traditions-
urkunde vgl. später. für den lautstand ist folgendes characteristisch:

Got. *d = d.* im anlaute: kein beispiel. im inlaute: *Hil-*
dibolt, Odigeba, Diederad, Drudewini. got. *d = t* im auslaute:
Liutgart, Irmingart, Drutkindi, Regingart, Emhilt, Otsuint, Uodel-
art, Kunigunt, Waltharius, Guntharius. doch auch im auslaute
ist got. *d = d* in *Diederad,* das neben *Berehderat* erscheint. got.
th = d. anlaut: *Diederad.* inlaut: *Adaluuib, Adalberti, Uodelart.*
auslaut: *Hermfrid.* dagegen *= t* in den compositionen mit
-suint: Rihsuint, Otsuint und solchen mit *-bolt: Sigebolt, Gun-*
bolt, Gimbolt, Hildibolt. diesen steht jedoch durch erweichende
würkung des *l* im inlaute gegenüber *Liuboldi.* got. *t = d* in
der verbindung mit r: *Drutkindi, Drudewini.* got. *ht = ht: Ger-*
braht, Ruobbrath. dieses *t* erscheint auch im inlaute: *Adalberti,*
Hunberti. über die characteristische lautverbindung *hd: Bereh-*
derat vgl. MSD xxII. — *td* in *Gerhartdus* und *Liutdolfi* der urkunde beweist nur die unsicherheit des schreibers, entspricht
ganz dem oben nachgewiesenen wechsel zwischen *d* und *t* für
got. *d* und findet sich auch sonst als zeichen des schwankens
besonders im rheinfränkischen. vgl. MSD xxII. Weinhold Mhd.
grammatik 182 weist *Gotdelindis* uä. schon in den Lorscher urkunden des ix jhs. und aus dem südlichen Rheinfranken nach.

Got. *b = b.* anlaut: *Liubburc . . . bbern, -bolt, Bernhelm,*
Engilburc, Berehderat, Uuicburc, Ruobbrath, Gerbraht, -berti.
inlaut: *Odigeba.* auslaut: *. . . bbern, Adaluuib.* bb durch zusammenstofs des aus- und anlautenden *b: Liubburc* (oder *= Liut-*
burc?), . . . bbern, durch assimilation in *Ruobbrath.*

Got. *g = g.* anlaut: *Heregeri, Liutgart, Odigeba, Regin-*
gart, Gunda, Gunbolt, Guntharius, Kunigunt, Irmingart, Gerbraht,

Gerhartdus, Gozenesheim. inlaut: *Regingart, Engilburc, Regenoldi.*
got. *g* = *c* im auslaute: *Liubburc, Engilburc, Uuicburc, Wicnant.*
gg: Eggezonis. — *k* erscheint als *k* und nicht als *ch: Kunigunt, kelewere,*[1] *Drutkindi.*

Characteristisch ist ferner für unser denkmal dass nur *uo*
nicht *ua* erscheint: *Uodelart, Ruobbrath.* vgl. über dieses 'unterscheidende merkmal' für fränkische dialecte MSD xix. orthographische eigentümlichkeiten sind: *th* = *ht* in *Ruobbrath* unmittelbar vor *Gerbraht* und *hc* = *ch: Herrihc* gegen *Rihsuint.*

Die behandlung der medien, besonders in der dentalreihe
beweist dass wir es mit einem fränkischen denkmale zu tun
haben. nach Franken weist auch die in der urkunde erwähnte
marca Gozenesheim, welche nach Codex diplom. Lauresbamensis II
nr 1239 uö. im pagus Wormat., also in Rheinfranken lag, wo-
selbst sie schon für das 8 jh. belegt ist. dasselbe *Gozenesheim*
mit und ohne den zusatz *marca* erscheint nach Förstemann II 623
noch bei Dronke Codex dipl. Fuldensis nr 653 anno 907 *(Gozzinesheim)* und bei Zeufs Tradit. Wizenb. II nr 87 saec. 9 *(Gozi-
nesheim).* das kloster des heiligen Philipp (denn anders kann
jenes *super altare sancti philippi* und insbesondere das *sancto
philippo servientibus* wol kaum gedeutet werden) fest zu localisieren
war mir nicht möglich. man darf wol in betracht ziehen dass
das kloster des hl. Nazarius in Lorsch zahlreiche schenkungen
aus dem benachbarten Wormsergau erhielt (vgl. Cod. Lauresh. II),
darunter auch mehrere aus Gozenesheim; dann liegt die vermutung nahe dass auch unsere schenkung an das berühmte
kloster (vielleicht an eine filialkirche) geschah, und die urkunde
mit anderen Lorscher nach Heidelberg gelangt sei. vgl. einleitung zum Cod. Lauresh. I f.[2] mögen wir nun aber die ent-

---

[1] die etymologie von *kelewere* ist mir unklar. der name begegnet in
keiner quelle. mit *Kelueri,* das nach Wilmanns Kaiserurkunden 28 im 9 jh.
in Westfalen erscheint, kann es in keinen zusammenhang gebracht werden.

[2] ein hl. Philipp würkte im 8 jh. unter Pipin in der Rheinpfalz und
gründete zu ehren des hl. Michael das kloster Zell (unweit Worms), vgl.
Stadler Heiligenlexicon 4, 691 nr 12 und Böttcher Germania sacra s. v. Zell.
die vermutung liegt nahe dass dieses der ausgangspunct anderer stiftungen
war, deren eine nach seinem namen benannt wurde. und in der tat ist
nach Gudens Cod. dipl. Mogunt. ein SPhilippus schutzpatron eines klosters
Zell. aufserdem finde ich nur noch bei Schannat Dioec. Fuld. p. 25 eine den
aposteln Philippus und Jacobus geweihte kirche und bei Beyer Urkunden-

stehung der urkunde in den Rheingau oder Wormsergau verlegen, der lautstand weist durch die starke bevorzugung der
medien (MSD xxi), namentlich in der dentalreihe, in übereinstimmung mit den historischen zeugnissen auf das rhein- oder
mittelfränkische gebiet.

Die chronologie zu bestimmen ist sehr schwierig, denn es
fehlen alle historischen anhaltspuncte. doch ist für das denkmal
characteristisch: der umlaut des *a*: zb. *Regingart, Regenoldi,
Engilburc, Heregeri, Ellemanni* (vgl. dagegen *Waltharius, Guntharius)*; geschwächtes *e* (wofür nicht *i* erscheint) und volle vocale halten sich die wage: *Uodelart*, andererseits die zusammensetzungen mit *Adal-* und *Odigeba*. geschwächter epenthetischer
vocal in *Berehderat*. dem *Regingart, Hildibolt, Engilburc, Odigeba*
steht *Sigebant, Sigebolt, Heregeri, Ellemanni, Regenoldi* gegenüber.
Gozenesheim erscheint bei Dronke noch a. 907 als *Gozzinesheim*.
wir haben ferner mehrfach erhaltenen compositionsvocal: *Odigeba,
Hildibolt; Sigebolt, Sigebant, Drudewini*. die diphthonge erscheinen
noch durchaus in der vollen form: *Uodelart, Ruobbrath, Liubburc,
Liuboldi, Liutgart*. brechung begegnet in *Diederad*. von jenen
zweiten compositionsteilen, die allmählich zu bildungssilben her-
absinken, erscheint die volle form bereits selten: *Drudewini* gegenüber den compositionen mit *-bolt* und *-olf, Regenoldi*, oder zusammensetzungen mit *-bert* gegenüber *Ruobbrath, Gerbraht*. vgl.
Müllenhoff Nordalbingische studien 214, Henning Sanctgallische
sprachdenkmäler 108 f. natürlich finden wir die ältere lautgruppe
auf f. *ôt* nicht mehr: *Ôtsuint, Ôdigeba*. auch der consonantismus zeigt bereits die jüngere rheinfränkische gestalt. es begegnet
kein *Hr: Ruobbrath*, die spirans *th (dh)* für got. *th* ist geschwunden und *d* hiefür consequent durchgeführt (MSD xxi). veränderungen hingegen, wie sie bereits ende des 11 und anfang des
12 jhs. häufiger sich einstellen, und das neufränkische md. characterisieren (MSD xxvi f), vor allem die monophthongierungen, erscheinen in unserem denkmale noch nicht.

Soweit es erlaubt ist, hiernach eine zeitgrenze anzusetzen,
dürfte die ursprüngliche aufzeichnung in das 11 jh., genauer in
die erste hälfte desselben, fallen.

buch der mittelrheinischen territorien ii nr ccviii eine kirche zu ehren trinitatis, Philippi, Jacobi et Walburgis in der diöcese Trier.

Wien, november 1880.   RUDOLF LÖHNER.

DER KLANG DER BEIDEN KURZEN *e*
IM MITTELHOCHDEUTSCHEN.

Die beiden laute germ. *ĕ* und umgelautetes *ă* (*ê* und *e*), deren unterschied die nhd. gemeinsprache meistens verwischt, wenn nicht secundäre momente einen solchen aufrecht erhalten, stehen im 13 jh. bekanntlich noch so weit von einander ab, dass sie sich im reime nicht binden lassen. die quantität ist gleich, ein qualitativer unterschied kann nur dann zur erklärung genügen, wenn der eine laut offenes, der andere geschlossenes *e* gewesen ist. wie verteilen sich nun die zwei laute? Weinhold Mhd. gramm. § 26 reproduciert die ältere und vielleicht jetzt noch übliche ansicht: '*ê* war reines *e*, *e* dagegen *e*ᵃ.' auch noch in seiner eben erschienenen Kleinen mhd. gramm. (Wien, Braumüller, 1881) § 14 äufsert er sich: 'die aussprache von *ê* war ursprünglich geschlossen, von *e* oder *ä* verschieden.' selbst der Schwabe Schleicher spricht sich im gleichen sinne aus Die deutsche sprache² 145: '*ê* ein weiches, dem *i* noch nahe stehendes *e*, im klange dem *ê* fermé der Franzosen gleich' und s. 146 '*e* (sprich kurzes *ä*).' Scherers bemerkung hingegen zGDS¹ 28 'dieses (*ê*) denke ich entspricht Brückes *e*, jenes (*e*) dem *e*ᵃ' finde ich in der 2 auflage nicht wider.

Worauf beruht diese entscheidung? zum teil sicherlich auf der vorstellung des umlautes von *a*, welche hauptsächlich die grammatiker der letzten jahrhunderte in uns rege gemacht haben, indem sie da, wo sie *e* als umlaut von *a* zu erkennen vermochten oder vermeinten, die schreibung *ä* einführten, und wir diese orthographie mit pflichtschuldiger achtung vor ihrer ehrwürdigkeit beibehalten (vgl. Wilmanns Kommentar zur preufsischen schulorthographie s. 56 ff). unwillkürlich sind uns darum fälle wie *väter, älter, schätze, er fährt* die vorbilder für den klang des *e*. hauptsächlich aber kommt eine nahe liegende erwägung in betracht: *e* ist eine abzweigung des *a*, *ê* steht mit *i* in engem verbande, folglich wird sich der erstere laut mehr dem *a*, der zweite mehr dem *i* genähert haben. diese schlussfolgerung kann

man aus Grimms worten Gr. 1³, 74 deutlich herauslesen. eine
ebenso nahe liegende erwägung hätte aber auch schon früher
gerade auf die gegenteilige ansicht leiten können. *é* gebt durch
färbung aus *a*, oder wenigstens einem *a*-artigen laute hervor, *e*
entsteht aus einem anderen laute durch beimischung der *i*-farbe.
heute muss *jedem* bei einiger aufmerksamkeit dieser schluss näher
liegen, als der andere, oder das berührte verhältnis muss doch
davor warnen den letzteren zu ziehen. ich sage darum manchem
gar nichts neues, wenn ich behaupte: *é* ist im mhd. *e⁴* (Sievers *e²*,
Scherers [zGDS² 35] *e¹*), *e* Brückes *e* (Sievers *e¹*, Scherers *e²*).
Weigand hegte dieselbe ansicht; er nennt in seinem Wörterbuche²
s. 405 *e* das 'hohe', *é* das 'tiefe', was wol nicht blofs auf die
nhd. laute zu beziehen ist. sein zusatz 'das tiefe *e* hat sich im
ahd. aus *i* gebildet' zeigt übrigens dass er die erkenntnis nicht
auf dem angedeuteten wege gewonnen hat. auch Engelien muss
irgendwo das richtige gefunden haben; er sagt Gramm. d. nhd.
sprache, Berlin 1867, s. 33: 'die aussprache dieser beiden *e* muss,
wie aus den reimen hervorgeht, im mhd. merklich verschieden
gewesen sein. dies wird um so glaublicher, als selbst heute
noch an den alten sitzen der mhd. sprache, in Würtemberg, im
badischen Oberlande und in der Schweiz beide *e* aufs deutlichste
unterschieden werden. das aus *a* entstandene hat den laut des
frz. *é* (näher dem *i*), das aus *i* entstandene den des frz. *è* (näher
dem *a*).' aber alte irrtümer haften fest, und es wird darum nicht
überflüssig sein, die behauptung zu beweisen.

Europäisches *e* ist *e⁴*, germanisch hat es den gleichen klang
behalten (Möller Zs. f. vgl. sprachf. 24, 508 ff). diese sätze sind
mir zweifellos. ¹ hat im 12 und 13 jh. das bd. *é* den alten klang
noch immer gewahrt — eine voraussetzung, der an sich nichts
im wege steht —, so muss bd. *e* notwendig der geschlossene
laut sein. es würde wol nicht schwer fallen, ein umfangreicheres
material zum beweise für diese annahmen beizubringen. aber

¹ unter diesen umständen wird freilich der übergang des *é* im got. zu *i*
auch bei *a* (und bei *u*, müssen wir wol mit Paul hinzufügen) in der folgenden silbe um so auffallender. allein dies bedenken kann den obigen
satz nicht wankend machen. die eigentümlichkeit ist fast ganz speciell
gotisch und kann darum auch ganz specielle gründe haben. und aufserdem
können wir eo ipso gar nicht wissen, was wir an got. *i* haben. ohne weiteres
dürfen wir nur sagen dass es ein laut ist, welcher irgendwo zwischen *e*
und *i* liegt (Möller aao. s. 511).

jeder kann es selbst leicht finden, wenn er die germanischen
vocalverhältnisse unter diesem gesichtspuncte betrachtet, auch in
jüngeren zeiten, als für welche Möller aao. den beweis führt. ich
begnüge mich mit einem zeugnisse, welches die heutige schwäbische aussprache an die hand gibt, denn dasselbe ist völlig genügend.[1] die vermittelung bei der argumentation bilden die aus-
nahmsweise vorkommenden reime zwischen *ê* und *e* bei dichtern,
die im allgemeinen dieselben vermeiden. Grimm handelt ausführlich über dieselben Gr. 1³, 139 ff (vgl. die weiteren bei Weinhold Mhd. gramm. § 29 citierten stellen). die tatsache aber, auf
welcher der beweis basiert, besteht darin, dass zwar der heutige
schwäbische dialect mit eminentem conservativismus *ê* sehr energisch als *eᵃ* spricht und *e* als ein so sehr geschlossenes *e*, dass
man es richtiger mit *eⁱ* bezeichnen würde, dass aber gerade da
störungen im verhältnis der aussprache zu dem etymologischen
laute vorkommen, wo die mhd. reime *ê : e* auftreten, und zwar in
der weise, dass die reime der heutigen aussprache gemäß als
völlig reine erwiesen werden. natürlich nicht alle und zumal
nicht die reime aller gedichte. in folge der 'schwierigkeit, eines
reinen reimes habhaft zu werden' oder 'der reimlicenz einzelner
gedichte', wie Grimm sich ausdrückt, können ja auch würklich
eᵃ und *e* gebunden worden sein.

Das ist aber nicht der fall vor *st*. hier ist die bindung von
etymologischem *ê* und *e* ganz allgemein, wie die zahlreichen aao.
zusammengestellten beispiele ausweisen. Grimm vermutet richtig
ein ausweichen der aussprache. aber nicht ist *est* in *êst* aus-
gewichen, sondern umgekehrt *êst* in *est*, dh. *ê* ist vor *st* zu *e*
geworden. das heutige schwäbische spricht das *e* in *schwester*
(ich verzichte auf die transscription der consonanten), *gestere* und
wol allgemein vor *st* (nur bei *west* und dem fremdworte *rest*
blieben mir stärkere zweifel, während *das fest* ganz sicher *e* hat)
genau wie in *vest*, *beste* und wie in *heben*, *geselle* usw. laut-
physiologisch ist die wandlung ja aufs beste zu erklären. die
i-farbe der verbindung *st* hat das *eᵃ* dem *i* genähert. über die
i-farbe von *s* und besonders von *s*-verbindungen s. JSchmidt

---

[1] leider gebe ich keine directen beobachtungen; aber mein gewährsmann ist für den dialect der umgegend von Tübingen zuverlässig. über
einzelne puncte konnten wir freilich nicht ins reine kommen; sie sind jedoch für unseren zweck nicht wesentlich.

Vocalismus 2, 471. dass der schwäbische dialect für einflüsse des
st zugänglich ist, beweist auch das part. *gewist* von *wizzen* mit
seinem lang gewordenen *i.*

Die beiden laute sind ferner gleich geworden vor *ht*, und
zwar hat Grimm recht dass *e* vor *ht* wie *ê* klingt; nur zeigt sich
gleich wider die verwirrung, wenn er ags. *niht* (nox) uä. vergleicht. *gesleht* lautet mit *e²*, in benachbarten dialecten entwickelt
sich sogar ein vollständiger zwischenlaut, so dass man die dortige
aussprache mit *gesleaht* transscribieren müste. andere fälle vor
ht konnte ich nicht controlieren. doch würden sie jedesfalls
stimmen, denn ich zweifle nicht dass der lautwandel einer *a*-farbe
der verbindung *ht* zuzuschreiben ist. wir finden eine solche auch
im mnl., wo *cht* ein *o* zuweilen in *a* verändert: *dachter*, *sachte*
prät. von *soeken*, *machte* neben *mochte*. die umlauthinderende kraft
von *h*-verbindungen, besonders *ht*, ist auch richtiger wol einer
a-farbe als einer *u*-farbe zuzuschreiben (vgl. Braune Beiträge
4, 552 f). zu vergleichen ist die würkung von einfachem *h* im
got. *ai* aus *i, aú* aus *u.*

Wellen (velle) reimt stets mit *e*. auch das entspricht genau
der heutigen aussprache, in welcher das wort ganz entschieden
das geschlossene *e* hat. wenn wir hier als wurzelvocal *ê* ansetzen, so wäre die veränderung der aussprache lautlich nicht zu
erklären, denn -*ëlle* hat heute noch in jeder stellung den alten
klang, auch in *wëlle* (unda). dass, wie Grimm meint, die verwandtschaft des begriffes von *weln* (eligere) von einfluss gewesen
sei, ist nicht gerade sehr einleuchtend. allein mit welchem recht
setzt man *ê* an? zunächst genügte dazu wol die **f a c t i s c h e** berührung mit *i* in folge der annahme dass *ê* der *i*-artige laut sei.
die berührung berechtigt aber weder in *wellen* noch irgendwo
anders zur ansetzung von *ê*. dann aber wurde man in der vorstellung bestärkt durch die **g r a m m a t i s c h e** berührung, indem
die bd. formen: infin. *wellan*, 1 sing. präs. ind. *willu*, 1 plur.
wellemês, conj. *welle* eine vollkommene analogie zu bilden schienen
mit *hëllan*, *hillu*, *hëllamês hëlle*. allein wenn wir im mhd. tatsächlich in den formen von *wellen* kein *ê*, sondern *e* haben, so
bleibt uns keine berechtigung, die annahme jener analogie fürs
ahd. aufrecht zu erhalten, ohne ausdrückliche zeugnisse dafür
dass sie vorhanden gewesen sei. und solche zeugnisse sind meines
wissens nicht vorhanden; im gegenteil nur solche für den *e*-laut.

das wichtigste ist der rückschluss aus dem mhd. und der aussprache im heutigen dialecte. dann finden wir aber auch das
part. *vueillenti* in den glossen Ra. 201, 9, einem denkmal, welches
auch sonst *ei* für den laut *e*, dh. für den umlaut von *a*, hat
(Kögel s. 7). auch aus der Heidelberger hs. des Williram führt
Graff (1 820) die 3 conj. präs. *vueille* an. der eintritt von ge-
schlossenem *e* in diesem verbum ist freilich schwer zu erklären.
fürs germ. müssen wir überall *i* annehmen, da stets *j* oder *i*-in
der 2 silbe stand, und nicht nur das got., sondern auch andere
dialecte bleiben auf diesem standpunct. das hd. *e* ist also secundäre entwicklung. für *ĕ* würde die analogie des st. verb. eine
sehr plausible erklärung abgeben, für *e* weifs ich keine, auch
nur sehr wahrscheinliche an die stelle zu setzen. die verallgemeinerung des doppelten *l* in diesem verbum müssen wir
zweifelsohne auf rechnung des infinitivs setzen. damit wird es
wahrscheinlich dass dort auch der ursprung des *e* zu suchen ist.
an die stelle von *willean willan* müste also aus irgend einem
grunde *wellan* getreten sein. am wahrscheinlichsten kommt es
mir noch vor dass wir in der veränderung eine secundäre
'brechung' zu erblicken haben, die nicht bis zu *e°*, sondern nur
bis zu *e* gieng. ob unter den wenigen beispielen, welche für
die brechung von *i* angeführt werden können, alle *e°* haben,
wissen wir auch nicht sicher; *westa* und *messa* — könnten auch
bei *e* stehen geblieben sein. für die annahme eines einflusses
von infinitiven wie *stellan* auf *willan* erblicke ich keinen anhalt.
vom infinitiv aus wäre dann der vocal auch in den plural des
indicativs und den conjunctiv gedrungen. darin wäre allerdings
wol eine analogiewürkung des st. verbums zu erblicken, nur dass
diese sich nicht so weit erstreckte, um den g l e i c h e n ablaut
wie bei *hillu héllamĕs* zu erzeugen, sondern nur überhaupt einen
ablaut. noch einmal betone ich den hypothetischen character
dieser erörterungen. ich werde mit freuden *jede* erklärung begrüfsen für das factum, auf dessen constatierung es mir hier
hauptsächlich ankommt.

Das sind die hauptpuncte, welche wir zu besprechen hatten.
sie genügen, um die klänge der beiden *e* meiner behauptung im
eingang gemäfs festzustellen, denn es unterliegt keinem zweifel
dass es dieselben verhältnisse sind, welche im heutigen dialecte
herschen und welche sich fürs mhd. gerade in den für ausnahmen

gehaltenen reimen widerspiegeln. ich schliefse noch einige weitere bemerkungen an.

Grimm hebt auch die bindung von *jenér* mit wörtern, die *e* haben, hervor. das wort sollte unzweifelhaft *ê* aufweisen, wenn wir *ê* blofs als etymologisches zeichen betrachten. aber der schwäbische dialect zeigt vor nasalen in der tat störung des *e^a*-lautes. zwar konnte ich mich nicht überzeugen dass die betreffenden wörter vollkommenes *e* haben, aber es klingt in ihnen auch sicherlich nicht *e^a*. dass der nasal den vocal erhöht, ist ja nicht im mindesten auffallend.

Die verwendung von *herre* und *merre* (aus *mérre*), welche sich mit *vérre* uä. binden, scheint fast den bisherigen resultaten zu widersprechen. doch kann der einzelne fall nicht viel auf sich haben. es fragt sich zunächst, welchen klang das aus *ai* entstandene *ê* im hd. anfangs gehabt hat. an sich kann die monophthongierung von *ai* sowol $\widehat{a}$ als *ê* (die länge von *e*) sein. $\widehat{a}$ haben wir als resultat der späteren monophthongierung häufig, zb. in mittelfränkischen dialecten, rechtsrheinisch bei Koblenz, *bân, stân, ich wâs*. fast unmittelbar daneben, etwas rheinabwärts, lautet es *ê*. *ê* haben wir beispielsweise auch im nl., wo aber — wenigstens jetzt im grösten teile des holländischen gebietes — *ai* selbst mehr *ei* lautet. hd. könnte also bei der monophthongierung auch $\widehat{a}$ entstanden sein. die annahme bereitet jedoch schwierigkeit wegen des unterschiedes von dem $\widehat{a}$, welches zu *ie* diphthongiert wird (Möller aao. s. 509). doch wäre zwischen *ê*, der länge des vocals, welchen wir im umlaut des *a* haben, und *â* raum für mehr als *é*inen laut. wenn aber auch aus *air* sofort *ér* erwachsen wäre, so könnte der vocal von *hériro* im verlaufe seiner entwicklung zu *herre* unter dem einflusse des doppelten *r* nichts desto weniger zu *e^a* geworden sein, zu dem laute, den das wort heute im schwäbischen dialecte tatsächlich hat. also auch diese reime stimmten mit der heutigen aussprache.

Ganz in der ordnung ist es dass das *e* in den endsilben fremder namen und wörter, wie *Frimutel, Lonel, gugerel, Posterne, Lanzelet, Gahmureten, Lunete, Hercules* durchgängig mit *ê* gebunden wird. das *e* ist natürlich das offene. wie hätte man im deutschen dazu kommen können, ihm den laut des geschlossenen zu geben?

Es fragt sich noch, ob jeder umlaut des *a* *e* ist. darauf

16 *

ist mit nein zu antworten. die nachzügler in der bewegung gelangten nicht mehr bis dahin. die fälle, in denen der umlaut
nur durch die beschaffenheit der zwischen dem *a* und dem *i* der
folgenden silbe befindlichen consonanz aufgehalten war, scheinen
den geschlossenen laut noch zu erreichen, der heutige dialect
hat zb. *kelber, kelle,* 3 p. *wechst.* aber was nachher kommt, zeigt
meistens biofs mehr ein *ä (= e*).* die mouillierung hatte nicht
mehr die kraft, so viel *i*-farbe in die zweitvorhergehende silbe
abzugeben, als in die unmittelbar vorhergehende. zugleich scheint
sich das grammatische bewustsein für den umlaut geltend gemacht
zu haben, und es ist zu begreifen dass wörter, die ihn blofs der
analogie zu folge bekommen, kein *e* mehr, sondern nur *e* erhalten. die handhabe zur beurteilung muss wider der neuere
dialect abgeben. schon beim plural *megt* von *magt* bin ich zweifelhaft, ob noch *e* vorhanden ist; eher klang mir das wort mit *e*.
entschieden offener laut herscht in fällen wie *täglich, kläglich,
väterlich,* im plural *väter* uä. es scheint aber dass wir auch
einen älteren beweis haben, nämlich in der schreibung *ä* selbst.
diese ist nicht so bedeutungslos, wie man meistens annimmt,
wenngleich es manchmal der fall sein mag, und sich möglicher
weise auch frühe schon regungen desselben orthographischen
princips zeigen, welches im nhd. *ä* festsetzt. wenigstens wenn
man die beispiele vergleicht, welche Gr. 1², 131 angeführt werden,
so sieht man dass sie fast alle fälle späteren umlautes sind, wie
schämlich, tägelich, schädelich, oder aus anderen gründen offenen
laut haben. auch *frävel* wird angeführt. es scheint demnach
dass schon in den fällen des durch ein *i* der dritten silbe bewürkten umlautes, welche demselben noch am ersten zugänglich
wird, nämlich in den nicht zusammengesetzten wörtern, die hem-
mung eintreten konnte. aber sicher nicht allgemein, sondern
je nach mafsgabe, ob der process früher oder später statt hat.
auf die zeitlichen unterschiede macht Braune aao. s. 555 aufmerksam. *frebel : nebel* bei Wolfram wäre mithin vielleicht kein
unreiner reim, während ältere fälle wie *edel, fremd* zweifellos allgemein *e* haben.

Auch *geslähte* und *ähten* finden sich in dem verzeichnisse.
wir haben in diesen beispielen den offenen laut schon früher
constatiert und ihn der verbindung *ht* zugeschrieben. Braune aao.
s. 541 ff weist aber auch nach dass vor dieser verbindung der

umlaut überhaupt erst sehr spät eintritt, und der offene laut könnte auch aus diesem gesichtspuncte beurteilt werden. wahrscheinlich verhält sich die sache so, dass dieselbe kraft, welche den umlaut vor *ht* so lange aufhält, ihn auch niemals bis zu *e* gedeihen lässt.[1] das heutige und mhd. *gesle*^{a}*ht(e)* wäre dann niemals *geslehte* gewesen.

Zu den wörtern mit späterem umlaut gehört auch *phert*. das *a* war *e*^{a} geworden und blieb *e*^{a}, trotzdem dass *i* in der letzten silbe noch vorkommt, als das wort schon zweisilbig geworden war: *phærit, pherit*. aber mhd. reimt es immer mit *ê*, im neueren dialect hat es *e*^{a}.

Es gälte nun zu eruieren, wie lange andere dialecte mit dem schwäbischen in denjenigen lautverhältnissen übereingestimmt haben, welche das letztere heute noch wahrt. wenn die dichter etwa vom ende des 13 jhs. ab die bindung der beiden *e* nicht mehr meiden, so könnten sie damit entweder die forderung des reinen reimes verletzt, oder aber sich sorgloser dem eigenen dialecte hingegeben haben.

---

[1] damit widerhole ich meine vermutung dass nicht *u*-farbe, sondern *a*-farbe beim *h* der grund zur verhinderung des umlautes war. die tatsachen lassen sich damit wol in einklang bringen. die würkung der *u*-farbe ist in dieser beziehung nicht so nachhaltig, daher *kelber*. wenn auch andere *h*-verbindungen eher nachgeben (vgl. *wechst*) als *ht*, so beruht das darauf, dass gerade in der letzteren verbindung *h* am längsten — im schwäbischen bis heute —, seinen alten wert, den des gutturalen reibelautes bewahrt. die umlautverhältnisse vor einfachem *h* und vor den *h*-verbindungen würden demnach vermutlich eine handhabe abgeben zur constatierung, wann dieser consonant in den einzelnen stellungen seine alte natur verändert habe. auch bei den *r*-verbindungen wäre es möglich dass nicht *u*-farbe, sondern *a*-farbe in betracht kommt. dass ihr widerstand gegen den umlaut nicht sehr nachhaltig und nur schwankend würkt, würde nicht durchaus widersprechen. denn es lässt sich gerade beim *r* mehr beobachten dass seine aussprache selbst in einem und demselben dialecte nicht fest ist.

Bonn, 11 januar 1881.   JOHANNES FRANCK.

EIN CONSONANTISCHES AUSLAUTGESETZ DES GOTISCHEN AUS DEM ACCENT ERKLÄRT.

Ulfilas behandelt auslautende -d und ds verschieden, je nachdem ein consonant oder ein vocal vorhergeht. steht ein consonant unmittelbar vor -d, -ds, so bleiben diese laute unverändert (hund, gards); ist der vorhergehende laut ein vocal, so geht gewöhnlich -d in -þ, -ds in -þs über: der regelmäfsige nom. vom gen. liuhadis ist liuhaþ, vom gen. frodis, froþ. dann und wann bleiben jedoch -d, -ds auch nach vocal (zb. god neben goþ, faheds neben faheþs), und dies ist speciell im Lucas und Johannes der fall.

Braune bespricht in seiner jüngst erschienenen Got. grammatik s. 28 f diese erscheinung. er ist der meinung dass die in den evangelien Lucae und Johannis begegnenden d, ds 'eine abweichung der schreiber' seien. die auslautenden -d, -ds sollten also nicht eine bisweilen vorkommende aussprache bezeichnen, sondern nur von der willkür der schreiber herrühren. so viel ich weifs, ist kein anderer versuch, dieses verhältnis zu erklären, gemacht worden. es dürfte doch möglich sein, ohne orthographische willkür anzunehmen, die auslautenden -d, ds zu verstehen.

Man findet -ds im Lucas in: faheds (1, 14. 15, 7. 15, 10), mitads (6, 38), mikilids (4, 15), gahrainids (4, 27), gamanvids (6, 40), gasatids (7, 8), gavasids (16, 19), bruþfads (5, 34. 5, 35), hundafads (7, 6), unleds (16, 20), galiugaveitvods (18, 20), gods (6, 35. 6, 43), stads (14, 22). — bei Johannes in: faheds (15, 11), gasveraids (13, 31), manaseds (12, 19. 15, 18. 15, 19), gods (10, 11). Lucas hat -d in: faheid (2, 10), haubid (7, 46), liuhad (8, 16), galagid (2, 12), gamelid (2, 23. 3, 4. 4, 4. 4, 8. 4, 10. 4, 17. 7, 27), gasulid (6, 48), vagid (7, 24), samalaud (6, 34), juggalaud (7, 14), manased (9, 25), anabaud (5, 14. 8, 29. 8, 55), faurbaud (5, 14. 8, 56), baud (14, 34), garaid (3, 13), god (3, 9. 6, 43. 9, 33. 14, 34), bad ina (8, 31. 8, 41. 15, 28), bad (18, 11), mid iddjedun (7, 11), sad itan (15, 16), stad (4, 17). — Johannes hat -d in: fahed (16, 22. 17, 13), haubid (19, 2), liuhad (11, 10. 12, 46), libaid (11, 25), habaid (12, 48. 13, 35. 14, 21. 16, 21.

16, 33. 19, 11), *fastaid* (14, 15. 15, 10), *fijaid* (15, 19), *vopeid* (13, 13), *galaubeid* (14, 12), *manased* (12, 47 bis. 17, 18), *svalaud* (14, 9), *anabaud* (14, 31), *hvad* (13, 36), *stad* (10, 40. 14, 2. 14, 3. 18, 2). aufserdem kommen im Lucas häufig verbalformen mit auslautendem -*d* vor (Leo Meyer Got. sprache s. 150, Braune Got. gramm. s. 28), zb. *gabairid* (1, 13), *drigkid* (1, 15), *gibid* (1, 32), *svegneid* (1, 47), *leihvid, veneid, frijod, taujaid, leihvaid, vairþaid, stojid, afdomjaid, fraletaid* (6, 34—37) usw.

Die aller meisten der angeführten wörter sind mehrsilbig mit unaccentuierter ultima; man kommt darum leicht darauf die erhaltung von -*d*, -*ds* damit in causalverbindung zu setzen. da auslautende -*d*, -*ds* (das got. *d* ist auch zeichen für die tönende interdentale fricativa = altn. *đ*) die neigüng zeigen den stimmton zu verlieren (dh. zu -*þ*, -*þs* zu werden), so hängt dies selbstverständlich von der rückwärts würkenden assimilation ab: die nach -*d* folgende pause oder das tonlose -*s* bewürkte dass auch *d* den stimmton einbüfste. da aber auch ein tonloser consonant leicht in unaccentuierter silbe in den entsprechenden tönenden übergeht (zb. *fadar* — aber *broþar*), so folgt hieraus natürlich dass ein tönender laut, der unter anderen umständen tonlos werden würde, in accentloser silbe gern bleibt. dies ist die ursache der sporadischen erhaltung von got. -*d*, -*ds* in unaccentuierter silbe.

Die übrigen wörter, in denen *d*, *ds* der tonsilbe angehören, haben mit wenigen, gleich zu erörternden, ausnahmen langen vocal oder diphthong. lange stammsilbe (aber mit kurzem vocal) haben auch *hund, gards* usw. mit consonanten vor -*d*, -*ds*, welche immer -*d*, -*ds* erhalten (*d* kann doch hier explosiva gewesen sein). die länge der stammsilbe muss die erhaltung von *d* eben so wol in *god* und *baud* als in *hund* bewürkt haben, und sie kann hier eben so wie bei den mehrsilbigen wörtern auf die accentverhältnisse zurückgeführt werden.

Sievers beschreibt den 'geschnittenen accent' Lautphysiologie 115 auf folgende weise: 'die stärke erreicht gleich zu anfang des vocals ihren höhepunct, und von dem momente des nachlassens an ist jeder folgende moment desselben oder eines sich ihm anschliefsenden consonanten schwächer betont als der vorhergehende.' hieraus folgt, wie er nachher zeigt, dass im nhd. *halle* zb. mit kurzem stammvocal der *l*-laut mit starkem exspirationsdruck gesprochen wird; wenn aber ein langer vocal oder diphthong dem

consonanten vorhergeht, 'tritt die abschneidung des vocals erst
in einem momente ein, wo die intensität des accentes bereits sehr
geschwächt ist', und der consonant wird mit wenig exspirationsdruck ausgesprochen. dies verhältnis lässt sich jedesfalls in vielen
sprachen beobachten; so wird zb. im schwedischen der *m*-laut
mit merkbar gröfserer intensität in *dăm* mit kurzem als in *dām*
mit langem vocal oder in *halm* ausgesprochen; denn in diesem
worte hat das aussprechen von *a+l* eben so lange zeit gefordert
wie das des langen *a* in *dām*, und es bleibt für *m* in *halm* nicht
mehr exspirationsdruck übrig als für *m* in *dăm*.

Nimmt man nun dasselbe accentverhältnis für einsilbige wörter im gotischen an, so erhellt, warum es immer *hund* heifst;
warum es *god* und *baud* heifsen kann, aber *baþ*: in jenen wörtern war -*d*, als einer langen silbe angehörend, verhältnismäfsig
unaccentuiert; in *baþ* wurde der auslaut stark accentuiert, da der
vorhergehende vocal kurz war. [1]

Unter den oben aufgezählten wörtern gibt es einige ausnahmen von dieser regel, doch meistens nur scheinbare. in dem
dreimal bei Lucas belegten *bad ina* ist -*d* nicht zu -*þ* geworden,
weil es unmittelbar von dem enclitischen mit vocal anlautenden
ina gefolgt wird, das got. *bad ina* ist eben so gut ein wort wie
zb. das italienische *prestagli*, das englische *tell'em* (für *tell them*)
oder das schwedische *köp'na* (altschw. *köp hana*). und dass auch
sonst beim anhängen enclitischer wörter auslautendes *d* bleibt, zeigt
nimiþ — nimiduh, nemuþ — nemuduh (Braune Got. gr. § 70).
Lucas hat 15, 16 *sad itan* (aber *saþ itan* 16, 21) und 7, 11 *mid
iddjedun* (aber *miþ iddjedun* 14, 25). auch hier folgt auf -*d*
ein vocal, und übrigens sind *sad itan* und *mid iddjedun* als
zusammensetzungen aufzufassen: 'sich sättigen', 'mitgeben'. das
im Johannes 13, 36 vorkommende *hvad (hvad gaggis?)* hat
-*d* beibehalten, weil das wort gewöhnlich proclitisch (vgl. nhd.
wŏ gĕhst dŭ?) und also jeder anderen unaccentuierten silbe gleich-
zustellen ist. den übergang von *þ* in *d* und von *t* in *d* oder *đ*
in pro- und enclitischen wörtern anderer germ. dialecte (ags. *þu*
— engl. *thou* (mit *đ*), altn. *hvat* — neuisl. *hvađ* usw.) ebenso
wie die entwicklung *t — d* in der got. praep. *du* (für *tu*, vgl.

---

[1] es kann hier die bemerkung von Sievers (Lautphysiologie 116) erwähnt werden dass der von ihm s. g. (accentus) gravis sich am besten
mit folgender lenis verbindet.

ags. und alts. *id*, ahd. *zuo)* habe ich Tidskrift f. fil. n. r. ɪɪɪ 241 ff
dargelegt. da *bad* nur ein mal (Lucas 18, 11) belegt *(baþ* aber
sehr gewöhnlich) ist, so ist es von keinem belang und kann als
schreibfehler angesehen werden. es erübrigt nur *stads, stad,* das
nicht nur mehrmals im Lucas und Johannes, sondern auch sonst
vorkommt; aber der grund der erhaltung von *d* wird auch in
diesem worte angegeben werden können. das got. hat neben dem
masc. *staþs, stads* (gen. *stadis)* noch ein masc. *staþs* (gestade;
gen. *staþis)* mit ursprünglichem *þ.* da für diese wörter die formen
staþs, staþ gemeinsam sein würden, wenn man das inlautende *d*
des gen. *stadis* (ort) auslautend in *þ* übergehen liefs, so bewürkte
der differenzierungstrieb dass *stads, stad* (ort) nach analogie der
casusformen mit inlautendem *d (stadis, stada* usw.) bisweilen *d*
erhielt — eine analogie, die um so viel kräftiger war, da der
dativ *stada* (und auch *stadim)* sehr oft angewandt wird um den
begriff 'wo'? auszudrücken, zb. *ana stada ibnamma* (Lucas 6, 17),
in auþjamma stada (Lucas 9, 12), *ana þamma aftumistin stada*
(Lucas 14, 10), *ana þamma stada* (Lucas 19, 5), *in stada þamma*
(Luc. 2, 7), *in þammei vas stada* (Joh. 11, 6), *in þamma stada*
þarei (Joh. 11, 30. Röm. 9, 26), *in allaim stadim* (2 Cor. 2, 14.
2 Thess. 3, 16. 1 Tim. 2, 8) usw.

Aus den aus Lucas und Johannes angeführten wörtern geht
hervor dass auslautendes *-d* lieber als auslautendes *-ds* erhalten
wurde, und der grund ist leicht abzusehen. da *d* auslautete,
wurde es oft nicht von einer pause oder von tonlosem consonanten, sondern von vocal oder tönendem consonanten gefolgt; in
diesen fällen würkte der folgende laut zusammen mit der accentlosigkeit zur erhaltung des *d.* in der verbindung *-ds* wurde aber *d*
immer von einem tonlosen consonanten gefolgt, und nur die accentlosigkeit konnte *-d* conservieren; zur erhaltung von *d* würkten
also bisweilen zwei kräfte, zur erhaltung von *ds* immer nur eine.

Es verdient bemerkt zu werden dass die aus Johannes notierten verbalformen mit auslautendem *-d* vor diesem *ai* und *ei*, also
diphthong oder langen vocal haben.

Der übergang *t — d* im namen *Lod* (Lucas 17, 29) erklärt
sich auch daraus dass der vocal lang ist.

In den übrigen teilen der got. bibel kommen auslautende
-d, -ds seltener vor; einige beispiele mögen angeführt werden
(vgl. Leo Meyer Gotische sprache 160, Braune Got. gramm. § 70

anm. 2): *galiuga-veitvods* (1 Cor. 15, 15. Marcus 10, 19), *veitvod* (2 Cor. 1, 23), von welchem worte keine formen mit *-þ, -þs* belegt sind, *aviliud* (2 Cor. 8, 16. 9, 15. 4, 15. 2, 14 (cod. A aber *aviliuþ*). 1 Cor. 15, 57 cod. B), *faheds* (2 Cor. 2, 3; cod. A *faheþs*), *fahed* (Philipp. 2, 2), *bruþfad* (Marcus 2, 19), *svalaud* (Gal. 4, 1), *gastigods* (1 Tim. 3, 2. Tit. 1, 8), *gods* (2 Tim. 2, 3), *god* (Matthäus 7, 19; 1 Tim. 1, 8. 2, 3. 5, 4), *saud* (Röm. 12, 1), *gariud* (Philipp. 4, 8), *gariuds* [1] (1 Tim. 3, 2) usw. besonders begegnen dann und wann verbalendungen mit *-d* statt *-þ*.

Durch diese beispiele wird die beim Lucas und Johannes gefundene regel bestätigt. um ausnahmen in den übrigen teilen des Ulfilas zu finden, bin ich den wortvorrat im glossar durchgangen, habe aber nur *sads* (Philipp. 4, 12), *grid* (1 Tim. 3, 13) und *gaguds* (Marcus 15, 43) als solche notieren können.[2] die accentuation *gagúds* ergibt sich aus dem altn. *granni, glíkr* (got. *garazna, galeiks*) und dem nhd. *gedánke* usw.; da aber das regelmäfsig inlautende *d* in *guþa* (Gal. 4, 8), *guþaskaunein* (Philipp. 2, 6), *guþalaus* (Eph. 2, 12; *gudalaus* cod. A) von *þ* verdrängt ist (aber *guda* Joh. 10, 34. 10, 35), so nimmt es kein wunder dass umgekehrt in *gaguds* (Marcus 15, 43) *d* unregelmäfsig bleibt (vgl. *gagudei, gagudaba*). die je ein mal belegten *sads (saþ* Lucas 16, 21) und *grids* können die giltigkeit der regel nicht umstofsen, besonders wenn man bedenkt dass umgekehrt *þ* für inlautendes *d* nicht nur in *guþa* usw., sondern mitunter auch sonst, zb. in *unfroþans* (Gal. 3, 3; aber *unfrodans* Gal. 3, 1) steht.

Die regel für *-d, -ds* bewährt sich schön durch den wechsel der auslautenden *-f* und *-b*. Braune gibt § 56 folgende regel: im auslaut, vor dem *s* des nominativs und vor dem *t* der 2 s. perf. bleibt *b* nur nach consonanten, in der stellung nach vocalen wird es zu *f*. seiner meinung nach sind die 21 mal belegten formen mit auslautendem *b* nach vocal den schreibern anzurechnen und rein orthographisch. sie sind nach Leo Meyer 80 und Braune: *grob* (Lucas 6, 48), *gadob* (Skeireins 42, perf. von

---

[1] im got. diphthong *iu* ist *i* silbenträger (Braune Got. gramm. § 18).

[2] *spraud* (1 Cor. 9, 24) ist mit recht von Mafsmann und Heyne in *spaurd* emendiert, da *spaurds* vom Joh. 6, 19. 11, 18 belegt ist (vgl. auch abd. *spurt)*; wenn man aber auch in *spraud* metathese von *au* und *r* sehen will, so erklärt sich das erhaltene *-d* aus dem regelmäfsigen *-d* der normalform *spaurd*.

gadaban), gadob (— passend, 4 mal), *hlaib* (7 mal), *hlaibs* (Lucas 4, 3),
þiubs (4 mal; *þiufs* nicht belegt), *tvalib* (3 mal). hiezu kommt noch
der namen *Gudilub* [1] in der urkunde von Arezzo. in allen diesen
wörtern steht ein langer vocal oder diphthong vor -*b*, -*bs*, mit
ausnahme von *tvalib* und *Gudilub*, wo -*b* in unaccentuierter ultima
sich befindet. es kann deshalb nicht zweifelhaft sein dass diese
sporadischen -*b*, -*bs* ebenso wie -*d*, -*ds* erklärt werden müssen:
der relativen accentlosigkeit zu folge hat die tönende fricativa
(got. *b* ist auch zeichen für die tönende labiale fricativa) den
stimmton nicht eingebüfst. es verdient erwähnt zu werden dass
von den 21 -*b*, -*bs* 11 im Lucas und Johannes belegt sind, wo
auch -*d*, -*ds* am häufigsten vorkommen.

Hieraus folgt dass, da zb. vom dat. *biuda* (tisch), *galaubamma*
(kostbar) der nominativ nicht belegt ist, man nicht mit gewisheit
biuþs, galaufs ansetzen kann, da er auch *biuds, galaubs* hat lauten
können.

Der grund dass im got. *fadi-* (nicht *faþi-*) das sskr. *pátis*
vertritt, ist darin zu suchen dass *fadi-* nur als zweites glied von
zusammensetzungen vorkommt, composita mit -*fadi-* aber müssen
im urgerm. *'fadi-* ebenso wie sskr. *gópatis* usw. accentuiert worden sein (Kluge Beitr. zur geschichte der germ. conjugation
25. 131). aus *bruþfads* (Lucas 5, 34. 35), *hundafads* (Lucas 7, 6)
kann man aber schliefsen dass dieselbe accentuation dieser wörter
noch im got. bestand, da man sonst im nom. -*þs* erwartet hätte.
man muss auch *Gúdilub* accentuiert haben. [2]

Da im got. auslautendes -*g* immer bleibt, kommt es, wenn
es auch die geltung einer gutturalis fricativa hatte, hier nicht
in betracht. [3]

[1] vgl. Förstemann Altdeutsches namenbuch 1, 537.
[2] *guþ* hat als erstes zusammensetzungsglied *d* in *gudhus* (Joh. 18, 20),
þ in *guþblostreis* (Joh. 9, 31). wenn nicht die anwendung von *d* und *þ*
in diesem worte auch sonst unregelmäfsig wäre (s. oben), könnte man hieraus die accentuation *gudhús* und *gúþblostreis* erschliefsen wollen. da die
praep. *us* in zusammensetzung mit auf *st-* anlautenden wörtern bisweilen
-*s* verliert zb. *ustaig*, und Mt. 27, 51 *diskritnan* für *disskritnan* steht (Braune
s. 31), so deutet dies vielleicht die betonung *ustáig* usw. an. der lange
(aus *s* + *s* bestehende) *s*-laut verkürzte sich, da *us-, dis-* unbetont waren.
über die accentuation vom zweiten compositionsgliede im älteren schwedischen vgl. meinen aufsatz Ljudförsvagning Tidskrift f. fil. n. r. III 247*).
[3] eine erscheinung im ags. verdient hier erwähnt zu werden. nach
Holtzmann Altd. gramm. 210 bleibt auslautendes *g* nach kurzem vocal

Das gesetz wird aber von den regeln für auslautende *s* und *z* bestätigt. *z* wird im auslaute zu *s* (zb. *hvazuh–hvas*); ausnahme ist das zweisilbige *rikviz* (4 mal von Leo Meyer belegt); aufserdem *aiz*, *mimz*, *minz* (jedes je ein mal von Leo Meyer und Braune belegt), die lange wurzelsilbe haben, das erste mit diphthong, die anderen mit kurzem vocal + 2 consonanten.

Als resultat dieser untersuchung glaube ich notieren zu können:

1) Die auslautenden got. fricativae -*d* (-*ds*), -*b* (-*bs*), -*z* bleiben sporadisch nach vocal (und werden nicht zum entsprechenden tonlosen laut), wenn sie in unaccentuierter ultima oder in accentuierter langer silbe stehen.

2) Die ursache ist in beiden fällen die relative accentlosigkeit der laute.

3) Die intensität des got. accentes nahm in einsilbigen wörtern gegen das ende des wortes ab.

(*däg* usw.), obgleich seltene ausnahmen vorkommen; in langer silbe soll es aber meistens zu -*h* werden. er bemerkt aber dass *g* in langer silbe öfters bleibt: immer -*ng*, weiter nach *æ* (*mæg*, *væg*, *ægflota*), nach *â* (*svâg*, *lîg*), nach *î* (*stîg*, *tvîg*). er hat unter den beispielen mit -*h* nach langem vocal auch *vâg* und *vâh* (paries), *þrâg* und *þrâh* (cursus); von Grein werden sie aber *väg*, *vag*, *vah* und *þrag*, *þrah* (auch HLeo: *þrah*) angesetzt und widersprechen in dieser form der von Holtzmann aufgestellten regel. es kann bemerkt werden dass in mehreren seiner anderen beispiele -*h* nach *r* oder *l* folgt (*burh*, *beorh*, *borh*, *fealh*, *dolh*). HSweet gibt auch History of english sounds 79 die regel: final *g* after long vowels or consonants often becomes *h* in old english. ist diese fassung in der hauptsache die richtige (vgl. ten Brink Anglia 2, 177), so scheint die von Sweet gegebene erklärung nicht unwahrscheinlich zu sein: '*h*, to judge from the spelling *bogh* = *bôh* = *bûg*, was originally vocal (= *gh*), although it was soon devocalized.' vgl. auch Paul Beitr. 1, 177. da im ags. *þ* und *ð* promiscue angewandt werden, und *f* (nicht *v*) immer im auslaut steht, bestätigen die anderen fricativae nicht die regel für auslautende -*g*, -*h*, welche für die got. fragen nicht entscheidend ist.

Lund 23. 12. 1880.   AXEL KOCK.

ZU KLOPSTOCKS ODE AN EBERT.

Eine reihe von parallelen zu der totenschau in der Ebertode findet sich mit beschränkung auf den Leipziger kreis in meinen Beiträgen zur kenntnis der Klopstockschen jugendlyrik

s. 38 ff. Klopstock selbst bietet im Messias xiv den vergleich *wie
ein einsamer übriger, der durch den tod den letzten seiner freunde
verlor.* auf drei weitere belege für das nachleben des motivs soll
hier hingewiesen werden.

Bodmer hat in seiner greulichen patriarchade, dem Noah,
nicht nur Klopstocks künftige geliebte, die teufel, den reuigen Ab-
badona namentlich abgeklatscht, sondern auch jene ode sclavisch
copiert. im vierten gesang denkt sich Debora nach dem tod
ihrer mutter Mehetabeel auch den vater Sipha und die beiden
schwestern gestorben und jammert

> *wenn denn Thamars auge sein freundliches lächeln verlernt hat,*
> *wenn die blühenden wangen der Kerenhapuch verwelkt sind,*
> *ruht der schwester gebein, und ich bleibe von dreyen noch übrig,*
> *und ich stehe getrannt vom menschengeschlecht bey mir selbst da,*
> *mir nur allein noch übrig, was wird aus mir einen dann werden?...*
> *alsdenn werd ich aus einer betäubenden langen ohnmacht*
> *ungern erwachen, und wenn ich zuletzt erwache vergebens*
> *um die gräber meiner entschlafenen gehen, und Thamar*
> *ruffen und Kerenhapuch, ,dann werden die thäler und klippen*
> *Thamar ruffen und Kerenhapuch, doch meiner zu spotten.*

vieles in dieser später umgearbeiteten stelle ist blofse para-
phrase, vgl. ode (erster druck) v. 35 *wenn des zärtlichen G****
auge mir nun nicht mehr lächelt, 58 *ruht auch ihr zartes gebein,*
59 *bin ich allein, allein auf der welt von allen noch übrig,* 50 f
was sind wir alsdann, wir verlassenen beyde, 63 *betäubt,* 67 *rufe,*
wenn du erwachst, 69 *ihr gräber meiner enschlafenen.* Bodmer
war anfangs so ehrlich am rand seine quelle zu nennen, der
junge Wieland aber erklärte in der belustigenden bogenreichen
reclameschrift Abhandlung von den schönheiten des epischen gedichts der Noah s. 161 ff, Klopstocks motiv habe hier erst den
rechten platz, neues leben und höhere vollkommenheit empfangen.
der wahre erfinder sei, wer einen gedanken, möge denselben ein
anderer früher geäufsert haben oder nicht, am natürlichsten ver-
wende. Debora würde sich würklich ganz vereinsamt auf der
welt sehen, aber, fährt er mit einem schielenden lob fort, *gesetzt
herr K. verliehre alle seine freunde, so wichtig ihm dieser verlust
seyn mag, so wird er doch niemahlen allein seyn. es wird gewifs
nie an leuten fehlen, welche fähig seyn werden ihn zu lieben, und
von ihm geliebt zu werden. seine traurige einsamkeit ist demnach*

blofs eine einbildung einer vom schmerz besiegten seele. überhaupt wimmelt es in Bodmers sogenannten dichtungen von reminiscenzen, vgl. Die Cherusker s. 53 Thusnelda zu Arminius *willst du nicht erst von dem donner der schlacht ausruhen? nicht in meinen umarmungen stille und freude athmen* mit Hermann und Thusnelde 2, 2 ff *ruhe von der donnernden schlacht in meinen umarmungen aus.*

Mit einer seltsamen mischung von parodie und ernst sagt Lessing in der prosaode An den herrn von Kleist Lachm. 1, 205 f *wenn die liebsten deiner freunde nicht mehr sind — — ich weifs es, keiner von ihnen wird dich gern überleben — — wenn dein Gleim nicht mehr ist ... wenn der redliche Sulzer ohne körper nur denkt ... wenn unser lächelnder Ramler sich todt kritisirt — — wenn der harmonische Krause nun nicht mehr, weder die zwiste der töne, noch des eigennutzes schlichtet — — wenn ich auch nicht mehr bin — — ich, deiner freunde spätester, der ich, mit dieser welt weit besser zufrieden, als sie mit mir, noch lange, sehr lange zu leben denke — — dann erst, o Kleist, geschehe mit dir, was mit uns allen geschieht! dann stirbst du; aber eines edlern todes; für deinen könig, für dein vaterland und wie Schwerin.*

Frei hat JBMichaelis das motiv benutzt in Die gräber der dichter. bald darauf fand sein eigenes leben — vgl. jetzt Wilisch Des Zittauer dichters Johann Benjamin Michaelis autobiographie Neues lausitzisches magazin LVI — ein frühes vielbesungenes ende.

Wien 22 II 81.   ERICH SCHMIDT.

SASSAFRAS.

Meine bemerkungen über don Sassafras, *dessen Goethe in zwei nach Leipzig gerichteten jugendbriefen gedenkt, Goethejahrbuch 1, 377 f, kann ich jetzt, den doppelsinn der anspielung festhaltend, ergänzen und berichtigen. vielleicht sind würklich bei Schönkopfs Sassafrasscenen gespielt worden. der durchtriebene verliebte doctor Sassafras aus Amsterdam, der seinen namen dem erprobten decoct verdankt, war eine sehr bekannte bühnenfigur. das aus Italien stammende lustspiel von Sassafras und Sassabarille — vgl. Holtei Schlesische gedichte 1858 s. 192 ff — mag auf der wanderung von truppe zu truppe manche umänderung erfahren haben. in*

*echt italienischer weise werden die alten geprellt und zwei parallele
liebeshändel mit hilfe der verschmitzten zofe und der diener unter
den üblichen verkleidungen und foppereien glücklich ans ziel geführt. voran stehe eine skizze von CRichter, im hsscatalog der
Wiener hofbibliothek nr* 13607 *bezeichnet als Scenarium comoediae
germanicae cum morione in 3 actibus sine inscriptione de fatis
doctoris medicinae Sassafras et eiusdem amasiae Sassabariglia.
theatergeschichtlich als schematismus, durch anweisungen für die
improvisation und die andeutung gewisser obligater lazzi recht
interessant, verdienen die zwei bll. fol. vollständige und buchstäblich genaue widergabe. der schreiber ist offenbar ein Österreicher.*

Z i m m e r. *Actus* 1. *Scena* 1: *Sassabariglie,* schläfft bernoch.

Sassafras et Pantolpho ersterer fragt wie sie sich befinde etc:
Pantolpho Briefe zu Versiegln ab. *Sassabariglie* im schlaff
warum klage ich dem arzten nicht Meine Noth, *Sassafras* seine
Liebeslobung an ihr, bis sie erwacht, etc endtecken einander
Liebe und Treu, dazu innwendig hören lassen

Sc 2 *Pantolpho* wider zurücke wundert sich der genessung
will *Sassafras* belohnen, er will nichts nehmen ist der Esel.
Lazo dazu

Sc 3 *Anselmo* nach gemachtem *Compl.* rufft er *Sassafras*
auf die seithen etc *Sassafras ab. Pantolpho* schaft *Sassaba:* ab,
Beyde alte ihren Vertrag weg Heyrath b e y d e a b.

Strada

Sc 4 *Sassafras et Cornelius,* erster das ihm *Cor:*
in der Liebe beystehn soll

S. 5 *H. W. [Hans Wurst] Lipperle* und der *Coffesieder*
werden angenohmen.

Scen. 6 *Col[ombina]* kombt von diefsen alle den Anschlag zu
vollführen und bey der *Sassabarigle* Nachricht zu geben dass sie
alle bey *Sassafras* in Diensten. Alle a b.

Z i m m e r.

Sc. 7 *Pantolph, Anselm* beyde rauschig i n w e n d i g
lehrm weg feuer b e y d e a l t e a b.

Sc. 8 *Sassabarigle H. W.* das er lehrm gemacht, gibt
ihr den brieff und gleich b e y d e a b.

Sc. 9 *Pantolpho* es seye ein blinder Lärm gewesen
etc. d a z u

Sc. 10 *H. W.* alfs *Marquis de Flambeau* gibt ihm den Schein weg den Kasten *(Sassafras* in den Kasten), *Pant.* will *H. W.* d. geleith hinaus geben, ist der *Lazo* weg umwerffen, *H. W.* ab.

Sc. 11 *Pantolph* mit licht und Beth, will auf dem Kasten schlaffen.

Sc. 12 *H. W.: Sassabarigle* will den alten weckbring, ist d *Lazo* des *Vexiren Pant:* es seye hier nicht sicher (ab) *Sassabarigle* wird im Kupfer [Koffer] gelegt. *Sassafras* herauſs. *H. W. Lip: Sassafras* kleidten sich als bediente, *NB* Kleyder im Kasten.

Licht.

Sc. 13 *Pantolpho, Col.* alſs *Marquis de Plomage,* zeigt den schein, *Col ab H. W. Lipp.* nöthigen *Pant.:* den Kasten zu trag *Pant.:* die verdambte *Pagage,* die teuflische, die verfluchte etc alle ab.

[*Bl.* 1ª] *Actus* 2.

Strada

Sc. 1 *Cornelio, Diana* [*könen verheyrathet seyn* ist ausgestrichen] haben eine *Scen*

Sc. 2 *Sassafras et* Lipperle obige Versprech ihnen Beystand weg ihren Hauſs, entl. alle ab.

Sc. 3 *Pantolph, Anselmo* jeder in seinem Hauſs ruffet seine Tochter, entl. Beyde selbe zu such ab.

Sc. 4 *Sassafras et Sassabarigle Diana Cornelio* Lipperle Lezterer will nicht mehr in den vorig *quartier* bleiben.

Sc. 5 *H. W.:* er habe ein neues *Quartier* bey einen *Anotomico:* die *Col:* seye schon da, etc endlich alle ab, *Sassafras* letzte,

Sc. 6 Beyde alte haben *Sassafras* abgeh gesehen, urtheillen dass vieleicht da die Töchter seyn müssen, keiner will der erste sein der ins Hauſs gehet, endl. beyde ab

Saal

Sc. 7 *H. W. alſs Professor, Lipp: als Barbier, Sassa: Sassabarigle, Cornelio, Diana,* wie sie die alten betrügen wollen, dazu

Sc. 8 *Colomb. alſs Apotecker,* Meldet, dass die alten schon in der Behauſsung *etc H. W.* seine *Rodomandaten,* dictirt unterschiedliche *Recepten,* dazu Weibsbild[er] ab.

Sc. 9 *Pantolph: Anselmo,* schleichen sich hinten herauſs, *Anselmo* wincket *Sassafras* fragt warum sie heute da Studiren,

Sc. 10 *Lipp.* bringt die Nachricht das die zwey gehenckten
sein gestollen worden, *H. W.* ärgert sich darüber, fragt ob beyde
alte *Sassafras* seine Vätter weren, *etc* fragt auch ob die alte
Liebhaber von Reyſsen weren, es koste ihnen nichts alte sag
ja sie Reyſs gern, weil es nichts kostet, *H. W.*: sie sollen sich
hencken lassen, so wolle er sie alſs zwey *Catafers* nach *Nea-
polis* schicken, alte ärgern sich *a b* [sic] *ab,*

Sc. 11 Weibsbilder hervor, froh das die alten weit,
haben liebs-*Scen* dazu

Sc. 12 die beyde alte, überſahlen sie, *Pantolpho* führt
Sassabarigle und *Col:* ab, *Anselmo* seine Tochter, alle ab.

[*Bl.* 2'] *Actus* 3

Strada.

Sc. 1 *Sassafras, Cornelio, H. W. Lipp.* gibt einer dem
andern die Schuld, dass die Sache verrath worden, wissen nicht
was Sie anfang sollen, dazu

Sc. 2 *Col:* alſs *Apoteck.* Sie sollen lustig sein, Sie
seye weil Sie von denen alten mit eingespehret worden, durch-
gegangen, Sie habe den Weibsbildern auch Kleyder zugebracht.
L. nach *Scen:* sagt Sie was ins ohr und alle ab es zu thun.

Sc. 3 Beyde alte haben beyde weibsbilder in *Pantolpho*
Hauſs eingesperrt, ein Jeder fragt seine Tochter ob sie heyrath
wolle. dazu

Sc. 4 *Lipp:* alſs Feld-wäbel, mit Wacht, *Lazo* weg preſsentir
Sie hetten *deserteur* inn Hauſs, alte lachen Ihm auſs.

Sc. 5 *Colomb:* alſs Hauptmann, *Sassafras* alſs
Lieutenant, Cornelio alſs Fendrich, *H. W.* alſs *Audi-
teur* fragen die alten, ob sie keine *deserteurs* im Hauſse, alte
sagen Nein, sie können alles durchsuchen, *Lipperl* mit wache
ins Hauſs entlich bringt

Sc. 6. Die Weibsbilder als *Deserteur*, in stieffel
und Stallkietel herauſs, alte wundern sich, es wird Tisch
und stühl, mit Feder und Tinten gebracht alle *officier* setzen sich
wird *Examiniret*, dann standrecht gehalten, alte müss bitten das
die *officier* ihre Töchter heyrath wollen 12000 fl. heyrat gut
geben sollen ihnen das leben schencken, sie könten nicht so
offt spitzruthen lauffen, *officier* sein damit zufrieden alte
ruffen ihre Töchter, wundern sich dieselbe in eim sollen auf-
zuch zu sehen, [ist *ausgestrichen*] also bekombt *Sassafras* des

Ansel: Sohn die *Sassabarigle* des *Pantolpho* Tochter, und die
Diana des *Anselmo* Tochter den *Cornelius. H. W. Col:* und ist der
schlus, das *Sassafras* und *Sassabarigle* zusamen gehört.

finis

[*Bl.* 2²] Jedermänlich zu Vernehmen.

Ohngeacht nach denen Kriegs-rechten *Articulo* 1ᵐᵒ *Secundo:
et tertio,* und so bis an das Ende gegenwärtige *Delinquenten pro
primo Jacobus* Strumpf-Bandl, seines alters 1 und 8 jahr ist
18 jahr gebürtig von Ambsterdam, gewefster *Corporal,* von HE
Hauptmann Krumpfufs *Compagine* nebst seinen *Complices georgius*
Krump-Tazl in *Puncto Desertionis* ergrieffen worden, so solle
dennoch in ansehung ihres zukünfftigen hoffenden gutt Verhaltens
ihnen das leben geschencket seyn, doch wird ihnen zuerkannt,
dass Vorgenannter Krump-Tazl Jahr und Tag bey HE *Lieutenant*
in Haufs *Arrest,* der andere aber bey Tit. HE Fendrich ver-
bleiben soll, die bofshaften *Instiganten* und unterschleipfgeber
aber, alfs *Pantolpho* und *Anselmo* zur *Specialen* gnad durch
80 tausen Mann 10 mahl hundert taufsendmahl Spitzruthen lauffen und das von rechts wegen, *finis*

NB: er heifse *Sassafra,* und seine geliebte *Sassabariligie.
H. W.* und ich *Lignum Sanctum, Lipp:* und ich heifs *Albumgreckum*
so ist das gantze *Decoctum* beysammen.

*Wir haben ferner sechs arien zu einer Wiener bearbeitung
Der verliebte Medicus Herr Sassafras von Amsterdam (Amsterdam
wurde ja im urteil des kriegsgerichts genannt) erhalten in der wichtigen von Kurz-Bernardon angelegten vierbändigen handschriftlichen sammlung Teutsche ARJEN, welche auf dem Kayserlich-
Privilegirt-Wiennerischen Theatro in unterschiedlich producirten
Comoedien, deren Titel hier jedesmahl beygerücket, gesungen worden
2, 545 ff. nr 1, zweistrophig, Colombine rühmt ihre kuppelkünste*

So will ich Colombine
Aufs neue, da ich diene,
Mein Sachen machen gut;
Mich freut es, wann ich helffen kan,
Dafs manches Madl kriegt ein Mann

*usw., würde in die scene 1, 6 des obigen schemas passen. schwerer
ist nr 2, von Bernardon als postillon gesungen, unterzubringen*

Du alter verruntzelter, grunzender Bernhäuter!
Du ochsen-verwalter! du Krippenreuther!

*niefse. da die greise ebenda den jungen schnauzhähnen tausend-
mal vorgehen, hat sich frau doctor Sassafrassin nun mit einem
munteren 72 jährigen professor der weltweisheit verlobt.*

*Als nachtrag zu RKöhler Zs. 20, 125 bemerke ich endlich
dass Hanswursts hochzeit nebst einem verwandten stück auch in
dem hsssammelband 13287 vorliegt und dass in Das vierfache Ehe-
band mit Hanns Wurst dem Allamodischen Bettler usw. Hanswurst
das dritte lied beginnt Teutsche arien 3, 184*

Der wackere Wirth zur goldnen Laufs,
  Ist halt a braver Mann,
Er gibt mir gar offt einen Schmaufs
  Wann ich ihm zahlen kann.

Wien 21 ɪɪ 81.   ERICH SCHMIDT.

DIE ERSTE BEARBEITUNG DER EMILIA GALOTTI.

Wie wir aus einer bemerkung Nicolais wissen, war in der
dreiactigen anlage der Emilia die rolle der Orsina nicht vorhanden, *wenigstens nicht auf die jetzige art* (Hempel 20, 1, 145
anm. 3). seine behauptung, man könne davon *vielleicht noch
einige spur* in dem ausgearbeiteten drama entdecken, ist nicht unbegründet. man sieht wenigstens in dem gespräche zwischen
dem prinzen und Marinelli ɪ 6 noch deutlich die naht an jener
stelle, wo die Orsina später eingeschoben wurde (Hempel 3, 11 f).

S. 11 z. 13 ɪ *Prinz: ... was haben wir neues, Marinelli?
Marinelli: nichts von belang, das ich wüste. — ... .*

S. 12 z. 19 *Prinz: und nun genug von ihr. — von etwas
anderm! — geht denn gar nichts vor in der stadt? —*

Marinelli: so gut wie gar nichts.

Es bleibt auffallend dass sich die frage nach etwas *neuem*
in dem gespräche so rasch hinter einander widerholt, und dass
Lessing, welcher so fein verstand, einen gedanken anzuspinnen,
und zu ...., auszuleiten, hier einen sprung macht. ɪ 5 drückte
.... ine liebe zur Emilia aus, dann tritt Marinelli auf,
.... nigkeiten: Orsina; abermals diese frage: graf
'len von oben durch.

Es lodern die Hertzen, schon voller Liebs-Flammen;

Col: Lösch aus!

H. W: Lass brennen!

à 2.   So seys dann, die Flamm ist aufrichtig zu nennen.

Zu dem Sassafras hat sich auch eine Sassafrassin gefunden.
in der Wiener comödie Die plutonische faschings lust Teutsche
arien 4, 325 f nr 4 singt Frau doctor Sassafrassin

In der Welt

Ist die Losung Gelt

Viele grosse reiche Printzen

Viele *Grandes* in *Provinzen,*

Verlangen nichts als Geld;

Wälsche, Teutsche, und Croaten,

Bürger, Bauern, und Soldaten

Verlangen in der Welt

Vor allen nichts als Geld.

In der Welt

Ist die Losung Geld;

Wächter, Reuter und Trabanten,

Kelner Madeln *Musicanten,*

Verlangen nichts als Geld;

Die Betriebten und Verliebten

Haus *Officiers* nebst Bedienten

Verlangen in der Welt

Vor allen nichts als Geld.

Aus einer älteren fassung dieses stücks dürfte J U König motive
für sein lustspiel in prosa Die verkehrte welt entlehnt haben, das
gleichfalls in den fasching verweist, denn auf einer Dresdener re-
doute haben Harlekin und Scaramutz, zweene deutsche comödianten,
den zauberer Merlin kennen gelernt. Sc. 4 Frau Sassefrafs in
einem Docter-Beltz kommt singend und tantzend heraus

Hier steht der Artzt, seht mich recht an,

Der allen Kranken helffen kann

tralarila! tralarila!

die hübsche junge frau schildert ihre methode, wie der kranke ihr
den puls fühlen müsse und von ihr durch einiges caressieren in
gelinden schweiſs gebracht werde. sie sei die witwe eines lehrers
der deutschen sprache, die in der verkehrten groſse beliebtheit ge-

nie/se. da die greise ebenda den jungen schnauzhähnen tausendmal vorgehen, hat sich frau doctor Sassafrassin nun mit einem
munteren 72jährigen professor der weltweisheit verlobt.

Als nachtrag zu RKöhler Zs. 20, 125 bemerke ich endlich
dass Hanswursts hochzeit nebst einem verwandten stück auch in
dem hsssammelband 13287 vorliegt und dass in Das vierfache Ehe-
band mit Hanns Wurst dem Allamodischen Bettler usw. Hanswurst
das dritte lied beginnt Teutsche arien 3, 184

> Der wackere Wirth zur goldnen Laufs,
>   Ist halt a braver Mann,
> Er gibt mir gar offt einen Schmaufs
>   Wann ich ihm zahlen kann.

Wien 21 II 81.   ERICH SCHMIDT.

DIE ERSTE BEARBEITUNG DER EMILIA GALOTTI.

Wie wir aus einer bemerkung Nicolais wissen, war in der
dreiactigen anlage der Emilia die rolle der Orsina nicht vorhanden, wenigstens nicht auf die jetzige art (Hempel 20, 1, 145
anm. 3). seine behauptung, man könne davon vielleicht noch
einige spur in dem ausgearbeiteten drama entdecken, ist nicht unbegründet. man sieht wenigstens in dem gespräche zwischen
dem prinzen und Marinelli I 6 noch deutlich die naht an jener
stelle, wo die Orsina später eingeschoben wurde (Hempel 3, 11 f).

S. 11 z. 13[1] Prinz: ... was haben wir neues, Marinelli?
Marinelli: nichts von belang, das ich wüste. — ... .

S. 12 z. 19 Prinz: und nun genug von ihr. — von etwas
anderm! — geht denn gar nichts vor in der stadt? —
Marinelli: so gut wie gar nichts.

Es bleibt auffallend dass sich die frage nach etwas neuem
in dem gespräche so rasch hinter einander widerholt, und dass
Lessing, welcher so fein verstand, einen gedanken anzuspinnen,
zu entwickeln, auszuleiten, hier einen sprung macht. I 5 drückte
der prinz seine liebe zur Emilia aus, dann tritt Marinelli auf,
die frage nach neuigkeiten: Orsina; abermals diese frage: graf

[1] ich zähle die zellen von oben durch.

Appiani und Emilia, von Orsina ist nur mehr in zwei stellen die rede, welche sich auch als später eingeschoben ergeben.

Betrachten wir zuerst die zweite s. 14 z. 24. *Marinelli: . . . Sie lieben Emilia Galotti! — schwur denn gegen schwur: wenn ich von dieser liebe das geringste gewuſst, das geringste vermuthet habe, so möge weder engel noch heiliger von mir wissen! — eben das wollt' ich in die seele der Orsina schwören. Ihr verdacht schweift auf einer ganz andern fährte.*

Der prinz: so verzeihen Sie mir, Marinelli, — . . . und bedauern Sie mich.

Sieht man zu, wie sonst überall bei Lessing, besonders in der Emilia, von jedem sprechenden genau an das eben vorhergegangene angeknüpft wird, als habe man es mit einer festgefügten kette zu tun, so ist man überrascht, hier von seite des prinzen den schluss von Marinellis rede überhört zu finden. denn *so verzeihen Sie mir* bezieht sich nur auf Marinellis worte vor dem zweiten gedankenstrich, die worte von *eben* bis *fährte* sind für den weiteren verlauf des gespräches ganz überflüssig; weder in der antwort des prinzen, noch später ist bezug darauf genommen. das widerspricht ganz der sonstigen strenge des Lessingschen dialogs. selbst dort, wo das weitere gespräch auf eine frühere äuſserung zurückgreifen muss, wird doch wenigstens ganz kurz der schluss der letzten rede, man möchte sagen abgetan. zb. s. 7 z. 24 Conti spricht von der ansicht des originals (Orsinas) über das bild, macht dann bemerkungen über die kunst. der prinz hat aber nicht lust diesen teil fortzusetzen, sondern will die meinung des originals behandeln, trotzdem sagt er: *der denkende künstler ist noch eins so viel werth. — aber das original, sagen Sie, fand demungeachtet —.* ebenso später z. 30 *Conti: ich habe nichts nachteiliges von ihr äuſsern wollen. der prinz: so viel als Ihnen beliebt! — und was sagte das original?*

Man kann die bemerkung Marinellis ohne schaden fortlassen, der zusammenhang der sätze wird nicht gestört, im gegenteil. es ist daher deutlich ersichtlich dass diese zwei sätze erst später, erst bei der ausführung in fünf acten hinzugefügt wurden.

Auch die andere stelle, an der von Orsina die rede ist, s. 14 z. 11 lässt sich als spätere zutat erkennen. *nun ja ich liebe sie; ich bete sie an. mögt ihr es doch wissen! mögt ihr es doch längst gewuſst haben, alle ihr, denen ich der tollen Or-*

*sina schimpfliche fesseln lieber ewig tragen sollte!
— nur dass Sie, Marinelli, der Sie so oft mich ihrer innigsten
freundschaft versicherten, — ... dass Sie, Sie so treulos, so
hämisch mir bis auf diesen augenblick die gefahr verhehlen dürfen,
die meiner liebe drohte: wenn ich Ihnen jemals das vergebe, —
so werde mir meiner sünden keine vergeben!*

Man lasse die gesperrt gedruckten worte weg, und man
wird nichts entbehren, ja die steigerung wird sogar eine grüfsere,
weil die kürze die lebhaftigkeit erhöht. überdies entspricht es
der form, welche Lessing für die widerholung liebt.

Also auch hier erkennen wir dass Lessing den satz nur bei
der umarbeitung hinzufügte. sehen wir nun von diesen zutaten ab,
dann können wir folgende disposition des gespräches entnehmen:
es zerfällt in zwei teile, im ersten ist von Orsina, im zweiten von
Emilia die rede. bei beiden dieselbe einleitung; zwischen beiden
klafft ein grofser spalt, welcher nicht etwa durch einen übergang
vergessen gemacht wird.

Im ersten teile ist es an zwei stellen der prinz selbst, welcher
auf die möglichkeit eines neuen liebesverhältnisses hindeutet (11,
23 f und 12, 1 f); er behandelt das thema frivol, weist den versuch Marinellis, tiefer darauf einzugehen (11, 26), zuerst zurück,
um wenige augenblicke später selbst abermals davon anzufangen,
was diesmal Marinelli unbenutzt lässt.

Im zweiten teile wird dann von neuem die leidenschaft des
prinzen eingeleitet und exponiert, dabei an das frühere nicht angeknüpft; auch nicht éine äufserung deutet auf den ersten teil
zurück ausgenommen die oben angeführte erwähnung der Orsina
14, 24, welche sich schon als späterer zusatz ergeben hat. dieser
zweite teil ist strenge disponiert; es lassen sich drei hauptglieder
bemerken:

A) 12, 19—13, 10 handeln über den grafen Appiani,

B) 13, 10—14, 34 über Emilia und die liebe des prinzen zu ihr,

C) 14, 35—15, 40 über die mittel sie zu erlangen.

Jeder hauptteil zerfällt in unterabteilungen:

A) 12, 19—12, 21 einleitung,

12, 21—12, 32 verlobung des Appiani,

12, 33—13, 10 Appianis persönlichkeit.

B) 13, 10—13, 11 übergang zur braut,

13, 12—14, 8 Emilia Galotti heifst die braut,

13, 12—13, 21 constatierung der tatsache, erster teil,

13, 22—13, 26 erste andeutung der leidenschaft,

13, 27—14, 5 constatierung der tatsache, zweiter teil,

14, 6—14, 8 zweite andeutung der leidenschaft.

frage des Marinelli,

14, 9—14, 34 offenes bekennen der liebe.

C) 14, 35—14, 38 übergang zur ferneren durchführung,

14, 39—15, 3 constatierung der tatsache,

15, 4—15, 14 erstes mittel zur erlangung; wird abgelehnt,

15, 14—15, 40 zweites mittel; wird angenommen. schluss.

man würde nichts für die exposition der liebe vermissen, wenn der teil über Orsina fehlte, ja die gliederung ist erst dann eine ganz strenge. es wird daraus hoffentlich klar geworden sein dass man an dieser stelle noch zu erkennen im stande ist, wie Lessing die erwähnung der Orsina eingefügt hat.

Graz, 12 februar 1881.   RICHARD MARIA WERNER.

ZU ZS. 25, 170 ff.

Auf die von herrn director Schwartz mitgeteilte Herodiassage des Nicephorus Callistus hat schon WMenzel (Vorchristl. unsterblichkeitslehre 1, 32) hingewiesen, der sie aus zweiter hand (Rousseaus Purpurviolen 5, 98) beibringt. ferner begegnet die sage, leider ohne quellenangabe, unter den Kleinen beiträgen aus dem syrischen, welche p. Pius Zingerle in Wolfs Zs. f. d. myth. 1, 319 f veröffentlicht hat. auch ins volk ist sie gedrungen. im sommer 1876 hat mir eine frau aus der Oberpfalz erzählt, was sie als kind in Zwiesel gehört: Herodias lief mit ihrer mutter auf dem eise, in grofser gesellschaft; da brach, zur strafe für den an Johannes begangenen frevel, das eis und schloss sich, während beide versanken, dergestalt wider, dass es ihnen die köpfe abzwickte, die nun einen grausigen tanz begannen. — pater Abraham mag nicht der einzige gewesen sein, der die geschichte auf die kanzel und so unter die leute brachte. ihren ursprung möchte man des eises wegen in kalten strichen suchen, wenn nicht die schriftlichen zeugnisse dagegen sprächen. ob die hereinziehung der mutter in der Oberpfälzer fassung eine volkstümliche zutat sei, vermag ich nicht zu sagen.

Als ein für sich bestehendes motiv begegnet die vorstellung
von dem durch die eiskruste abgeschnittenen haupte in einem
griechischen epigramm der Palatinischen anthologie, von welchem
auch eine lateinische nachbildung überliefert ist (beide beisammen
in Rieses Anthol. lat. nr 709): ein thrakischer knabe findet durch
den überfrorenen Hebrus seinen tod ganz wie Herodias, und die
spitze des epigramms ist die, dass das haupt im feuer, der rumpf
im wasser bestattet wird. die griechische fassung geht unter dem
namen Flaccus, die lateinische wird mit überwiegender wahrscheinlichkeit dem Germanicus zugeschrieben (vgl. auch Meyer
Anth. lat. anm. zu nr 117). das zeitliche verhältnis würde so-
nach gestatten, die bildung der legende in abhängigkeit von dem
epigramm zu denken. dieses selbst aber als poetische conception ist so absonderlich, dass man vielmehr auf einen verdunkelten
mythus raten möchte, etwa ein winterliches seitenstück zu den abgeschnittenen köpfen der Aigyptossöhne (Preller² 2, 47). unsere
legende also eine ins ethische gewendete naturdichtung? der vorgang wäre nicht ohne analogien.

München, 28 märz 1881.   LUDWIG LAISTNER.

ZWEI BRUCHSTÜCKE GEISTLICHER DICHTUNG.

*Zwei pergamentblätter (noch ohne signatur) in klein octav der
bibliothek des Prager domcapitels, als einlage zwischen einer lateinischen hs. und deren einbande benutzt. herr prof. dr J Kelle
war so gütig, mir dieselben zur abschrift zu verschaffen. oben
sind beide blätter abgeschnitten, so dass zwischen der vorder- und
rückseite immer einige zeilen, ob 3 oder 5 lässt sich nicht entscheiden, ausgefallen sind. blatt 2 ist von einer andern hand mit
hellerer tinte geschrieben. man erkennt dass zwischen beiden blättern
ehemals mehrere andere eingenäht waren. die erste zeile jedes
reimpares hat vorgesetzten grofsen anfangsbuchstaben, welcher jedes
mal durch einen über dem schwarzen buchstaben aufgetragenen
roten strich ausgezeichnet ist. bei z. 14 ist D, bei z. 55 N rote
initiale. die zeilen werden abgeschlossen durch rote wellenlinien.*

1ᵃ

o werlde minne sich
welch lon dir geit der werde mine
so si dich dort bringet inne
wie dich ir mine hat betrogen
swaz si dir gelobt iz ist gelogen
si ist ein rechtev lugnerinne
mensche warvmb trestu d' mine
dev dich hazzet ze allen zeiten
si twinget vn̄ wil doch nicht beiten
10 si gabet si lauffet hin vor dir
o got wie maniger volget ir
vn̄ ist ir nach ze volgen snel
vn̄ fleuset mit ir leip vnd sel
Daz merchet diser werlde vrowen
15 die sich den ovgen gebent ze schowen
in reichem chlaide in reicher wat
nimer mvz ir werden rat
die das mit ovgen chumen waiden

1ᵇ

dev sich do von nicht gehuten chan
20 geloubet ir an valschen wan
den roten munt den lichten wangen
chrachen chroten vn̄ slangen
dev schone lecchet ab ev trot
domit ir manigen habt bechort
25 vnd habt gezogen seinen sin
mit ev in die helle hin
ir ziert den leip ovr vmb daz
daz ir gevallet dez der baz
den die evr schone blendet
30 ir wert mit samt in geschendet
swen got an der lesten zeit
rechtev vrtall vber evch geit
vor allem himelischem her

1 minner?   2 *l.* werlde minne   7 trauwestu?   20 mir?
21 dev lichten?   22 *l.* drachen   23 lecchent ab ev dort?

da wirt offen evr vner
vor aller engel an gesichte   35
   vertailit ev daz gotez gerichte

2ᵃ

nach christenleicher gewonhait
er ist an zweivel dev suzzev vrucht
   dev vns dev alten even sucht
vertriben vn̄ v'tilget hat   40
   wan sein minenchbleicher rat
minnenchbleich daz an sach
   wie die alte schulde geschach
von der wir alle waren tot
   dv gedacht dᶜ minenchbleicher got   45
seit daz von ezzen gescheben were
   wie er mit listen den trvgnere
bernkegen mocht vberlisten
   daz er den vil armen christen
brecht zve den wirden wider   50
   von dᶜ er waz gevallen nider
do adam den apbell az
   darvmbe gewan er gotez haz

2ᵇ

der nimmer kegen dem mē̃schē̃ geleit
Nv hat vns christus widᶜ bracht   55
   wand er an vnsᵗ not gedacht
er ist recht der selbe got
   der in den apbel stiez den tot
da sich adam der erste man
   von vngehorsam erwurget an   60
nv hat er vns ein apbel geben
   darin hat er getan daz leben
swen wir disen apbel ezzen
   dᶜ machet daz wir gar v'gezzen
der apbel der vns bracht den tot   65
   diser apbel daz ist got

50 der?   65 den aphel?

vnser herre iesus christ
d' auf dem bovm gewahsen ist
dez svzzen leibez sant marein
der bovm mvzz imer selich sein

70

Prag.   ALEXANDER TRAGL.

FRAGMENT EINES NIEDERDEUTSCHEN TRISTANT.

Das nachstehende bruchstück wurde vor einiger zeit von hrn APatera, custos des Böhmischen museums, in der bibliothek des hiesigen domcapitels gefunden. es besteht aus den ungleichen hälften eines zweispaltigen pergamentblattes, 25,5 cm. hoch, 17,5 cm. breit, welche als falzblätter dem werke Computus nouus totius fere Astronomie fundamentum, Liptzk 1514 eingefügt waren und der schrift nach aus der mitte oder dem ende des 13 jhs. stammen. ich lasse einen diplomatischen abdruck folgen; doch habe ich interpunction eingeführt und einige besserungsvorschläge beigegeben. für den inhalt verweise ich auf Kölbing Die nordische und die englische version der Tristansage s. cxxxix f. was den dialect betrifft, so nähert sich derselbe in manchen puncten stark dem mittelniederländischen; trotzdem habe ich nicht gewagt, das bruchstück kurzer hand als ein mittelniederländisches zu bezeichnen, weil andere sprachliche eigenheiten dagegen sind. welchem grenzgebiete mnl. zunge das fragment entstamme, mögen solche entscheiden, die größere vertrautheit mit den dortigen mundarten besitzen.

Prag.   K. W. TITZ.

1ᵃ

zehn verse weggeschnitten
tristant . . . .
    vn̄ vraged op weleke dinc
hi quam also gerant.
    'here,' sprac gene te hant
15 'ic ben, alse gi wal siet,
    en vedder vnd and's niet.
tristant ben ic genûmet.

vnhiel heft mi v'duomet.
ic badd en uns erkorn
    al dier werlt bevorn   20
te werltliker wunne.
    dars mi vn̄ minen kunne
grot laster an geschien.
    ic mags hir wal begien.
si heft vnt vûrt di stolte   25
    vau dien v'wornen holte;

16 *l.* redder   19 uns] *l.* wif

di hefts in sinen kastiele,
　herr, vnd ic vare na hiele,
of ic dien iergen vunde,
30　di mi gehelpen kunde
weder miner amyen.
　dor dien wold ic v'tien
muoder vnde vader,
　al dat ic hebb al gader
35 leged ic dur dien in wage,
　vor alle mine mage
sold ic hen halden imm',
　so dat ic heme nimmer
minen dienst nont segede,
40　swar hit ioch op legede.
di hoge koning artus
　heft degene in sinen hus,
dar wil ic helpe suoken.'
　t'stant sprac 'wildis ruoken,
45 so hebdi helpe vunden.
　swat wi gedienen kunnen,
1ᵇ
. . . . . . ware wi v geriet.'
. . . . r ine v'spreket niet
. . . . . . verdienet gerne,
50　. . . . nes niet iomt'ne,'
. . . . . . c hi, 'dies ic gere.'
. . . . n diete v gewere'
. . . . . . c tristant 'helpe morne.'
. . . . ene sprac echt met torne
55 . . . . . . d mi op v'gevene
. . . . e komt te minen levene
. . . . . . rechte dunket mi
mar tristant, levede hi,
di konde mi gelouen.
60　hi wel mis lives rouen,
di mi dat uersten duot

dar na so quelt min mvot.
tristant di liet ongerne,
　dat ware na of uerne,
hine ware te hant geriede.　65
　nv si dar got gebiede
sin lieve fuole siele:
　his manegē man ionhiele
van derre werlt geschieden.
　an spellen vnd an lieden 70
klaget man noch sinen dot.
　dies werd dier werlde not.
mar of hi levede heden,
　hi ware nv gereden
dor min erkouerunge.'　75
　do sprac echt unse iunge
'mach v min ylen uromen,
　ic dū min harnas komē,
min ors vnde mine wapen,
　dat wi noch er wi slapen 80
maken uns dar hene.'
　'dat wold ic,' sprac di gene
'mar ine kan niet gedien,
　ine hebbe mine amyen.'
Dyse held was gas geriede,　85
　dies gens ger geschiede.
alsus vūr ane scande
　t'stan . . . .
dien w . . . .
　dies . . . .　90
int f . . . .
　dar . . . .
2ᵃ
nu hadde di burch here
　grote macht vnd ere
vnde was wal senede bruod'.　95
　redders dodes luoder

46 l. kunden　47 zu ergänzen dar to　48 'herr,?　49 unde ic?
50 mi enes niet tontberne?　51 sprac?　52 'ic ben diere?　53 sprac?
54 gene?　67 l. suote　68 l. tonhiele　89 tristant met tristande?
95 l. seuende?

vant man an iegeliken.
nv horet van dien riken.
her waren twie gereden
100 na redderliken seden
tûrnieren in dat lant.
her lif was p'ses pant,
swar man dien sold erw'uen.
sin lieten niet verderuen
105 her loues an dien ... men.
si kunden wal ge..emen
an prise werender eren.
do di twie weder keren
van dien turnoyen wolden,
110 do ersagens unse holden,
tristant vnde irebant.
si worden al te hant
van desen twien bestan,
vnde mvoste schier ergan
115 di si di komenden ..uogen
dot. dat muoste vrûgen
te hant dier knech . e ruopen
in dier bûrch. do s..open
di anderen sic ier erere,
120 te wrake stuont iher gere.
dies rande manech man
di twie tristande an.
dies was starc di batalie.
do bogede manege malie
125 di held van armonye.
dien hielt wal companie
met helpe sin geverde,
di genre dodes gerde,
di hem sin wif benamen.
130 hen stuont te manegē ram
di were van dien dage.

dar vûr slach wed' clage
an schild vnd an halsperch.
fünf verse weggeschnitten
2ᵇ
elf verse weggeschnitten
vn̄ hi quam kume dan 150
dar hi vant kardinen.
di ginc do dat wal pinen
dat mā hē bant di wundē.
do sit gelubbe vunden,
do mestrosten sine. 155
Do nam hi kaerdine
hemlic an sinē rat.
'gi siet wal wiet mi stat,'
sprac hi 'geselle min.
ic muot dies dodes sin, 160
sine wilt mi trowe schienen.
ine hebbe niet mer enen
trost tv desen dingen.
mogedi mi dien bringē,
so mach ic noch genesen. 165.
nu suldis ûlitech wesen,
als ic v wal getrowe.
di koningin min urowe,
ysolt di wal bedachte,
di heft meneger slachte 170
saluen vnde krût,
dat mi wal tien sold v̂t
et gelubbe van dier wundē,
of wi si hebben kunden.
si kan van arredie 175
so scone,' sprac di vrie
'dat ic genase schiere,
of di geslachte fiere
tû mi gerochte komen.

  111 *l.* tristant 115 *l.* dat si? *l.* sluogen 117 *l.* knechte
118 *l.* scuopen 119 *l.* ter were? 132 *l.* slage 151 *daneben von*
jüngerer hand pudibundus 156 *davor ein kleines* d 161 *l.* gine
 175 *l.* arcedie

180 gi hebbet oc wal v'nom te cornewalie vûret,
  wi her mvot stat tû mi.   dar gi dat schier ervûret
   nv wold ic, vrient, dat gi

EINE LATEINISCHE OSTERFEIER.

*Das auf der hiesigen hofbibliothek befindliche Breviarium ...
secundum ordinem ecclesie sancte Saltzburgensis ... Impressum
Venetijs per Nicholaum de Franckfordia, a. d.* M.CCCC.LXXIJ *(Hain
Repertorium* I 1 *nr 3931) enthält auf blatt* 108'' — 108'' *eine
in das officium des ostersonntages nach der dritten lection ein-
gelegte osterfeier, welche der von Milchsack Die oster- und passionsspiele,* I *Die lateinischen osterfeiern, Wolfenbüttel* 1880, *s.* 45
*aufgestellten zweiten gruppe angehört. dieselbe stimmt in der an-
ordnung und im wortlaute der sätze mit der von Schönbach Zs.*
20, 132 *f aus drei Grazer hss. veröffentlichten SLambrechter osterfeier (Milchsack aao. s.* 47—53, L) *überein, in den ritualan-
weisungen steht sie am nächsten der Klosterneuburger osterfeier
(Du Méril, Origines latines du théatre moderne, Paris* 1849,
p. 89—91. *Milchsack aao.* N).
 *Als ein neues zeugnis für die fortdauer der kirchlichen oster-
feier am ausgange des* XV *jhs. in einer bestimmten diöcese tritt das
stück ergänzend zu den von Milchsack im anhange s.* 121—133
*veröffentlichten osterfeiern und rechtfertigt hiedurch sowie durch
seine ausführliche spielanweisung den abdruck. nebenher bemerke
ich dass durch die fundstätte des folgenden stückes, ein Breviarium,
Schönbachs bemerkung gegen Milchsack (Anz.* VI 308) *bestätigt wird.*

L 3 Post Gloria patri Responsorium
 L 1 [Dum transisset sabbatum, Maria Magdalena et Maria
Jacobi et Salome emerunt aromata,
 Ut venientes ungerent Jhesum. Alleluia. Alleluia!
 L 2 Et valde mane una sabbatorum veniunt ad monumentum orto iam sole,
 Ut venientes ungerent Jhesum. Alleluia. Alleluia!]
 a principio repetatur et omnis clerus portans
cereos accensos procedit ad visitandum sepulchrum.
Diaconus vero qui legerat euangelium acturus officium angeli precedat sedeatque in dextera parte
coopertus stola candida. at ubi chorus cantare in-
ceperit antiphonam
 L 6 Maria Magdalena et alia Maria ferebant diluculo aromata
dominum querentes in monumento,
 tres presbyteri induti cappis cum totidem thu-
ribulis figuram mulierum tenentes et incenso pro-
cedunt versus sepulchrum et stantes canent:

L 7 Quis revolvet nobis ab ostio lapidem, quem tegere sanctum cernimus sepulchrum?

Angelus respondet:

L 8 Quem queritis, o tremulae mulieres, in hoc tumulo gementes?

Mulieres:

L 9 Jhesum Nazarenum crucifixum querimus.

Angelus respondet:

L 10 Non est hic, quem queritis;

L 11 Sed cito euntes nunciate discipulis eius et Petro, quia surrexit Jhesus.

Et cum ceperit cantare angelus 'Sed cito euntes, Mulie(res) thurificent sepulchrum et festinanter redeant et versus chorum stantes cantant:

L 12 Ad monumentum venimus gementes, angelum domini sedentem vidimus et dicentem, quia surrexit Jhesus.

Tunc chorus imponat antiphonam:

L 13 Currebant duo simul et ille alius discipulus precucurrit citius Petro et venit prior ad monumentum. Alleluia.

Et cantores quasi Petrus et Johannes currant precurratque Johannes sequente Petro. Et ita veniunt ad monumentum et auferant lintheamenta et sudarium, quibus imago domini erat involuta, et vertentes se ad chorum ostendendo ea cantent:

L 14 Cernitis, o socii, ecce linteamenta et sudarium, et corpus non est in sepulchro inventum.

Chorus:

L 15 Surrexit enim, sicut dixit dominus; precedet vos in Galileam, Alleluia. ibi cum videbitis, Alleluia, Alleluia, Alleluia!

Populus cantet:

Crist ist erstanden etc.

Et ita clerus redeat ad chorum cantando antiphonam. Surrexit enim; sed si non suffecerit repetatur.

Tunc pontifex siue presbyter incipiat:

L 16 Te deum laudamus.

Quo finito dicatur:

In resurrectione tua Christe, Alleluia, celum et terra letentur, Alleluia.

Sequitur:

Deus in adiutorium meum.

Ad Laudes.

Wien 8. 4. 81.   K. F. KUMMER.

FRAGMENTE EINES ČECHISCHEN ROSEN-GARTENS.

Herr APatera, custos des böhmischen museums, fand vor etwa jahresfrist in einem auf der hiesigen domcapitelsbibliothek befindlichen quartanten, als falzblätter eingelegt, 43 pergamentstreifen von verschiedener gröse, welche bruchstücke eines längeren čechischen gedichtes enthielten. die darin vorkommenden namen: Etzel, Siegfried, Gunther, Dietrich usw. führten hrn Patera auf die annahme einer čechischen übersetzung des Nibelungenliedes, bis hr prof. JKelle, dem die fragmente vorgelegt wurden, das richtige fand, indem er dieselben als einer übersetzung oder bearbeitung des Rosengartens angehörig erklärte. allein auch dann stellten sich dem verständnisse der fragmente deshalb grofse schwierigkeiten entgegen, weil hr Patera und auch ich, auf seine autorität gestützt, längere zeit der meinung waren dass die bruchstücke einer zweispaltig geschriebenen quarths. angehörten. eine nähere untersuchung der einzelnen pergamentstreifchen und der hinblick auf den inhaltlichen zusammenhang derselben muste jedoch diese annahme umstofsen. vielmehr war das format der hs. klein-octav, einspaltig, auf jeder seite befanden sich 35—38 verse, einzeilig abgeteilt. von den 43 pergamentstreifen gehören 21, 24—28 cm. breit, 2—3 cm. hoch, den drei innersten doppelblättern einer lage an, welche quer zerschnitten wurden; auf jedem dieser streifen stehen 2—4 verse von der ersten, zweiten, dritten und vierten seite jedes doppelblattes. die übrigen 22 streifchen, 4—6 cm. lang, 1½—2 cm. hoch, sind dadurch entstanden, dass mehrere der langen streifen in vier teile zerschnitten wurden; ihr text bietet mitunter gar keinen anhaltspunct für die bestimmung der stellen, welche sie in der vollständigen hs. einnahmen; es glückte nur bei 6 derselben, den zusammenhang zu finden. die schrift ist von einer hand, etwa aus dem dritten viertel oder dem ende des xiv jhs., und bietet nichts bemerkenswertes. zur äufseren beschreibung der hs. sei nur noch hinzugefügt dass dieselbe ein palimpsest ist; die von hrn Patera vorgenommene chemische prüfung ergab jedoch dass der schwach hervortretende lateinische text der schrift nach ebenfalls aus dem xiv jh. stamme und gänzlich bedeutungslos sei.

Den wert dieser fragmente bestimmen folgende zwei tatsachen. einmal ist die hs. das erste bisher bekannte beispiel einer bearbeitung deutscher heldensage im čechischen. die eigennamen sind denn auch fast sämmtlich čechisiert: wornycze = *Worms*, kuntyerz = *Gunther*, wytek = *Wittich*, dyetrzych = *Dietrich*, zybrzyd = *Siegfried.* 'Niederland' *wurde wörtlich übersetzt; Siegfried stammt* z doley (ssy zemye), '*aus dem niederen lande.*' *an zwei stellen liegen entweder misverständnisse des schreibers, oder schreibfehler vor; v.* 160 prawhyltyna *statt* prunhyltyna = *Brunhilde, und v.* 111 kemuchowy *statt* kernuthowy = *Gernoten; ich nehme letzteres an, weil der text im allgemeinen correct und nirgends schwer beschädigt ist.*

Wichtiger jedoch als diese tatsache, welche neuerlich den grofsen einfluss der deutschen litteratur auf die čechische beweist, den ich an anderem orte ausführlicher darlegen werde, erscheint die zweite: dass nämlich diese čechische bearbeitung nach einer uns unbekannten deutschen recension hergestellt zu sein scheint. ich schliefse dies aus folgenden gründen. die vorlage des čechischen textes gehörte unzweifelhaft zu der von Philipp Zum Rosengarten, Halle 1879, *mit* u *bezeichneten handschriftengruppe, denn derselbe hat mit* u *eine reihe besonders hervorstechender züge, so die namen und die reihenfolge der kämpfenden helden, dass der hundert jahre alte Gibich vor seiner tochter kämpfen will, und den streit zwischen Ilsan und Wolfhart, ehe Hildebrant letzteren nennt, gemein; andererseits finden sich aber auch wider abweichungen. in* u *gelangen die helden erst in* 20 *tagen nach Worms, in der čechischen fassung bereits am* 12 *tage; ferner lässt diese Etzel mit* 40000 *mann bereits am Rheine anwesend sein, als Dietrich ankommt, während in* u *Etzel mit* 14000 *mann (in p, der fassung der Pommersfelder hs., Germ.* iv 1 *ff) und Dietrich gleichzeitig am Rheine anlangen; auch in D (vdHagen und Büsching Deutsche ged. des mittelalters* u, *Berlin* 1825) *machen Etzel und Dietrich die fahrt gemeinsam. ich glaube nicht dass der čechische bearbeiter, der den stoff keineswegs der tradition, sondern einer geschriebenen vorlage entnahm, diese änderungen willkürlich vorgenommen hat. dafür spricht schon der umstand dass der čechische text an manchen stellen mit der Pommersfelder hs. und D fast wörtlich übereinstimmt, wie die nachstehende vergleichung zeigt, und die oben citierten formen* prawhyltyna *und* kemuchowy, *die offenbar verlesen sind; diesen*

können noch perchylia *in v.* 159 *(— Perthilda?) und* wertneyd
v. 146 *(verlesen* wertnaid *statt Herwart) angeschlossen werden.
auch Ilsans wette um einen rosenkranz ist ein zu characteristischer
zug, als dass er eine erfindung des Čechen sein könnte, der immer
nur wegließ, nirgends hinzutat.*

*Der nachstehende abdruck der čechischen bruchstücke ist di-
plomatisch genau; die übersetzung, welche stellenweise ziemlichen
schwierigkeiten begegnete, hat hr Patera gemeinschaftlich mit mir
hergestellt. conjecturen sind eingeklammert.*

ɪ *blatt.*
Vorderseite:

. . . Opat dyetrzychowy dyeſſe
y weſſ konuent tak mlwyeſſe . . .
der abt sagte zu Dietrich:
'auch der ganze convent spricht so . . .'

Rückseite:

. . . wolfart vecze nenyet krzywda
Tot geſt vyeru praua prawda . . .
Wolfhart sagte: 'es ist kein unrecht;
das ist wahrlich die rechte wahrheit . . .'

ɪɪ *blatt.*
Vorderseite:

5 lecz zyw lecz mrtw wzdy (my) bratr geſt
Mnych wecze hotow ſem gyety
vzahradye ſyedanye myety
Kohoz ya tu (wezmy) wrucze
Budet ſemnu wtake mvcze
10 Wſadymt nan rozeny kranecz
Sehramt ſnym trudny tanecz
A kdyz na konye wſgyedechu . . .

5 . . . *tot oder lebend, mein bruder ist er stets.'*
der mönch sprach: 'ich bin bereit, zu reiten,
im garten den kampf zu bestehen.
wen ich da in die hände bekomme,
der wird von mir pein erleiden,
10 *ich wette darauf einen rosenkranz;*
ich werde einen grässlichen tanz mit ihm aufführen.'
und wie sie auf die pferde aufsaſsen. . . .

p 202—205:

her si lebende odir tôt, her ist uns willekomen.'
'So ben ich bereite' sprach brûder Ilsân,
'ich trûwe wol daz mich Iman torre [vrôlichen] bestân.'

*im čechischen texte ist sodann eine lücke von 2—4 versen, worauf,
gleichfalls auf der vorderseite des u blattes, folgt:*

. . . yhned do bernna gyedechu
Czrwtynadczt den tam przygechu
15 Tu mnoho weſſele myechu
Awtu dobu wolſart ſtaſye
Nahradye azokna . . .
Nowyny zwyedÿty . . . . . .

. . . *sofort ritten sie nach Bern.*
am vierzehnten tage kamen sie dort an.
15 *da genossen sie viel lustbarkeit.*
und zu der zeit stand Wolfhart
auf der burg und aus dem fenster (blickend)
neuigkeiten zu erfahren. . . .

p 205—209:

In dem virzênden morgen, do erlûchte der tac,
dô quâmen si zu Berne dâ manic recke lac:
sunder Wolfhart eine in eime fenster stûnt
und warte vremder mêre . . . . . .

Rückseite:

. . . . . . my . . . .
20 Racz ſam . . . .
To ſtyſe wſye ſi(y?) . . . . . .
Przygechu dyetrzych(a) . . . .
kdyz dyetrzych . . . .
. . . . . . *wir* . . . .
20 *geruhe selbst* . . . .
dies hörend alle (giengen?) . .
sie empfiengen Dietrich . . . . .
als Dietrich . . . .

Lücke.

dyetrzÿcha myle wſrzÿechu
25 wſyczkny wobecz gey przÿgechu
Pak ſye hylbranta dobrachu

wſyczkny mv vytanye dachu
Wolfart knyezy wecze ztycha
Czemoſſ przyuedl toho mnycha
30 kam cheſſ plechaczye podyety. . . . .
sie sahen den Dietrich mit vergnügen,
25 *alle empfiengen ihn.*
darauf wandten sie sich zu Hildebrant,
alle entboten ihm willkommen.
Wolfhart sprach zum fürsten leise:
'warum brachtest du diesen mönch mit?
30 *wohin willst du den glatzkopf mitführen? . . .'*

p 219—223:

dô si in enpbingen, si sprâchen alle glîch
'sit willekome von Berne herre her Dîterich.
Wir solden ûch enpbâhen, meister Hildebrant:
waz woldet ir des monches gefûrt in daz lant?'

D 481—485:

Do sprachent do die herren alle gelich:
'Sint got wilkomen, von Berne her Dieterich;
Und sint ouch wilckomen, der alte Hiltebrant:
Wet der übel tüfel, wolt der münch in diz lant?'

Lücke.

. . . zdaly mv geſt ſnamy gyety
Budes toho necyeſt myety
Mozly gebo ſebu pogyety
Nebt byto byl blazen welykẏ
35 . . . . wſelyky
. . . *falls er mit uns reitet,*
wirst du davon unehre haben,
willst du ihn dennoch mitnehmen,
denn es wäre ein grofser tor
35 . . . . *mancher. . . .*

III blatt.
Vorderseite:

. . . Mozes gym rad newhzrzaty
Ale zavdatneho gmyety
Mnych wecze kto yeſt to tak mlady
yeſto hleda namnye ſwady

40 yat yemv dam ranw gednak
   budet inhed mluwyty gynak
   wolſart ynhed thoho pochwaly
   Ot thoho ſye nycz newzdaly
   Tak wdatnye wzhoru wzkoczy
45 Mnych ſye þty nym wzkoczy
   yakz ſye mnych ſwolſartē ſwady
   Inhed ye dyetrzych rozwady
   y wecze mw nezkrownyſſ mnych
   prohoſpodyn bud nenye tych
50 Mnych wecze ktoto weuody
   A tak ztrwymi pychw plody
   Zda mny by to byla ſpyle
   yat yey wſpym gednak wczyle
   bylbrant wecze chczeſſ gey (znaty)
. . . .
. . . .
55 Mozes gey . . . .
   wolſart gemu gmenē dyegy
   . . . kow wnuk ryeczy smyegy . . .
. . . .
. . . .
   Racz tye hoſpodyn zehnaty
   nechczyt ſe dele hnyewaty
60 hylbrant gyma kaza przyeſlaty
   Rzka nechwaytaẏ rzyeczy ſtatẏ
   nerod tez dele meſkaty
   ywzt nawoliw chczeme wſlaty . . .
   . . . *du brauchst ihn eben nicht zu verachten,*
   sondern magst ihn für tapfer halten.'
   der mönch sprach: 'wer ist der so junge,
   der mit mir händel sucht?
40 *ich werde ihm einen schlag versetzen,*
   gleich wird er anders sprechen.'
   Wolfhart belobt dies sogleich.
   sie versahen sich nichts von ihm,
   da sprang er tapfer auf.
45 *auch der mönch springt auf gegen sie.*
   sobald der mönch mit Wolfhart zusammengerät,

sofort bringt Dietrich sie wider aus einander.
er sagt zu ihm: 'du unbescheidener mönch,
sei um gottes willen nun ruhig!'
50 *drauf sprach der mönch: 'wer führt jene an*
und behandelt die deinen mit übermut?
meint er, dies sei ein spiel?
den will ich sofort in schlaf wiegen.'
drauf sprach Hildebrant: 'willst du ihn kennen . . .
. . . .

. . . .

55 *kannst du ihn . . . .*
Wolfhart nennen sie ihn mit namen,
. . . . ges enkel dürfen sie ihn nennen . . .
. . . .

. . . .

der herr geruhe dich zu segnen!
nicht länger will ich grollen.'
60 *Hildebrant befahl den beiden, abzulassen,*
sagend: 'lasset diese rede sein.
wollet nicht länger säumen,
wir wollen schon freiwillig aufbrechen.

p 226—240:

'lâ dir in nicht vorsmâhen' sprach meister Hildebrant.
'wer ist der recke junge?' sprach brûder Ilsân.
'hern lâze mich mit gemache, ich wil in an den backen slân.'
'Daz lobe ich' sprach Wolfhart. kein ime trat her zorneclîch.
'du bist gar ungefüge' sprach dô her Dîterich.
'weste ich wer her wêre,' sprach der monich dô
'der mit sîner hôchfart strebet alsô hô.'
'Wolt irs mir geloube, her wirt ûch wol bekant,
herst Wolfhart Amesiges kint,' sprach meister Hildebrant.
'nu mûze dich got geseine' sprach brûder Ilsân.
'veter, ich nicht mêr zorne, ich wil mich zornes irlân.'
'Di rede lâ wir blîbe' sprach meister Hildebrant.
wir sullen uns bereiten zu Wormez an daz lant.
wir sullen uns nicht sûme, ir helde lobelîch.'

D 488—497:

'Ir sullent ûch sin nût schamen' sprach meister Hiltebrant.
'Wer ist der degen junger?' sprach der münch Ilsan.

'Und wil er sin nút geraten, einen trússel slag mûz. er ban.'
'Des enbir ich wol' sprach Wolfhart gar unverschröckenlich.
'Wellent ir unbescheiden werden?' sprach her Dieterich.

'Wer ist der ritter junger?' sprach der múnich do
'Der sich mit uber muete wiget also hoh?'
'Du wirst in wol erkennen,' sprach meister Hiltebrant
'Er ist diner swester sun, daz tûn ich dir bekant.'
   503:
'Nu músse sy got behúten!' sprach der múnch Ilsan
und 505—507:
'Die rede lont beliben,' sprach meister Hiltebrant
'Und rústent úch vil balde, ir herren alle sant. . . .

Rückseite:

Swe odyenye przyprawyte
65 A fwe konye dobrzye fkreyte
kdyz fe toho myefta hnuchw
druhy nadczet den tam bychw
A kdyf przedmyeftem byechw
Gemyfto wornycze dyechw
70 Nalyz tw yus kral eczel byeffe
Przdnymff hrofna zbors ftogyeffe
Cztyrydczety tyfycz ponye
Gedny stogye drufy honye
Hylbrantowy kral powyedye
75 . . . . . . mnoho wyedye
wyberz ztyech dwanadczet nematnych
Gynochow kfyeczy wdatnych
Genz by þty onyem ftaly
A wżhradye fnymy boy braly
80 Hylbrant wecze kraly nedbay
Przywedlt fem rekow [febu] w tĕto (kray)
. . . .
. . . .
kraly wfye peczye z byty
Dyekugye bozye mylosty
. . . .
. . . .
Dyetrzych . . . .
85 Rudkerzye yeftot ma czty mnoho

Dobrych mrawow ywſye cztnosty
yestot yeſt pln ſtyedroſty
Rudkerz kraly otpowyedye
Rzka newyſſly at powyedye
90 Chc°zly kraly poſſla gmyety
yens by muohl przyed pannw gyety
'eure rüstung haltet bereit
65 und decket gut eure rosse.'
als sie diese stadt verlieſsen,
langten sie am zwölften tage dort an,
und als sie vor der stadt waren,
die Worms ist benannt,
70 da war könig Etzel schon anwesend.
vor ihm stand eine furchtbare schar
von etwa 40000 mann;
einige standen, andere jagten (zu pferde umher).
da sprach der könig zu Hildebrant:
75 '. . . . . vieles wissend,
wähle aus diesen zwölf wackere,
zum kampfe tüchtige jünglinge,
die gegen jene stehen würden
und den kampf im garten aufnähmen.'
80 da sprach Hildebrant zum könige: 'sei unbesorgt,
ich brachte mit der helden in diese (gegend)
. . . .
. . . .
dass der könig alle sorge trage,
der göttlichen gnade danke . . .
. . . .
Dietrich . . . .
85 den Rüdiger, der an ehren reich ist,
an guten sitten und aller tugend,
dessen herz voll groſsmut ist.'
drauf erwiderte Rüdiger dem könige:
'falls dirs unbekannt, ich werde es sagen;
90 will der könig einen boten haben,
der vor die jungfrau reiten könnte. . . .
p 240—252:
dô quâmen si in zwênzig tagen zu Wormez an daz rîch.

Dô si quâmen an den Rîn, si dirbeizten ûf daz lant,
ir gezelt si ûf slûgen die herren alle sant.
Etzel der vil rîche quam mit Dîterîche dar,
her fûrte mit im zu strîte eine vil breite schar.
Dô sprach der konic Etzel 'gedenke an, Hildebrant,
ich hân brâcht vierzên tûsent Hûnen in daz lant:
ûz den saltu kîsen zwelf der künsten man,
daz man in der werlde ir gelîch nicht vinden kan.'
[di die zwelf von dem Rîne turren wol bestân.]
Her sprach 'ich hân zwelf recken brâcht in daz lant,
die kunnen clê decken, erwelte wîgant.'

p 254—258:

Dô sprach der von Berne, der was unvorzeit,
'sô sende wir Rudegêren, der êren crônen treit.'
dô sprach der margrêve 'ich habe ie hôren sagen,
swen man zu frouwen sendet, ...

D 797—801:

Do sprach der von Berne, der fürste hoch gemût:
'Zû dirre botschaft ist nieman also gût,
Also Rüediger von Bechelon der margrofe milt,
Der fûeret fúr die fröwen wol der eren schilt.'

iv blatt.
Vorderseite:

By my racyl gmenouaty
Tyech dwanadczyet dal poznaty
Kral vecze tot mohu zdyety
95 Thyt wſyech gmena powyedyety
yaz prwy chczy tu byty
Mnye ſyedanye nelze zbyty
Kak ſem koly naſto let ſtar
wſak chczi myety "ten ſwar "rad
100 przyedmu dczeru kraſſnu mylu
Oteymut nyekomu ſylu
Hylbrāt wecze ten ſtary knyez
yaz tye podſtupy to ty wyez
Gywych wecze kto kuntyerzye
105 podſtupy tczneho rýtýerzye
prawyt geſt rek przyme wyerze

zadnyt ſye mu neprzymyerzye
Hylbrāt weczye h bratr vdatny
Toho podſtupý rek ne matný

. . . .

. . . .

110 kral wecze a kto p . . . .

. . . . . . (pro)ty kemuchowy wſtane

. . . . (w)ſtane

. . . .

Strzyt ſnym . . . .

kdyz znyeho duſſy wylupy

115 Kral wecze kto þty mcmv

wyſtupy þty haknu tcznemu

bylbrāt vecze kazy ſwemu

Olſarto brdynnemu

er geruhe mir zu nennen

jene zwölf, sie mir erkennen zu geben.'

'das kann ich' sprach der könig 'tun,

95 *dieser aller namen will ich nennen.*

ich selbst will hier der erste sein,

ich darf dem streite nicht fern bleiben.

ob ich wol schon rund hundert jahre alt bin,

doch will ich diesen kampf gern bestehen.

100 *vor meiner schönen, lieben tochter*

will ich jemandem die stärke nehmen.'

drauf sagte Hildebrant, dieser alte fürst:

'ich binde mit dir an, das wisse.'

drauf sprach Gibich: 'wer wird den Gunther,

105 *den edlen ritter bestehen?*

traun, er ist ein wahrer held,

keiner vergleicht sich ihm.'

drauf sprach Hildebrant: 'tapfrer bruder,

dem wird ein wackerer held entgegentreten . . .

. . . .

. . . .

110 *der könig sagte: 'und wer wird . . . . . .*

. . . . . . (gegen) Gernot aufstehen?

. . . . steht auf

. . . .

. . . .

streit mit ihm . . . .

wenn er ihm die seele entreifst.'

115 *der könig sprach: 'wer will meinem*

edlen Hagen den kampfi antragen?'

drauf sprach Hildebrant: 'fordere

deinen tapferen Wolfhart auf . . .

p 299—306:

Si beten daz ir in nennet ûwer zwelf degen,
sô sal ich mich mit zwelfen hin gegen wegen.'
dô sprach kunec Gibeche 'ich wil der êrste sîn
vechten in dem garten vor der schônen tohter mîn.
Sô bin ich in der mâze vor hundert jârn bekant.'
'sô wil ich dich bestân' sprach meister Hildebrant.
'wer bestêt mir Gunthêren?' . . . .

p 307—309:

'Wer bestêt mir sînen brûder, der heizet Gêrnôt?
swaz der ie vacht mit recken, die lâgen [alle] vor im tôt.'

p 311—313:

'Wer bestêt mî Heinen den wûtenden man?'
[her sprach] 'en bestêt Wolfhart, derst ouch ein degen freissam.'

D 1037—1046:

...Ob ir uz ûweren recken wellent sûchen zweif degen,
So wellent wir uz unsern zweif dar gegen wegen.'

Do sprach der künig Gippich: 'ich wil der erste sin,
Zû striten in dem garten, durch willen der dochter min;
Ich han ez by minen tagen so dicke gerne getan,
Nu wil ich in dem garten der kempfen ein bestan.'

'So bin ich in sůlicher ahte, hundert jor sint mir gezalt:[1]
Ich beston ůch selber' sprach Hiltebrant der alt.

'Wer bestot mir minen sun Gunther, den degen hoch gemůt?'

D 1047—1049:

'Wer bestot sinen brûder, der heisset Gernot?
Mit wem er hat gefochten, die schlůg er al ze tot.' —

---

[1] *der gegensatz zu* by minen tagen *zeigt deutlich dass dieser vers noch zu der vorangehenden rede Cibichs gehört; gleichwol habe ich die abteilung vdHagens beibehalten.*

D 1051—1053:

'Wer bestot mir Hagenen? der mûz ouch an die fart.' —
'Den bestot von Garten min ôhen Wolfhart.'

Rückseite:

By fel þtỷ nyemu wboy
120 Zlyt bude fnym myety pokoy
Kral wecze kto bude fmyety
Smym afprianĕ boy wzyety
Tĕt fnym mwku bude gmyety
Yako fgynymy zdeffyety "noffy
125 Ten dwa mecze wgyednyech noznyczech"
Gymat negednoho wznoffy
hylbrant vecze tot powyedam
proty tomw yaz wytka dam
Tent mw geho fkokow wkraty
130 kdyz geho hlaw zrozwraty
kral wecze akto ftrawtana
podftupy toho hrozneho pana
Gemwzt czyest wbogyh dana
Ot mnohych lydy pozwana
135 Otryna az prawye do morzye
Nakazdeho krale dworzye
(Hylbr)ant wecze hayma knyemw
. . . . yemw
. . . .
. . . .
wyftupyl þroty . . . .
140 Byt (crt) byl horzye yemw
. . . . dobrzye flow mew
. . . .
. . . .
naloket yest twarz wnyeho
hylbrant wecze toho ftyrfky
podftupy dyetleb hrdynfky
145 Kral wecze daymy to znaty
Kto chcze zvertnyedem boy braty
Hylbrant wecze tobo kraffny
podftupy dyetrzych wyehlaffny
dass er gegen ihn in den kampf gehe.

120 *er wird mit ihm einen bösen frieden schliefsen.'*
drauf sprach der könig: 'wer wagt es,
mit meinem Asprian den kampf aufzunehmen?
der wird mit ihm pein haben
soviel wie mit zehn anderen.
125 *der trägt zwei schwerter in einer scheide,*
mit denen er so manchen hinstreckt.'
Hildebrant sprach: 'dies sage ich:
gegen den stelle ich Wittich;
der wird seinen sprüngen ein ende machen,
130 *indem er ihm den kopf spaltet.'*
drauf sprach der könig: 'und wer wird den Strûtdn,
den grimmigen herrn, bestehen,
dem in kämpfen ruhm zukömmt,
von vielen leuten dargebracht
135 *vom Rheine bis an das meer*
an jedem königlichen hofe?'
Hildebrant sprach: 'Heime zu ihm . . .
. . . . : . . . . ihm
. . . . .
. . . . .
steht auf gegen . . . .
140 *wärs der teufel, gienge es ihm schlimm*
. . . . gut auf mein wort.
. . . . .
. . . . .
ellenlang ist sein angesicht.'
Hildebrant sprach: 'den wird der heldenhafte
Dietleib von Steiermark bekämpfen.'
145 *der könig sprach: 'lass mich wissen,*
wer mit dem Herwart kämpfen will?'
Hildebrant sagte: 'den wird der schöne,
der berühmte Dietrich auf sich nehmen . . .'

p 313—321:

'Wer bestêt mir einen resen, her heizet Aspriân?
der treit zwei swert in einer scheiden, dâ mete her vechten kan.
her vicht in dem garten und ist gar unvorzeit.'
[her sprach] 'den bestêt Witeche der Mêmingen treit.'
[her sprach] 'Wer bestêt einen resen, der heizet Strûtân?

dem sint die Prûzen an daz mer dorch forchten undirtân.
den hân ich in mîme hove wol siben jâr irzogen.'
[her sprach] 'den bestêt Heime . . . .

p 323—329:

derst undir sînen ougen einr dunnen elle breit.'
[her sprach] 'den bestêt von Stîren der starke Ditleip.'
[her sprach] 'Wer bestêt mer Herwarten, derst gar ein
                                    kûner man,
herst grimmic sînes mûtes: wie wol her vechten kan!
der vicht in deme garten mit ellenthafter hant.'
[her sprach] 'den bestêt Hertinc ein konec von Rûzenlant.'

Hertinc statt Dietrich von Griechen ist nur eine scheinbare ab-
weichung von p; denn tatsächlich ficht letzterer den kampf mit
Herwart aus. bezüglich dieses kämpferpares bietet D das richtige:
Herwart — Dietrich von Griechen.

D 1059—1066:

'Wer bestot einen risen, der heisset Asprian?
Fûret zwei swert in einer scheiden, mit den er vehten kan;
Er ist ein ris langer, daz sy dir vor geseit.' —
'Den bestot Wittich, der Memingen treit.' —

'Wer bestot mir minen risen, der heisset Schrudan?
Dem sint die Brûssen biz an daz mer under tan;
Ich han in uff minem hofe wol viertzig jor erzogen.'
'Den bestot Heime . . . .

D 1058:

'Den bestot von Stîre Dietliep der hoch gemût.' —

D 1067—1071:

'Wer bestot mir einen ritter, heisset Herbort?
Der sich in keinen nôten noch in striten nie geforht;
Er ist ein helt kûner, daz wissest sicherlich.' —
'Den bestot von Kriechen der schône Dieterich.' —

v blatt.
Vorderseite:

Syxtap ten yest zhyl swe fyly
150 neb fy° gye fezdy fwalyl
Ten by fye byl nycz newzdalyl
wzahradye otbogye toho
neb yest wdatftwye myel mnoho

kral wecze kto proty memw
155 phylkezrzyewy muzy cztnelmw
Smyety gyty wboy bude

. . . .

. . . .

Ten przyednym (poczye) . . . .
Ten yest naftrunach chwyly kratye
Perchylia yest yeho matye
160 Seftra przyfna prawhyltyna
znyehos fye gmyel ten brdyna.

Sigestab bü/ste seine kraft ein,
150 *denn er stürzte von der mauer herunter.*
der hätte sich nicht fern gehalten
im garten von diesem kampfe,
denn er besafs viel mut.'
der könig sprach: 'wer wird gegen meinen
155 *Volker, den edlen mann*
in den kampf zu gehen wagen? . . .

. . . .

. . . .

der beginnt vor ihm . . . .
mit dem saitenspiel kürzte er die weile,
Perchthilde(?) ist seine mutter,
160 *ihre schwester die strenge Brunhilde*
woher dieser held . . . .

D 1071—1074:

'Wer beslot mir Volker, von Alzeye genant?
Frö Brúnhilt swester sun, ein videler bekant;
Wissest sicherlichen, er ist ein küner man.' —

Rückseite:

potomt gemu h . . . .
kral wecze yefty . . . .
Zybrzyda muzye wy . . . .
165 Ten yest cztneho w(ychowanye)
knyezet yest z doley(ffÿ zemye)

. . . .

. . . .

ktot fye þty tomu wzroczy

wdatnyet nanyeho ſkoczy
az mw ſlzye prhnw zoczy
170 an znyeho tw krwe wtoczy
hylbrant wecze kraly to wyeſſ
proty tomu poyde moy knyeſſ
Genz ſlowe dyetrzych berunſky
Tot yeſt tak hrdyna muſky
175 . . . . zybrzyda . . . .
. . . .
. . . .
nemyloſtywyet ho ſklony
Tot wydye (az ho) zaſkryty
Az prawye doſſame ſmrty
Tut te rzyeczy by ſkonczyenye . . .

dann . . . ihm . . . .
der könig sagte: 'ist . . . .
Siegfried den . . . . mann
165 *der ist von ehrsamer erziehung.*
er ist der fürst von nieder(land)
. . . .
. . . .
wer gegen den auftritt,
auf den springt er tapfer,
dass ihm tränen aus den augen dringen,
170 *wenn er ihm blut abzapft.'*
Hildebrant sprach: 'du weiſst, o könig,
gegen den wird mein fürst streiten,
der genannt wird der Berner Dietrich.
der ist ein so mannhafter held
175 *. . . . . den Siegfried . . . .*
. . . .
. . . .
unbarmherzig drückt er ihn nieder.
dies sehend, erdrosselt er ihn,
bis wahrlich zu tode.'
und damit endet die rede.

p 329—333:

[her sprach] 'Wer bestêt mer Sivriden geborn von Niderlant?
der treit der zwelf swerte ein, dast Palmunc genant.

der hât gevobten mit beiden und Crichen in manegem rich.'
'ist her kûne, daz tût im nôt: den bestêt von Bern her
Diterich.'

D 1075—1079:

'Wer bestot mir Sifrit, ein kûnig uz Niderlant?
Der fûeret zwelf swert, eines ist Balmung genant;
Er vichtet umb min dochter, daz wifsent sicherlich.' —
'Den bestot min herre, von Berne her Dieterich.'

vi *blatt.*

Vorderseite:

180 yfulit tobye zwyeftowany
fynoltowy hrofny rany
180 *ob dir bekannt sind*
die furchtbaren wunden Rienolds

D 1079—1081:

. . . . 'nchten ist worden wunt
Rienolt uff der warte: ist dir daz ût kunt?

Rückseite:

poyde knyemu dotey fwady
Dat mw (ranw) lokte zhlwby
. . . geht zu ihm in den kampf,
schlägt ihm eine ellentiefe (wunde). . . .

Ich lasse noch text und übersetzung derjenigen ganz kleinen
streifchen folgen, die namen enthalten oder sonstige anknüpfungs-
puncte bieten, wobei ich die zahlen beibehalte, mit denen sie herr
Patera bezeichnete.

5.

Vorderseite:

Wolfart czy fyed *Wolfhart setzte sich,*
185 pak przygidechu 185 *dann kamen sie . . .*

Rückseite: leer.

6.

Vorderseite:

Hylbrant wecze hylznu (?) *Hildebrant sagte: '. . . . .*
. . . de proty nyemu *. . . geht gegen ihn . . .*

Rückseite:

. . . . . bozye otpuftyeny *. . . gottes verzeihung*
. . . . . do woyfka hna *. . . in den kampf jagend.*

20.

Vorderseite:

190 Ten ma mecz yens . . .   190 *der hat ein schwert, welches..*
(Poydelyt) snym ge . . .   *geht er mit ihm . . .*

Rückseite: leer.

7.

Vorderseite:

Nykaz by zyw fnym . . .   *keineswegs mit ihm lebend...*
Hylbrant wecze kraly . . .   *Hildebrant sagte dem kö-*
                                nig . . .
Rückseite: leer.

19.

Vorderseite:

yaz mladych o kytyczy . . .   195 *ich will mit den jungen um*
                                   den strauſs . . .
195 y wſozye knyeze dyet-   *und im gefolge des fürsten*
    rzyech(a) . . .   *Dietrich*

Rückseite: leer.

13.

Vorderseite:

Rzkucz nezbudes   *sagend: '. . . . .*
zbawyſſyſſ nas brat(rze)   *erlösest du uns, bruder. . . .*
Prag.   **K. W. TITZ.**

NEUE BRUCHSTÜCKE DES EDOLANZ.

Seit ich in einer vorlesung Scherers (7.7.69) zuerst vom Edolanz hörte und wie schade es sei dass wir nur ein fragment des interessanten gedichtes besäſsen, war es ein gegenstand meiner stillen sehnsucht, weitere bruchstücke zu erlangen. so oft mir ein pergamentblatt mit versen in die hand kam, ward der wunsch aufs neue lebendig, es möchte gerade aus diesem epos sein. bisher waren meine bestrebungen erfolglos. auch befreundete stiftsherrn des klosters Seitenstetten haben vergebens nach weiteren resten der hs. geforscht, von welcher Hoffmann von Fallersleben dort ein bruchstück gefunden und in den Altdeutschen blättern II 148 ff herausgegeben hatte. — neulich reichte

19*

mir mein freund Schauenstein ein wolverwahrtes blatt, das er von dr Bogensberger erhalten hatte, demselben liebhaber altdeutscher poesie, welchem ich schon das fragment des gedichtes über die zerstörung von Accon (Sitzungsberichte der Wiener academie xcvii 783 ff) verdanke. die güte des besitzers hat auch diesen fund wissenschaftlicher benutzung übergeben. das fragment, ebenfalls aus Strasburg in Kärnten stammend, gehörte zu einer Edolanzhs. es ist ein doppelblatt aus pergament, 15,5 cm. breit, 22,5 cm. hoch, die seite mit zwei spalten à 32 zeilen, spätestens im anfange des xiv jhs. beschrieben. die majuskel am anfang der verse ist rot durchzogen, die abschnitte beginnen mit grosen roten initialen, welche klein schwarz vorgezeichnet waren. das stück hatte zur decke eines buches dienen müssen und war deshalb auf der innenseite ganz mit papier überklebt, Schauenstein reinigte es sorgfältig, und auch hier erwies der leim sich als würksamer schutz der buchstaben: diese vier spalten sind vortrefflich conserviert. dagegen war die verwendung als buchdecke gar nicht die erste schädigung der aufsenseite des blattes; die unter 1^{ab} quer angesetzten grofsen buchstaben des xvii jhs.

Hau

der

m

wovon ich die ersten zu Haubtprotocoll ergänze, beweisen dass in gemeinschaft mit einem anderen, wahrscheinlich derselben hs., unser fragment vorher noch als umschlag eines folioheftes verwendet worden war. im ersten oder zweiten falle wurde das doppelblatt in der mitte gebrochen, durchgerissen, und so erklärt es sich dass in 1^{ab} eine grofse menge von zeilen nur kümmerliche spuren hinterlassen hatte, besonders aber 4^{ab} teilweise ganz abgerieben war. bei widerholter anwendung von reagentien und nicht ohne mühe vermochte ich auf 1^{ab} so ziemlich alles zu erkennen, auf 4^{ab} ist eine zeile vollständig verschwunden, aber das übrige ist, allerdings nicht zweifellos, eruiert worden.

Ich gebe nun zunächst einen abdruck des stückes. fortgelassen habe ich die reimpuncte, die ohne regel gesetzt sind, ſ zu s, j zu i, v zu u umgeschrieben; sonst ist die widergabe der hs. genau. die interpunction rührt von mir her.

1^a Her ab von himel dræt,

daz vewer also wæt

ob dem streit enpor.
der vloch, der hielt dem vor,
5 dirre was geslagen nider,
jener half dem wider,
der wart hin gedent,
vil maneger nach ment
mit herten slegen groz.
10 manech huert und stoz
geschach ze peden seiten da.
Edolanz aber sa
traib seu hin wider
und valt ir vil da nider.
15 die liechten panier
und di reichen zimier
wurden in getrettet
und unsamft enphettet.
maniger schrei sin krei.
20 etleiches amei
wart da gesert
und ir vreud gar verchert
von ir liewen manne.
Edolanz seu von danne
25 dranch, si muesten entweichen.
er rait so mænleichen
ze allen zeiten durch di hert,
wan daz in sein harnasch nert,
er hiet den tot erzaiget.
30 ez ward aver im genaiget
also vil der sper
und der swert michel mer,
1ᵇ da si beschuten mit,
ich wæn ie so manech smit
35 gesluech auf einen anpoz.
di slege di waren groz.
er muest ir vil verschraten
und valt auch manigen taten,
e daz er also strit
40 daz er an ir danch hin rit.

17 *unsicher*   30 im *unsicher*

dem helt chomen mær
daz deu stat wær
oben nachen gewunnen.
in was da nach zerunnen
45 der wer an der audern seit.
er chom an der zeit.
chlinch und chlingel
hœrt er an der zingel.
da jach manech purger wert,
50 deu stat wær unernert,
wær er in nicht pald chomen.
. . . den haiden wart genomen
sein swert, der schilt zer . . . . . .
swaz er der veint viench
55 di muesten alle . . . . . .
er wart vor in allen
ein entweich hin dan
unz daz tor wart zu getan,
daz man plies di her horn.
60 paideu hinten und vorn,
swa si warn zevar,
daz er sich gar
mit herwerg leit
hin dan wol veldes p . . . . . .
2ª 65 si heten schaden enphunden
von gevangen und von wunden,
des fuern si an ir gemach.
da der schad in geschach,
zu rait der catani,
70 der tenebrach und der tsampani
komen alle dri.
in chom geriten pi
den ez sam was ergangen.
wol achzechen gevangen
75 di prachten in di stat
ir vianz, als er pat,

45 *falsch eine rote initiale*   56 *vor unsicher, wol die ganze*
stelle currupt   64 *der buchstabe nach p hat oberlänge; ob l oder*
h weifs ich nicht

der gewaltich pittære.
wer isleich herre wære?
daz waren zwen graven groz
80 und ein hertzog, chunige gnoz.
dem pontschurn si so nahen
warn gesippet, daz si jahen,
daz er von danne rit
und mit schaden seu vermit.
85 si sprachen: 'lat uns besehen
was uns schaden sei geschechen
von des pontschurn zoren,
oder wen ir habt verloren.'
daz ervunden si schier:
90 'herre, drei stunt vier
sint uns hie benomen.
wie ez in sei chomen,
daz ist uns an chünde.'
'di man lemptech vunde,'
95 jaben di drei
'der seit vanchnüsse vrei.
2ᵇ   umb di töten lat uns tuen,
unz daz wir euwer suen
hart wol gewinne.
100 der pontschurn hinne
muez ze discn zeiten
durch unsern willen reiten.'
sie heten ûweriges phant.
zwispild man da vant
105 ûwer di ir ander acht.
Edolanz betracht:
'ich reit nu wol von hinne,
si sint an dem gewinne.'
er gab in den pesten rat
110 des er an witzen het stat.

Ez wær in liep oder lait,
mit urlaub er von danne rait.
einen stoich er im prach
da er daz her sach

115 nachen pei im ligen.
walt steig er gestigen
chom allez hin umb
des waldes ein chrumb.
schier hort er wain
120 durich den walt, als in dem main,
ein vol an seiner waide gie
(einen steich er dar gevie),
ein ôrs groz und starch.
gedacht èr: durch welichen charch
125 hat der riter sich entsait
der daz ôrs da her rait?
schier er erplicht
ein netz daz gestricht —

———————

3ᵃ   — horten singen noch sagen
130 so von in zwain wart geslagen,
want sôlichen stuerm
von tiren noch·von wuerm
gesahen nie
so von in zwain da ergie.
135 di herren gemain
sprachen, wer der ain
wær daz wær in unchunt.
ez jach vil manech munt,
di da sahen den vlorast,
140 ez wær der werde gast
der da solt streiten.
ze recht an den zeiten
da saig umb zue daz her
als mit ûnden vert daz mer,
145 so was ez umb und umb enwag.
di hohen fuersten nach der sag
drungen vast hin fuer,
daz si nach der rechten chûr
saiten wer behabt den sich.

127 ſ *so geschrieben*:
Schier er erplicht Ein netz
Daz gestricht.

150 gein got vil manech plich
    wart getan durich gunst.
    der pontschurn chraft und chunst
    het, so het dirre helt hail.
    der arm er ein tail
155 ûwer di prust fuert,
    di snuer er geruert
    diu dar inne stacht,
    da mit er erwaht
    lid di e geruegt lagen.
160 fuerpaz darf niemen vragen.
3ᵇ als er gedacht an sein traut,
    so hoert man sein sleg laut
    fuer di pontschurns hellen
    sam di glokken fuer di schellen.
165 er begunt snellen

    Vnt sein gestrit lazen,
    als er wolt vazen
    und auf hewen den schilt,
    ich wæn in er vilt
170 des streite. wi im siget
    der arm! seht wie im niget
    daz häpt nach den slegen!
    'ungeleich si uegen'
    jach da vil manich man.
175 Edolanz in mit slegen an
    gie und ruert in.
    under weilen er hin
    im nach dem helm graif,
    von der bant er im slaif:
180 tsavelir virgunt!
    ze freuden da vil manech munt
    seins ungelukches laht,
    ez waren dier het verswaht.
    Artaus der sinn fruet

---

151 gunst hs.   170 nach streite mit anderer tinte später ein s angefügt   173 aus u in uegen mit anderer tinte später m gemacht
177 in weilen das i übergeschrieben

185 in erpærmeden muet
 sprach gein den fuersten:
 'wir schuln in den getuersten
 wol sein, ob ez ist cuwer rat,
 seit dirre belt so nachen hat
190 den sich an pontschurn genomen,
 wir schuln im zehelf chomen,
 helfen im von dem sig,
4ᵃ e daz er gar under lig.'
 di engelloys und di von franchreich
195 di stuenden im geleich
 und jachen, er solt ez tuen,
 daz er ez ret an ein suen
 und an ein schidunge.
 ob artaus sprunge?
200 ja, er spranch.
 Edolanz den pontschurn swanch
 al ze hant da nider,
 Artaus zucht in wider
 und pat im gewen richters recht.
205 er sprach: 'her, gût chnecht,
 ich fueg eu daz eu wol chumpt
 und euch an der red vrumpt.'
 si sprachen auz ai . . . .
 . . . .
210 tet ir die artaus bit,
 ir frumpt euch selb da mit.'
 'solt ich nicht fuerpaz nim,
 ich laz ez hinz im.
 swaz er wil daz wil ich,
215 und daz der pontschurn sein gerich
 lazze vri, den sperwær.'
 daz daz zehant geschechen wær,
 jachens alle gemain.
 chunech artaus alain
220 nam di red an sich:
 'den sperwær wil ich,

208 nur die spitzen der buchstaben sind erhalten   *209 gänzlich*
abgerieben, keine spur von tinte mehr   *210 unsicher*   *212 unsicher*

herre, iu geben,
daz ir disem man sein lewen
lat durich unser pet.'
4ᵇ 225 ez geschach da zestet
allez daz er in hiez tuen.
zwischen in zwain suen
wart, und der sperwær pracht
dar sein zerecht was gedacht.
230 di punturtoys,
di spaniol, di purguntsoys,
di chomen mit ainer flûet.
di prachten hoh gemûet
ir vrouwen mit gemainer sag,
235 und wi an dem tag
ir chemphen wær gelungen.
tsansûn si sungen
und niw rotwæni.
der von britani
240 rait gein ir besunder
in di wi.del. . . . .
da grysalet chomen solt
und nemen wolt
von dem pontschurn daz vederspil,
245 daz gab man ir an dem zil
da man ir zerecht pot.
so an dem awent deu sunne rot
ist, so was deu mait
diu nie gewan kunterfait
250 und der daz hohst lob ist gesait.

Si pat artaus
minechleich ze haus,
des si was unverzigen.
er jach, er wolt ligen
255 in seinen herwergen da.
256 daz dienst hiez si im sa —

---

238 rotwæni] *ob* w *oder* ru *ist nicht auszumachen*   241 *ganz*
unsicher — *wirde* b. . . . .?

Das Seitenstettner fragment (A) und das neue (B) enthalten verschiedene stücke des gedichtes. auch A hat 32 verse auf einer spalte, aber schon eine oberflächliche durchsicht lehrt dass die beiden hss. wegen der differenzen in der lautbezeichnung nicht demselben codex (unter der voraussetzung éines schreibers) angehört haben. A, welches Hoffmann ins XIII *jh. schlechtweg setzt, ist fast durchaus in der guten mhd. orthographie geschrieben.* î, ei, û *sind erhalten, nur* slaich 28, doum 97, lute 119, frouten 26, vint 19. kunginne 54, *aber* chonige 111. — chv̂nen 53. — *falsch* bv̂rch *in dem dventiurentitel.* — belem 38, arebeit 56. — ch *für* k *ist beinahe durchgeführt.* p *für* b *meistens.* s *und* z *werden ein par mal verwechselt.* — *wenig apocopen.*

Dagegen bewahrt B nur 7 alte î *gegen 48* ei; *14* ei *gegen 30* ai. *alle 11* û *sind zu* au *geworden (Artaus 6 mal), 3* ou : au; *13* iu : eu, *2* iu *sind geblieben.* ü *wird durch* û, ue *bezeichnet.* uo *erscheint als* ue. ô *lautet zu* ò um. ue *für* ü, oe *für* œ *können nicht immer sicher bestimmt werden, da vor* r *sich nach* o *und* u *mehrmals* e *entwickelt, zb.* stuerm : wuerm 131. *mhd.* ô *wird zu* à *in* verschraten, taten 37 *und in 3 da* ═ dô. *öfters steht* i *für mhd.* ie. zoren 87. durich 120. 151. 224. welichen 124. — *mhd.* b *wird durch* w *gegeben: 23. 63. 103. 105. 168. 204. 223. 247. 255. sonst überall* p. ch *für* k *steht durch.* — *sehr starke apocopen kommen häufig vor.*

Der unterschied ist augenfällig. während also A nur wenig vom höfischen mhd. abweicht, nach der seite des bairisch-österreichischen hin, sind in B die zeichen dieses dialectes vollkommen ausgeprägt, zugleich in einer weise, die keinen zweifel darüber lässt dass mehrere decennien zwischen der herstellung dieser beiden hss. liegen.

Aus ein par stellen in B 31. 132 ff möchte ich fast schliefsen dass die vorlage dieser hs. in unabgesetzten versen aufgezeichnet war. A hat nach 28 einen rot geschriebenen weitläuftigen dventiurentitel, in B müste wol wenigstens vor 111 ein solcher gestanden haben, fehlt jedoch. wäre A für B vorlage gewesen, so wären die dventiurentitel wol bewahrt geblieben; die tendenz späterer zeit gieng mehr dahin, überschriften einzuschalten als vorhandene zu tilgen. es muss demnach angenommen werden dass es zum wenigsten noch eine dritte Edolanzhs. gab. das wird auch gefordert durch die häufigen und groben fehler in A und B; ja

diese lassen es sogar ratsam erscheinen, für beide hss. noch mittel-
glieder zwischen ihnen und dem archetypus zu vermuten.

In A und B sind zusammen 380 verse erhalten, also 190 reim-
pare. darunter sind ungenaue reime: man : kastelân A 53.: Gâ-
wân A 84. dan : getân B 57. gar : hâr A 51. rât : stat B 109.
gesach : nâch A 90. — spër : mër B 31. auch A 25 ff wird man
anrechnen müssen, die nach der hs. lauten:

> do si des siges inne
> wurden, sie frouten sich.
> Edolanz der selden dich
> slaich, also dunchet mich.

da liegt es am nächsten dich zu tich zu ändern. aber obschon
dieses wort ein par mal in späten gedichten abstract gebraucht
wird, scheint es mir doch hier gänzlich unpassend und ich schlage
vor zu schreiben: rich. 1 : 1 bleibt. andere ungenauigkeiten sind
nur scheinbar und lassen sich unschwer beseitigen. A 29, denke
ich, wird es gesigte : digte heißen müssen: denn obzwar der dichter
des Edolanz das volkstümliche epos kennt, wird er schwerlich ge-
sigetê : digetê gereimt haben. A 73 ist statt waren : bewaren zu
schreiben varn : bewarn. B 99. 107 ist beide male von hinnen
: gewinnen zu setzen. B 130 wird eine apocope nicht angenommen
werden dürfen und vielleicht zu schreiben sein: solchez stürmen
von tieren und von würmen. übrigens scheint die ganze stelle
corrupt. suon in B 98. 197. 227 ist das stm. apocope des inf. dat.
A 78. — lâzen : vazzen B 166 ändere ich in lân : vân, was dann
weitere emendation der ohne dies schadhaften verse fordert. —
funteil : teil A 39 steht allein als beispiel eines tadelfreien rühren-
den reimes. sonst ist alles in ordnung und, wie man sieht, der
reimgebrauch des dichters nicht abweichend von dem der guten mhd.
zeit überhaupt. dialectisches habe ich nicht wahrnehmen können.
3 reime, A 25. 75. 122. B 163. 248. 4 reime scheinen B 69
zusammengetroffen zu sein.

Auch in bezug auf die metrik wüste ich nichts anzuführen
(wenn ich bei der mangelhaften überlieferung etliche verbesserungen
anbringen darf), wodurch die fragmente sich von den classischen
mhd. dichtungen unterschieden. jedesfalls sind erhebliche härten
nicht vorhanden. —

Aufser dem helden Edolanz selbst treten noch zwei personen
in den bruchstücken lebhaft hervor: in A Gâwân mit der namens-

form, welche Wolfram von Eschenbach verwendet, in B der Pontschûr — pontschurn. zwar ist dieses wort stets mit kleinen anfangsbuchstaben geschrieben, aber da dies auch bei anderen eigennamen geschieht, so habe ich keine veranlassung, ihm die majuskel
zu entziehen. es ist wol unzweifelhaft dass dieser Pontschûr, dem
der artikel meist vorangesetzt wird, aus Wolframs Willehalm stammt,
wo punjûr (punsûr bei Grimm Gr. I^2 291) im ganzen an sechs
stellen (Steiner in Bartschs Germ. stud. II 257) den bezeichnet,
welcher puniert, dh. 'gut' puniert, und besonders als epitheton für
den markgrafen selbst gebraucht wird. das wort scheint von dem
dichter des Edolanz als titel, der zu einem eigennamen gemacht
werden konnte, aufgefasst zu sein. — dem schlachtrufe tsavelir
— chevaliers B 180 ist Virgunt beigefügt, was bekanntlich einen
wald in Franken bezeichnet und im Willh. 390, 3 vorkommt.
ebenso stammen aus Wolframs werken die übrigen namen. die
Punturtoys B 230 aus dem Parz.·(Bartsch in seinen Germ. stud.
II 151), die Purguntsoys B 231 und Tsampant B 70 kommen im
Parz. und Willh. vor. Spaniól B 231 stehen im Parz. 39, 15
und 91, 15. die Engelloys B 194 im Willh. 126, 9. 269, 25,
auch in der Krone des Heinr. vdTürlin. für den Tenebrach B 70
ist wahrscheinlich der Tenabroc im Parz., nicht der Tenabrî im
Willh. muster gewesen. Wolfram soll wider nach Bartsch aao.
s. 125 den namen aus dem Êrec entlehnt haben — afr. Danebroc.
Britanje B 239 ist allgemein verbreitet. dagegen kann ich die
Catant B 69 nicht nachweisen, auch nicht den Leturs A 49, Lûr-
teun A 76 und die Grysalet (Chrysolita?) B 242.

Und nicht bloß die namen borgt unser dichter dem Wolfram
ab, auch im wortschatz zeigt sich der einfluss des übermächtigen
vorbildes. funteil A 39 — vintâle kommt zwar im Lanz. und
der Krone auch noch vor, besonders oft jedoch im Parz. und
Willh. vgl. Bartsch aao. s. 124. flanze B 76 findet sich 7mal
im Parz. herte B 27 — hartes kampfgedränge steht oftmals im
Parz. hurt und stôz wie B 10 verbunden Willh. 40, 1. zingel
B 48 im Parz. und Willh. häufig. ebenso beschutten, getreten
als swv., anebôz, vluot bildlich, krumbe, zwispilde (wenigstens das
verbum zwispilden im Willh., zwispel in der Krone 29973). ge-
turst stf. B 187 — Willh. 385, 14. 210, 11. gerich stm., die phrase
ûz (iemannes) munde A 104 vgl. B 208, und wol noch manches
andere. mit den ganz gemeinen fremdwörtern amte, krie, kastelân,

kunterfeit *(besonders häufig in der Krone) ist nichts anzufangen.*
manikel A 39 bedeutet nach Lexer ı 2032 'armschiene, -leder' (aus lat.
manicula) und kommt einmal beim steir. reimchronisten vor, sonst
nirgends. Alwin Schultz Das höfische leben gibt keine aufklärung
über das wort und citiert nur ı 210 anm. eine stelle des afr. Parto-
nopier 7465: si brac sont fors par les manicles qui sont faites
d'or et d'onicles. *es bezeichnet dort einen teil des frauengewan-*
des. — rotruanje *B 238 ist bei Lexer aus Tristan und Êrec belegt.*

 Aufser Wolframs werken ist auch die Krone von dem dichter
des Edolanz eifrig gelesen und in folge dessen nachgeahmt worden.
das bezeugen schon die drei reime am schlusse der abschnitte (denn
irgend eine anlehnung an Wirnts Wigalois ist nicht wahrzunehmen),
aber noch anderes. der vers Artûs *der sinne fruote B 184 ist*
= Krone 3654. die phrase der âventiure sage *A 66 steht auch*
Krone 23501. desgleichen kommen in der Krone häufig vor die
ausdrücke des Edolanz: schanzûn, klinc, kemphe, verswachen,
enwage, geruowet, gestrīte, schidunge, suon *als stm. usw.*

 Vorhandene ähnlichkeiten mit anderen gedichten im gebrauche
einzelner wörter sind zu gering, um daraus schlüsse ziehen zu
können. nur das will ich erwähnen, was aus den beziehungen zu
Wolfram und der Krone schon zu entnehmen war, dass der wort-
schatz der Edolanzfragmente manches mit dem volkstümlichen epos
teilt: degen *A 1. vgl. Jänicke De usu dicendi Wolframi de Eschen-*
bach s. 4 f. — helt *A 35. 59. 75. 99. B 41. 153. 189.* helt
balt *A 75. vgl. Jänicke s. 5 und 8. Reifsenberger Zur Krone*
s. 29. das wort ritter *kommt in 369 versen nur einmal B 125*
vor, und da bezeichnet es mehr den reitenden als den herrn vom
ritterstande. — veige *A 107 vgl. Jänicke s. 12. —* küene *A 53*
vgl. Jänicke s. 14. — verschrōten *B 37 vgl. Jänicke s. 21 f. —*
mære koment *B 41 vgl. Jänicke s. 27. —* herborn *B 59. —*
aufserdem kern der manheit *A 61 auch Virg. 77, 6. Sig. Sch. 119. —*
dā seic umbe zuo daz her B 143 vgl. daz her seic für sich dan
Dietr. 8386. Rab. 338. 508. 558. — singen noch sagen *B 129.*
liebte baniere *B 15.* enphēten *B 18.* wibtel *A 91. — überdies*
weisen schon diese kleinen bruchstücke mehrere (bei Lexer) unbe-
legte oder seltene wörter auf: manikel, klinc, klingel, karc *als*
stm., erviln *swv.,* wibtel, waltstīc *(Trist.),* waltgevelle, dümelle. —
digen *A 30 ist ein altes, besonders in der geistlichen litteratur des*
xıı jhs. gebrauchtes wort. —

Das bruchstück A erzählt: Edolanz kämpft mit einem riesen, welcher eine königin sammt ihren kostbarkeiten geraubt und Gawan, der sich ihrer annahm, besiegt und gefangen genommen hatte, er erschlägt ihn. die gefesselten zuschauer werden befreit und danken dem erretter, welcher ziemliche beulen davon getragen hat. die königin, die nun ihrem gemahl Leturs zurückgegeben wird, ersetzt das vom riesen getötete pferd ihres befreiers durch ein kastelan. Gawan und Edolanz reiten mit einander fort, finden aber drei tage lang kein abenteuer. da ihnen so das glück ungünstig ist während sie beisammen sind, beschliefsen sie sich zu trennen. Edolanz reitet in den zauberwald des Lürteuns, vor dem Gawan ihn gewarnt hatte, da er manches furchtbare enthalte und nur im winter, wo das eis die wege härte (er ist wol sumpfig) passierbar sei. Edolanz lässt sich nicht abhalten, Gawan begibt sich hinaus in die ebene. nach drei meilen rittes sieht Edolanz einen blau gekleideten zwerg, auf einem weifsen rehbock sitzend, der ihn grüfst und den er über das bevorstehende abenteuer ausfragt. der zwerg warnt den helden; er meint dass zwar eine pracht in dem walde zu finden sei, welche alle könige der welt, Artus eingeschlossen, nicht besäfsen, aber es sei noch niemand, der in den wald zog, wider herausgekommen. zum tode scheinen die einreitenden bestimmt. der herr des forstes zwingt den besuchern ein spiel auf, bei welchem der kopf zum pfande steht, und er verliert es nie.

In B wird berichtet: eine stadt wird durch den Pontschur belagert. Edolanz steht ihr bei und vor den toren wird eine schlacht geliefert, in welcher der held seine grofse tapferkeit bewährt und 18 gefangene einbringt, darunter zwei grafen und einen herzog, verwandte des Pontschurs. andererseits sind den städtern 12 leute genommen worden. man leitet eine sühne ein, der Pontschur muss das feld räumen. nun hat Edolanz geholfen und er reitet fort trotz aller bitten zu bleiben. bald gelangt er in einen wald, wo er ein lediges ross wiehern hört und ein gestricktes netz findet. 1ª — 2ᵇ.

Der Pontschur und Edolanz kämpfen um einen sperber, welcher der frau Grysalet gehört; entweder da sie ihn schon früher besafs oder weil er als preis ihrer aufserordentlichen schönheit ihr zukommt. verschiedene heervölker, auch Artus und sein hof sehen zu. der Pontschur wird besiegt und Edolanz ist im begriff ihn zu töten, als Artus nach einer kurzen beratung mit den anderen

*herrn, wobei Engländer und Franzosen ihm beistimmen, dazwischen
tritt, Edolanz um das richteramt ersucht und dann gegen rück-
gabe des sperbers dem Pontschur das leben schenkt. versöhnung
wird gestiftet, die leute der dame, romanische südländer, feiern ein
freudenfest. die jungfrau, welcher Artus ihren triumph anzeigt,
erhält den sperber wider und bietet Artus ihr haus an.   3ᵃ — 4ᵇ.*

*Die erzählten abenteuer enthalten nichts irgend originelles,
jedes derselben ist uns in verschiedenen gedichten schon begegnet.
städtebelagerungen sind bei Wolfram häufig. kämpfe mit riesen
finden sich überall, solche mit löwen und drachen, wie sie die
überschrift in A andeutet, kommen in der Krone vor: zwei löwen
13230 ff. zwei drachen 13440 ff (wurm : sturm 13440). ein
löwe 20900 ff. ein drache 26703. der ansicht Heinrichs 29913
daz alle âventiure von Gâweines tiure sagent, huldigt unser autor
freilich nicht, denn in A spielt der gefangene Gawan eine recht
klägliche rolle. auch Artus präsentiert sich in B nicht gar imponierend. bedauerlich ist dass die schilderung des löwenkampfes
nicht erhalten blieb; man hätte dann sehen können, ob der dichter
des Edolanz Wolfram oder der Krone folgte, welche beide dieses
abenteuer erzählen, vgl. Zingerle Germania 5, 477. — zweikämpfe
endlich um einen sperber, sei es als preis, sei es als raubstück,
kommen seit dem eingangsabenteuer des Êrec fast bei allen späteren
höfischen epikern vor.*

*Ich halte mich überzeugt (besonders mit rücksicht auf die
sonstigen entlehnungen) dass die berufung des dichters A 66 nâch
der âventiure sage eine leere formel ist und dass er eine quelle,
die wol eine französische hätte sein müssen, nicht benutzt hat. ich
habe über eine solche auch nichts in erfahrung bringen können. vielmehr wird alles blofse nachbildung der in den berühmten mustern
gefundenen geschichten sein, ausgeschmückt, gehäuft, übertrieben
(zwei drachen und vier löwen in A). dagegen spricht auch nicht
die einführung des wichtels A 91; bei der nachgewiesenen bekanntschaft des autors mit der sprache des volkstümlichen epos ist das
unschwer als übernahme von dorther zu erklären.*

*Die darstellung der abenteuer zu beurteilen ist nicht leicht,
da man ungerecht werden kann, ist ja alles abgebrochen und stückwerk. die des kampfes mit dem riesen scheint mir gar knapp,
aber das kommt auch bei Hartmann und anderen vor, ich erinnere
zb. nur an Êrec 4205 ff. allerdings dürfte diese erzählungsart*

auf einen grofsen umfang des vollständigen gedichtes hindeuten, worin wegen masse des stoffes rasch berichtet werden muste. im allgemeinen ist die erzählung zwar nicht sehr gewandt, etwas sprunghaft, aber dafür recht lebendig (figur der frage B 78. 199) und, wie ich besonders hervorheben will, mit bildern von individuellem character geziert. B 1 wie das feuer, das vom himmel herabstürmt. 34 wie die schläge auf dem amboſs des schmiedes, so hallen die hiebe. 143 ballt sich das heer zusammen, wie die wogen des meeres. auch 232 dringen die krieger heran wie eine flut (dass der dichter eine seefahrt gemacht habe, wird man daraus nicht schliefsen dürfen). 163 ff klingen die schwertschläge des Edolanz gegen die des Pontschur wie glocken gegen schellen. 247 f erscheint die jungfrau ohne falsch so schön wie die rote sonne am abend. — A 18. 52. — allitteration in den wortbindungen, in B: singen noch sagen 129. klink unde klingel 47. liep oder leit 111. kraft unde kunst 152.

Eine schwache seite der technik des dichters ist seine reimarmut. unter den 190 reimparen (oder eigentlich nur 189, da B 208 f fehlt) finden sich 10 zweimal, 4 dreimal, was ein starker procentsatz ist und die meinung nahe legt, der autor sei häufig auf die gestalt des zweiten verses nur durch den notwendigen reim gebracht worden. zu den mängeln rechne ich auch noch die sehr zahlreichen enjambements, die in der regel darin bestehen dass das prädicatverbum erst an der spitze des zweiten verses erscheint; die rede wird dadurch holperig. ich glaube aber, man darfi dies der unfähigkeit des dichters nicht allein zuschreiben, Wolfram, sein vorbild, ist auch nicht arm an dieser eigentümlichkeit.

Die reinheit der sprache des dichters versagt uns in diesen fragmenten auskunft über seine heimat. erwägt man jedoch dass die schreiber Österreicher sind, dass beide fragmente in Österreich gefunden wurden, dass ein Baier, Wolfram, ein Kärntner, Heinrich vdTürlin, vornehmlich dem dichter zum muster dienen, dass er mit der redeweise des damals in Österreich besonders heimischen volksepos vertraut ist, so wird man — noch die metrische sauberkeit, das alter der bruchstücke gebürend in betracht gezogen — nicht viel dagegen einwenden können, wenn ich den verfasser des Edolanz für einen Österreicher halte und die abfassung des werkes gegen 1250, jedesfalls nicht nachher, lieber vorher, ansetze.

Hoffen wir dass aus der verborgenheit noch weitere fragmente

des Edolanz ans licht kommen. durch seine lebhaftigkeit, bilder-
fülle, reichtum des wortschatzes, volkstümliche art (wenn auch
keine spur humors sichtbar ist) scheint mir das werk eine stelle
unter den guten nachfahren der classischen dichtung Wolframs wol
zu verdienen. —

B 132 *von tieren noch von würmen legt nahe zu vermuten*
dass der vers auf das in A begonnene abenteuer sich beziehe; dann
würde, da schwerlich die ganze erzählung in den zwischen 2[b] *und*
3[a] *fehlenden doppelblättern der lage hätte enthalten sein können,*
3[ab] *als erste seite gelten müssen und das ganze wäre in der ord-*
nung 3. 4. 1. 2 *zu lesen. allein ich halte diesen vers* 132 *nur*
für einen tropischen ausdruck: von untieren und drachen hat man
einen solchen kampf, nie gesehen wie er hier zwischen männern
ausgefochten wurde. ferner scheint mir dass die endgiltige aus-
söhnung zwischen Edolanz und dem Pontschur 4[b] *doch jedesfalls*
der befreiung der stadt von des Pontschurs belagerung durch Edo-
lanz müsse gefolgt sein. also wäre die jetzige ordnung richtig. —

Zu dem überlieferten texte schlage ich noch einige, nicht schon
früher erwähnte, änderungen vor. ich schliefse rein metrische aus,
da das material zu gering ist, und erörtere zb. allzu kurze verse
nicht, deren ich mehrere finde, weil ich nicht weifs, wie weit der
gebrauch des dichters geht. — A 14 *l. mitalle.* 16 *l. schrenken.*
28 *l. sleich alsô dar, dunket mich.* 32 *l. behalten het.* 34 *l.*
mit sinen starken armen lanc. 38 *vielleicht ist* bant *in Hoff-*
manns ergänzung überflüssig. 78 *l. ze riten.* 79 *l. winters.*
84 *l. sprach.* 116 *Hoffmanns änderung von* niemen *in* niemer
ist unnötig. — B 33 *si in?* 52 *gein?* 53 *zergienc?* 55 *vallen?*
56 *f, ez wart von in allen ein entwich?* 62 *l. ber.* 64 *preite?*
96 *die sin?* 124 *l. do gedähte er.* 133 *si ê nie?* 139 *vlorast*
wird wol nur schreibfehler für vôrast *sein, vgl. Niedner Das deutsche*
turnier s. 40 *f.* 154 *l. den arm.* 165 *fehlt wol etwas.* 180 *ist*
der ausruf nicht besser zum folgenden zu ziehen? 200 *gewis*
fehlt etliches. 208 *l. ûz einem munde.* 212 *solt oder golt?* 241
ortsname?

Graz, 16. 7. 81.   ANTON SCHÖNBACH.

PREDIGTBRUCHSTÜCKE.

· V

Ganz gewis bin ich nicht, ob ich das nachfolgende stück unter dieser überschrift publicieren darf, es könnte auch teil eines tractates sein. aufser dem, dass mir einige stellen rhetorisch gefärbt scheinen, habe ich mich durch die änderung von die zu din 2ᵇ bestimmen lassen. die rede steht auf einem zusammenhängenden, teilweise zerstörten pergamentdoppelblatt, das, 15 cm. breit, 19,5 cm. hoch, zweispaltig auf tintenlinien, die zum grösten teil äufserst fein gezogen sind, grofs, sorgfältig und schön, vielleicht noch im XIII jh., jedesfalls im anfange des XIV beschrieben ist. die grofsen buchstaben, welche den beginn von sätzen bezeichnen, und der name Jesu Christi sind rot durchstrichen, auf 1ᶜ eine rote überschrift. — ich besitze das blatt seit mehr denn zehn jahren als geschenk meines verewigten freundes JM Wagner und habe mit der veröffentlichung so lange gezögert, weil ich immer noch hoffte, ich würde den inhalt einem bestimmten werke zuweisen können. das ist mir nicht gelungen und nur so viel scheint mir sicher dass es seiner darstellung nach einem der älteren mystiker angehören dürfte. im drucke wurden die einfachen abkürzungen aufgelöst, ergänztes cursiv gegeben.

1ᵃ Ein ander ist daz man so vlizzechlichen wirbet nach der lute behagunge. und so wenich nach gotes behagunge. Ein ander ist daz wir unser nutz zit so jamerlichen vur bringen die uns got ze so manger leie . . . . . gegeben hat. Ein ander ist
5 daz wir gote niht enantwurten . . . . . ibe gein siner gotlichen nature. mit danke gein siner manchvaltigen gabe. mit bezzerunge umb unser manchvaltige schulde. mit menschlicher libe siner gotlichen minne. Ein ander ist daz die lute so tobent mit unruelichen sunden wider *got*. Ein ander ist daz wir alle an
10 der wage sin. weder wir mit got (1ᵇ) beliben oder niht. weder wir got hiute behagen. oder missehagen. Ein ander ist daz wir so stæticblichen ligen in geistlichen sunden. und ir doch nicht bechennen. als geistlicher roub ist. Diubstal. unchusche. manslaht und valser *geziuch*. Ein ander *ist daz* man so unwir-
15 *dichlichen* enphabet den waren lichnamen unsers herren ihesu christi. Ein ander ist daz wir den verborgen got so wenich be-

chennen. dar zu gehoret sitzen. swigen. und einode. Ein
ander ist daz grozziu gutiu dinch verderbent. und chleines lones
wert werdent. wan man si tut uzzerhalb warer (1^c) minne. Ein
ander ist daz man den gewaltigen rehten got so wenich furhtet.
Ein ander ist daz der tivel mit so mangen swinden bechorungen 5
die lute vellet swie geistliche si sint. Ein ander ist daz die lute
so grozz helfe habent von *gote an* engeln an hiligen an der schrift
und lere und biligen bilden hiliger lute an dem heren lichnamen
unsers herren ihesu christi. und si sich doch niht arbeiten
wellent daz si ez mit gotes helfe uberwinden. Geistlich sunde.[1] 10
Ein ander geistlich sunde ist daz man unsers herren lichnamen
unwirdichlichen enphahet. (1^d) daz geschihet so man wizzech-
lichen in houptsunden ligt. oder daz man hat gantzen willen
zesunden. oder daz man durch werdecheit oder von gewonheit
in nimet. so nimet man in zeverdampnusse. und wirt schu*l*dich 15
gotes libes. daz spric*h*et daz man so *grozen* pine verdinet als
*die jude*n. die in hiengen an daz cruze. und der da niht
hat daz zeichen des vrides an dem hertzen. der enphahet gotes
lichnamen nicht ze nutz. sunder sich zeuberziugen. Ouch nimt
in der unwirdichlichen der in totlichen sunden ligt. und in dar 20
umb nimt daz er bezzer werde. wan gotes lichnamen (2^a) wirt
deheim houptsundere gut oder bezzere. aber der bose und der
sundige wirt boser und sundiger. und der gute mensch wirt ge-
sterchet an dem leben. als der win einen sichen sterbet. und
einen gesunden sterchet und gevrowet. Ouch nimt der angst- 25
lichen gotes lichnamen. der noch sicherheit hat noch hoffnunge
an dem hertzen daz im got vergeben habe alle sin sunde und
daz er gotes vriunde si. Aber der nimt in an angest der also
dar zu get daz er dehein totliche sunde weiz an sinem hertzen.
noch willen hat zesunden. Ouch enphahet etwenne der mensch 30
dehein oder wenich gnaden. an gotes (2^b) lichnamen. so sich
der mensch vor niht bereittet mit gebet. und mit guten gerungen. und swie doch gotes lichnamen gar chreftich si. dan-
noch chumt niht grozziu fruht an din[2] sel. so si der mensch
dar nach niht behutet vor unnutzen dingen. Owe wie mange lute 35
wider ir hertz nement gotes lichnamen. daz man iht bosen wan
uf si trage. und si dar nach iht versmahe. ez were unsched-
licher ob man si fur morder oder fur chetzer hete. denne daz

[1] *rot.*   [2] dĭ̤ə *hs.*

si mit gote ir sunde verdachten. Ouch ist unbarmherzicheit so
sich ein mensche niht erbarmet uber arme lute. uber (2°) siechen.
uzzetzigen. gevangen. uber die da bechort und gemuet sint.
an dem vleische. oder an dem geiste. und er doch lihte einem
5 ieglichen mohte helfen. und genade getun geistliche oder vleisch-
liche in siner not. und aller meist den armen in dem vegefiure
die in selben nicht gehelfen mugen. die doch vil wol bedorften
der werch der barmherzicheit. daz ir pine gelihtert und ge-
kurtzet wurde. oder daz si gar von dem pittern vegefiur er-
10 loset wurden. Ouch ist der mensch unbarmhertzich gein im
selben. swanne er den totlichen wunden siner sele niht ertzenie
gibt mit warer (2ᵈ) riwe. mit gantzer bihte. mit volchomener
buzze. wan als mank totliche sunde an dem libe ist. als manech totlich wunde ist an der sele. Und als mancch unvol-
15 chomenheit an dem libe ist. als manech suche ist an der sele.
Ouch sprichet ein hiliger da von. Bechenne armes mensch wie
angstliche waren die wunden unser selen. durch die gewundet
must werden unser herr ihesus christus. wan und beten si dir
niht braht den ewigen tot. so enwer ihesu christi blut nie uz
20 gegozzen ze einer heilsalben der selen. Urchunde und materi
warer vreuden. hat der mensch der an dem herzen gewisheit
enphehet von gote. daz im alle sin sun . . . .

Graz, 5. 4. 81.   ANTON SCHÖNBACH.

STRICKERS FRAUENLOB.

*Im 7 bande dieser zeitschrift s. 106—108 hat FPfeiffer aus
der Wiener hs. 2705 ein Frauenlob von 102 versen veröffentlicht,
welches sich später als fragment eines Frauenehre betitelten gedichtes des Stricker herausstellte, das Pfeiffer in demselben bande
s. 478—521 nach der Heidelberger hs. 341 und dem Kalocsaer
codex herausgegeben hat.*

*Das Wiener fragment (bei Pfeiffer A) entspricht den versen
429—510 und 569—588 des vollständigeren gedichtes, als dessen
verfasser sich der Stricker v. 138 nennt. in der Heidelberger (B)
und Kalocsaer hs. (C) scheint das gedicht mit dem gleichen verspare zu schliefsen, ohne zu enden; denn das mære, welches der
dichter v. 1608 zur rechtfertigung seiner rüge gegen die ritter*

*(v. 1531—1590) ankündet, fehlt. dieses letztere und mit ihm
ein teil des vorhergehenden (v. 1321—1614) ist in der bekannten
Ambraser hs., der wir den Erek, die Kudrun, den Moriz von
Craon und andere wichtige gedichte verdanken, erhalten. diese —
ich bezeichne sie im anschlusse an Pfeiffers benennungen mit D —
bietet das mit BC gemeinsame stück in erweiterter fassung. für
die echtheit der zusätze in D möchte ich nicht einstehen, die äufseren
anzeichen von interpolation sind unten angeführt. die fortsetzung
in D ist formell nicht zu beanstanden: gelich : mich D 359 ist
nicht gegen Strickers art (Bartsch Strickers Karl LIV, Weinhold
Mhd. gr. § 16), verkorn (III pl. pf.) : korn D 424 hat seine
parallele im Karl 5845, bât: gesat D 445 kann, so selten ungleiche quantität des stumpfen reims bei Stricker ist (Bartsch aao. LI),
allein noch nicht gegen die echtheit mafsgebend sein.*

*Wackernagel LG I² 356, 31 betrachtet A als älteren kürzeren
entwurf, BC als erweiterung; er beruft sich auf BC v. 1485* icbn
welle . . . ditz buoch sô lange mêren, unz mich der tôt dâ
von jaget; *vgl. v. 1474* swaz ich ir lobes noch gewuoc, daz ist
niht wan ein anevanc. *die gestalt des gedichtes in D scheint diese
ansicht zu bestätigen.*

*Das in BC 1608 angekündete mære ist mit D 622 jedesfalls
zu ende: ob das ganze gedicht, möchte ich bezweifeln. ich vermisse eine der breitspurigkeit der anlage des übrigen und der gewohnheit des dichters, abschnitte deutlich zu bezeichnen (man vgl.
BC 785. 1031 uö.), entsprechende ausführlich angelegte schluss-
fassung.*

Unser fragment, das in der hs. fol. I 1ª *— II 1ᵇ zur hälfte
füllt — der rest der letzten halbspalte bleibt leer, dann folgt auf
fol. 2ª von kunig Nero usw., es ist der Moriz von Craon, den
Haupt in den Festgaben für Homeyer (Berlin 1871) ediert hat
—, führt die überschrift* Der vrouwen lop *und dies dürfte mit
bezug auf BC v. 85* daz ich . . . ein lop den vrouwen gebe
*der richtige titel sein; woher Pfeiffer den titel 'frauenehre' hatte,
weifs ich nicht.*

*Ich gebe im folgenden aus der gemeinsamen partie BCD die
nennenswerten abweichungen der letzteren hs. von Pfeiffers text
sowie die zusatzverse. varianten, welche mir für die verbesserung
des textes von BC mafsgebend scheinen, sind gesperrt gedruckt. in
der edition der fortsetzung in D schliefse ich mich den princi-*

pien von Pfeiffers textgestaltung im wesentlichen an. um der zu-
satzverse willen sind die 622 verse von D gesondert beziffert.

BC 1321 swenne] Als *D.* 23 zway. 26 dihtes *l.* dûhtez.
27 wurd. 32 diu *fehlt.* 35 laub. 38 In ye. 42 zway. 43 Ein]
Me. 49 ynneclich. 50 vaster] harter. 54 so. 55 hûetmånder.
56 Er wirdt. 59 ir] dem. 62 er] Ir. 63 Wer mag Im das.
67 dann gehôret. 68 thû. 69 Het. 70 Er. 74 des *fehlt.*
nôten. 78 mynne. 81 ôren] Ecrn. 82 wol *fehlt.* 85 Der.
villeicht. 86 sêlig gesicht. 87 daz] Vntz. 89 wûnniklichen.
92 begert. 93 sin] des. stet. 94 hinget. 95 guot *fehlt.*
97 sam] auch also. 98 welher unwille. 99 hâts] sey. 1403 ist
fehlt. selner. 5 diu *fehlt.* 8 Er. 9 ynneclichen. 11 alle.
20 Sy schawet. 21 Suefs. Ers. 29 O. 30 Irem. 34. 33.
31. 32 *D.* 31 Iren synnen. 32 mynnen. 33 Irem. 37 die
zucht. 39 des wol. 40 da. 41 nyemand wist von wannen.
43 Irn. 45 hulde. 46 so ist. 48 möcht. 52 Er. 56 hertzen
ynneklichen. 60 tat. 62 pâte. 64 sy des. 70 dann. 71 kûn-
nen. 73 gnûg. 74 gwûc. 75 Die ist. 77 Irre dann. 80 sein.
vmb. 83 also. 84 Daz mich des. 85 Ich. 89 bite. 93 si]
Er. im] mir. 95 Der. 96 o̊n sorg. 97 danne *fehlt.* yeg-
licher. 98 dann. 99 tichteto. 1501 denn] Ee. 2 manigen
lobeliche. 3 brêchten. 4 allesambt bedêchten. 6 vil *fehlt.* 8 êre
fehlt. 9 dienet. 11 ze guote] wol. 12 sôlhes den frawen wol
dienet vnd frumbt. 13 spricht. sein. 16 Besament. 21 sy
so. 23 dann wo. 25 den *fehlt.* 28 einen. 29 Irn. 31 ez
fehlt. 33 so *fehlt.* huote] zucht. 35 wedere. Ire. 36 prises]
streites. 42 verdros. 43 stade] streite. 44 gedauchte. 45
sunst. 47 maniger. 50 gewaltiklichen. 53 vil *fehlt.* 54 nicht.
55 daz] da. 60 Bewerben. 61 môs. 62 lat. 65 Hetten. 67
brachten. 72 noch] vnd. 73 noch *fehlt.* 80 bewegen. 81
daz *fehlt.* 89 sô] vil. 91 Swer] aber. 93 dâ] hie. 96 Ich.
nicht. 97 Sy. 99 nach. 1601 sabe. 4 wil. 5 Die ich dann
nicht nante. 6 und sy doch wol bekannte. 7 leicht. 14 Irn.

Nach BC 1410 folgen D 91—96, von denen D 95. 6 den ge-
danken von BC 1403. 4 widerholen:

> daz ist im immer niuwe.
> im bât ir grôziu triuwe
> sin herze zwivels erlôst,
> ir triuwe ist sines herzen trôst

95 und ist sinen gedanken
ein stæte für daz wanken.

nach BC 1446 folgen D 133. 4; D hat in 1445 ère in hulde *geändert:*

diu vergiltet die schulde,
behaltet er ir hulde.

nach BC 1458 folgen D 147. 8:

swaz si guotes verküre,
è si ir fröude an im verlüre.

nach BC 1478 folgen D 169—188; vgl. BC 1480 mit D 183:

swer dise rede nidet

170 und sie unsanfte lidet,
der hazzet ouch die frouwen.
dà bi sol man schouwen,
wer vient oder friunt si.
disem mære ist nieman bi,

175 swer sich kan versinnen,
ez enwerde an im wol innen,
für weder man in haben sol:
ez tuot den friunden harte wol
und ist den vinden swære;

180 gènt si 'niht von dem mære,
sò blibent si durch daz dà,
si vàhent ein wort eteswà,
dar umbe si mich stràfent,
oder sitzent oder slàfent,

185 oder ruowent alsò vil,
swer ir willen merken wil,
daz ez vil sanfte geschiht.
die sint der frouwen friunde niht.

nach BC 1564 folgen D 275. 8; aber die construction geht aus dem plural zum singular über, um mit BC 1565 den ersteren wider aufzunehmen.

275 daz sie so maneger ritter schiuhet
unt durch niht anders fliuhet,
wan daz si in dunket ze guot
und ze hòhe über sinen muot.

176 Er werd.   177 werder.   185 oder sy. so.

D 329 Eim ackerman was zorn,
330 daz er der lantliute korn
so wünneclîchen blüejen sach.
mit hazze er innecliche sprach:
'sit daz got nicht enbern wil,
uns werde danne korns ze vil,
335 daz ist mir harte swære,
ez wirt dâ von unmære.
mac ichz niht baz understân,
swaz kornes ich gesæjet hân,
daz kumt nimmer her wider,
340 ich wil ez mæjen durch nider,
die wil ez alsô blüejet.
ich enruoche, wen ez müejet.'
dô er mæn begunde,
in einer kurzen stunde
345 wart ein michel frâgen
von friunden und von mâgen
unt von den lantliuten.
die bâten in diuten,
wes er sô missetæte,
350 daz er daz korn abmæte.
er sprach: 'dâ ist diu arbeit
ze grôz, und ist diu wirdekeit
dâ wider gar ze kleine.
ich sage iu, wie ich daz meine:
355 swie vil korns ich ie gewan,
sô het ein ander ackerman
wol alsô vil oder mê.
nu tuot mir græzlîchen wê,
daz man uns alle hât gelich,
360 mîne genôzen unde mich,
und uns niht grôzen danc seit
umb unser grôzen arebeit
und umb den michelen frumen,
der von uns den liuten muoz kumen.
365 unser ist unmâzen vil,

329 Mein.   333 got des.   335 hart.   359 geleich.
362 grosser.

die man gelîche haben wil.
ine trouwe an éren und an lobe
in allen niht geligen obe.
wer nimt ouch denne mîn war,
370 die wîle ich in der menige far?
bestênt si denn mîn eine,
sô misset man mîn kleine;
sol ich græzer arbeit ane gân
und sol niht græzer éren hân,
375 sô wære ich vil unwîse;
sol ich bî mîner spîse
græzer éren entwesen,
sô wil ich ân arebeit genesen.
ich getrouwe senfter bejagen
380 des ich bedarf in mînen tagen,
korn wirt immer genuoc.
man muoz acker unde phluoc
mit sölher arbeit hân,
daz ich mich beider wol erlân.'
385 dô er seite sînen muot,
dô dûhte ez bœse liute guot,
die ouch der arebeit verdrôz,
ir nît was wol alsô grôz;
die lobten sîn gemüete
390 unt brâhten in der blüete
ir selber korn ze bôsheit.
daz was den andern sô leit,
daz si diu bœsen mære
vor ir hœhstem rihtære
395 vil zornecliche seiten
und ûf die alle kleiten,
ûf den diu rehte schulde lac.
dô sprach der rihter: 'wer mac
in niht verteilen ir leben?
400 man sol in lîhen noch geben
der korn keinez,
weder grôzez noch kleinez,
daz von der erde immer kumt,

367 In trew.   369 mîn *fehlt*.   386 Als.

sit uns ir korn nindert frumt.
405 si mūezen ouch sam sterben,
daz si niht suln erwerben
des unsern keinen teil.
ez wirt ir selber unheil,
daz si sich arbeit hânt entladen,
410 ez muoz in lesterlichen schaden.'
nu tet er über allez lant
ein sô grôz gebot bekant,
daz alle die sâ sturben,
daz si nie korn erwurben,
415 die durch grôze bôsheit
ir korn unde ir arebeit
alsô schieden von in.
die fuoren âne korn hin.
    Diu buoze sol uns allen
420 ze rehte wol gevallen,
daz man in korn verzêch
und in weder gap noch lêch,
durch daz si daz ir verkorn.
wær diu werlt âne korn,
425 wie möht ir êre denne wern,
sit man niht kornes mac enbern?
dâ von süllen wir des jehen,
in sî vil rehte geschehen.
    Nu sul wir sprechen dâ bî,
430 waz der liute reht sî,
die uns verderbent daz korn,
daz schedelîcher ist verlorn
denn daz, sô an dem velde stât.
ich sage iu, wie daz namen hât.
435 ez ist frôude genant.
diu was ê sô wol bekant,
swer âne frôude wære,
dem wære der lîp unmære.
ein man wær âne korn genesen,
440 der âne frôude wolte wesen.
nu stêt diu frôude in blüete

an der reinen süeze unt güete,
an gebærde und an der varwe
und an den tugenden garwe,
445 die got mit grôzem flîze hât
an die frouwen gesat,
dâ blüete vröuwet âne strît
vil wünnecliche ze aller zît.
swer die dâ tuot verderben,
450 der sol ze rehte erwerben,
daz er âne fröude lebe
unt man im lîhe noch gebe
der fröuden deheine,
weder grôz noch kleine,
455 diu von hôher minne springet,
diu den lîp ze lebenne ringet,
diu sô hôchgemüete machet,
dâ von daz herze lachet,
diu rehter êren waltet
460 unt die zuht manecvaltet,
die durch die sinne strîchent
und die tugende alle rîchent:
daz er der fröuden âne sî,
dâ ist vil reht gerihte bî.
465 swelch ritter hôher minne gert
rehte, der ist lobes wert,
dem swebet der guote wille
beide offenlîche unt stille
sînen werken ze allen zîten obe.
470 ez ist ein ende an sînem lobe,
der hôhe minne dankes lât,
von der man fröude und êre hât.
swelch ritter hât lîp unde guot
unt sîne fröude alsô vertuot,
475 der sol ouch immer fröude enbern,
in sol ouch *nymer sein erweren*,
er sol ân fröude sterben
unt sol den lôn erwerben,

442 sôessen vnd güte.   453 kalne.   460 manigualtig.   465 Welher. begert.   473 Welher.

den die bœsen liute erwurben,
480 die âne korn ersturben.
solte man der frÖude enbern,
diu werlt mÜese unlanger wern,
dann ob si wære âne korn.
wurde diu frÖude verlorn,
485 die si haben suln unt geben,
waz sol danne ir beider leben,
der ritter unt der frouwen?
man sol an in zwein schouwen
der frÖuden bildære.
490 wan ez vil billich wære,
daz si die lêre trÜegen.
daz tuont ouch die gefÜegen,
den ist noch frÖude und êre bi.
swie vil der ungefÜegen si,
495 die doch habent ritter namen,
die mÖhten sich des iemer schamen,
daz si âne hôhen muot
geburt, lip unde guot
unlobeliche verzernt
500 unt sich der arbeite wernt,
diu sie reht leben lêrte
unt sie vil grœzlichen êrte.
swelch ritter anders denne guot
den frouwen sprichet oder tuot,
505 der verderbet an in
den aller hœhsten gewin,
der zuo der werlt gehœret.
sit man die frÖude stœret,
des ist diu werlt geneiget;
510 daz ir so maneger zeiget,
daz er ir êren nindert wil,
dâ von ist der frouwen vil
mit ungemÜete beladen.
man tuot in rouplichen schaden,

515 den si gezogenliche klagent.
swie rehte si ir reht tragent,
ez wirt selten wol gelimphet,
man spottet ir und schimphet
hezliche und ungefuoge.
520 des lachent nur genuoge,
die sie ze rehte solten
beschirmen, ob si wolten.
man sieht sie unde schiltet,
daz rihtet noch engiltet
525 nieman nâch ir hulden
unt nâch den rehten schulden.
daz verderbet an der blüete
die fröude unt daz gemüete,
des diu werlt gezieret wære,
530 ob man den mort verbære.
    Diu werlt ist fröude genant,
fröude ist für die werlt erkant.
die zwêne namen sint ein dinc,
daz heizt der êren ursprinc.
535 die zwêne namen künnen geben
von hôhem muote ein rîchez leben.
swem die namen an gesigent,
die wîle unt si im obe ligent,
so bekent er wol besunder
540 diu manegen süezen wunder,
diu der frouwen tugende bernt,
dâ von si hôchgemüete wernt.
swer die frouwen loben sol,
der bedarf vil rîcher sinne wol.
545 die sint mir leider nindert bî.
ich sage iu waz guot an frouwen sî.
dâ hân ich vil nâch an getobet.
si habent sich selbe baz gelobet
mit manegen guoten dingen,
550 denne ich kunde für bringen.
daz ich ir tugende muoz verdagen

530 verwâre.   541 gepern.   542 die.

mêr danne ich ir kan gesagen,
des suln si nicht engelten.
mîn lop daz ist ein schelten,
555 der ez anders vernimt,
danne ez den frouwen wol zimt,
als ich iu wol bediute.
ez wænent tumbe liute,
ich habe ir güete gar gesaget
560 unt habe ir tugende niht verdaget,
sô ist ir mêr wol tûsent stunt.
swer wænt, si sîn mir alle kunt,
der hât mîn lop gescholten
und habent si des engolten,
565 daz ich ze kranker sinne bin.
swer wîsheit habe unde sin,
den bite ich des vil sêre
durch aller frouwen êre,
daz er ditz lop alsô verneme,
570 daz ez den frouwen wol gezeme
und ez niht anders verstê,
wan daz wol tûsent stunt mê
an frouwen guoter dinge won,
denne ich iu iemer dâ von
575 gesagen mac oder kan.
mir ist rehte als einem man,
der über mer nie kam
unt saget doch, als er vernam,
waz dortenhalben was geschehen.
580 ich hân frouwen vil gesehen
unt hân ir rede ein teil vernomen
unt bin in doch niht nâher komen.
dâ von mac ich noch cnkan
sô wol niht wizzen als ein man,
585 dem herzeliep von in geschiht,
waz ir güete tugende giht.
sît ich frouwen kûme erkenne
unt sie mit worten nenne

und iedoch an in vinden kan
590 mê lobes denne zweinzic man
volsungen oder gesageten,
ob si nimmer gedageten:
dâ sol man wol gelouben bî
daz an in vil ze loben sî.
595 si habent manec tûsent güete mê
denne mich ze wizzen bestê,
die sô rîches lobes alle gernt,
des si von mir durch nôt enbernt.
    Swer daz gerne vernimt,
600 daz mir ze sagenne gezimt,
unt mir niht muotet fürbaz,
der siht an mir ein vollez vaz,
daz frouwen immer lop gebirt
und iedoch nimmer lære wirt.
605 ich sage iu, wâ von ich des gihe:
dâ hœre ich sô vil unde sihe
an frouwen, daz man loben sol,
daz mir daz herze wirt sô vol
durch d'ôren und der ougen tür,
610 swaz zweinzec möhten bringen für,
sô hœre ich unde sach mê.
nu merket, wie des leben stê,
der niht ahtet ûf wîp:
der aht ouch niht ûf sînen lîp,
615 er zieret sich noch spîset wol,
sîn herze ist immer leides vol,
er wirt dar nâch nimmer frô.
tæt diu werlt alliu sô,
sô wære ir name iezuo veriorn.
620 des ist diu frôude daz korn,
die man von den frouwen hât,
dâ mit diu werlt nâch gote stât.

591 Volsingen.   593 darbey.   597 begerent.   604 lâr.   609 die
oren durch der.   610 hêrfür.   611 sahe.   614 achtet.   616 leidens.

Wien, mârz 1881.   K. F. KUMMER.

FRAGMENTE VON RUDOLFS WELTCHRONIK.

1

Das nachfolgende fragment befindet sich gegenwärtig auf der hiesigen universitäts- und landesbibliothek als geschenk des Henne- bergischen geschichtsvereins. dasselbe, ein pergamentdoppelblatt, die seite zu 2 spalten, ist von dem deckel eines quartbandes, dessen höhe 19 cm., dessen breite 16 cm. und dessen rückenstärke 7 cm. betrug, losgelöst worden. der quartant enthielt wahrscheinlich rech- nungen oder acten; denn auf dem rücken des fragmentes steht der vermerk de anno 1655 bisz 1659, auf der oberen deckelseite nach aufsen 1655 bisz 1658. der untere teil des doppelblattes ist be- schnitten. dadurch sind jeder spalte 2 zeilen verloren gegangen, mit ausnahme von fol. II[a], auf dem statt ursprünglich 40 zeilen nur 39 gestanden haben, und dem nur diese 39ste verloren gieng. durch einbinden, wurmfraſs und abscheuerung der nach aufsen ge- kehrten seiten hat das fragment gelitten. die schrift ist schön und deutlich und später als in das 14 jh. nicht zu setzen. die initialen sind rot und blau. aufser einigen schreibfehlern ist der schreiber einige male von seiner vorlage abgeirrt, so zb. v. 87. 170; den v. 195 hat er widerholt.

Der text des fragmentes, das eine ununterbrochene poetische be- arbeitung des anfangs des IV buch Mose bietet, stimmt im wesent- lichen zu dem im codex Pal. 327 fol. 76[b1]—78[b1] und codex Pal. 146 fol. 36[b]—37[b]. hieraus ergibt sich dass er mit dem drucke von Gottfried Schütze, Die historischen bücher des alten testaments nicht übereinstimmt. die stellung, die das fragment zu codex Pal. 327 und 146 einnimmt, lässt sich nicht völlig sicher feststellen, doch ist nach den varianten mit sicherheit anzunehmen dass es zu derselben gruppe gehört, wie codex Pal. 327. einige male, wie v. 6. 47. 73. 307, scheint es die ursprüngliche lesart ge- wahrt zu haben. wir dürfen also wol annehmen dass wir ein fragment aus einer hs. vor uns haben, welche die ältere recension der Weltchronik, das ursprüngliche werk Rudolfs, enthielt.

Wo die schrift des fragmentes durchaus nicht zu entziffern war, sind . . ., wo das pergament beschnitten war, : : : gesetzt. die wichtigeren abweichungen des codex Pal. 327 sind mit P, die von 146 mit p bezeichnet worden.

I[a1]

got aber ze Moysese sprach
in dem gezelt der heilicheit
von dem ich han albie geseit
nim vnd samen vber al
5 die schare vnd zel mit rehter zal
elliv israheles kint
die man die zweinzich iar alt sint
vnz an fvnfzich iare zil
vnd merche mit der zal wie vil
10 ir nach rehtem alter si
ane daz geslehte von levi
die soln ewarten ampt han
so daz als si getan
so mache iegelicher schar
15 vber elliv div geslehte gar
einen fvrsten des gewalt
vber daz kvnne si gestalt
vf den . . . . . rten elliv zil
nim si als ich si nennen wil
20 von Ruben si elizvr
dez vater der was Sedevr
fvrsten vnd herren in d' schar
die Rubenes fruht gebar
In Symeones geslehte si
25 Alamihelsis svn Saday
furste mit gewaltes kraft
vnd herre der kvnneschaft
den die da von Jvda sint geborn
si ze fvrsten erkorn
30 Nazo Amynadabes barn
des wisvnge sol fvr varn

von Juda des geslehtes schar
in de . . . . . . von ysachar
si Neptalim erkant
fvrste d . . vater was genant   3
Svr . . . . r fvrste wesen
so si ze fvrsten vz gelesen
dem geslehte von zabvlon
: : : : : : : : : : : : : : : : : : :
: : : : : : : : : : : : : : : : : :

I[a2]

geslehten vnd gesinden
ze hovptman erkiesen sa
den wisen elyzama
des vater hiez Amivel
Phadasvres svn Gamaliel
si hovptman vber div kint
div von Manassese sint
Gedeones svn abydan
sol Benniamin ze pfleger han
din kvr in davides ger
daz ez pflege elyazer
der ist von amyssoday
geborn. des kvnnes fvrst er si
ovch svlt dv dabi kiesen mer
In dem geslehte von azer   5[5]
sol sin phegiehel erkorn
der von Ectan ist geborn
Dvheles svn eliphaz
den nim in Gad ane vnderlaz
ze einem hovptman vnd nim   6[0]
In dem geslehte von Neptalim ·
Jayra. daz sol ergan

6 vber al div Israhelischen P vber all div israhelschen ehint p
16 einen nem̄ P   18 si warten Pp   21 daz watz p   22 Fvrst vnd
herr si der p   28 da fehlt Pp   29 sin P   30 Nazon P Naason p
33 der schar Pp   35 des P dez p   36 Swar p der sol ir Pp   37 so ·
sol p   38 In dem p   39 Ebab des Vater hiez Elon P Eliab p   40 dv
solt Josebes kinden Pp   47 Manasse geborn p   50 danes geslehte p
52 waz p   54 erkiesen p   57 Octan p

des vater was genant Enan
Ditz sin die hovptfvrsten gar
65 vber aller der geslehte schar
. Jegelicher in siner diet
von dannen Moyses do schiet
vnd prvfte mit rehter zal
div gesiehte vberal
70 von kvnne ze kvnne dar vnd dan
von hvse ze hvse von man ze man
die ob zweinzich iarcn
vnd vnder fvnfzich iaren waren
gwahsen nach manlicher kraft
75 stritbere vn werhaft
swa si sich strites nemen an
driv vnd sehshundert tovsent man
vnd fvnfzich vnd fvnfhvndert
:::::::::::::::::::::::
80:::::::::::::::::::::::

1^bi

Swa man sie ze strite liez
Vnd da man solte striten
Nv warn bi den leviten
Bliben vzwendich der zal
85 Wan si got nam mit siner wal
vnd si vz schiet
ze ewarten vber al die schar
doch hiez got des geslehtes schar
obe zweinzich iarn zeln gar

vnz an fvnfzich iar der was 90
als ich ez an der bibel las
fvnfhvndert vnd ahtzehn tvsent
man
vnd ahtzich die sich namen an
daz si bi denselben tagen
solden fvrn vnd tragen 95
die heilicheit vnd daz gezelt
vnd ez danne vf daz velt
vf slahen solden vor den scharn
vnd ..rlegen so ...wolden varn.
Aber do ze hant hiez got 100
Moyses vnd sin gebot
vnd Aaronen so si varn
wo ... mit den gotes scharn
daz ...... vnde gezelt
E ...... ten vf daz velt 105
vnd ..... e der zwelf geslehte
diet
Als ez got selbe da berhiet
ze r ...... davmbe lagen
vnd s ... mit hvte pflagen
Je ...... der geslehte driv 110
als ich wil bescheiden iv
J .... schar
v .... schar
g ..... n ane wan
.... 115

63 *in P folgt:* Daz si die houbtfvrsten Namen alle fvr war 73 *P*
fehlt vnder, *p* vnd 76 namen *Pp* 77 sehzich tuscnt (tvsentent *P*) *Pp*
79 mit der kraft vz gesvndert *P* besvndert *p* 80 Daz man mit kraft si
stritbære hiez *P* stritbær hiezz *p* 83 die *p* 86 si mit siner kvr (kvr *p*) *Pp*
87 div diet *Pp* 92 achzich *P* ahzig *p* 99 zelegen *P* zernemen *p*
101 Moysen *P* Moysesen *p* 103 wolden *P* wolten *p* 104 si der
vrchvnde (gezelt) *Pp* 105 Enmitten *Pp* satzten *P* satzten *p* 106 danne *Pp*
108 ringe drvmbe *Pp* 109 vn ez *P* vnd ez *p* 110 Je sament
der der *P* jesament *p* 111 ich ez wil *P* 112 Judas *Pp* vn Ysachar *P*
vnd Isaschar *p* 113 vn Zabvlon die drie *P* vnd Zabulon die dri *p*
114 Gein ostert *Pp* solden *P* solten *p* 115 ir rinch ir herberge han *P*
Ir rink vnd ir h'b'ge han *p*

daz edel geslehte . . . . . .
an disem selben ringe was
mit vier vnd sibenzich tovsende
: :
120 :

I^{b2}

al da bi lac ysachar
mit fvnfzich tovsent mannen die
vier tovsent man noch heten hie
vnd bi den fierhvndert
125 mit helden vz gesundert
Zabvlon da bi den lach
den div schrift wiget vnd wach
vf fvnfzich tovsent ma . . . ant
werlich was bi den man vant
130 Ellif hvndert noch
mit den div zal vz provet doch
vnd div gewarn mere
wie vil der aller were
die an dem ringe lagen
135 ir svnder ringes pflagen
ir was nach geprvveter za . .
hvndert tovsent nach der . . .
daz man si werhaft na . . .
sehs vnd ahtzich tovsent . . .

heten si mer in ir sch . .   140
mit vierhvndert manne . . . . .
Svs was der eine ringe . . . ewart
als div her solden an der vart
vfbrehchen so si wolden farn
so warn si vor al den scharn   145
die ersten vf der straze
vnd an dem niderlaze
sie die ersten wesen solden
so sie herbergen wolden
als vns div schrift bescheiden hat 150
Ruben Symeon vnd Gad
gesvndert lagen mi . . ir . . .
An einem ringe vnd her
Ruben . . . .
. . . .   155
. . . .
Von Symeon daz . . . . her
het fvnfzich tvsent man alda
: : : : : : : : : : : : : : : : : : :
:   160

II^{a1}

die . . a . . az kvnne braht dar
der vierzich tovsent als ich las
vnd darzv fvnfzich tovsent was

---

116 Judas *Pp*   118 tusendn *p*   tvsenden *P*   119 manne *P* Mannen *p*
bi im *Pp* hvsenden *P* husendn *p*   120 vn sehshvndert in *Pp* einer *P* ain *p*
schar *Pp*   121 bi den *p*   125 henden *P*   128 man der hant *Pp*
130 siben hvndert vnd vier hvndert *P* siben tusent vnd vierhvndert *p*
131 vns *p* prvvet *P*   132 warn *P*   136 zal *Pp*   137 wal *Pp*
138 si da *P* nande *Pp*   139 wigande *Pp*   140 schar *Pp*. *in der handschrift war an den rand das die folgende zeile beginnende* Braht *geschrieben, doch ist* sh *zerstört*   141 braht *P* brahhte *p* mann̄ dar *Pp*
142 bewart *Pp*   145 si vor si vor *P*   152 gein svndert *p* mit ir
wer *Pp*   153 vnd mit *p*   154 hat *P* hett *p* alda mit *Pp* kraft *P*
craft *p*   155 vierzich *P* vierzig *p* tvsent helde *Pp* werhaft *P* wehr-
haft *p*   156 Sehstvsend vn vierhvndert mer *P* sehs tousent vnd vier
hundert mere *p*   157 kvnne *P* kũne here *p*   159 nivn tvsent dar noch
sa *P* vnd nũn tusent *p*   160 zelt vns div heilig (hailig *p*) schrift die
schar *Pp*   161 Gad daz *Pp*

sehshvndert vnd fvnfziger die me
165 wie der svmme zal geste
daz seit div warheit gar
In der . . er kvnne schar
was an . . halp hvndert tovsent
man
Vnd f . . . te halp hvndert dar
bi dan
170 do nam . . . der fvrsten dri
den si waren bi
des ringes . . . menunge vf brach
so man . . . . . brechen sach
vnd her . . . . nach in sider
175 so sich . . . i . . . liezen nider
We . . . . . hin lach Effraim
vnd Manasses bi im
vnd da . . leit sich zv zim
mit sinen scharn Benniamin
180 vierzich tovsent helde ivnge
was in der samenunge
vnd fvnfziger mer in der schar
die efraim het braht aldar
zwei vnd drizich tovsent helde gvt
185 mit . . . licher kraft behvt
vnd an der hvndert wol bewart
het vf der selben vart

Manasses a . . da ze wer
Benniamin het in dem her
fvnf vnd drizich tovsende   190
swa si . . . . . ende hvsende
da lagen . . . . hvndert drin
die . . . . . br . . . .
der . . ie . . . slehte svmme . . . ilt
. . . . lt 195
. . . .
hvnder . . . .
In drier geslehte ringe hie
: : : : : : : : : : : : : : : : : : :
: 200

II[12]

Die brechen vf mit ienen scharn
do si von stete wolden varn
vnd herb'gten ouch n . . ch in
So si ze herberge komen hin
Neptalim azer vnd Dan   205
lagen als ich gelesen han
gein nordent swa daz her ie
Bi dem gezelte sich nider lie
do het in siner geselleschaft
sehtzich tovsent helde werhaft 210
dan vnd zwei tovsent manne do
vnd sibenhvndert dest also

---

164 die *fehlt* p   165 svnne *P*   166 div schrift der *Pp*   167 der
drier *Pp*   168 anderthalb *P* anderhalp p   169 fvnfthalb hvndert der
sich an (fvnfthalp p) *Pp*   170 der fvrsten waren dri *P* der geslehte fvrsten
driv p   171 den nam̃ den si waren bi *P* do namen. d̓en sie p
172 samnvnge *P* samnunge p   173 iene vſbrechen *Pp*   174 herbergten *Pp*
175 ovch iene liezzen *Pp*   176 Wester *P* Westert p   178 danne *Pp*
zin *P* zṽzm p   179 Botten *Pp*   185 werlicher *Pp*   186 vnd zwei
(zwai p) hvndert *Pp*   188 alda *Pp*   191 warn *P* waren p   192 vier
hvndert man bi (by p) in *Pp*   193 ouch dar brachte *Pp* Benyamin *P* Benia-
myn p   194 drier *Pp* geslæhte *P* geslehte p hielt *Pp*   195 In der zal
der ir *Pp* menige *P* menge p wielt *Pp*   196 Hvndert tvsent vnd aht
tvsent die *Pp*   197 *die zeile 196 nur aus versehen widerholt*
198 In der drier p   199 Western lagen bi der stat *P* westert stat p
200 Da daz gezelt waz vf gesat *P* vf waz gesat p   202 So *P*   203 herbergen *P* nach *Pp*   207 nordert *Pp* her sich p   211 zwainzig tusent p

virzich tovsent het azer
die mit den kvnnen taten ker
215 so war si solden keren hin
vnd vierdhalptovsent mit in
die ovch warn von im
daz geslehte von Neptalim
het driv vnd vierzich tovsent man
                              braht
220 der si ze were haten gedaht
vnd mit den vierhvndert
Swen dirre zal nu wundert
wie vil der aller were
dem bescheident ez div mere
225 da ditz stet geschriben an
and̄balphvndert tovsent man
sibentovsent vnd sebshund̄t was
der svmme als ichz las
die zogten do zeletze nach in
230 swa si wolden kern hin.
Als ich han hie vorgeseit
des gezeltes heilicheit
die . . . viten pflagen
a . . . . hest si da lagen
235 bi den . . . vf der vart
. . . .
Moyses der einen pflach
vnd Aaron bi den si lach
: : : : : : : : : : : : : : : : : :
                II^bt
240 do lagen Caatiten
gesvndert vnd der selben schar

hovbtman was eleazar
ovch lac der Gersoniten schar
Ir kvnne vnd ir gesellschaft
westert als ez selbe got   245
ordent vnd sin gebot
do was als vns div warheit seit
Nordent vnder in geleit
der Merariten kvnne schar
der pflach mit hvte yttamar   250
der wise niht der tvmbe
vmbe daz gezelt alvmbe
lagen mit ordenvnge
der geslehte samenvnge
vnd behvtten heilictûm vnd gezelt 255
gein dem gezelt vber velt
giengen viere wite strazen
ein wite was gelazen
bi dem gezelte div was wit
als div ein witez dinchvs lit   260
In einer stat da zaller frist
chreme vnd veiler march ist
vnd dar zv̊ spil vnd fvrganch
gv̊te tagalt fvr wile lanch.
Nv wart mit manigem gebote   265
vollichliche div e von gote
gegeben der Israhelischen diet
als si got Moysese beschiet
alle dise zit do ditz ergie
got vnderschied in rehte wie   270
si in der e solden leben
des wart in lere do gegeben

214 dem kvnne P dem gesinde p   219 man fehlt P   220 hat P
228 als ich die warheit Pp   229 kerten p   232 vnd P der hailikeit p
233 Leviten Pp   234 aller Pp nœhste P nahest p   235 dem gezelt Pp   236 in vier schar vnder in geschart Pp   239 Ostert zer Ostern
sitten (siten p) Pp   241 gein svndert p   243 craft p   244 geselleschaft gar
P   245 westerthalb P   246 von sinem P   248 Nordene P Nordert p   . .
255 heiltv̆m P hailtv̆m p   260 da Pp aim witer dinkhofe p witer P
262 chram P kram p   263 vrganch P vrgank p   268 Moyse P Moysesen p
271 ê do solden P e do solten p

von gote do daz geschach
got aber ze Moysese sprach
275 Aaron vnd siniv kint
div mir nv gewihet sint
svln aber der israhelischen schar
: : : : : : : : : : : : : : : : : : :
: : : : : : : : : : : : : : : : : : :

II^{b2}

280 der ir mit selden pflegen
vnd in miner hvte han
der segen sol alsvs ergan
Got segen dich vnd hvte din
geb dir fride vnd mache dir schin
285 sin antlvtze al da zehant
tvn ich in min helfe bekant
dvrch disen segen in ir not
got moysi da bi gebot
daz er zwei horner hieze
290 Machen vnd des niht liezze
div si haben solden
so si samenen wolden
dvrch debeinen rat die schar
daz si zesamen komen gar

vnd so si wolden mit den scharn
vfbrechen vnd varn
vnd so si solden striten
vnd zer hohsten hochziten
daz in div selben herhorn
weren ze berzeichen erkorn   300
Do daz allez was geschehen
vnd vil me danne ich han vriehen
vnd daz gezeit gewihet wart
vnd die ewarten nach der art
als got geboten het al da   305
ob dem gezelt zoch sich sa
daz wolchen ez gestvnt bar
do bereiten sich die schar
wan in varnes zit was komen
daz gezelt was vf genomen   310
des sich do an den stvnden
die leviten vnderwunden
ze fvrn vor. daz her fvr nach
in rehter maze was in gach
si fvrn nach der warheit sage   315
von dem berge dri tage
daz ie daz wolchen fvr vor in

273 gotes lere *Pp*   274 Moyse do *P*   277 tber die *p*   278 an
rtffen minen namen gar *Pp*   279 So gib ich in minen segen *Pp*   280 sol
mit *P*   284 tu *p*   285 alz *p*   286 erchant *P* erkant *p*   288 Moysesen *p*   289 herhorn *p*   291 do solten *p*   298 hochgeziten *p*   301 diz
alles *p*   306 ab *P*   307 bestvnt da bar *p* al dar *P*   309 varndes *p*
310 wart *p*   312 vnderwnder *P*

Strafsburg.   G. BALKE.

II

*2 pergamentblätter in quart, die seite zu 2 columnen, die
columne zu 38 zeilen. sie befanden sich unter dem nachlasse eines
hiesigen regierungsarchivars und scheinen, wie sowol die abgenutzten
aufsenseiten als auch der vermerk: Litt. H. Nr... andeuten, als
umhüllung von acten auf dem hiesigen regierungsarchive gedient
zu haben.*

Bl. I

der kuninc tet im eren vil.

vn̄ nuwete de sicherheit.
vn̄ den fruntlichin eit.

der abrahame e. was gesworn.
5 von des libe er was geborn.
der sichirheit im nicht vzech.
der riche kuninc abimelech.
vn̄ fitol. die e beide.
abrahame swûren eide.
10 die tatin im was ist des me.
rechte als ouch sinen vat⸱ e.
diz gelubde vugete got.
wan iz was alliz sin gebot.
swaz mē in tun od⸱ wbin sach.
15 als iz ze saldin im geschach.
Bi discn ziten schone.
trûc in assirie crone.
der nunde kuninc. belochus.
der kuninc feroneus.
20 richte mit gewaldes hant.
bi d⸱ zit d⸱ arginen lant.
des vat⸱ daz was joachus.
der kuninc eucippus.
was kuninc in sidonie do.
25 nu sait vns die scrift also.
daz e. vn̄ rechtes gerichtes lebn.
den kriechen wûrde do gegebn.
pheus bi den ziten starp.
der lute torheit im irwarp.
30 die ere. daz in ane spot.
die kriechen an beten als got.
ysis die wart ouch gesant.
in egipte do. die vant.
egiptische buchstabin.
35 der vrhap wart an ir irbabin.
daz mē sie da sint nach ir las.
inachus ir vat⸱ was.
der iach daz lant sie were.
an kunst so lobebere.
40 daz sie durch ir sinne.
were die hoste gotinne.
vn̄ die helfe gebinde ysis.

ein kuninc d⸱ hiez apis.
vûr nach ir in egipten lant.
des vat⸱ han ich e genant.   4
daz was foroneus.
von apis ist gescrebin sus.
er wûrde serapis genant.
uñ vor einen wdin got irkant.
Do esau nach siner art.
gewuchs vn̄ vierzic iar alt wart.
er nam zwei wip vor einer lip.
do er wolde nemen wip.
elones tocht⸱ ada.
vn̄ abeliuoma.
der vat⸱ was genant ano.
isaac was trûrich vn̄ vnvro.
vmbe sines sûnes irat.
den er gar an sinen rat.
tet. als ich vnomē han.
wan sie warin von kanaan.
dem eigen geslechte geborn.
da von was iz dem vat⸱ zorn.
doch tet erz. wan die kunne-
schaft.
hete in dem lande groze kraft.
mit den wold⸱ sich sterken da.
er gewan bi ada.
einen sûn. elipbaz genant.
der wart ze vat⸱ sint irkant.
vunf sonen. de von im quamen.
vn̄ gebûrt von im namen.
daz was theman. vn̄ omar.
vn̄ zofo den er ouch gebar
gathan. vn̄ chenaz.
ze kebese gewan eliphaz.
nach discn vunf sonen sa.
einen sûn bi timana.
der was geheizen amalech.
des vrucht ze sulher craft gedech.
daz sie trûc in d⸱ heidenschaft.

gewalt mit wer in groz' craft.
Abeliuoma hiez ouch iudit.
bi d' gewan er in d' zit.
jovs vn jodam.
85 vn cora d' ouch von im quam.
die drie sone ouch warin.
wachsende in ir iaren.
ze grozir heidenscher diet.
des kunne ouch hohe an craft
      geriet.
90 vn vil herschefte bi d' zit.
die zwei wip .ada. vn judit.
taten dicke h'zeleit.
mit maniges zornis arbeit.
ysaacge vn sinem wibe.
95 an mûte vn ouch an libe.
beswertens ofte sinen sin.
swie vil sie ie gemûten in.
so wolder doch durch de ge-
      schicht.
jacobe wip da nemē nicht.
100 vn wolde nicht v'hengen.
daz sin vrucht sich mengen.
zv̆ dem geslechte solde.
des kunnes er nicht woide.
daz von d' eigenschaft was kom̄.
105 die den vluch hate genom̄.
den noe tet vf camen.
vn uf canaanis samen.
Isaac in disn ziten quam.
in sulch ald' daz im nam.
110 daz ald'. craft vn die gesicht.
er sach vil wenic od' nicht.
im warin sund' lougen.
ervinstert sin ougen.
daz liez im got durch daz geschē.
115 daz er dicke hete gesen.
in suntlichen dingen.
sines sones wip do bringen.

ir opfir. ir valschin abgoten.
daz gotes e. hate v'boten.
vn er in daz werte nicht.   1
da von irvinsterte sin gesicht.
so daz er nicht en sach.
zû sinem eldirn sûn er sprach.
lieber sûn esau.
var an din geieide nû.   12
vn wirp mit dinen sinnen.
daz du mogist gewinnen.
von dem geieide. daz du mir.
ein ezzin machist. vn daz dir.
min sele nu den segin gebe.   13(
e daz ich sterbe vnzich lebe.
daz ich e gesegene dich.
esau hup dannen sich.
ze walde. an sine berse iesa.
diz irhorte rebecka.   135
vn prûbete wie die rede. geschach.
ze iacobe. ir sûn sie sprach.
ich han nu dines vat' wort.
gebort. gein dinem brûd' dort.
den hat h' also vz gesant.   140
daz er im bringe nv zehant.
sines wildes ein gût ezzin.
vn hat er sich v'mezzin.
den segin woller im gebin.
die wile vn h' nu hat daz lebin.   145
den er von gotis gnaden hat.
svn genc balde. daz ist min rat.
vn brenge vil schiere daz ist min
      ger.
mir zwei die besten zikkin her.
die vnd' dincn viehe sin.   150
so mach ich dem vat' din.
ein ezzin. daz im wol gezimt.

Bl. II
nach dem gebar sie sint zehant.
einē sûn d' hiez simeon.

der was ir hoer vroudin lon.
in ir h'zin gein ir man.
5 den dritten sûn. sie do gewan.
der wart geheizin leui.
her machete ir h'ze sorgin vri.
gein ir mannes vruntschaft.
die gein in nicht trûc hoe craft.
10 des vierden sûns sie do genas.
der was geheizen Iudas.
in rechter zit doch schiere.
gewan sie dise viere.
die ich han alhie genant.
15 des kindes sie do irwant.
biz daz got aber wolde.
daz si kint gebern solde.
Rachele vmberhaft noch beliep.
in ir herzen sie vertriep.
20 mit vnvrouden hin de zit.
gein ir swester was ir nit.
vientlich. vn groz genûc.
daz sie so vil kinde trûc.
daz was ir leit vn vngemach.
25 ze iacobe sie do sprach.
du salt mir ouch sûne gebn.
od' ich sterbe. vn mac nicht lebn.
die rede duchtin als ein spot.
er sprach ia bin ich nicht got.
30 sie sprach nu tû durch mich
als ich.
vmbe lebnde vrucht wil betin
dich.
lege mine dirnen zu dir.
gip mir irwunschete vrucht võ ir.
daz lobeter ir sie gap im sa.
35 ir dirnen. die hiez bala.
die gebar als ich gelesin han.
einen sûn d' hiez dan.
nach dem gebar sie ab' im.
einen sûn d' hiez neptalim.

hie wid' gap im lia.
ir dirnen ouch die hiez zelfa.
die gebar im einen sûn. d'
hiez gat.
als von im gescrebin stat.
vn einen sûn d' hiez asser.
lia duchte ir h'ze ser.
do an den selbn stunden.
mit liebe han ob' wunden.
do im ir dirne trûc die kint.
die hie zelest genennit sint.
Bi d' zit do diz geschach. 5
eine sint viût men kom sach.
in dem lande achaia.
die vil irrancte landes da.
vnd' eime kûnige d' da was.
der was genant ogigas.
die buwete eleusim. die stat.
die wart võ im zewer besat.
ouch sait men von den ziten me.
sich lieze ein mait bi eime se.
die lute sen des sit gewis. 6
lacus tritonis.
sus was d' selbe se genant.
die mait die da wart irkant.
men sait daz were minerua.
die nennet die schrift anderswa.
die kunsteriche pallas.
die vrhap maniger liste was.
võ d' kunst ouch von erst began.
daz sie zum erstin wollin span.
die wart do bi den stunden. 7
sus von den criechen vunden.
bi den bliep si da sit.
võ lerte da bi ir zit.
so hoer kunste sinne.
daz sie zu gotinne. 7
die cricchin haten so men seit.
ob' irdische wisheit.

Ruben iacobis eldiste kint.
als sie v hie genennit sint.
80 gie eines tagis in eime snite.
vñ brachte nach lieplichim site.
eine wurz d' mût' sin zehant.
die was alrune genant.
die gap er ir do siez vntûe.
85 rachele was bi d' swest' hie.
die hate gunstliche gir.
nach d' wurz. sie bat sie ir.
die swest' gebn do sprach sa.
vil truircliche lia.
90 hastu mir nicht genuc getan.
daz du wilt mine wurz han.
vñ hast mir minen man genoñ.
den lastu ninder zû mir koñ.
sol ich dar vmbe minnen dich.
95 do sprach rachele nv wil ich.
daz er hint si bi dir.
daz du d' wurz gebist mir.
daz geschach. sie gap sie gar.
der swester willicliche dar.
100 vñ lac des nachte(s) bi ir man.
sie wart swanger. sie gewan.
einen sûn. d' hiez isachar.
dar nach sie einen ab' gebar.
der wart zabulon genant.
105 des gebernis sie irwant.
in menslichim nañ sa.
eine tocht' die hiez dina.
sie nach den sechs sonen trûc.
me hoes leides dan genûc.
110 trûc mit dagendem smerzen.
rachele noch in ir herzen.
daz noch vnvruchtic bieip.
daz vngemûte ir got vtreip.
von d' clage er sie loste.
115 ir clagende h'ze er troste.
Minden.

so daz si dem gûten man.
einen lieben sûn gewan.
der wart joseph geheizen do.
des was sie h'zeliche vro.
vñ bat got spate vñ vrû.   1
vm einen andirn ouch darzû.
Nach vierzen iaren.
do die vendet waren.
do wart des iacob in ein.
daz er vrlobes gerte heim.   1
vñ jesch wip vñ kint.
do sprach laban iacob irwint.
sol ich han zûv'sicht zû dir.
so blip noch vorbaz hie bi mir.
wan daz ist ein warheit. ane wan. 1
mir hat got wol durch dich getan.
nv sich wes din h'ze ger.
dar an ich lonis dich gewer.
daz du blibis noch bi mir.
den lon wil ich nennen dir.   1
hiez teilen al daz uihe din.
swaz schafe in einer varwe sin.
der iungide. die sin min.
ob sie in bunt' varwe sin.
daz tûn ich gerne sprach laban. 1
mit willen sal daz sin getan.
er schiet sin vihe. als er in hiez.
swaz er im zepûegene liez.
da er lonis solde warten abe.
daz wûchs in so richer habe.   14
daz schiere d' grozer teil wart sin.
got tet im de gnade schin.
daz all sin wille vor sich gie.
nach wunsche als er in ane vie.
Ane maze vñ vmmezliche.   15
wart vibes vñ gûtes riche.
iacob nach d' warheit sage.

FUHLHAGE.

EINE HOMILIA DE SACRILEGIIS.

MITGETEILT VON PROFESSOR DR C. P. CASPARI IN CHRISTIANIA.

Die nachfolgende, Augustin fälschlich beigelegte Homilia de sacrilegiis habe ich ganz kürzlich auf der bibliothek zu Einsiedeln in einer handschrift des 8 jhs., cod. 281 membr. 8°, p. 101 (etwa die mitte der seite) — 108 (drei zeilen der seite), gefunden [1] und veröffentliche sie hierdurch, da sie, so viel ich weiſs, noch ungedruckt und auſser für die geschichte des lateinischen auch, und noch vielmehr, für die kenntnis der germanischen religion von nicht geringem interesse ist, indem in ihr neben nicht wenigen schon anderswoher bekannten germanisch-heidnischen superstitionen auch viele neue, meines wissens bisher unbekannte, aufgeführt werden, wozu noch ihr sehr hohes alter kommt. das schriftstück, das eine art 'Catalogus sacrilegiorum' oder 'Indiculus superstitionum et paganiarum' enthält, und dessen form vielfach an die anathematismen des römischen bischofs Damasus und ähnliche altkirchliche documente, sowie auch an die sätze der poenitentialbücher erinnert, dürfte seinem sprachcharacter nach aus dem 7 jh. oder aus dem anfange des 8 und seinem fundort zu folge aus dem alemannischen oder auch aus dem fränkischen kirchenkreise stammen. ich gebe natürlich den mit merowingischer schrift und fast allenthalben sehr deutlich geschriebenen text mit allen seinen fehlern und mit bewahrung aller seiner sprachlichen eigentümlichkeiten. nur seiner sehr mangelhaften

---

[1] *der codex, dessen inhalt in p. Gall Morels Verzeichnis der Einsiedeler handschriften der lat. kirchenväter bis zum IX jh. (Sitzungsberichte der hist.-philos. classe der Wiener acad. der wiss., LV bd. s. 245 und 260 ff) angegeben ist, enthält noch eine andere, aller wahrscheinlichkeit nach von Cäsarius von Arelate herrührende, bisher ungedruckte homilie (homilia, ubi populus admonitur, s. 149 ff), in der ebenfalls heidnische superstitionen, wiewol nur einige wenige, erwähnt werden. man wird diese homilie nebst zwei gleichfalls bisher ungedruckten ähnlichen und einer neuen, diplomatisch genauen ausgabe der bekanntlich einen ziemlich langen, für die kenntnis der germanischen religion nicht unwichtigen passus enthaltenden Dicta abbatis Pirminii in einem demnächst von mir als universitätsschrift von Christiania erscheinenden bande kirchenhistorischer anecdota finden.*

und ganz inconsequenten interpunction habe ich zur erleichterung
des verstándnisses die meinige substituiert. und ebenso habe ich
seine wenig zahlreichen gewöhnlichen und leichten abbreviaturen
aufgelöst, sowie worttrennungen und wortverbindungen vorgenom-
men, wo in ihm zwei wörter zu einem verbunden sind (adauratum,
adaluus, adapium, abbstrias), *oder ein wort in zwei getrennt ist*
(contra lunium), *oder endlich·wörter falsch abgeteilt sind* (uellus
aquę *statt* uel lusa quę).

Humelia sancti Agustini de sacrilegia.

Fratres karissimi, admonitio diuina cessare non debet, ut
salus animae nostrae cottidie augeatur. Paulus apostolus ait:
melius est quinque uerba in aeclesia cum interpretatione quam
quinque milia sine interprętatione. quicumque ergo, fratres,
5 nomen Christi credet et fidem catholicam suscipit, reuersus est
sicut canes ad uomitum suum, qui ista obseruare uoluerit: id
est antiquas aras aut lucos, ad arbores et ad saxa et ad alia loca
uadet, uel de animalibus siue aliut ibi offert, uel ibi epulatur;
sciat, se fidem et baptismum perdidisse. si quis neptualia in
10 mare, aut ubi fons aut riuus de capite exurget, quicumque ora-
uerit, sciat, se fidem et baptismum perdidisse. et qui fatum
malum aut bonum in hominibus esse credunt, transgressores et
pagani sunt. et qui diuinos uel diuinas, id est pitonissas, per
quos demones responsa dant, qui ad eos ad interrogandum uadet,
15 et eis que dixerint credent, uel ad scultandum uadet, ut aliquit
de demoneis audeat, non christianus, sed paganus est. qui sor-
tiligia et qui manum hominis greue aut leue, quando accipit calicem, in ipso aspicet, iste sacrilicus est. et qui umbra hominis
mala uel bona esse credet, similiter et qui scripturas uanas cre-
20 dit, quas sortes sanctorum dicere solent, iste sagrelecus est. et
qui per scripturas sanctas deum, quid eis facturus sit, expectatur,
quid ipsas indicent scripturas, uel qui astrologia et tonitrualia
legit, iste non christianus, sed paganus est. et qui cum orcias
diuinare confingit, et qui cum lanas et acias ad diuinandum tra-
25 hit, et qui passeres uel quascumque aues uel latratus canum
uel reclamationum hominum per sibelos et iubilos et sternudus
auguria colit, iste non christianus, sed paganus est. et qui signa
caeli et stellas ad auratum inspicet, et qui boues, quando primum
arare incipit, et cum arietes et hircos in grege dimittit, qui ista
30 omnia obseruare se dicit, sciat, se fidem perdere, non esse christianum, sed paganum. et qui clericum uel monachum de mane
aut quacumque hora uidens aut ouians, abominosum sibi esse
credet, iste non solum paganus, sed demoniacus est, qui Christi
militem abominatur. qui dies aspicet, quos pagani errantes soles,
35 lunes, martes, mercures, ioues, ueneres, saturni nominauerunt, et

credet, sibi per hos dies uiam agendum uel negotium faciendum, uel
in quacumque utelitate alia aut iouamen aut grauamen fieri posset,
uel ipsum diem, quam iones dicunt, propter iouem colet et opera
in eo non facit, iste non christianus, sed paganus est. quicumque signaculum crucis oblitus fuerit, uana adtendit et nouam 40
lunam contralunium uocat et in aliqua utilitate operis sui, siue
ad agendam uiam, siue ad agrum arandum uel letamen neben-
dum aut uineam potandam adque colendam, aut in silua ligna
incidenda, aut domum continnandam, aut quocumque aliud agendum, et per lunam sibi fieri inpedimentum credit, iste non chri- 45
stianns, sed paganus est. quicumque super sanctum simbulum
et orationem dominicam carmina aut incantationes paganorum dicit, in animalibus mutis aut in hominibus incantat, et prodesse
aliquid aut contra esse iudicat, et qui ad serpentes morsos uel
ad uermes in orto uel in alias fruges carminat et quodcumque 50
aliut facit, iste non christianus, sed paganus est. carmina uel
incantationes, quas diximus, haec sunt: ad fascinum, ad spalmum,
ad furunculum, ad dracunculum, ad ainus, ad apium, ad uermes,
id est lumbricos, quę intranea hominis fiunt, ad feberes, ad friguras, ad capitis dolorem, ad ocnium pullinum, ad inpediginem, 55
ad ignem sacrum, ad morsum scurpionis, ad pullicinos. ad
restringendas nares, qui sanguine flunnt, de ipso sanguine in
fronte ponunt. nam quicumque ad friguras non solum incantat, sed etiam scribit, qui angelorum uel Salamonis aut charac-
teres suspendit, aut lingua serpentes ad collum hominis suspen- 60
dit, aut aliquid paruum cum incantatione bibit, non christianus,
sed paganus est. quicumque defeccionem lune, quado scuriscere
solet, et per clamorem populi nasa lignea et erea m̄te au[1] bat-
tent, ahb strias depositam ipsa luna reuocare in caelum credent,
uel qui grandinem per laminas plumbeas scriptas et per cornus 65
incantatos auertere potant, isti non christiani, sed pagani sunt.
quicumque in Kalendas ienuarias mensas panibus et aliis cybis
ornat et per noctem ponet et diem ipsum colit et auguria aspicit
uel arma in campo ostendit et fectum et ceruulum et alias mi-
serias uel lusa, quę in ipso die insipientes solent facere, uel 70
qui in mense februario hibernum credit expellere, uel qui in ipso
mense dies spurcos ostendit, et qui brumas colet, aliquid augu-
riatur, quod in ipso anno futurum sit, non christianus, sed gentilis est. similiter qui malificus aut uenenarius est, aut qui per
maleficia mulieribus facit, ut non concipiant, aut conceptos in- 75
fantes foras egiciant, non christiani, sed pagani sunt. quicumque salomoniacas scripturas facit, et qui caracteria in carta, siue
in bergamena, siue in laminas aereas, ferreas, plumbeas, uel in quacumque Christum uel scribi hominibus uel animalibus mutis ad col-

---

[1] so der codex. die worte sind die letzten auf einer seite. sollte
ereamentes zu lesen, und u der anfang von uattent sein, was der schreiber zuerst setzen wollte?

80 lum aligant, iste non christianus, sed paganus est. quicunque propter figutiuos petatia aliqua scribit et sub ustia iactat uel per molina
et per basilicas ipsa petatia ponere presumit, non christianus,
sed paganus est. et qui de anulo aureo uulnus circat, uel qui
propter dolorem oculorum annolum qualecumque sibi super ipsum
85 oculum ligat, et qui cornu aut lorum ceruunum propter effn-
giandos serpentes sibi ligat, iste graniter peccat. et quicumque
demoniacos alicunde [1] suffomigant et eos ad monumenta, id est
sarandas antiquas, quae et maiores nocant, quasi pro remedio
ducunt, uel qui per incantationes et radices et pociones herbarum
90 et anolum et brachiales ferreos in corpore suo portando aut in
domo sua quecumque de ferro, propter ut demones timeant, ponit
et uirgas colorias in terra fodendo et claues ferreos sub lecto
demoniaci figent et demonem de homine per haec maleficia credunt expellere, isti non christiani, sed sagrilici sunt. dies ca-
95 landarum, quas ianuarias nocant, a Iano, homine perdito, nomen
accipit. idem dux et princeps paganorum fuit, quem stulti homines uelut deum colere ceperunt. illos tunc deos istimabant,
quos alciores cernebant, et inlecitum honorem detullebant. et
aput illos kalendae ienuarie unum annum implere, alterum in-
100 cipere dicebant. Iano duas facies fecerunt, una ante, alia post,
unam præterito anno aspicerent, alia futuro; qui et deum mon-
struosum fecerunt. in istis diebus miseri homines, quas cernoio
facient, uestiuntur pellibus pecodum. alii sumunt capita bestia-
rum, gaudentes et exultantes, ut homines non essent. et illud
105 quid turpe est! uiri, tunicis mulierum indues se [2], feminas ui-
deri uolunt. sunt enim qui in kalendas ianuarias focum uel ali-
cum beneficium de domo sua porrigant. alii mensas in illa
nocte plenas multis rebus conponant et sic conpositas esse uolunt, credentes, ut per totum annum conuiuia illorum in tale
110 habundantia perseuerint. qui istis diebus seruare uoluerit, nomen
christianum habere non possit, apostolo testante: non potestis
calicem domini bibere et calicem demoniorum, non mense domini partitipare et mense demoniorum. contestor uos, fratres,
et amoneo, ut nullus caraios, diuinos uel sortilicos requirat, aut
115 causa infirmitatis interroget. qui hec fecerit mala, statim perdet
baptismi sacramentum. nullus diem obseruet, quę de domo exiat
aut reuertat, quia omnes dies deus fecit. sternudationes con-
siderare et obseruare nolite, nec nullas auiculas cantantes nolite
adtendere, sed signate uos in nomine patris et filii et spiritus
120 sancti. simbulum et oracionem dominicam dicentes pergite securi,
ipso adiuuante qui uiuit et regnat in secula seculorum.

[1] alicunde] c *über der zeile.*   [2] *der codex* induesse. *man erwartet*
induentes se.

Druck von J. B. Hirschfeld in Leipzig.

ANZEIGER

FÜR

DEUTSCHES ALTERTHUM

UND

DEUTSCHE LITTERATUR

UNTER MITWIRKUNG

VON

KARL MÜLLENHOFF UND WILHELM SCHERER

HERAUSGEGEBEN

VON

ELIAS STEINMEYER

SIEBENTER BAND

BERLIN

WEIDMANNSCHE BUCHHANDLUNG

1881

INHALT.

	Seite
Baechtold, Aus dem Herderschen hause, von Werner	467
Belger, Haupt als akademischer lehrer, von Steinmeyer	65
Bernard, Aus alter zeit	330
Bernhardt, Abriss der mhd. laut- und flexionslehre, von Franck	306
Bock, Wolframs bilder und wörter für freude und leid, von Steinmeyer	63
Bötticher, Die Wolfram-literatur, von Steinmeyer	63
Brahm, Ritterdrama, von Werner	417
Braune, Gotische grammatik, von Franck	305
Burdach, Reinmar der alte, von Wilmanns	258
Cassel, Iron und Isolde, von Martin	330
Cruel, Geschichte der deutschen predigt, von Schröder	172
Deutsches wörterbuch VI 7 und IV¹² 3, von Gombert	468
Fellner, Compendium der naturwissenschaften	205
Fielitz' Goethestudien, von Minor	470
Franke, Veterbuch, von Schönbach	164
Ganghofer, Johann Fischart, von Schmidt	471
Geistbeck, Historische wandelungen unserer muttersprache	331
Goethe-jahrbuch, von Minor	89
Gottschick, Boners fabeln, von Schönbach	29
Grimm-Hinrichs, Briefwechsel zwischen Jacob und Wilhelm Grimm aus der jugendzeit, von Steinmeyer	301
vGrote, Lexicon deutscher stifter, von Weiß	200
Günther, Die verba im altostfriesischen, von Feit	308
Hauffe, Die fragmente der rede der seele an den leichnam, von Vollmöller	205
Heyne, Übungsstücke, von Franck	307
Hornemann, Ausgewählte gedichte Walthers, von Wilmanns	331
Hoemer, Zur geschichte der mlat. dichtung, von Seiler	310
Jakob, Bertholds lateinische reden, von Schönbach	385
Imelmann, Anmerkungen zu deutschen dichtern, von Seuffert	95
Kant, Scherz und humor bei Wolfram, von Steinmeyer	63
Kbull, Über die sprache des Johannes von Frankenstein	95
Kinzel, Der junker und der treue Heinrich, von Martin	205
Kock, Undersökningar om svensk akcent, von Verner	1
König, Die chronik der Anna von Munzingen, von Strauch	96
Kollewijn, Einfluss des holländischen dramas auf Gryphius, von Schmidt	315
Korrespondenzblatt des vereins für siebenbürgische landeskunde	206
Kummer, Herrand von Wildonie, von Zingerle	151
Liebrecht, Zur volkskunde	206
Lindenschmit, Handbuch der deutschen alterthumskunde, von Müllenhoff	209
Maurer, Relativsätze im ahd., von Erdmann	195
Maurer, Über die wasserweihe des germanischen heidentumes, von Müllenhoff	404
Maurer, Zur politischen geschichte Islands	207
Michel, Heinrich von Morungen, von Werner	121

	Seite
Milchsack, Burkhard Waldis, von Schröder	416
Milchsack, Heidelberger passionsspiel, von Schönbach	402
Minor, Weiße, von Schmidt	68
Mitteilungen der deutschen gesellschaft in Leipzig	332
Möbius, Háttatal, von Hoffory	196
Moltzer, Floris ende Blancefloer, von Franck	23
Müller und Höppe, Ulfilas	332
Muncker, Lessings verhältnis zu Klopstock, von Seuffert	82
vMuth, Untersuchungen und excurse, von Zingerle	410
Neumann, Betonung der fremdwörter im deutschen	332
Paul, Mhd. grammatik, von Franck	305
Pirig, Untersuchungen über die Jüngere Judith	332
Pohl, Horazens Satiren und Episteln übersetzt von Wieland, von Seuffert	335
Prölss, Geschichte des neueren dramas I 1, von Minor	471
Rieger, Klinger, von Seuffert	445
Ries, Subject und prädicatsverbum im Heliand, von Erdmann	191
Roth, Das büchergewerbe in Tübingen	207
Sauer, Kleists werke, von Seuffert	439
Schröder, Anegenge	333
Schröder, Bemerkungen zum Hildebrandsliede	207
Schröer, Faust von Goethe, von vLoeper	452
Schultz, Höfisches leben I, von Lichtenstein	97
Seiler, Culturhistorisches aus dem Ruodlieb	333
Seuffert, Deutsche litteraturdenkmale des 18 jhs.	208
Starck, Die darstellungsmittel des Wolframschen humors, von Steinmeyer	63
Stejskal, Büchelin der heiligen Margaréta, von Strauch	255
Stejskal, Hadamar von Laber, von Seemüller	36
Strobl, Berthold von Regensburg, von Schönbach	337
Symons, Jacob Grimm	333
Titz, Ulrich von Eschenbach und der Alexander boěmicalis	334
Toischer, Über die Alexandreis Ulrichs von Eschenbach, von Zingerle	334
Vogt, Salomon und Markolf, von Wilmanns	271
Waetzoldt, Flos unde Blancflos, von Steinmeyer	171
Waetzoldt, Pariser tagzeiten, von Schönbach	229
Wigand, Walthers stil, von Werner	55
te Winkel, Moriaen, von Franck	14
Wolff, Deutsche ortsnamen in Siebenbürgen	335
Zeitschrift für orthographie, von Wilmanns	335
Anzeige	208
Berichtigungen, von Burg und Müllenhoff	336. 472
Eilhart 8268	336
Erklärung, von Schönbach	327
Ein brief Jacob Grimms an FHvdHagen, von Hinrichs	457
Jacob Grimms antrittsrede De desiderio patriae, von Hinrichs	319
Ein brief Wilhelm Grimms über das Nibelungenlied, von Hinrichs	327
Nachfrage wegen Lachmanns Wolfram, von Müllenhoff	472
Notizen	96. 472

Språkhistoriska undersökningar om svensk akcent af AXEL KOCK. Lund, Gleerup, 1878. VI und 211 ss. 8°. — 2,75 kr.

Es ist eine erfreuliche tatsache dass die sprachwissenschaft mehr und mehr das bedürfnis fühlt auch die betonung in das bereich ihrer untersuchungen zu ziehen; man ist endlich auf dem wege zu erkennen dass der accent nicht wie die accentzeichen in gleichgültiger apathie über dem worte schwebt, sondern als die lebendige und belebende seele in und mit dem worte lebt und auf die structur des wortes und damit auf die structur des ganzen sprachkörpers einen einfluss übt, von dem wir bisher wahrscheinlich nur die blasse ahnung gehabt. leider aber ist natur und wesen des accentes noch so ziemlich eine terra incognita; es sind dicke bücher über die physiologie der laute geschrieben, aber zur systematisierung der accentverhältnisse ist auf deutschem boden Sievers versuch in seinen Grundzügen der physiologie der erste und einzige. es lässt sich nicht läugnen dass die untersuchung der betonung einer uns nicht geläufigen sprache mit gewissen schwierigkeiten verknüpft ist; wenn wir eine fremde sprache lernen, so ist der richtige accent dh. die genaue modulation des wortes und des satzes das, was wir uns zuletzt und erst nach langer übung aneignen, und der heimatliche accent das, was wir zuletzt ablegen. es fällt uns schwer einer fremden betonung gegenüber von unserer eigenen zu abstrahieren und unbefangen uns das neue klar zu machen. sollen wir zu einer genaueren erkenntnis von der natur und dem wesen des accentes gelangen, so müssen erst schärfere einzelbeobachtungen als die bisherigen vorliegen, ganz objective monographien über die betonung einzelner sprachen. Leonh. Masing hat in dieser beziehung die reihe eröffnet mit seiner vorzüglichen untersuchung des serbischen accentes (Die hauptformen des serb.-chorw. acc., SPetersburg 1876), und in dem vorliegenden werke erhalten wir vom norden her einen weiteren beitrag, der nicht nur an und für sich interessant, sondern auch in hohem grade instructiv ist, weil in den neuskandinavischen sprachen die wechselbeziehung zwischen den beiden factoren der wortmelodie, dem exspiratori-

schen und dem chromatischen [1] accente recht handgreiflich zum
vorschein kommt.

Während die deutsche sprache wie die meisten anderen
europäischen sprachen für alle ihre wörter nur éine bestimmte
melodie besitzt, ist es für die neunordischen sprachen (schwed.,
norw. und dän.) eine gemeinsame eigentümlichkeit dass sie eine
zweifache modulation ihrer wörter zulassen. das schwed. *buren*
wird verschieden moduliert, je nachdem es 'der käfig' oder 'getragen' bedeuten soll, das norw. *vesten*, je nachdem man 'die
weste' oder 'der west' ausdrücken will; das dän. wort *rosen*
heifst mit der einen modulation 'das lob', mit der anderen 'die
rose'. die nordischen grammatiker haben diesen verschiedenen
modulationen der stimme den namen 'tonelag' gegeben, und wenn
ich dieses wort hier mit 'wortaccent' widergebe, so verstehe ich
darunter im gegensatz zu 'silbenaccent' den ganzen accentus,
die ganze aus forte und piano, höheren und tieferen tönen zu-
sammengesetzte melodie des wortes. die einzelnen wortaccente
haben in den verschiedenen sprachen verschiedene namen erhalten; um nicht durch einführung der vielen benennungen verwirrung zu verursachen, ziehe ich es vor die beiden wortaccente
einfach mit 1 und 2 zu nummerieren.

Der accent nr 1, von K. 'acut' genannt, von anderen schwedischen grammatikern anders, wird s. 34—37 folgendermafsen beschrieben: in dem worte *skenet* wird die erste silbe mit exspiratorischem drucke gesprochen, die letzte ohne einen solchen;
es kommt aber auch ein chromatisches element hinzu, und zwar
liegt die erste silbe musikalisch höher als die schlusssilbe; wie
grofs das intervall ist, wagt K. nicht zu entscheiden (ein von ihm
citierter älterer verfasser setzt es zu 'einigen tönen' an). ebenfalls getraut er sich nicht zu entscheiden, ob die stimme gleich
mit dem höchsten tone ansetzt um dann allmählich gegen die
schlusssilbe hin zu fallen, oder ob sie mit einem aufsteigenden
portament (portamento di voce) anhebt. in seinem feinen, leider
aber sehr kurz gehaltenen aufsatze: Om tonefaldet (tonelaget) i
de skandinaviske sprog (Christiania videnskabs-selskabs forhand-
linger 1874) betrachtet Joh. Storm die letzte alternative als die
für das schwedische normale modulation; die erstgenannte form
des accentes tritt nach ihm nur in emphatischer und pathe-
tischer rede ein. wie dem auch sei, der schwed. wortaccent
macht, wie K. angibt, im ganzen denselben eindruck wie der
gewöhnliche accent im deutschen und englischen.

Den dem schwedischen (und norwegischen) eigentümlichen

---

[1] oder 'musikalischen accent', wie man auch sagt. die erstere benennung ist aber vorzuziehen, teils weil der exspiratorische accent, das
'forte' einer silbe im gegensatz zum 'piano' anderer silben, nicht weniger
'musikalisch' genannt werden könnte, teils weil 'musikalischer accent' in der
terminologie der tonkunst schon eine ganz andere bedeutung besitzt.

wortaccent nr 2 behandelt K. s. 37—47 unter dem namen 'gravis mit nachfolgendem levis'. zum richtigen verständnis dieses accentes ist es notwendig das in Deutschland noch sehr verbreitete vorurteil abzulegen, als wäre die mit dem grösten exspirationsdrucke versehene silbe auch notwendig zugleich der 'hochton', und umgekehrt die mit dem schwächsten drucke gesprochene silbe eo ipso ein 'tiefton'. der schwedische accent nr 2 zeigt das ganz entgegengesetzte verhältnis. in dem worte *tala* fällt das forte der exspiration auf die erste silbe, aber diese silbe ist in musikalischer beziehung nicht nur tiefer als die erste silbe des accentes nr 1, sondern, was K. hervorhebt, sogar tiefer als die schon gesenkte schlusssilbe des eben erwähnten accentes. jedoch setzt die stimme nicht gleich im tiefsten tone an, sondern etwas darüber und rollt über den grösten teil des langen *a* zu ihrer tiefsten stufe gegen das ende der silbe herab; auf dem allerletzten teile der silbe glaubt K. hören zu können dass die stimme wider anfängt in die höhe zu geben. die modulation dieser ersten silbe des wortes nennt K. in übereinstimmung mit früheren grammatikern 'gravis'. damit ist aber nur ein stück der ganzen wortmelodie gegeben, die um das ohr zu befriedigen als unerlässliche bedingung in der f o l g e n d e n silbe eine zweifache ergänzung erheischt. diese ergänzung besteht erstens in einem aufschwingen der stimme zu einer nicht unbedeutenden höhe (das intervall gibt K. nicht an), sodass in würklichkeit die silbe *la* in *tala* im verhältnis zur wurzelsilbe den hochton in dem musikalischen verstande dieses wortes trägt; zweitens liegt auf derselben silbe ein exspiratorischer nebenaccent, den K. mit dem namen 'levis' belegt. in zweisilbigen wörtern fallen selbstverständlich die beiden ergänzungen auf eine und dieselbe silbe, aber auffallen muss es dass sie sich in drei- und mehrsilbigen wörtern auf verschiedene silben gruppieren, indem der chromatische hochton immer unmittelbar der wurzelsilbe folgt und dann erst, weiter gegen das ende des wortes, der exspiratorische nebenaccent; so liegt zb. in dem worte *karlarna* auf der silbe *kar* der 'gravis', auf *lar* der chromatische hochton und auf *na* der 'levis', wobei noch zu bemerken ist dass die stimme in letzterer silbe wider auf eine tiefere stufe sinkt.

Die hier gegebene beschreibung der beiden wortaccente hat nur für die gebildete sprache des mittleren teiles des landes giltigkeit. manigfach sind die formen, die diese accente in den verschiedenen dialecten annehmen, aber es fehlt hier noch zu sehr an genauen beobachtungen, wie sie zb. von Noreen in seinen verschiedenen dialectologischen arbeiten gegeben werden. einige bemerkungen über diesen gegenstand teilt K. in dem abschnitte über die ausdehnung der schwedischen accentuation (s. 48—55) mit; so hat er zb. beobachtet dass auf der insel Gothland auch die doppelte accentuation vorhanden ist, aber

dem wortaccente nr 2 fehlt der 'levis', und der unterschied der
beiden accente erstreckt sich nur auf die articulation der mit dem
exspiratorischen drucke versehenen silbe, nicht aber auch wie
in der gebildeten sprache auf die nachfolgende silbe. als gegenstück hierzu erwähne ich dass im Dalbydialecte in Wermland die
beiden accente nach Noreens darstellung (Dalbymålets ljud- ock
böjningslära, Stockh. 1879, s. 26) nur durch einen die neben-
silben treffenden unterschied aus einander gehalten werden: in
hæst'n 'das pferd' mit accent nr 1 liegt die schlusssilbe eine kleine
terz unter, in *hæsta* 'pferde' mit accent nr 2 eine übermäfsige
terz über der wurzelsilbe, aber letztere bleibt in beiden fällen
auf derselben tonstufe.

Dem exspiratorischen nebenaccente (levis) in dem wortaccente nr 2 widmet K. in übereinstimmung mit der wichtigen
rolle, welche offenbar dieser accent in der entwickelungsgeschichte
des neuschwedischen gespielt hat, s. 108—155 eine nach allen
richtungen hin sorgfältige und eingehende untersuchung. nach
seiner ansicht gehörte dieser nebenaccent ursprünglich nicht
mit zum wesen des wortaccentes nr 2, sondern ist erst im laufe
der besonderen schwedischen sprachentwickelung entstanden und
fehlt noch heutigen tages in vielen dialecten. die zeit seines
aufkommens setzt er genauer in eine periode, die ungefähr
mit der abfassungszeit der ältesten handschriften zusammenfällt.
man findet nämlich in diesen ältesten handschriften in solchen
endungen, die im altn. und in der neuschw. sprache den vocal *a*
haben, eben so oft den buchstaben *œ* oder *e*. dies auffällige
schwanken kann nur so verstanden werden, dass eine abschwächung der endungen, wie sie in der dänischen nachbar-
sprache radical durchgeführt ist, in begriff war sich auch im
schwedischen geltend zu machen; wenn nun diese *œ* und *e*
später ganz verschwinden und *a* wider alleinherschend wird, so
kann das nur dem inzwischen aufgekommenen exspiratorischen
nebenaccente angerechnet werden, welcher die noch existierenden
a festhielt, und durch analogie wurden dann die schon ge-
schwächten endungen rehabilitiert. dass es überhaupt der con-
servierenden kraft dieses nebenaccentes zuzuschreiben ist, wenn
das neuschwed. so treu die ursprünglichen vollen endungen bewahrt hat, beweist K. mit schlagenden gründen. die zweisilbigen
comparative haben im n. sg. neutr. im altschw. immer die endung
a (fyrra, störra), im neuschw. sowol *a* wie *e*, aber so, dass nur
die mit dem accente nr 2 betonten das *a* bewahrten *(förra)*,
während alle übrigen mit dem accente nr 1 versehenen (also
ohne jenen nebenaccent auf der endung) e haben *(större)*. ebenso
war im altschw. in den superlativen die endung durchgehend
-aster (sannaster, ytarster), im neuschw. teils *-ast* teils *-est*, je
nachdem das wort den accent nr 2 *(sannast)* oder den accent
nr 1 *(ytterst)* hat, usw. dass der exspiratorische nebenaccent

auch auf den consonantismus einfluss geübt hat und nicht ohne
schuld ist, wenn die inlautenden tenues im gegensatz zum dänischen bewahrt wurden, weist K. überzeugend nach: altschw. *ríkí*
ist neuschw. *ríke* mit accent nr 2, also mit einem gewissen nach-
drucke auf der silbe *ke*, wodurch *k* bewahrt wurde, aber altschw.
Sverike ist neuschw. *Sverige* mit accent nr 1, also ohne jenen
nachdruck und deshalb mit übergang des *k* in *g*; es heifst sowol
altschw. wie neuschw. *baka*, aber die altschw. ableitung *bakarí*
lautet jetzt *bagare*, zwar auch mit dem accente nr 2, aber als
dreisilbiges wort hat es wie oben angeführt den nebenaccent auf
der letzten silbe, die silbe *ka* war mithin ohne nachdruck, und
das *k* wurde geschwächt.

Über die anwendung der beiden accente in der jetzigen
sprache handelt s. 56—107. für den einheimischen wortvorrat
gilt dieselbe regel im schw. wie im dän. und norw., dass der
accent nr 1 in ursprünglich einsilbigen wörtern zu hause
ist, der accent nr 2 in ursprünglich zwei- und mehrsilbigen:
nagel, fjäder, botten, nätter haben den accent nr 1, weil sie im
altn. einsilbig waren *(nagl, fjöðr, botn, nœtr)*; *nyckel, fader,
rutten, ätter* haben den accent nr 2, weil ihre altn. form zweisilbig war *(lykill, faðir, rottinn, œttir)*. auch darin stimmen alle
drei sprachen überein dass der suffigierte artikel den accent des
wortes nicht ändert: *hus-et* 'das haus' behält den accent nr 1,
obwol es zweisilbig geworden; im historischen lichte gesehen
will das heifsen dass das betonungssystem der neunord. sprachen
älter ist als das aufkommen des suffigierten artikels. für die
fremdwörter gilt der accent nr 1 als regel und ebenso auch im
dän. und norw. da der accent nicht durch die jetzige form des
wortes sondern durch dessen frühere bedingt ist, bleibt es zum
teil eine reine gedächtnissache, welchen accent man in jedem
falle zu wählen hat; es ist deshalb kein wunder dass die regeln
über die anwendung der accente an vielen ausnahmen und
schwankungen laborieren.

Bevor ich dem verfasser in die wichtigen abschnitte über
den historischen zusammenhang der neunord. accentuationen folge,
wird es notwendig sein einen überblick über die jetzige betonung
im norw. und dän. zu gewinnen.

Für die norw. wortaccente bietet die oben erwähnte schrift
von Joh. Storm eine kurze aber genügend klare beschreibung.
der accent nr 1 wird hier folgendermafsen geschildert: 'wenn
wir ein einsilbiges wort wie *ja* aussprechen und genau auf-
merken, so finden wir dass die stimme auf dem betonten vocale
stark angesetzt oder intoniert wird, aber in tiefem tone (unter
dem mitteltone der stimme); sie steigt dann bei ruhigem ausdruck oder vortrag schnell drei bis vier töne (eine terz oder
quarte), indem sie gleichzeitig an stärke abnimmt. den schluss-
ton, obwol am wenigsten kräftig, kann man den grundton nennen,

da er für den character des ausdrucks bestimmend ist. steigt man zu einem merkbar höheren intervalle wie zb. zu einer sexte oder darüber hinaus, so wird der ausdruck fragend oder überhaupt unruhig, bewegt. einem ausländer fällt es schwer diesen unterschied aufzufassen, er nimmt leicht die ruhige rede für eine frage.'

Über den accent nr 2 äufsert er: 'wenn ich das wort *ja-a, jaha* ausspreche, so fängt die stimme ungefähr einen ton unter dem schlusstone (grundtone) an, gleitet diatonisch abwärts ungefähr eine terz und schwingt sich dann in der unaccentuierten silbe empor oder springt so zu sagen zu dem grundtone zurück.'

Für das dänische stand dem verfasser aufser Höysgaards grammatik von 1747 allein der confuse, nur als materialsammlung brauchbare aufsatz Hommels in Tidskr. f. filol. bd. VIII zu gebote; Grundtvigs vortrag über die dän. betonung auf der nord. philologenversammlung in Kopenhagen 1876 (s. Wimmers beretning etc., Københ. 1879, s. 98—131 und das referat von Verner Dahlerup im Litteraturbl. f. germ. und rom. philol. 1880 nr 4) lagen ihm noch nicht gedruckt vor. da indessen Grundtvig sich nur als aufgabe gestellt hat, den für die anwendung der accente in der sprache geltenden regeln ins einzelne nachzugehen, und sich deshalb nicht auf die physiologische natur der accente einlässt, die er als den zuhörern bekannt voraussetzte, halte ich es für ratsam, hier eine kurze objective beschreibung der beiden dänischen wortaccente zu geben.

Da der wortaccent nr 2 die wenigsten schwierigkeiten darbietet, so fange ich mit ihm an. während dieser accent, wie wir gesehen haben, im schwedischen und norwegischen eine von dem gewöhnlichen europäischen wortaccente (im deutschen und englischen) ganz abweichende gestalt hat, unterscheidet er sich im dänischen gar nicht vom letzteren. die dänischen wörter *karre, fare* und *fa'r* (vater) werden rücksichtlich der betonung ganz wie die deutschen wörter *karre, haare* und *gefahr* ausgesprochen. in der musikalischen notierung würde diese betonung etwa folgendes bild erhalten können:

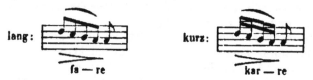

lang: fa — re   kurz: kar — re

wobei jedoch zu bemerken bleibt dass die bewegung der redestimme von der höheren zu der tieferen stufe nicht wie die noten angeben in intervallen vor sich geht, sondern in einem continuierlichen tonübergang, einem sogenannten portament.

Eine hiervon vollständig verschiedene figuration zeigt der dänische wortaccent nr 1. beim articulieren des wortes *maler*

'mahlt' setzt die stimme auf der mit exspiratorischem drucke
versehenen ersten silbe in tiefem tone an — nach meiner beobachtung mindestens einen ton unter der schlusssilbe des accentes
nr 2 —, sie bleibt eine weile auf derselben stufe stehen um
sich gegen den schluss des langen *a* durch ein jähes portament
ungefähr eine quinte hinaufzuschwingen; auf der höchsten stufe
klappen die stimmbänder plötzlich zusammen, alle stimmbildung
hört während der dadurch entstehenden ganz kleinen pause auf;
nach einem momente öffnen sich die stimmbänder wider, und
die schlusssilbe *ler* folgt nach auf derselben tiefen stufe wie die
anfangssilbe. auf wörtern, die in der tonsilbe kurzen vocal mit
nachfolgendem tönend-continuierlichen — 'sangbaren' nach K.s
bezeichnung — consonanten (*d, w, j, r* usw.) haben, ist die
modulation dieselbe, nur fällt das aufsteigende portament sowie
der glottisverschluss auf den sangbaren consonanten. mit noten
würde man demnach den accent nr 1 etwa in folgender weise
bezeichnen können:

Beide wortaccente im dänischen sind also eingipflich nach
Sievers systematisierung und unterscheiden sich von einander
durch die lage des gipfels; den wesentlichsten akustischen unterschied bildet jedoch das vorhandensein oder nichtvorhandensein
jener characteristischen schliefsung der stimmbänder. dieser glottisverschluss bedingt aber in der tonsilbe entweder langen vocal
oder kurzen vocal mit nachfolgendem sangbaren consonanten. in
silben, in denen auf kurzen vocal ein nicht sangbarer consonant
(tonlose dauerlaute und mutae) folgt, ist der glottisverschluss
eine physiologische unmöglichkeit, weil der tonlose consonant am
ende der silbe, wo der verschluss einzutreten hätte, eben das
offenstehen der stimmbänder als conditio sine qua non fordert.
man darf nun mit recht fragen, ob denn die zahlreichen wörter
mit tonsilben von der beschaffenheit wie zb. *nikkel, drikker, drikke,*
ligger, ligge, rækker, lægger, kasser, hassel alle von der betonung
nr 1 auszuschliefsen und unter die betonung nr 2 einzuordnen
seien. das tut die dänische grammatik und muss es consequenter
weise tun, sobald sie das vorhandensein oder nichtvorhandensein
des glottisverschlusses als einteilungsprincip aufstellt und den
chromatischen unterschied·unberücksichtigt lässt. es unterliegt
nun aber keinem zweifel dass der chromatische unterschied das
ursprünglichere, der glottisverschluss etwas später hinzu-
gekommenes ist. wenn auch in gewissen fällen das eintreten

des letzteren aus physiologischen gründen unterblieb, so hätte,
sollte man meinen, doch der ursprüngliche chromatische unterschied ganz gut können bewahrt bleiben. in der tat ist dies
auch der fall, denn die obigen wörter sind bei correcter aussprache keineswegs homoton, wenn der unterschied auch in der
schnellen, wenig klangreichen dänischen articulation nur schwach
hervortritt. die infinitive *ligge*, *drikke* haben eine modulation
ganz wie d. *dicke*, haben mithin den accent nr 2, dh. die erste
silbe liegt ungefähr eine quarte höher als die zweite, das fallende portament wird durch die tonlosen consonanten in der
mitte durchbrochen; so noch *lægger*, *rækker*, *kasser*. die präsens-
formen *ligger*, *drikker*, ferner *nikkel*, *hassel* sind rücksichtlich der
betonung verschieden von d. *dicker*, *nickel*, *Cassel*; hier haben
wir den accent nr 1, dh. die erste silbe wird auf t i e f e r tonstufe ausgesprochen, auf den mittellauten pausiert die stimme,
da die tonlosigkeit das auflaufende portament und den glottisverschluss nicht zum ausdruck kommen lässt, und die schlusssilbe folgt nach auf derselben tiefen tonstufe wie die erste silbe.
    Ich habe bei der betrachtung der dän. betonung etwas länger
verweilt, weil es sich durch die hier vorgebrachte auffassung
ergibt dass der dän. wortvorrat in betreff der anwendung der
beiden accente sich in einer weise verteilt, die mit der verteilung
des schwed. und norw. wortvorrates an beide accente im ganzen
congruent ist; dort wie hier ist der historische hintergrund der,
dass der accent nr 1 in ursprünglich einsilbigen wörtern verwendet wird, der accent nr 2 in ursprünglich zwei und mehrsilbigen. diese merkliche übereinstimmung lässt die einstige
existenz eines gemeinsamen nordischen betonungssystemes mut-
mafsen, und die frage, wie wir uns dieses betonungssystem vorzustellen haben, sucht der verfasser in dem abschnitte s. 156—164
zu beantworten.
    Was zunächst die feststellung der form dieser urnord. accente
betrifft, so ist es von gewicht dass die schw. und norw. aussprache sich sehr nahe berühren. Storm findet aao. s. 290 dass
der hauptunterschied zwischen dem schw. und norw. accente
nr 1 darin liegt, dass ersterer die neigung hat das aufsteigende
anfangsportament hinweg und den gipfelpunct des accentes mit
dem silbenanfang zusammenfallen zu lassen, wie in der gewöhnlichen deutschen betonung und wie im dän. accente nr 2. · von
beiden weicht der dän. accent nr 1 ganz beträchtlich ab: aber
durch eine sinnreiche argumentation hat Storm nachgewiesen
dass es das dänische ist, welches von dem ursprünglichen stande
abgewichen ist. die fremdwörter werden nämlich, wie oben
schon bemerkt, in allen drei sprachen in der regel mit dem accente nr 1 gesprochen; so selbstverständlich dies für das schw.
und norw. ist, wo von den beiden accenten eben der accent
nr 1 in der form der gewöhnlichen deutschen betonung am

nächsten steht — und durch deutsche vermittelung sind die
fremdwörter nach dem norden gekommen —, ebenso auffällig ist
es für das dänische, das in seinem accente nr 2 eine mit der
gewöhnlichen deutschen aussprache ganz gleiche betonung besitzt. wenn also die Dänen jetzt ihre fremdwörter wie zb. *skil-
ling*, *höker*, *aviser*, *studere* nicht mit diesem sondern mit dem
accente nr 1 aussprechen, so folgert Storm daraus mit recht
dass letzterer accent damals, als die fremdwörter in die sprache
eindrangen, von beiden accenten der ausländischen betonung am
nächsten stand, und andererseits dass der jetzt mit der deutschen
betonung ganz übereinstimmende accent nr 2 zu jener zeit am
meisten von der fremdländischen aussprache abwich. er vermutet
deshalb dass der dän. accent nr 2 früher dem entsprechenden
accente im schw. und norw. mehr ähnlich war und dass dem
accente nr 1 damals der ihn so entfremdende glottisverschluss
abgieng.

Letzteres will K. (s. 158) nicht gelten lassen, sondern hält
die möglichkeit fest dass das dänische in dem glottisverschlusse
etwas ursprüngliches bewahrt haben könne, was im schw. und
norw. verloren gegangen sei. ich glaube jedoch dass man Storm
recht geben muss, denn es lässt sich das successive aufkommen
des glottisverschlusses im dän. leicht verfolgen. 1747 galt als
regel in dieser sprache dass der glottisverschluss nicht auf einem
sangbaren consonanten unmittelbar vor tonlosen consonanten ein-
trat (s. Grundtvig aao. s. 131): *höjst*, *folk*, *hjælp*, *helst*, *hyl-
ster*, *halt*, *amt*, *skrömt*, *exempler*, *stempel*, *længst*, *yngst*,
fængsel, *enkelt*, *höns*, *imens*, *mindst*, *iblandt*, *accenter*, *con-
sonanter*, *student* ist nur eine kleine diese regel bestätigende
auswahl aus dem accentuierten texte der Höysgaardschen grammatik; in allen diesen wörtern trat zu Höysgaards zeit kein glottisverschluss auf dem durch den druck hervorgehobenen consonanten
ein, und der jetzt stattfindende glottisverschluss hat sich also in
diesem falle erst in dem letzten jahrhundert entwickelt. ferner
kann in *maden*, *taget*, *åger*, *ager* und ähnlichen fällen, die zu
Höysgaards zeit noch mit dem ursprünglich kurzen vocale (altn.
matrinn, *þakit*, *okr*, *akr)* und glottisverschluss auf dem nachfolgenden sangbaren consonanten *(ð, γ)* gesprochen wurden,
letzterer nicht sehr alt sein, denn die entwickelung war *akr-ager-
ayer*, und schon auf der stufe *ager* war der glottisverschluss auf
dem nicht sangbaren *g* physiologisch ausgeschlossen. endlich gibt
es eine menge wörter, die, obwol sie ihrer herkunft und ihrer
jetzigen aussprache nach unter den accent nr 1 gehören, aus
dem oben angegebenen physiologischen grunde nie den glottisverschluss gehabt haben können, und dies gilt nicht nur vom
dänischen sondern eben sowol vom norwegischen und schwedischen, wie zb. schw. *axel*, *botten*, *hassel*, *nötter*, *vatten*, so dass
man behaupten darf dass der glottisverschluss jedesfalls nicht ein

integrierender bestandteil des accentes nr 1 war. geht man mit
Sweet (in Transactions of the philol. soc. 1873—1874 s. 99)
davon aus, dass der dänische accent nr 1 der directe nachkömm-
ling von einem mit dem norwegischen nr 1 gleichen accente ist,
so ist die entwickelung im dänischen die gewesen, dass der
gipfel des accentes sich auf das äufserste ende der silbe verschob,
hier outriert wurde und den glottisverschluss erzeugte.[1] ich
glaube deshalb dass wir den urnord. accent nr 1 als eingipflich
ohne glottisverschluss anzusetzen haben, wahrscheinlich mit einer
lage des gipfels ungefähr wie im norwegischen.

Da der norw. und schw. wortaccent nr 2 sich nach Storm
nur dadurch unterscheiden dass letzterer einen schwachen exspiratorischen nebenaccent auf einer der folgenden silben hat, und
da K. nachgewiesen hat dass dieser nebenaccent im schw. erst
später aufgekommen ist, kann man als urnord. accent nr 2 einen
dem norwegischen ähnlichen vermuten, dh. einen wortaccent,
welcher als unterlage zwei silben in anspruch nahm, von denen
die eine den exspiratorischen druck, die andere den chromatischen hochton trug. K. scheint (s. 160) diesen auf die zweite
silbe fallenden hochton nicht als urnordisch gelten lassen zu
wollen; ich folgere das daraus dass er im folgenden hypothetisch
annimmt, der urnord. accent nr 2 sei einst auch einsilbigen wörtern zugekommen. er muss mithin der meinung sein dass der
hochton erst später sowol im schw. wie im norw. aufkam. aber
erstens ist nach meiner ansicht, die ich durch K.s darstellung
nur bestätigt gefunden habe, das emporschwingen der stimme
in der pianosilbe das, was wesentlich den accent nr 2 sowol im
schw. wie im norw. constituiert und die wurzelsilbe erst recht
zum tiefton macht; zweitens ist das emporkommen eines hochtones in einer pianosilbe, mag es auch einem gebornen Schweden
eine ganz geläufige sache sein, vom allgemeinen sprachlichen
standpuncte eine so auffällige und seltene erscheinung, dass man
schwerlich annehmen kann dass zwei verwandte idiome unab-

---

[1] ich denke mir einen physiologischen zusammenhang zwischen dem
aufsteigenden portament und dem zuklappen der stimmbänder, so zwar, dass
die durch das steil emporschiefsende portament bedingten schnell vor sich
gehenden veränderungen in dem spannungsgrade der stimmbänder auf dem
gipfelpuncte so zu sagen ein überschnappen derselben bewürkten. eine gute
parallele hierzu liefern die baltischen sprachen. im lit. wird das wort *wilkas*
mit dem 'geschliffenen' accente gesprochen, dh. nach Kurschat Gramm. d.
lit. spr. § 207: der silbenteil *wi* wird auf tiefer stufe ausgesprochen, auf
dem *l* läuft die stimme eine quarte in die höhe um dann in der schlusssilbe *kas* durch einen sprung auf die anfangsstufe zurückzukehren. im lett.
ist nun die dem 'geschliffenen' lit. tone entsprechende 'gestofsene' betonung
(nach Bielensteins bezeichnung) die, dass in dem worte *wilks* auf dem *l* ein
dem dän. vollständig entsprechender glottisverschluss eintritt, wie ich durch
autakusie bezeugen kann. von einem historischen zusammenhange zwischen
dem dänischen und dem lettischen glottisverschlusse kann natürlich nicht
die rede sein.

hängig von einander dazu gekommen seien. das verschwinden dieses hochtones im dänischen hängt mit dem ganzen entwickelungsgange dieser sprache zusammen; das dänische ist dadurch zu der nächst dem englischen am meisten abgeschliffenen germanischen sprache geworden, dass die ganze energie der articulation auf die wurzelsilbe gelegt wurde, wodurch die endsilben bis zur verflüchtigung vernachlässigt wurden; damit gieng auch der hochton zu grunde, und der kleinere chromatische gipfel, der, nach dem· schwedischen und norwegischen zu urteilen, der wurzelsilbe zukam, bildete sich später zu voller gröfse aus.

Was endlich die anwendung dieser urnordischen accente betrifft, so bewegen wir uns hier auf einem gebiete, wo uns die tatsachen zu sehr ausgehen, so dass wir nur mit mehr oder weniger wahrscheinlichen hypothesen rechnen können. allein der vom verfasser s. 161 f aufgestellten hypothese kann ich nicht beipflichten. er vermutet dass die beiden accente einst innerhalb des wortvorrates anders verteilt waren als in den jetzigen neunordischen sprachen, indem der accent nr 1 nicht auf einsilbige wörter allein beschränkt war, sondern auch auf zwei- und mehrsilbige fiel, andererseits der accent nr 2 nicht nur wie jetzt in zwei- und mehrsilbigen wörtern anwendung fand, sondern auch in einsilbigen. dann trat zu einer zeit eine revolution ein, indem der eine oder der andere accent seine natur so veränderte, dass er nur in dem einen falle, sei es nur in einsilbigen oder nur in zwei- und mehrsilbigen verwendbar wurde. diese störung bewürkte eine ausgleichung, bei welcher alle einsilbigen wörter sich auf die eine seite schlugen, alle zwei- und mehrsilbigen auf die andere seite. diese hypothese ist ohne allen anhalt, denn der verfasser lässt dabei die einzige tatsache aus der hand, die für unsere vermutungen eine stütze gewähren kann, die tatsache nämlich, dass alle neunordischen idiome mit doppelter betonung darauf hinweisen dass der accent nr 1 nur in ursprünglich einsilbigen wörtern, der accent nr 2 nur in zwei- und mehrsilbigen herschte. wenn wir zu einem irgendwie wahrscheinlichen resultate gelangen wollen, dürfen wir meiner ansicht nach den in dieser weise angegebenen curs nicht verändern. ich ziehe deshalb das allernächst liegende vor und sage ganz einfach: der urnordische accent nr 1 wurde in allen ursprünglich einsilbigen wörtern, der accent nr 2 in allen zwei- und mehrsilbigen verwendet. in dieser form ist aber der satz nicht richtig und bedarf einer correctur. mit den ausdrücken 'ursprünglich einsilbig' und 'ursprünglich zweisilbig' basieren wir auf dem zustande der altn. litteratursprache: schw. *ulf* dän. *ulv*, schw. *fötter* dän. *fodder* haben den accent nr 1, weil sie im altn. einsilbig *(ulfr, fœtr)* lauten; schw. *ulfvar* dän. *ulve*, schw. und dän. *tider* haben den accent nr 2, weil sie im altn. zweisilbig sind *(ulfar, tidir)*. aber die altn. litteratursprache ist ja nicht die muttersprache der

neunord. idiome, und im urnord. waren *ulfr, fœtr* und überhaupt die allergröste zahl der altn. einsilbigen wörter z w e i -
s i l b i g m i t k u r z e m vocale in der endsilbe: *wulfaʀ, *fōteʀ*,
und ebenso waren die altn. zweisilbigen wörter damals entweder
z w e i s i l b i g m i t l a n g e m endvocale *(*wulfōʀ, *tīdīʀ)* oder
dreisilbig *(*gamalaʀ* = altn. *gamall).* der obige satz muss mithin folgendermafsen formuliert werden: der urnord. accent nr 1,
dh. exspiratorischer und chromatischer accent vereinigt auf éiner
silbe, kam den zweisilbigen wörtern mit k u r z e n endsilben zu;
darunter fielen auch die wenigen einsilbigen substantiva, die das
urnord. besafs *(*kūʀ* 'kuh' ua.)*, und einsilbige pronomina, präpositionen und partikeln, in so weit sie nicht, was wol meistens
der fall war, en- oder proklitisch fungierten. der urnord. accent
nr 2, exspiratorischer accent auf der wurzelsilbe mit chromati-
schem hochtone auf der folgenden silbe, war allen zweisilbigen
mit l a n g e n endsilben sowie den drei - und mehrsilbigen vor-
behalten.

Zu diesem resultate sind wir durch einfache folgerungen
von dem standpuncte aus, den alle mit doppelter betonung versehenen nord. idiome einnehmen, gelangt, und ich glaube dass
wir in dem durch Bugges und Wimmers entzifferung der ältesten
nord. runeninschriften (s. Möbius referat in der Zs. für vgl.
sprachf. xviii 153 ff und xix 208 ff, und Heinzel Endsilben der
altn. spr., Wien 1877) erschlossenen stückchen urnord. sprachgeschichte einen anhalt für die richtigkeit der folgerung finden
können. diese älteste nord. sprache hatte die kurzen endvocale
(a, i, u) bewahrt, wo sie in der späteren sprache weggefallen
waren; aber der Wegfall trat nicht für alle vocale zu gleicher
zeit ein; in den inschriften lässt sich verfolgen, was auch innere
sprachgründe bestätigen (Edzardi Beitr. iv 161, Sievers ebenda
v 75), wie zuerst die *a* und *i* wegfielen, während das *u* sich
noch bis in die zeit der jüngeren runeninschriften hinein hielt.
woher diese begünstigung des dunkeln vocales? wenn man Scherers
ausführung zGDS² s. 55 ff und 209 f in erinnerung hat, so gibt
es kaum eine andere antwort als die dass das *u* durch seinen
tiefen eigenton mit einem darauf fallenden (chromatischen) tief-
tone harmonisierte und dadurch festgehalten wurde. aber tiefton auf der endsilbe eines zweisilbigen wortes involviert hochton auf der wurzelsilbe, und wir gelangen somit zu der oben
gefolgerten form für den urnord. accent nr 1.

Ganz anders liegt das verhältnis bei den langen urnord.
endungen. fanden wir in den kurzen endsilben eine bevorzugung der dunkeln vocalfärbung, so tritt uns in den langen
endungen das gegenteil, eine ausgesprochene neigung zur hellen
färbung der vocale entgegen. so ist das urnord. ō, wo es nicht
auf grund eines folgenden nasales durch nasalierung die dunkle
färbung behielt (urnord. *tungōn* = altn. *tungu),* sonst in der

litteratursprache überall zu *a* geworden: urnord. n. sg. *tungō (LU-
þRO Dalbyinschr., *HARISO* Himlingehöjeinschr., *FINO* Bergainschr.)
⸺ altn. *tunga.* urnord. accus. pl. *RUNOn* (Varnuminschr.) ⸺ altn.
runar. urnord. 1 sg. prät. *worhtō (WORAHTO* Tuneinschr., *TA-
WIDO* auf dem goldenen horne) ⸺ altn. *orta* uam. ferner ist das
lange urnord. *ā* zu altn. (nicht umlaut bewürkendem) *i* geworden
im n. sg. urnord. **hanā* (*NIUWILA* Vardeinschr., *WIWILA* Væblungs-
næsinschr.) ⸺ *hani* der litteratursprache, und in der 3 sg. prät.
urnord. *worhtā (WRTA* Ethelbeminschr.) ⸺ altn. *orti.* in consequenz der obigen erklärung muss diese erhebung der endsilben
ebenfalls durch die wortmelodie bedingt sein und dem einflusse
eines auf der silbe ruhenden (chromatischen) hochtones zugeschrieben werden. wenn man nun bedenkt dass alle urnord.
wörter mit langen endsilben in den neueren sprachen den accent
nr 2 haben, und ferner dass dieser accent noch im schw. und
norw. einen chromatischen hochton auf derselben trägt, so scheint
mir die wahrscheinlichkeit dafür zu sprechen dass hier ein histo-
rischer zusammenhang vorhanden ist.

    Leffler hat jüngst Tidskr. f. filol. n. r. ɪv 285 den satz
aufgestellt dass das urnordische noch die vom idg. ererbte freie
betonung besessen habe und stellt einen aufsatz darüber in aussicht. sollte diese ansicht sich bewahrheiten, so steht doch obiges
resultat nicht in widerspruch damit, denn die urnord. sprach-
periode ist geräumig genug um beiden betonungssystemen platz
zu geben. ich glaube nur festhalten zu müssen dass zu der zeit,
als die nord. sprachen aus einander giengen, der exspiratorische
accent sich auf der wurzelsilbe festgesetzt hatte, der chromatische
accent sich aber nach dem rhythmus des wortes lagerte, und zwar
so, dass in einsilbigen wörtern und in zweisilbigen mit kurzen
endsilben, dh. in denjenigen fällen, wo die neunord. sprachen
den accent nr 1 haben, der hochton mit dem exspiratorischen
accente zusammenfiel, während in zweisilbigen Wörtern mit langer
endung und in drei- und mehrsilbigen, die in den neunord.
sprachen den accent nr 2 anwenden, der hochton auf der zweiten
silbe seinen platz hatte.

    Den schluss von K.s werk bilden einige excurse über die
entwickelung neuschwedischer flexionsformen aus altschwedischen,
endlich ausführliche listen über die schw. wörter, für deren betonung sich nicht bestimmte practische regeln aufstellen lassen.

Halle 8. vi. 80.   KARL VERNER.

Roman van Moriaen. op nieuw naar het handschrift uitgegeven en van eene
inleiding en woordenlijst voorzien door dr JAN TE WINKEL. Groningen, Wolters, 1879. [20 und 22 lieferung der Bibliotheek van
middelnederlandsche letterkunde.] 249 ss. 8⁰.

Te Winkel, welchem wir schon die sonderausgabe eines der
in die grofse Lancelothandschrift aufgenommenen selbständigen
gedichte, des Torec, verdanken, gewährt uns im vorliegenden
buche auch eine solche von vers 42547—47250 jener compilation, des Moriaen. dass man nun auch für dieses werk nicht
mehr auf die grofse Lancelotausgabe angewiesen ist, wird jedem
erwünscht sein, auch dem, welcher die hohe meinung von dem
werte des gedichtes, die te W. hegt, nicht teilen sollte. ich meiner-
seits schliefse mich lieber dem bedingteren lobe an, welches
Jonckbloet, der unparteiische beurteiler seiner heimatlichen litteratur, in der Geschiedenis der middennederlandschen dichtkunst
ausspricht. selbst das lob eines fliefsenden stiles, welches der
letztere dem dichter erteilt, ist nicht ohne weiteres giltig. fliefsend
ist der stil allerdings, insofern sich der dichter nicht durch
schwierige und steife constructionen im ausdrucke seiner gedanken
beengen lässt. aber erreicht wird diese leichtigkeit nur mit
hilfe einer im höchsten grade lockeren satzbildung, welche freilich dem mnl. überhaupt eigen ist. ich will über diese freie,
bequeme art der diction nicht durchaus aburteilen; das lose
nebeneinanderstellen der einzelnen satzglieder, welches häufig
selbst zu anakoluthen führt, die zahlreichen parataxen ermöglichen es wenigstens, jeden teil der construction in ungeschwächter
kraft würken zu lassen. aber diese manier zeigt denn doch zugleich dass man von einer kunst des stils wenig ahnung hatte.
im Moriaen dürfte diese nachlässige diction gipfeln. denn ich
glaube nicht dass hier der schreiber viel schuld daran hat. der
herausgeber gönnt der begründung seines, meiner ansicht nach
zu günstigen urteils über das gedicht im verlaufe der einleitung
nur geringen raum. hauptsächlich ist diese einleitung anderen
litterarhistorischen fragen gewidmet.

Der Moriaen ist durchsetzt mit elementen aus der Perchevalsage, und dies gibt te W. anlass, mit einer übersicht derjenigen
gedichte, welche diesen stoff behandeln, zu beginnen. dabei berührt er auch die frage über Wolframs quellen, wesentlich in
referierender weise, doch so, dass der annahme, Wolfram habe
nicht blofs Chrestiens werk benutzt, der vorzug gegeben wird.
aber auch die identificierung des Kyot mit Guiot de Provins
schlüpft dabei ziemlich unbeanstandet mit durch. was nun die
in den Moriaen eingeflossenen stücke aus dieser sage betrifft, so
kommt te W. zu dem resultate dass der roman in manchen
puncten mit dem Lancelot übereinstimmt, aber doch wider nicht
so vollkommen, um diesen für die quelle, geschweige für die

alleinige quelle halten zu können. wahrscheinlicher sei es dass
der dichter die Perchevalsage in verschiedenen, uns teilweise ver-
borgenen bearbeitungen gekannt habe. auf die in diesem satze
enthaltene voraussetzung, dass jene stoffe eine weit ausgebreitetere
und manigfachere behandlung erfahren hätten, als die vorhandenen
denkmäler es uns direct bezeugen, führt die vorliegende untersuchung noch öfter hin, und ich gestatte mir hier zu bemerken
dass die gleiche voraussetzung auch von Martin in seinem auf
der Trierer philologenversammlung gehaltenen vortrage besonders
betont wurde.[1] einen noch innigeren zusammenhang mit der Perchevalsage erhielte unser roman, wenn Percheval Moriaens vater
wäre. dass es sich ursprünglich so verhalten habe ist nämlich
die ansicht te Winkels. Acglovael, welcher jetzt als vater des
helden erscheint, sei erst vom compilator der Lancelotbandschrift
zu diesem range erhoben worden, und zwar habe derselbe Percheval deshalb aus dieser stellung entfernt, weil sie dem in
anderen von ihm aufgenommenen dichtungen erscheinenden character desselben, in denen er die keuschheit bis an sein lebens-
ende bewahrt, widersprochen habe würde. der compilator verrät
uns denn auch selbst diesen grund (v. 10 ff):

> want men wel ter waerheit vint,
> dat Perchevael ende mede Galaet
> beide bleven, dat wel verstaet,
> maget doet bi den grale.
> om dit secgic van Perchevale,
> dat sijn sone nine mach wesen.

ich bin überzeugt dass te W. das richtige getroffen hat, wenn
er die unmittelbar vorhergehende angabe

> som die boeke doen ons weten
> dat hi (Moriaen) Perchevals sone was,
> ende som boke secgen oec das,
> dat hi was Acglavaels soene

für eine fiction des compilators hält, die er eben zu dem zwecke
machte, Acglovael an Perchevals stelle einzuschwärzen. te W.
deckt dann weiter an einzelnen stellen der erzählung die noch
deutlichen spuren der vorgenommenen änderung auf. nicht nur
an der schlechten ausgleichung der tatsachen, wie der herausgeber bemerkt, sondern auch an einzelnen metrisch oder sprachlich schlechten versen kann man manchmal diese beobachtung
machen, zb. 2711 ff

> dattie rode riddere was leden
> ende sijn geselle, die strate gereden
> die daer bi der (l. ter) zeeward lach.

es hiefs wol früher

> dattie rode riddere was leden
> ende hadde die strate gereden usw.

---

[1] vgl. jetzt QF xlii 20 nö.

3467 ff dürften gelautet haben:

> *ofte daer een ridder ware leden,*
> *die een root ors hadde bescreden*
> *ende hadde rode wapene an;*
> of *hijs hem iet berechten can* usw.

auch 3355 ff ist es den versen anzusehen dass etwas in sie hinein
gepfropft worden ist. vgl. ferner meine bemerkung zu v. 796.
da auch te W. zugesteht dass die arbeit des compilators vielfach
sehr ungeschickt ausgefallen und leicht zu erkennen sei, so hätte
es nahe gelegen, dieselbe vollständig aufzudecken und im texte
kenntlich zu machen. aber das vereinbart sich wol nicht mit
der ansicht, welche te W. von textausgaben hat. oder hat er
vielleicht doch den versuch gemacht und ist dabei auf bedeutende
schwierigkeiten gestofsen? das verfahren wäre um so dankenswerter gewesen, als es uns einige sicherheit darüber gegeben
hätte, in wie weit der compilator in seine texte eingriff. für
manches andere stück dürfte die erkenntnis nützlich sein, nicht
zum wenigsten für den Torec. doch auch das ist schon von
wichtigkeit dass wir überhaupt das vorhandensein wesentlicher
von ihm herrührender änderungen durch te Winkels entdeckung
nun einsehen. auch die fernere vermutung spricht an, dass
Moriaen, der schwarze sohn Perchevals und einer mörin, mit
Wolframs Feirefiz nicht unverwandt sei.[1] wenn aber weiter noch
gemutmafst wird dass nicht nur die germanischen namen in
Wolframs Parzival auf germanische, einmal in die fremde sage
aufgenommene bestandteile weisen, sondern, wie der mohren-
könig Sigfrit in der Kudrun, auch die sippe der Belacane, Feirefiz, Moriaen eigentlich nach dem lande der Morini, oder dem
land von Merwede, also in die Niederlande gehören: so sind das
combinationen, an denen der patriotismus den hauptanteil trägt.
die namen hätten schon vor ihnen warnen sollen.

Noch handelt der verfasser über zwei gröfsere bestandteile
des gedichtes, die Walewein- und die Lancelotepisode. die
erstere war Jonckbloet geneigt für eine freie bearbeitung zweier
erzählungen aus dem mnl. Walewein zu halten. ich habe dann
die ähnliche episode aus dem Flandrijs verglichen (einleitung
s. 14 ff). te W. möchte eher annehmen dass schon in einer
französischen erzählung die weiterentwickelung dieser motive vor
sich gegangen gewesen sei. er lässt die von Jonckbloet und
mir dargelegte psychologische entwickelung ganz aufser acht, die
stufenweise und deutlich erkennbar mit dem motive statt gehabt
hat. dieselbe steht ganz im einklange mit der socialen entwickelung, wie sie sich gerade in der mnl. litteratur, selbst als
ihre vertreter noch fleifsig ritterromane bearbeiteten, am schärf-
sten widerspiegelt. um so wahrscheinlicher dass eine derartige
entwickelung eines motives, die wir stufenweise in nl. erzählungen

---

[1] dieselbe ansicht äufsert jetzt Martin QF XLII 18.

finden, auch auf nl. boden vor sich gegangen ist. zu vergleichen
wäre auch die episode im Torec v. 2812 ff, wo ein ähnlicher
conflict geschildert wird. die lösung stimmt dort im wesentlichen mit der im Moriaen.

Mehr grund hätte es gehabt, von Jonckbloets ansicht betreffs der episode abzugehen, worin Lancelots kampf mit dem
drachen und der versuch eines verräters geschildert werden, dem
helden die früchte des teuer erkauften sieges zu entreifsen.
diese betrachtete Jonckbloet als entlehnt aus dem fabliau de la
mule sanz frein (Méon Nouveau recueil des fabliaux et contes
I 1 ff) und te W. hält an einer nahen verwandtschaft beider
erzählungen fest. da aber die unterschiede in denselben ganz
bedeutend und wesentlich sind, andererseits auf nahem gebiete
erzählungen vorliegen, die besser in den hauptzügen übereinstimmen, so wird die angenommene verwandtschaft sehr unwahrscheinlich. ich erinnere dagegen an den drachenkampf im Tristan.
auch mit diesem herscht nicht vollkommene übereinstimmung,
und so erhalten wir von neuem einen ausblick auf die vielfältigen
combinationen und verquickungen der motive aus jenem kreise.

Die frage, ob der Moriaen ein nl. original sei, wird offen
gelassen. es ist wahr dass bis jetzt nur das gegenteil nicht bewiesen ist. dennoch meine ich, man könne sich mit mehr bestimmtheit für die bejahung entscheiden. dafür spricht die über
die Waleweinepisode vorgetragene ansicht, der name des helden,
Moriaen, wenigstens nicht dagegen.

Zum schinsse versucht es te W., die art und weise seiner
textconstitution zu rechtfertigen. dieser versuch ist wenig gelungen. ein herausgeber sollte doch einen ungefähren begriff
davon haben, was grammatisch richtig ist. geben wir aber einmal zu dass er leicht in den fehler verfallen könne, etwas un-
anstöfsiges zu entfernen oder gar falsches an seine stelle zu
setzen — ein vorwurf, der stark in die mode gekommen ist —,
so ist es doch eine ganz andere sache *bedieden* mit *bedieden*,
beyde mit *beide* zu vertauschen. oder sollte auch in diesen
dingen ein herausgeber schnitzer machen können? schon etwas
schwieriger ist der fall, wenn eine hs. mit formen wie *ontbieden*
und *ombieden* wechselt. doch auch dies und alles, was zum beweise angeführt wird, sind so geringfügige dinge, dass sich nicht
leicht eine controverse darüber erheben wird, und ich bin fast
überzeugt dass hinsichtlich ihrer auch te W. selbst zu bewegen
wäre einen 'kritischen' text zu geben. nicht einmal der lieben
bequemlichkeit wird durch seine art und weise besonders gedient.
v. 789 sieht er sich zb. gemüfsigt, *sine* unter dem text doch in
siene, 1078 *bediden* in *bedieden* zu verändern, und zwar weil der
copist die zugehörigen reimwörter zufällig *engiene* und *lieden*
geschrieben hat. hier muss also der leser doch die lectüre
unterbrechen, wenn er sich gehörig unterrichten will, und nach

unten sehen, eine zumutung, die angeblich für ihn höchst unangenehm sein soll! und wenn er im texte einen vollständigen
unsinn liest? dann sieht er doch wol auch einmal herunter, ob
ihm da nicht vielleicht rat geschafft wird. wer hingegen einen
corrigierten und geglätteten text vor sich hat, braucht sich in
der lectüre gar nicht stören zu lassen, wenn er blofs lesen
will. will er aber studieren, so muss er in jedem falle die anmerkungen in betracht ziehen, und dann ist es doch wol ziemlich gleichgiltig, ob das gute oben und das schlechte unten steht,
oder umgekehrt. selbst die misachtung der kleinigkeiten kann
unangenehme folgen haben. in dem der ausgabe beigefügten
für anfänger berechneten glossare findet sich an seiner stelle
kein *genieten,* wol aber etwas weiter ein *geniten.* der arme anfänger prägt sich nun ein verbum *geniten* ein und denkt sich
vielleicht ein präteritum *geneet* dazu. macht er später die entdeckung dass *ie* und *i* zwei ganz verschiedene laute sind, wenn
sie auch von einzelnen schreibern häufig gleich gemacht, oder
verwechselt werden, so merkt er sich neben *geniten* auch *genieten.* und ist er dann gelehrt geworden, so führt er in einem
grammatischen artikel vielleicht *geniten* neben *genieten* als beleg
für den wechsel zwischen *ie* und *i* an, citiert dabei den Moriaen
und das glossar des herausgebers. das soll kein müfsiger scherz
sein, analoge dinge sind würklich vorgekommen. *geniten* für
genieten bleibt also, selbst bis ins glossar hinein, andere falsche
i sind im letzteren wenigstens zu *ie* geworden, für *di* dagegen
ist auch im texte überall *die* gesetzt.

Es hat alles seine grenze; selbst eine gerechtfertigte
reaction gegen kritische texte müste sie haben. wenn hier
v. 99 und 100 an ganz verkehrter stelle stehen, so dass der
barste unsinn zu lesen ist, und der herausgeber das, wie die
anmerkung ausweist, vollkommen eingesehen hat, warum sind
dann die verse nicht an die richtige und wol erkannte stelle gesetzt? 245. 46 hat die hs. *gedeert : onteert,* wobei das erste wort
sinnlos ist. in der anmerkung wird Verdams conjectur *gedeerst :
onteerst* angeführt; te W. zweifelt nicht an ihrer richtigkeit, ich
ebenso wenig und sicher kein mensch. jeder schreiber des
mittelalters würde in solchen fällen gebessert haben, bei uns
würde es jeder setzer tun: und von dem veranstalter eines
wissenschaftlichen werkes sollte man nicht wenigstens dasselbe
erwarten? kaum würde Cosijn, hinter dessen autorität te W.
sich zu decken sucht, eine ausgabe ins feuer werfen, die derartige verbesserungen in den text aufnimmt. freilich, wenn es
sich blofs um so sicher erkennbare und leicht zu heilende schäden handelte, würde sich immer noch das vorurteil gegen kritische texte überwinden lassen. aber es kommen auch schwierigere fälle vor, und dann ist es gewis recht bequem, in der
anmerkung eine oder mehrere vermutungen zu äufsern, noch

bequemer, sich einzubilden, die stelle so ungefähr zu verstehen oder sogar ohne diese halbe entschuldigung stillschweigend darüber hinweg zu gehen. selbst für die nachfolger ist diese methode noch bequem. finden sie in einem zu edierenden texte irgend eine fehlerhafte form, so wird vermutlich dieselbe sünde auch schon einmal ein anderer schreiber begangen haben; in den editionen der vorgänger treffen sie dann willkommene analogien. so bleibt immer alles möglich, alles ist gut, und grammatik, textkritik, scheidung von dialecten, sprachgebrauch des individuums, sprachzustand verschiedener zeiten, schriftsprache und ausdrucksweise des gemeinen lebens bleiben dinge, von denen man wenig ahnung hat. bei solchen principien werden die schlechten ausgaben nicht aussterben; und auch der vorliegenden kann ich dies prädicat nicht ersparen. die folgenden bemerkungen mögen mein urteil begründen.

V. 36 l. *sede.* es stehen öfter falsche formen mit einem überflüssigen *n* im reime; der schreiber hat also da, wo das eine reimwort überschüssiges *n* hat, ausgeglichen. — die unordnung, welche von 226—39 herscht, ist ohne bemerkung geblieben. ich denke dass 226—33 zusammenzufassen sind, wobei 229 zwischensatz ist; 227 vielleicht *heten* statt *secgen.* dann folgen 234 ff mit dem nachsatze *nember moete hijs hebben danc.* — 428 l. *seere.* — 445 l. *dan.* — wie 456 *te velle,* steht 32 *te merre* (statt *meerre),* *te velle* widerholt sich 1290. wenigstens müste an allen 3 stellen geändert werden, aber es liegt wol berechtigte assimilation vor aus *velne* und *meerne.* — dass nach 512 einige verse fehlen, ist gewis. aber es kann doch nur eine gerade anzahl ausgefallen sein, und warum sollen dieselben auf *-oet* gereimt haben? — 597 l. *dus* statt *ons.* die für *vergaen* im glossar ganz willkürlich angesetzte bedeutung 'schlecht bekommen' muss also verschwinden. — auch in den versen 695 ff befindet sich etwas nicht in ordnung. vielleicht ist einfach 695 *dis* zu lesen und nach 696 ein comma zu setzen. — interessant ist vers 796. er erhält licht durch die völlig parallele stelle 3697 ff. dort steht *ende hi hem daer mede verhoget* ganz lose angeknüpft, wie es scheint in der bedeutung 'und damit erfreut er ihn'. hier ist die ganze construction vollständig gleich, und daraus geht hervor dass 796 lautete *ende hi den coninc daermede verhoget.* es war also im vorhergehenden von éinem, und zwar von Percheval, die rede, wodurch des herausgebers scharfsinnige entdeckung eine neue stütze erhält. das *si* wird dann der compilator statt *hi* gesetzt haben; aber er kann nicht wol das pluralpronomen damit meinen (neben dem singular des verbums), eine so unsinnige änderung mag ich ihm nicht zutrauen; er construierte wahrscheinlich 'und damit sei der könig erfreut'. — vor 904 scheint eine lücke zu sein, in welcher erzählt war dass Moriaen seinen entschluss, an den hof Arturs zu reiten, ändern will, Walewein und Lancelot ihm aber zuerst widersprechen. — 1432—35 verstehe ich mit der interpunction des herausgebers gar nicht. ohne dieselbe wüste ich nur folgenden sinn hineinzulegen: 'ich habe schon etwas anderes was mir kummer verursacht, die armut; aber seine schlechten anträge sind mir doch noch schmerzhafter.' dann muss man aber 1434 *doet dit* lesen und darf *dat* in 1435 nicht in *den* verändern, es sei denn dass man dem *vele mee* eine doppelte beziehung zugestehen wolle, aufs vorhergehende und aufs folgende. die schwierigkeiten bei dieser auffassung sprechen gerade nicht für dieselbe, oder aber nicht für die richtigkeit des textes. — 1450 ist in ordnung zu bringen durch vertauschung von *waric* im vorhergehenden verse mit *haddic*. *hebben* bei *bliven* auch Sp. hist. 3ᵗ, 57, 85 *so haddi hertoghe gebleven*, Brab. y. 7, 16722 *hi soude hebben ghebleven te Steertbecke*, ferner ebendaselbst 5, 4991. 6, 7516. Stoke 9, 821, Tondal. s. 49 *hadde hi te live ghebleven*. an ein adjectivum *ghehouden* ist gar nicht zu denken. — 1537 verstehe ich nicht. eine erklärung fehlt. — 1555 *genesten* soll vom superlativ von *na* kommen, indem aus *nakist* auch *nest* habe werden können. wo ist das bewiesen? ich kenne nur *neest* neben *naest* und kann ein *genesten* nicht für möglich halten. es wird wol *gevesten* zu lesen sein, welches, wenn ich nicht irre, in der hier notwendigen bedeutung 'jemanden im kampfe anpacken' auch sonst vorkommt. — 1603 ff sind ein merkwürdiges beispiel eines anakoluths. ich würde nach 1605 einen doppelpunct setzen, um die construction einigermafsen zu verdeutlichen. — 1622 ist als zwischensatz äufserlich kenntlich zu machen. — 1690 L *sure*. — 1757 ist *dat* zu streichen. — 1768 *dat* wäre besser als *die*. — 1791 an *bloet* '== *bloot*' offenbar, deutlich war kein anstofs zu nehmen. was te W. an die stelle setzen will *woet : doet (doot,* ist ein unreiner reim, wie man nicht oft genug betonen kann, und einen solchen darf man ohne not nicht in die texte einführen. v. 821 steht *gemoet : geluc groet*. man wird hier nicht anstehen *geluc goet* zu lesen. aufserdem begegnet die bindung von *oe : ô* noch 4363 *ic moecs u vroet : Lanccloet,* also ein ganz gewöhnliches flickwort auf der einen, ein eigenname auf der anderen seite, so dass der fall sicher nicht als stütze gelten dürfte. an der stelle hat jedoch offenbar der compilator wider die hand im spiele. — 1817 *ende* ist vermutlich zu tilgen. — 1834 L *sriget*. — 1850 L *sallen*. — 2137 L *dat ic*. — 2140 der grund zur änderung von *dor* in *der* leuchtet mir nicht ein, ebensowenig zu der von *u* in *hier*; dagegen ist wol *es* einzufügen. über *mi es ghesciet* == *ic hebbe ghedaen* s. Verdam Taalk. bijdr. 2, 235 ff. — 2145 und 46 sind offenbar umzustellen. was die construction betrifft, so kann man *si* aus dem folgenden ergänzen. aber möglich wäre auch *willes* mit dem vom part. prät. begleiteten substantiv im accusativ. so ist vielleicht Rb. 29605 *nu willic oec den strijd begonnen* aufzufassen. — 2264 erscheint mir sehr nichtssagend; auch vermisst man die pointe, die doch lauten muss 'auch der stärkste muss der übermacht erliegen.' es steckt wol irgendwo ein fehler. ich würde etwa vermuten *hondert gaden ember een| ende m. d. m. sc. | verw. w. enen bi campe*, wenn ich mnl. *gaden* in der bedeutung 'gleich kommen' zu belegen wüste. — 2429 l. *quame*. — 2470 l. *Moriaen*. — 2488 ist zu interpungieren *be-kinde, dat*, nach *dat* kein zeichen. ein so starkes enjambement kommt sonst im Moriaen nicht vor, wol aber in anderen teilen der Lancelotcomposition. ganz ebenso 3, 3474; andere zb. 2, 22551 *van | coninginnen*; 3, 4131 *alle goede | kerstine*; 5247 *van die | scanden*; 4, 12525 *an | minen broeder*. — 2585 die erklärung, welche von diesem verse im glossar unter *irst* gegeben wird, kommt mir allzu gewagt vor. vielleicht ist *uten stride* zu lesen. — 2713 l. *ter*. — 3419 am einfachsten und richtigsten ist *vare*. — 3539 l. *roec* = ahd. *hruoh*, im mnl. nicht selten, s. zb. Rb. glossar. — 3668 da *men* = *men en* sein kann, so ist jeder zusatz überflüssig. — 4048 eine apocope kommt im gedichte nicht vor — *bloet* v. 1995 ist nicht als solche aufzufassen —; *gebard* kann also schon aus diesem grunde nicht richtig sein, sondern es muss *gebare* lauten. im vorhergehenden verse stand vermutlich ganz einfach *vaste dare*. — 4131 *comen* passt nicht; vielleicht *conden ende mochten*. — 4140 *nu ten male* = jetzt zur zeit, in diesem augenblicke, ist nicht zu ändern. — 4159 ist ebensowenig *ember doe* anzutasten. *ember* bedeutet hier, wie sehr häufig 'in jedem falle, durchaus', gerade wie auch im verse vorher. — auch 4205 ist der änderungsversuch überflüssig; 4205 ist ein satz für sich, als prädicat ist *hadde gemaect* zu ergänzen, während *godeloes* nicht zu *weduwe* und *wese*, sondern zu *lant* gehört. — 4344 einfacher wäre *vor*. der sinn des folgenden verses ist mir nach des herausgebers interpunction nicht fasslich. ich würde vorher einen punct setzen und verstehe den vers als vorausdeutung auf den glücklichen ausgang des kampfes. — 4375 l. *die souden, bleven*. — 4395 l. *noch hulpe*. vorher ist nach *verladen* ein comma zu setzen und 4394 als zwischensatz zu fassen. — 4412 würde ich nichts ändern. eine ellipse ist bei diesem ausdrucke sehr wol denkbar. — 4506 l. *haren here*; vgl. 4499. — 4512 *onriden* = *ontriden* in transitivem sinne 'reitend Wegführen' ist eine höchst willkürliche annahme. ich lese *on[tst]reden* und im vorhergehenden verse *dat si*.

Auch an dem glossare, welches offenbar mit liebe ausgearbeitet ist, habe ich nicht wenige ausstellungen zu machen. es fehlt eine ganze reihe von artikeln, die nicht nur ebenso gut wie andere in ein für anfänger bestimmtes verzeichnis aufzunehmen waren, sondern die teilweise sogar für eingeweihtere eines aufklärenden wortes nicht entraten können. ich habe notiert: 94 *ontsinken*. — 93 *die ogen vergaen*. 115 *verlichten die ongesonde.* — 526 *gaen over* ans leben gehen. — 534 *vre-gen.* — 578 *wanen* in der bedeutung 'zweifeln', ebenso 3856, ferner Ferg. 3946; Limb. 4, 148. 7, 1302. 4, 910, wo zu lesen ist *in wane.* das subst. *waen* ⚊ zweifel Walew. 10954; Limb. 4, 650;· einzusetzen ist dasselbe Partonopeus 6185. häufiger er-scheint das subst. in der formel *sonder waen.* — 1596 *al plat* als flickausdruck, etwa 'vollkommen, ganz und gar'. — 1599 *let-tel goet* ⚊ wenig; ebenso 1628. 2364. — 1850. 1866 *be-kindelike.* — 1989 *treke* ⚊ streich, list. — 2275 *waet.* — 2281. 2923 *genesen* in transitiver bedeutung. — 2332 *gelede.* wenn die lesart richtig ist, muss es hier bedeuten 'das gebiet, so-weit jemandes macht reicht, geleite zu geben', also 'sein land, gebiet'. vgl. v. 945. — 2421 *verleden* ⚊ leid zufügen. — 2614 *miden.* heifst es 'dass er damit nicht aufzuhören, dh. seine kur zu unterbrechen brauchte?' — 2668 *aerd.* — 2671 *sculdech sijn* ⚊ das recht zu etwas haben. — 2679 *stellen.* — 2777 *ten-den.* — 3396 *uter wet werden* von sinnen kommen; vielleicht ist *uten wet* zu lesen. — 3423 *getouwe.* — 4046 *crete.* — 4197 *bi daghe* muss bedeuten 'an dem damals gegenwärtigen, éinen tage'; vgl. das nnl. *van daag* heute. — 4619 *kinnen* ⚊ anerkennen?

Manches ist auch falsch erklärt. in ausdrücken wie *buten mure, buten sinne* fehlt der artikel nicht, sondern ist mit der präposition verschmolzen. — *gehouden* v. 1755 ist particip von *houden* und heifst '(vom schicksal) bestimmt'. — *iewent* ist 'etwas', wie *ni[e]went* 'nichts'. — für *genade* 2801 passt sehr gut die bedeutung 'ruhe'; vgl. das Mhd. wb. — merkwürdig verfehlt ist die erklärung von *onder dnet brengen. net* bedeutet hier natür-lich einfach 'netz', der ganze ausdruck 'ins unglück bringen', wie ähnlich 1691 *comen int strec.* — in *slaen met groten nide* soll *nijt* ⚊ ahd. *niot* sein. der ausdruck *med nide* ist im mnl. ebenso gewöhnlich, wie im hd., und an beiden stellen, an welchen er hier vorkommt, reimt er richtig mit *t.* wenn te W. trotzdem *niet* ansetzt, so beweist das an ihm selbst den bösen einfluss der hss. und der ausgaben, die *ie* nicht von *i* unterscheiden. — das angesetzte *ondegen* ist mehr als zweifelhaft trotz dem Kilian-schen *ondeghelick*, welches letztere die negation von *deghelick*, nnl. *degelijk* ist und zu *dege* von *dihan* gehört. mit *ondeugend* haben die wörter nicht das geringste zu tun. ich bleibe bei Jonckbloets conjectur *ondadegen.* — in *porren een let* soll *een let* adverbialer accusativ sein! *porren* ist häufig genug transitiv. — *utengelaten* wird nicht 'aufgeblasen', sondern das nhd. 'ausgelassen' dissolutus sein. — einigemal sind die formen falsch angesetzt: *aet* als st. m. es ist als schwaches *ate*, oder allenfalls als st. n. *aet* anzusetzen. — der nom. ist *abijt*, frz. *habit.* — als präterit. von *denken* ist *dacht* aufgeführt statt *dachte* (und *dochte*). — ferner sind anzusetzen *gedane, ongemate.* — ein nomin. *zewe* hat niemals existiert, sondern vor *see* nur *seu* oder *seo.*

Man erkennt an solchen misgriffen dass die einschlägigen studien leider immer noch zu sehr ihre richtung von oben nach unten nehmen, dh. von der sprache neuerer zeiten, etwa von der Vondels ausgehen, statt sich auf das einzig richtige fundament, eine tüchtige grammatische kenntnis der alten dialecte, zu stützen. mit grammatik und etymologie ist es denn auch oft schlecht bestellt. zwei ganz verschiedene verba, *doghen* valere und *dóghen* pati werden ruhig identificiert und beiden das präteritum *docht* zuerteilt, während das erstere *dochte*, das letztere *doghede, doochde* hat; als präter. von *gelden* ist *gold* angesetzt statt *galt; boven* soll von *bi* und *op, bachten* von *bi* und *af* kommen, *erg* von *erren, gehermen* ruben von *harm* leid, *hilte* schwertgriff von *houden! versagen*, allgemein als das hd. *verzagen* anerkannt, soll bedeuten 'fallen machen' und mit alts. *ségian* zusammenhängen! das ganz klare *welna* = beinahe wird umständlich aus *wilen na* hergeleitet. te W. wurde vermutlich irre geleitet durch *welneer*, eine schreibung, die für *wilen eer* vorkommt. ich will die liste schliefsen, welche sich mit schnitzern, sowie auch mit ungenauigkeiten und willkürlichkeiten in den bedeutungsangaben leicht mehren liefse, und nur noch hinzufügen dass te W. wahrscheinlich recht hat *fronseeren* und *frotsieren* zu identificieren. doch geht die gleichheit vermutlich noch weiter, indem für das erstere *froitseeren* zu lesen sein wird. wenigstens wüste ich *fronseeren* nicht zu erklären; lautlich ist es genau frz. *froncer*, bei Kilian *fronssen* 'falten', aber die bedeutung steht zu weit ab, während die von *froisser* gut passt. über die etymologie vgl. Diez Wb. n 313. das dort vermutete nord-ostfrz. *froicher* wird durch die nl. entlehnung *froitseeren, frotsieren* gewährt (vgl. jedoch Förster in der Zs. für rom. phil. III 563).

Wenn te W. beabsichtigt noch andere der in den Lancelot aufgenommenen stücke besonders herauszugeben, so wird er uns hoffentlich durch tüchtige vorstudien in der angedeuteten richtung und durch ausdauernde vorsicht bei der arbeit in den stand setzen, seinen ferneren leistungen in allen stücken unsere anerkennung zu zollen.

Bonn, 9 mai 1880.   JOHANNES FRANCK.

Floris ende Blancefloer met inleiding en aanteekeningen door dr HEMOLTZER. Groningen, Wolters, 1879. [23 lieferung der Bibliotheek van middeln. letterk.] xx und 145 ss. 8°.

In dieser neuausgabe ist der text ganz anders behandelt, wie in der eben besprochenen. nicht nur die verbesserungen des durchaus falschen, vielfach von de Vries herrührend, sind

in den text selbst aufgenommen, sondern der herausgeber hat
sich auch die mühe nicht verdriefsen lassen, andere unberechtigte
eigentümlichkeiten der hs. aufzuspüren und mit den vermutlich
ursprünglicheren formen zu vertauschen. es ist zwar in dieser
hinsicht noch nicht so viel geschehen, wie ich wünschte; aber
man muss jeden schritt mit freuden begrüfsen, welcher von der
alten methode abführt. auch die orthographie hat hier eine
regelung erfahren, insofern als der ganze text gemodelt ist nach
der schreibung einiger fragmente einer zweiten hs. (B¹. nicht
ohne berechtigung, da diese zweite hs. dem ursprünglichen
näher steht und, wie zu betonen war, auch entschieden flämisch
ist. allein von nutzen kann die einführung einer bestimmten
orthographie nur dann sein, wenn sie derart ist, dass sie für
alle fälle ausreicht. das gilt jedoch von der der fragmente gar
nicht. im gegenteil macht sich manches wunderlich, was aus
ihr nun in den text übergegangen ist. so steht überall einfaches
g, auch vor hellen vocalen. ich sehe nicht ab, wodurch die bevorzugung dieser schreibung vor der Grimmschen sich rechtfertigen liefse. das nnl. macht allerdings keinen unterschied in
der aussprache des *g* vor hellen und dunkeln vocalen, aber die
überwiegende praxis der mnl. bss. führt auf einen solchen. die
fragmente haben ferner die eigentümlichkeit, die länge der vocale
häufig unbezeichnet zu lassen, insonderheit vor *r* $+$ consonant.
der herausgeber hat diese weise für den letzteren fall adoptiert, wie
ich vermute deshalb, weil sie sich auch anderwärts öfter widerfindet.
die erklärung dafür liegt auf der hand. wenn wir manche echt flä-
mische hss., zb. die des SAmand einsehen, so bemerken wir dass
die vocale vor jener verbindung ausnahmslos gedehnt waren.
gerade aus dieser regelmäfsigkeit der vocallänge leiteten nun die
schreiber ihr princip ab nur den einfachen vocal zu setzen, nicht
allein in *wort* und *erde* (terra), sondern auch in *hort* (audit) und
kerde. uns aber ist doch nicht gedient mit schreibungen wie
hort (v. 1), *terst* (28) usw., die gegen die hs. eingesetzt sind;
und weniger berechtigt noch ist zb. *gelesten* 2834 nach B für
gheleesten $=$ *gheleisten* in der vollständigen hs. (A). am ärger-
lichsten ist mir die bezeichnung von *ó* mit *oe*. A ist glücklicher
weise eine von denjenigen hss., die es häufig durch *oo* wider-
gehen. warum es nun mit dem verwirrenden *oe* vertauschen,
welches sich neben *oo* in A und einigemal in B findet? sehr
störend, um das hier anzuschliefsen, ist der überflüssige modus,
auf die lesarten mit zahlen und sternchen zu verweisen. wir
finden in folge dessen textzeilen mit 4, textseiten mit 46 ziffern
verunstaltet.

    V. 29 und 634 war *hoegedane* zu schreiben. — das *siere*
der hs. v. 37 usw. darf nicht in *sire* geändert werden. *siere*
ist die häufige und durch reime belegte contraction von *sinere*,
während die berechtigung der anderen, seltneren schreibung

noch festzustellen ist. — 109 *ghestoort* ist nicht zu ändern, auch
dicke 198 usw. nicht. — 161 ist *hadde gheseit* vorzuziehen. —
375 braucht man wol nicht zu ändern, wenn man annimmt dass
der genitiv in *sijs* zur vertretung von *van gestaden moede* stehe. —
464 l. *want.* — dass v. 619 unecht ist, wird auch durch 843 ff
bestätigt. — sehr willkommen ist es dass die hs. 695 *twi scatte*
hat; man muss nur zusammenschreiben *twiscatte*, adverb — um
doppelten preis (vgl. den frz. text *qu'a double i cuident gaaignier*).
das zugehörige substantiv lebt halb verkannt noch heute im fläm.
De Bo s. 1199 führt an *op dobbelen tweeschat werken*, nur mehr
bei einer bestimmten gelegenheit gebraucht im sinne von 'um
einen viel höheren lohn arbeiten'. *twee* tritt für *twi* ein, wie
öfter, vgl. *tweelicht* bei Kilian, und *dobbel* ist zugesetzt, weil das
wort an sich vermutlich nicht mehr verständlich genug war.
eine arge entstellung desselben lehrt uns gleichfalls De Bo,
welcher aus den Coutumen van Aelst in derselben bedeutung
ten dobbelen t' wijtschat citiert. das adv. *twiscatte* auch mnd.
Schiller-Lübben iv 641. — 955 l. *alst waiede.* — 977 ist nach
der hs. und mit Hoffmann *ie* zu setzen. — 979 *ten voeten* beizubehalten, desgleichen *in lanc* 1071. 1075. — 1114 *iemen.* —
1166 im mnl. hat die 2 p. sing. des starken präteritums in der
regel den vocal des plurals; *verwoons* ist also gut. — weshalb
1179 *sede* gelesen werden soll, wie im nachtrag bemerkt wird,
ist mir unerfindlich. — 1219 ff hätte ich die lebendigere directe
rede nicht weggeschafft. *gaefse* steht für *gaeftse*. der übergang
in die indirecte kann nicht sehr auffallen. — warum soll *rouwe*
1291 geändert werden? — die verbesserungen von de Vries
1365 ff scheinen mir zu gewagt (seine Taalzuivering steht mir
nicht zu gebote). — 1364 könnte *sodenen* oder *sodanen* stehen
'oder — dh. wenn man es auch nicht gerade *sot* und *riss*
nennen wollte — überhaupt solcher gesinnung'. — 1655 *allene.* —
1656—88 bestehen im texte aus einer wunderlichen combination
von A und B. der grund, weshalb dieselbe vorgenommen wurde,
ist mir nicht deutlich; sicher geschah es ohne berechtigung.
denn was A hat stimmt zum frz. 1059 ff in gleichem maße, wie
die übersetzung im allgemeinen, während die abweichungen und
zusätze von B in nichts durch das frz. oder hd. gedicht als ursprünglich erwiesen werden. der schreiber von B hat demnach
geändert. warum, das wird schwer zu sagen sein. man lese
die ganze passage nach A. vers 1656 empfiehlt sich *gedachte*:
onsachte; 1661 muss mit comma schliefsen. — 1792 *binnen.* —
1859 ist ein fehler in den text hineincorrigiert. *waer*, welches
doch wol — *ware* sein soll, gienge schon nicht wegen der apocope; selbst wenn B das wort haben sollte — was ich aus den
lesarten nicht deutlich ersehen kann —, wäre es nur verschrieben,
wie aus *zveren* hervorgeht. die notwendige bedeutung von *vaer*,
portorium, die schon Hoffmann in seinem glossar angegeben

hatte, steht bei Kilian. — 2124 l. *dan* du. bei *wat* dar*f di roeken* ist für den sinn *anders* zu ergänzen. — die zu 2167 gegebene erklärung ist unmöglich; denn abgesehen davon dass der *bode* doch gar zu schlecht hier passt, ist eine derartige wortstellung undenkbar. dass Diederic so sinnlos übersetzt haben sollte, wie Jonckbloet zu glauben geneigt ist, nehme ich freilich auch nicht an. so lange mir nichts besseres einfällt, möchte ich lesen *dat hi mi noch tuwen node*. — 2460 die in diesem verse gemachte verbesserung kann mir wider nicht einleuchten. näher läge *gevaen*, wenn überhaupt eine änderung nötig wäre. — seite 70 in dem prosastücke zeile 17 l. *eender*. — 2626 verstehe ich nicht. ich lese nach A *ghine kennet wel / dat* er *also vele jegen staen*, dh. spielt nur, wenn ihr wisst dass auch gleich viel dagegen eingesetzt ist. — was heifst 'sanfte züge' 2740? Hoffmanns erklärung ist ganz willkürlich. wir dürfen das wort ruhig dem schreiber zurückgeben, welcher *ghedochte* für *ghedachte* verschrieb und sich dann, so gut oder so schlecht es gieng, aus der klemme half, ähnlich, wie er es vorher 2734 getan hatte. lies also den ganzen vers *ende maecte nauwe drachte(: ghedachte)*. — 3404 scheint mir doch *dat clare licht* richtig, zugleich 'sonne' und 'sonnenschein'; die *lucht* wird 3411 genannt. 3405 stelle ich vor 3404. glatt ist die stelle dann jedoch noch immer nicht. — warum soll *berne* 3492 nicht gut sein? — die lesart von de Vries 3523 verstehe ich nicht. nach dem frz. kann kaum ein zweifel sein dass ein wort ausgefallen ist, entweder *quaet*, wie Moltzer dachte, oder eher *onrecht*. Flecke sagt 6632 *ez enist niht redelich*. — 3715 ist *hi* beizubehalten. — 3872 wird wol *genoot : brulocht groot* (vgl. 3890) gestanden haben. der plural *genoot* ist gut, ich werde nächstens beispiele bringen. — 3825 das reimwort wird wol *bare* oder *seebare* gewesen sein. der vers würde dann zu lang, das kann aber die schuld der schreiber sein. — mehr vermag ich vorläufig nicht zur kritik dieses textes beizutragen, für den noch manches zu tun bleibt und gowis mehr, als jemals erreicht werden wird. eine sehr grofse anzahl der verse hat eine auffallende ausdehnung. bei zweien konnten gröfsere stücke abgeschieden werden, die den schreibern gehören, und einzelne worte sind vielfach in der vorliegenden ausgabe getilgt worden. vielleicht sind solche schreiberzusätze in gröfserer masse vorhanden.

Die einleitung ist der frage über die quelle gewidmet. M. kommt zu dem resultate dass Diederic van Assenede mehrere französische zur version aristocratique gehörige hss., nämlich A und B, oder deren vorlage, aufserdem die vorlage des hd. gedichtes gekannt und benutzt habe. diese annahme, welche aus einer genauen vergleichung der verschiedenen bekannten hss. und bearbeitungen hervorgegangen ist, beruht auf ganz richtigen voraussetzungen, ist aber trotzdem unwahrscheinlich. die übersetzer werden sich nicht leicht ihre sache so unbequem gemacht haben. ein kleiner schritt weiter hätte zu dem richtigen resultate geführt, dem, welches in der Sundmacherschen dissertation (Die altfr. und mhd. bearbeitung der sage von Flore und Blauscheßur, Göttingen 1872) aufgestellt ist; diese schrift war Moltzer entgangen. auch die existenz des ndrh. gedichtes scheint ihm unbekannt geblieben zu sein, von dem wir durch Steinmeyers entdeckung eine anzahl verse — leider nur so wenige — besitzen. doch hätte sich aus demselben kaum etwas eruieren lassen.

Auf andere litterarhistorische fragen einzugehen hat der herausgeber ausdrücklich verzichtet. es wäre willkommen gewesen, von ihm, der als herausgeber mit dem stoffe und seinen verschiedenen bearbeitungen besonders vertraut geworden sein muss, ein urteil über den wert des nl. gedichtes zu vernehmen, seine stellung genauer kennen zu lernen zwischen dem überschwänglichen lobe Hoffmanns von Fallersleben und der schonungslosen kritik Jonckbloets. ich stehe nicht an, auch hier auf Jonckbloets seite zu treten. Diederic zeigt sich durch auslassung von stücken, die für die composition von wichtigkeit sind, ferner in der ihm gehörigen einleitung, in welcher das verschiedenste unverbunden zusammen geworfen wird, als einen mann von geringem urteil und geschmacke. im allgemeinen schließt er sich wörtlich, so gut es geht, an die quelle an; auslassungen entspringen nur äußeren rücksichten. über den standpunct des ndrh. dichters seiner quelle gegenüber wird sich aus den vorhandenen resten nicht leicht ein sicheres urteil gewinnen lassen. eine der abweichungen von dem frz. gedichte macht allerdings den eindruck einer eben erst vorgenommenen, absichtlichen änderung (Zs. 21, 316). das schachspiel hat seine wichtigkeit verloren, ist aber trotzdem stehen geblieben; zur weiteren entwickelung ist dann ein motiv benutzt, welches fast unmittelbar vorher die dichtong schon einmal verwandt hatte. anderes scheint hingegen doch auf eine teilweise abweichende quelle hinzudeuten. so wol der name Cloris. der zug ferner, dass hier die liebenden nur 2 tage im turme zusammen weilen, macht dem längeren zusammensein in den anderen gedichten gegenüber eher den eindruck der altertümlichkeit, als der vereinfachung. wie Konrad Flecke seine quelle benutzte, darüber sind wir nun genugsam unterrichtet. ich stimme im allgemeinen der rühmenden characteristik bei, welche man von ihm entwirft. die vertiefung in jeder hinsicht ist nicht zu verkennen, und ganz besonders muss man die ansätze zu einer energischen characterzeichnung betonen, die bei Flores vater so deutlich hervortreten, dass über die absicht kein zweifel obwalten kann. und doch meine ich dass eine unbefangene litteraturbetrachtung verlangt dem lobe auch einigen tadel beizumischen. die mängel, welche ich entdecke, kann man

leicht unter éinen gesichtspunct bringen : sie fliefsen hervor aus
einem echt deutschen fehler, aus der einseitigen versenkung in
die idee, über welcher manche rücksicht auf andere erfordernisse
eines kunstwerkes so leicht vergessen wird.

Ist es nicht schon die idee, die sein urteil beeinträchtigt,
wenn Konrad auch an der stelle, wo der racheschnaubende emir
selbst bewegt wird von der treuen und opferbereiten liebe der
beiden kinder, von denen keines ohne das andere leben will,
sein leitmotiv von der siegreichen macht treuer liebe ausdrücklich anbringt, statt die tatsachen allein würken zu lassen? ganz
verfehlt scheint mir die betonung der sittlichkeit bei dem verhältnisse der kinder. sie berührt mich wie ein unzarter griff
in das zarte gewebe der fabel, deren ganze anlage keine reflexion
über jenes verhältnis erträgt. die anderen bearbeiter haben mit
recht es dem leser überlassen, die liebe gerade so naiv aufzufassen, wie sie selbst es taten. poetisch tactlos ist also
Konrads verfahren jedesfalls; ich kann aber auch nicht einmal
züchtigkeit darin entdecken. reiner erscheint die art und weise
der anderen bearbeiter, die über diese dinge anstandslos hinweggehen, wie die seine, wenn er lange reflectierend dabei stillsteht.
das letztere ist dogmatisch gewordene moral, an der würkliche
empfindung wenig anteil mehr hat. wie unnatürlich, wie widerwärtig ideal geradezu wird der dichter in der schmetterlings-
scene! Claris kann in jener situation gar nichts anderes tun, als
schreien. aber dafür hat sie, die königstochter, eine viel zu
gute höfische erziehung genossen, und dann muss ihr auch die
treue freundschaft zu Blanscheflur so gegenwärtig sein, dass sie
sofort auf den richtigen zusammenhang kommt. und auf die umgestaltung tut sich Konrad noch etwas zu gute! mit kaltem herzen,
mit einem argen verstofse gegen die poetische gerechtigkeit wird
am schlusse Claris, das mädchen, welches unsere volle sympathie
besitzt, dem grausamsten geschicke überlassen. warum diese härte
gegen die bessere angabe der quelle? damit durch den gegensatz
der sinnlichen und herzlosen liebe des heiden die reinere liebe
der christen um so mehr glorificiert erscheine.

Doch ich habe den ort vielleicht schon zu sehr misbraucht,
um über dinge zu reden, die mit meiner eigentlichen aufgabe,
der besprechung des Moltzerschen buches wenig zu tun haben.
wir wollen, um zu ihm zurückzukehren, nicht rechten über das,
was dasselbe uns nicht gibt, wir wollen dankbar annehmen, was
es bietet und noch einmal den fortschritt in der methode der
herausgabe begrüfsen: hoffentlich ein endgiltiger absagebrief an
das alte verfahren, ein anfang, der zu weiterem und vollendeterem
führen wird.

Über die ausstattung der hefte brauche ich nichts zu sagen;
die Bibliotheek erscheint schon so lange, dass sie allgemein gekannt sein wird. eins nur — freilich etwas wenig lobenswertes —

möchte ich bemerken. der Moriaen ist auf zweierlei papier gedruckt, und es ist nicht das erste mal dass der verleger diese
sünde gegen das publicum begangen hat.

Bonn, 11 mai 1880.   JOHANNES FRANCK.

Über die zeitfolge in der abfassung von Boners fabeln und über die anord-
    nung derselben. inauguraldissertation von REINOLD GOTTSCHICK.
    Halle a/S. 1879. 32 ss. 8⁰. — 1 m.

Diese sorgfältige arbeit wendet sich fast ausschließlich gegen
meine abhandlung Zur kritik Boners Zs. f. d. ph. VI 251—290.
allerdings nur gegen einzelne kleine teile derselben. nach einigen
kurzen angaben über Boner und die quellen seiner fabeln, mit
denen schon verschiedene untersuchungen Gottschicks sich beschäftigten, handelt er s. 6 — 24 über die reime des Edelsteins
und bemüht sich meine ansicht zu widerlegen, dass die nach
Avian gearbeiteten fabeln mehr ungenauigkeiten aufweisen als
die, deren quelle der Anonymus des Nevelet ist. ich meine dass
ihm diese widerlegung, die nur etwas knapper hätte ausfallen
können, vollständig gelungen ist, und ich gebe die annahme auf.
sie bildete in meiner darstellung den ausgangspunct für eine betrachtung, die zu dem schlusse führte dass die Avianfabeln früher
gedichtet seien, als die nach dem Anonymus. das schien mir
durch eine nähere prüfung der einzelnen fabelgruppen bestätigt.
über diese spricht G. s. 24—31 und teilt nicht meine meinung.
seine erörterungen, die hier naturgemäfs auf viel weniger sicherem
boden sich bewegen, sind mir nicht so überzeugend, dass ich
meine auffassung verlassen müste. — nur einiges in kürze.
Gottschick ist gewis mit mir der ansicht dass Boner nicht alle
seine stoffbücher gleichzeitig vor sich liegen hatte und aus denselben bald da, bald dort ein stück entnahm, sondern dass er
die sammlungen, jede für sich, ausbeutete, wie sie ihm bekannt
wurden oder zur hand kamen. die vermutung etwa, dass er nur
éin fabelbuch gehabt habe, welches alles von ihm benutzte enthielt, wird schwerlich jemand aufstellen. so holte er aus Avian
und dem Anonymus das meiste; als diese beiden quellen erschöpft
waren, griff er nach anderen. nun aber lehrt eine übersicht
von Boners fabeln und ihren quellen (die man sich leicht entwerfen kann, wenn man in die von mir aao. s. 283 gelieferte
tabelle G.s nachweisungen einträgt) dass zwar in zwei haupt-
massen die Avian- und die Anonymusfabeln beisammen stehen,
jedoch nicht ohne unterbrechungen und vermischungen: diese
finden sich an verschiedenen stellen, die letzten 9 (8) stücke gehören keiner der beiden hauptquellen an. unter der angegebenen
voraussetzung führt das, wie ich denke, zu zwei schlüssen: 1. die

fabeln sind nicht alle in der folge gedichtet, wie sie in der
sammlung vorkommen. 2. die umstellungen, wodurch in die
masse der éiner quelle entnommenen stücke andere sich ein-
schieben, sind nicht zufällig geschehen, sondern absichtlich
bewerkstelligt. von vorne herein gibt die anordnung in dem
vollendeten werk gar keine gewähr, ob die Avian- oder die
Anonymusgruppe — diese beiden enthalten zusammen 75 fabeln
und kommen daher zuvörderst in betracht — früher gedichtet
worden sei. — bleiben wir hier einen augenblick stehen und
sehen uns um, ob nicht noch andere zeugnisse vorhanden sind,
dass die in der sammlung vorliegende reihenfolge der stücke
unursprünglich ist.

Da ist folgendes zu erwägen. ich hatte es schon angedeutet
und G. widersetzt sich dem nicht dass die vorrede nach der
1 fabel gedichtet ist. der schluss dieser (vom bahn, der einen
edelstein statt des erwünschten haberkorns findet) nämlich zeigt,
wie sie zuerst als einleitendes gedicht aufgefasst war. man lese:

dis bischaft sì geseit
dem tóren, der sìn kolben treit,
25 der ist im lieber denn ein rìch.
dem tóren sint al die gelich,
die wisheit, kunst, ér unde guot
versmdhent durch ir tumben muot;
die nützet nicht der edel stein.
30 eim hunde lieber ist ein bein
denn ein pfunt, daz gloube mir.
alsó sidt ouch der tóren gir,
ir sitte und ir gebérde
úf üppekeit der erde.

si erkennent nicht des steines kraft, 35
noch minr, waz in der bischaft
verborgen guoter sinnen ist,
dar zuo vil manger höher list:
die den narren vrömde sint.
gesehende sint die narren blint. 40
der tóre der sol vür sich gdn
und sol die bischaft ldzen
stdn:
im mag der vrüchte werden nicht,
recht als dem hanen im beschicht.

mir scheint die stelle nur dann sinn zu haben, wenn damit würklich auf die beispiele, die nun kommen sollen, hingewiesen wird.
die wendung der fabel, die Boner ihr gegeben hat, von den
pulcra dona sophiae des Anonymus auf die bischaft, bezeugt es
doch deutlich. — der schluss der dritten fabel lautet:

Der mit der zungen schaden tuot,
vor dem ist küm ieman behuot;
55 diu valsche zunge stiftet mort.
noch sneller ist des argen wort,
denne von der armbrost sì
der phil. wer mag denn wesen vrì,
daz er müg hin dn rede komen
60 der argen? daz ist nicht vernomen.
mag ich dn red hin komen nicht,
wel wunder, üb mir daz beschicht!
daz vil mangem vromen man
beschicht, dem mag ich nicht engdn.

wem mìn geticht nicht wol 65
gevalt,
ez sì wìp, man, jung oder
alt,
der ldz mit züchten ab sìn
lesen;
wil er, só ldz ouch mich genesen,
und wd diz buoch gebresten
habe
úf keinen sin, den nem er abe: 70
daz ist mìn begirde guot.
er sol wol vinden, der wol tuot.

die stelle 65—72 war mir auch merkwürdig gewesen und ich
hatte allerlei vermutungen darüber aufgestellt. G. sagt s. 26:
'dagegen sind die verse 65 ff in einer der anfangsfabeln völlig
an ihrer stelle. man hätte demnach anzunehmen dass Boner
diese fabel, die er dem Avian entlehnt hat, gleich zu anfang
seines buches gedichtet habe. doch kann ich den zweifel nicht
unterdrücken, ob die verse 65—72 würklich echt sind und zum
vorhergehenden genau passen. der inhalt der verse 53—64 ist:
böse zungen stiften so viel schaden, dass niemand sich vor ihnen
retten kann; es ist daher kein wunder, sagt Boner, wenn auch
ich nicht der verleumdung der bösen, die schon so mancher
fromme mann hat aushalten müssen, entgehe. hiermit hat das
lesen des buches, von dem im folgenden gehandelt wird, streng
genommen nichts zu tun; auch fehlen diese verse (65—72) in
B, der handschrift, die uns manchen echten ungenauen reim bewahrt hatte. so scheint mir die möglichkeit, dass diese verse
unecht seien, nicht ausgeschlossen. in dem falle würde die einschaltung dieser dem Avian entlehnten fabel an dieser stelle wol
nicht von Boner selbst herrühren, sondern erst erfolgt sein,
nachdem jene verse am schluss angefügt worden waren. dies
alles muss jedoch eine vermutung bleiben ohne zwingende beweisführung.' ich möchte sagen: ohne irgend welche beweis-
kraft. denn es gibt meines erachtens keine möglichkeit, diese
verse Boner abzusprechen. ich finde keinen widerspruch, auch
keine lücke. im gegenteil. Boner redet ja von dem tadel, den
er erfahren hat, schon v. 61 ff und verwahrt sich nun in bezug
auf seine begonnene arbeit vor ähnlichem schicksal (vgl. vorrede
v. 54 ff). wenn in B 65—72 fehlen, so scheint mir das schon
in der vorlage von B durch zufall geschehen zu sein, 60—72
fehlen auch C. verse eines anderen, später zugefügt, müsten
irgend etwas störendes enthalten; und vor allem, weshalb sollten
sie hinzugedichtet sein? dafür, dass nach Boner noch jemand
die sammlung umgeordnet habe, gibt es auch nicht den schatten
eines anhalts und G.s ganze weitere erörterungen bauten darauf,
wie sich von selbst versteht, dass die vorliegende ordnung auch
die Boners sei. *diz buoch* v. 69 kann nicht auf das abgeschlossene
werk verweisen, denn 67: *der ldz mit zühten ab sin lesen*
wäre dann sinnlos. am besten schickt es sich, wenn diese verse
den schluss eines anfangsgedichtes ausmachen, das ist auch G.
klar. doch davon später. jetzt mache ich nur nochmals darauf
aufmerksam dass unter den 100 fabeln diese dritte auch die erste
aus Avian entnommene ist. aber während bei der Aviangruppe
in gleichmäfsiger folge aus der quelle nach ihrer ordnung 1—29
ausgewählt sind, ist unsere dritte fabel die 17 des Avian.

Ich halte für sicher dass die vorrede **nach** der ersten
fabel, die ursprünglich einleitete, gedichtet ist. die verse 64 ff
lauten:

Diz büecklin mag der edelstein
wol heizen, wand ez in im treit
bischaft manger kluogkeit,
und gebirt ouch sinne guot,
alsam der dorn die róse tuot.
wer niht erkennet wol den stein
und sine kraft, des nutz ist klein.
wer oben hin die bischaft sicht
und inwendig erkennet nicht,
vil kleinen nutz er dâ von hât,
als wol hie nâch geschriben stât.

sie sind nur dann verständlich, wenn die 1 fabel vorausgesetzt wird. da steht das stück vom edelstein an der spitze. und die moral, womit die vorrede schliefst, ist auch die der 1 fabel. das umgekehrte kann nicht stattfinden, sowol des edelsteins wegen, als weil man dann nicht wüste, weshalb Boner gerade auf diese lehre in seiner vorrede zu sprechen kommt, die anfser in der 1 auch noch in der 2 fabel steckt. — in der vorrede heifst es auch v. 39 ff

Dâ von hab ich, Bonérius,
bekümbert minen sin alsus,
daz ich hab mange bischaft
gemacht, ân gróze meisterschaft,
ze liebe dem erwirdegen man
von Ringgenberg hérn Jóhan,
ze tiutsch mit slechten worten,
einvalt an allen orten,
von latine, als ich ez vant
geschriben.

da ist also gewis nicht das ganze werk fertig gewesen; man sehe nur, wie anders Boner in der nachrede spricht.

Daraus schon ist zu ersehen dass vorwort und schlusswort *von dem ende diss buoches* nicht zu derselben zeit gedichtet wurden. die nachrede heftet sich unmittelbar an die letzten worte der 100 fabel und nimmt sie auf, vgl. 100, 89 ff. sie setzt alle 100 fabeln voraus, denn es steht v. 9 ff

hundert bischaft hab ich geleit
an diz buoch, die nicht bekleit
sint mit kluogen worten.

die nächsten verse nehmen dann die ausdrücke der vorrede abschliefsend wider auf. v. 33 ff lauten:

Wer daz list oder hœret lesen,
der müeze sœlig iemer wesen.
35 *und der dem ez ze liebe si*
geticht, der müeze wesen vri
vor allem unglük iemer mé.
sin sél bevinde niemer wé.

von Ringgenberg ist er genant:
40 *got müeze er iemer sin bekant!*
ich denke dass die verse, welche auf den Ringgenberger sich
beziehen, nur dann richtigen sinn geben, wenn dieser bereits
tot ist. das *unglük* v. 37 fände statt, wenn einträte was
v. 38 abhalten soll. so kann man nur von einem toten sprechen
und auch v. 40 kann nicht über einen lebenden gesagt sein.
damit fällt zugleich die grenze von 1330—1340, welche man für
die abfassung des werkes angesetzt hat, da der von Ringgenberg
1340 zu Bern gestorben ist. für gewis darf nur gelten dass
vor 1340 jener teil des werkes fertig war, dem Boner seine vorrede mitgab.

Es ist erwähnt worden, die besprochene 3 fabel sei auch
die erste, deren stoff dem Avian entnommen wurde. nun aber
steht sie nicht an der spitze von Avianfabeln. es folgt vielmehr
die masse der Anonymusstücke, erst 42 findet sich wider eine
der fabeln aus Avian, erst 63 beginnt die ganze reihe derselben.
weshalb steht diese éine Avianfabel so isoliert? ich hatte aao.
s. 286 darüber gesagt: 'die dritte wurde wol der *rede* wegen
2, 39. 3, 1 ff hereingebracht'. Gottschick verwirft das, indem er
s. 25 f schreibt: 'da jedoch sonst in der nutzanwendung der
2 fabel von *rede* nichts vorkommt, ist es sehr unwahrscheinlich
dass ein einzelnes, vielleicht nur zufällig angewandtes wort die
veranlassung zu der einschaltung gewesen ist.' aber man lese
den schluss der 2, den anfang der 3 fabel:
2, 37 *her an mag gedenken wol*
der mensche, der got dienen sol:
der sol durch kein red abe lân,
er sol an stætem dienst bestân.
3, 1 *Der liute rede ist manigvalt,*
si hindersntdent jung und alt usw.
ich glaube dass die gefahr übler nachrede, auf die am schluss
der 2 fabel hingewiesen wird und womit die Avianfabel beginnt,
veranlassung gab, diese aus ihrer stelle, wo sie die Avianfabeln
einleitete, wegzurücken und als dritte hier einzuordnen. — noch
einmal, nr 42, kommt eine Avianfabel unter die Anonymusstücke.
ich hatte darüber aao. s. 287 behauptet: '41 erzählt die bekannte
fabel von der arbeitenden ameise und der faulen fliege. nun
kommt plötzlich eine fabel aus Avian, die 34. sie ist hereingebracht, weil sie ganz denselben stoff behandelt, wie die vorhergehende, nur wird statt der fliege die heuschrecke genannt.'
Gottschick bemerkt dazu s. 29: 'der zusammenhang zwischen
Bon. 41 und 42 ist zwar keineswegs so unzweifelhaft(!), wie
Schönbach annimmt, indessen wäre es denkbar dass Bon. 42 aus
Avian hier deswegen eingeschaltet ist, weil der stoff der erzählung
ähnlichkeit mit dem von Bon. 41 hat.' aber es ist nicht blofse
ähnlichkeit, die stoffe sind identisch, nur sind sie zu verschie-

denen lehrzwecken ausgenutzt. auch beim Anonymus schliefst
die ameise:

Si potes aestivi dono durare favoris,
cetera quum parcant, non tibi parcit hiems

und bezeichnet damit die ältere stammfabel, die in einen rede-
wechsel umgeformt worden ist mit der lahmen moral:

Dulcia pro dulci, pro turpi turpia reddi
verba solent; odium lingua fidemque parit.

ich meine, in der stellung der beiden Avianfabeln liegt ein bestimmtes indirectes zeugnis dafür, dass die Anonymusfabeln im
ganzen zu éiner zeit, die Avianfabeln im ganzen zu einer andern
abgefasst wurden.

Welche die früheren sind, dafür brachte ich aao. s. 284 f
folgendes argument vor: 'die moralisationen, welche an die Avianfabeln geknüpft sind, haben einen anderen character als die
mit den Anonymusfabeln verbundenen. sie schliefsen sich enge
an die erzählung an und leiten aus derselben einen allgemeinen
moralischen satz ab. die belehrungen aber in der zweiten partie
entfernen sich von der fabel und erörtern am weltleben die
probehaltigkeit des deducierten satzes. es scheint mir dies ein
zeichen gröfserer reife und erfahrung.' dagegen sagt Gottschick
s. 27: 'daher ist denn auch die beobachtung Schönbachs gerade
in der entgegengesetzten weise zu erklären, als wie er es tut.
Boner hatte bereits in den früheren fabeln den grösten teil seiner
allgemeinen lebensregeln vorgeführt, als er zur 63 fabel kam, so
dass ihm für die späteren fabeln nicht mehr so viel allgemeines
zu gebote stand. übrigens hat schon Goedeke aao. nachzuweisen
gesucht dass eine art von natürlichem zusammen-
hängendem fortschreiten der moral von den ersten bis
zu den letzten stücken Boners vorhanden sei.' das steht nicht
bei Goedeke Deutsche dichtung im mittelalter s. 652. dort steht
nur, was hier gesperrt zu lesen ist, mit der einschaltung: '— wie
schon aus den ersten und letzten stücken sich aufdringt —'.
das ist aber etwas allgemein bekanntes. und von einem nachweise für die ganze folge der fabeln ist nirgends die rede. ein
solcher wäre auch nicht wol möglich, wenn meine beobachtung
richtig ist: diese widerspräche. G. bestreitet sie nicht, er zieht
nur andere consequenzen daraus. ich glaube jedoch dass ich in
der beschaffenheit der letzten fabeln einen gewichtigen zeugen
habe. nach G.s annahme müste Boner hier am wenigsten allgemeines zu sagen gehabt haben; aber das ist nicht der fall:
die moralisationen sind da ganz reichlich und in 94 ist Boner
gewis nur deshalb nicht zu worte gekommen, weil er dem meister
die ganze lehre in den mund gelegt hat. damit stimmt, was ich
aao. s. 286 schrieb: 'schon die angeführten stoffe (der fabeln
92—100) sind von der art, dass sie kaum zu anderer zeit, als
im höheren alter können bearbeitet worden sein. noch mehr

aber zeigen die moralisationen die grämliche unzufriedenheit, welche aus traurigen lebenserfahrungen hervorgeht. während die früheren fabeln sätze — ich möchte sagen — activer moral vortragen, lehrt Bonerius hier die weisheit der resignation.' auch mit dem allgemeinen lauf menschlicher dinge stimmt der von mir angenommene gang besser überein: weisheit kommt und wächst mit den jahren. — so denke ich dass mein argument zu recht bestehen bleibt.

Und auch nur dann, wenn man die masse der Avianfabeln für früher verfasst hält als die der Anonymusfabeln, wird die anordnung des ganzen begreiflich. ich nehme an: Boner schrieb zuerst die fabeln, bei denen er Avian benutzte; die jetzt die dritte ist, war damals zur eingangsfabel gemacht. dann — vielleicht nach etlicher zeit erst — wurde die masse der stücke nach dem Anonymus gedichtet. auch sie hatte in der jetzigen 1 ihre einleitungsfabel. beide gruppen wurden nun vereinigt; ob schon mit 43. 48. 49. 52. 53. 58. 70 — 72. 74. 76. 82. 85. 87. 89 ist nicht zu sagen. das entstandene buch wurde von dem autor als ein ganzes betrachtet und mit der vorrede dem herrn von Ringgenberg dediciert. dass das werk ohne die letzten fabeln längere zeit existierte, beweisen, wie mir scheint, unwiderleglich die hss.; denn in bezug auf die letzten nummern herseht da nicht blofs confusion an und für sich, sondern die hss. differieren hier auch im text viel, viel stärker als sonst, wie ich bereits aao. s. 266 notiert habe. — im hohen alter und nach dem tode des gönners wurden die letzten stücke abgefasst und die schlussrede, welche nun die zahl 100 schon berücksichtigen durfte. —

Ich widerhole dass es mir durchaus richtig scheint, was in der vorliegenden schrift Gottschick gegen meinen aus der beschaffenheit der reime entnommenen grund äufsert. aber dieser war gar nicht die stütze meiner ansicht, er war nur mein ausgangspunct für die darstellung, nicht einmal für die untersuchung; denn in wahrheit brachte mich meine quellentabelle auf den gedanken, nachzusehen, ob ein verhältnis der abfassungszeiten zwischen den beiden gruppen festgestellt werden könnte. bei dem damals gewonnenen resultat muss ich auch nach Gottschicks schrift bleiben, ja ich glaube, da ich neuerdings geprüft habe, noch fester daran.

Die sorgfalt, welche Gottschick in dieser abhandlung gezeigt hat, seine vorarbeiten (von denen die in der Zs. f. d. ph. vn 237 indessen mich nicht überzeugt hat) lassen es wünschenswert erscheinen dass er noch weiter mit der fabeldichtung sich befasse, vielleicht mit einer neuen ausgabe Boners, für welche nach Pfeiffer noch vieles zu tun erübrigt.

Graz 20. 5. 80. ———————— Anton Schönbach.

Hadamars von Laber Jagd. mit einleitung und erklärendem commentar herausgegeben von dr KARL STEJSKAL. Wien, Hölder, 1880. XLIV und 219 ss. 8°. — 6 m.

Einem herausgeber der Jagd treten grofse schwierigkeiten in den weg. das gedicht hat sich freilich in zahlreichen hss. erhalten, doch ist es kaum möglich, mit voller sicherheit die geschichte der überlieferung aus ihnen zu erkennen. die vergleichung der hss. lenkt die aufmerksamkeit zu allererst auf die abfolge der strophen: diese ist eine sehr verwirrte, in allen hss. vom ursprünglichen entfernte. den haupterklärungsgrund hiefür bietet ohne zweifel die natur des werkes selbst, die dem auge eines gewöhnlichen schreibers sicher keine vorstellung eines bestimmten gedankenganges, eines zusammenhanges, der sich von selbst aufdrängte, gewährt haben mag. dennoch versuchte der herausgeber hauptsächlich auf grund der strophenfolge die geschichte der überlieferung und damit die grundsätze der kritik zu gewinnen. da aber die einleitung der ausgabe selbst nicht die ausführliche begründung enthält, sondern auf den vorbereitenden artikel Stejskals Zs. 22, 263 ff verweist, so sei mir gestattet, im folgenden auf die dortige darstellung mich zu beziehen.

St. unterscheidet aao. s. 289 zwei hauptgruppen der hss., die er aus zwei typen x und y ableitet: aus x stammen E a e h, aus y A B C F b c d f g. als classenmerkmale sieht er drei durchgängige unterschiede an: 1) y lasse auf str. 241 sogleich 271 folgen und setze 242 erst nach 277, x aber halte die gehörige ordnung ein; 2) y schiebe 285 und 284 zwischen str. 291 und 292, nicht aber x; 3) y allein widerhole 213 zwischen 426 und 427.[1] in allen diesen fällen enthalte y den fehler.

Ohne zweifel werden dadurch die hss. A....g in eine gruppe zusammengeschlossen und setzen eine gemeinsame vorlage voraus. St. hätte aber sogleich bemerken sollen dass nur merkmal 1) tatsächlich alle in y vereinigten hss. von den gegenüberstehenden trenne, dass jedoch schon bei 2) und 3) die nur zu zahlreichen kreuzungen in der Hadamar-überlieferung eintreten: E aus der classe x teilt nämlich 2), h aus derselben gruppe aber merkmal 3) mit der classe y. strenge, in allen 3 puncten, sondern sich nur a e von y. immerhin aber ist zuzugeben dass 1) für sich allein gewicht genug hat, um trotz den kreuzungen die trennung des y von x aufrecht zu erhalten. diese berührungen gesonderter gruppen, die sich schon bei jenen, im allgemeinen durchgängigen classenmerkmalen zeigen, erstrecken sich nun noch auf andere, gewissen unterabteilungen in y gemeinsame kennzeichen. so widerholen B c f die str. 13 * zwischen

---

[1] mit St. bezeichne ich im folgenden die widerholungsstrophen durch *.

501 und 502; dasselbe tun E a [1] von der anderen classe; h, das
nach merkmal 1) 2) zu x zu zählen ist, zeigt eine auffällige verwandtschaft mit A: dieses schiebt nämlich allein unter allen hss.
seiner classe nach 179 eine längere reihe von str. ein, die hier
keinesfalls an ihrem platze sind; denselben einschub enthält auch
h — zwar nicht in völlig gleicher weise (vgl. später s. 44 f), doch
so, dass man ohne widerrede hierin die einwirkung desselben
einflusses auf A und h erkennen muss. neben dieser sehr auffallenden verwandtschaft wider sehr bedeutende abweichungen,
die h auf die seite x hinüberziehen. ähnlich zeigt f, das sonst
ganz zu B gehört, am schlusse starke berührungen mit e (vgl.
Zs. 22, 291).

Lassen wir vorläufig x und die berechtigung, die unter
diesem typus vereinigten hss. in der tat auf eine gemeinsame
quelle zurückzuführen, aufser acht und versuchen wir die classe
y zu gliedern. die vergleichung ergibt 5 momente: 1) str. 276
fehlt in A B C b c f (d ist an der betreffenden stelle lückenhaft),
gegenüber F g. 2) str. 172—177 fehlt in B C b c f gegenüber
A F g (auch hier ist d lückenhaft). 3) A B b d f einer- und F c g
andererseits stimmen in der anordnung der str. 1—20 überein
(hier ist C lückenhaft). 4) schieben F c g zwischen 464 und 465
die str. 606 ein, gegenüber A B b d f (auch hier ist C lückenhaft);
ebenso schieben F c g 5) die str. 610. 529 zwischen 478 und
479 ein, gegenüber A B C b d f. in den puncten 1) 2) 4) 5) ist
der fehler auf seite der jedesmal zuerst genannten gruppe, in
punct 3) auf beiden seiten. behalten wir zuerst 1) 2) 4) 5) im
auge. daraus ergeben sich als völlig sicher zusammengehörig
die hss. A B C b f einer- und F g andererseits: es handelt sich
nur um die stellung der hss. c und d. wir stehen bei c wider
kreuzungserscheinungen gegenüber: die fehler 1) und 2) teilt es
mit der einen, 4) 5) mit der anderen gruppe. die kreuzungen
halten sich also die wage. bei dem versuche kreuzungserscheinungen zu erklären begeben sich die herausgeber zumeist auf
das gebiet gewagtester hypothesen: benutzung mehrerer hss., einfügung fremder strophen und lesarten aus dem gedächtnisse,
einschaltung an den rand der vorlage geschriebener, anderen hss.
entnommener strophen usw. wird vermutet — das eine meistens
ebenso wenig beweisbar als das andere. wo nicht ganz bestimmte
historische, oder in äufseren indicien der hs. selbst liegende
anhaltspuncte vorhanden sind, ziehe ich es vor mit Heinzel
(Zs. 21, 155) einzig die quantitätsverhältnisse sonst gleichwertiger
kreuzungen mafsgebend sein zu lassen. bezüglich der hs. c
ziehe ich daher als entscheidend das merkmal 3) herbei und stelle
sie zu F g. [2] dieses resultat wird auch nicht dadurch entkräftet

---

[1] in E steht str. 13 nicht als widerholungsstrophe, weil die hs. am
orte, wo 13 zum ersten male stehen sollte, lückenhaft ist.

[2] vgl. auch später s. 41.

dass c mit B f die einschiebung von 13 * zwischen 501 und 502
teilt, die in F g nicht eingedrungen ist; denn darin kreuzen sich
nicht die beiden unterabteilungen der classe y, sondern die
ganze classe y mit x; eine bestätigung dessen, dass c diese widerholungsstrophe nicht den hss. B f (oder deren vorlage) entnimmt,
finde ich darin dass c nicht mit B f 13 * und 14 *, sondern mit
E a blofs 13 * aao. einschiebt. — was d betrifft, so ist es gerade
in den puncten 1) 2), welche gemeinsame fehler der unterabteilung A . . . f nachweisen, lückenhaft. demnach tritt das
merkmal 3) methodisch in volle würksamkeit und muss auf grund
dessen angenommen werden dass d auch in 1) 2) mit A . . . f
übereingestimmt hätte. — die stellung der hs. A kann nicht
zweifelhaft sein: durch 1) wird sie mit B . . . f vereinigt, 2) aber
lehrt dass sie selbständig aus der vorlage stammt, aus welcher
die (dem A parallele) gemeinsame quelle von B . . . f abgeleitet
werden muss. — in 1) 2) 4) 5) fanden wir den fehler jedesmal
blofs auf der einen seite, in 3) sind beide gruppen in characteristischer weise fehlerhaft: und die gliederung, die aus 3) sich
ergibt, bestätigt glänzend die für die meisten hss. aus jenen
anderen merkmalen abstrahierte. also:

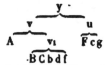

Stejskals resultat stimmt mit dem hier gewonnenen bis auf
die einordnung des A überein. er leitet nämlich A ohne ein
mit B C b d f gemeinsames mittelglied aus y ab; v_1 fehlt daher
bei ihm. sein schema ist

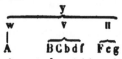

er hat dabei übersehen dass A den fehler 1) mit B . . . f gemeinsam
hat. es sei mir gleich hier gestattet ein wort darüber zu sagen,
warum ich eigentlich die untersuchung des hssverhältnisses aus
der strophenfolge widerhole: ich möchte nämlich den unterschied
zwischen der analytischen methode der kritik, welche ich hier
übe, und der synthetischen Stéjskals hervortreten lassen. St.
untersucht jede hs. zuerst einzeln, stellt dann diejenigen zusammen, die am meisten mit einander übereinstimmen und vereinigt diese kleineren gruppen zu gröfseren. der andere weg
ist der, zunächst die hauptgruppen zu suchen, dann diese bis
auf die einzelnen glieder zu sondern; St. ist ihm nur so weit
gefolgt, als die unterscheidung der zwei hauptabteilungen x und
y es verlangte. er hätte aber auch ferner auf ihm bleiben sollen,
statt die methode zu verändern. denn zuerst ist offenbar dass
beim herabsteigen von den allgemeineren typen zu den einzelnen

heute uns vorliegenden hss. eines der verlorenen mittelglieder, über welches hin wir allein zur jüngeren gruppe und endlich zu den ausläufern gelangen können, nicht so leicht übersehen werden kann, als bei der synthetischen methode, welche wol nach allgemeiner übereinstimmung verwandtes zu constatieren, aber die art, wie ein einzelner fehler doch in jedes der verwandten glieder eindrang, erst auf rückläufigem wege (der zur analyse führt) ersichtlich zu machen vermag, dabei aber leicht eines der überleitenden glieder aufser acht lässt. so ist es hier Stejskal bezüglich des A ergangen. die analyse hat demnach den vorteil dass ihre entwickelung genau dem gange entspricht, auf welchem die ursprüngliche überlieferung vervielfältigt wurde; nur durch sie treten die tatsächlichen verhältnisse innerhalb einer tradition und die schwierigkeiten, welche ihrer systemisierung sich entgegenstellen, in vollem umfange hervor. offenbar um dieser schwierigkeiten willen glaubte St. die überlieferung des Hadamar synthetisch construieren zu müssen. aber das resultat verliert dabei an sicherheit sowol als an überzeugungskraft.

Für die gliederung der gruppe BCbdf ergeben sich folgende anhaltspuncte: 1) B teilt allein mit f den einschub 13*. 14* zwischen 501 und 502. ich wies oben den gedanken, die gleiche einfügung der str. 13 für die classificierung der hs. c zu verwenden, ab, weil hierin die ganze classe y mit x sich kreuze. doch ist in unserem falle der zusatz der widerholungsstrophe 14* zu 13* zu singulär, um hierin nicht ein moment enger verwandtschaft zwischen B und f zu sehen. 2) blofs in d und f fehlen str. 1 und 2. 3) blofs in C und b str. 91 und 339. 4) B und b sind die einzigen hss., welche aufser Hadamars Jagd, in unmittelbarer äufserer verbindung damit, die zwei gedichte Des minners klage und Der minuenden zwist und versöhnung enthalten. eine methodisch sichere gliederung nach diesen indicien vorzunehmen, sehe ich mich aufser stande. nehmen wir an, 4) sei gewichtig genug, um auf jeden fall beide hss. auf eine ihnen allein gemeinsame quelle zurückzuführen — wie erklären wir dann den gemeinsamen fehler 1) in B und f? auch wenn wir, aufser einer supponierten gemeinsamen vorlage r für Bbf, noch ein mittelglied r, für Bb oder für Bf annehmen, verstehen wir im ersten falle nicht das fehlen von 13*. 14* in b, im zweiten nicht die weglassung der in der vorlage in einem zuge mit dem hauptgedichte geschriebenen nebengedichte. wie wollen wir ferner mit einem eng mit B verwandten f das nach 2) ihm sehr nahestehende d vereinigen? ebenso mit jenem b nach 3) die hs. C? kurz: die analytische methode führt hier durchaus auf kreuzungen, die sich gegenseitig ohne ein übergewicht, das die texte unter einander vereinigte, aufheben.

Das resultat der analyse scheint hier ein sehr geringfügiges zu sein und mancher hätte wol lieber die synthese

verwendet gesehen, mittels welcher St. folgenden stammbaum erreicht hat:

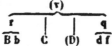

er argumentiert so (s. 291): 'bei d und f zeigt schon eine flüchtige betrachtung dass für beide dieselbe vorlage — q — vorauszusetzen ist'. er kann damit nur die im ganzen allerdings grofse
übereinstimmung der beiden hss. im auge gehabt haben, hat
dabei aber vergessen dass diese grofse 'übereinstimmung' bereits
nach v (v₁) zu versetzen, also gleichbedeutend mit 'erhaltung des
textes der vorlage' ist. d und f stimmen also im 'richtigen' (mit
bezug auf den text v [v₁] gesagt) überein: daher kann demnach
ein kriterium für ihre zusammengehörigkeit nicht entlehnt werden,
gemeinsame fehler könnten allein entscheiden. als ein solcher
darf einzig der oben unter 2) genannte bezeichnet werden. ur-
teilte St. nach diesem, so liefs er merkmal 1) aufser acht, durch
welches nicht nur d von f getrennt, sondern dieses geradezu
an B angeschlossen wird. — b wird um jener zwei unechten gedichte willen von ihm mit B vereinigt: vielleicht mit recht —
doch hat St. keinen versuch gemacht, trotzdem f nach 1) mit B
zu verbinden. der versuch wäre freilich wol aussichtlos. die
sonderstellung der hs. C begründet er damit, dass '. . . ihre
strophenordnung bunt durch einander gewürfelt sei' — wie ein
blick auf die reihenfolge der strophen zeige. diese verwirrung
sei wahrscheinlich vom ursprünglichen besitzer (und wol auch
schreiber) der hs., dem pfarrer Chunrat Stürk, in den text gebracht worden. dieses argument nun ist gänzlich unhaltbar: ·
kann denn die vorlage der hs. C nicht sehr wol geordnet gewesen sein, ehe der schreiber C sie stark verwirrte? der erste
blick auf die hs. lehrt freilich dass die strophenfolge arg zer-
rüttet sei, der zweite aber wird den beobachter bereits auf die
vermutung bringen dass die strophenfolge der vorlage im allgemeinen keine andere war, als wir sie in den übrigen repräsentanten der gruppe v (v₁) finden. abgesehen davon dass St. jene
schwierigkeiten, die sich der einordnung auch des C entgegenstellen, kaum in betrachtung zieht, so werden sie durch jene
argumentation keineswegs behoben. — nachdem St. aus den
angeführten gründen die hss. B..f in der oben reproducierten
weise angeordnet hat, fährt er fort: 'bei näherer betrachtung
nun zeigen B b, C, d f neben ihren verschiedenheiten so deutliche spuren einer gemeinsamen abstammung, dass wir für sie
die gleiche vorlage v ansetzen . . . können.' ohne zweifel
richtig, doch wünschte ich jene spuren ausdrücklich specificiert
zu sehen, denn die bisher von St. geübte diakrise lässt fast vermuten dass er die in den fünf hss. trotz allen verschiedenheiten
im wesentlichen gleiche strophenfolge zum kriterium der gemein-

samen abstammung machte, da sie doch zum gröfseren teile in die
vorlage und zwar nicht blofs in die unmittelbare (v_1) sondern sogar schon in die mittelbare (v) versetzt werden muss, und nur
der gemeinsame fehler, die auslassung der str. 172—177, das um-
schliefsende band ist. — St. versucht nun die reconstruction der
vorlage und statuiert für sie eine strophenfolge, die im wesentlichen die uns in B b d f vorliegende ist; sie ist im ganzen jedenfalls richtig. nur zwei annahmen muss ich bestreiten: 1) dass
str. 13*. 14* schon in v_1 standen; denn sie müsten dann auch
in q und r gestanden haben: wie erklärt dann aber Stejskal ihre
gleichzeitige auslassung in den drei von einander unabhängigen
hss. C d f? 2) dass v_1 mit str. 519 schloss. damit endigten C
und d, nicht aber B b f. St. muss daher das in B b f noch folgende als aus hss. der classe x entlehnt, demnach als kreuzung
darstellen. vielleicht trifft dies bei f zu, das auch sonst spuren
der benutzung fremder hss. enthält.[1] dass jene hypothese aber
für B b methodisch unstatthaft und vor allem unnötig ist, werde
ich später zeigen.[2] —

Dafür dass in der unterabteilung F c g die hss. F c gegenüber g auf eine gemeinsame quelle zurückgehen, tritt das fehlen
des schlusses von str. 604 an in F c beweisend ein. die strophen 602—604 erscheinen nur in F c g und f; fehlten sie in f,
so hätten sie oben (s. 37) wol unter den unterscheidungsmerk-
malen zwischen v und u einen platz finden dürfen. in F fehlt
zwar 604; doch muss man hierin, um der übereinstimmung des
g mit c willen, einen speciellen fehler des F erkennen. g lässt
nun auf 604 noch eine reihe von strophen folgen (520—568),
deren ordnung fast ganz genau mit jener in Ea stimmt. d i e s e r
s c h l u s s   i s t   e c h t, und g hat hier das ursprüngliche erhalten. methodisch ist nämlich bei dem mangel aller indicien
einer entlehnung einzig die folgerung erlaubt, dass bereits u, die
vorlage der F c g, diesen schluss und zwar in dieser form hatte,
dass aber nur g ihn erhielt, F c dh. ihre gemeinsame quelle u_1
ihn wegliefs. stand er aber in u, so muste er auch in y stehen.
hat sich nun etwa blofs in u, nicht in v eine spur dieses schlusses
erhalten? es hat ihn aber sowol A (mit einigen veränderungen)
bis 568, als auch B b bis 536. aus der übereinstimmung selbständiger ausläufer der classe y (A B b g) und der classe x (E a)
kann nichts anderes geschlossen werden, als dass bereits die
quelle von xy = z den schluss in der von g und E a belegten
form bot. es ergibt sich ferner dass auch v ihn enthielt, und
zwar getreu von 520—536 (wie die vergleichung von A B b
mit E a g lehrt), von da an vielleicht in der form A, dass ferner

---

[1] mit e teilt es fehler am schlusse, mit h setzt es zwischen 232 und
233 die str. 161 ein, mit u verwendet es die str. 602—604.

[2] über D habe ich seines geringen umfanges wegen (17 str.) hier nicht
gesprochen. St. reiht es nach lesarten des textes zu B C b d f.

die str. 520—536 auch in die vorlage v, der hss. B b C d f eingesetzt werden müssen. damit erledigt sich die oben bezüglich der reconstruction des v, offen gelassene frage. von hier aus erst dürfen wir den früher (s. 39) aufgezählten 4 puncten, die für die gliederung der gruppe v, in betrachtung kommen, den fünften hinzufügen, dass nämlich C d (f??) die weglassung des schlusses 520—536 gemeinsam haben (ohne dass aber dadurch die übrigen widersprüche behoben würden, die eine streng methodische einteilung der gruppe v, verhindern).

St. sieht in dem schlusse der hs. g directe kreuzung mit x, sowie er, allerdings aus besseren gründen, sie in dem schlusse des f sah. aber die sachlage ist hier eine andere: der schluss in f war aus der vorlage nicht erklärbar, hier bei g aber ist er es, und es wäre ein fehler in der methode, wollte man dort, wo die form eines textes völlig ungezwungen aus der vorlage erklärt werden kann, zur annahme von kreuzungen darum zuflucht nehmen, weil andere hss. derselben gruppe (F c) am selben orte fehlerhaft sind: das letztere moment kann nur die abtrennung der fehlerhaften hss. und ihre vereinigung unter einander bewürken. hätte St. analytisch untersucht, so wäre er kaum in jenen irrtum verfallen: so muss er in gleicher weise die strophen 520—536 in B b als fremden hss. entlehnt erklären, und müste es folgerichtig auch bei A tun. so kommt es auch dass er F und c direct aus u ableitet statt über eine gemeinsame mittelvorlage u,, dass er ferner bei der constituierung der ursprünglichen reihenfolge in u, und daher auch in y, die schlussstrophen 520—568 verwirft. so irrtümlich als er v, mit 519 schliefsen liefs, ebenso irrtümlich endigt bei ihm u mit 604: der schluss des u entsprach vielmehr von 519 an ganz der hs. g; und es muste auch (mit ausnahme der den hss. F c g eigentümlichen str. 602—604) der schluss in y wegen des parallelismus zwischen g und x so gelautet haben, wie in g (über seine aus A B b mit heranziehung von E a g zu erschliefsende gestalt in v babe ich schon gesprochen). — in dem gebiete der str. 21—519 ist gegen Stejskals reconstruction des y durchaus nichts einzuwenden. den anfang 1—20 gestaltete er nach A v — von seinem standpuncte aus mit recht, da er A als gleichwertig mit v und u ansah und so das zeugnis zweier selbständiger repräsentanten gegen den dritten für sich zu haben glaubte. in wahrheit ist aber A nicht dem u sondern dem v, gleichwertig, und A und v, zusammen bilden erst v (vgl. den oben von mir aufgestellten stammbaum) wir haben also blofs zwei, in gegensatz stehende zeugen v u, beide bieten uns am anfange nicht das richtige (vgl. unten s. 47 ff); ein völlig sicherer schluss auf die gestalt der vorlage am betreffenden orte ist daher nicht möglich. für das wahrscheinlichste halte ich dass y in str. 1—20 ganz mit x übereinstimmte. — die in y vorauszusetzende strophenfolge hat sich also folgender-

mafsen herausgestellt: 1—20. (21 ... 519 ganz wie bei Stejskal
aao. 292.) 520—528. 569. 529.[1] 530. 570. 532—534. 571.
535—537. 539. 538. 572. 542—564. 566—568.

Ich gehe zur classe x über. wir haben bisher immer, Stejskal
folgend, von einer 'classe x' gesprochen: was berechtigt uns für
die hss. E a c h eine gemeinsame quelle x anzunehmen? doch
nicht der umstand dass die hss. der gruppe y durch ihnen gemeinsame fehler abgetrennt und unter einem typus vereinigt
wurden, so dass E a c h übrig blieben? wo ist der gemeinsame
fehler der vier hss.? St. hat sich diese frage nicht gestellt, er
hat unmittelbar darauf hin, dass A ... g sich durch gewisse eigentümlichkeiten als eine gruppe characterisierten, die verbindung
der 4 übrigen vorgenommen. er mochte auch sie dann verglichen, grofse 'übereinstimmung' unter ihnen gefunden haben,
und so in der aufstellung eines mittelgliedes x für E a e h bestärkt worden sein. er leitet demnach ab

er nenne aber nur e i n merkmal, durch welches x von z sich
unterscheidet, einen den vier hss. a l l e i n eigentümlichen fehler.
ich kann als einen gemeinsamen fehler überhaupt nur die verwirrung der strophenordnung des anfanges bezeichnen, die auf-
einanderfolge der str. 1—10. aber genau denselben (in der stellung der str. 1 hauptsächlich beruhenden) fehler hat auch y:
er stand demnach schon in z;[2] sein vorkommen in E a c h erklärt sich vollkommen, auch wenn jede dieser hss. selbständig
aus z stammte. jedesfalls haben wir k e i n e n anhaltspunct dafür, dass zwischen z und den ausläufern E a c h ein a l l e n
v i e r e n gemeinsames mittelglied x angesetzt werden müsse, weil
ein dieses x characterisierender, den 4 hss. gemeinsamer und
dabei eigentümlicher fehler nicht erfindlich ist. — auch den hier
nachgewiesenen irrtum hätte St. bei analytischer untersuchungsmethode wol vermieden.

Wenn aber auch nicht alle 4 hss. in einer gruppe vereinigt
werden können, so doch zunächst E und a: die beiden setzen
für sich allein ein mittelglied voraus, das ich, um verwechselung
zu verhüten, x_1 nennen will. die gemeinsamen fehler sind zahlreich genug: E und a schieben zwischen 286 und 287 die str. 87
ein, beiden mangeln die str. 189. 221. 228. 344. 424—26, vor
allem aber: beide ziehen in gleicher weise die str. 171 und 172
in eine einzige zusammen. ich füge noch hinzu dass beide die
einschiebung der str. 13* zwischen 501 und 502 — die bekannte
kreuzungserscheinung — teilen.

---

[1] str. 529 setze ich hier, abweichend von g, mit rücksicht auf A B b ein.
[2] der hier bereits für den erreichbaren archetyp constatierte fehler
erhält einen genossen an der lesart *frucht* für *fruot* 24, 5. vgl. Stejskal
ausg. s. 179.

Die einordnung der hs. b wird wider durch kreuzungen erschwert. 1) E a und b haben einen gemeinsamen fehler in der
auslassung der str. 159. aber es kann diesem merkmale nicht
die gewohnte schätzung zu teil werden, einerseits weil b sehr
willkürlich mit dem texte schaltet (aufser 159 noch die strophe 512, die strophengruppen 501 f. 569—572 weglasst, die
neue strophe 607 hinzufügt), andererseits weil die unsicherheit,
die jenem merkmal von vorne herein anhaftet, nicht durch
eine andere unterstützende erscheinung behoben wird.   2) h
schiebt mit e zwischen 539 und 542 die widerholungsstrophen
136*. 135* ein. dieses moment wird wol den vorrang vor
1) erhalten und die voraussetzung einer gemeinsamen vorlage x_2
für e h zur folge haben müssen. ich gestehe dass ich nur not-
gedrungen und in ermangelung jedes anderen stützpunctes die
einordnung des h auf argum. 2) basieren lasse. denn das merkmal
gewährt keineswegs unbedingte sicherheit: das zusammentreffen
der hs. b mit e in diesem puncte könnte nämlich vielleicht durch
einen von der classe y aus auf b ausgeübten einfluss herrühren.
es müssen hier noch einmal die kreuzungserscheinungen der
hs. f zur sprache kommen. im früheren deutete ich (in übereinstimmung mit St.) an dass f in der einfügung der str. 153*
zwischen 530 und 532 und der str. 136*. 135* zwischen 539
und 542 von der hs. e, in der einschiebung von 161*. 162*
zwischen 232 und 233 hingegen vielleicht von h beeinflusst worden sei. diese ansicht nimmt eben den grad von sicherheit in
anspruch, den ich der verwandtschaft zwischen e und h beilege,
und es soll die möglichkeit einer anderen auffassung nicht verschwiegen werden. h nämlich schiebt nicht blofs 136*. 135* am
selben orte wie f, sondern auch 161 zwischen 232 und 233 (wie f)
ein: man könnte daher beide erscheinungen in f nicht als das
resultat zweier einwürkungen, sondern als das einer einzigen ansehen. dieser einfluss könnte nicht von h auf f geübt worden
sein, da h nicht 153* zwischen 530 und 532 einfügt, wie f
tut, und diese einfügung aufs engste mit jener der str. 136*.
135* (wie die abfolge in e lehrt) zusammenhängt; umgekehrt
wird h kaum von f beeinflusst worden sein: denn f schiebt 161
als widerholungsstrophe ein, h aber hat die strophe von ihrem
anfänglichen platze augenscheinlich entfernt, um sie nach 232
zu setzen, es scheint daher jenem ursprünglichen einflusse näher
gestanden zu haben als f, das ihm in oberflächlicherer weise
folge gegeben hat. man mag nun geneigt sein, den ausgangspunct der einwürkung in irgend einer verlorenen hs. der classe y
zu suchen, von der sie auf h und f sich erstreckt hätte, weil
h noch andere wichtige berührungen mit y aufweist: es fügt mit
y str. 213* zwischen 426 und 427 ein, es trifft auch mit A in
dem merkwürdigen einschub zusammen, der sich an die widerholungsstrophe 3* knüpft; sehr interessant ist nun die er-

scheinung dass sich dessen strophenreihe im grofsen und ganzen
auch in e widerfindet. zu seiner beurteilung ist die vergleichung
der drei formen, in A h e, nötig

```
A 3. 509. 497. 498. 555. 363. 586. 506. 507. 508. 605. 589. 446. 333. 334. 335. 336. 337. 322.
h 3*. 509.        498. 585.      586. 506. 507.      605. 589.        333. 334. 333. ¹
e     509*. 497*. 496*. 595.      586.      507*. 508*.      589.                        336*.
A 338—341. 609.  457—461. 515—518. 500. 462—464.
h          609.
e                515*.      500*. 462*.
```

daraus ergibt sich dass das ganze einschiebsel nicht durch den schreiber e verfertigt worden ist, da es für e fast nur widerholungsstrophen enthält, sondern dass e es aus einer verlorenen hs. α übernommen und ohne rücksicht auf die entstehenden widerholungen einen
teil seines schlusses daraus gebildet hat. ursprünglich scheinen
die zusatzstrophen 605 und 609 in α nicht vorhanden gewesen
zu sein: sie sind in eine ebenfalls verlorene hs. β zu versetzen,
die aus α stammt. aus β kamen sie nach A und h; e bietet
uns demnach vielleicht die älteste form des einschubes. da nun
aber der wahrscheinlich secundäre schluss der hs. e gleich nach
530 beginnt und dieser strophe zunächst die reihe 153*. 532—39.
136*. 135*. 542 anschliefst, die in f wie in h sich in der
hauptsache widerfindet: so wäre es wol möglich dass jene
verlorene hs. α die quelle bildet, aus welcher direct oder indirect 1) der schluss der hs. e, 2) der einschub 3—464 in A
und (in entsprechendem umfange) in h, 3) die reihe 153 * . . . . .
542 in f und (widerum in entsprechender modification) in h und
daher 4) auch die str. 161 zwischen 232 und 233 in f, be-
ziehungsweise auch in h zu erklären wäre. —
   St. hat (ohne weitere begründung) e und h aus einem gemeinsamen mittelgliede s abgeleitet: ich habe eben ausgeführt,
unter welchem vorbehalte ich dem nur beistimmen kann und im
folgenden daran festhalte. St. hat auch die entwickelten kreuzungserscheinungen beobachtet, aber er hat sie leider blofs in ihrer vereinzelung in den jeweiligen hss., nicht in ihrem gesammten vorkommen in betrachtung gezogen. so muste er sich damit begnügen,
einfach auf ihr vorhandensein hinzuweisen und im besonderen das
zusammentreffen der hss. A und h im einschube 3 . 509 . . . . als
'der beachtung wert' zu erklären (Zs. aao. 294 anm.).
   Trotzdem ich die im vorhergehenden nachgewiesene möglichkeit, das zusammentreffen des h mit e (in der reihe 539.
136*. 135*. 542) aus einem fremden, in gleicher weise, aber
unabhängig auf h und e geübten einflusse zu erklären, nicht
für wahrscheinlich genug halte, um deswegen h von e zu trennen:
so bleibt doch die hypothese, dass e die reihe (3) 509 . . . . .
462 oberflächlich aus α am schlusse anfügte, h aber (wahrscheinlich nach dem unmittelbaren vorgange des α oder β) sie in die

¹ das in A zwischen 335 und 341 liegende folgt in h an späterem orte.

mittleren teile des gedichtes zu verweben versuchte, insoweit in kraft, dass wir bei der sonstigen übereinstimmung des x_2 (e h) mit x_1 (E a) alle jene abweichungen, die durch die fremde einwürkung (des α oder β) in x_2 herbeigeführt wurden, beseitigen dürfen. demnach erhalten wir für x_2 die strophenfolge: 1—530. 532—539. 136*. 135*. 542—568. für x_1 stellt sie sich folgendermafsen heraus: 1—528. 569. 529. 530. 570. 532—534. 571. 535—537. 539. 538. 572. 542—568 (E schliefst allerdings mit str. 567, doch vgl. Zs. aao. s. 281 f).

Ich füge hier die tabelle der überlieferung an, wie sie sich nach den vorhergehenden untersuchungen gestaltet hat:

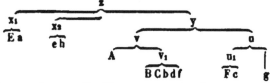

sie weicht von jener, die St. gewann, in der ansetzung eines x_1 x_2 v_1 u_1 und in der ablehnung einer gliederung der gruppe v_1 ab.

Wir haben nun drei unabhängige zeugen x_1 (E a), x_2 (e h) und y. die vergleichung der in ihnen erscheinenden strophenfolge ergibt folgendes: von 1—241 stimmen alle drei zusammen; gröfsere oder geringere verschiedenheiten zeigt y in der partie 271—515 gegenüber den übereinstimmenden x_1 x_2; von 515—568 stimmt x_1 mit y genau, x_2 weicht mehrfach ab. wir sind in sehr günstigem falle, die entscheidung kann nicht zweifelhaft sein: die strophenfolge des z wird die der hs. x_1 sein müssen.

Durch die zwei fehler, den schluss in y zu verkennen und E a e h ohne genügenden grund als repräsentanten einer gemeinsamen mittelquelle anzusehen, ist St. bezüglich der bestimmung der strophenordnung z nicht nur in irrtümer, sondern überhaupt in eine viel schwierigere lage geraten: er hat blofs zwei unabhängige zeugen x und y und hat keinen anderen anhaltspunct, für die eine oder die andere der überlieferungen sich zu entscheiden, als die beobachtung des inneren zusammenhanges. bei der von mir gewonnenen stammtafel zeugt aber einfach die übereinstimmung zweier zeugen gegen den dritten: eine wahl, wie etwa in fällen, wo alle drei differierten, tritt nicht ein. so wird auf mechanischem wege die ordnung in z erschlossen: erst bei der kritik dieses textes der genealogisch ältesten, erreichbaren hs. tritt die prüfung des inneren zusammenhanges und die conjectur ein.

Der aufmerksame leser wird bereits die hauptsache herausgefunden haben, in der ich von Stejskals strophenordnung abweiche: es ist die gestaltung des schlusses von 528 an; St. construiert ihn (mit auslassung der str. 136*. 135*) ganz nach

x,, während ich, nach der überlieferung, den der hs. x, anerkennen muss.   von 1—528 stimmen unser beider ansetzungen
überein.

Bezüglich des verfahrens der hs. z gegenüber folge ich dem
von St. s. xɪx ausgesprochenen grundsatze, von der überlieferten
ordnung nur dort abzuweichen, wo es der sinn unbedingt erfordert, und im übrigen sogar undeutlichen und unklaren zusammenhang lieber zu ·belassen, wenn er nicht etwa durch versetzung der strophen in schlagender weise verbessert werden
kann. Hadamars gedicht ist in der tat derartig, dass dunkel-
heiten, sprünge im gedanken, unvermittelter beginn neuer situationen wol vorausgesetzt werden müssen.

St. weicht von z[1] nur am anfange ab; auch mir scheint
hier allein von der überlieferung abgegangen werden zu müssen.

z str. 1 enthält eine anrede an das *Herze*, den hund, den der
jäger an der leine mit sich führt. *Herze* wird ermuntert, die
halse sich gefallen zu lassen, er wird vor dem *sich vergâhen* gewarnt. in den nächsten strophen erfolgt nun die allegorische
auslegung 1) der *halse* 2) des *sich vergâhen*: die *halse* bedeutet das
band der treue (2), das *vergâhen* die übereilung in der wahl der
geliebten: *swer im durch minne ein liep ze frôuden kiese*, der
wart e wol und schouwe daz er sin beste zit iht dd verliese (4).
diese ermahnung wendet sich nur an die *stælen*; stiefse einem
solchen jenes unglück zu *der tœtet sich an frôuden und ist sin
leben hie und dort verirret* (5); darum sollte immer gleich zu
gleich sich gesellen (6). zusammenfassung des gesagten (7): wie
manches herz geht solcher gestalt zu grunde; der jäger muss
sorgfältig die spur beschauen, ehe er den hund von der leine löst.
beschluss (7, 6): *alsô, ir jungen, hüetet, lât iu daz herze niht ze
fruo entrinnen!* der zusammenhang dieser als ein ganzes überlieferten strophen ist augenscheinlich. wir haben nun str. 3 bei
seite gelassen: sie enthält eine allgemeine bemerkung über den
beginn eines liebesverhältnisses: bittende, bescheidene sehnsucht
bringt freude. ferner: jetzt hab ich meine freuden eingeleitet
(hie ist ein anevanc aller miner frôuden), wünschet, kameraden,
dass wir an dem ausgange uns ebenso erfreuen können. — ehe
ich jedoch näher über 3 spreche, bemerke ich dass von vorne
herein str. 1 kaum zum beginnen des gedichtes geeignet ist,
sondern eine einleitende situation bereits vorauszusetzen scheint.
noch klarer wird dies durch die auf 7 folgenden strophen. 8 bildet
den anfang der erzählung: eines morgens zog ich auf die
jagd, dabei habe ich erfahren, wie hart es manchem ergehen
kann; doch lehrte frau Minne mich fröhlich einer spur folgen,

---

[1] oder vielmehr von x, denn ausdrücklich versetzt er die für x
erschlossene folge nirgends nach z, dass er es aber stillschweigend tue,
zeigt die strophenfolge der ausgabe (und auch die bemerkungen s. xxɪɪ)
deutlich genug.

auf der dann alle besinnung mir schwand (S). um die fährten zu
finden nahm ich *min selbes Herze*, und folgte ihnen, um vielleicht eine zu erkennen, die jagdgerecht wäre (9). str. 10—16
enthalten die besetzung der *warte*, 17—20 die anordnung der
ruore. mit 21 beginnt ein neuer zusammenhang. — es wird nun
deutlich geworden sein dass eine ganz in der luft schwebende
warnung des hundes *Herze* vor übereiltem weglaufen (1) unmöglich
den beginn eines gedichtes bilden kann, in dem später die figur
Herze erst eingeführt wird. die folgenden strophen lehren zugleich dass str. 1 durchaus nirgend anderswo stehen könne als
nach 9, dass aber hier sie sich aufs beste anschliefse. nun stehen
die str. 2..4. 5. 6. 7 im allerengsten zusammenhang mit 1,
können also davon nicht getrennt werden, so dass wir zunächst
folgende reihe gewinnen: 8. 9. 1. 2..4. 5. 6. 7. es fragt sich
jetzt: darf 3 zwischen 2 und 4 belassen werden? es steht jedenfalls nicht in dem scharf erkennbaren inneren zusammenhange
mit 1. 2 wie str. 4—7, doch ist eine rechtfertigung seines platzes
möglich: in *bete ersiuftic riuwe — entweren* (3, 1—4) sehe ich
nur die fortsetzung des schlussgedankens (2, 6. 7) *min herze das*
sol stæte ir undertæniclichen werden funden, und *kie ist ein ane-*
vanc aller miner fröuden (3, 5) deute ich so: ich bin auf die
jagd nach dem geliebten wilde ausgezogen (8), ich habe (demnach) jetzt meine freuden eingeleitet (möge das ende auch gut
werden!); zugleich aber bezieht sich bei der doppelsinnigen natur
des ganzen gedichtes 3, 5 auch auf die unmittelbar vorhergehenden (im wortsinne aufzufassenden) zeilen derselben strophe; im
wortlaute der zeile 3, 5 liegt endlich auch eine anknüpfung an
den wortlaut der 1 und 2 zeile der folgenden strophe 4: *swie*
minne ein anevdhen si fröuden aller meiste, womit die auslegung
des *sich vergdhen* begonnen wird. — um dieser gründe willen
darf man, denke ich, wol der handschriftlichen überlieferung in
diesem puncte treu bleiben. als einzige änderung nehme ich
daher die versetzung der ganzen gruppe 1—7 nach str. 9 vor.

St. hat str. 3 an den anfang gesetzt: in erster linie bewog
ihn der wortlaut der zeilen 5 und 7, in zweiter der umstand
dass d und f mit 3 beginnen: aber die beiden hss. lassen 1 und 2
völlig aus, und — vor allem — methodisch dürfen für Stejskal
nur x und y mafsgebend sein; er kann nicht darum eine singu-
läre lesart dem d und f entnehmen, weil sie dort überliefert ist
und in den sinn passt, wenigstens darf er, wenn er sie schon
wählt, nicht die überlieferung zur begründung herbeiziehen (s. xx);
ich könnte sonst mit gleichem rechte für meine annahme mich
auf h berufen. — ich zeigte oben dass die worte 3, 5 anders
aufgefasst werden k ö n n e n, dass ferner im schlusse von 3 ein
directer bezug auf 4 liegt. dies scheint auch St. erkannt zu
haben, wenn er an 3 unmittelbar 4 und daran natürlich 5. 6. 7
reihte. diese strophen tragen daher bei ihm die nummern 1—5.

indem er aber 4 (Schmeller) von 1. 2 (bei ihm nr 8. 9) trennt, begeht er einen directen fehler: jene strophe 4 hat n u r mit bezug
auf die beiden str. 1. 2, welche in x, x₂ y vorhergehen, einen
rechten sinn; dass 4. 5. 6. 7 zusammengehören, hat also St. erkannt und sie auch beisammen gelassen, doch hat er sie als ganzes
von ihren unmittelbaren sinngemäfsen voraussetzungen getrennt:
seine strophenfolge 3. 4. 5. 7. 6.¹ 8. 9. 1. 2 ist entschieden
zu verwerfen. nur zwei annahmen sind möglich: entweder man
erkennt meine gründe für die belassung des 3 an der überlieferten stelle, dh. zwischen 2 und 4 an, und lässt die strophen
in der ordnung 8. 9. 1—7 folgen, oder man erkennt sie nicht
an, stellt 3 an erste stelle, lässt aber dann unmittelbar 8. 9. 1.
2. 4—7 folgen, da 4—7 nur im anschlusse an 1. 2 völlig verständlich sind.

Wenn ich auch diese letztere anordnung für möglich erkläre,
so möchte ich zur unterstützung der anderen noch etwas hinzufügen. man nehme an, 3 stehe an erster stelle und darauf folge
(wie es durchaus sein muss) 8. 9: wird dadurch der zweck, den
man mit der abtrennung und voranstellung der str. 3 eigentlich
verfolgt, nämlich das gedicht mit einer 'einleitung' und nicht
sogleich mit der erzählung beginnen zu lassen, erreicht? ist diese
strophe, mit ausnahme der z. 5, überhaupt darnach angetan, um
eine einleitung zu bilden? sind ihre 4 ersten zeilen an erster
stelle nicht sehr undeutlich? und aufserdem: die str. 8 ist an
und für sich völlig geeignet, den anfang des jagdgedichtes zu
bilden, sie enthält ferner in z. 7 ff *(doch lérte mich dô jagen*
frouwe Minne ein vart, dd mir sit dicke ist zerunnen aller mi-
ner sinne) eine hinweisung auf die gesammte folgende allegorie,
verbindet also die beiden grundthemata des ganzen: die fingierte
eigentliche jagd und das durch diese symbolisierte.

Dies ist die hauptsache, in der ich in der anordnung des
anfangs von St. abweiche. ich habe noch einzelnes hervorzuheben: St. rückt str. 6 von ihrem platze und stellt sie nach 7;
er sagt s. xxi, sie biete einen ganz überflüssigen zusatz zu 7 und
störe den zusammenhang zwischen 5 und 7. ich verweise jedoch auf meine obige darstellung: str. 6 enthält die directe fortsetzung des in 5 ausgesprochenen gedankens 'die treugesinnten,
die durch misgriff in der wahl sich irren, zerstören ihre lebens-
freude', indem sie hinzufügt 'wenn doch gleich und gleich sich
immer gesellen wollte (wie gut gienge dann alles)'; ferner kann
7 nur am schlusse der reihe, die mit 1 beginnt, stehen, indem es die zusammenfassung des gesagten bietet, und die z. 6 f
Alsô ir jungen hûetet .... deutlich genug als schluss sich kundgibt; endlich wird durch die umstellung — wie ich glaube ganz
ohne not — die überlieferung angetastet. — St. setzt ferner

---

¹ über diese umstellung der ordnung 6. 7 später.

A. F. D. A. VII.

str. 17 nach 2 ein (so dass sie nach seiner zählung die 10 stelle einnimmt): es werden darin die hunde aufgezählt, die der jäger *in die ruore* hetzen will. St. glaubte wol dass an die nennung des hauptbundes sich gut die aufzählung der anderen anschlösse.[1] der anderen? er hat übersehen dass die in 17 genannten hunde *Fröude, Wille, Wunne, Tröst, Staete, Triuwe* blofs die für die *ruore* bestimmten sind, und dass str. 10 (bei ihm 11), die er (statt unmittelbar nach 7) erst nach 17 folgen lässt, von der besetzung der *warte* spricht. der jäger will dazu alte und junge hunde mitnehmen (10), er nennt aus ihrer zahl *Gelücke* (11), *Lust* (12), *Liebe, Leide* (13. 14). *Genâde* (15), 16 enthält eine anweisung der jägerknechte, str. 17 sodann nennt, wie gesagt, die hunde der *ruore*, zu ihnen will er *den alten Harren* gesellen (18. 19); in 20 aber heifst es — und das ist entscheidend — *an warte an ruor geschicket het ich dô mine hunde*: deutlich werden also *warte* und *ruore* unterschieden. ebenso deutlich war im vorhergehenden in 10—16 einzig von der *warte*, in 17—19 einzig von der *ruore* gesprochen: 20 schliefst den ganzen abschnitt ab. diese gliederung ist völlig klar und so ist sie in der ursprünglichsten erschliefsbaren überlieferung gewesen: es ist geradezu k e i n grund vorhanden, irgendwie davon abzuweichen. durch die umstellung der str. 17 wird um eines oberflächlichen anscheines willen die ganze gliederung zerstört. zu alledem frage ich noch, ob es denn bei einfügung der str. 17 vor 10 passte dass der dichter in 17 von ganz speciell benannten bunden spräche und in 10 dann wider ganz allgemein von *guoten kunden*, von *alten hunden* und *welfen*, ohne die geringste bindeutung darauf, dass damit die gerade vorher mit namen genannten einzelnen hunde gemeint seien.

Nach allem bisherigen sind also die ersten 20 str. folgendermafsen anzuordnen: 8. 9. 1. 2. 3. 4. 5. 6. 7. 10—20. — ich betone nochmals dass diese reihenfolge durch die soweit möglich geringste änderung der überlieferten ordnung bewürkt worden ist.

Von 21—528 hat St. die strophenfolge unverändert belassen: manches, sagt er, stünde besser an ahderem orte, doch führe die abweichung von der tradition allzu viele unsicherheiten mit sich. ich stimme ihm völlig bei.

Da ich für die anordnung des schlusses, von 528 an, in der hs. z eine andere form annehmen zu müssen glaubte (vgl. s. 46), so ist es natürlich dass auch Stejskals und meine ansichten über seine endgiltige in die ausgabe einzustellende gestalt einigermafsen abweichen werden. ich habe nämlich auf grund des hssverbältnisses die str. 569—572 nach z versetzt und zwar in

[1] vielleicht fand er auch hiefür eine bestätigung wider darin, dass v die str. 17 dort, wo Stejskal sie will, einschaltet (nach seiner ableitung der hss. muste er allerdings meinen dass auch y die ordnung v geboten habe).

der stellung unter den übrigen, welche x, bot. es handelt sich
jetzt darum zu untersuchen, ob ihre beibehaltung sowol als ihre
anordnung in z sich mit dem zusammenhange verträgt. — mit
str. 528 wird ohne vermittelung an das vorhergehende gröfsere,
von 519—527 reichende ganze ein neuer gedanke gefügt: mein
herz geht nicht auf geringe vögel aus, mit dem reiherfalken will
es in die lüfte steigen, nach ihr, die niemand zu sehr loben
könnte (528). nun ist überliefert: kein gedanke soll allein in
einem worte ausdruck finden; überlege früher, ob er nutzen
oder schaden bringe. der gedanke soll die quelle des wortes
sein und jener andere (die überlegung seiner tragweite) soll ihn
begleiten: so büte wol deine geschwätzige zunge (569). der rabe
Sinnenlust folgte dem laufe der hunde, um auch vom erjagten
wilde zu geniefsen; grau, grau, krächzt er, grau trage ich mit
leid; ich fürchte, du jagdgefährte, dass deine schwarze farbe auch
mein kleid werden wird (529). mein wunsch war nur, das anschlagen der hunde zu hören, nicht das wild zu erjagen. sehe
ich es nur, so wird meine trauer schon erleichtert, liefe es auch
in schussweite bei mir vorbei, so hätte ich doch keinen pfeil
für die beute (530). solcher kummer kann auch zu *muot* reizen;
muot machen nennen wir das, dass einer *durch muot* das tut, was
ihm doch ehre bringt (dh. auf inneren antrieb, ohne äufsere
ursache). gibt auch die liebe *höhen muot*, so kann scharfes überlegen doch auch preiswürdig sein: dieser *muot* ist *muot von
grimme* (im gegensatz zum *muot von liebe)* (570). was ich einst
hoffte, was mein lebensinhalt war, soll das mich jetzt dahin
bringen dass ich alle freude aufgebe? wie sind doch meine freuden
entschwunden; nach liebe jagte ich, schmerz hab ich leider er-
jagt (532). fortsetzung dieser klage (533). wie doch die fährten
durch einander laufen, sie sind alle mit reukäufen zu vergleichen.
läge alle wahre treue auf einem platze beisammen, man könnte
sie mit einem mantel bedecken (534). da liebesbrunst fest auf
einer fährte beharren heifst, so spürt mein hund *Herze* in solcher
art, dass er, trotz dem vielen neuen wilde, das auf den fährten
mit unrechter absicht durch einander läuft, doch nach keinem laut
wird (571). ein abirren der treue hat mich um viele freuden
gebracht. dass ich so lange dies übersah muss mich schmerzen;
ist des wildes fährte nicht beständig, so muss ich wol klagen
dass der tag der freuden mir gar zu spät erscheint (535).
str. 536. 537 setzen den gedanken von der wünschenswerten
beständigkeit des wildes in seiner einmal gewählten fährte fort.

Vorläufig bis hieher. um den zusammenhang zwischen 528
und 569 zu erkennen, hat man zu 528 zu ergänzen: einem
reiherfalken gleich soll mein herz emporsteigen, um auf das
wild niederzustofsen und es zu erbeuten; dann bedeutet 569: bedenke wol was dieser gedanke bedeute und zur
folge habe. — dann stellt sich nämlich (529) der rabe Sinnen-

lust ein und wartet schon auf die heute; er mag mir leid vor-
bedeuten. so bescheide ich mich denn (530) und will das wild
nicht mehr erbeuten, nur mehr flüchtig sehen. solchen kummer
trage ich jetzt (570): mein sinn ist daher nicht mehr *muot von
minne* sondern ein durch *scharf⸗ gedenken* hervorgerufener *muot
von grimme.* — dieses 'scharfe überlegen' weist direct auf 569
zurück: weil er, wie er dort sich selbst riet, mit sich zu rate
gieng *(scharf gedâhte),* ist der *muot von grimme* eingetreten. —
durch dieses aufgeben meines lieblingsgedankens, das wild endlich zu erjagen, ist nun (532 f) all meine freude zu nichte geworden. das kam daher dass das wild nicht die rechte beständigkeit im einhalten der fährte hesafs (534); mich hat wol liebesbrunst beständig in der fährte gemacht: aber meinem hunde läuft
eben immer neues wild auf unrechter spur entgegen, nicht aber
das rechte (571). wie kann es mir gelingen, wenn wol ich die
spur einhalte, das wild aber der beständigkeit vergisst (535—37)?

Ich gestehe gerne zu dass die einfügung der str. 569 und
570 an ihren überlieferten stellen hart genug ist: immerhin aber
lässt sich sinn und zusammenhang entdecken, und damit müssen
wir uns begnügen. leichter hat sich bereits 571 rechtfertigen
lassen. am leichtesten geschieht dies bei 572, von dem noch zu
sprechen erübrigt.

Auf 537 folgen nämlich die str. 539. 538: ich bin von der
liebe sehr verwundet, nur jenes eine wort, ohne das ich gar verzagen müste, tröstet mich (539); könnten doch die reinen, zarten
es so leicht aussprechen, als sie es wol im sinne haben! aber
es gibt so viele falsche leute, durch welche sie deswegen an der
ehre geschädigt werden könnten (538). was kann den sinn denn
besser erfrischen, als ein zeichen, woraus einer die liebe, ihm
allein zugewendete gesinnung errät (572). alle drei strophen
handeln vom selben thema: vom tröstlichen worte und dem heim-
lichen liebeszeichen der geliebten. gegen den sinn und zusammenhang ist nichts zu sagen. — mit 542 beginnt ein neuer
gedanke. gegen die weitere strophenfolge bei St. (542—568) lässt
sich nichts einwenden.

Mit der prüfung des verhältnisses' der hss. und der construction der überlieferung auf grund der strophenfolge bin ich
zu ende. mein resultat weicht in einigen puncten von dem
Stejskals ab. doch habe ich ihm fast nirgends ungenauigkeit
oder unvollständigkeit der beobachtung vorzuwerfen: seine untersuchung des tatbestandes in der Zs. 22 aao. ist vielmehr sorgfältig
und zuverlässig. er hat jedoch einen misgriff in der wahl der methode begangen (vgl. oben s. 38), und ist dadurch auch zu fehlern
in ihrer handhabung verleitet worden (vgl. s. 38. 40. 42. 43).

Mit dem versuche aus der strophenfolge die geschichte des
textes zu reconstruieren sollte nun auch die systematische kritik der lesarten parallel laufen. St. spricht darüber im allge-

meinen (s. xviii): aus den lesarten ergäben sich übereinstimmungen genug, um das aus der strophenfolge erschlossene verhältnis zu bestätigen, daneben aber fänden sich auch varianten, die
nur dadurch erklärt werden könnten, dass die schreiber einzelne
strophen im gedächtnis hatten, so dass auf diese weise kreuzungen
eintraten. Zs. 22, 289 anm. 4 lehnt er jene untersuchung darum
ab, weil der text 'durch den besonders in den jüngeren hss. auf
schritt und tritt begegnenden unverstand der schreiber nur noch
geeignet ist, die unten angegebenen verwandtschaftsverhältnisse
zu bestärken, keineswegs aber dieselben neu zu begründen, und
daher jede dahin abzielende mühe kaum ihren lohn finden würde.'
über diesen tatbestand zu urteilen ist dem recensenten nicht
möglich. denn St. hat in den apparat durchgängig nur die lesarten der 'ältesten' hss. A B (C) D a aufgenommen db., da D im
ganzen nur 17 str. zählt, eigentlich blofs die lesarten jener vier
anderen; nur hier und da fügt er varianten aus 'jüngeren' bei.
ich möchte bemerken dass der gegensatz zwischen jungen und alten
hss. für die textkritik nicht mafsgebend ist; wollte einmal St. nur
eine auswahl bieten, so hätte man, statt dreier hss. einer und
derselben classe und einer einzigen der zweiten, lieber die lesarten von A B und E h vorgefunden (da e ohnehin schon bei
Schmeller vorliegt); ja auch u hätte, etwa durch g, vertreten
sein sollen. bei jener anlage des apparats aber kann ich auch
nicht beurteilen, ob St. der beobachtung, dass zahlreiche kreuzungen der lesarten vorkommen, solches gewicht beilegte, dass
er in der wahl zwischen varianten, die an und für sich gleichen
wert haben, blofs das alter der hs. entscheiden liefs, oder ob er
sich nach den aus der stammtafel der hss. zu entnehmenden
principien richtete. er hat zwar den str. 1—10 (Zs. aao. 295 ff)
einen vollständigen apparat der hss., soweit sie ihm zugänglich
waren, beigegeben; aber das stück ist zu kurz, um bezüglich
jener frage eine bestimmte anschauung zu gewähren. so können
wir uns nur an Stejskals eigene worte in der einleitung zur ausgabe s. xliii halten: 'A B (C) D a wurden wort für wort collationiert und auf diese basis hin die textrecension vorgenommen' und
nur im allgemeinen sagen: diese basis scheint zu schmal, weil
sie zwei glieder (u und x₂), die zur reconstruction des textes
der hs. z nötig sind, aufser acht lässt. —

Von den noch übrigen teilen der einleitung reproduciert r
im wesentlichen den hauptinhalt des ii abschnittes seiner in der
Zs. aao. veröffentlichten voruntersuchungen: er betrifft die lebensverhältnisse des dichters, soweit sie aus den urkunden und aus
dem gedichte selbst zu erkennen sind: die bestimmung seiner
lebenszeit (circa 1300 bis in die 2 hälfte der 50er jahre), die
datierung des gedichtes (1335—1340) verdienen allen beifall. auch
über seine litterarische stellung — ein, wie St. selbst andeutet, sehr
reichhaltiges thema — finden sich hier die notwendigsten notizen.

Sehr interessant sind Stejskals nachweisungen über Hadamars verskunst im abschnitt III: das princip des regelmäfsigen wechsels zwischen hebung und senkung wird sorgfältig beobachtet; so fehlt der auftact auch nur unter gewissen bedingungen. dasselbe princip führt auch häufig versetzte betonung herbei. — das gedicht zeigt verhältnismäfsig starke dialectische einflüsse: die hair.-öst. *ei* == *î*, *ou* == *û* usw. erscheinen im reime; um dessen reinheit herzustellen müssen endvocale und -consonanten teils hinzugefügt, teils apocopiert werden (die scheidung zwischen beiden fällen wird im einzelnen freilich sehr unsicher bleiben). das im nhd. durchgedrungene princip der längung ursprünglich kurzer, hochbetonter stammsilben zeigt sich bereits hier im beginnen und zwar sowol im innern des verses als im reime, in letzterem, indem kurze stammsilbe + kurzer oder langer flexions- und ableitungssilbe nicht stumpf, sondern klingend reimt. St. hebt dies moment mit recht hervor und bietet hiefür die vollständigen belege.

In IV folgen bemerkungen über Hadamars stil. man kann ihn nicht anders als maniert nennen: eine innere notwendigkeit zu den zahlreichen vergleichen, wortspielen, annominationen usw. ist nicht zu ersehen; das ganze erscheint als eine durch das mittelglied Albrecht vScharfenberg hindurchgegangene nachahmung der stilistischen kunst Wolframs. St. macht s. XI ff auf diese offenbaren vorbilder Hadamars aufmerksam. auch in die composition des ganzen ist das Wolframsche muster eingedrungen: St. erkennt dies in der anregung, die in der geschichte der jagd Schionatulanders nach dem brackenseil für Hadamar gegeben war. ich glaube, ein anderes moment ist noch wichtiger und nimmt eigentlichen einfluss auf die composition im engeren sinne: der jäger begegnet nämlich einem alten ergrauten forstmann und lässt sich mit ihm in ein gespräch ein, das die str. 181—312 umfasst und eine mittelalterliche, höfische ars amandi genannt werden könnte; der jüngere legt eine art beichte ab (vgl. 200. 210. 222 usw.) und wird vom alten über die verschiedenen peripetien höfischer liebeswerbung belehrt. dies gespräch nun ist formell sehr wol mit demjenigen Parzivals und Trevrizents zu vergleichen. — neben jenen stilmanieren kann St. mit recht auf eine gewisse volkstümliche gesinnung des dichters hinweisen, die sich ua. in der einfügung zahlreicher sprichwörter — allerdings in Hadamarschem gewande — äufsert und, wie ich hinzufüge, in einzelnen gelungenen naturschilderungen. auch in dieser hinsicht kann er mit Wolfram verglichen werden.

. Die anmerkungen sind namentlich für die erklärung der jagdausdrücke des gedichtes von grofsem werte, und jedem, der sich mit den einschlägigen gedichten des mittelalters beschäftigt, heute unentbehrlich. auch für die interpretation des sinnes ist viel getan (kann str. 144 nicht viel einfacher verstanden werden, wenn

lug z. 4 nicht als conj. prät. von *liegen* aufgefasst, sondern als
luog [imp. von *luogen*] gelesen wird?); natürlicher weise wird
man über den umfang der gegebenen erklärungen sehr verschiedener meinung sein können: jedesfalls hat St. hierin eher zu
viel als zu wenig geboten.

Glashütte, 29. 7. 80.   JOSEPH SEEMÜLLER.

Der stil Walthers von der Vogelweide. von PAUL WIGAND, dr phil. Marburg, Elwert, 1879. vm und 75 ss. 8°. — 1,60 m.

Meine erwartungen waren ziemlich hochgespannt, als ich
diese schrift in die hand nahm. ein nicht unbekannter universitätsprofessor hatte sie ausdrücklich eine 'sehr fleifsige und hübsche
arbeit' genannt, und das thema versprach viel. mir schwebte eine
ganze reihe von fragen vor, auf die ich antwort zu finden hoffte;
ich dachte an untersuchungen wie die von Erich Schmidt über
Reinmar und Rugge (QF iv), und ähnliches für Walther zu leisten,
hielte ich für sehr erspriefslich. leider wurde ich bitter entteuscht, denn eine seminararbeit mindester güte, ohne jegliche
feinheit, fand ich in dem hefte. auch nicht éine bemerkung
lässt erkennen dass der wahrscheinlich junge verfasser für die
zukunft einen tüchtigen arbeiter verspräche. der 'versuch' (s. 75)
bietet sammlungen dar, wie sie der student bei der lectüre eines
schriftstellers anzulegen unterwiesen wird; was dem herrn verf.
interessant erschien, schrieb er wol auf zettel, dann ordnete er
dieselben möglichst äufserlich in verschiedene kästchen, entwarf
ein gelehrtes schema mit den feinsten einteilungen A, a, α, αα,
I, 1 usw., anhang und anhang zum anhang (s. 74), dann schüttete
er den inhalt der verschiedenen zettelkasten aus und das facit
war eine 'sehr fleifsige und hübsche arbeit'. die begriffe sind
verschieden; ich denke mir etwas anderes unter fleifsig. oder
bedeutet es würklich ein 'sehr' dieser eigenschaft, wenn der gelehrte für jedes ihm unbekannte wort, für jede ihm auffallende
wendung — das Mhd. wb. nachschlägt [1], wenn er bei einer arbeit
über den stil Walthers gelegentlich in die ausgaben von Pfeiffer
und Wilmanns hineinguckt, wenn er die parallelen für die aufstofsenden erscheinungen nicht etwa aus der litteratur selbst
sondern nur aus den ebengenannten werken mühsam zusammensucht? es ist ferner zwar sehr hübsch dass der verfasser ein so
schönes thema zur bearbeitung herausgegriffen hat; es ist hübsch
dass er Walther von der Vogelweide gelesen hat; es ist aber

---

[1] das Handwörterbuch von Lexer scheint der verfasser nicht zu kennen. —
komisch würkt dass Wigand ein par mal neben seltenere mhd. wörter die
nhd. bedeutung setzt, als habe er sie eben aufgesucht, zb. s. 33 zu *snarrenzære* 'schwätzer'.

weniger hübsch dass er sich gar nicht darnach umgetan hat,
was etwa schon vor ihm für sein thema geleistet worden sein
möge; und es ist vollends abscheulich dass er gar nicht erkannt
hat, wie fruchtbar sein stoff hätte werden können.

Vor allem hätte strenge geschieden werden müssen, was
Walther speciell und was den mhd. dichtern, besonders den minnesingern, im allgemeinen zugehört. ausdrücke wie 26, 26 *kleiner
danne ein bône.* 124, 16 *als in daz mer ein slae* sind volkstümliche, durften daher nicht als Waltherische vergleichungen aufgeführt werden; auch nicht 118, 14 *niht ein hâr* (vgl. MSF
133, 11) oder 103, 36 *niht ein blat* als metaphern; sie waren
zusammenzufassen und durch Zingerle (Bildliche verstärkung der
negation. Wiener sitzungsberichte 39, 414 ff) zu stützen. verblasste metonymien, wie *tiefe nîgen* (steht noch 31, 24. 74, 33)
für danken, wie *der Missenœre* und ähnliche beinamen, welche
man vielleicht eher ellipsen nennen könnte, waren gemeingut.

Wigand hätte ferner die perioden der dichterischen tätigkeit
bei Walther beachten und zusehen müssen, ob sich verschiedenheiten des stiles ergeben, ob sich ein fortschreiten der kunst,
der sprachbehandlung, der technik zeige. er hätte die abhängigkeit Walthers von den älteren minnesingern aufdecken müssen
und wäre so auf vergleichendem, dem einzig richtigen wege zur
bestimmung dessen gekommen, was in Walthers dichtweise neu
war. 'das verhältnis Walthers von der Vogelweide zu Reinmar
von Hagenau' hat Karl Jaucker in einem gymnasialprogramm von
Horn 1875 behandelt. Wigand nennt diese schrift nicht und
hat sie sicher ebensowenig wie die übrige Waltherlitteratur benutzt.

Die geringen ansätze, welche sich bei Wigand zu einer tieferen erfassung seiner aufgabe finden, sind gar kümmerlich und
bewegen sich in unbewiesenen behauptungen. s. 28 zb. gibt er
zusammenstellungen über die bedeutung von *kerze,* die an sich nicht
unrichtig sind, aber bei Walther nur dann zu erwähnen waren,
wenn die behauptung, es seien dies 'metonymien, wie sie ja zum
teil freilich allen dichtern und unserer ganzen sprache eigen sind,
wie wir sie aber in so reicher auswahl nur bei Walther finden',
auf irgend eine art erhärtet wurde. s. 13 sagt er, Walther über-
biete im gebrauche der metapher 'die meisten dichter der mhd.
zeit'; ob diese ansicht wol aus eingehender prüfung und litteraturkenntnis resultiert?

Einschneidender untersuchung gieng Wigand sorgfältig aus
dem wege und begnügte sich mit äußerlichkeiten. aufzählung,
nichts als aufzählung durchs ganze buch.

Die einteilung ist Wackernagels Rhetorik, poetik, stilistik
entnommen. nach dem schema, das Wigand in dem letzten abschnitte vorfand, beobachtete er; daher kommt es dass sich die
syntax fast gar keiner berücksichtigung erfreut. überdies wird
die unterordnung unter die Wackernagelschen categorien nicht

immer mit berechtigung getroffen; man findet zb. 86, 18 *minneclich an sehen und grüezen wol* unter cumulatio, während es unter gradatio gehörte; ebenso 86, 23 *beide schowen unde grüezen* und 102, 27 *des hinket reht und trûret zuht und siechet schame.* warum nennt Wigand 19, 22 *wie man mit gábe erwirbet prîs und ére* eine tautologie? *prîs* und *ére* werden ebenso Iw. 866 gegenüber gestellt *Keii . . hât selh ére und selhen prîs.* man kann seinen *prîs an den éren geméren,* Iw. 6056. 7645 f. beide wörter meinen also nicht dasselbe. Wigand verwechselt parallelismus und anapher bei der beurteilung von 9, 6 f *si kiesent künege unde reht, si setzent hérren unde kneht;* er verwechselt inneren und schlagreim 47, 16—21 *ich minne, sinne, lange zît* usw. wenn er 33, 25 *wáfen,* 35, 25 *lá stán,* 54, 21 *decke blôz* usw. ellipsen nennt, dann fasst er den begriff der ellipse wahrlich 'nicht zu eng'.

Wigands sammlungen sind nicht immer vollständig. so vergisst er ua. 119, 10 *Eléne und Dijáne* und behauptet, Walther habe nur anspielungen auf die bibel und die deutsche heldensage (vgl. s. 34). auch 17, 10 f *wie Alexander sich versan! der gap und gap, und gap sim elliu riche* wäre zu erwähnen gewesen. 76, 15 liest Wigand gegen Bechstein *als ein sû.* die anspielungen auf die zeitgeschichte und persönliche erlebnisse scheint Wigand der beachtung nicht für wert zu halten.

Da Wigand mitunter vom nhd. sprachgebrauche ausgeht, so verkennt er natürlich den sinn. 36, 20 *sô mugt ir in himele bouwen* betrachtet er als metapher, welche der 'baukunst' entnommen ist, und 27, 26 *spilnde ougen* als bild aus den 'menschlichen sitten und allgemein menschlichen verhältnissen'.

Falsch ist auch die auffassung anderer stellen. s. 7 sagt er 'andere spielleute heifsen 13, 13 *dd von wir hœren beide singen unde sagen*'. soll Walther dabei würklich den ausdruck spielleute haben umschreiben wollen? ebenso wenig glaube ich dass Walther 21, 24 *aller éren slac* oder 115, 1 *an frôide ein angeslicher slac* noch als bild gefühlt habe, das der fechtkunst oder dem kriegsleben entstamme [1], wie nach Wigand s. 13 anzunehmen wäre, der auch 104, 16 *hie gét diu rede enzwei* und 67, 38 *mir ist mîn erre rede enmitten zwei geslagen* zu denselben metaphern rechnet. man sagte ebenso *daz brichet mir mîn herze enzwein* MSF 137, 23. vgl. 127, 4. Wigand erwähnt ferner 102, 8 *minn unde kintheit sint ein ander gram,* was auch nicht passt. dafür wäre 29, 9 hier anzuführen gewesen: *er bîzet dd sin grînen niht hât widerseit. widersagen* auch sonst bildlich zb. 71, 7. 101, 3. MSF 130, 9. Frauend. 412, 11. 14 ff. MSH 1, 10[b].

Es sei mir gestattet noch einiges detail zu erwähnen. —

---

[1] die von Wigand beigebrachten parallelen stammen aus dem Wb., nicht einmal das citat aus Iw. wurde nach dem verse (4141) gegeben, sondern nach der seite.

s. 3. zu *róter munt* citiert Wigand nach Wilmanns fünf stellen
aus dem späteren minnesang. im älteren minnesang ist der ausdruck viel seltener, ua. steht er bei Friedrich vHausen MSF 49, 19.
Albr. vJohansdorf 93, 5. Heinr. vMorungen 130, 30 *(rósevarwer
róter munt* vgl. 142, 10 *rósevarwer munt)*. — wenn man s. 4
liest: 'das epitheton ornans tritt zu allen umschreibungen für
heilige personen und sachen, sowie selbstverständlich an die nennung des heiligen selbst, so dass wir das schmückende epitheton
auch hier ein für allemal als beiwort haben', so bewundert man
nicht nur den stil, sowie die klarheit des gedankens, sondern
auch die sicherheit der behauptung. Wigands ausdruck ist nicht
strenge zu nehmen, ich verweise nur auf stellen wie 3, 14.
4, 6 usw. — s. 5. gott der vater heifst *der süeze vater* nur bei
Ulrich vSingenberg, denn das gedicht 108, 6 gehört nicht Walther
zu; dies hat Wigand durchaus übersehen (zb. s. 7), ebenso 119, 11
immer als Waltherisch herbeigezogen. zu 108, 3 *richer got* vgl.
ESchmidts zusammenstellung QF iv 81 und aufserdem MSH 1, 13ᵇ.
27ᵇ. 64ᵃ. Ambr. liederb. vii 10. Trist. 2488 ff. Hagen GA 41, 114.
schon im Heliand zb. v. 3. 4052 *thie rikeo krist*. — s. 10. zu
79, 34 *swer mich úf hebt in balles wis* vgl. HvMorungen MSF
131, 23. Trist. 11366. Zingerle Das deutsche kinderspiel im ma.
(Wiener sitzungsberichte 57, 149). — s. 11. zu 4, 10 ff *alsó diu
sunne schinet durch ganz geworhtez glas* bringt Wigand mehrere
parallelen aus Wilmanns anm. zu 89, 35 bei, doch ist der Arnst.
Marienl. falsch citiert[1]; woher die angabe 'Konr. vWürzb. in

---

[1] Wigand erleichtert dem nachprüfenden die arbeit wahrlich nicht.
sein versuch wimmelt von falschen citaten. ich habe an zwei dritteilen
etwa die probe gemacht und dabei folgende fehler gefunden:

s. 4 z. 12 v. u. l. 36 st. 39.	s. 56 z. 11 v. u. l. 22, 19—22.
- 12 - 5 - o. - 16 - 6.	110, 27—29.
- 14 - 16 - - - MSD st. MS.	- 57 - 12 - o. - 19 und 25. 26.
- 26 - 7 - u. - 30 st. 3.	- 16 - - - 87, 1 ff.
- 29 - 11 - - - 18 - 38.	- 9 - u. - 124, 1 ff.
- 31 - 1 - - - 17 - 7.	- 8 - - - 87, 1 ff.
- 33 - 2 - - - 26 - 27.	- 60 - 6 - - - *fluz* st. *fluoz.*
- 34 - 3 - - - 26 - 27.	- 61 - 5 - - - *wár* st. *war.*
- 36 - 10 - o. - 16 - 17.	- 64 - 11 - - - 33—34 st. 32—33.
- 36 - 6 - u. - 23 - 24.	- 65 - 7 - o. - *bráht* st. *braht.*
- 40 - 12 - o. - 117 - 47.	- 66 - 14 - - - 6 st. 61.
- 40 - 24 - - - 19 - 15.	- 69 - 16 - - - *síme* st. *sime.*
- 41 - 21 - - - 13 - 14.	- 10 - u. - 38, 6 st. 38, 7.
- 45 - 9 - - - 53 - 51.	- 70 - 14 - - - 115, 13 st. 115, 14.
- 45 - 10 - - - 10 - 12.	- 4 - - - 33, 29 - 33, 39.
- 49 - 17 - - - 33 - 23.	- 71 - 12 - o. - 15 st. 16.
- 50 - 16 - - - 1 - 2.	- 16 - - - 1 100' st. s. 100.
- 51 - 11 v. u. l. *fröide* st. *froide.*	- 7 - u. - *liute,* st. *liute.*
- 52 - 16 v. o. l. 11 st. 10.	- 6 - - - *jämerlichen stat*
14 - 12.	st. *jamerl. stát.*
- 53 - 21 - - - 33 - 34.	- 72 - 4 - o. - 51, 5 st. 51, 15.
z. 27 v. o. l. *wunderlich* st. *-lích.*	- 73 - 7 - - - Wilmanns st. Wil-
- 55 z. 18 v. o. l. 18 st. 27.	mann.

MS 200ᵃ' stammt, weifs ich nicht, sie ist natürlich fehlerhaft, soll heifsen MS ɪɪ 200ᵃ (MSH 2, 310ᵇ), und meint die stelle *alsam ndch einem glase diu sunne verwet sich* usw. zu erwähnen wäre gewesen Eberhard von Sax MSH 1, 70ᵃ *sam diu sunne dur daz glas ûz und ín kam er gegangen.* interessant ist dass Heinrich vMorungen MSF 144, 24 dieses aus der geistlichen litteratur stammende bild (vgl. MSD zu xxxvɪɪ 29) auch auf die geliebte anwendet *si kan durch diu herzen brechen sam diu sunne dur daz glas.* — s. 14. zu der stelle 101, 36 *dd stêt sîn kunst ndch sunden âne dach* vgl. man MSF 130, 28 ff, wo ich lesen möchte *diu hânt mir beroubet dach.* in der Minneburg, die ich aus einer abschrift Pfeiffers kenne, steht v. 2436 ff ähnlich *lant* gebraucht. — s. 15. zu 45, 25 f *bilde giezen* vgl. aufser den Wilmanns nachgeschriebenen belegen bei Wigand den ausdruck auf Maria gewendet bei Eberhard von Sax MSH 1, 69ᵃ. — s. 20. *süeze* ist ein lieblingswort Walthers. man vgl. neben dem von Wigand angeführten 29, 12 *süezer honec* 78, 32. 3, 28 *s. maget.* 5, 26 *s. himelfrowe.* 109, 25 *s. lére.* — s. 31. synecdoche. als beleg für setzung des teiles statt des ganzen wäre 33, 10 *unser aller fróne* für kirche zu erwähnen gewesen.[1] der einzige fall von setzung des ganzen für den teil ist nach Wigand 37, 6 *sîn lip wart mit scharpfen dornen gar versêret*, weil er an der auffassung Kladens festhält und unter dornen die krone versteht, was ich nicht billigen kann. aber abgesehen davon, muste sich Wigand erinnern dass *lip* für das pronomen steht und Walther seinen ausdruck daher gar nicht mehr als bild fühlte. — s. 34. zu 76, 13 *mîn herze swebt in sunnen hô* vgl. ESchmidt QF ɪv 110 und aufser den hier angeführten stellen Trist. 1614. Frauend. 507, 24 ff. — gar nicht erwähnt hat Wigand die hyperbeln mit könig und kaiser; sie finden sich freilich bei fast jedem minnesinger vgl. MSF zu 4, 17. Strauch QF xɪv 147, doch ist Walther 63, 5 ff sehr characteristisch *der keiser wurde ir spileman umb alsô wünneclîche gebe.* ähnl. 83, 35 den *möht ein keiser nemen wol an sînen hôhsten rât* vgl. 50, 12. in solchen dingen zeigt sich der wahre dichter, der selbst der abgegriffenen münze seinen stempel aufzudrücken versteht. — s. 35. die deutung von 46, 30 *hér Meie, ir müeset merze sîn, é ich mîn frowen dd verlür* klingt wie eine parodie: 'bei der wahl zwischen dem mai und meiner geliebten ziehe ich unbedingt letztere vor; es müste denn sein dass der schöne mai zum hässlichen märz würde, dann züge ich ihn vielleicht eher meiner geliebten vor, was natürlich nur eine ironie sein kann.' Wigand dürfte damit die ansicht Höfers Germ. 14, 416 f widergeben wollen, die mich aber nicht vollständig befriedigt. — s. 37 findet Wigand euphemismus bei Walther 'in

---

[1] für *zunge* = sprache eines landes bringt Wigand aus dem Wb. die zwei belege bei: MS 1, 183'. Hartm. l. 22, 17, ohne zu sehen dass beide dieselbe stelle meinen!

seinen ganzen gedichten' [sic] nur zweimal; er irrt aber, denn
108, 6 gehört Ulrich von Singenberg zu. — s. 41. unter den un-
höfischen wörtern *verhouwen* 77, 4 in der bedeutung 'durch hauen
verwunden': *dîn kint wart dort verhouwen*, und setzt hinzu 'id.
124, 10'. ich hoffe, er fasst die stelle *verhouwen ist der walt*
doch etwas anders auf. — ἀπὸ κοινοῦ constatiert Wigand dreimal für Walther, doch hätte er bei Wilmanns zu 20, 4 noch
zwei stellen notiert finden können 89, 9. 95, 33 L. nach MSF
62, 29 ist es gegen den gebrauch der liederdichter. — s. 42.
die zusammensetzungen mit *wol* und *wunder* sind bei Walther
viel häufiger, als nach Wigand anzunehmen wäre. ich verweise
auf 21, 4 *wolgezieret*. 46, 11 *wolgekleidet und wolgebunden.*
79, 38 *wolgevieret*. 121, 1 *wolgetân*. vgl. 30, 28 *ein vil wol
gemahter zein*. auch die zusammensetzungen mit *über* waren zu
erwähnen. zb. 75, 30 *übergrd*. — s. 42. bei der 'sinnlichkeit
für das gehör' wäre noch 28, 4 *zdî* und das vocalspiel zu beachten gewesen, auch hätte die allitteration hier am besten einen
platz bekommen können, insofern sie zur tonmalerei das ihre
beiträgt. — s. 45. zu der verbindung *kristen, juden und die
heiden* — gradatio nennt sie Wigand — vergleicht er nur die
stellen, die Wilmanns zu 90, 43 notierte, doch lässt er MSD
XLII 37 fort. ESchmidt QF IV 84 kennt er nicht. — s. 46. die
aposiopese *sem mir got* ist nicht speciell Waltherisch. — s. 55.
Wigand vergisst den refrain in der elegie 124, 17 ff. — bei der
betrachtung der anapher hätte geschieden werden sollen: anaphern in derselben strophe, anaphern in demselben gedichte;
anaphern die beabsichtigt sein können und solche die zufällig
sein müssen; zweimalige und mehrmalige anapher. Wigand tut
des guten etwas zu viel, wenn er bei sprüchen in zwei verschiedenen tönen, die mit *owê* beginnen, anapher annimmt. 13, 5.
12. 19. 26! — am wenigsten kann der abschnitt 'lebendigkeit
betreffs der gestalt der einzelnen worte' s. 61 ff befriedigen. es
wäre interessant gewesen zu untersuchen, in wie weit der reim
von einfluss auf die poesie Walthers ist (46, 35), in wie fern besonders die reimkünste ihn fördern oder hindern (vocalspiel
47, 16 ff. 87, 1 ff). dagegen begnügt sich Wigand mit einem
schlechten auszuge aus Wilmanns. [1] — s. 64 f betrachtet Wigand
die 'lebendigkeit betreffs der satzfügung' und hebt nur hervor:
'übergang der indirecten rede in die directe, die rhetorische
frage und den ausruf'. beim ersten puncte, den er auch 'wechsel

---

[1] wie ungenau die angaben Wigands trotz seiner berufung auf Wilmanns s. 56 der einleitung sind, beweist das über unreine reime gesagte.
Wigand s. 61 'in all seinen gedichten finden wir nur 3 mal einen reim un-
rein.' Wilmanns citiert fünf fälle: 4, 22 *endelôs : trôst*. 37, 27 *getar : wâr*
(vgl. 95, 22 *gar : jâr*). 36, 19 *vervân : hân*. 83, 35 *verwarren : pfarren*.
37, 36 *genân : epileman* (nach seiner ausgabe gezählt). den ersten fall hat
Lachmann durch eine conjectur fortgeschafft.

der indirecten und directen rede' nennt, hat er jene stellen im
auge, in denen reden anderer oder Walthers eigene wörtlich angeführt werden und rechnet noch die gesprächslieder hieher.
zb. 54, 21 *ich hete ungerne: 'decke blôz' gerüefet!* wo steckt hier
die indirecte rede? auch in den anderen fällen konnte ich sie
nicht entdecken. doch ist nicht etwa der stil hier untersucht,
Wigand stellte sich gar nicht die frage, ob die gesprächslieder,
ob vor allem die frauenstrophen irgendwie aus dem rahmen
herausfallen. man kann eine entwickelung der gesprächslieder
erkennen: Dietmar und Reinmar bringen die einzelnen reden
unvermittelt gleichsam monologisch neben einander (bei Reinmar
nur 177, 10 ff); Heinrich von Morungen hat ansätze zu einem
lebendigeren dialog, Walther hat vorzüglich eigentlichen dialog,
natürlich mit übergängen bis zur teilung éiner strophe zwischen
zwei liebenden (vgl. Jaucker aao. 18). man sieht den unterschied
im stile zwischen Walther 85, 34 ff und Reinmar 177, 10 ff,
um nur die einander am nächsten stehenden lieder zu nennen, ganz deutlich. wie wunderbar versteht es Walther schon,
die einzelnen reden in beziehung zu setzen: der ritter ist *ge-
vüege*, galant (56, 28) und sagt der dame eine schmeichelei: '*wizzet
daz ir schœne sît: hât ir, als ich mich verwœne, güete bî der wol-
getœne, waz danne an iu einer êren lît!*' etwas schelmisch co-
quett erwidert die dame '*ichn weiz obe ich schœne bin, gerne hete
ich wîbes güete*'. er möge sie lehren, die *güete* zu bewahren.
geschickt knüpft der ritter an, gibt die kurzen vorschriften und
da sie sagte *schœner lîp entouc niht âne sin*, so benutzt er dies
um ihr das princip einzuprägen *eime sult ir iuwern lîp geben
für eigen*, doch setzt er hinzu *nement den sinen*. er wird dringend
und macht die anwendung auf den moment *frowe, wollent ir den
mînen, den gœb ich umb ein sô schœne wîp*. die dame weicht aus,
obwol sie den ersten teil seiner vorschriften mit einem graziösen
mea culpa billigt; das persönliche, wie das *geben den lîp*, überhört sie und sagt nur humoristisch bedauernd *in weiz nieman
dem ich welle nemen den lîp: es tœte im lîhte wê*. erst auf seine
abermalige, eindringlichere bitte, sein leben nicht zu schonen
stirbe ab ich, sô bin ich sanfte tôt, wendet sie wider nur scherzend
ein *hêrre, ich wil noch langer leben*, wenn ihr scheint des lebens
überdrüssig zu sein, warum soll ich deshalb mit euch tauschen?
hier also reizvolle pointierte conversation mit neckischem hinüber
und herüber *in balles wîs*. anders bei Reinmar. da stehen sich
dame und bote gegenüber, die dame fragt, der bote meldet, nur
einmal nimmt die dame bezug auf seine antwort '*sîn herze stât,
ob irz gebietent, iemer hô*': '*ich verbiute im vröude niemer.*' die
einzelnen reden stehen noch unvermittelt da, und schliefslich
geht das zwiegespräch wider in einen monolog über, die dame
vergisst dass der bote da ist, oder dieser hat sich entfernt.
    Die frauenstrophen hoffe ich einmal im zusammenhange be-

trachten zu können. wir bemerken mitunter unbeholfenere form.
es finden sich einige male unreine dialectische reime nur in den
frauenstrophen; ob man hier bewustes anlehnen der ritterlichen
dichter oder tätigkeit der damen selbst anzunehmen hat, wird
kaum zweifelhaft sein, da Ulrichs von Lichtenstein beispiel lehr-
reich ist. vor allem die anonym oder unter erfundenen namen
überlieferten frauenstrophen dürften insgesammt würkliche da-
poesie sein.

S. 68 ff. im anhange beschäftigt sich Wigand mit dem
sprichworte bei Walther. schon Karl Jaucker zao. 19 f hat sich
mit dieser frage befasst. Wigand will zeigen, 'wie Walther nicht
nur mit seiner zeit gedacht und gefühlt, sondern auch, wie er
mit ihr geredet hat.' der arme Walther hätte wol eine eigene
sprache erfinden sollen? — s. 70. zu 93, 17 vgl. MSF 159, 3.
Jaucker s. 16. — zu 62, 19 *joch sint iedoch gedanke fri* war
auf ESchmidt QF ıv 109 und aufserdem auf Erinn. 945 (987)
dd [im himmel] *sint die gedanck alle vrt.* Freid. 22, 26 zu
verweisen.

Die ganze gelehrsamkeit, welche mit citaten prunkt, stammt,
wie schon gelegentlich bemerkt wurde, aus Wilmanns, Lachmann
und dem Mhd. wb. nur zwei proben: s. 9 stehen die parallelen
bei 54, 14 an unrichtiger stelle, sie gehören zu 27, 29 und sind
Wilmanns anm. zu 84, 143 entnommen. dieser sagt: 'die blume
im tau galt als das schönste HMS 1, 305ᵃ. Neidb. 17, 11. Lɪɪɪ 35.'
Wigand ebenso: 'die blume im s c h m u c k d e s taues galt für
das schönste. vgl. HMS 1, 305ᵃ. Neidh. 17, 11. xɪɪɪ 35.' ferner
s. 74. 'der kaiser als der mächtigste kann die höchsten ansprüche machen, ist am schwersten zu befriedigen.' diese behauptung von Wilmanns zu 37, 38 kehrt bei Wigand in folgender
gestalt wider: 'dass der kaiser als der höchste und als der, der
die höchsten ansprüche machen darf, hier befriedigt werden kann,
wird . . .'

Wie es Wigand hier gelingt, seine vorlage stilistisch zu ver-
unstalten, so ist auch sonst sein stil höchst mangelhaft. es liefsen
sich köstliche und ergetzliche stilblüten zu einem straufse vereinigen. s. 33 steht zu lesen: 'es sind nun noch fünf tropen
zu betrachten, die wir mehr oder minder reich bei Walther vertreten finden, die zwar nicht der dichtung allein angehören, da
an ihnen nicht nur die einbildung, sondern auch der verstand
anteil hat, deren eigentliche heimat aber die poesie ist, und die
von Walther teilweise sehr häufig gebraucht werden.' vgl. s. 12.
18. 27. 29. 30. 33. 37. 44. 47. 48. 59. 61. 64. 66. 68 usw. ·
s. 28 steht 'statt' mit dem dativ!

Graz, 10 märz 80.   R. M. WERNER.

WOLFRAMLITTERATUR.

1. Scherz und humor in Wolframs von Eschenbach dichtungen. abhandlung von dr KARL KANT. Heilbronn, gebr. Henninger, 1878. 132 ss. 8°. — 3 m.
2. Die darstellungsmittel des Wolframschen humors. von CHRISTIAN STARCK. Schwerin 1879. 33 ss. 4°.
3. Wolframs von Eschenbach bilder und wörter für freude und leid. von LUDWIG BOCK. Quellen und forschungen XXXIII. Strafsburg, Trübner, 1879. VIII und 74 ss. 8°. — 1,60 m.
4. Die Wolfram-literatur seit Lachmann mit kritischen anmerkungen. eine einführung in das studium Wolframs von dr G BOETTICHER. Berlin, Weber, 1880. VI und 62 ss. 8°. — 1,60 m.

Unter diesen vier schriften muss die an dritter stelle genannte als die bedeutendste bezeichnet werden. die sorgfältigen und geschmackvollen sammlungen der bei Wolfram begegnenden bilder für freude und leid, sowie die feinsinnigen bedeutungsentwickelungen, welche sie enthält, zeugen von der hervorragenden begabung des verfassers für lexicographische arbeiten höheren stils und lassen es aufs schmerzlichste beklagen dass ein jäher tod eine so tüchtige kraft dem Deutschen wörterbuche, welchem sie bestimmt war, raubte. auch möchte ich mit besonderer anerkennung auf die gelungene characteristik des Übelen weibes im anhang I, als auf das beste bisher über dies ausgezeichnete gedicht gesagte, hinweisen. dagegen darf nicht verschwiegen werden dass der wert des ganzen wesentlich unter dem umstande leidet dass es als selbständiges buch erschien. es sind darin, die anhänge einbegriffen, fünf verschiedene, von einander unabhängige beobachtungsreihen niedergelegt, welche sich nicht einmal sämmtlich mit Wolfram beschäftigen, und nur äufserlich durch die art der gruppierung, durch einleitende und abschliefsende betrachtungen eine gezwungene einheit erhalten. auch innerhalb der einzelnen abschnitte ist der verfasser manchmal, das beispiel Wolframs nachahmend, *des hasen geselle* gewesen und hat sich verleiten lassen, an ungehörigem orte vorzubringen was gerade an observationen ihm zu gebote stand. so ist zb. die anm. auf s. 35 bei den haaren herbeigezogen. abgesehen aber von diesem mangel der composition lassen sich auch sonst bedenken nicht unterdrücken. man wird zwar gerne zugeben dass im 13 jh. der reim *riuwe* : *triuwe* eine ähnliche stellung einnahm wie heute bei uns *herz* : *schmerz*; man kann auch einräumen dass derselbe, wenn er 34 mal im Parzival auftritt, von Wolfram häufiger als von anderen zeitgenossen (Gottfried mied ihn augenscheinlich) verwendet ist: aber dass der dichter des Übelen weibes, um diese lieblingsbindung Wolframs zu verspotten, sie in seinem gedichte parodistisch gehäuft habe, ist wenig wahrscheinlich, jedesfalls unbeweisbar. er müste ein moderner observierender philologe gewesen sein, wenn er hätte bemerken sollen dass jener reim (einer

auf je circa 370 reimpare!) im Parzival irgendwie bevorzugt
worden sei. obschon gerade Wolframs poesie dem verfasser
des Übelen weibes wolbekannt war, reminiscenzen daran ihm
komischen effect erzielen halfen, so genügt doch zur erklärung
der häufigen verwendung von *riuwe* oder *riuwe : triuwe* bei ihm
der ganze character der geschilderten situation und die bequemlichkeit des reimes. — ebenso wenig will mir die von Bock zweimal (s. 2. 51) hervorgehobene hohe sprachwissenschaftliche bedeutung des mhd. einleuchten; dass von der art und weise, wie
ein begnadigter dichter einer hochcultivierten zeit, der noch dazu
mitglied eines bevorzugten, raffiniert verfeinerten standes ist, mit
überliefertem sprachgute und sprachmitteln frei schaltet und seine
subjectivität diesem objecte aufprägt, verlässliche analogieschlüsse
auf die modalitäten der aussonderung von dialecten aus einem
gröfseren sprachganzen sich abstrahieren liefsen, erscheint mir
weder glaublich noch selbst denkbar; wenn nicht einmal nachgewiesen werden kann dass Wolfram auf die ausbildung der mhd.
sprache irgend eine andere würkung ausgeübt habe als dass einige
dichterische genossen und nachfolger ihm phrasen, worte, verse
entlehnten, um wie viel weniger wird in nichtlitterarischen zeiten
von bewustem einflusse eines individuums oder einer mehrheit
von individuen auf die entwickelung der sprache oder des sprach-
brauches die rede sein dürfen.

Die arbeit von Kant stellt recht vollständig das material zusammen, mit welchem eine darstellung des Wolframschen humors
zu operieren hat; aber auch nur das material, nach gewissen
äufserlichen einteilungsgründen geordnet, ohne dass im mindesten
der versuch gemacht würde, dasselbe höheren gesichtspuncten zu
subsummieren oder die einzeläufserungen des humors aus der
totalität von Wolframs wesen zu begreifen. nicht einmal eine
definition des begriffes 'humor' ist gegeben; der verfasser scheint
eine solche für überflüssig zu erachten, obwol er, wie aus den
häufig eingestreuten nhd. übersetzungen und umschreibungen
hervorgeht, gerade ein gröfseres publicum sich als leserkreis
gedacht hat. daher hat Starck das thema nochmals, wesentlich
auf grund der bei Kant und in den stilistischen untersuchungen
über Wolframs sprache von Kinzel, Förster, Boetticher vorliegenden sammlungen, behandelt. seine arbeit hat den zweck, die
erscheinungsformen des humors bei Wolfram, vornehmlich die
wechselwürkung von humor und sprachlichem ausdruck, an einer
reihe ausgewählter beispiele darzustellen, und das ist ihr auch in
der hauptsache recht gut gelungen: nur vermisst man hier ebenso
wie bei Kant die erklärung des humors aus der individualität
des dichters. es lässt sich nicht billigen dass am schlusse Wolframs humor seinen jugend- und lebenseindrücken sowie seiner
phantasie als gleichartiger factor coordiniert wird, denn die ersteren
sind mit eine voraussetzung der im humor zu tage tretenden welt-

anschauung und ein nicht unbedeutendes mafs von phantasie ist
erforderlich zur humoristischen individuazion. die formel für die
eigenart des dichters, aus der auch sein humor sich erklärt, war
nicht schwer zu finden: höchster idealismus gepart mit ent-
schiedenstem realismus.

Schon von anderen ist hervorgehoben worden dass Boettichers
Wolframbibliographie weder ganz vollständig noch ganz verlässlich
sei; es haben sich sogar recht auffallende irrtümer eingeschlichen,
wenn zb. sowol s. 6 wie im index Zingerie statt Zupitza als der
herausgeber der Parzivalbruchstücke Zs. 17, 393 ff genannt ist.
am sonderbarsten aber erscheint dass Boetticher ganz und gar
vergafs dass Wolfram auch lieder gedichtet hat und diese ebenfalls eine, wenn auch an zahl geringere, litteratur zeitigten. auch
wäre es wol keine unbillige anforderung an ein repertorium der
Wolframarbeiten, wenn man eine übersicht über die bisher nachgewiesenen nachahmungen Wolframs in der späteren deutschen
dichtung oder eine aufzählung des nach Lachmann für die Wolfram fortsetzenden oder ergänzenden poeten und poetaster geleisteten wünschte. Boetticher hat sich die gränzen seiner leistung
viel zu eng gezogen. innerhalb seines rahmens allerdings wird
man ihm sowol unparteilichkeit und besonnenheit des referats als
übersichtliche disposition des stoffes nachrühmen dürfen, recht
im gegensatz zu Leos im Anzeiger bereits gewürdigter tendenz-
schrift über Walther. STEINMEYER.

Moriz Haupt als academischer lehrer. mit bemerkungen Haupts zu Homer,
    den tragikern, Theokrit, Plautus, Catull, Properz, Horaz, Tacitus,
    Wolfram von Eschenbach, und einer biographischen einleitung von
    CHRISTIAN BELGER. Berlin, Weber, 1879. xii und 340 ss. 8°. — 8 m.[*]

In diesen blättern kurz eines buches zu gedenken, welches
die academische würksamkeit des begründers und langjährigen
leiters der Zs. zum gegenstande hat, ist mir angenehme pflicht.
ich erachte es für einen glücklichen griff dass gerade diejenige
seite der vielfältigen tätigkeit des berühmten philologen, die auch
mir stets an ihm als die bewunderungswürdigste erschienen ist,
zur monographischen darstellung gewählt wurde. nicht jeder
gelehrte, selbst wenn er der wissenschaft neue bahnen eröffnet,
hat als lehrer namhafte erfolge aufzuweisen: dazu bedarf es vielmehr, aufser umfassender gelehrsamkeit, welche die unerlässliche
voraussetzung bildet, noch besonderer factoren, innerer und
äufserer, eigenschaften des characters und günstiger naturan-

---

[*] vgl. Jenaer litteraturzeitung 1879 nr 27 (KBursian). — Zs. f. d. gym-
nasialwesen 1880 s. 176 ff. 245 ff (GHinrichs).

A. F. D. A. VII.

lagen. denn das resultat der universitätsbildung soll weit weniger
die aneignung einer summe von kenntnissen sein als der rechte
einblick in wesen und zweck wissenschaftlicher arbeit. das ziel
aller wissenschaft ist die ermittelung der wahrheit, das der philologischen speciell die reproduction vergangener zeiten in ihrer
totalität. wir wissen dass wir teils aus menschlicher unvoll-
kommenheit teils wegen mangelhafter überlieferung dies hoch-
gesteckte ziel nimmer erringen, sondern nur zu relativen wahrheiten gelangen, dh. solchen, die wir nach dem stande unseres
wissens zwar für wahr zu halten berechtigt sind, die aber wachsen-
den einsichten sich auch als falsch erweisen können. jedoch das
streben über die relative wahrheit hinaus zur absoluten bleibt
bestehen, und es zu nähren und zu kräftigen haben vor allem
die universitäten den schönen beruf, damit durch stärkung des
idealen sinnes der gefahr, dass die nation in rohen materialismus
versinkt, entgegengearbeitet werde. der einzige weg aber, auf
dem die absolute wahrheit zu erreichen denkbar wäre, beruht in
der vermehrung der relativen wahrheiten. die aufgabe des academischen lehrers wurzelt also darin, zu zeigen, wie und mit
welchen mitteln relative wahrheiten zu gewinnen sind. will er
aber diese seine sittliche und sittlichende aufgabe voll und ganz
lösen, so muss er selbst eine sittliche persönlichkeit sein: es
muss ihm um die wahrheit allein, ohne nebenrücksichten, zu tun
sein, und dieselbe strenge, die er von andern verlangt, muss er
gegen sich üben; nur wenn der lernende erkennt dass sein lehrer
durchglüht ist von unbestechlicher wahrheitsliebe, wird er ihm
vertrauen schenken und willig dessen worte auf sich würken
lassen. allerdings ist einschneidender lehrerfolg in den meisten
fällen noch bedingt durch den besitz einer reihe von äußerlichen
eigenschaften: gewandtheit der rede, klarheit und präcision des
ausdrucks, wollaut und kraft der stimme.

Alle diese erfordernisse des echten universitätslehrers vereinigte *H*aupt in seltenem maße. er besaß zunächst ausgebrei-
tetstes wissen auf den verschiedensten gebieten der philologie,
vielseitige erudition in allen hilfsdisciplinen und reiche belesenheit in den modernen litteraturen; dazu verstattete ihm ein treues
gedächtnis in jedem augenblicke die volle verwertung dieser kenntnisse. aber nicht sowol wissen zu tradieren, sondern methode
zu lehren, war der zweck seiner vorlesungen, wie er ihn zu
anfang und im verlaufe derselben hinzustellen liebte; und da
hiezu interpretationscollegien geeigneter erschienen als systematische, so gab er, sonderlich in der zweiten hälfte seines lebens,
jenen den vorzug. der zur behandlung gewählte text wurde, nachdem eine einleitung über seine litterarhistorische stellung, seinen
verfasser, seine überlieferung vorangegangen, vornehmlich in hinsicht auf wortkritik durchgenommen; höhere kritik zu treiben
gaben im ganzen nur die vorträge über die Ilias anlass. man

muss zugestehen dass diese einseitige bevorzugung des details
nicht ganz unbedenklich ist: mancher anfänger wird leicht von
den höchsten zielen der wissenschaft abgelenkt und zu dem
glauben verführt, alles heil beruhe in der conjecturalkritik; es
mag sogar vorkommen dass dem einen und andern das philologische studium überhaupt verleidet wird, sei es dass er zum
conjicieren sich nicht berufen fühlt, sei es dass ihn die vertiefung in einzelheiten unwürdige kleinkrämerei dünkt. aber kritik
und erklärung, diese sich gegenseitig bedingenden elemente, bilden die notwendige grundlage aller weiteren erkenntnis in der
philologie; ihre richtige handhabung ist daher das erste und
dringendste was not tut und kann nicht oft genug an beispielen
deutlich gemacht werden. darauf verstand sich Haupt meisterhaft.
vor allem verlangte er gründliches verständnis des überlieferten:
halbwisserei und leichtes hinweggehen über schwierigkeiten waren
ihm ein greuel. 'was heifst das?' lautete die erste frage, die er
aufzuwerfen pflegte. erst wenn es sich gezeigt hatte dass der
text verderbt sein müsse, kam die kritik zu ihrem rechte, und
es erhob sich die weitere frage 'was muss dagestanden haben?'
ergab sich darauf keine sichere verbesserung, so predigte Haupt
die ars nesciendi. nicht nur aber auf diese positive weise führte
er zur wahrheit, sondern auch auf negative, indem er darlegte,
wie nicht erklärt und wie nicht conjiciert werden solle. fast
bei jeder vorlesung bekämpfte er die arbeiten bestimmter gelehrten, um die halbheit, schiefheit oder unmöglichkeit der von
ihnen vorgebrachten erklärungen und änderungsvorschläge nachzuweisen. gerade dies verfahren, welches durch den contrast des
falschen die wahrheit in um so helleres licht setzte, schärfte das
gefühl für das einfache und echte in besonderem mafse und ist
überaus empfehlenswert, auch für die deutsche philologie, die
gewis nicht mangel an ausgaben hat, welche zwar an sich keinen
wert besitzen, jedoch dadurch einen solchen empfangen, dass an
ihnen exemplificiert werden kann, wie man nicht zu erklären habe.

Aber Haupts durchschlagender lehrerfolg wurde wesentlich
erhöht durch die gewalt seiner persönlichkeit. wer ihn sah und
hörte, empfieng sofort von ihm den eindruck einer fest abgeschlossenen, schneidigen aber strengsittlichen natur. seine ma-
jestätische erscheinung, der blitz seines auges, die kraft seines
modulationsfähigen organs würkten imponierend. und dazu die
einzigartige kunst des vortrags. es ist dies ein punct, den
Belger leider zu wenig berücksichtigt hat. alles in Haupts deductionen war wol berechnet; kein unnützes wort störte den
effect, den die vorführung der tatsachen auf den hörer machte.
immer mehr steigerte sich die spannung, bis endlich das wahre
heraussprang und mit siegreicher macht sich anerkennung erzwang.
der genuss, den seine vorlesungen erweckten, lässt sich nur dem
vergleichen, welchen man empfindet, wenn man der schürzung

und entwirrung eines dramatischen knotens in einem guten
schauspiele mit regem anteil folgt.

Allen, welche das glück gehabt haben, zu Haupts füfsen
sitzen zu dürfen, wird Belgers buch auf angenehme weise die
stunden, während welcher sie seinen worten lauschten, in die
erinnerung zurückrufen. wer aber ihn persönlich nicht gekannt
hat, leistet sich selbst den grösten dienst, wenn er die schrift zur
hand nimmt und aus ihr sich vergegenwärtigt, wie ein meister
der methode methodisches denken lehrte. zwar bietet sie naturgemäfs dem classischen philologen mehr als dem deutschen, aber
die methode aller philologie ist dieselbe und gerade die germanische philologie hat allen grund, von der älteren schwester
immer wider zu lernen, damit endlich zerfahrenheit und dilet-
tantismus sich breit zu machen aufhören.   STEINMEYER.

Christian Felix Weifse und seine beziehungen zur deutschen literatur des
   achtzehnten jahrhunderts. von dr JMinor. Innsbruck, Wagner,
   1880. VIII und 406 ss. 8°. — 6,50 m. *

Selten wird ein erstlingswerk so sehr den eindruck der
reife machen wie diese monographie über einen schriftsteller
dritten rangs, der wenn nicht intensiv so doch höchst extensiv
in unserer litteratur gewürkt hat. nicht alles kann der kritische
betrachter des Minorschen buchs nach anlage und ausführung
gut heifsen, aber er wird gern bekennen dass hier eine bei der
unerquicklichkeit des stoffes doppelt rühmliche hingehende genauigkeit mit fruchtbarem streben nach verallgemeinerung der
probleme gepart ist. hinzu kommt die vortreffliche darstellung,
der ein par stilistische flüchtigkeiten wahrlich nichts von ihrem
werte rauben. auch das corrigieren wird Minor hoffentlich rasch
lernen; dieses buch wimmelt von druckfehlern. um dann meine
teilnahme an diesen studien unbeirrt durch äufserliche kleinigkeiten zu bezeugen möchte ich mir gleich einige anstöfsige neben-
dinge aus dem wege räumen. wir würden gern eine reihe von
hart an die phrase streifenden sätzen vermissen, wie s. 3 dass
die zwillingsgeschwister Weifse durch verkleidung der deutschen
lustspieldichtung ein später beliebtes motiv zugänglicher machten,
s. 43 f die entwicklung der Weifseschen verlobung nach comödien-
recepten, s. 17 die *litteratur beim bierkrug*, s. 81 den *gezwungenen
dichter*, s. 179 den 47 jährigen greis im grofsvaterstuhl, das *jugend-
liche naturburschenthum* im Kleonnis s. 228 und s. 229 den wie
aus marmor gehauenen typus des Philotas, welcher Weifses characteren über den kopf wächst; den ironischen vergleich zwi-

[* vgl. Augsburger allgemeine zeitung 1880 nr 172 und 209 beilage
(LGeiger). — Litt. centralbl. 1880 nr 31.]

schen Weifse und Cäsar s. 256, s. 252 er *war keine seidenwurm-
natur*, s. 25 *eine Hamletnatur, wo sie an die parodie streift.*

Der mit unzulänglichen kräften immer munter darauf los
arbeitende Weifse, was soll er auch nur parodistisch mit der
Hamletnatur gemein haben? aufgaben, behandlung, abschluss ergeben nichts, was solche weit hergeholte geistreiche vergleiche
veranlassen könnte. hat Weifse sich überhaupt an grofsen problemen, ihm, gerade ihm gesteckt, müde gerungen? da er doch,
abgesehen von den operetten, überall ein fortsetzer fremden vorgangs ist und sein verhängnis nach Minors glücklichem apperçu
darin liegt, dass er immer zu spät kam. ein stück weges kann
er mit Lessing gleichen schritt halten, dann hinkt er nach und
klaubt auf was ihm die raschen flugs vorwärts eilenden gröfseren
geister zuwerfen, immer weiter bleibt er zurück, schliefslich der
bemitleidenswerte alte mann in einer welt, die er nicht begriff,
mit seinen fossilen dichtwerken generationen gegenüber, welche
über Garve und Engel zu gericht safsen und ihn selbst mit seiten-
hieben bedachten. nur weil er nicht aggressiv war wie Nicolai
haben ihn die unbarmherzigen kritischen teufeleien einigermafsen
geschont. Minor betrachtet ihn mit der unparteilichkeit des er-
klärenden historikers und fällt doch gar häufig in einen etwas
höhnischen ton, der dem leser nicht immer behagt. nebenbei:
dass Minor gleich mit einer spöttelnden durch nichts gebotenen
bemerkung über Goedeke anhebt finde ich gar nicht hübsch.
mögen wir Goedeke verbessern, mögen wir ihm widersprechen —
der mann, der ua. zu unserem handwerkszeug den unschätzbaren
Grundriss geliefert hat, verdient unseren täglich erneuerten dank,
wie jener philolog nie versäumte die guten lexicographen in sein
morgengebet einzuschliefsen.

Eine ungemein ausgedehnte secundäre litteratur ist von Minor durchgearbeitet worden und *legimus aliqua ne legantur* dürfte
er bekennen. der recensent ist nicht in der lage erhebliches detail nachzutragen, wenn anders er den wink der vorrede beachtet,
eine billige kritik werde den verfasser *hoffentlich mit aufmutzung
des auskehrichtes, den er selber abgeschafft hat, verschonen.*

Die anordnung ist im grofsen und ganzen nur zu billigen.
leben und schriften werden von einander getrennt, die letzteren
nach gattungen abgehandelt, nicht in bausch und bogen, sondern
jede dichtung einzeln, was die brauchbarkeit des buches erhöht.
zusammenfassende betrachtung der gruppen fehlt nicht, ist aber
wie mich dünkt etwas zu kurz gekommen. wol jeder hat beim
ersten anblick sich des gedankens nicht erwehren können: so
viele bogen über Weifse? prüft man jedoch eingehend, so sind
streichungen nicht eben leicht vorzunehmen, und da man einiges
vermisst, so muss eine erschöpfende monographie würklich so
lang geraten. der handschriftliche nachlass wird mit weiser beschränkung benutzt. energisch zusammendrängen liefse sich zb.

die analyse der Jagd, der Jubelhochzeit, vor allem der abschnitt Weifse als bibliothekar, die gedehnte schilderung von allen möglichen persönlichen beziehungen, überhaupt manches biographische.

Hier erweckt vor allem das von Minor im ganzen verlauf einsichtig behandelte verhältnis zu Lessing unser interesse. grofsen persönlichkeiten gegenüber macht uns Weifse einen ärmlichen eindruck. Rousseau weifs er nichts zu sagen als eine alltagsbemerkung über die schöne gegend und man sieht nicht dass der Pariser aufenthalt ihn irgend nachhaltig angeregt hat. dagegen etwa Herder! gewis, wir sind, wenn wir so den stab brechen, ungerecht — und doch was unserer litteratur damals not tat, war die überwindung des sächsischen, die hervorkehrung des preufsischen characters. Weifse ist der typus des sitzen gebliebenen Sachsen. und so kann ich allerdings nicht ohne ironie und verachtung sehen, wie Weifse sich in derselben stunde die Bibliothek der schönen wissenschaften aufhalten lässt, wo die echte kritik sich in den Litteraturbriefen ein organ gründet, um preufsisch loszuschlagen. *husarenhiebe* nennt es Prutz, von *husarenkriegen* spricht schon FJRiedel. die raschheit, die rücksichtslosigkeit, die schärfe und weite des gesichts und alle die preufsischen eigenschaften, die Lessingen, den Sachsen von geburt, zum guten Preufsen machten, fehlen Weifse gänzlich. kein gröfserer contrast als zwischen Lessings *göttlicher unruhe* im leben, seiner fragmentarischen schriftstellerei und Weifses still bürgerlicher lebensführung, seiner halb phlegmatischen halb borniert eigensinnigen ausdauernden production. es mit niemand zu verderben war sein grundsatz; gutmütige versöhnlichkeit bekundete er allenthalben. Lessing wuste nichts von jener feigen nachsicht gegen alte freunde, sondern konnte sehr kühl bis zur völligen ablehnung werden; ein erfrischend männlicher zug in dieser zeit, wo die grofsen und kleinen, immer aber kleinlichen gemeinschaften alles waren. die ihn nicht verstanden meinten wol, er sei ohne sinn für freundschaft. auch Weifse, der doch einst Lessing und Kleist zusammen gesehen, hat derlei geäufsert vgl. Minor s. 295. er habe ihm beweise der alten zuneigung gegeben — nämlich im märz 1775 — *so weit bei ihm diese gehen kann, denn bis ans herz geht sie nicht leicht.*

Daher hat sich jedesfalls auch JMMiller damals in Leipzig seine ansicht über Lessing geholt. er selbst verkehrte zwar nur flüchtig mit dem von Klopstock verworfenen dichter und bemerkte, nachdem er ihn xi 74 verfehlt hatte, *nun kanns lange anstehen*, aber um so eifriger war der junge Cramer. Miller an Voss 2 xi 74 er *lauft von einem prof. und schönen geist zum anderen. schon hat er Weifse, Clodius, Engel, Ekhof, die Seylerinn, und wer weifs wen noch? besucht. Ekhofen hat er gar sein stammbuch präsentiert.* dann meldet ein 20 ii 75 begonnener brief *Lessing ist seit dem donnerstag hier und geht morgen wieder ab,*

*ich wollt ihm aber nicht cour machen. . . . heut wurde Sara, das
an sich schon mittelmäfsige und langweilige stück gar langweilig
und schlecht aufgeführt. ich hätte würklich die Sara noch für
besser gehalten, aber auf dem theater ennuyirt und beleidigt sie er-
schrecklich. Lessing lief selber bald wieder weg. er sieht gut aus,
lebhafter und jünger als im porträt, und ist nicht viel gröfser als
Klopstock. man sagt, er heyrathe die mad. Reisken; doch das ist
wohl nur mähre . . . dienstag. heute sah ich Lessing noch einmal in Hillers concert; er sieht gar pfiffig aus, aber doch sehr
angenehm. Hiller sagt, dass er sich aus der musik gar nichts
mache. alle sprachen ihm auch den geringsten grad von freundschaft und empfindung ab.* ich füge hinzu (vgl. Minor s. 344)
dass Cramer das wochenblatt für kinder zu je einem halben
bogen zweimal die woche für Crusius liefern wollte und Miller
schon kindergespräche und kinderlieder bereit hielt. endlich dass
Hiller, der bedeutendste singspielcomponist, Millern erklärte *der
reim helfe in der musik gar nichts.*

Dem sauberen biographischen abschnitt habe ich nichts beizufügen oder entgegenzusetzen. für die Leipziger campagne der
Müllerschen truppe s. 5 anm. ist besser auf die Briefe über die
einführung des englischen geschmacks 1760 s. 60 und 63 zu
verweisen.

Das zweite capitel gilt dem lyriker Weifse. in der tat,
Weifse kam, wie überall, so auch hier zu spät, wenn er 1758
Scherzhafte lieder herausgab. wie gering dachte damals Lessing
von seinen kleinigkeiten, wie gering damals überhaupt von der
abgedroschenen anakreontik. Minor hält sich ein wenig zu lange
dabei auf für Weifse und andere das unerlebte dieser flotten
wein- und liebespoesie zu erhärten, da doch schon Danzel zb.,
was er s. 58 vorträgt, genügend gesagt hat. weil für Weifse die
sinnlichen ingredienzien blofse poetische observanz waren nahm
er später an seines freundes Thümmel lascivität keinen anstofs.
er war sich gewis am wenigsten bewust in die reihen der anakreontiker tretend einen kampf für die freiheit der lyrik mitzu-
kämpfen. und doch war es ein wagnis. ja, es ist erstaunlich
wie hartnäckig orthodoxe eiferer die antikisierende richtung seit
der renaissance bis zur gegenwart verpönten. so poltert der
braunschweigsche superintendent JBLüderwald in seiner schrift
über die Apokalypse 1777: wie man ehedem die *schmutzigen lieder
eines Horatii, Ovidii, Catulli* nicht zur brandmarkung des un-
sauberen heidengeistes hervorgezogen habe, sondern um *den
Bacchus, die Venus und alles andre zeug des heidenthums in der
feinsten und annehmlichsten, zugleich aber auch verführerischsten
gestalt vorzulegen,* so seien auch die neuen dichter bemüht ihre
mitbürger zu mahomedanern zu machen und den himmel nur in
wollust, liebe und wein zu suchen.

Leider hat Minor es sich versagt, Weifses lyrik auch dadurch

in die reihe verwandter urkunden der poésie fugitive einzuordnen,
dass er eindringlicher den einflüssen der schule Chapelles und
Hagedorns auf stil und motive nachgienge. und warum nicht
s. 74 f lieber ein par entbehrliche bemerkungen und daten gestrichen und dafür eine knappe characteristik der umarbeitung
gegeben. ich überschätze den wert von lesarten geringerer poeten
durchaus nicht, aber eine entwicklung des anakreontischen stils
muss gegeben sein, bevor die analyse des Wielandschen erfolgen
kann. der name Uz begegnet uns bei Minor so oft, aber das verhältnis der Weifseschen lyrik zur Uzschen und Gleimschen usw. wird
nicht bestimmt. Die einfalt (1772 s. 42 f) ist zb. ganz nach der
schablone angefertigt; überall damals dies motiv der schlafenden
schönen, deren busentuch ein zephyr hebt. Weifse hat in der
form von Lessing nur weniges, auch dieses braucht er keineswegs
gerade von Lessing zu haben, der ja das dialogische, pointiert
epigrammatische, die refrains und wechselnden 'kehrreime nur
weiter bildet. die oft anmutige glätte der Scherzhaften lieder hat
noch den jungen Goethe zu derselben zeit, wo ihn die grazie der
Musarion entzückte, erfreut und belehrt. hr vBiedermann betont
den einfluss Goethe und Leipzig 1, 94 ff. er stellt Das schreien
und Weifses Vorsicht zusammen. er hätte wenigstens Der wald
noch hinzu nehmen sollen. auch die coupletartige fassung mag
Goethe von Weifse gelernt haben, wenn nicht aus der gedicht-
sammlung, so doch aus den singspielen.

Weifse macht die lyrischen moden mit, wie in beschränk-
terem mafse sein landsmann Kretschmann, und beide gleichen
kleinstädterinnen, welche den schönen staat eben dann anlegen,
wenn seine zeit vorbei ist. die erotische lyrik preist die ana-
kreontische spatzenliebe. dann läuft er, der in Auf die heraus-
foderung einer amazone und Der soldat sich als einen sehr vorsichtigen ritter und sehr ängstlich gegenüber den *verdammten
messern* der *bärtigen panduren* in Böhmen gezeigt, dem dichter
der grenadierlieder nach. seine verfehlten Amazonenlieder hat
Minor, von Nicolais bestem litteraturbrief ausgehend, vortrefflich
kritisiert. und nicht nur hier, wo das votum so leicht gemacht
wird, verdient das sichere ästhetische urteil Minors alles lob.
Gessners Lied eines Schweizers an sein bewaffnetes mädchen in
der reimlosen chevychasestrophe hätte erwähnt werden müssen.

Gelegentlich grast Weifse allzu augenfällig auf fremder flur.
so ist die zwölfte strophe im Lied der amazone bey einem vic-
torieschiefsen

> *bedeckt mit nicht unedlem schweifs'*
> *und staub will ich dich sehn,*
> *vom lauf wie ein Adonis heifs,*
> *und auch wie er so schön*

nur eine variation des eingangs von Klopstocks Kriegslied. sie
nennt sich selbst *Thusneldens tochter* und Klopstocks Thusnelda

hat überhaupt die marketenderin zur nacheilenden verliebten heldin idealisieren helfen. an einigen stellen ist die anregung durch Glovers Leonidas deutlich. zu s. 68 bemerke ich noch dass auch Kretschmann im greulichen stil des Weißeschen Tyrtäus dichtet: *ha! da liegen sie ja* udgl. Goethe spottet darüber, an Friederike Oeser DjG 1, 51. er denkt gleich an Leipzig und die ganze launige parodie trifft zugleich Weiße; auch sagt er *Gleim, und Weise und Gessner in Einem* (Gessners Lied eines Schweizers) *liedgen, und was darüber ist hat man satt.*

Warum sich die Lieder für kinder, *welche Weißen die väterliche liebe im gewande der muse eingegeben hat,* so ganz natürlich (s. 71) einer kritischen besprechung entzieht sieht man nicht ein. ihre beurteilung würde sich ferner wol besser dem abschnitt Jugendschriftstellerei einreihen. zu den lächerlichen *katabaukalesen* Schmidts bilden das Claudiussche Wiegenlied bei mondschein zu singen und andere liebesworte über sein *schlafgesindel* den schönsten gegensatz. auch wegen der vorrede erwähnenswert ist die ausgabe 'Christian Felix Weiße'ns [sic] lieder und fabeln für kinder und junge leute. nach des verfassers wunsche gesammelt und herausgegeben von M. Samuel Gottlob Frisch' Leipzig 1807. Frisch hat alle gedichte aus dem Kinderfreund aufgenommen. er berichtet dass Weiße von den fabeln nicht hoch dachte. mit recht, denn sie sind mit geringen ausnahmen platt und roh. man vergleiche nur Der arme schuster und Hagedorns Johann den munteren seifensieder. wenn CHSchmid das *savetier* einer anderen französischen vorlage mit *seifensieder* übersetzt, wie Minor s. 403 nachträgt, so hat Hagedorn ihm die verwechslung von *savetier* und *savonnier* vorgemacht.

Weißes lustspiele werden im dritten capitel der reihe nach besprochen, fast durchweg mit der gebürenden knappheit und dem sicheren tact, der in der analyse alles unwichtige ausscheidet. auffallend aber ist dass Minor, obgleich er wol weiß, wie verschlungen die filiation der motive gerade im sächsischen lustspiele ist, in so ausschließlicher weise Lessing zum vergleiche herbeizieht. ich habe die stücke des Théatre italien, verwirrend wegen der schablonenhaftigkeit, nicht so im kopf, um Weiße darauf hin prüfen zu können; das Nouveau théatre war mir bisher gar nicht zugänglich. zudem ist es schwer, wo viele motive gemeingut geworden sind, entlehnungen als direct oder indirect zu erkennen. wenig von Holberg; sehr wenig von frau Gottsched. aber Gellert war zu berücksichtigen und gleich s. 82 f für das zänkische ehepar und die naiven so gut wie Lessing zu nennen. sicher ist dass Gellert auch auf die freilich beweglichere sprache der Weißeschen lustspiele eingewürkt hat. ich bin weiter nicht in der lage Marivaux usw., Wycherley usw. allein für Weiße durchzugehen. ergibt sich nichts specielles, so muste das ausdrücklich erklärt werden; vor der hand bleibt mir und gewis auch

anderen der eindruck dass die aufgabe von Minor nicht erschöpft
ist. den sätzen der vorrede dass für Lessing wenig gewonnen
ist, wenn man nur auf Holberg hinweist usw., wird niemand
widersprechen. ich habe nach Gervinus in diesem Anz. IV 154
bereits Weifse und Picander als vorläufer der sächsischen comödie bezeichnet. Creizenach gibt in seiner lehrreichen kleinen
schrift Zur entstehungsgeschichte des neueren deutschen lustspiels, Halle 1879, schätzbare aufklärungen über die theater-
zustände unmittelbar vor Gottsched. auch die Schaubühne englischer und französischer comödianten 1670 muss als etappe gewürdigt werden. hier zb. schon jenes motiv dass zwei geschwister
einander zum verwechseln gleichen und was weiter daraus für
die verwicklung folgt. Minor s. 109 spricht wider nur von Lessing und für diesen von Molieres vorgang, während Lessing doch
gewis Marivaux gefolgt ist, vgl. La fausse suivante ou le fourbe
perdu, auch Le triomphe de l'amour. Danzel hat Marivauxs einfluss auf Lessing teils überschätzt, teils nicht genug im einzelnen
ausgebeutet. so meine ich im Jungen gelehrten ein par züge
aus La seconde surprise de l'amour zu finden.

Da Lessings lustspiele von Minor fast auf jeder seite dieses
capitels citiert werden, sei hier ein weiterer beweis gestattet, wie
viel für die geschichte der motive noch zu leisten ist. und zwar
bis zur Minna von Barnhelm. die kunst, mit welcher Lessing
das motiv der nachreisenden geliebten, des zusammentreffens im
wirtshaus, der parallellaufenden nebenhandlung mit der typischen
schlussscene frei idealisierend so ausgebildet hat, dass nur ein
geübtes auge die feinen verbindungsfäden sehen kann, wird nie
genug bewundert werden. leichter ist das herauswachsen der
Franziska aus dem Lisettenkreise zu verfolgen, auch in einzelheiten, die ich hier nicht berühren mag. schwieriger zu zeigen
wie Werner und Just an die stelle der contrastierenden diener,
des flotten und des rüpelhaften gesetzt worden sind. in der Ric-
cautscene 4, 2 scheint manches auf Regnard Le joueur zurückzugehen. 1, 8 findet sich bei vater Géronte der maître de tric-
trac Mr. Tout a bas ein, der es natürlich auf den lüderlichen
Valère abgesehen hat und nun den falschen anredet. er lebt
vom spiel, in dessen bedenkliche kniffe er für ein gutes honorar
andere einweiht. er schildert das leben der spieler. seinen de-
moiselles (qui sans le lansquenet et son produit caché de leur foible
vertu feroient fort bon marché) entsprechen die certaines dames
der Riccautschen gesellschaft. er ist meister der kunst

> je sçay, quand il le faut, par un peu d'artifice
> d'un sort injurieux corriger la malice;
— corriger la fortune nennt es Riccaut.

> je sçay dans un trictrac, quand il faut un sonnez
> ,.....glisser des dez heureux, ou chargez, ou pipez usw.

ähnlicher künste ist Riccaut meister, als einer *des bons, von die ausgelernt: je sais monter un coup . . . je file la carte avec une adresse . . . je fais sauter la coupe avec une dextérité.* beide versichern, man könne sich mit ihnen ohne jedes risico verbünden. Tout a bas will sogar den Géronte durch sein *sçavoir extrême* so weit bringen *que vous escamotiez un dé comme moymême.* in beiden scenen wachsende entrüstung auf der einen seite, die hei dem männlichen widerpart der französischen comödie sich bis zu schimpfworten und tätlichkeiten steigert, frechste unverfrorenheit auf der anderen. Riccaut will sich recruten holen, er wird morgen mit dem gewinn kommen — Tout a bas erwidert auf Gérontes abweisung gelassen *je reviendray demain pour la seconde fois* und hat die unverschämtheit noch zwischen tür und angel einen vorschuss zu verlangen *vous plairoit-il de m'avancer le mois?*

Springen wir zurück zu Lessings anfängen. der capitän vSchlag in der Alten jungfer verhält sich zum major Tellheim, wie The soldier's fortune von Otway zum Soldatenglück. dass der Peter in der weifsen jacke den verbannten Harlekin oder besser Pierrot vertritt hat Creizenach s. 28 bemerkt (vgl. Lessing 7, 132). Lessing benutzt hier das Théatre italien; ob mittelbar oder unmittelbar, kann ich nicht beweisen. der *gebackensherumträger* tritt auf, ruft seine waare aus, Lisette 1, 5 nascht aus seinem korb und wird mehrmals dabei ertappt — in La fausse coquette 1, 4 geht Mezzetino als conditor laut zum kauf einladend herum, Arlechino plündert den korb, Mezzetino bemerkt es. 3, 1 und 3, 6 erscheint Peter *in einer alten montierung, mit einem stelzfufse und einem knebelbarte* als vermeintlicher freier capitän vSchlag um diesen zu discreditieren — zu demselben zwecke kommt in Les chinois Gherardi² 4, 196 ff *Arlequin en capitaine avec une jambe de bois.* 3, 8 erhalten wie Peters heiratscontract: die bürgerliche braut soll ihn stets herr vSchlag und ew. gnaden nennen usw., er ist erb-, lehn- und gerichtsherr auf Nichtswitz, Betteldorf usw., alles motive aus Die ungleiche heirat der Gottschedin, deren erstes wiederum auf Molières George Dandin zurückweist.

Die tragweite von Minors bemerkung über den einfluss der Hamburger opera bernesca auf die sächsische comödie, vgl. auch seine vorrede — kann ich nicht abschätzen. hoffentlich gibt er selbst, der die erschreckliche grofse sammlung der Berliner bibliothek eingesehen hat, die nähere ausführung, wie er hier s. 98 f die hamburgische Fiametta sehr glücklich für Weifses Haushälterin verwertet hat.

Gewis verlangt die geschichte der sächsischen comödie eine besondere eingehende darstellung, welche auch die attische comödie, die römische, sowie atellane und mimus vergleichsweise zu berücksichtigen hätte. monographien wie die Minorsche oder

die hier in Strasburg vorbereitete über frau Gottsched können
diesen weitverzweigten bildungsprocess nicht so nebenher summarisch abhandeln, sondern nur beiträge liefern. so gibt Minor
nur andeutungen über den typenkreis. dass Weifse alle typen
von seinem vordermanne Lessing übernommen hat sollte Minor
doch lieber nicht behaupten. schon seine eigenen analysen widerlegen ihn. eines möchte ich noch allgemein hervorheben: die
ausbildung der typen in der comödie geht hand in hand mit
zahlreichen undramatischen characterstudien. obenan stehen Theophrast und sein nachahmer La Bruyère. und man vergleiche
die characterbilder in den moralisierenden wochenschriften mit
denen des lustspiels. man halte einzelne aufsätze etwa der Ver-
nünftigen tadlerinnen neben Leipziger scenen, man stelle ferner
Rabeners satiren, Gellerts fabeln und Gellerts dramen zusammen,
man fasse die eingelegten langen deutlichen characteristiken in
der europäischen comödie jener zeit ins auge, bedenke dass Lessing als schüler neben Plautus und Terenz den Theophrast liest,
dass sein bewunderter Regnard in Le distrait den Léandre nachweislich dem La Bruyèreschen Ménalque nachgebildet hat.

Ich wünschte, wenn schon einmal Weifse immer als der
kleine Lessing figurieren soll, ausdrücklich hervorgehoben, wie
Lessing in den meisten jugendlustspielen schon eine bedeutende
idee, eine tendenz verfolgt, ihnen, mit Friedrich Schlegel zu
reden, einen philosophisch-polemischen character leiht, wie man
aber dergleichen bei Weifse nicht findet. s. 128 bemerkt Minor
dass Weifse seine personen im gegensatze zu ihrer benennung im
Beitrag später in den lustspielen mit titeln und bedienungen
versieht. eine blofse äufserlichkeit bei ihm. die berufslosigkeit
ist bezeichnend für den privaten character des älteren lustspiels.
die schablonenhaften ärzte und advocaten können diesen satz
nicht anfechten. wir wissen dass Diderot dagegen mit grofser
einseitigkeit vorgehen wollte. Weifses nachträgliche titulatur hat
immerhin litterarische und zuständliche gründe. Ifflands freilich
nicht im streng Diderotschen sinne ständisches drama bereitete sich
langsam vor. im leben muss der beruf, je mehr man allmählich
im achtzehnten jahrhundert aus der muffigen sächsischen stube
hinaus auf den markt trat, mehr bedeutung auch im privatver-
kehr gewonnen haben. die anreden wurden andere. strenger
als früher wurde es brauch und gebot, jedem seinen gebürenden
titel zu geben.

Betrachte ich die einzelnen analysen, so gewähren dieselben
einen klaren einblick. einiges zb. s. 112 f ist ein bischen weitschweifig geraten, auch werden die recensionen zu oft herangezogen. irgend welche erhebliche nachträge oder polemische
erwägungen ergeben mir meine alten Weifsexcerpte nicht. s. 86
werden mehrere bearbeitungen des stoffs der Matrone von Ephesus
aufgezählt. statt der Schmidtschen wäre besser die in Schwabes

Belustigungen, welche mir jetzt nicht zur hand sind, verzeichnet
worden; Fatonvilles sehr freie ausarbeitung hat auch den titel
La matrone d'Éphèse; Chapmans The widow's tears verdienten
erwähnung vgl. Lessing 11², 704. vortrefflich ist Minors erörterung über Lessings entwürfe, nach erneuter prüfung muss
ich seiner datierung beipflichten: sie fallen nach Hamburg.

Für Die poeten nach der mode konnten Schönaich und bestimmte Klopstockianer oder Miltonianer namentlich aufgeführt
werden. Dunkel geht auf Bodmer, sein Goliath auf Naumanns
Nimrod. Reimreich ist nicht *nur eine bestimmtere ausbildung des
gelegenheitspoeten, den Lessing wol nach Holbergs [?] vorbild schon
im Misogyn* [in der Alten jungfer: Kräusel] verspottet hat, sondern unverkennbar eine caricatur Schönaichs. auch s. 95 wird
unnötig an Holberg erinnert. wie sehr gerade Weiße sich zu
einem solchen parodistischen stück, das übrigens im hauptmotiv
vom Reich der toten angeregt sein dürfte, veranlasst fühlen muste,
leitet Minor richtig daher, dass Weiße an Gottscheds redeübungen
teil genommen und das erscheinen der drei ersten gesänge des
Messias in Leipzig erlebt hatte. der anfang von 3, 5 klingt mir
doch wie versteckter spott über Klopstocks lyrik, besonders die
Ebertode, welche Lessing Lachm. 1, 205 f copiert. s. 100
*ein neuer, wie es scheint, Weißen angehöriger character begegnet
uns hier: Arist, der bruder des alten thoren (nach den lustspielen:
professor), der ihm ins gewissen redet; der 'Wahrmund', wie jener
typus in einem anderen stücke bezeichnend heißt; der vertraute
der liebenden, der die intrigue auf sich nimmt —* der character
gehört Weiße keineswegs an. wenn man nicht an den schwager
Cleanth im Tartuffe erinnern will, so hat doch Gellert den bruder
magister in den Zärtlichen schwestern, der auf den *bruder des
alten thoren* in des Destouches für Gellert vorbildlichen Ingrat
zurückgeht, so hat frau Gottsched in der Hausfranzösin den ver-
ständigen nachbar Holbergs (im Jean de France) zum *bruder des
alten thoren* gemacht und der offenherzige ratgeber heißt schon
hier bezeichnend Wahrmund; der name auch in Die kranke frau.
Weiße hat hier gar kein verdienst, sein darsteller aber kennt
widerum das sächsische lustspiel vor Lessing zu wenig. in dieser
Haushälterin, wo Weiße wie im Weibergeklätsche recht wagehalsig
ist, auffallend groteske züge anbringt und trotz der colossalen
intrigue, trotz der breite eine würksame komik entfaltet, macht
sich der Leipziger localton sehr bemerklich, vor allem in den
gut sächsischen koseworten des alten venusnarren *mein puttchen,
mein gutes tierchen.*

Nichts lässt die zergliederung des Mistrauischen zu wünschen
übrig. Der naturaliensammler wird als übergang zur comédie
larmoyante characterisiert. Weiße vermengt hier possenhaftes
und weinerliches mit gröbster geschmacklosigkeit, sehr misver-
stehend die lehre vom rühren und lächern. gleich Lessing im

Jungen gelehrten bedenkt er das unpassende in seinen intriguen
nicht; wie denn hier der liebhaber fortwährend bei der zofe
versteckt oder eingeschlossen wird. es folgt die schon von Sauer
gewürdigte der Sara nachgehende Amalia; wirt Triks und frau
verdienen Minors lob der originalität s. 110 f. man mag darüber
streiten ob eine zusammenhängendere gruppierung den vorzug
vor der rein chronologischen verdiente, aber letztere lehrt doch
recht anschaulich die principlosigkeit und die ewigen rückfälle
in die alten abgetanen richtungen. das zeigt Minor eingehend am
Projectmacher usw. zu s. 121 Grofsmuth für grofsmuth und
die verwandtschaft mit der Stella erinnere ich an meinen kleinen
nachtrag im Goethe-jahrbuch 1, 379 f, zu dem rührstückchen
Armut und tugend an Mercier und HLWagners Woltätigen unbekannten. die ähnlichkeit der manier ist frappant.

Einer der besten abschnitte des buches ist die einleitung zu
Weifses operetten, ein ausgezeichneter auf gründlicher sachkenntnis beruhender beitrag zur theatergeschichte, und ebenso die
übersicht über die masse von singspielen, welche im gefolge der
so beliebten Weifseschen unsere bühnen nur allzu sehr in besitz
nahmen. besonderes lob verdient die schilderung der italienischen
intermezzi, welche in Hamburg usw. eine heimstätte gefunden
hatten. hoffentlich gibt uns Minor noch eine genaue entwicklungsgeschichte der operettentechnik bis Goethe und Wieland.

Am längsten verweilt Minor selbstredend bei Der teufel ist
los, dem erstling der gattung, dem stück, das den bekanntesten
und heftigsten der in der grofsen musenstadt an der Pleifse bis
heute so beliebten theaterscandale hervorrief. Lessings *sehr merkwürdige entdeckung* über Coffey-Weifses farce, welche Minor s. 138,
Danzels vermutung ablehnend, nicht zu finden weifs, betrifft sicherlich die ähnlichkeit des gegenstandes mit Shakespeares vorspiel zu
Der widerspänstigen zähmung, Weifses Träumendem bauer in
Niederland (Hasscarls davon abgeleitetem leibstück Der betrunkene
bauer, s. Löwen 4, 21), Holbergs Jeppe vom berge; für Lessing
um so interessanter, als er der ähnlichkeit des deutschen und
englischen theatergeschmackes eifrig nachspürte. ich citiere nochmals die Briefe die einführung des englischen geschmackes in
schauspielen betreffend, worin s. 10 ausdrücklich auf die posse
und die fehde bezug genommen wird, worin die endlose polemik
gegen das teufelswesen offenbar der von Minor s. 146 f besprochenen Lettre sur le théatre anglois folgt und worin Weifse totge-
schwiegen wird, während Gellert und Schlegel mehrmals als dramatiker der Gottschedschen schule paradieren müssen. Minor
orientiert uns erschöpfend über den ganzen handel sowol im text
als in der revue der streitschriften für und wider im anhang
s. 375 ff. was die s. 155 besprochenen schimpfwörter in der
comödie anlangt, so findet doch auf dem wege vom siebenzehnten
ins achtzehnte jahrhundert eine verfeinerung statt. das noch bei

Picander vorkommende *rabendrschgen* wird von dem immerhin politeren *rabenaas* verdrängt. auch die recension der Lessingschen lustspiele in Klotzens Deutscher bibliothek 1768, 2 stück 103 ff stellt rügend die niedrigen ausdrücke der jugendwerke zusammen *stockfisch, rabenaas, schlingel.*

Andere singspiele werden sorgfältig, manchmal zu eingehend, mit den vorlagen verglichen. bei Ninette à la cour sieht man, wie schon das Théatre italien vorarbeitet, nicht blofs allgemein durch ländliche operettenscenen, vaudevilles, welche schliefslich die hochzeit verherlichen, dass *Coline et Lucas, pour prix de leur flamme sont femme et mari, sont mari et femme,* sondern indem es eine ländliche schöne in ein schloss führt. aber sie wird dem früheren geliebten untreu. vgl. auch Marivaux La double inconstance. Weifses singspiele sind in manchen motiven — Minor zeigt die schablone — die directen vorläufer der Iffländerei: stadt und land, böse vögte oder schösser, die liebe unschuld, der gute fürst, versöhnungen, vereinigungen. diese singspiele verdrängen das sächsische schäferspiel. im grunde sind Hänschen und Lieschen noch die alten rosenrot *und apfelgrün bebänderten schäfer und schäferinnen,* welche AWSchlegel so albern findet, aber sie wohnen nicht mehr in Arcadien und haben die renaissancenamen abgelegt. s. 165 u. muss es wol nicht der sondern *des Joconde* heifsen. s. 188 und gar s. 259 würde auch der nicht-wagnerianer die kleinen ausfälle gegen den Baireuther meister gern entbehren, weil sie unmotiviert sind. so unmotiviert wie die gegensätzlichen lobpreisungen bei anderen.

Minor ist nach der mühsamen arbeit dieses capitels vollauf berechtigt in der vorrede es für leicht zu erklären das ihm etwa entgangene operettenmaterial in seine übersicht einzureihen.

Das fünfte capitel 200—262 behandelt die t r a u e r s p i e l e. ich will mich hier kurz fassen, befinde mich auch fast durchweg in übereinstimmung mit Minor und danke ihm manche willkommene belehrung weit hinaus über meine bisherige Weifsekunde. er legt bis ins kleinste dar, was in grofsen umrissen jeder auf den ersten blick sehen muss, die abhängigkeit des Crispus von der Phèdre, eben so genau, was nicht so augenfällig ist, die benutzung des Julius Cäsar und des Philotas in der Befreiung von Theben. über die entstehung des Philotas denke ich etwas anders als Sauer und Minor.

Weifses tragödien haben mir immer einen kläglichen eindruck gemacht. er geht vom standpunct der Gottschedschen schaubühne aus, schliefst ein kleines compromiss mit den Engländern, verirrt sich à la Seneca und Crebillon mehr als einmal ins crasse und kann in mancher hinsicht als ein Lohenstein redivivus gelten. palastintriguen, wollüstige kaiserinnen, geiles verlangen und zum contrast edle liebe, lügen und mordanschläge, eine schlussmoral *welch elend kann, o gott, die schnöde wollust stiften,*

pechschwarze und schneeweiſse gestalten, Atreus und Thyest ein
ekler rattenkönig von greueln, ein mischmasch von wutmonologen
und wutdialogen, die kleine rasescene der Isabella vor der leiche
des gatten, traumerzählungen eines tyrannen, der dann um eine
prinzessin wirbt wie ein Chach Abas oder irgend ein Ibrahim
und den mund möglichst voll nimmt um den Nero zu tragieren
*doch will ich ungerächt nicht zu der hölle gehen, nein, meinen
weg dahin mit leichnamen beszlen* usw. — mich dünkt, derlei ist
von Gryphius und Lohenstein her wolbekannt. das meinte wol
auch Klopstock wenn er Weiſse nicht besser fand als Hoffmannswaldau. zu s. 404 gleich hier dass der brudermord schon in
Gryphs Papinianus ergreifend behandelt wird.

Weiſse findet sich mit den drei einheiten ab und huldigt
dem princip der idealen ferne: heroenwelt, orient, alte und
mittelalterliche geschichte. der dialog ist ungleich lebendiger als
der Schlegelsche, reicher an schlagern, aber aufgebauscht und
geschraubt. Weiſse versteht sich übel auf die technik. er hat
schlechte expositionen (Eduard III) und nichts wird ausgetragen.
wenigstens lässt er seine verruchten personen mitsterben, Roxane,
Rosamunde. in Atreus und Thyest hat er die fäden so ver-
ſitzt, dass er gleichsam nur an einem endchen das garn aus
einander zieht: Pelopia allein tötet sich und es heiſst ungefähr:
nun können die scheuſslichkeiten ihren fortgang nehmen. in der
sprachlich gefälligen, aber durch die beredsamkeit der mutter
ermüdenden Befreiung von Theben geschieht ganze acte hindurch
gar nichts, mehrere hauptpersonen sind ganz untätig, der zweite
act wird durch pädagogische reden ausgefüllt, die erste intrigue
einfach fallen gelassen. in Eduard III herscht eine feige conse-
quenzlosigkeit. und wie handlungsleer ist Richard III, den wir
doch nie ohne den gedanken an Shakespeare betrachten können.
eine Berliner privataufführung notiert Fürst HHerz s. 122.

S. 203 ist Voltaire vergessen. s. 204 f. 296 f könnte reizen
gegen vBiedermanns aufsatz Goethe und Lessing im Goethe-jahrbuch zu polemisieren. Weiſses form wird sehr befriedigend besprochen, s. namentlich s. 251, und die gleiche sorgfalt, besonders
der quellenuntersuchung, auch den mehr bürgerlichen trauer-
spielen zugewandt. so dem Jean Calas, vor allem aber s. 233 ff
dem einstigen repertoirestück Romeo und Julie. ich habe der
scharfen kritik Minors nichts hinzuzufügen, als dass er auch
Claudius aufsatz *Steht Homer z. ex. unterm spruch des Aristoteles
und compagnie* hätte citieren sollen, da er doch die kritiken
sammelt. der aufsatz ist ironisch genug und schlieſst *wenn aber
die geschichte von Romeo und Julia nachgespielt würde; wenn
aber in einem gewissen planeten das publikum eine schöne wäre,
die nur unterhalten seyn will, und die schriftsteller schmetterlinge,
die um ihr lächeln buhlen, und durch gelehrte und bürgerliche
wendung sich einander einen freundlichen blick zu veranstalten*

oder *wegzuschnappen* suchen; *da ist* denn *freilich die sach' anders, und man muss immer zuckerbrot und bonbons in der tasche haben.* das citat s. 243 aus Goethes briefen an frau vStein verstehe ich nicht; den einfluss des überspannt schwärmerischen tones in Weifses tragicomödie scheint mir Minor ebenda zu überschätzen.

Weifse im mittelpunct der litterarischen polemik (cap. 6) wird viel, viel zu weitschweifig behandelt. alle diese beziehungen, diese für unsere litterarische entwickelung völlig gleichgiltigen fehden mit Bodmer, den damals keine seele mehr beachtete, müsten kurz und bündig zusammengefasst werden. besonders kurz das verhältnis zu den älteren. *die verfasser der litteraturbriefe machten, dass Gottsched mit Bodmern vergessen wurde* sagt Riedel vortrefflich über das publicum. briefe s. 169; das weitere *sie allein führten den scepter und die übrigen kunstrichter wurden entweder verlacht, oder sie beteten ganz andächtig die aussprüche nach, welche ihre befehlshaber dictirten* ist bestreitbar. Weifse wurde weder vom grofsen publicum und einem grofsen teil der schriftsteller verlacht, noch stiefs er in Lessings born. seine stellung in dieser hinsicht kennzeichnet Minor im

Siebenten capitel: Weifse als bibliothekar. vierzig und einige seiten über die Neue bibliothek der schönen wissenschaften und freien künste. AWSchlegels höhnisches urteil S.w. 8, 45 (nicht 7, 45) trifft das ganze langlebige unternehmen, das gleichwol eine gröfsere reihe rühmlicher beiträge zu tage gefördert hat. darüber kann man sich jetzt aus Minors nur zu registermäfsiger besprechung unterrichten. besonders bezeichnendes, wie Wezels mafsloses aber nicht unwitziges· gericht über die genies (s. 329), wird in extenso mitgeteilt. ich vermisse mit bedauern die gehörige scheidung zwischen der Nicolai-Mendelssohnschen Bibliothek und der Weifseschen, welche Minor fortwährend zusammenwirft, und eine scharfe contrastierung gegen die Litteraturbriefe, eine vergleichung endlich mit Nicolais Allgemeiner deutscher bibliothek und gäbe für eine solche weiter ausschauende behandlung gern etliche catalöge und excerpte hin. was die Litteraturbriefe bekämpften, die indolenz, die erbärmliche nachsicht, die feigheit, das lavieren, das cliquentum — sie bekämpften all das auch nach Lessings scheiden —, hier treibt es wider sein wesen. *der zweite Gottsched* sagt Minor von Weifse. der vergleich trifft in vielem, aber Gottsched hatte mut und entschiedenheit. Weifse ist durchaus gegner der Lessingschen art; er meint man solle lieber die schönheiten als die fehler aufsuchen. so meinten ja auch die Dusch usw. hätte er Lessing nach seiten der reproductiven characteristik als litterarischer kritiker ergänzen können, so wäre seine ausstellung berechtigt. den ängstlichen Sachsen sich jahrzehnte lang zwischen den parteien durchwinden, immer pactieren, im geheimen frondieren zu sehen, ist ein unerquickliches schauspiel. aber jedermann wird Minors verstän-

digem wort s. 317 beipflichten *ihn als prototyp der kritischen be-*
schränktheit und unfähigkeit an den pranger zu stellen, dazu ist
Weifse weder grofs noch klein genug.

Noch ein par kleinigkeiten. s. 306 *die geschichte liegt, wie*
in allen zeitschriften des vorigen jahrhunderts vor Schillers Horen,
vollständig brach — und Abbt in den Litteraturbriefen?! zu
s. 307 sei der hinweis auf Blümners Laokoonausgabe 2 a s. 66
erlaubt, wo ganz vernünftige äufserungen Weifses über grenzen
der poesie und malerei, unmittelbar vor dem erscheinen des Lessingschen werkes in einem briefe an Klotz getan, citiert werden.
s. 335 die anzeige ist sicher nicht von Goethe, aber s. 276 die
anzeige der Wielandschen Johanna Gray in der alten Bibliothek
IV 2, 785 ff bekanntlich von Moses Mendelssohn.

Der Kinderfreund kommt zu kurz gegen die Bibliothek und
hätte etwas von der liebevollen, hübsch abwägenden sorgfalt verdient, mit welcher Minor den lebensabend seines helden beschreibt.
aber ich urteile vielleicht zu subjectiv, der ich als kind die alten
bände aus der grofsväterlichen bücherei mit viel genuss mir angeeignet und auch an Campes lehrhaften gesprächen im Robinson
usw. gefallen gefunden habe. dass Weifse und Campe nicht verglichen werden, darf niemand unserem darsteller verargen. er
muste sein thema abgrenzen. eines dünkt mich erwähnenswert:
die schulcomödie war tot, Lindners wiederbelebungsversuch hatte
Abbt zurückgewiesen, jetzt schenkte Weifse der familie kinder-
stücke. polemik gegen den üblen einfluss blieb nicht aus, drang
aber nicht durch. im adel, im bürgertum führten die lieben
kleinen die harmlosen scenen auf.

Minor sagt in der vorrede, er habe ein strenges gericht
über Weifses schriften gehalten, sie nicht dem modernen leser
in die hand geben, sondern ihre historische bedeutsamkeit feststellen wollen. das ist ihm wolgelungen.

Strafsburg, juni 1880.   ERICH SCHMIDT.

Lessings persönliches und literarisches verhältnis zu Klopstock. von FRANZ
    MUNCKER. Frankfurt a/M., Literarische anstalt (Rütten & Loening),
    1880. VII und 232 ss. 8°. — 5 m.*

In erfreulicher weise wendet sich die forschung Klopstock
zu. RHamels studien Zur textgeschichte des Messias, ESchmidts
Beiträge zur kenntnis der Klopstockschen jugendlyrik, JPawels
zusammenstellung über Klopstocks oden der Leipziger periode
folgten rasch auf einander. es ist gewis kein zufall dass jede

[* vgl. Göttinger gel. anzeigen 1880 s. 989 ff (KGoedeke).]

der drei schriften im vorwort auf Bernays hinweist. nicht nur
dass er mit seinen untersuchungen über den Goetheschen text
zu der gleichen betrachtung anderer deutschen classiker anregte,
er rief auch in seiner einleitung zu DjG speciell zu einer kritischen herausgabe von Klopstocks werken auf. unter seiner
leitung schrieb Koch über den nordischen litteraturkreis, dem
Klopstock angehört, und jetzt Muncker über Lessings verhältnis
zu Klopstock.

Mit eindringendem fleifs und umsichtiger gründlichkeit hat
M. sein thema behandelt. dadurch dass er auf einer reise sich
die einsicht in die seltensten bücher und in ungedruckte briefe
verschafft hat, besitzt er eine über die gewöhnliche belesenheit
hinausgehende litteraturkenntnis. freilich ist gerade diese eine
gefahr für ihn geworden. M. sichtet die ergebnisse seiner studien
zu wenig und bietet viel mehr als irgend ein leser hinter dem
titel seines buches erwarten kann. er hat das material zu einer
darstellung der aufnahme des jungen Klopstock in händen; obgleich er nun wol bedachte dass die rückhaltslose mitteilung
desselben an diesem orte die erörterung des gestellten themas
erdrücken würde, liefs er sich doch verlocken aus diesem wertvollen schatze mehr zu spenden als zur sache gehört. man
kann allesfalls noch billigen dass M. die nächststehenden litterarischen freunde und kreise 'der beiden grofsen' (s. 180 uö.) in
seine darstellung hereinzieht. es ist von bedeutung zu erfahren,
ob Lessing im einverständnisse oder im widerspruch mit seinen
freunden sich für oder gegen Klopstock erklärt; ob Kl. allein
oder auch seine anhänger, dh. also ob seine individualität oder
seine sache überhaupt Lessingen (um mit M. archaisierend zu
schreiben) interessieren. so ist es zb. richtig, darauf aufmerksam
zu machen dass L. den Messias, aber nicht die christlich sera-
phische poesie als solche billigte (vgl. seinen spott über Wielands
versteigen in die ätherischen sphären), während er umgekehrt
nicht nur Kl.s oden sondern alle oden des überhohen schwunges
verurteilte. aber diese ausdehnung des eigentlichen stoffes hat
ihre grenzen. M. sagt selbst wider und wider dass L. zwischen
Kl. und dessen nachahmern streng geschieden hat; und da auch
Kl. sich nicht mit diesen identificierte aufser etwa mit Cramer,
so ist auf diesem wege doch nur wenig für die erkenntnis des
verhältnisses zwischen L. und Kl. zu gewinnen.

Hiezu freilich fliefsen die quellen weder reichlich noch klar.
darum wol schöpft der verfasser auch aus den meinungen der
freunde L.s, obwol dieser keineswegs mit Nicolai und auch nicht
mit Mendelssohn durchaus übereinstimmt, was M. nicht verkennt.
der verfasser bemerkt selbst dass L. an der Allgemeinen deutschen bibliothek keinen anteil hat; wozu werden dann die darin
enthaltenen urteile über Kl. berührt? fast ist es wichtiger zu
erfahren dass L. auf die Gelehrtenrepublik subscribiert hat, als

zu hören wie sein bruder Karl über dieses buch dachte udglm.
alle derartigen mitteilungen dürften höchstens als untergeordnete
glieder dem aufbau des ganzen dienen, nirgends aber selbständig
und breit sich vordrängen. in höherem grade noch gilt das von
vielem anderen beiwerk, das den kern der aufgabe kaum an der
peripherie berührt. in welcher weise soll zb. L.s urteil über
Wielands jugendwerke, die teils keine anlehnung an die Schweizer
zeigen, teils ihren eigenartigen character neben jenem einfluss
bewahren (s. 68), seine stellung zu Kl. aufklären? oder was
frommt es zu erfahren dass Börner die Schweizer verspottete, Kl.
'nicht verschonte', Haller aber nur lobend nannte (s. 65)? wie
Dusch, Thomas, Dahlmann über die fortsetzung des Messias
dachten (s. 88), ist für L. ganz gleichgiltig. dass L. mit Nicolai über das wesen der tragödie correspondierte (s. 111), hat
auf Kl. gar keinen bezug usf. wenn dergleichen dinge in den
anmerkungen aufgestapelt wären, so würden sie wenigstens die
darstellung nicht stören, obwol der verfasser jene ohnehin schon
mit überflüssigem ballast beschwert (zb. s. 75³. 81². 192¹. 196¹).[1]
dass auch der ganze anhang nicht in dieses buch gehört, ist in
der vorrede bemerkt. an sich ist er ja interessant genug; aufser
einem briefe Mendelssohns an Gleim über den versificierten Tod
Adams und den randbemerkungen Nicolais zu Kl.s oden werden
13 ungedruckte briefe Kl.s veröffentlicht; dabei ein brief des
dichters aus früherer zeit als alle bisher bekannten, schreiben an
seine mutter, die auf seine Wiener pläne licht werfen, an Haller,
Gerstenberg und Auguste Stolberg. auch im texte sind ungedruckte briefe benützt und teilweise mitgeteilt: von Kl.s vater
an Gleim, von Ewald an Nicolai über Wieland in Zürich, ergänzungen eines unvollständig bekannten briefes von Kl. an Gleim.
es soll überhaupt nicht geläugnet werden dass die zusätze und
abschweifungen zumeist wertvolle beiträge zur litteraturgeschichte
der mitte des 18 jhs. sind; schon das register zeigt dass man
in dem buche viel findet, was man nicht da gesucht hätte. auf
solche weise aber wurde aus der abhandlung, in welcher das
verhältnis L.s zu Kl. bequem hätte dargestellt werden können,
natürlich zum schaden der übersichtlichkeit ein buch, aus dem
man eine nicht allzu kleine zahl von blättern ausscheiden könnte,
ohne darnach eine lücke zu empfinden. verhältnismäfsig am
knappsten ist das 4 capitel gehalten. leider ist hier die historische
anordnung zu gunsten einer sehr äufserlichen und nicht einmal
durchaus gewahrten sachlichen gruppierung zerstört worden.

Aber auch ohne seine mitteilungen zu beschränken hätte M.
das buch kürzen können. hätte er sich nur nicht so häufig
widerholen wollen. dass L. sich über die streitenden parteien
in Deutschland stellte hören wir fast mit denselben worten s. 2.

---

[1] dagegen hätten die anmerkungen 1 s. 97 und 4 s. 143 sachliche
bedeutung genug um in den text aufgenommen zu werden.

37. 44. 48. 63. 106; dass er kein geborner dichter war (L. selbst
hat es gesagt; aber das war zu bescheiden als dass wir es widerholen dürften) und keinen lyrischen sinn hatte s. 41. 43 f. 74.
100. 103. 147. ich könnte die belege aus meinen aufzeichnungen häufen. einzelnes kehrt abgeschwächt wider: s. 48 sind
Kl. und L. grundverschieden, s. 74 manchfach verschieden udglm.
störender sind directe widersprüche, zb. s. 118 L. scheine Mendelssohns verwerfung des Todes Adams einigermafsen modificiert zu
haben, s. 146 aber: so sehr L. das ablehnende urteil . . . billigte.
auch dass Kl. im alter toleranter geworden sei s. 199, dagegen
den Messias immer orthodoxer gestaltet habe (s. 126. 199), halte
ich trotz M. s. 126¹ für einen widerspruch, den das sophisma,
Kl. habe jedes ärgernis vermeiden wollen s. 198, nicht hebt.
s. 143 vermisst man die sprachliche ausfeilung; 'er' und 'sein'
meinen hier ohne syntactische klarheit bald L. bald Kl. dass
s. 6 der Messiasdichter nach dem 'höchst denkbaren' (l. denkbar höchsten) gehalt der poesie greift, erregt noch mehr der sache
als dem ausdruck nach anstofs. —

M. schickt seiner untersuchung eine allgemeine übersicht
über die litterarischen verhältnisse Deutschlands beim eintritte
Kl.s und L.s in das getriebe und eine trefflich gelungene kenn-
zeichnung der beiden persönlichkeiten voraus. jeder leser wird
dafür dankbar sein dass die zwei dichter nach der verschiedenheit ihrer natur und aufgabe scharf characterisiert in den zusammenfassenden letzten absätzen der einleitung neben einander
gestellt werden. die voranstehenden ausführungen freilich, die
im ganzen keinen neuen standpunct der beurteilung einnehmen,
dürften doch nur dem grofsen publicum zuträglich sein. und
manche notiz, wie die widerholte angabe des druckortes der
ersten Messiasgesänge (s. 13. 24) oder die bemerkung, dass die
freundschaft zwischen Goethe und Schiller von 1794—1805 ge-
dauert habe (s. 200), scheint die absicht M.s zu bekunden, laien
als leser für sein buch zu gewinnen. bei der characteristik kommt
Kl. besser weg als L. wenn der verfasser auch von früher
jugend auf mit den werken beider autoren vertraut war (s. III,
vgl. Bernays Über kritik und geschichte des Goetheschen textes
s. 4), so hat er doch offenbar jetzt Kl. seine gröfsere beachtung
zugewendet. schon vor diesem buche veröffentlichte M. Kl.-stu-
dien; und nun verspricht er im vorwort sowol eine sehr er-
wünschte biographie Kl.s und eine schrift über die würkung
und aufnahme des dichters, als auch die so notwendige kritische
ausgabe der werke Kl.s.¹ eine vorzügliche ausführung dieser
pläne darf mit zuversicht erwartet werden, nachdem das vorliegende buch die genaueste Kl.-kenntnis verrät. die skizze über
die aufnahme des jungen Kl. ist mit der wertvollste teil der ein-

---

¹ auch Pawel beabsichtigt eine textkritische ausgabe wenigstens der oden.

leitung. in umfassender weise ist die brieflitteratur ausgebeutet.
die besondere hingabe an Kl. erklärt zugleich die polemische
spitze des buches, die freilich schon in der gestellten preisfrage
lag (s. IV), welche den verfasser zu seiner untersuchung veranlasste. gewis übersteigen Danzels ausfälle gegen Kl. das mafs
der gerechtigkeit. aber es ist kaum zu längnen dass M. bei der
abwehr und in der schätzung Kl.s überhaupt eine leichte neigung
nach der entgegengesetzten seite macht und gewissermafsen L.
zum bundesgenossen für die bewunderung Kl.s gewinnen will,
wie ihn Danzel zu sehr auf seine meinung gestimmt hat.

　　Nur wer Gervinus widerlegte unterschätzung Günthers teilt
oder wer Kl.s stellung erhöhen will, kann Kl. den ersten wahr-
haften dichter des 18 jhs. (s. 1), den ersten Deutschen nach fast
2 jahrhunderten nennen, in welchem mensch und dichter eins
waren (s. 47). in diesem sinne ist die ganze darstellung gehalten. da wo M. nicht voll anerkennen kann, entschuldigt er
Kl. durch den — an sich ja berechtigten — hinweis auf die
historische stellung des dichters (s. 7. 12. 101 uö.). gefährlicher
ist es, L. die gleiche geschichtliche würdigung Kl.s zuzuschreiben
(s. 48. 74); M. betont mit recht dass L. im gegensatze zu *Herder*
überhaupt keine historische kritik übte (s. 42), dass er den Messias
nur logisch kritisiert habe (s. 93). auf jene weise soll der zwiespalt zwischen den günstigen und ungünstigen äufserungen L.s
erklärt und vermittelt werden. aber L.s verhalten gegen Kl. war
eben nicht einheitlich! so lange L.s sinnschrift mit dem schluss:
'das singen das den frosch im tiefen sumpf entzücket, das singen
muss ein quaken sein' im zusammenhang der erörterungen im
Neuesten steht, mag sie als äufserung des vorurteils gelten, das
mit unrecht gegen Kl. erweckt werden könnte; sowie aber diese
zeilen in den Schriften ohne jede erklärung allein gedruckt werden,
können sie logischer weise nicht anders gedeutet werden als:
Kl.s singen sei ein quaken. zumal wenn ebenda 23 seiten später
das epigramm Ad K. steht, das Kl. geradezu den nachruhm ab-
spricht, unbekümmert darum dass im Neuesten vom april zu
lesen war: wenn die Gottschedianer längst vergessen seien, werde
man den Messias immer noch ein ewiges gedicht nennen. ich
kann deshalb auch nicht glauben dass L. es mit seiner beurteilung
des Messiaseingangs ganz redlich meinte; zudem die worte: 'ich
unsterblicher Klopstock' doch nur spöttisch gemeint sein können.
es war ein sehr geschickter und echt Lessingischer kunstgriff,
sich hinter die formel zu verschanzen, gerade genies müsse man
recht scharf beurteilen. auch das fragment Aus einem gedicht über
den jetzigen geschmack in der poesie[1], das ja allerdings zunächst

---

[1] M. nimmt für erwiesen an dass das fragment der epistel an Weifse
von 1751 angehöre, was Danzel, auf den er sich beruft, nur vermutungsweise ausspricht. da L. das gedicht 1775 von Weifse verlangt, also es
nicht mehr besitzt, so müste er nur das bruchstück daraus 1751 behalten

gegen Kl.s nachahmer sich wendet, verbirgt den stachel gegen
den dichter selbst nicht ganz; klingen etwa die worte: 'von
Klopstocks feuer erhitzt' und: 'jener wahn (Kl. nachzuahmen)
hat mich noch nicht berauscht' besonders anerkennend? sollte
die parallele Kl.s mit Homer im 7 und 10 litteraturbriefe nicht
spöttisch sein? auch die fabeln vom strauſs und von der nachtigall und der lerche geiſseln trotz M. (s. 171 f) Kl. nicht minder als seine nachahmer, während natürlich die fabel Die traube
so gut wie das 1 sinngedicht nur gegen Kl.s lobhudler sticht.
wie absichtlich dunkel schrieb L. an seine nächsten freunde
über den Tod Adams und die Geistlichen lieder! auch wenn der
verlorene brief farbe bekannte, ist das vorhergehende spiel doch
eigentümlich. und dann, wie unbestimmt der bericht über das
zusammenleben mit Kl.! 'ich hätte manche angenehme stunde
mit ihm haben können, schreibt er, wenn ich sie zu genieſsen
gewust. ich fand, dass er mir besser gefallen müste als jemals.'
bei anderen anlässen hat L. früher und später seine entschieden
lobende oder verwerfende kritik nicht verhüllt.[1] aber die angeführten zweideutigkeiten hätten M. doch vorsichtiger machen
sollen, in den verurteilenden äuſserungen nicht nur den schatten
zu dem überstrahlenden lichte zu sehen. indem L. die lyrische
bedeutung, also das wesen Kl.s nicht verstand, wie M. mit recht
aufs stärkste hervorhebt, war überhaupt eine volle würdigung
Kl.s bei ihm ausgeschlossen. ich vermag in den urteilen L.s
nur ein schwanken zu erkennen, eine für ihn höchst merkwürdige unklarheit, die daraus entsprang dass er Kl.s dichterische
genialität nicht läugnen konnte, die schöpfungen derselben aber
als seinen kunstbegriffen zumeist entgegen stehende misbilligen
muste. daher die anerkennung des Messiasdichters und die
scharfe kritik des gedichtes selbst.[2]

    Dass L.s verhalten nicht durchsichtig war, bezeugt ja Kl.
selbst und zwar in einer zeit, in der M. den freundschaftsbund
schlieſsen lässt, der wenn auch 'auf etwas niedrigerer stufe' doch
ein vorbild der freundschaft zwischen Goethe und Schiller (s. 200)
sein soll! wie konnte ein treuer bund geschlossen werden, wenn
Kl. noch 1773 an L.s freundschaft zweifelte? und hatte er nicht
grund zu zweifeln? es war doch kein genügender beweis für L.s

---

haben, das er 1753 drucken ließs. keine unmögliche, aber auch keine allzu
wahrscheinliche annahme.

    [1] ob Lessing, als er über Klopstocks lyrik schrieb, sie sei so voll
empfindung, dass man oft dabei gar nichts empfinde, sich erinnerte, wie
er im liede Die schlafende Laura den liebenden schildert: [Der] viel zu viel
empfand, Um deutlich zu empfinden, Um noch es zu empfinden, Wie viel
er da empfand?

    [2] wer lieber eine absichtliche zweideutigkeit in Lessings benehmen er-
kennen will, dem will ich nicht widersprechen. er mag sich auf Hayms
vorzügliche characteristik der damaligen schriftstellermoral (Herder 1 304)
berufen.

gesinnung, dass er das lateinische epigramm statt Ad K. jetzt
Ad Turanium überschrieb; dass er schon zuvor für Ich unsterblicher Klopstock das matte Ich unsterbliche seele gesetzt hatte.
Kl. nahm mit recht anstofs, dass jenes epigramm und das erste
sinngedicht nicht ganz weggelassen war; er hätte sich auch über
die widerholung des viel schärferen An einen gewissen dichter
beschweren können, zumal doch ein anderes epigramm (Ad Nae-
volam) ausgefallen war. Kl. war 1773 L.s nicht sicherer als
1768, wo sein brief an L. auch von der ungewisheit spricht,
wie er mit ihm im gegensatz zu andern bekannten von seinem
scholienwesen reden solle. Kl. war der entgegenkommende so
sehr, dass er sich in bezug auf L. sogar seiner principiellen abneigung gegen litterarische fehden entschlug. ich kann M. (s. 198)
ein sicheres ungedrucktes zeugnis entgegenhalten, wonach Kl. L.s
polemik gegen Klotz sogar billigte. Dohm war 1771 mit Kl. in
Hamburg widerholt zusammen und schrieb darüber einmal an
seinen freund Benzler, denselben, den L. in seinem brief an
Gleim vom 6 juni 1771 erwähnt: 'Ich hörte in Braunschweig ganz
gewiss, Kl. sey ein Freund von Klotz und er verabscheue Lessings und der Berliner Verhalten. Diess ist ganz falsch. Er
lobte die Antiquarischen Briefe aufserordentlich, es wäre
ein Meisterstück, wie Lessing Klotzen Glied für Glied abnähme,
und nicht die geringste Entschuldigung ihm übrig liefse. Besonders gefiel ihm die Stelle, wo er sagt, 'dass alle seine Ausdrücke
ihm ganz gehörten, dass kein bitters Wort dastände'.' und dazu
in margine: 'Er sagte auch noch, durch Bas[edow] veranlasst, dass
ihm Lessings Verfahren ungemein gefiele, ob er gleich selbst
niemals würde so handeln können!' — dass Kl. den Laokoon
auf sich würken liefs, gibt M. an; vielleicht dürfte man auch
noch Kl.s 24 epigramm (Schreckendes darf der künstler, allein
nichts scheufsliches bilden) heranziehen. neben der anerkennung
des Laokoon und der Dramaturgie L.s in der Gelehrtenrepublik
soll nach M.s ansicht (s. 189 f) L. ebenda (s. 211 ff) als nachahmer
und wegen des gebrauchs zu vieler ausländischer worte angeklagt
werden. dass in der Göschenschen ausgabe statt der puncte des
originaldruckes L.s name steht, ist gewis ein versehen. L. erklärte sich in der fabel Der affe und der fuchs energisch gegen
die nachahmer; auch dass der angeklagte keinen streitsüchtigen
freien im zweikampf werde erlegen wollen passt nicht auf den
allzeit kampfbereiten L. ich möchte die stelle lieber auf Wieland
beziehen, mit dem Kl. unzufrieden war, weil er immer nachahme
(Briefe an Voss ɪ 160); man vgl. den schon längst auf Wieland
gedeuteten ausfall der Gelehrtenrepublik s. 165; die 'Wunder-
geschichte' rügt eben das nachahmen Wielands. auch hat dieser
weit mehr als L. 'ohne bedürfnis viel ausländische worte in die
sprache gemischt'. damit ist ein absprechendes urteil Kl.s über
L. beseitigt und die sachlage gestaltet sich gerade umgekehrt als M.

(s. 200) zusammenfasst: Kl. hatte viel mehr achtung vor L. (wie
auch die benützung L.scher bemerkungen bei textverbesserungen
des Messias erweist) als L. vor Kl.s dichtungen.

So wenig ich also M.s auffassung des verhältnisses von L.
zu Kl. teilen kann, so sehr erkenne ich die sorgsame zusammenstellung der berührungspuncte beider dichter an. an den feinsten
beobachtungen und ergebnissen im einzelnen fehlt es nicht. vielleicht hätte die grundverschiedene auffassung des altertums stärker
betont, wol auch der schon von Koberstein ausgeführte unterschied des patriotismus hervorgehoben werden können. die stellung der dichter zu der litteratur, die nicht in verbindung mit
ihren eigenen leistungen stand, hätte wol auch noch anhaltspuncte gegeben; nicht minder die beobachtung, wie die beiden
im verkehr mit gemeinschaftlichen freunden sich spiegelten; die
erkenntnis ihres eigenwesens wäre dadurch gefördert worden und
hätte neuen boden für die erklärung ihres gegenseitigen verhaltens bereitet.

Würzburg, mitte juli 1880.   BERNHARD SEUFFERT.

Goethe-jahrbuch. herausgegeben von dr LUDWIG GEIGER. erster band.
  Frankfurt a/M., Literarische anstalt (Rütten & Loening), 1880. 443 ss.
  8°. — 10 m.*

Das erscheinen eines Goethe-jahrbuches hat in Deutschland,
wo ein gleiches dem studium eines ausländischen dichters ge-
widmetes unternehmen bereits zu einer stattlichen reihe von
bänden herangewachsen ist, auf sich warten lassen. einigermafsen wurde der von den forschern tief empfundene mangel
eines centralorgans für gemeinsame interessen durch das eifrige
würken einer sogenannten 'stillen gemeinde' ersetzt, deren mitglieder bestrebt waren sich durch private mitteilungen gedruckter
und ungedruckter beiträge zur Goethelitteratur gegenseitig in
erkenntnis und verehrung des grofsen dichters zu fördern und
zu stärken. aber gerade in dem privaten character der gemeinde
lag ihre unzulänglichkeit; denn wenn dieser im beginne ihres
würkens von den zeitumständen gefordert war, so begünstigte
er doch in späteren jahren zum schaden unserer litteratur-
geschichtlichen forschung ein gewisses sportwesen, welches sich
im laufe der zeit bedenklich breit zu machen begann; gedichte
und briefe Goethes, als handschrift für einen kleinen kreis von
freunden gedruckt, sind unter auserwählten verteilt, schriften zur
Goethelitteratur als privatdrucke ausgegeben und dadurch dem

[* vgl. Litt. centralbl. 1880 nr 29.]

wissenschaftlichen gebrauche wo nicht entzogen, so doch schwer
zugänglich gemacht worden. durch solche private schenkungen
ist natürlich nicht blofs die wissenschaftliche kritik vielfach im
zaume der dankbarkeit gehalten, sondern auch die forschung
durch vorenthaltung des materials verkürzt worden. endlich
(und das war ohne zweifel der gröste nachteil), der sammler
und kenner hat vor dem forscher gehör und beachtung gefunden,
und hier grenzen wissenschaft und liebhaberei bekanntlich überall
so nahe an einander, dass unterscheidung notwendig wird.

In den letzten jahren hat man sich immer mehr von der
notwendigkeit überzeugt, ein gröfseres publicum von gelehrten
und liebhabern an den früchten des bisher privaten würkens teil
nehmen zu lassen. Hirzel, welcher das für die Goethebibliographie
grundlegende Verzeichnis seiner bibliothek noch ganz in den
dienst der stillen gemeinde gestellt hatte, betrat mit seinem Jungen
Goethe zuerst den weg der öffentlichkeit. Woldemar freiherr von
Biedermann ist seinem beispiele gefolgt und hat in seinen Goethe-
forschungen (Frankfurt a, M. 1879) mit zu wenig wählerischer
hand fast alle seine einzeln zerstreuten oder privatim gedruckten
schriften zur Goethelitteratur gesammelt. hoffentlich wird die
erbin von Hirzels grofsartiger bibliothek den genuss derselben
nicht auf Leipzig einschränken, sondern durch publication des
bedeutenden auch die entfernten daran anteil nehmen lassen;
freilich hat bisher nichts darüber verlautet.

Diesen weg der öffentlichkeit betritt nun auch das Goethe-
jahrbuch. und es verfolgt dabei noch einen anderen, nicht weniger wichtigen zweck: 'es hat die aufgabe, ein repertorium der
Goethelitteratur zu werden, welches das bisher sehr zerstreute
und nicht leicht zugängliche material dem gebildeten in einer
leicht zugänglichen sammlung vereinigt darbieten und welches
alle diejenigen, welche der erforschung, erklärung und verbreitung
von Goethes werken ihre tätigkeit widmen, zu einer gemeinsamen
arbeit verbinden soll.' der vorliegende erste band lässt die erfüllung dieser schönen hoffnung wenigstens für die zukunft wahrscheinlich werden. den bedeutenden namen, welche in diesem
bande als mitarbeiter erscheinen, werden sich andere mit kleineren
publicationen gerne anschliefsen.

Der inhalt dieses ersten bandes besteht aus:

1 abhandlungen, in denen (nach dem vorworte) allgemeine auf Goethe bezügliche fragen erörtert, über den stand
der Goetheforschung bericht erstattet und namentlich dem gröfseren gebildeten publicum, das noch immer an eine oberflächliche art der litteraturbehandlung gewöhnt ist, durch formvoll-
endete und inhaltreiche aufsätze die möglichkeit gewährt werden soll, in das getriebe der ernsten arbeit hineinzublicken.
Herman Grimms aufsatz über Bettina von Arnim, aus familien-
erinnerungen und dem persönlichen verkehr mit den personen

dieses kreises geschöpft, steht hier billig an der spitze. Woldemar von Biedermann stellt im zweiten aufsatze die ohnedies
nicht sehr entlegenen aussprüche Goethes über Lessing und
Lessings über Goethe zusammen. leider weifs der verfasser aus
dieser nebeneinanderstellung nur ein sehr engherziges resultat
zu gewinnen. er geht so weit, Lessingen überhaupt die empfänglichkeit für dichterische schönheiten abzusprechen, welche mit
der befähigung den begriff dichterischer schönheit zu zergliedern
nicht unvereinbar sei. Lessing hätte nicht weniger grund sich
über von Biedermann zu beklagen, der ihn eben so wenig neben
Goethe unangetastet stehen lassen kann, als Lessing den Götz
neben den alten oder Shakespeare. wir haben seit Herder zeiten
und menschen und ihre kunstproducte tiefer auffassen gelernt.
ebenso beschränkt spricht sich der verfasser über Schiller aus:
'von Schiller durch ungerechtfertigtes tadeln und durch beleidigende schmähungen persönlich angegriffen, begnügte Goethe
sich, jenen schweigend bei seite liegen zu lassen, wogegen er
später dem bittenden mit rückhaltsloser freundlichkeit entgegen
kam.' wenn unter dem 'ungerechtfertigten tadel' die recension
des Egmont zu verstehen ist, so richtet sich der ausdruck selbst.
'beleidigende schmähungen' aber hat Schiller nirgends (auch in
den briefen an Körner nicht!) gegen Goethe ausgesprochen, am
allerwenigsten ihn 'persönlich angegriffen.' er hat seinem freunde
Körner offen und unumwunden seine ansichten über Goethe mitgeteilt: ansichten, welche oft auf falscher einsicht, niemals auf
gemeinem neide beruhten, ansichten, welche er zum teil später
widerrufen hat. Schiller hat Goethe nie um das, was er seinem
wesen und werte nach war, um keine seiner inneren gaben be-
neidet; wol aber um das äufsere glück, in welchem seine gaben
sich so frei und ungehindert entfalten konnten. das ist nicht
der gemeine neid, und eine natur wie Schiller, welche sich das
äufsere glück in so hartem kampfe unterwerfen muste, hatte
dazu ein volles recht. auf den schluss des satzes, dessen unge-
schickten ausdruck man leicht wie ein pater peccavi von seite
Schillers auffassen könnte, gehe ich nicht ein, da er nur ein
verstärktes echo aus Grimms vorlesungen ist. 'man muss aber
nicht einen alles sein lassen wollen', sagt von Biedermann und
ich mit ihm, indem ich hinzufüge: dass andere auf kosten des
einen herunterzusetzen und zu verdächtigen, kein zeichen höherer,
sondern niederster kritik ist, und dass dieser 'eine' dergleichen
nirgends, am allerwenigsten in einem seinen namen tragenden
buche notwendig hat. ein dritter aufsatz von Felix Bobertag behandelt die episode von Faust und Helena im zweiten teil des
Faust.

II forschungen, welche (nach dem vorworte) über text-
fragen, über entstehung und zusammenhang Goethescher werke,
über einzelne lebensereignisse des dichters und der ihm nahe-

stehenden persönlichkeiten angestellt werden sollen. Scherers
aufsatz über Sa$_{tyros}$ und Brey bringt meines erachtens die Satyros - frage zu einem vorläufigen abschlusse. kein anderer hat
seine hypothese mit besseren gründen erhärtet als Scherer die
seinige. gewisheit werden wir über diese frage vielleicht nur
aus dem Goethe-archive, oder überhaupt niemals erlangen; aber
die meiste wahrscheinlichkeit hat Scherer für sich. einen dankenswerten beitrag liefert Bartsch über Goethe und den alexandriner.
wenn er aber im Faust (v. 2333 ff) der französischen regel zu
liebe als urprünglich ansetzen will:

> *der du dies heiligtum durchwebest . . .*
> *die du vom tau der hoffnung schmachtend lebest!*

(statt *webst : lebst*), so kann ich ihm nicht beistimmen. zwar ist
auch in anderen stücken Goethes an manchen stellen die syn-
copierte form später für die ursprüngliche vollere eingetreten (vgl.
das manuscript des Prometheus mit der abschrift von Lenz: *vermehret* Jahrb. I 303 *vermehrt* DjG III 456; *gestillet* Jahrb. I 308
gestillt DjG III 460; *weißest* Jahrb. I 292 *weißt* DjG III 447.
dagegen außer dem verse Jahrb. I 295. 301 *stehn*, DjG III 449.
454 *stehen)*; aber bei den freieren rhythmen im Faust war doch
bei Goethe immer das gehör maßgebender als die strenge vers-
regel und der üble klang eines reimes wie *webest : lebest* scheint
ihn hier zur umgehung derselben angetrieben zu haben. Düntzers
aufsatz über die zuverlässigkeit von Goethes angaben über seine
eigenen werke in Dichtung und wahrheit citiert viel bekanntes
und bringt wenig neues. Wilmanns hat schon vor einigen
jahren sich durch seine kenntnis französischer litteratur zu einer
mislungenen deutung des Satyros verleiten lassen. eben so gezwungen stellt er hier eine beziehung zwischen Goethes Belinde
und einem buche der Scudéry her. der name Belinde scheint
die vermittelung besorgt zu haben; schade nur dass dieser in der
anakreontik des vorigen jahrhunderts typisch geworden ist. dass
Goethe sich mit Lili in ihren 'sittlichen unterhaltungen' über
eine moralphilosophische heldin der Scudéry unterhalten haben
soll, erdichtet Wilmanns; und wenn er auf den einfall gerät,
Lili als copie dieser romanfigur zu betrachten, so wirft er das
bild, welches Goethe in Dichtung und wahrheit von Lili gibt,
ganz über den haufen. denn die gabe anzuziehen und abzustoßen
wird ihr dort als eine ihrer natur innewohnende, unbewuste,
dämonische zugeschrieben; nicht als eine angelernte und ange-
künstelte. die litterarische tradition der Stella führt Wilmanns
eben so unglücklich auf die Scudéry zurück; hier steht Goethe,
wie mir Biedermann und Erich Schmidt zugegeben haben, offenbar in der tradition des bürgerlichen trauerspiels. der folgende
aufsatz RM Werners enthält glückliche angaben zur datierung und
erklärung von Goethes Jahrmarktfest zu Plundersweilern. auf
die s. 182 citierten worte Schmids: 'die vorsichtigkeit nicht disteln

unter blumen zu lesen' scheint sich die stelle (DjG ɪ 337) in einem briefe Goethes an Kestner zu beziehen: 'als ein wahrer esel frisst er die disteln die um meinen garten wachsen.' die s. 180 angeführte rhapsodie Mercks ist (nach Wagner ɪɪɪ 56; der brief ist von 1773 zu datieren) beinahe eine wörtliche übersetzung von Swift und unzweifelhaft eine der von Goethe in DW (ɪɪɪ 58 und 295 f) erwähnten poetischen episteln Mercks. eine recension derselben steht schon im januar 1773 in nr 15 des Wandsbecker boten; bei Werner (Jahrb. ɪ 160) findet man eine andere vom 1 februar 1773 aus den Erf. gel. ztgen abgedruckt. die zweite epistel war gegen Wieland gerichtet und Schmid scheint in der letztgenannten recension auch die erste auf Wieland zu beziehen (vgl. Minor-Sauer, Studien zur Goethe-philologie s. 71 anm.). in Daniel Jacobys studien Zu Goethes Faust verweise ich besonders auf die zweite (ɪɪ), welche eine parallele zu dem monologe Faustens in Gretchens schlafzimmer enthält, und nach meinem kurzen hinweise (aao. s. 46 anm.) durch zweier zeugen mund bekräftigt ist. Moriz Ehrlich gibt am schlusse dieser abteilung einen beitrag zur erläuterung der Weifsagungen des Bakis.

ɪɪɪ neue mitteilungen. hier zeigt sich bereits dass das Goethe-jahrbuch alle aussicht hat ein 'centralorgan' für das früher so weit zerstreute material zu werden. 36 briefe Goethes werden von 13 herausgebern publiciert, welche in gründlichkeit des begleitenden commentares und genauigkeit des abdruckes mit einander wetteifern. der name Loeper begegnet uns in zu grofser selbstbescheidung nur hier. darnach publiciert Erich Schmidt die Strafsburger handschrift des Prometheus, welche einige unentbehrliche verse und zahlreiche varianten zu dem bisher bekannten texte hinzubringt. die varianten, welche ESchmidt unter dem texte anführt, ergänze ich durch folgendes: 1 *sag'* 33 *bin* (40 lies *Ihr* statt *ihr)* 49 *gesellschaft* 59 *wär'* 71 *theilen* (72 ist *ich* zu streichen) 89 *magst* 91 *fühl'* 126 *welch'* nach 172 *stehen* 181 *sonne* 195 *frei* 232 *sende* 240 *Zeus* 300 *du: da* 325 *oft* 349 *ein neues unbekanntes* 351 *dass* 366 *reinste* 373 *lös't* 374 *freud'* 381 *eh'* 385 *dass* 386 *der schmerzen viele* (nicht: *viele der schmerzen)* 402 *versinkt* 405 *lass* 409 *genuss.* die conjectur, welche Erich Schmidt zu v. 410 macht, ist naheliegend und der Lenzschen ohne bedenken vorzuziehen. darnach lautet v. 410 statt: *dann sich erquickt, in wonne schläft* sinnreicher: *dann sich erquickt in wonneschlaf (wonne schlafft* hs.). derartige composita gebraucht Goethe gerade im Prometheus (zb. *wonnegefühl* 178, *schattenskühle* 179, *frühlingswonne* 181 uö.) und im Faust mit vorliebe. Mitteilungen von zeitgenossen über Goethe bringt gröstenteils RBoxberger aus Böttigers nachlasse. den beschluss dieser abteilung bilden sieben briefe der frau rat an herrn und frau senator Stock, mitgeteilt von Wilhelm Kreizenach.

iv eine vierte abteilung enthält vorerst eine reihe von 18 kleineren beobachtungen und veröffentlichungen unter der überschrift Miscellen. den s. 375 abgedruckten brief der frau rat an Bettina besitze ich selbst in einer abschrift, welche ich anfangs august 1878 in Lindenau bei Leipzig nach einer im besitze der schwestern Weifse befindlichen vorlage genommen habe. diese vorlage ist (wie mir professor Rudolf Seydel in Leipzig mitteilt) eine abschrift von der hand des verstorbenen prof. Hermann Weifse, der mit Bettina in freundschaftlichem verkehre stand. Geiger teilt den brief nach einem angeblich sorgfältigen abdruck mit, den MCarrière nach dem in der handschriftensammlung des herrn Nathusius vorhandenen originale hergestellt hat. aber der abdruck im Jahrbuch zeigt schon in der orthographie widersprüche: wer *hertz* und *hölzgen* schreibt, schreibt nicht *kurs*, sondern wie meine vorlage zeigt: *kurtz*. im ganzen sind freilich die varianten ziemlich wertlos. auch die adresse findet sich:

An
demoiselle Betina Brentano
durch gütige besorgung.

Die folgende Chronik enthält nachrichten von Goethefesten und aufführungen Goethescher stücke. den beschloss bildet eine sorgfältig angelegte bibliographie, welche die erscheinungen der Goethelitteratur im laufenden jahre nicht blofs oberflächlich citiert, sondern auch kurz characterisiert. eine besonders dankenswerte rubrik bildet die unterabteilung der Regesten, welche das im laufe des jahres publicierte briefmaterial excerpiert und so dem nachsuchenden einen rascheren überblick über das vorhandene briefmaterial ermöglicht. könnte das Goethe-jahrbuch nicht in seinen späteren jahrgängen auch in die vergangenheit zurückgreifen und diese regesten nach und nach über das gesammte briefmaterial der Goethelitteratur ausdehnen? wenn die arbeit noch so langsam fortschreitet, so würde doch erst dadurch das Goethejahrbuch zum compendium der Goethelitteratur werden und gleichsam die quintessenz derselben in sich aufnehmen.

Wir haben dem reichen inhalte dieses ersten bandes gegenüber nur den einen wunsch auszusprechen, dass derselbe in künftigen jahren nicht dürftiger ausfallen und durch ein sorgfältiges register übersichtlich gemacht werden möge.

Vöslau bei Wien, 9 juni 1880.   JACOB MINOR.

JIMELMANN, Anmerkungen zu deutschen dichtern. aus den Symbolis Joachimicis. 38 ss. 8⁰. — lesefrüchte, die von aufmerksamer durchmusterung der deutschen, griechischen, englischen und französischen litteratur zeugen, viel bedeutendes aber nicht zu tage fördern. von den 32 vorgetragenen beobachtungen nehmen 16 auf Goethesche dichtungen, 8 auf Schillersche bezug, die übrigen berühren Gottsched, JASchlegel, Bodmer, Haller, Klopstock, Lessing, Ramler, Uhland, Kerner, Grillparzer. einige haben für den lexicographen wert, wie die citate zu dem worte *türmend*; andere suchen anstöfsige textstellen zu erklären und zu verbessern; wider andere berichtigen ungenauigkeiten in der bisher üblichen auffassung, so zb. der wertschätzung Gottscheds in Bodmers litteraturgeschichtlichem gedichte; die meisten sollen anlehnungen erweisen, wobei nicht genug beachtet ist dass einzelne anklänge noch nicht zur wissenschaftlichen parallele berechtigen. zu dem wichtigsten gehört die ausführung über den einfluss des Sophokleischen Philoktet auf Goethes Iphigenie. dass der verf. den abschnitt über Littrés hinweis auf die ähnlichkeit einer stelle in Aubignés Histoire und Schillers Tell schon in Lindaus Gegenwart 1877 nr 35 veröffentlicht hat, sollte angegeben sein. es ist immer ein undankbares geschäft den inhalt seiner zettelkästen preis zu geben, selbst wenn wie hier recht feinsinnige und zutreffende aufzeichnungen darin verwahrt sind.   B. SEUFFERT.

FKHULL, Über die sprache des Johannes von Frankenstein. aus dem jahresberichte des zweiten staats-gymnasiums in Graz. Graz 1880. 23 ss. gr. 8⁰. — obwol sich gegen einzelne annahmen und behauptungen dieser schrift einspruch erheben liefse, so darf doch der nachweis, dass die einzige hs., in welcher der Chreuziger des Johannes von Frankenstein erhalten ist, von zwei österreichischen schreibern herrühre, während das gedicht selbst, entsprechend der heimat des verfassers, im schlesischen dialecte verfasst sei, als gelungen angesehen werden. in der einleitung zu seiner beabsichtigten ausgabe wird Khull vielleicht genaueres über die schicksale des codex mitteilen können, ehe derselbe 1773 auf die Wiener hofbibliothek gelangte. denn Bodmers nachricht in seinen Literarischen denkmahlen s. 17, dass die hs. sich zu Pressburg im besitze von C. Gottl. von Windisch befinde, gewinnt dadurch an glauben, dass in der Altdorfischen bibliothek der gesammten schönen wissenschaften 2 (1762), wo s. 149—153 proben des gedichtes, aber ohne jede hindeutung auf dessen aufbewahrungsort, gegeben sind, s. 73 'herr Carl Gottlieb Windisch, ein ungarischer edelmann zu Presburg' unter den 'vornehmen ehrenmitgliedern' der deutschen gesellschaft zu Altdorf, die eben die Bibliothek herausgab, sich aufgeführt findet.

JKönig, Die chronik der Anna von Munzingen. nach der ältesten
abschrift mit einleitung und beilagen herausgegeben. abdruck
aus bd. xiii des Freiburger diöcesanarchivs. Freiburg i. B. 1880.
108 ss. 8⁰. — die schrift vervollständigt unsere kenntnisse
vom mystischen leben in den frauenklöstern des ma.s in
dankenswerter weise. wie im büchlein Von der genaden über-
last das visionäre leben in Engelthal in einer reihe von lebens-
bildern geschildert wird, so hat für das frauenkloster Adel-
bausen bei Freiburg i. B. Anna von Munzingen († zwischen
1327 und 1354) uns aufzeichnungen hinterlassen, in denen
34 biographien meist verstorbener schwestern zusammengestellt
sind. ihre 1318 verfasste Chronik, deren original im anfang
unseres jhs. nach Paris und von da nach Rom gekommen sein
soll, wurde häufig copiert. sie erscheint hier nach einer abschrift aus dem jahre 1433 (mit hinzuziehung einer andern
50 jahre jüngeren hs.) zum ersten male vollständig abgedruckt.
auszugsweise war bisher nur weniges davon bekannt, vgl.
Greith Die d. mystik 293. Preger Gesch. d. d. mystik 1, 138.
Hist.-pol. blätter 75, 771. LClarus Lebensbeschreibungen der
ersten schwestern zu Unterlinden, 1863, s. 423—44. in der
einleitung s. 4—18 gibt der verfasser einen guten überblick
der geschichte des klosters (gestiftet 1234), s. 18—24 eine
characteristik der offenbarungen in ihrem verhältnis zur übrigen
gleichartigen litteratur. der text (s. 25—65), inhaltlich wie
sprachlich gleich interessant, hat eine im ganzen sorgfältige
behandlung erfahren, wenn auch die für weniger sprachkundige
leser beigefügten worterklärungen hie und da, zb. 33, 1. 36, 3.
38, 1. 44, 3. 58, 6. 59, 2, misglückt sind. den lebensbeschreibungen folgen drei von bruder Konrad von Esslingen,
dem provincialbruder Wolfart und dem lesmeister von Köln
bruder Nicolaus gehaltene predigten. von den fünf beilagen betreffen die drei letzten die klostergeschichte, die erste (s. 66—82)
gibt ein ausführliches verzeichnis der schriften des Joh. Meyer,
der 50 jahre dem predigerorden angehörte und von 1462—1485
beichtvater zu Adelhausen war. von besonderem interesse ist
das ämterbuch, 'welches einen einblick in das innere leben
einer gut geordneten klösterlichen genossenschaft nach der
religiös-ascetischen wie nach der wirtschaftlichen und familiären
seite gewährt.' derselbe Joh. Meyer copierte oder bearbeitete
auch die Chronik der Anna von Munzingen und schrieb ausser-
dem noch einen auszug dieses *büches des lebens der seligen
ersten swestern in Adelhusen*, der sich in der zweiten beilage
s. 82—92 abgedruckt findet.   Ph. Stracca.

Hr dr Jacob Minor hat sich als privatdozent für deutsche
sprache und litteratur an der universität Wien habilitiert.

Das höfische leben zur zeit der minnesinger von dr ALWIN SCHULTZ, ao.
professor der kunstgeschichte an der universität Breslau. ı hand mit
111 holzschnitten. Leipzig, Hirzel, 1879. xviii und 520 ss. gr. 8°.
— 13 m.*

Das in seinem ersten bande vorliegende werk bildet eine
wichtige etappe auf dem wege zu einer umfassenden culturgeschichte des mittelalters. es wendet sich ebenso sehr an den
kunsthistoriker von fach wie im allgemeinen an den geschichts-
forscher, an den litterarhistoriker wie an den philologen. keiner
der sich mit mittelalterlichen studien beschäftigt wird es ohne
manigfache, reiche belehrung aus den händen legen.

Alwin Schultz gieng, wie er in der vorrede darlegt, zunächst
darauf aus, die denkmäler der profankunst für die culturgeschichte einer bestimmten periode des mittleren zeitalters nutzbar
zu machen. zur ergänzung und belebung des lückenhaften denk-
mälervorrates wurden die gleichzeitigen autoren, historiker wie
poeten, in breiter weise herangezogen und so erwuchs allmählich
eine wol fundierte darstellung des höfischen lebens im 12 und
13 jahrhundert.

Die zeitliche begrenzung von 1150—1300 sucht der verf.
s. x, wie mir scheint etwas äuserlich, mit der beschaffenheit
der quellen zu rechtfertigen. immerhin mag man seine begründung für den terminus ad quem gelten lassen. anders aber
steht es mit dem beginn der periode. zwar reicht weder ritterliche epik noch lyrik der Franzosen oder Deutschen, wie wir
sehen werden die ergibigsten quellen für den verfasser, über
das jahr 1150 zurück, aber schon seit der mitte des 11 jahrhunderts lässt sich ein stätig zunehmender einfluss französischen
lebens und wesens auf Deutschland beobachten. und den ent-
wicklungsprocess dieser merkwürdigen culturübertragung muste
uns der geschichtsschreiber des höfischen lebens vorführen. überhaupt gewinnen wir in seinem buche fast nirgends einen einblick in das wogen und treiben einander von haus aus fremder,

* vgl. Jahresbericht ı nr 191. — Zeitschrift für deutsche philologie
11, 489 (KKinzel). — Kunst und gewerbe, wochenschrift zur förderung
deutscher kunstindustrie, red. von OvSchorn 1880 nr 1 (OvSchorn). —
Anz. f. kunde der deutschen vorzeit 1880 nr 3 (AEssenwein). — Zs. f. bil-
dende kunst 1880 heft 2 (CvLützow). — Litteraturblatt f. germ. und rom.
phil. 1880 nr 9 (KWeinhold).

A. F. D. A. VII.

widerstrebender kräfte. wie weit erstreckte sich jene internationale aristokratische cultur, die von den Provenzalen *cortesía,* von
den Deutschen *höveschheit* genannt wurde? wo liegen ihre quellen? welchen anteil hatte die Provence daran? welchen der
orient? wie stark war der widerstand, welchen nationale sitte
und sittlichkeit in den einzelnen culturländern dem nivellierenden
elemente leistete? alle diese hochwichtigen fragen werden nirgends
im zusammenhang unter grofsen gesichtspuncten erörtert, sondern
nur ganz gelegentlich gestreift. nun weist es ja der verf. allerdings in der vorrede s. vi ausdrücklich von sich, die geistigen
bewegungen und strebungen der bezeichneten periode darzustellen,
db. würklich culturgeschichte zu schreiben. aber ist diese beschränkung überhaupt möglich, wenn man mehr als nur äufserlichkeiten des lebens begreifen und beschreiben will? lässt sich
die grenzlinie zwischen sitte und sittlichkeit so harscharf ziehen,
und stehen wir bei einer untersuchung der sittlichen zustände
und anschauungen eines volkes nicht schon mitten im kernpuncte
seines geistigen lebens? wie viel dürfte wol von dem ganzen
letzten capitel stehen bleiben, wenn sich Schultz streng an sein
programm gehalten hätte? auch sonst ist das auf dem titel bezeichnete thema mehrfach erweitert. neben dem höfischen leben
auf der ritterburg zieht Schultz gelegentlich auch das wesen und
treiben der bürger und bauern, der kaufleute und handwerker
mit in den bereich seiner darstellung; und zwar nicht nur in
soweit die vornehmen kreise mit demselben in berührung kamen.
wir sind dem verf. dankbar auch für das nach dieser seite gebotene material, dürfen uns aber nicht verhehlen dass bei er-
schöpfender ausbeutung der quellen, vornehmlich der lateinischen
litteratur des 11 und 12 jahrhunderts, der geistlichen deutschen
poeten der vorbereitungszeit, der bürgerlichen dichtung des 13 jbs.,
der privaturkunden, rechtsdenkmäler und predigtlitteratur sich ein
weit reicheres bild der socialen zustände des niederen volkes
hätte entwerfen lassen.

Für das hofleben waren die epischen und lyrischen kunst-
dichtungen der Romanen und Deutschen viel ergibiger als die
chronisten und annalisten jener tage. die machtsphäre des höfischen lebens erstreckte sich über die culturvölker des gesammten
abendlandes.

Die nationale litteratur Italiens, die sich erst im laufe des
13 jahrhunderts und nur in formeller beziehung eigenartig entwickelte, durfte Schultz ohne schaden bei seite lassen: der ideen-
kreis der ritterlichen sänger Siciliens ·und Unteritaliens, ihre
geselligkeit und bildung war nichts als ein abbild des in far-
bigerem glanze strahlenden urbildes in der Provence und im
nördlichen Frankreich. anders steht es mit England: auch dort
wurde das höhere leben von romanischer cultur überflutet, mehr
und mehr erschloss sich die zu beginn des 13 jahrhunderts neu-

aufblühende englische litteratur der normannisch-französischen
bildung, aber immer noch tauchen in ihr heimisch-nationale anschauungen, sitten und bräuche über den glatten spiegel des
fremden, höfischen wesens empor. es ist daher zur vervollstän-
digung des Schultzschen werkes für eine neue auflage, die ja
nicht lange auf sich wird warten lassen, eine breitere berücksichtigung der englischen nationallitteratur dringend zu wünschen.

Ein fundamentalsatz seines buches, den der verf. nach allen
seiten hin als richtig erwiesen hat, und ohne dessen giltigkeit
seine arbeit überhaupt nicht möglich gewesen wäre, besteht darin, dass die·dichter allüberall, selbst wenn sie unter dem princip der idealen ferne schaffend ihre stoffe aus.dem griechischen
oder römischen altertum, aus Africa oder aus dem fernen orient
holen, im wesentlichen nichts anderes als sich selbst, ihre zeit,
das leben und treiben ihrer nächsten umgebung darstellen. trotz
allem phantastischen glanz, den sie über ihre werke streuen, ist
Schultz der überzeugung: 'was die dichter schildern, haben sie
gesehen oder sich beschreiben lassen.'

Dass der verf. die belegstellen für seine darstellung in gröst-
möglicher vollständigkeit unter dem·texte mitgeteilt hat, kann
man vom wissenschaftlichen standpuncte aus nur gut heißen:
man ist auf diese weise in den stand gesetzt seine aufstellungen
zu controlieren und das eigene wissen mit dem seinigen zu vergleichen. zu bedauern ist nur dass dies verfahren nicht conso-
quent durchgeführt ist: so in dem abschnitt über das schönheits-
ideal s. 165, über die handelsbeziehungen s. 274, über die pferde
s. 392, wo der verf. sich damit begnügt auf seine habilitations-
schrift, auf arbeiten von Depping und Joh. Falke, von Friedrich
Pfeiffer und Reiffenberg zu verweisen. folgerichtig wäre dann
bei behandlung des kinderspiels mit einem hinweis auf Zingerles
bekannte schrift genug getan gewesen, oder im vn cap. hätte es
für viele dinge nur eines hinweises auf Weinholds Deutsche
frauen bedurft usf.

Höchst lobenswert ist dass Schultz überall auf die ersten
quellen zurückgegangen ist; dass er die mittelhochdeutschen
autoren nicht immer in den besten ausgaben benutzt hat, ist
ein mangel, aus dem man dem nichtphilologen keinen vorwurf
machen darf; mit staunenswertem eifer hat er mehr als 2 millio-
nen verse deutscher und französischer dichtung durchgelesen und
excerpiert, da und dort sogar die texte durch eine treffende emendation gebessert. auf erläuternde anmerkungen und commen-
tare der herausgeber ist in den seltensten fällen rücksicht genommen; auch hat sich der verf. für die mittelhochdeutsche litteratur unbegreiflicher weise ein wichtiges hilfsmittel in Lexers
vortrefflichem Handwörterbuche entgehen lassen.

Dass Schultz die erhaltenen kunstdenkmäler zum großen
teile nicht zugänglich waren, ist lebhaft zu bedauern; für uns

7*

philologen wäre vor allem eine reichere verwertung der bilder-
handschriften und miniaturen von interesse gewesen. übrigens
sind schon die dem text einverleibten 111 holzschnitte sehr instructiv und zum teil von trefflicher ausführung, so dass dem
Hirzelschen verlag unser aufrichtiger dank für diese künstlerische
beigabe gebürt.

Nach diesen allgemeinen andeutungen über tendenz und einrichtung des Schultzschen werkes denke ich die einzelnen capitel
durchzunehmen und in atätem anschluss an dieselben nachzutragen, was dazu dienen kann die ausführungen des verf. teils
zu ergänzen, teils zu bestätigen oder zu widerlegen. von de-
taillierten inhaltsangaben darf ich wol um so eher absehen, als
solche zur genüge in den zahlreichen anzeigen und besprechungen
gegeben worden sind, von denen ich oben die wichtigsten anführte.

Das erste capitel behandelt den bau und die einrichtung der
burgen: in jeder hinsicht wurde dabei die schönheit der nütz-
lichkeit untergeordnet: größtmögliche festigkeit und sicherer schutz
wider stets drohende feinde sind erstes und letztes ziel der mittelalterlichen architecten. die antike tradition würkt über das ganze
frühere mittelalter ohne unterbrechung bis in das zeitalter der
minnesinger herüber. immer noch bilden die lehrbücher des
Vitruvius und des Flavius Vegetius Renatus den wahren codex
der befestigungskunst. vortrefflich wuste man das terrain auszunützen. wir lernen die wasser- und felsenburgen kennen, beobachten, wie die baumeister den zusammenfluss zweier ströme oder
eine talgabelung für ihre anlagen verwerteten, wie sie, wo die
natur ihnen nicht so willig entgegenkam, durch allerhand künstliche mittel den erforderlichen schutz herzustellen verstanden.
mauern, türme und gräben, die bämtt, grendel, tüllen, breteches,
die ringmauern, die verschiedenen arten von zinnen und platt-
formen, machicoulis, moucharabis usf. werden uns durch abbildungen und geschickte combination litterarischer zeugnisse in
ihrer anlage und bedeutung klar vor augen gestellt.

Zu diesem ganzen capitel, in dem uns der verf. ferner durch
die vorburg mit wirtschaftsgebäuden, durch schatzkammer, gefängnis, garten, festsal, turnierplatz, küche, schlafzimmer, bade-
stuben geleitet, finde ich verhältnismäßig nur wenig nachzutragen. [reiche ergänzungen bietet Weinholds anzeige.]

Alle erdenklichen vorzüge, welche natur und kunst zu gewähren vermag, sind vereinigt in dem idealbild einer burg,
welches der dichter der von Mone Anz. 8, 483 ff herausgegebenen Magdalenenlegende entwirft. *Magdalum lyt an einer richen
hab, och uff ainem berg, uff ainer fluo, do stossent vier lant-
strassen zuo der och gewaltig ist der berg. z. 738 och ist das
wol ze lobende, das uff dem berg obene flüsset ain fischricher
bach, von dem man hat difs gemach;* auch *keckbrunnen* entspringen

da usw. — einen litterarischen beleg zu s. 21 z. 2 bietet Eilharts
Tristrant X 7968 *dô wart die vrauwe sîn gewar, wen sie was ûf
die mûre gdn.* — s. 37 anm. 3 wird in dem citat aus Ottokar
mit unrecht *twren*, d. i. *twren* in *twrm* geändert: schreibt doch
noch Goethe im Götz *Wollt ich . . . lâg im tiefsten Thurn der
in der Türkey steht*, DjG 2, 362. — s. 39. Tristrant droht bei
Eilh. 5783 dem gefangenen grafen Riole, falls er die belagerte
stadt nicht auf 8 tage verproviantiere, so *beschauwet ir den tiefsten torm der in der stat ergin is.* — s. 45. unter dem küchen-
inventar eines gedichtes Von dem hûsrâte befinden sich *hoheln.*
Schultz setzt hinter das wort ein fràgezeichen; es bedeutet die
gleich darauf von ihm vermissten haken. *hohel* dialectisch für
hâhel, ahd. *hâhila*, haken um den kessel über das feuer zu
hängen: DWB iv 158. — s. 48 anm. 4. weitere belege bieten
die stellen aus der französischen und deutschen Tristandichtung,
die ich Eilhart cxlv f besprochen habe. — zu s. 49 anm. 4 füge
Moriz von Craon 1702; diese interessante dichtung blieb dem
verf. unbekannt. — s. 52 anm. 2. sehr wertvoll ist uns die
bundesgenossenschaft eines kunsthistorikers in der streitfrage über
den salbrand in der Nibelunge not, um so mehr als sich Schultz
ganz unbefangen, offenbar ohne kenntnis der einst um diesen
punct heftig geführten polemik auf die seite Müllenhoffs (zGNN 93)
gegen Holtzmann und Zarncke stellt. in Ottokars schilderung
(Pez 272ᵇ) ist natürlich ein sal mit gewölbter decke gemeint. —
so zutreffend die bemerkungen des verf. s. 58 über die seltenheit der fensterverglasung für das 12 und für die erste hälfte
des 13 jhs. sein mögen, so dürften glasfenster gegen ende des
jahrhunderts doch wol schon ziemlich häufig, auch in privat-
häusern zu finden gewesen sein; wenigstens in Österreich: Seifr.
Helbl. 1, 1292 *doch ist sie behendic an venstern an glasen luogen
in die gazzen.* — s. 60 alinea 2 erwähnt Schultz die *bûne:* diesen
ehrenplatz hat wol auch der junge Helmbrecht im auge wenn er
sagt 363 *ich muoz benamen in die bûne*, und ein ähnlich ausgezeichneter sitz ist wol das *gestüle* unter einer breiten linde, von
dem es Salm. und Morolt 886 heifst: *da engedorste nyman vff
sitzen, er en were dan eyn edel man, und were von hoer art geborn.* — s. 67. gegen die ausschliefsliche benutzung der bänke
zum sitzen bei tische spricht unter anderem Kchr. (Diemer)
369, 25. Eilh. 2049. anm. 3 hätte auch noch auf Haupt zu
Neidh. 79, 35 verwiesen werden sollen. — zu s. 68 anm. 1 sei
bemerkt dass die eine der beiden deutschen belegstellen für den
faltstuol noch dazu wörtlich aus dem französischen übersetzt ist:
Germ. 7, 169. — die s. 71 besprochenen kissen, welche etwa
unseren divans gleichkommen, meint wol auch Heinrich von
Melk im Priesterleben 99 *dâ sicht man becher râichen ûf bôlstern
vil wâichen.* — s. 78. ein nachtlicht, wie es scheint ganz in
der art der unserigen, wird erwähnt Mor. von Craon 1511

nu bran ein lieht in eime glas, vgl. Zarncke in den Beitr. zur
gesch. und erkl. der Nibb. s. 157. 264. — zu s. 80 ist die interessante stelle aus Eilharts Tristrant nachzutragen, die es wahrscheinlich macht dass in der heimat des dichters die verwendung
der grofsen säle als schlafraum für gäste nicht bekannt war:
5285 *ich sage ûch dne logene daz hir bevorn die koninge hér-
licher sale nicht pldgin, wan hie nicht wdrin also wol berdtin mit
gûtin kemendtin als nû hir die héren sin* usw.; freilich ist die
stelle nicht gut überliefert (vgl. vdHagen und Büsching Buch der
liebe s. 80); Tristrant scheint mit seinem gesellen Walwan das
bett zu teilen: 5348 ff. — s. 80 anm. 9. Isalde zieht sich in
ir heimliche (D *heimelicheit)* zurück um Tristrants liebesboten
ungestört audienz zu geben: Eilh. 6376. — s. 81. über bett-
vorhänge und fufsschämel handelt Zarncke in der angeführten
academischen abhandlung s. 157. 264. — s. 82 eiserne kistchen
zur aufbewahrung besonders wertvoller gegenstände heifsen im
Meier Helmbrecht 1205 *isenhalt,* sie führen noch heute in der
heimat des gedichtes den namen *isolt:* Keinz s. 77. — s. 83 anm. 1.
dieselbe sitte bei den bauern des Innviertels, vgl. Meier Helmbrecht 165. — s. 87. in der Tristandichtung bei Berox und
Eilhart vertritt der einsiedler Ogrin, Ugrim die stelle des burg-
capellans: er ist Markes beichtvater und briefsteller, s. Eilh. 4764.
— in dem abschnitt über automaten und ähnliche kunstwerke
s. 94 war der ring zu erwähnen, in dem eine singende nachtigall
angebracht ist: vgl. Salm. und Mor. 1305.

Im zweiten capitel verfolgen wir pflege und erziehung der
knaben und mädchen von der geburt an bis zu dem puncte,
wo jene eine vollkommene hausfrau, dieser ein untadeliger ritter
zu werden verspricht. die gruppierung der einzelnen gegenstände ist nicht immer glücklich: so hätten zb. die botschaften,
um nur einen punct herauszugreifen, doch wol besser zu beginn
des 6 capitels bei behandlung der reisen und verkehrsmittel ihren
platz gefunden. ich wende mich widerum zu einzelheiten.

S. 111. eine ähnliche niederkunft zur see, wie sie von
Blanscheflur im Tristan berichtet wird, erzählt das Magdalenen-
fragment Zs. 19, 160, 36 ff. — s. 113. dass sich bekehrte beiden
zur taufe vollständig entkleiden musten, belegt auch das erste
bild der Pfälzer Rolandhandschrift, zu WGrimms ausg. 11, 25;
der beide scheint im taufbecken das taufgelöbnis aufzusagen. —
s. 114. wie in unseren tagen vertraten auch schon zu jener
zeit vornehme bei niedriger stehenden pathenstelle: Meier Helmbrecht rühmt sich 483 *ein edel ritter was mîn tot.* hier wären
auch Scherers bemerkungen über das zunehmende unwesen der
ammen (QF 12, 99) zu verwerten gewesen. — zu 114 anm. 1
notiere ich noch Kudr. 22. — in der Wiener Genesis 43, 32
heifst es beim auszug der Rebekka *mit ir für ir amme.* — s. 116.
Eilhart erzählt in seinem Tristrant nach dem tode der Blanscheflur

z. 121 *do beval der koning Rivalin das vil libe kindelin einer ammen die sin plag, und zóch das wol bis an den tag das es mochte geríten*, dh. wol bis zum siebenten jahre. der verfasser der Wiener tischzucht, Zs. 7, 174 ff, bittet z. 4 einen jeden, dem zucht und ehre beiwohnt, *das er is ldze dn zorn sin, ob ich strdf die jungen kint diu bi siben jdren sint und noch nicht gewizzen hdnt noch den kein suht ist bekant*. — von dem kleinen Hagen heifst es Kudr. 23 *sin phldgen wise vrouwen und vil schœne meide*. — in dem abschnitt über die kinderspiele hat es mich gewundert, nirgends die bekannte monographie Zingerles über das deutsche kinderspiel im mittelalter erwähnt zu finden; eine vermehrte auflage dieser zuerst in den Sitzungsberichten der Wiener academie 1867 veröffentlichten schrift erschien Innsbruck 1873. ob aus HMSchusters buche Das spiel, seine entwicklung und bedeutung im deutschen recht, Wien 1878, etwas für Schultz zu gewinnen gewesen wäre, vermag ich im augenblick nicht festzustellen. — s. 120. auch hier vermisse ich verwertung der einschlägigen stellen des ältesten deutschen Tristan, eines werkes, das nach Scherers treffendem urteil 'wie vielleicht kein anderes vorbild des lebens geworden'; hier waren die notizen über die jugenderziehung des helden, X 130 ff, zu berücksichtigen. — s. 121. in Frankreich gab man dem hofmeister, der den knaben in fremden sprachen zu unterrichten hatte, einen besonderen namen: er hiefs *latinier*, vgl. Blancandin (Mones Anz. 8, 399) 37 *après si le fist enseignier li roi, à un sien latinier* (hs. *latimier*); auch Roquefort Glossaire 2, 67ª. — s. 123 anm. 4. vgl. noch Martin zu Kudr. 607. Eilb. Trist. 4841. — s. 124. die vielgeprüfte Crescentia hat verschiedener ämter zugleich zu walten: über die kemenate der herzogin gesetzt beaufsichtigt sie die mägde bei ihrer arbeit im sal Kchr. 373, 11; sie ist beraterin des herzogs 370, 29; er *bat si sinen sun léren si hete michelen sin der herre hiez si maisterin* 370, 20. sie schläft bei dem kind, das in ihre obhut gegeben ist, und hat das ganze haus zur mettine zu wecken. — s. 127 anm. 2. vgl. noch QF 19, CLXXXVI. — s. 130 z. 4. auch in England bediente man sich der quintaine, vgl. Zs. f. d. phil. 3, 437 f. — s. 132 anm. 4 hätte neben Erec Tristan, 133 anm. 1 vor allem Governal, Kurwenal, der erzieher Tristans, genannt werden können, in dessen namen schon das vorbildliche der gestalt zum ausdruck kommt. — s. 135. sehr häufig werden auch spielleute und im volkstümlichen epos, also wol nach älterem, nationalen brauche, hochbetagte, vornehme männer als boten ausgesendet: in der Kudrun 605 ein graf; man erinnere sich der botschaften im altfranzösischen Rolandsliede. spielleute als liebesboten: Weinhold D. frauen 352, aber auch sonst übernehmen sie botschaften: zu den hunischen spielleuten Werbel und Swemmel gesellen sich die fahrenden Haupt und Plot, Eilb. Trist. 8369 ff. — Eilbart

schildert 8231 zwei garzûne ganz ähnlich wie Wirnt im Wigalois 1417; ein botengang mit interessantem detail Eilh. 7370 ff.
das wahrzeichen des boten ist ein ring Eilh. CLXVII; und dieser
bote ist ein so verständiger junger mann. dass Isalde ihm einen
mündlichen auftrag anvertrauen kann: 7116; er muss zu fufs
gehen. der dichter scherzt darüber: 7396 ff. — s. 137 anm. 6.
franz. Rol. 120 *e li message descendirent à pied, si l'autrerent
per amur e per bien*; auch Ganelon reitet als bote 342 ff. —
s. 138 anm. 2. man vergleiche noch Martins anm. zur citierten
stelle. — anm. 3. die zehn boten des königs Marsilies werden
bei Karl dem grofsen in einem besonderen zelte beherbergt und
durch zwölf *serjanz* bewacht: Chanson de Rol. 159. — anm. 4.
von den beiden ist die geheiligte person der gesandten nicht
respectiert worden: Ch. de Rol. 207 ff. — Tristrant lässt Isaldens
boten *hundert schillinge gûter phenninge* geben Eilh. 7370; *panem
missi* erwähnt Rûdlieb IX 16. den ursprünglichen hergang bei
verleihung des botenbrotes schildert im 16 jh. Sigmund von
Herberstein: DWB II 274; die sitte lebt noch heute in der heimat
des Meier Helmbrecht: Keinz, Münchner sitzungsberichte 1866
s. 323. — zuweilen weigerten sich boten. eine belohnung anzunehmen. Martin zu Kudr. 434. — die tischbedienung sollte ge-
räuschlos vor sich geben: *schenken man ir schuof unde truhsæzen,
dâ was vil kleiner ruof* Kudr. 1316; vgl. noch 162. — s. 139.
zu den dienstleistungen der knappen beim turnier verweise ich
noch auf Gottr. Tristan 128. 15 *wie si mit scheften stæchen,
wie vil si der zerbræchen, daz suln die garzûne sagen, die hulfen
ez zesamene tragen.* — s. 141. überhaupt muste jede bewegung
mafsvoll sein. vgl. Eilh. s. CLXIX. ich knüpfe eine allgemeine betrachtung an diese stelle. Schultz hat dem höfischen ceremoniell
bei weitem nicht die aufmerksamkeit zugewendet, die es in hohem
grade verdient. gar nicht berücksichtigt sind die vortrefflichen
beiträge zur sittengeschichte des ma.s von Rudolf Hildebrand,
Germania 10. 129 ff. zwar wird gelegentlich bei Schultz von den
erfordernissen höfischer zucht, höfischer rede und höfischen be-
nehmens gehandelt. zb. s. 164 vom duzen und ihrzen; s. 311
unten von dem drängen bei festen. jedoch ohne zu Hildebrands
these stellung zu nehmen: s. 402 von der ankunft und dem
empfang der gäste usw., aber auch hier vermisse ich eine zusammenhängende betrachtung der verwandten erscheinungen. und
auch im einzelnen dürfte sehr viel nachzutragen sein. wie be-
fremdend ist schon in einem buche über das höfische leben eine
äufserung wie wir sie auf s. 155 lesen: 'auf die anstandslehren
hier näher einzugehen. sehe ich keine veranlassung' usw.!

  S. 149. auch in Eilharts Tristrant scheint mit der schwert-
leite die erfüllung der ersten bitte des jungen ritters verknüpft. —
anm. 4. eine diametral entgegengesetzte anschauung als bei Ottokar
lernen wir aus dem bruchstücke Ratschläge für liebende kennen

(Docen Misc. 2, 306 f) *Ih hdn gesehen mangen man, der anders minnen niene kan, wan daz er wdnet, diu wîp minnen sînen starchen lîp, sô wdnet aber ein ander, der ein teil ist langer denne ein ander man, daz er die minne sule hdn usw. si tuont den frouwen leide daz si selten sint dâ heime, si rîten zuo wîge, was fromet daz den wîben?* manche frau mag würklich so gedacht haben: sie waren nicht alle Eniten, denen um das 'verliegen' ihres mannes bange war. vgl. auch Eilh. 7936 *des phlag he vil ndch alle tage daz her wilt jagete unde schôz, sin wib daz sêre vordrôs.* — s. 152 anm. 3. in der Kaiser-chronik (Diem. 367, 11) rühmt der amman an Crescentia: *ia chan si wol mit siden wörchen swas ir gevallet an swelhen borten man si stellet.* — einen weiteren beleg für gewerbsmäfsiges schnei-dern und weben liefert Helmbr. 136. — s. 154. Rother 1811 *die vrowe begonde vore gan. hundert megede lossam die volgeden ir zwaren.* Isalde mit ihren *wîben* Eüh. 7546; die allerdings mit besonders starker hut umgebene gemahlin des Nampetenis darf sich nicht einmal allein auf der burgmauer ergehen Eilh. 7878; in Konrads von Wirzburg Engelhard verspricht Engeltrut 2940 *ich wil mîne frouwen alle schicken von dem wege;* beispiele aus dem volksepos verzeichnet Martin zu Kudr. 765, 4. — s. 158. bei Eilh. ist die junge Isalde als ärztin weithin berühmt (951): *ouch kunde sie arzedîe mêre denne in dem lande ichein man;* man vergleiche noch Heinzel in der Zs. f. d. österr. gymn. 19, 548, und über die heilkunst der *wilden wîp* Martin zu Kudr. 529. — s. 160. Brangæne spottet Eilh. 1948 über den truchsess gegen-über Isalden *darzû mustet ir werden wîp ûwers vatir schuzzeltrege-res;* dass der truchsess an Markes hof (319) nur bei feierlichen ge-legenheiten die schüsseln selbst aufträgt, spiegelt würkliche ver-hältnisse wider: Eilh. clxxv. in derselben dichtung wird Tristrant X 2824 als kämmerer bei der jungen königin angestellt, später scheint Autret dieses amtes zu walten; besondere kämmerer für die frauen kennen auch Kudr. 411. 1528, Engelhard 1843, vgl. noch Waitz VG 2, 360. — s. 161. schon im 12 jh. bei Heinrich von Melk, Er. 286 ff, wird die klage laut *der herre versiht sich ze dem chnechte,* noch *der chnecht zû dem hêrren weder triuwen noch êren.* — s. 162. mit sehr interessantem detail schildern das gebahren der narren die französischen dichtungen von Tristans erheuchelter narrheit (Eilh. cxxxi), der französische prosaroman von Tristan und Eilhart von Oberge; dazu kommt noch die ein-gehende beschreibung eines *hoveschalkes* im Jüngling des Konrad von Haslau, Zs. 8, 475 ff. — s. 163. sehr häufig werden frauen geschlagen in den legendarischen erzählungen der Kaiserchronik zb. Diemer 378, 6. 393, 33 ud.

Capitel ꜰꜰ entrollt ein reiches bild von den toilettenkünsten und der bekleidung der damaligen menschen. nicht nur den anzug der ritter, der frauen und kinder aus den höfischen kreisen

lernen wir kennen, auch die verschiedenen trachten der bauern,
narren, zwerge, gelehrten, kaufleute usw. werden zum teil sehr
eingehend beschrieben. von s. 274—78 folgt noch ein anhängsel
über den handel, das wol auch besser mit cap. vi verknüpft worden
wäre: das lehrt schon der umstand dass die wenigen notizen
über räuber s. 275 und 396 in Schultzs darstellung weit aus
einander gerissen sind.

S. 169. Zapperts monographie Über das badewesen mittelalterlicher und späterer zeit (Archiv für kunde österreichischer
geschichtsquellen 21) scheint dem verfasser unbekannt geblieben
zu sein. — die letzten zeilen auf s. 170 enthalten nach meiner
ansicht eine unstatthafte verallgemeinerung der bekannten stelle
des Parzival 166, 21 ff: man denke nur an das verhältnis der
beiden geschlechter in der älteren deutschen liebeslyrik, im
Grafen Rudolf, an die excurse über die verschämtheit der bräute
in der Kudrun 1665, der jungen mädchen überhaupt zu beginn der deutschen Erec (ein zusatz Hartmanns!). — s. 171. im
Orendel (Ettm.) str. 22 heifst es *dô gienc hi zeinem strûche ind
brach ein waltrûche: die hielt · hi an sîne scame.* — eine ältere
darstellung gemeinsamen badens von herren und damen als die
von Schultz angeführten findet sich auf einem helm des 14 jhs.,
publiciert in: Ancient and mediaeval ivories in the South Ken-
sington museum, London 1872. — s. 172. in Strickers Amis
wird ein *sweizbat* erwähnt, weitere nachweise für die anwendung
von dampfbädern hat FBech Germ. 17, 48 f gegeben: darnach
ist die bemerkung am schluss von s. 172 zu modificieren. —
s. 174 sagt der verfasser: 'ob man sich schon der seife bedient hat, ist aus unseren quellen nicht zu entnehmen.' das ist
zu viel gesagt: in dem auf der folgenden seite anm. 1 angezogenen
gedichte Vom himmelreich heifst es z. 285: *die sêle ne phlegent
ze bade seiffen noh louge,* vgl. noch Seifr. Helbl. 3, 70. — die
s. 175 oben erwähnten staubkämme hiefsen *niskamp* (noch heute
in Thüringen und Sachsen: lauskamm), sie werden erwähnt im
Sachsensp. 1, 24, 3. Helbl. 1, 660. — einen durch seinen künstlerischen schmuck und seine (französische, sehr emendations-
bedürftige) inschrift (beide beziehen sich auf den roman von
Tristan und Isolde) interessanten kamm, im besitz des historischen vereins zu Bamberg, haben Becker und Hefner bekannt
gemacht in den Kunstw. und gerätschaften des ma.s und der
renaissance iii taf. 13. — zahlreiche belegstellen zu 176 anm. 5
bei Weinhold D. fr. s. 380. — s. 187 anm. 3. in dem geistl. gedicht Vom himmelreich werden z. 264 besonders *linsoche* genannt. — s. 187. 188. sehr hübsch entschuldigt der steirische
reimchronist Ottokar das schweigen über die letzten toiletten-
künste der damen in cap. LXVII bei beschreibung des braut-
gewandes der tochter des markgrafen von Brandenburg: *wan diu
süez und diu geheur waz si ze nœhst an ir leib trueg, wœr ich*

*mit worten sd chlueg, daz ich wol prüefen chunt, des wolt ich
danken meinem munt. nû mac des von mir nicht geschehen, wan
man liez mich nicht sehen. wie gern ich chamrœr dd gewesen
wœr dd man die minnichleichen chleidert haimleichen in die nœhsten wdt!* usf. und ganz ähnlich scherzte schon Hartmann von
Aue im Erec 8946 *welch ir roc wœre? des frdgt ir kamerœre:
ich gesach in weizgot nie, wan ich niht dicke für si gie.* — dass
pelzkleider für ganz besonders kostbar galten und nur vornehmen
damen zukamen, ergibt sich aus den von Baader edierten Nürnberger polizeiordnungen, die vielleicht noch aus dem 13 jh. herrühren, s. 66: *ez sol auch dhein frawe ... dhein hermleinen pelz
noch kursen tragen;* dazu halte man Kchr. Diem. 366, 21 *pellez
und kurzebolt ich enwil daz silber noch daz golt niemer gewinnen.* — *kürsen* vielleicht slawischen ursprungs: Weinhold D.
fr. 448 anm. über *kursit* s. ebenda 347 und Lexer 1, 1795. —
s. 202. an beschreibungen von damenmänteln notiere ich noch
Eilh. Trist. 6584. Ottokar 80ᵃ. — in Konrads Engelhard wird
das hemd der Engeltrut durch einen *adelar von rubîne* zusammengehalten. — s. 204 anm. 4. ein interessantes weiteres beispiel
gibt Haupt zu Erec 1558. — s. 206. bei Seifr. Helbl. 1, 488 ist
der *rinc* des gürtels *von wizem helfenbeine.* — s. 207. in dem
gedicht Vom himmelreich werden neben den *halssnuoren,* die wol
dazu dienten den mantel zu schliefsen (vgl. s. 208), z. 287 *nus-
kellin vone goldes gesmelce* erwähnt. — s. 209. als Judith sich
zu dem gang zu Holofernes bräutlich schmückt, heifst es von
ihr (Diemer 161, 20) *du hiench si in die ôren die guldînen wieren.*
— etwas sehr kurz werden die *bouge* abgetan, über sie vgl.
noch JGrimm Kl. schr. 2, 198, Weinhold D. fr. 456. — ärmere
leute trugen ringe von glas oder mit glassteinen geschmückt:
MSD² 353. — über frauenhüte handelt Uhland Schriften 3, 375.
377; dass man auch damals schon strobhüte trug, lehrt Helbl.
2, 1449 *für kolbenslege ein strôhuot.* — s. 211 alinea 2. dieselbe
mode setzt doch wol auch schon Walther von der Vogelweide
75, 6 voraus: Wilmanns zu Walth. 2, 23. — wie die damen und
jungfrauen toilette machen wird auch im eingang des Mantels
geschildert. — s. 212. dass auch den pferden ein äufseres zeichen
der trauer angelegt wurde zeigt Erec 9851 ff *sit er si ndch ir
muote riuweclichen kleite, phdrt er ouch bereite sô daz ir varwe
beider, phdrde unde kleider, glich und wol zesamne schein, swarz
riuwevar al ein.* — die trauernden enthalten sich jedes schmuckes;
so sagt Crescentia (Kchr. 366, 17) *waz solte mir gesmîde? ich
stdn mir diche laide;* vgl. noch 368, 10.

An der tatsache, dass auch in Deutschland die männer der
höheren stände ihr har äufserst sorgfältig pflegten, ist wol nicht
zu zweifeln, trotz des spottnamens *hdrslihtœre,* den die Deutschen
den Franzosen gaben, worauf Kinzel in seiner anzeige des Schultzschen buches hinwies: was uns Neidhart und der sogenannte Sei-

fried Helbling von den österreichischen bauern erzählen (vgl. zb.
Nlth. 86, 7. Helbl. 1, 502), ist gewis nur den vornehmen nachgeahmt. in der oben citierten stelle aus den Ratschlägen für
liebende denkt der eine die liebe durch seine schönheit zu verdienen, *der ander durh sine kvone, der dride durch sin gvotes har.*
Heinrich von Melk lässt die rittersfrau, die er zur warnung vor
die leiche ihres gemahls führt, ängstlich beobachten (600) *wie
sin schditel si gerichtet, wie sin hdr si geslichtet,* und in der
Erinnerung 220 spricht er von den pfaffen *mit wol gestrœlten
bdrten unt mit hôh geschornem hdre.* — s. 216. genauere daten
über die zunehmende sitte, den bart zu rasieren, hat Scherer
QF 12, 22 zusammengestellt, vgl. noch Rudlieb. eine ganz ähnliche geschichte, wie sie in dem roman Floovant von dem helden
erzählt wird, knüpft die Kaiserchronik bekanntlich an den Baiern-
herzog Adelger; offenbar soll durch diese anecdote die neue
sitte, nach der man har und kleider kürzte, erklärt werden, vgl.
Kchr. 205, 13 ff. — s. 207 wären wol auch die *spargolzen* zu
erwähnen gewesen. — s. 219. dass in Heinrichs von Melk
Erinner. 625 unter *hosen* das ganze beinkleid verstanden werden
muss zeigt Heinzel in der anm. zu dieser stelle. — s. 220. schuhe
von corduanleder kennt auch schon Rudlieb 13, 96. die emendation in der anm. 8 angeführten stelle der Heiligen Elisabeth ist
gewis richtig; *buntschuoch* nannte man allgemein die schnür-
schuh; über *zerhouwen, zirlich schûhe, die dâ oben offen sint,* usw.
vgl. Lexer 2, 818. — s. 224. bei besprechung der langen
männerärmel ist nicht verwertet Seifr. Helbl. Zs. 4, 251 ff. —
s. 225. einen altdeutschen Malvolio schildert Neidhart 81, 34. —
s. 226. zu den 'mi-partis' vgl. noch Wigal. 746; in der Weingartner liederhandschrift begegnen solche scheinbar durch die
mitte geteilte gewänder auf den bildern s. 10. 60. 116. 122. 138.
neben herrn Ulrich von Munegur (116) kniet auch ein knabe
mit einem halb rosa, halb violett gefärbten gewande. ob Fellner
die bilder dieser hs. mit recht noch ins 13 jh. setzt, entzieht sich
freilich meinem urteil. Joh. Rothe bezeichnet im Ritterspiegel
z. 1765 ff das tragen von solchen mehrfarbigen kleidern als vorrecht des ritterstandes. — s. 228 anm. 2 wird die conjectur
raiz chlait durch die Wiener hs. des Ottokar bestätigt. — s. 229.
in der in anm. 1 angezogenen stelle der chronik der Normannen-
herzoge sind die *bous* natürlich die germanischen *bouge;* was aber
ist *odure* in der folgenden zeile? Schultz denkt an *dorure;* graphisch leichter ist die emendation *orture* = stickerei. — s. 230
vermisse ich eine erwähnung der netze, die man zum schmuck
über den kleidern trug: Kudr. 1683. 84 und Martins anm.; aus
Kudr. 1310 ergibt sich auch dass der mütterliche schmuck der
tochter zufiel. — anm. 5. einen solchen 'schattenhut' trägt auch
schon in dem ältesten deutschen Tristrant Kehenis, 9064 *der
was von blûmen vil gût. den nam im der wint abe und warf in*

hin in den grabin. — weit über das handgelenk reichende handschuh galten wol auch damals schon als besonders elegant:
Nith. 75, 13 *zwéne niuwe hantschuoh er unz ûf den ellenbogen
zôch.* arme leute trugen wollene handschuh: Sachsensp. 3, 45, 8
*zwéne wullene hantschû und ein mistgrape ist des tageworhten
bûze.* — s. 235 anm. 2. vgl. Eilh. X 2072 ff. dass die bauern
auch die mit schellen besetzten kleider der vornehmen trugen,
lehrt der Helmbrecht; auch die schellen an unseren fuhrmanns-
gäulen sind vermutlich ein erbstück der höfischen cultur des
mittelalters. — s. 237 anm. 2 war *medrein* nicht anzutasten: es
ist dialectisch beglaubigte form, Lexer 1, 2109. einige verse
weiter schreiben die beiden Wiener hss. des Ottokar würklich
hut, bestätigen also die änderung von Schultz. — s. 238. für die
schilderung der narrentracht wäre wol auch die ältere französische
und deutsche Tristandichtung zu berücksichtigen gewesen (s. o.).
— s. 239 anm. 5. Ugrim der klausner trägt Eilh. X 4905 *vil
armer linwdte.* — s. 240 anm. 3 setzt Sch. hinter *flentschir* fragezeichen. die beiden Wiener hss. des Ottokar schreiben, V *flant-
schyeres*, P *vlentschiers*; das wort fehlt in den mhd. wbb., bei
Oberlin 397 wird es glossiert mit *fimbria*, es bedeutet also fransen
und ist wol eine weiterbildung von *vlansch*, der zipfel (Lexer
3, 387). ich trage noch die aus Helbl. 2, 71 zu entnehmende
bestimmung für die österreichischen bauern nach: *dô man dem
lant sin reht maz, man erloubt im hûsloden grd und des viretages
bld.* loden, noch heute das grobe tuch der älpler, *loden von
drizec stürzen*, erwähnt Helmbrecht, vgl. Keinz zu seiner ausg.
s. 73. hier wären am besten die bemerkungen über die national-
trachten einzureihen gewesen, die man bei Schultz verstreut schon
s. 228. 237 usf. zu lesen bekommt. in dem ganzen abschnitt
treten die nationalen und landschaftlichen unterschiede nicht mit
genügender schärfe hervor, auch ist das reiche material Neidharts
und seiner schule, des Helmbrecht, des Seifried Helbling nicht
erschöpfend verwertet; so vermisse ich zb. die bemerkung über
die Thüringer und Sachsen aus Helbl. 3, 219 *ze Düringen und
in Sahsen læt man diu hâr niht wahsen an die rehten lenge* usw.;
die berühmte stelle aus Hartmanns von Aue Gregor 1401 ff von
den wilden Sachsen usw. (vgl. QF 12, 23 anm. 2), Wackernagels
schöne abhandlung über die spottnamen der völker Zs. 6. —
s. 242 anm. 5. in der angezogenen stelle des Neidhart, bei
Haupt 209, 19, ist statt *muller* vielleicht doch *muoder* zu lesen:
dies steht auch sonst von panzerringen und -platten. — s. 243
anm. 9. dieselbe erklärung von Meier Helmbrecht 145 gab schon
Keinz Sitzungsber. der bair. acad. 1866 s. 321. — s. 253 anm. 13.
darf man an die stadt *Biterne* erinnern, welche nach der Kaiserchronik Collatinus mit den Römern belagert? — s. 255. das von
Marco Polo erwähnte Kambalu ist nach Joseph Haupts ansicht
auch in dem *Compalie* der Kudrun 332 zu erkennen, vgl. da-

gegen s. 257 anm. 5 und den text, in welchem der verf. zweifelnd
Martins erklärung beipflichtet. — s. 259. über *düsper* vgl. Lexer
1, 422; dazu kommt noch Eilb. Trist. X 2080. — s. 268 *fritschâl*;
characteristisch ist der zusatz des Wormser druckes von dem prosaroman Tristrant und Isalde zu Eilb. 8253: *die zotten* (an den
kappen) *von gelbem Fridschâl; di/s ist ein besonder gût thuch,
das nur mechtige Herren tragen* (vgl. Buch der liebe s. 121). —
buckeram wird noch erwähnt Moriz von Craon 826; auch dieser
kostbare stoff wurde vorzüglich von vornehmen getragen: Walther
111, 27, vgl. Wilmanns zu 13, 3 seiner ausgabe. — s. 272. die
erklärung von *bunt, buntwere* ist nicht richtig, vgl. vielmehr
Weigand 1, 252, Lachmann zu Iwein 2193. dafür dass unter
Conne Iconium zu verstehen sei, wie Schultz zweifelnd vermutet,
sprach sich entschieden aus Haupt zu Erec 2067. — s. 273.
die vermutung dass das erste glied des compositums *Schindt*
französisches *chien* sei, hat viel für sich, man denke besonders
an die mundartliche form *chin.* dass Sch. sich begnügt, auf die
werke von Depping und Johannes Falke zu verweisen, wurde
schon angemerkt; neuere untersuchungen wie Felix Bourquelots
Les foires de Champagne, AGirys Histoire de la ville de Saint-
Omer, aus der sich wol genauere nachrichten über die wollen-
fabrication in Frankreich und in den Niederlanden hätten gewinnen lassen, und ähnliche werke sind nicht berücksichtigt. —
s. 275. für brücken-, wasser- und andere zölle hätten die deutschen rechtsquellen benutzt werden müssen: vgl. Sachsensp.
2, 27, 1. Schwabensp. 166, 1. auch die reichlich publicierten
coutumes und weistümer hat der verf. ebenso wenig hier wie an
anderen stellen seines buches beachtet. von wichtigkeit ist das
privileg der vornehmen, das wir aus dem Sachsensp. 27, 2 kennen
lernen, *phaffen und rittere und ir gesinde suln wesen zolles vri.* —
s. 277 anm. 4. wie hier der sänger Horant als kaufmann in
der 'krame' stehen muss, so heifst es von dem spielmann der im
Rother Constantins tochter entführen will *des morgens alsiz da-
gede der spileman havede behangen sine crâme mit gewâte selzéne.*
bei Eilhart gibt Tristrant 1184 vor kaufmann zu sein, früher
sei er ein spielmann gewesen: man sieht, Shakespeares Auto-
lykus hat eine ehrwürdige ahnenreihe. dieselbe list, durch welche
in diesen erzählungen die frauen auf das schiff gelockt werden,
bringen bei Gotfried 56, 1 norwegische kaufleute gegenüber dem
jungen Tristan in anwendung; auch von ihnen wird berichtet
dass sie *ir market heten ûz geleit.* — mit einem goldenen becher
bestechen Tristrant und seine genossen Eilb. 1543 den mar-
schalk von Irland. — ein abfälliges urteil über den kaufmanns-
stand fällt Heinrich von Melk Er. 425 *die chouftiute habent
triwen niht.* aus demselben tone klingt die antwort, welche
Honorius von Autun (ed. Migne) Elucid. 1148 auf die rhetorische frage *quam spem habent mercatores?* erteilt: *parvam, nam*

fraudibus periuriis lucris omne pene quod habent acquirunt. und schon der verfasser des Abraham (Wiener Genesis 29, 36—36, 14) sprach sich geringschätzig über die handeltreibenden *chaltsmide* aus, hausierer und kurzwarenhändler, die characteristisch für die heimat der dichtung an stelle der biblischen kaufleute getreten sind, vgl. Scherer QF 1, 24 f. — bei Gotfried klagt Isolde über Tantris-Tristan, den sie für einen kaufmann hält (252, 23) *daz der als irrecliche von riche ze riche sine nôtdurft suochen sol.* — der ausdruck *messe* für jahrmarkt ist älter als der verf. s. 278 oben annimmt: belege schon aus dem 14 jh. bei Lexer 1, 2122; bei Eilb. 7387 lesen wir *zu sente Michahêlis misse enwart dô niht vorgezzen grdz jdrmarket alle jdr.* — in der erzählung Ruprechts von Wirzburg von zwei kaufleuten (ed. Haupt Zs. f. d. phil. 7, 65 ff) heifst es 236 *der herre bereiten sich began ûf den jdrmarkt ze Provis. . . . zenddl, würze, siden, scharldt und aller hande riche wdt fuorte er ûf den jdrmarkt.* — s. 278. aufser bei festlichen messen musten die laden der kaufleute an sonn- und feiertagen geschlossen sein: Schwabensp. 301. — anm. 4. *budel*, das Schultz mit fragezeichen versieht, ist natürlich nd. form für *bûtel, biutel* = beutel, tasche. — in der klage über die juden Helbl. 2, 1083 ff wird nebenher auch ihres wuchers gedacht 1090 ff: *swelch kristen lernet rouben under der juden panier, den velle got und tuo daz schier! zwiu sulnt in geumerkten juden?* hier hätte auch die characteristische bezeichnung *judiste* für wucherer, die zweimal im Renner begegnet 8451. 8602, erwähnung verdient, und nicht minder der merkwürdige ausdruck *kawerzin*, altfrz. *chaorsin*, dh. ursprünglich bewohner von Cahors in Südfrankreich, einer stadt, die Dante als hauptsitz des wuchers bezeichnet: Diez Et. wb.[3] 2, 250. — zu dem schlusspassus des capitels halte man eine stelle der oben angeführten erzählung Ruprechts von Wirzburg, aus der ein nicht geringes selbstgefühl des kaufmanns spricht: der kaufmann Gilot verweist z. 106 ff seiner frau das verlangen nach einem vornehmen schwiegersohn mit den worten: *ich weiz wol waz dir wirret. grdven unde herzogen (daz ist wdr und niht gelogen) unser tohter wolten nemen, ob mich ruohte des gezemen daz ich si in wolte geben. dô wider wil ich immer streben, wande mir in mînem herzen wüehse vil grôzer smerzen swen man mir mîn liebez kint würde smœhen als ein rint, daz si niht edel wære.* dies gedicht bewegt sich übrigens ganz in höfischen formen.

Cap. iv beschäftigt sich fast ausschliefslich mit den tafelfreuden der vornehmen, gelegentlich, besonders zum schluss findet auch die nahrung der bauern berücksichtigung.

S. 280. zu anm. 1 füge noch Mantel mantaillé (edd. Cederschiöld und Wulf) 5, 5. — s. 281. ein frühstück vorm turnier beschreibt Moriz von Craon *man briet zwên und zwên ein huon: diu dzen si dô man gesanc: dar zuo iegelicher tranc daz ers*

genuoc hâte, eines vor einem ernsten kampf Erec 8646 *dô was
der imbîz bereit, grôz wirtschaft, die er alle meit. deheines frâzes
er sich vleiz: ob einem huone er gebeiz drî stunt: des dûhte in
genuoc. ein trunc man im dar truoc und tranc sant Jôhannes
segen.* — das mittagsschläfchen macht, wie mich dünkt, dem
verf. unnötiges kopfzerbrechen: er kann sich nicht vorstellen
dass die leute, kurz nachdem sie vom bette aufgestanden, wider
des schlafes bedurft hätten. nun war aber die zeit des mittags
offenbar nicht fest bestimmt, und es ist wol mehr als ein scherz
wenn es im Lohengr. 81 heifst: *wenne was des ezzens worden
zît? ich hôrte ie swenne ez der wirt hât unde gît;* übrigens darf
man in der anm. 1 angeführten stelle des Engelhard gewis nicht
mit dem verf. an eine frühe morgenstunde denken, vgl. z. 2922
und die anm. zu MSD² x 2. ferner Blancandin 135 wo es
heifst *au vespre s'est allés coucier li rois de joste sa moillier.* zu
anm. 4 füge Mantel mautaillé 6, 3: der seneschall Gavain ist
unruhig, *que li rois mengier ne vôloit, quar il ert ja mout près
de none.* — s. 283 anm. 3. Eilhart berichtet X 4527 von dem
waldleben Tristrants und Isaldens *daz die armen lûte nicht dzin
wen gekrûte daz sie in dem walde vunden,* und weiterhin 4531
scherzt er: *daz was ir beste spîse, und sô Tristrant der
wîse mit sîne bogin icht irschôz und sîner liste genôz daz he et-
lichin visch gevîng* usw. diese stelle kann Wolfram im sinne
gehabt haben Parz. 485, 21 *der wirt gruop im würzelin: daz
muose ir beste spîse sîn.* — s. 284. *ein huon gebrâten einz
versoten* wird dem jungen Helmbrecht vorgesetzt 881, vgl. auch
Helmbr. 475. hübner als lieblingsspeise der vornehmen begegnen
schon bei Gregor von Tours in der erzählung von Attalus und
dem koch, Hist. Francorum III 15. — s. 287. auch fische galten
als ein aristokratisches essen: Schultz s. 343; dazu kommt noch
Helmbr. 462. 1606. in der abhandlung über die fische ist das
fischverzeichnis der Ecbasis nicht verwertet, vgl. JGrimm Lat.
gedd. s. 327. Schultz vermochte nicht sämmtliche fischnamen auf-
zuheilen, die er in anm. 6 aufführt. die *rût-* oder *ruttenvische*
werden glossiert mit *allota vel allopida* vgl. Lexer 2, 558: aal-
quappen sind noch heute ein beliebtes fischgericht. *perchsen*
(frz. *perche,* gewöhnlich mhd. *perschen,* unsere bersiche), *cinden*
(zindel, zingelfische) bieten keine schwierigkeit. die *gôras(?)* aus
dem Apollonius sind wol identisch mit den *gornars* eines traité
de cuisine, écrit vers 1306 ed. in der Bibliothèque de l'école
des chartes I 5, 223. die *aschen,* eine art forellen, führen heute
noch diesen namen. was aber sind die *kebervisch?* eine variante
bietet B: *kagrevisch:* darf man an *kablen* (DWB V 10) denken?
der kabljau begegnet später 18329: *kapplaun; grundeln und
phrillen* erwähnt auch Beheims Buch von den Wienern 281, 29.
die *kâpen* sind zweifellos unsere kappen (DWB V 188. vgl. noch
Lexer 1, 1658 s. v. *kobe,* 3, 266 s. v. *kapevisch).* nur die *palêden*

(*pabeden* in B) des Apoll. 18320 vermag ich weder zu erklären
noch sonst nachzuweisen. — mehrere stockfischgerichte und fisch-
pasteten beschreibt das auch von dem verf. benutzte Buch von
guter speise nr 20. 38. 15; dass auch austern als delicatesse ver-
speist wurden ergibt der citierte traité de cuisine s. 224, dass
man krebse nicht verachtete Konrads von Wirzburg Goldene·
schmiede 906 und Walther 76, 9 *den krebez wolt ich é ezzen
rô.* alle arten von pasteten lassen sich in Deutschland erst viel
später nachweisen als im romanischen westen: vgl. 285 anm.
3, 286 anm. 2. 9. 10, 288 anm. 1. 2. und noch heute sind uns
die Franzosen in der zubereitung der pasteten weit voraus. —
ein recept des *blanc manger* findet man auch in dem erwähnten
französischen kochbuch s. 221, denselben namen führt bekanntlich noch heute eine beliebte art crème. *flementschier* ist vielleicht *flan manger: flan* erklärt Roquefort als pièce de pâtisserie,
in dem französischen tractat heifst es s. 222 *se vos voles fere
flaons en caresme*, man hätte also dann wol unter *flementschier*
eine fastenspeise zu versteben.[1] — s. 290. als beigericht galt
wol auch merrettig: J. Tit. 4509 *noch scherfer danne kren mit
dem kressen.* verschiedene condimente werden beschrieben in dem
Buch von guter speise 41. 48 uö. — über die form der *gastel*
belehrt uns Graf Rudolf *daz man dd heizet gastel iz ist alumme si-
nwoel;* über das geringere brot, *halpbrôt, derpbrôt,* handelt WGrimm
Graf Rudolf s. 23. — zu 291 anm. 1 vgl. Helmbrecht 461,
wo der alte meier seinem sohne den rat erteilt: *sun, den rocken
mische mit habern é du vische ezzest ndch unéren,* dieser aber
frech entgegnet: *haber ist dir geslaht,* er will weifse semmeln
essen, usf. — die *fochenzen* der Wiener Genesis, an deren stelle
in der Vorauer bearbeitung semmeln getreten sind, hatten wol
nur locale bedeutung: noch heute kennt man sie in Kärnten als
festgebäck: Scherer QF 1, 29. — *weizbrôt* Helbl. 1, 980. *kuchen,
mandelwecke* usw. Buch v. g. sp. s. 23. — zu anm. 9 füge
Meier Helmbr. 871 *ein veizter kœse der was mar*, zu anm. 10
du fromage de mai aus dem traité aao. — im allgemeinen nannte
man die speise der vornehmen *riterspise* Nib. 904, 4. *herren spise*
Helmbr. 448, Kudrun 435, 4 steht dafür *biderber liute spise.* —
von den köchen war bei Schultz schon s. 45 kurz die rede;
welches ansehen ein küchenmeister im 12 und 13 jh. in Deutschland unter umständen genoss, lehrt die gestalt des Rumoit in
den Nibelungen; in Frankreich hiefs der oberkoch *grand queu*;
Waltharius 438 *regalis cocus,* siehe Lat. gedd. s. 386 und Wilmanns zu Walther s. 226. — köchinnen scheint man schon im
12 jh. gedungen zu haben: Kchr. 327, 17 heifst es von Crescentia
*ze jungest chom si in di armôt daz si durch ir groze not den
lüten wüsc ir tuch si chochete und büch* usw. aber eine noch

---

[1] was ist *flam* in *flam-rie?*

tiefere sociale stellung als köchinnen und wäscherinnen — man
denke auch an die erniedrigung der Kudrun und ihrer mägde —
nahmen die ofenheizer oder -heizerinnen ein, vgl. Martin zu
Kudr. 996, Helbl. 1198; interessantes detail über den diener-
tross enthalten auch die s. 365 anm. 3 angeführten stellen aus
der französischen Tristandichtung. — s. 295. zu alinea 2 kommt
Meier Helmbr. 471. 891: die bauern des Innviertels tranken also
wol in der ersten hälfte des 13 jhs. ausschliefslich wasser; dass
man in Österreich weizenbier trank zeigt Helbl. 1, 809. — s. 296.
met war ein unhöfisches getränk: Martin zu Kudr. 1305. —
zu anm. 12 vgl. Ecbasis 733 ff. bes. 738 *Trevirici calices* quos
non facere loquaces? in seinem aufsatz über Wirzburg im 12 jh.
in Müllers Zs. f. deutsche culturgesch. 1873 s. 65 ff behauptet
FXWegele, Frankenwein sei schon im 11 und 12 jh. in England
ein stehender importartikel gewesen. ob aber nicht vielmehr
an allen jenen stellen unter *vinum francicum* französischer wein
zu verstehen ist? — dass Baiern seinen weinbedarf aus Österreich bezog, zeigte Karajan zu Helbl. 3, 243. den trefflichen
Nussberger rühmt schon Seifried Helbling 2, 18. an litteratur
trage ich hier nach: Zingerles aufsatz Berühmte Tiroler weine
in Müllers Zs. f. culturgesch. 1873 s. 119 ff, Wilhelmjs Beitrag
zur controverse von frenze-wîn und hunzig-wîn, vgl. Steinmeyer
im Anz. iv 138; KHofmann Zs. 23, 207. die dunkeln wein-
namen des steirischen reimchronisten erhalten durch die varianten: *Terran, vin de Plan, triblian* fürs erste kein licht. dass
der raival noch gegen ende des 14 jhs. seinen alten ruhm genoss, entnehmen wir aus dem weineinfuhrverbot Karls iv: nach
Böhmen durften allein importiert werden *Vernatsch, Malvasy,
Romany, welisch wein, Poczner, Raifal und ander sulche tewre
wein* (Zingerle aao.), aber selbst im 16 jh. ist derselbe noch nicht
erloschen. Fischart nennt in Aller praktik grofsmutter (Neudrucke 2, 26) in dem abschnitt 'von nationen vnd stätten' neben
dem *Veltliner vom Chumersee,* dem *Rangenwein* usw. *Reinfal in
Hösterich.* — s. 304 anm. 6 wäre eine stelle aus dem Lambertus
Ardensis cap. 87 gut zu verwerten gewesen: *rogantibus Franci-
genis et postulantibus vivas fontis aquas, ut vini virtutem aliquan-
tisper refrenarent;* sehr starken wein scheint man übrigens doch
auch in Deutschland gewässert zu haben: Maria Magdal. (Mones
Anz. 8, 488) z. 841 *win den man mischen mûs von rechter
stercke.* — s. 309 anm. 4. im Mantel mantaillé 24 ff werden
die galagewänder den damen erst am tage des festes geschenkt. —
s. 310. ich trage hier zwei interessante stellen nach, aus denen
wir erfahren, wie zu gewöhnlichen zeiten die lebensmittel auf
der burg beschafft wurden: im Helmbrecht erzählt der alte meier,
wie er in jungen tagen mit käse, eiern usw. zu hofe gegangen
ist, um dort die erzeugnisse seines bauerngütchens in die vor-
ratskammern abzuliefern. in der Kchr. 366, 27 gehen dem

amman eines tages mitten in der woche die fische aus, er hält
sich an den *vizzetuom*, dem der fischer unterstellt ist: letzterer
hatte also allwöchentlich den ertrag seines fiscbfangs bei hofe
abzuliefern. — s. 312. beiläufig bemerke ich dass die in der
Bibl. de l'école des chartes, 5 série, bd. 1, 227 ff zum teil veröffentlichten ordonnances du dîner nichts als eine französische
übersetzung von Bartholomaeus de Glanvilla De proprietate rerum
sind. — s. 319. die löffel waren wol in der regel, wenigstens
bei den geringeren leuten aus wertlosem metall, oder aus holz
geschnitzt: nur so erklärt sich die geringe wertschätzung im
Helmbr. 671 er *lie dem man niht leffels wert.* — s. 320. die ansicht über entstehung von *humpen* aus *hanap* ist unhaltbar, vgl.
DWB 4, 1907. — ein *glasevâzzelîn* zum aufbewahren von wein
wird erwähnt in Gotfrieds Tristan 287, 40. 293, 36. 294, 5.
aus *maser* sind auch die trinkbecher in dem *lithûs*, von dem der
junge Helmbrecht erzählt. — zu s. 325 anm. 5 kommt noch Laurin 177; zu s. 330 anm. 3 Kudrun 337. — s. 331 anm. 2.
dass Eilhart an der citierten stelle tatsächliche verhältnisse vor
augen hat, zeigte ich Eilh. CLXXV. — s. 332. interessantes detail an der vorhin angeführten stelle des Lambertus Ardensis;
Walther *und gulte ein fuoder wînes tûsent pfunt, dâ stüend doch
niemer ritters becher lære,* Wilmanns zu 50, 47. — s. 333 anm. 2.
auch Freidank erwähnt 15, 16 eine *hôchgezît, dâ man siben trahte
gît.* in dem abschnitt über die anstandsregeln sind gar nicht
verwertet die provenzalischen anstandslehren für damen aus dem
12. 13 jh.: Eberts Jahrb. 3, 399. — dass man auch während
der tafel nach gewissen gerichten waschwasser herumreichte,
scheint mir Parz. 487, 1 zu beweisen *swaz dâ was spîse für getragen, beliben si dâ nâch ungetwagen, daz enschadet si an den
ougen niht, als man fischegen handen giht.* — s. 340. eine für
die conversationsthemata characteristische unterhaltung zwischen
rittern schildert Kchr. 135, 25, zwischen rittern und damen
Kchr. 140, 21. in den mehrfach angezogenen Ratschlägen für
liebende wird als erstes erfordernis eines den damen wolgefäl-
ligen ritters verlangt dass er besitze *schone antwrte vnd gvote
grvoze, wîse rede vnd süze,* vgl. noch Scherer QF 12, 88. 90. —
eine echte jagdgeschichte ist schon der Modus florum; hier liegt
wol auch der ursprung der lügenmärchen Germ. 1, 329. Zs. 2, 560,
man vgl. noch Weiggers lügen, die ältesten mir bekannten deutschen Münchhauseniaden, Zs. 13, 578 ff. — s. 341. die sitte, den
gast in die schlafkammer zu geleiten, und sich erst nach dem
schlaftrunk von ihm zu verabschieden, scheint sehr alt, begegnet
sie doch schon bei Gregor von Tours Hist. Francorum III 15.
in der Kchr. 138, 27 wird erzählt *also die tiske wrden erhaben
unde si zebette solten gan div frowe newolte den gast nie uer-
lazen unzer andaz bette kom slafen si stünt neic im gezogenliche* und es wird diese höflichkeit ausdrücklich vom könig an-

erkannt. wir sehen also: wenn Dido in Veldekes Eneit 49, 40
ihren gast Eneas bis zu seinem schlafgemach bringt, so tut sie
nichts als ihre pflicht. wenn hier der schlaftrunk fehlt, so rührt
dies wol aus dem französischen originale her: in ·Frankreich
nämlich scheint nach den beobachtungen von Schultz derselbe
nicht üblich gewesen zu sein. — s. 342. sehr lebendig schildert
der junge Helmbrecht das moderne hofleben im gegensatz zur
guten alten zeit, von der sein vater erzählt hat, 986 ff: jetzt
ist die losung: *trinkd herre*, die *litgebinne* hat nun vollauf zu
tun, und die gröste sorge der dem trunke ergebenen ritter ist
dass die einmal liebgewonnene weinsorte nicht ausgehe. — s. 343.
als sehr geringe speise sah man bohnen an: Eilh. X 5653 haben
in dem belagerten Karabes selbst könig und königin nichts besseres zu essen als ein *wênig bônen.* mehrere bairisch-öster-
reichische ländliche speisen, wie *brie, clamirre, gislitze, dáz kock,*
wären aus dem Meier Helmbrecht zu entnehmen gewesen; von
einigen derselben sind uns genaue recepte überliefert in dem
von Birlinger Germ. 9, 192 ff veröffentlichten kochbüchlein aus
Tegernsee.

    Den hauptinhalt von cap. v bildet die jagd. zunächst habe
ich einiges zu dem abschnitt von der liebe zu den tieren nachzutragen. die gewöhnlichsten haustiere nennt Reinmar von Zweter
MSH 2, 207 *der hunt, diu katze und ouch der han heizent hûs-
geræte,* vgl. Wackern. Germ. 4, 145. — s. 348. Harun Al Ra-
schid sandte Karl dem grofsen nicht nur einen elephanten, sondern auch affen, der Maurenkönig aus Afrika einen löwen und
numidischen bären: diese historischen tatsachen spiegelt die Chanson de Roland wider. z. 31 ff rät Blaucandin dem Marsilies *vos
li* (Karl) *durres urs e léons e chens, set cenz camélz e mil hosturs
muers,* usw. dass man sich auch schon pfauen hielt, ergibt
Schwabensp. cxcix. zu der vom verf. anm. 2 citierten stelle
Morungens (MSF 127, 23) kommt noch 132, 35 *si hât liep ein
kleine vogellîn, daz ir singet und ein lützel nâch ir sprechen kan.*
in diesem zusammenhang hätte auch der gezähmte rabe erwähnt
werden können, den der held in der legende von SOswald mit
vergoldetem schnabel und mit goldenem krönchen geschmückt
an seine geliebte sendet. auch sei an die löwen, adler usw.
erinnert, welche treulich die ritter von der tafelrunde Iwein,
Wigamur ua. auf ihren fahrten begleiten. mimi, zu deren saiten-
spielen bären tanzten, werden im Rudlich 3, 87 erwähnt, vgl.
Wackernagel Zs. 6, 185; auch bärenhatzen waren sehr beliebt
und Lambertus Ardensis erzählt cap. 128 von einer besonderen
bärensteuer, deren entstehung er auf fabelhafte weise erklärt.
Schwabensp. cci. ccii handeln *von zamen tieren* und *der wilt
zamet.* — s. 350. neben *brackenseil* begegnen auch die bezeichnungen *halse, strange,* vgl. jetzt Stejskal zu Hadamar von Laber 8. — über *veltre* und *süse* vgl. Bacmeister Keltische briefe

s. 42. — s. 352. dass indes zuweilen auch der hirsch mit dem
spiefs gejagt wurde, ersieht man aus Kchr. 211, 18 *der man be-*
greif sinen spiz den hirz er dô anlief. — s. 354. über *birsen*
s. jetzt noch Stejskal zu HvLaber 43. — zu anm. 7. von Nam-
petenia, einem *rîchen herren,* erzählt Eilh. 7916 *al sînen vliz*
gab der degin ... wie her vrauwete sînen lip mit hetzene und mit
jagene. — s. 355 anm. 5. dazu ist jetzt noch Stejskals anm.
zu der stelle zu verwerten. — s. 359. über das hornblasen bei
der hetzjagd vgl. Schwabensp. cxcvii § 4. 5. — s. 360. in z. 10
ist vielleicht statt des rätselhaften *escorbin. escorcin,* das ich freilich auch nicht weiter belegen kann, oder *escorcée* zu lesen, das
Roquefort 1, 506 mit *fressure d'animal* glossiert; das passt ausgezeichnet zu der Schultzschen erklärung und dazu stimmt auch
dass in der nordischen prosaversion des Tristan cap. 21 (Kölbing 22, 31) die eingeweide den bunden überlassen werden. —
am schluss der seite wird nicht in betracht gezogen dass die
gröfsere formlosigkeit in beobachtung der jagdgebräuche vielleicht
nur in der kürze und in dem abweichenden stil der volkspoesie
begründet ist. überhaupt sind derartige stilunterschiede der benutzten quellen nicht genügend beachtet. so wäre zb. auch
s. 336 zu berücksichtigen gewesen dass satirische dichtung stets
übertreibt. — s. 364 anm. 1. *jagehûs* erwähnt schon Eilh.
X 5145. 5177. — s. 365 anm. 4. warum wird hier vor Heinrich von Freiberg nicht Eilharts ältere beschreibung derselben
scene Trist. X 6407 ff citiert? — s. 366. das *heiligtûm,* das
bei Eilh. (X 6483) auf den jagdzug mitgenommen worden ist,
diente wol genau demselben zwecke wie jene tragbare capelle,
welche im Meleranz ausführlich beschrieben wird. ein anschau-
liches bild von den lustbarkeiten des waldlagerlebens entwirft
Eilhart X 7740. — s. 367 f wird kurz vom fischfang gehandelt;
Tristrant ist nach alter sage erfinder des angelns: Eilb. p. cxvi,
vgl. noch Rudlieb fragm. 12. 13, Lat. gedd. s. 183.

Einen ziemlich bunten inhalt weist cap. vi auf. hier ist
zunächst von den freuden und leiden des reisens die rede; im
anschluss daran wird der gesellige verkehr, der sich bei besuchen·
entwickelt, eingehend erörtert; neben den gesellschaftsspielen
findet die musik ihren platz. den beschluss des ganzen bilden
die fahrenden und ihre bezahlten künste.

S. 380. in der Wiener Genesis kommt Joseph seinem vater
nicht zu wagen, wie im original, sondern wie ein deutscher
ritter zu pferde entgegen: QF 1, 50. — s. 382. dass auch damals die schlitten schon mit schellen behängt waren, lehrt das
lügenmärchen Zs. 2, 560 z. 74 *guldiner schellen der hienc ge-*
nuoc an dem sliten. — zu anm. 7 vgl. die beschreibung der
rossbare, in der Isaldens bündchen transportiert wird Eilh. 6499;
die stelle lehrt dass der dichter dies für eine besonders vornehme
und bequeme art der beförderung ansah. — s. 386 anm. 5. schon.

auf dem bild der Milstätter hs. der Genesis sitzen Rebekka und
ihre amme nach der modernen art, seitwärts mit einem sporen
zu pferd, Diemer Gen. und Exod. 44. — zu s. 388 anm 6 füge
noch Rother 230 *mit samitte vn phellele waren die sadilschellen
geziret dat was michil loph.* — s. 389 anm. 7 hat der verf. eine
sehr ansprechende emendation von Walberan 905 vorgetragen,
überliefert ist *leuterman* (nicht *laterman*, wie Sch. schreibt). —
zu s. 390 anm. 1 füge noch Servatius 2919, zu s. 391 anm. 3
Eilh. einl. s. xxiii; zu s. 393 anm. 5 Eilh. X 6575 *die koningin
dó nedir trat. daz sie hulfe nicht enbat daz was ir seldin eir
geschén.* — s. 394. dass öffentliche gast- und wirtshäuser nicht
etwa erst nach der höfischen zeit aufgekommen sind, lässt sich
schon aus dem umstand entnehmen dass eine übliche form, die
jongleurs zu belohnen, darin bestand dass man die pfänder aus-
löste, welche sie in der herberge als gegenwert für obdach und
verpflegung hinterlegt hatten: vgl. Adolf Tobler in seinem lehrreichen vortrag über das spielmannsleben im alten Frankreich
(Im neuen reich 1875 s. 331), besonders die dort angezogene
stelle aus dem Moniage Guillaume. wenn in Eilharts Tristrant A
ix 177 Tristrant gegen Isalden den wunsch äufsert *daz ir bdtent
minen héren, daz er durch sin selbis ére mir wolte lösen min
phant,* und wenn es bei Berox (Michel 1, 174 f), der hier Eilharts quelle ist, noch deutlicher heifst *car le me faites delivrer ...
envers mon oste m'aquites* (vgl. noch Eilh. X 3613): so ist kein
zweifel dass ritter und dienstmannen, sofern sie nicht im hause
ihres lehnsherren unterkunft fanden, in öffentlichen herbergen
wohnten, und nicht selten schulden machten; vgl. noch Walther
100, 24. — s. 397. Kinzel länguet Zs. f. d. phil. 11, 493 das
raubrittertum für unsere periode: vgl. dagegen Scherer QF 12, 53,
der nach dem biographen Heinrichs iv das bild eines herunter-
.gekommenen, wegelagernden edelmanns um 1100 entwirft. gar
nicht verwertet hat der verf. für diesen abschnitt die prächtigen
schilderungen der strauchritter im Helmbrecht. — s. 398. auch
im Erec 7670 sind die stegereife *breite goltreife gebildet ndch
zwein trachen.* — zu 405 anm. 3 vgl. noch meine anm. zu
Eilh. 7448. — zu 409 anm. 2. auch Tristrant lässt sich ein
entlegenes häuschen an der see bauen: Eilh. 1061. — s. 409
unten. dieselbe grausame rache schon bei Eilh. 4256. — s. 414.
ich trage die interessante beschreibung eines brettspiels aus dem
Orendel nach: von zwei heidnischen herren heifst es 918 ff *sy
spillent hoffliches spil in einem brett, das was vischin, und das
gestein was güldin, ergraben harte cleine das gut edel gesteine ...
luchte recht also die sunne.* — s. 416. unsere springer biefsen
in der regel mhd. *kurrier,* Lexer 1, 1744; Wackernagel Kl. schr.
1, 107 ff.

In seiner darstellung des tanzes ist der verf. entschieden
hinter Weinhold zurückgeblieben. wie viel bestimmter ist dort

der durchgreifende unterschied zwischen tanz und reihen characterisiert! bei Schultz finden wir keinerlei beobachtung über
die tageszeiten, die man besonders für das tanzen wählte, vgl.
Weinhold D. fr. 370 ff. — im Rudlich 8, 43. 55 wird zur harfe
getanzt; im Meier Helmbrecht wird zunächst ein tanz mit *höch-
vertigem gesange* getreten; den darauf folgenden lebhafteren tanz
konnte man nicht mit gesang accompagnieren, da trat der spielmann mit seiner geige ein: Helmbr. 953 ff. — der *ahsel* oder
die *ahselnote* mag ein ähnlicher tanz gewesen sein wie der heutige
nationaltanz der Steiermärker. — zu s. 425 anm. 1 kommt noch
Helmbr. 95 ff *vor an dem lüne stuont ein tanz, gendt mit siden diu
was glanz: ie zwischen zwein frouwen stuont, als si noch bi tanze
tuont, ein ritter an ir hende;* vgl. noch Haupt zu Neidh. 40, 36. —
zu *ridewanz* vgl. Lexer 1, 423. — s. 431. *mandore* ist natürlich
identisch mit der mandole, mandoline, vgl. Diez Et. wb. 1, 303. —
unter den instrumenten s. 434 vermisse ich die *swegile* und die
sambûke, frz. *sambuque* (Diez 2, 407); beide instrumente werden
neben einander erwähnt in dem gedicht Von drei jünglingen im
feuerofen MSD 36, 3, 3. 5. — zu anm. 3 vgl. noch Jänicke zu
Biterolf 8660. — was ist *blâter* in *blâterpfîfe?* muss man nicht
vielmehr *blaterpfîfe* ansetzen, und hängt der erste teil des compositums nicht mit dem auch von Schultz erwähnten *blaten* der
jäger zusammen? vgl. besonders Wachtelmære 144 *blâtet pfîfer
durch daz holz.* — s. 436. für posaune hatte man auch noch
die bezeichnung *trumbeschelle:* Lexer 1, 1544; daselbst findet
man auch deutsche belege für *trumbe.* — zu s. 493 anm. 1 vgl.
noch Roth Dichtungen 123 *schalmîen, floitieren und glîen;* MSH
II 228 *die mit dem blate glîent.* — im Helmbr. heifst es nach
dem tanz (956) *sô gie dar einer unde las von einem der hiez
Ernest.* hier wäre auch die bekannte stelle aus einem briefe des
Berthold von Andechs einzureihen gewesen, vgl. Bartsch Herzog
Ernst p. I; über preis und anfertigung des Ambraser helden-
buches vgl. Germ. 9, 381. ferner Zs. 13, 365. Helbl. 2, 1447. —
s. 441. einen vom verf. übersehenen beleg für die existenz von
marionettentheatern bietet das Wachtelmære 15 ff *nu koment ir
spilliute,* 20 f *rihtet zuo den snüeren die taterman und weset stolz.*

In cap. VII handelt Schultz von der minne. es ist gewis
mit freuden zu begrüfsen dass der schleier der dichtung, in den
die romantiker mit vorliebe gerade diese seite des mittelalterlichen
lebens hüllten, mehr und mehr von der ernsten forschung gelüftet worden ist. Schultz wandelt hier durchaus in den spuren
Weinholds, aber in seiner darstellung nehmen die tiefen schatten,
die schon über den Deutschen frauen lagen, einen gar zu breiten
raum ein. sehr beachtenswert sind die urteile des verf. s. 477.
479, die fast überraschend eintreten nach all dem schlimmen,
das auf den vorhergehenden blättern insbesondere den frauen
nachgewiesen und nachgesagt worden ist. trotzdem kann man

der Schultzschen darstellung den vorwurf der einseitigkeit nicht
ersparen. der verf. meint, Wolframs auffassung der liebe sei den
zeitgenossen philiströs erschienen, aber neben Wolframs preis
der ehelichen liebe stellen sich beliebte, für die ritterlichen kreise
bestimmte legendarische dichtungen mit ähnlicher tendenz, wie
die erzählungen von Crescentia und Lucretia. zudem verherlicht
die Kudrun die bräutliche treue einer fürstentochter, der Erec
die unerschütterliche anhänglichkeit einer gattin; auch sei an
die keuschen liebesscenen im Girart de Roussillon oder im Grafen
Rudolf erinnert. den abfälligen urteilen über die frauen hätten
leicht ebenso viel lobende gegenüber gestellt werden können,
wenn Schultz die preissprüche der minnesinger von Walther bis
herab auf Frauenlob, Hartmanns Büchlein, Strickers Frauenehre
usf. hätte ausziehen wollen. und noch von einer anderen seite
ist Schultzs allzu pessimistische auffassung anfechtbar. wie wenige
von all den deutschen adeligen und bürgerlichen sängern, die
ein modisches liebesverhältnis mit einer höher stehenden frau
unterhielten, und deren dichtungen uns einen einblick in ihre
lebensverhältnisse gestatten, haben würklich das ziel ihrer wünsche
erreicht! weder Walther von der Vogelweide, noch Hartmann von
Aue, noch Gotfried von Strafsburg können in einer höheren
minne glückliche liebhaber genannt werden; und auch die kleineren poeten ergehen sich in endlosen klagen über verlorene
liebesmühe. wie bei Ulrich von Lichtenstein, durch dessen ver-
zwickte Donquixote-natur freilich alles eine ganz individuelle
färbung empfängt, entsprang wol bei vielen deutschen rittern
die minne würklich einem idealen bedürfnis; sie sandte ihre verklärenden strahlen in die prosa einer recht hausbackenen existenz,
man vgl. Schultz selbst s. 159 unten, vor allem aber Heinzel
Heinrich von Melk s. 45, Zs. f. d. österr. gymn. 19, 544.

Zu s. 456 anm. 1 sei bemerkt dass Veldeke hier sein
französisches original einfach übersetzt. dem vom verf. angeführten urteil Ulrichs von Lichtenstein über die sodomie in Österreich steht Seifried Helbling 2, 1002 gegenüber; nachdem er
die moralischen gebrechen seiner zeitgenossen offen gerügt hat,
erklärt er ausdrücklich: *doch sag ich ditz lant wol vri das dar
inne iht Sodomiten si*, vgl. Karajan zu Lachmanns Ulrich von
Lichtenstein s. 676. — s. 457. notzucht wird mit dem tod
durch den strang bestraft: Kudr. 1029, vgl. Wilda Strafrecht
s. 833. — s. 459. der erste satz von alinea 2 enthält doch wol
eine unrichtige verallgemeinerung. — s. 460 unten. die den
sohn begehrende stiefmutter ist ein uraltes poetisches motiv! —
s. 466. in Eilharts Tristrant hält sich Morolt ein *hûrkûs* X 439. —
s. 472. wenn es von dem wegelagerer Lemberslint im Helmbrecht 1461 heifst: er *neic gegen dem winde der dâ wæte von
Gotlinde*, so beruht diese scheinbar sentimentale huldigung, die
der wilde gesell der entfernten geliebten darbringt, auf conven-

tioneller, höfischer sitte, vgl. Bartsch Liederdichter¹ xxvii 25
anm. — s. 474. hier wäre auch der Tegernseer briefsammlung
zu gedenken gewesen (MSF s. 221), aus der wir ein liebesver-
bältnis zwischen einem jungen mädchen und einem geistlichen
kennen lernen. — s. 478. sehr zutreffend ist die bemerkung
über die derbheit in der bezeichnung sinnlicher dinge, vgl. noch
Martin zu Kudr. 405, 2. — s. 479. über den rat der verwandten vor der verehelichung handelt Martin zu Kudr. 210;
auch im Rudlieb und in der parabel Die hochzeit wird der rat
der verwandten eingeholt. — die ältere auffassung in betreff der
mitgift einer braut tritt zb. zu tage in den Nibelungen und in
der Kudrun, vgl. Martin zu Kudr. 1654; im Erec 579 vertritt
sie der held der erzählung, aber Enitens vater erwartet sie nicht
bei dem jungen mann: z. 333, 547. — s. 481. gar nicht verwertet sind hier die spielmannsepen des 12 jhs., welche ohne
ausnahme das thema der brautwerbung behandeln. — über das
mieten der braut vgl. Mart. zu Kudr. 1296. — s. 484. nirgends,
so viel ich sehe, geschieht des 'brautliedes' oder 'brautleiches'
erwähnung, vgl. die wbb. und Helmbr. 1533. — s. 485. *vestenen*
war, wie es scheint, technischer ausdruck für die eidliche be-
kräftigung der verlobung, Kudr. 665. 1043, vgl. noch 1665. —
s. 492. über den *brûtstuol* s. Martin zu Kudr. 549. — s. 495.
dass das licht in der hochzeitskammer ausgelöscht wurde, war
nicht allgemein verbreitete sitte: nach Eilh. Trist. A iv 7 ist
es in Isaldens heimat *lantsite*, dass *da ensolde niht lihtis sin,*
suwenne sô diu cuonigin zu dem ersten bî im (bei Marke) *lége.*
Tristrant, dem das amt des kämmerers überwiesen worden, muss
seinen oheim besonders auf diesen brauch aufmerksam machen. —
zu s. 496 anm. 7 vgl. noch Helmbr. 1418 und Keinz in der
Germ. 15, 357.

Weimar, im august 1880.   F. LICHTENSTEIN.

Heinrich von Morungen und die troubadours ein beitrag zur betrachtung
des verhältnisses zwischen deutschem und provenzalischem minnesang.
von FERDINAND MICHEL. Quellen und forschungen xxxviii. Strafsburg, Karl JTrübner, 1880. xi und 272 ss. 8°. — 6 m.*

Binnen jahresfrist sind drei ausführliche arbeiten über HvMorungen erschienen. zuerst ein aufsatz von MMayr über Heinrich
von Morungen (jahresbericht der k. k. staats-oberrealschule zu
Linz. 1879. 52 ss. gr. 8°). der verfasser bestimmt sein pro-

* ich verwerte in dieser anzeige einige resultate meiner bisher ungedruckten inauguraldissertation, welche im jahre 1876 von der philosophischen
facultät der k. k. universität in Wien approbiert wurde.

gramm für den 'einen oder anderen jüngeren fachgenossen' und hegt den leicht erfüllbaren wunsch, der gelehrte möge es ungelesen bei seite legen; man findet zusammenstellungen von bekannten dingen und der einzige abschnitt, welcher aufmerksamkeit beanspruchen könnte (s. 30—51 über Morungens metrik), wird durch die art des citierens unbrauchbar: Mayr benutzt van[!] der Hagens MS, nicht MSF, und beurteilt darum verschiedenes falsch.

Die zweite und weitaus bedeutendste arbeit ist die von FMichel. sie hat nicht nur den grösten umfang, sondern befasst auch ein viel ausgedehnteres gebiet. Michel beschäftigt sich eigentlich mit dem einflusse der troubadours auf die minnesänger und nimmt Morungen gleichsam nur als einen typus für die vermittler zwischen provenzalischer und deutscher kunsttechnik. daraus erklären sich die mängel wie die vorzüge des buches. Michel beachtet nicht genügend, wie viel von provenzalischen anregungen schon auf anderem wege nach Deutschland geleitet worden, und übersieht ein wenig dass Morungen in manchen puncten von deutschen dichtern, nicht direct von den Provenzalen gelernt haben könne. ferner vergleicht Michel den Deutschen nur mit jenen troubadours, 'deren dichten vor das letzte decennium des 12 jhs. fällt, von denen demnach anzunehmen ist dass sie auf den jedesfalls noch vor beginn des 13 jhs. dichtenden Morungen von einfluss sein mochten' (s. 15). diese beschränkung ist nicht so natürlich, als auf den ersten blick scheinen möchte; denn es ist zu erwägen dass viele lieder der älteren troubadours für uns verloren sind, die auf Morungen gewürkt haben können, wie sie auf die späteren uns bekannten Provenzalen gewürkt haben. es wären also vielleicht gemeinsame züge bei Morungen und den jüngeren troubadours nachzuweisen gewesen, die auf die gemeinsame quelle zurückgeführt werden könnten. jedesfalls hätte die untersuchung geführt werden müssen, selbst auf die gefahr eines negativen resultates hin. ob die chronologie bei den troubadours schon unzweifelhaft feststeht, weifs ich nicht. Morungen selbst hat seinen platz in der entwickelung des deutschen minnesanges auf grund mehr von combination, als von urkundlichen belegen angewiesen erhalten. die bisherige vermutung hätte vielleicht durch den nachweis erschüttert werden können dass ein jüngerer troubadour einen tiefgehenden einfluss auf Morungen ausgeübt habe. diese erwägung ist eine rein theoretische, Michel hätte sie anstellen und die dadurch erregten fragen beantworten sollen; um so mehr da er nachweist dass Peirol, der bis 1225 gelebt haben dürfte (Diez Leben 319 f), von grofser wichtigkeit für Morungens poesie war.

Heinrich von Morungen wird jetzt allgemein mit jenem *miles emeritus* identificiert, der zwischen 1213 und 1221 x *talenta unnuatim* dem Leipziger Thomaskloster schenkte. *Theodoricus dei*

gratia Misnensis et Orientalis marchio hatte sie ihm *propter alta
vitae suae merita ex moneta Lipzensi* verliehen. MSF stellt ihn
v o r Reinmar, scheint ihn also für älter zu halten. dies setzt
auch noch EGottschau (s. 380; s. u.) voraus, wenn er ihm 'unter
den dichtern vor Reinmar und Walther' einen besonderen rang
zuerkennt in übereinstimmung mit Bartsch (Liederd.² xxxvi).
dass diese auffassung nicht berechtigt ist, lässt sich nachweisen.
    Morungen zeigt sich durch die poesie Reinmars beeinflusst:
sein lied 140, 11 ff teilt mit dem Reinmars 170, 1 ff nicht nur
in metrischer hinsicht den abgesang¹ (4 st. c, 4 st. x, 6 st. c),
sondern auch den ausdruck, die geliebte sei *min österlicher tac.*
auch Ulrich vLichtenstein, ein nachahmer Reinmars (ESchmidt
QF 4, 116 f) und Morungens hat sich diese bezeichnung der geliebten angeeignet 56, 23 und zwar nach dem vorbilde Reinmars,
denn er reimt darauf wie dieser: *daz weiz er wol, dem nieman niht
geliegen mac* (vgl. überhaupt Frauend. 56, 15 ff mit MSF 170, 15 ff).
wir wissen sogar genau dass dieser ausdruck von Reinmar erfunden
war, denn Walther vdVogelweide spottet 111, 26 darüber er *gihet,
swenne ein wip ersiht sin ouge, ir si mat sin österlicher tac.* Morungen folgt dem beispiele Reinmars wie mehrere jüngere minnesänger zb. der Düring MSH ii 28ᵃ *din reiner lip ist min österlicher tac.* Rudolf vRotenburg i 89ᵇ *al mines heiles östertac dést
ir vollekomener lip.* Heinrich vFrauenberg i 96ᵃ *si ist mins herzen
östertac.* Trostberg ii 72ᵃ *si ist mins herzen österspil.* anonymus iii 422ᵃ *mines herzen östertac.* Md. gedd. 82, 324 *min höer
östertac.* vgl. noch Wilmanns zu Walther 14, 3. man könnte
vermuten, Morungen müsse den ausdruck vor Walthers parodie,
d. i. vor 1198², nachgeahmt haben: doch wurden so viele jüngere
minnesänger durch den spott Walthers nicht abgeschreckt, warum
sollte man es von Morungen glauben? dieser hatte den ausdruck
nicht allein gebraucht, sondern *si ist des liehten meien schin und
min österlicher tac.* merkwürdiger weise schliefst sich keiner
der nachfolger diesem muster an, nur der wilde Alexander singt
MSH ii 366ᵇ *sist mines herzen östertac ... meien zit unde heide
glanz ist si.* sonst finden sich beide ausdrücke getrennt. *meien
schin* zb. bietet Morungen selbst noch 144, 29 *ein wunderbern-
der süezer meije.* vgl. Geltar MSH ii 173ᵃ *si ist ... min meie.*
anonymus iii 441ᵃ *ganzer vröuden ein urkündel ist si, min blüendez
meien ris.* Frauend. 119, 20 *si ist iwers herzen meien zit*, ebenso
124, 30. 242, 1 *iuch heizet willekomen sin, iwers herzen meien
schin.* 505, 6 *diust miner freuden meienzit.* 513, 24 *du bist ...
mines herzen spilndiu meyen sunne.* 397, 6 *du al eine bist min
meye.* 156, 19 *si ist mines herzen meien zit.* 356, 2 *ir sit an
der min vreude lit, gar mines herzen meien zit.* 521, 11 *si ist*

¹ im aufgesange gleiche reimstellung.
² dieselbe ist jedenfalls noch in Österreich gedichtet, daher vor 1198.
dass Morungen damals schon dichterisch tätig war, ist oben nachgewiesen.

der minne gernden meien zit. Md. gedd. 82, 340 *min lichter
meigen schin.* Walther von Klingen MSH i 72ᵇ *Meien blüete
und ouch ir güete sint einander wol gelich.* Hagen GA i 20, 272
vrouwe min des meijen bluot. Neifen 35, 30 *si ist gelich des
meigen blüete.* vgl. noch Uhland Schriften 5, 129. aus der lateinischen liebeslyrik des ma.s vgl. Carm. bur. 119, 1 *virgo
facie vernali.*

Morungen erwies sich uns als nachahmer Reinmars; bei
einem solchen setzt uns ein gedanke nicht in staunen, der in
die familie von Reinmars begriffen gehört. 125, 35 *und der
sanfte tuonder swære.* vgl. Reinmars lieder zb. 166, 16 *der lange
süeze kumber min.* dieses schwelgen im schmerz ist im älteren
minnesange ohne beispiel. nur bei Fenis 81, 27 *diu nót ist diu
meiste wunne min.* Fenis hat aber Morungen und den Provenzalen alles zu danken, weniger Reinmarn, wie SPfaff nachgewiesen hat Zs. 18, 55. auch im späteren minnesange nicht
viel entsprechendes. auf ein ähnliches oxymoron scheint Hartmann 207, 8 hinzudeuten: *der kumber dne frôide git.* Walther 119, 25 *ouwé wie süeze ein arebeit. ich hán ein senfte
unsenftekeit.* auch 86, 34 *stirb ab ich só bin ich sanfte
tôt.* 109, 24 *daz din seren sanfte unsanfte tuot.* Rotenburg MSH i 86ᵇ *die langen süezen nót.* Botenlauben t 30ᵇ *só
süeze nót ich nie gewan.* Frauend. 59, 5 *si [diu hóhe minne]
git sorge, und ist diu sorge freuden rich.* Der tugendhafte schreiber
u 151ᵃ *senfte sende smerzen.* Walther von Mezze i 308ᵃ. Carm.
bur. 61, 16 *o quam dulcis poena.* Rubin i 316ᵃ *des hát mich
ein süeze nót betwungen.* Tristan 1071 *der süeze herzesmerze,
der vil manc edele herze quelt mit süezem smerzen, der liget in
mínem herzen.* 1219 ff *swie lützel ich in mínen tagen des lieben
leides habe getragen, des senften herzesmerzen, der innerhalp des
herzen só rehte sanfte unsanfte tuot.* der schluss des bruch-
stückes, das Pfeiffer für einen rest des Umbehanc hielt (Freie
forsch. 82), lautet: *dd von sprach hie vor alsus ein hübescher man
Ovidius: amor, amor, amor, dulcis, dulcis labor.* im Tristan noch
etwas ähnliches 58 ff *ir süeze súr, ir liebez leit.* Titurel 72, 2 f *min
líp wirt gesehen in süezen súren arbeiten* (Goethe Iphig. 2, 2
bittersüsser tod). vgl. noch Mätzner Altfr. lied. 161. Diez Poesie
d. troubadours s. 153.

Obwol sich also diese anschauung auch bei den Provenzalen
findet, was Michel unerwähnt gelassen hat, so kann sie Morungen
doch auch bei Reinmar geborgt haben. eine weitere ähnlichkeit
zwischen beiden sind die klagen über die aufnahme ihrer lieder
beim publicum; bei Walther einiges entsprechende. Reinmar
150, 21 *war umbe sprichet manic man wes tært sich der? und
meinet mich* usw. ebenso 188, 12. Morungen zb. 133, 21 ff
*Manger der sprichet 'nu seht wie der singet! wær im iht leit er
tæt anders dan só'* (vgl. Lehfeld in Paul-Braunes Beitr. 2, 345 ff).

überdies erinnert das ganze lied 133, 13 an Reinmar 187, 31 ff. dort: *mîn alte nôt die klagte ich für niuwe wan daz ich fürhte der schimpfære zorn.* hier: *nu muoz ich mîn alte nôt mit sange niuwen unde klagen.*[1] zu Reinmar 187,̣ 35 *ir gruoz mich vie* vgl. Morungen 130, 24 *und vienc mich alsô dô si mich wol gruozte und wider mich sô sprach.*

Auch die vergleichung der technik bei beiden erweist Reinmar als älter; die syntax Morungens ist viel reicher entwickelt, reimkünste sind häufiger, als bei Reinmar.

Es lässt sich noch anderes für die chronologische fixierung Morungens gewinnen. besonders wichtig erscheint mir das verhältnis zu Walther, dessen lied 118, 24 ähnlichkeit mit Morungen 140, 32 zeigt. beide setzen die gleiche situation voraus: es ist winter, aber sie empfinden es nicht unangenehm. Walther: *der kalte winter was mir gar unmære. ander liute dûhte er swære: mir was al die wîle als ich enmitten in dem meien wære.* Morungen: *uns ist zergangen der liepliche sumer. . . . jâ klage ich niht den klé, swenne ich gedenke an ir wlplichen wangen.* ihre schönheit ist ihm lieber als der *meie.* beide preisen ihre dame über alle andern, Walther: *wâ funde ich . . . ein alsô wol getâne . . . sist schœne und baz gelobet denne Eléne vnd Dijdne.* Morungen: *si ist âne lougen gestalt sam diu Minne. mir wart von frouwen sô liebes nie kunt.* beide sind von ihr verwundet und hoffen auf heilung, der eine, Walther, mehr hypothetisch:

> *wol mac si mîn herze séren:*
>
> *waz danne, ob si mir leide tuot? daz kan si wol verkéren.* der andere positiv:

> *jâ hât si mich verwunt*
> *sére in den tôt . . .*
> *. . . du tuo mich gesunt.*

beide singen ihr lied der dame zu ehren; Walther: *disen wünneclichen sanc hân ich gesungen miner frouwen ze éren.* Morungen: *die ich mit gesange hie prîse unde kræne . . .* und beide flehen die dame — das ist das entscheidendste — an: *genâde, ein küniginne!* (vgl. 57, 12 *gnâde, frou küniginne!*). dass hier der eine den anderen beeinflusst hat, muss als sicher angenommen werden; ich glaube, in diesem falle war Morungen der gebende, denn éin vers aus seinem eben besprochenen liede kehrt fast unverändert in einem datierbaren Waltherischen tanzliede wider 75, 25 ff. Morungen:

> *dâ man brach bluomen, dâ lît nu der sné.*

Walther 75, 36 f:

> *dâ wir schapel brâchen é,*
> *dâ lît nû rîfe und ouch der sné.*

---

[1] vgl. aber unten s. 131. Reinmar sagt 189, 11 f *ich klage iemer minen alten kumber, der mir iedoch sô niuwer ist.*

das lied ist, wie Zacher (Jahns Jahrbücher 92, 458 ff) evident
gegen Pfeiffer nachgewiesen hat (vgl. Wilmanns zu 60, 1), am
Meifsner markgrafenhofe um 1212 gesungen. zur selben zeit
hatte aber ein *Henricus de Morungen* verbindung mit dem gleichen
hofe und war wol damals schon ein *miles emeritus;* wenn ér und
der dichter éine person waren, dann muss das lied, welches sein
zweites liederbuch eröffnet haben dürfte, schon lange gedichtet
gewesen sein; Walther dürfte es schon in Österreich gekannt
haben (s. u.) und spielte in dem lustigen tanzliedchen mit graziöser schmeichelei auf einen vers des heimischen dichters an,
wodurch er eines um so gröfseren eindruckes auf die zuhörer
sicher war. und eine solche ähnlichkeit muste als anspielung
aufgefasst werden, denn die wendung ist eine durchaus originelle,
ungewöhnliche, beweist ein feineres naturgefühl als wir sonst im
minnesange finden. vergleichen lassen sich nur wenige stellen
aus späteren minnesängern (ESchmidt QF 4, 95 verzeichnet keine
parallele). zb. UvWinterstetten MSH ı 162ᵇ *wan mac schouwen*
an den ouwen dd lit nû der snê, dd man bluomen brach. ı 152ᵇ
komen ist der winter kalt . . . dd é stuont der grüene walt, daz
ist nû mit dürrem rise bestecket. diu heide stât ir varwe bar, der
anger al der bluomen schar, die rifen sint gefallen dar. ı 160ᵃ *wan*
mac schouwen an den ouwen, dd lit nû der rife kalt. der von
Gliers ı 102ᵃ *diu [heide] é stuont bluomen vol, unt nû der ane*
lit diu kalte winterzît. der von Buwenburg MSH ıı 262ᵇ *sô*
hât snê geblenket die heide, dd die bluomen gâben é liehten schîn.
umgekehrt HvVeldegge MSF 58, 29 *dd wîlent lac der snê, dd stât*
nu grüener klê. Hesse von Rinach MSH ı 210ᵇ *dd wir é den*
rifen trâten, dd ist nû gar wunneclîch: dd entspringent bluomen
unde klê, kalde rifen unde snê sint zergangen aber alsam é.
Walther selbst sagt noch einmal 39, 10 *sô lise ich bluomen dd*
rîfe nû lît, bemerkenswerter weise wider in einem 'reimspiel',
das wahrscheinlich auch in die Meifsner zeit zu setzen ist. würde
angenommen, Morungen sei ein nachahmer Walthers, dann fiele
ein teil seiner dichterischen tätigkeit erst nach 1212 und wir
müsten eine andere historische persönlichkeit suchen, die unserem
minnesänger entspräche. anführen will ich noch dass die phrase
gendde, ein küniginne sich nur wenige male bei späteren minnesängern findet, zb. bei Johans von Brabant MSH ı 15ᵇ und
hier gewis Morungen nachgeahmt vgl. MSH ı 17ᵇ. Günther von
dem Forste MSH ıı 166ᵃ. sonst noch *gendde mir keiserinne* uä.
zb. Altstetten MSH ıı 64ᵃ. Wizensê MSH ıı 23ᵃ. oder *gendde, vrouwe*
min uä. zb. Taler MSH ıı 147ᵃ. Winterstetten ı 167ᵇ. HvSax
MSH ı 94. Swanegou ı 282ᵇ. vgl. Mätzner Altfr. lied. xıv 28
Merci, dame. Carm. bur. 109, 4 *subveni mi domina cadenti.* Reinmar sagt MSF [194, 30 *gendde frowe!*] 173, 7 *vrowe, wis genædig*
mir! HvRugge MSF 105, 10 *gendde, frowe, sælic wîp.* auch die
Minne wird so angerufen: Walth. 55, 17 *gendde, frowe Minne.*

Starkenberg MSH n 74ᵇ *gendde eine vrowe Minne sprich.* Carm.
bur. 155, 5 *Parce, Venus, parce!* ähnlich sind noch die ausdrücke: Honberg MSH ıı 66ᵃ *ach gendde ein sælic wip.* gehäuft
bei Landegge MSH ı 357ᵃ *Ach gendde ein sælic wip, ach mins
herzen küniginne, ach tuo noch gendde an mir; ach gendde lieber
lip, hilf daz ich noch liep gewinne* und 358ᵃ *ach gendde ein sælic
wip, ach gendde ein küniginne, ach gendde ein süeze vrouwe min!
ach gendde ein süezer lip.* das gnadeflehen der liebenden findet
sich in der ganzen mittelalterlichen liebeslyrik, vgl. Mätzner
Altfrz. lied. 116. ıı 27. ıx 35. xıv 45. xxxıı 24 uo. Winterstetten
MSH ı 154ᵃ fiebt: *ich bin din: minne, habe gendde min!* dieselbe bitte an Maria vgl. Mätzner aao. 263. Hardegge MSH ıı 134ᵃ
gendde küniginne. ıı 136ᵃ *gendde vrowe küniginne.* männern gegenüber ähnliche bitten zb. Bartsch Mitteld. gedd. ıı 163 *gnddd liben
herren min.* n 558 *gnddd, liber wirt.*

Es handelt sich nun noch um die frage, wie es mit der
chronologie von Walthers lied 118, 24 steht. Wilmanns reiht
es den gedichten der höheren minne ein, welche Walthern in
Österreich fesselte; begründung seiner ansicht vermisst man. die
überlieferung zwingt nicht dazu; in C steht es unter den nachträgen aus E str. 418—421, in E als str. 110—114 nach einem
allgemein als unecht ausgeschiedenen gedichte str. 106—109 (vgl.
Zs. 13, 270); in F, das mit E so genau übereinstimmt, sind nur
die str. 106—113 aus E überliefert, während die ganze partie
von str. 6—130 sonst fehlt. Wilmanns hat ein gewisses recht
zu sagen (einl. 31) 'mit der äufseren autorität für den verfasser
steht es also nicht sehr gut.' trotzdem kann es schwerlich verworfen, wol aber in anderen zusammenhang eingereiht werden.
es entspricht im tone den liebesliedern aus späterer zeit, und
dass Walther von *miner frowen* singt, bat nichts auffallendes, da
er auch 98, 26, das in diese zeit gehört (vgl. Wilmanns 73, 25),
ausdrücklich sagt: *vil meneger frdget mich der lieben, wer si si,
der ich diene und allez her gedienet hdn.*

Wenn diese ansicht, wie ich glaube, richtig ist, dann würde die
interessante tatsache zu constatieren sein dass erst jetzt in mitteldeutschen gegenden anspielung auf die antike sich bei Walther
findet: hier *Eléne und Dijdne* und 17, 9 *Alexander.* in Mitteldeutschland war zu dieser zeit die antike mehr bekannt als im
übrigen Deutschland. welches kloster daran schuld war, weifs ich
nicht; aber AvHalberstadts werk ist unbegreiflich, wenn wir nicht
eine richtung des geschmackes auf die antike für Mitteldeutschland zugeben. Walther kommt nach Thüringen und Meifsen und
lernt nun entweder erst antike sagen näher kennen, oder will
hinter der hofmode nicht zurückstehen, spielt auf sie an. Mitteldeutschland unterscheidet sich damals in mehr als éinem puncte
vom übrigen Deutschland, eine geschichte der md. litteratur wird
wol auch die gründe hiefür finden.

Die Thüringer und Meifsner liebeslieder Walthers zeigen auch
noch in anderer beziehung vertrautheit mit Morungen. dieser
beginnt 140, 11 *solde ich iemer frouwen leit alder arc gesprechen,
daz hât si verschuldet wol.* Walther dagegen 100, 3 *ich gesprach
nie wol von gnoten wîben, was mir leit, ich wurde frô.* Morungen
setzt dann voraus v. 18 f *mîn frowe ist sô genædic wol daz si
mich noch tuot von allen mînen sorgen frî;* während Walther nur
wünscht v. 10 f *owê wolte ein sælic wîp alleine, sô getrûrte ich
niemer tac.* beide haben dasselbe leid [1], Morungen: *swaz ich
singe ald swaz ich sage, sône wil si doch niht træsten mich vil
senden man;* Walther: *der ich diene,* [vgl. Morungen v. 14 *der
ich iemer dienen sol* und v. 30] *und hilfet mich vil kleine swaz
ich sie geloben mac.* der eine ruft v. 22 *wol ir. hiute und iemer
mê!* [2] der andere v. 7 *wol mich.* jener sagt: *dazs iemer sælic
müeze sîn,* dieser: *dazs iemer sælic müezen sîn!* [3]

Alle diese übereinstimmungen dürften kaum zufällige sein
und wider ist Morungen als der gebende zu fassen, der auch
durch seine phantasien auf Walther gewürkt hat. in dem liede
Morungens 138, 17 ff heifst es: *swenn ich eine bin, si schînt mir
vor den ougen, sô bedunket mich wie si gê dort her ze mir aldur
die mûren.* bei Walther 99, 6 ff: *welt ir wizzen waz diu ougen
sîn, dâ mit ich si sihe dur elliu lant? ez sint die gedanke des
herze mîn: dâ mite sihe ich dur mûre und ouch dur want.* hier
dringen die gedanken durch die mauer, während bei Morungen
die geliebte gleichsam durch die mauern zu ihm kommt.

Noch vergleiche man Morungen 137, 27 mit Walther 95, 30;
138, 5 mit 102, 7; 128, 26. 38. 129, 4 mit 90, 15 ff; 122, 10 ff
mit 91, 1; 130, 9 mit 101, 3. bei diesen stellen [4] ist das verhältnis nicht so überzeugend zu erklären, doch muss immer festgehalten werden dass alle diese lieder Walthers in Meifsen oder
Thüringen gedichtet worden sein dürften.

Es finden sich aber auch parallelen zwischen Morungen und
Walther, was dessen österreichische lieder betrifft. übereinstimmung zeigt Walther 69, 5 ff

    minne ist minne, tuot si wol:
    tuot si wê, so enheizet si niht rehte m i n n e
    sus enweiz ich wie sie danne heizen sol.
und Morungen 132, 19 ff:
    sit si herzeliebe h e i z e n t m i n n e,
    sône weiz ich wie diu leide heizen sol.

---

[1] in dem gedichte 122, 24 ff, das Walther jetzt abgesprochen wird,
steht eine parallele zu Morungen 140, 27 *des muoz ich ringen mit der
klage:* 123, 24 f *des muoz ich ringen mit geringen.*

[2] RvFenis 85, 10 *wâfen hiute und immermére!* HvMeifsen MSH I 13ᵛ
wol mich hiute, wol mich iemer mére.

[3] bei Morungen heifst es auch noch 136, 26 *das si sælic müeze sîn!*
vgl. Rugge MSF 103, 3.

[4] vgl. 144, 15 mit der nun ausgeschiedenen strophe des kreuzliedes 15, 24.

das lied Walthers erfreute sich, wie die nachahmungen beweisen, grofser beliebtheit (Wilmanns zu 28, 1); nach Zs. 13, 274 gehört es wie die töne 58, 21 und 54, 37, welche in A und E neben einander stehen, zum österreichischen liederbuche.

52, 23 ff und MSF 127, 34 ff. beides sind klagelieder um die zeit, welche durch nutzlosen dienst verloren gieng. 128, 1 ff *òwé daz ich ie sd vil gebat... an eine stat dd ich gndden nienen sé*: 52, 27 ff *owé... wiest daz nú verdorben! waz hdn ich geworben? anders niht wan kumber den ich dol* (vgl. 128, 27 *mir ist anders niht geschehen*); Morungen trauert: *òwé míner besten zît und òwé wünneclicher tage! waz der an ir dienste lît!* und Walther: *owé míner wünneclicher tage! waz ich der an ir versûmet hdn!* er setzt hinzu *lîde ich nót und arebeit die klage ich vil kleine: mine zît al eine, hab ich die verlorn, daz ist mir leit.* und Morungen deutet ähnliches an: *nu jdmert mich vil maneger senelîcher klage, die si hdt von mir vernomen . . . òwé miniu gar verlornen jdr! diu geriuwent mich für wdr: in verklage si niemer mé.*

Es beweisen auch noch andere stellen Walthers bekanntschaft mit demselben gedichte, so besonders 90, 15 ff: es ist abermals ein klagelied über den verfall der zucht. *mit den getriuwen alten siten ist man nú zer welle versniten*: Morungen 128, 38 *er ist verlorn, swer nu niht wan mit triuwen kan.*[1] vgl. 90, 25 mit 128, 26; 91, 11 mit 129, 4; 91, 15 mit 128, 13. ferner zeigt mit Morungens liede ähnlichkeit 117, 29 *nú sing ich als ich é sanc: ich wil singen aber als é* (128, 14 vgl. 123, 28 f). dieses gedicht Walthers gehört in seine spätere zeit, die übereinstimmung beweist nicht zwingend für abhängigkeit. in 72, 31 ff (vgl. Michel s. 152) können wir jedoch die nachwürkung des liedes sehen: *ich lie dur si min sanc! ich wil singen aber als é*: Walther *lange swîgen des hdt ich geddht: nú muoz ich singen aber als é.*[2] auch 71, 27 ff zeigt dieselbe vertrautheit; Walther klagt dass er von der welt nicht verstanden werde, wie Morungen, aber er bleibt bei seiner rede: *ein ander man ez lieze: nú volg ab ich, swie ich ez niht genieze*, Morungen: *doch gediene ich, swiez ergé und dur daz volge ab ich (der swal).*

Nach all dem gesagten erscheint es nicht unwahrscheinlich dass Walther schon in Österreich wenigstens dieses éine lied Morungens gekannt habe. darnach werden auch die anderen stellen, die wir in den gedichten beider vergleichen können, in dér weise aufzufassen sein, dass Morungen von Walther benutzt worden sei, wenn auch nicht in jedem einzelnen falle entscheidung zu treffen ist.

Wie sich Walther im letzterwähnten liede über die meinung der leute beschwert, so auch 13, 33 ff *maneger frdget waz ich*

---

[1] vgl. Lehfeld aao. 381 anm.

[2] in demselben liede Walthers findet sich (73, 19 ff) eine übereinstimmung mit Morungen 125, 10 (s. u.).

*klage, unde giht des einen daz ez iht von herzen gé. der ver-
liuset sine tage: wand im wirt von rehter liebe neweder wol noch
wé.* ebenso Morungen 133, 21 *Manger der sprichet 'nu seht
wie der singet! wær im iht leit, er tæt anders dan só.' der mac
niht wizzen waz mich leides twinget.* Walthers ausdruck steht dem
Morungens näher als dem Reinmars.

Ein gemeinsamer zug ist auch das verstummen in der gegenwart der geliebten; er findet sich im provenzalischen und Michel
behandelt ihn ausführlich s. 103 ff. bei Walther kommen in betracht 115, 22 ff. 121, 24 ff. direct vergleichen lässt sich *swenne
ich iezuo wunder rede kan, gesihet si mich ... an, só hán ichs
vergezzen* mit Morungen 136, 15 *swa ich vor ir sté und sprüche
ein wunder vinde, und muoz doch von ir ungesprochen gán.*[1]
115, 6 ff ist auch noch mit Morungen 123, 10 ff zusammen-
zuhalten, mit dem es einige stellen teilt, besonders 14 ff mit
10 ff. 21 mit 124, 18 usw.

Ähnlichkeit weisen noch auf Walther 120, 13 (vgl. 45, 38)
mit 125, 26 f; 110, 13 ff mit 126, 1 ff und 130, 29; 71, 8 mit
130, 9; 44, 26 mit 132, 27; 58, 30 ff mit 122, 10 ff; 40, 19
(vgl. 45, 8) mit 136, 17; 75, 24 mit 131, 16 und 143, 19 ff;
46, 15 mit mehreren stellen Morungens bes. 122, 1 ff. 124, 32 ff;
74, 6 mit 142, 18.

Endlich sei erwähnt dass Walther 53, 35 ff[2] in ausführlicher
weise die schönheit seiner dame beschreibt; damit folgt er Morungen, der (wie ich unten zeigen werde) nach romanischem vorbilde dieses neue motiv in den minnesang einführte; bei Walther
ist directer einfluss des provenzalischen nicht nachzuweisen, wol
aber bei Morungen; es ist daher höchst wahrscheinlich dass
Walther dieses romanische element durch Morungen zugeführt
wurde. Walther erscheint durchaus als der jüngere zeitgenosse
Morungens.

Wenn wir uns nun noch dessen erinnern, was SPfaff Zs.
18, 44 ff über den einfluss Morungens auf RvFenis sagt, so ergibt sich folgende zeitbestimmung für unseren dichter: RvFenis
ist von 1225—1255 urkundlich nachgewiesen, vor dieser zeit
muss Morungen also gesungen haben; nun ist er jünger als
Reinmar, der vielleicht von 1180 an gedichtet hat, und muss vor
1198 bereits einen teil seiner poetischen tätigkeit hinter sich
gehabt haben, weil Walther lieder von ihm schon vor dieser zeit

---

[1] nicht verschweigen will ich dass *wunder* ein lieblingswort Walthers
ist, während es bei Morungen nur an dieser stelle steht; doch muss letzterer
in unserem liede irgend einem (verlorenen?) provenzalischen gedichte folgen,
und kann darum immer Walthers vorbild sein. die parallele, welche Michel
s. 256 von Arnaut de Maroill anführt, ist nicht überzeugend, besonders
wegen der mangelnden entsprechung zu dem ausdrucke *wunder*.

[2] vgl. 133, 37. 140, 32 ff. 142, 8 (zu 54, 7). gegen wen die polemik
53, 32 ff gerichtet ist, weifs ich nicht, jedoch weder gegen Reinmar (vgl.
Regel Germ. 19, 170 f), noch gegen Morungen (vgl. Mayr aao. 48).

kennen lernt und nachahmt. *Heinrich von Morungen* der minnesänger kann daher sehr wol jener zwischen 1213 und 1221
nachgewiesene, damals vielleicht funfzig jahr alte *miles emeritus*
sein. um die wende des jhs. haben wir uns also seine dichterische laufbahn abgeschlossen zu denken.

Noch erübrigt ein wort über sein verhältnis zu den übrigen
dichtern aus der frühzeit des minnesangs. auch hier einige parallelen. zwischen ihm und **Albrecht von Johansdorf** eine
ähnliche übereinstimmung, wie sie RHeinzel in der Zs. f. d. österr.
gymn. 1875 s. 690 zwischen Walther und HvRugge nachgewiesen
hat. Albrecht 86, 1 ff und Morungen 123, 10:

Min erste liebe der ich ie began,   Min erste und ouch min
diu selbe muoz an mir diu leste sin.   leste
an vröiden ich des dicke schaden   frölde was ein wip usw.
hân usw.

(vgl. hiezu noch Erec 6299 *den ersten (man) den ich ie gewan,*
der muoz mir ouch der jungest sin). Albrecht 87, 33 *nû wænet*
si dur daz ich var daz ich si lâze vrî. ähnlich Morungen 125, 12
wænet si dan ledic sin ob ich bin tôt. jener behauptet 90, 26
dicke hân ich 'wê' gesungen wie dieser 127, 39 *sô mac ich von*
schulden sprechen wol 'ôwê'. und wenn jener hinzufügt *dem wil*
ich vil schiere ein ende geben. 'wol mich' singe ich gerne . . .,
so bietet dafür der gegensatz bei Morungen 137, 21 ff eine parallele. beide sagen ähnlich 92, 13 *waz si an mir reche,* 126, 13
mac si dan rechen sich. und 95, 6 *wol si sælic wip diu mit ir*
wibes güete daz gemachen kan, daz man si vüeret über sê. ähnliche phantasien von Morungen mehrmals verwertet zb. 138, 31
swenn si wil, sô füeret si mich hinnen mit ir wîzen hant hôh
über die zinnen. [1] AvJohansdorf ist von 1185—1209 nachgewiesen; ich glaube, er ist später als Morungen anzusetzen, besonders wegen seiner ausgezeichneten behandlung des dialoges
93, 12 f. er übertrifft noch Walther (vgl. Anz. vii 61).

Bligger von Steinach, der vor 1193 (tod Saladins) zu
dichten begann, urkundlich von 1165—1209 erscheint, zeigt mit
Morungen genaue übereinstimmung 118, 1

    min alte swære die klage ich für niuwe,
    wan si getwanc mich sô harte nie mê.
Morungen 133, 15
    min alte nôt die klagte ich für niuwe,
    wan daz ich fürhte der schimpfære zorn.
auch erinnert 133, 28

---

[1] aus einem später anzuführenden grunde erwähne ich nur in einer
anmerkung die parallele 93, 29 f *wer hât iuch vil lieber man betwungen*
ûf die nôt? 'daz hât iuwer schœne die ir hânt, vil minneclîches wip.'
und 134, 6 *min herze ir schœne und diu Minne habent gesworn zuo*
ein ander, des ich wæne, ûf miner fröuden tôt. vgl. noch 92, 25 ff mit
142, 18 ff.

> *sorge ist unwert, dd die liute sint frd*

an 118, 16 in demselben Bliggerschen liede:

> *wan er ist unwert, swer vor nide ist behuot.*

Auffallend bleibt nur noch dass die würkung Morungens
auf andere dichter, mit ausnahme der eben genannten, erst so
spät eintritt. unter seinen directen nachahmern sind zu nennen
— den beweis für diese ansicht werde ich in einem eigenen
aufsatze über Morungen beibringen — Ulrich von Singenberg
(1209—1230), Hiltbolt von Swanegou (anfang des 13 jhs.), Ulrich
von Lichtenstein (begann 1223 zu dichten), Ulrich von Winterstetten (1241—1269), Rubin (um 1250, oder schon 1228?),
Rudolf von Rotenburg (1257), Schenck von Limpurg (1263 bis
1268), Wernher von Honberg (1284—1320), Johans von Brabant
(ende des 13 jhs.), Kristan von Lupin (1305), Heinrich Hetzbold
von Wizensé (aus derselben zeit).

Die seltene erwähnung Morungens bei späteren dichtern
hat vielleicht einen besonderen grund. zu den von Gottschau
(s. 337 f) angeführten stellen kommt übrigens noch die Zimmeri-
sche chronik (vgl. MSII iv 883'). ich vermute dass Heinrich von
Morungen als Heinrich von Ofterdingen in die sage vom Wart-
burgkrieg übergieng, wie ich demnächst eingehender darzulegen
gedenke.

Es bleibt so noch eine reihe von fragen zu beantworten,
trotzdem wir über Morungen eine eigene litteratur besitzen. aber
selbst auf dem gebiete, das Michel herausgegriffen hat, ist nicht
alles geklärt. Michel schädigt den wert seiner arbeit durch
eine schlechte disposition: er constatiert immer zuerst die tatsachen, welche sich bei Morungen vorfinden und vergleicht dann
die zustände bei den troubadours. dies würkt zb. i § 11 und 12,
ferner s. 131 störend (vgl. auch s. 214). der umgekehrte weg
hätte sich empfohlen, zuerst die troubadours zu behandeln und
dann die züge hervorzuheben, welche von Morungen herübergenommen wurden. es hätte sich daraus ergeben dass Morungen
in vielen puncten nicht so weit geht wie seine romanischen vorbilder, sich vor allem der übertreibungen enthält, die sie in so
reichem mafse bieten. characteristisch hiefür ist die auffassung
des dienstverhältnisses. zwar behauptet auch er 134, 32 *wan ich
wart durch sie und durch anders niht geborn* (vgl. Reinmar 159, 26.
172, 20 f), aber er ist umgekehrt der ansicht, dass die frauen
der männer wegen erschaffen worden seien 136, 39 f *wan durch
schouwen sô geschuof si got dem man,* und widerspricht sich
selbst, da er 133, 20 sagt *wan ich dur sanc bin zer welte geborn.*
auch Morungen überträgt die verhältnisse des lebenswesens auf
den liebesdienst, es fällt ihm aber nicht ein etwa wie Folquet de
Marseilla oder Arnaut de Maroill den dienst bei seiner dame für
tausendmal lieber zu halten, als reichen lohn von jeder anderen,
oder wie P. Raimon de Toloza heilung nur deshalb zu wünschen,

um ihr noch ferner dienen zu können; er ist bei aller ergeben-
heit männlicher, stolzer, bleibt sich seines wertes stets bewust
und erinnert sie daran dass er sie durch seinen gesang vor
anderen erhöhe (141, 8).

Solche folgerungen zu ziehen hat Michel dem leser überlassen, er begnügt sich fast durchgehends damit, das material
zusammenzustellen; seine arbeit ist darum eigentlich noch nicht
abgeschlossen, sondern bietet nur den stoff. es ist zu bedauern
dass er sich bei seinem thema diese vor allem lohnende seite entgehen liefs, welche nun auf grund seiner sorgfältigen und reich-
haltigen sammlungen von einem andern leicht behandelt werden
könnte. in allem detail ist Michel durchaus zuverlässig, zum
durchführen des vergleiches 'zwischen provenzalischem und deutschem minnesange' scheint es seinem werke an der nötigen verarbeitung des stoffes zu fehlen. mehrere male finden sich viel
versprechende ansätze hiezu, bei welchen dann sogleich die oben
vorgeschlagene anordnung statt hat, so ɪ § 25. glücklich sind die
gesichtspuncte herausgefunden, von denen aus die vergleichung
geschehen muss; diese erstreckt sich auf inhalt und form der
darstellung [1] und behandelt im ersten abschnitte die geliebte,
wobei Michel auf die interessante tatsache aufmerksam macht,
dass die troubadours mehr die äufseren, die minnesänger mehr
die inneren vorzüge ihrer damen hervorheben; ferner den geliebten, die darstellung des schmerzes und der klage, den einfluss der aufsenwelt auf den liebesbund usw. im zweiten abschnitte befasst sich Michel mit den sprichwörtern, bildern und
bildlichen ausdrücken, und mit den anspielungen auf religiöse
wie historische dinge. in einem aubange findet sich nebst
der wichtigen Meifsner urkunde und zwei excursen über einige
lieder Morungens eine wertvolle 'zusammenstellung der übereinstimmungen zwischen Morungen und den troubadours,' insoweit
sie wörtliche sind; vor allen war Bernart de Ventadorn, also
einer der ältesten troubadours (1140—1195), und Peirol (1180 bis
1225) von einfluss. dieser umstand ist besonders wichtig, weil
er zeigt, wie rasch die verbreitung provenzalischer lieder nach
Deutschland vor sich gieng (vgl. Michel s. 72). es ist deshalb
Michels auswahl um so mehr verwunderlich: er berücksichtigt
noch Peirol, aber nicht mehr die wenig jüngeren zeitgenossen
desselben, deren tätigkeit auch noch vor das jahr 1200 fällt,
einen Guillem von Saint-Didier, einen mönch von Montandon,
Arnaut Daniel usw. und doch hatten wenigstens die ersten zwei
entschiedenen einfluss auf Morungen. der mönch vMontaudon
(Sein leben und seine gedichte usw. von Emil Philippson, Halle
a/S 1873) sagt v 41 f *Bella dompna miei uoill vos son messatge,*

---

[1] nur die einordnung von § 2 Philosophie der liebe in die zweite
abteilung setzt etwas in verwunderung.

que res el mon non lor es tant plazen com vos, dompna . . .
ähnlich Morungen 132, 3 *miner ougen tougenliche séje die ich ze
boten an si senden muoz die neme durch got* . . . *für eine fléje*
(vgl. Diez Leben s. 336). Michel behauptet zwar s. 196, Morungen benutze 'ein nahe liegendes bild', 'wenn er seine augen
als boten bezeichnet', doch bringt er keine parallele bei, und
hätte zb. im deutschen minnesange auch keine finden können;
nur bei Walther 99, 17 heifst es: *swenn ez [min herze] diu
ougen sante dar,* . . . *só brdhtens im diu mære* . . . Morungen
selbst sagt noch 139, 6 *ir güete* sei bote, bei OvBotenlauben
MSH 1 12ª besorgt *vrouwe Minne* diesen dienst. sonst heifst es
noch bei Walther 59, 1 f *haz unde nit, só man iuch úz ze boten
sendet;* ferner bei Rotenburg MSH 1 80ᵇ *wolde gelücke sin der
venre min sd müez ich sorgen ldn.* damit zu vgl. der MSD²
49, 4 mitgeteilte spruch *untrewe leitet ir den vanen.* — auch
die stelle des mönches vu 31 ff scheint Morungen benutzt zu
haben. für das verhältnis unseres dichters zu Saint-Didier kann
ich nur auf Diez (Leben s. 327) aufmerksam machen im vergleich zu MSF 132, 27 ff. nähere untersuchung wäre erwünscht.

  Es seien mir noch kleinere bemerkungen teils erweiternder,
teils einschränkender natur gestattet.

  S. 21 ff. was die beschreibung der äufseren schönheit betrifft, durch welche die geliebte ausgezeichnet ist, so wäre darauf
aufmerksam zu machen gewesen dass Morungen etwas bis dahin
im minnesange fast unerhörtes begann; kaum dass eine allgemeine
andeutung gewagt wurde und auch sie nur von dichtern, die
unter romanischem einflusse stehen. so sagt Dietmar von Aist
36, 21 *diu wolgetdne* von der geliebten und rühmt von ihr
40, 23 *sist schœne alsam der sunnen schín;* ihm folgen HvVeldegge 58, 19. 59, 7 und AvJohansdorf 87, 13 mit der bezeichnung *wolgetdne.* HvRugge und Reinmar gehen nicht einmal so
weit: jener sagt ein einziges mal 105, 22 *ichn weiz ob ieman
schœner sí,* dieser gar nichts dergleichen, nur 182, 19 *diu schœne*
(von ESchmidt Rugge zugesprochen) sowie 203, 11 *ein schœne
wíp* (von ESchmidt als namenlos bezeichnet). von Rugge erfahren wir auch den grund für diese auffallende tatsache, er verlangt ausdrücklich 107, 27 ff *ndch frowen schœne nieman sol ze
vil gevrdgen. sint si guot, er ldzes ime gevallen wol* . . . *waz
obe ein varwe wandel hdt, der doch der muot vil hóhe stdt?* detail-
schilderungen, wie sie die troubadours so sehr liebten, sind ganz
ungewöhnlich, Hausen erwähnt 47, 15 die *ougen* ohne epitheton
ornans, und 49, 19 *ir vil róten munt;* Ulrich vGuotenburc rühmt
zweimal *ir schœniu ougen* 78, 9. 22; BvHorheim nennt 114, 32
ir ougen achín ohne lobenden beisatz. Dietmar vAist lässt in
einer frauenstrophe die dame sagen *miniu wol sténden ougen*
(37, 22), wie Reinmar 159, 38 von *ir redendem munde* spricht.
genauer macht uns im ganzen MSF — Morungen natürlich aus-

genommen — nur HvVeldegge 56, 19 ff mit einigen schönheiten seiner herrin bekannt, *dô ich ir ougen unde munt sach sô wol stên und ir kinne,* wobei er romanischem muster folgt. später wird diese neue von Morungen eingebürgerte weise allgemeiner (Waltber!), aber durchaus nicht allzu weit verbreitet, und es wundert uns gar nicht, einer ganzen reihe von wörtlichen anklängen an Morungens ausdrücke zu begegnen. so singt zb. Heinrich Hetzbolt von Wizensê MSH ii 23ᵃ *swenne ich ir wangen bedenke und ir munt, sô hât mich gar zir gevangen diu vil zarte reine . . . seht an ir munt, in ir ougen, prüevet ir kinne unt merket ir kel, der ich muoz iemer vil tougen lip unde sinne an ir gendde bevel. diu ist dne ende gewaltic nu mîn, ich valde ir herze unde hende: gendde, keiserirne, ich muoz din eigen sin.* dies entspricht dem liede Morungens 140, 32 ff *jd klage ich niht den klê, swenne ich gedenke an ir wîplichen wangen . . . seht an ir ougen und merket ir kinne, seht an ir kel wîz und prüevet ir munt. si ist dne lougen* usw. *gndd, ein küniginne. . . .* man vgl. noch Johans von Brabant MSH i 15ᵇ *liehtiu ougen klâr, minneclich ein lieplich kinne tuont mich sorgen bar: ach gendde, küniginne!* und WvHonberg MSH i 64ᵃ. die späteren minnesänger kommen kaum über Morungen hinaus (vgl. die zusammenstellungen aus Neifens liedern bei Hermann Zeterling Der minnesänger Gottfried von Neifen. xlvi programm des Friedrich-Wilhelmsgymn. zu Posen, 1880 s. 11 ff). nur ausdrücke wie MSH i 96ᵇ *ir vil vroelich stênden ougen* (Neifen 4, 22. 30, 34) oder MSH i 95ᵇ *wol stênder munt* werden beliebt vgl. zb. Frauend. 22, 10. MSH i 32ᵃ heifst der mund *kuslich;* die augen bleiben nicht blofs *lieht,* sie werden *vil spiegellieht* MSH i 111ᵃ. Neifen 12, 16, während im volkslied das beiwort *sü/s* modern wird zb. Uhland i 8, 3 *üger sie/sen eigelin blicke.* Ulrich sagt einmal *mit zdhrenden ougen* Frauend. 367, 10. es wäre interessant, die beschreibungen der geliebten durch die verschiedenen zeiten unserer litteratur zu verfolgen; das resultat würde sein dass hier die mode würksam ist und sich in jeder periode einen eigenen typus ausbildet, wie in der malerei. gewis ist nicht zu läugnen dass auch die physiognomie der menschen selbst sich ändert, aber so stark, als er in der kunst zum ausdruck kommt, kann der unterschied zwischen verschiedenen jahrhunderten kaum gewesen sein. es ist merkwürdig wie bei den dichtern in verschiedenen zeiten verschiedene teile des körpers vor anderen bevorzugt werden, besonders ist es der busen der geliebten, welcher, wahrscheinlich im anschlusse an die kleidertracht, einmal mehr, einmal weniger von den dichtern besungen wird. am weitesten gieng wol das 17 jh., ich erinnere nur an das gedicht von Besser (Schrifften. andere auflage, Leipzig 1720, s. 415 ff. Herrn von Hoffmannswaldau und andrer Deutschen gedichte, 1697, i s. 173 ff) Ruhestat der liebe, oder die schoofs der geliebten, welches durchaus

nicht etwa besonderer frivolität Bessers seinen ursprung dankt,
sondern von der ganzen zeit als meisterstück der delicatesse
gepriesen und verbreitet wurde (Leibnitz, churfürstin Sophie von
Hannover, herzogin von Orleans!). besondere ausbeute versprechen im 17 jh. die hochzeitsgedichte. interessant sind die
unterschiede im vorigen jahrhundert. die anakreontiker bleiben
auf dem boden der vorausliegenden epoche stehen, die Göttinger,
die Bremer, die geniemänner haben eigene, von einander diver-
gierende frauenideale. gewisse typen lassen sich verfolgen.

    S. 42 ff. dass auch deutsche dichter sich vom hörensagen
in eine dame verliebten, wie ihre romanischen vorbilder und die
helden des höfischen epos, beweisen mehrere stellen zb. Meinloh
11, 1 *dô ich dich loben hôrte, dô hete ich dich gerne erkant. durch
dîne tugende manige·fuor ich ie welnde, unz ich dich vant.* Rugge
110, 34 *ich hôrte wîse liute jehen von einem wîbe wunneclîcher
mære. min ougen sd begunden spehen . . .* HvSwanegou MSH
I 282ᵃ *wie schœne unde guot sie wære, des het ich sô vil vernomen, daz mir niemer mê diu mære kunden ûz dem herzen
komen. sit hân ich an ir gesehen, swie gerne ich si nu verbære,
ine möhte, alse ist mir hie beschehen.* auch UvSingenberg MSH
I 298ᵃ *sit ich ir kunde alrêrst gewan sô hâte ich hôhen muot von
ir* wird hieher zu stellen sein; dagegen darf der ausspruch Morungens 124, 32 *het ich tugenden niht sô vil von ir vernomen . . .
wie wære si mir danne also ze herzen komen* nicht gepresst werden; zu vergleichen ist Walther 43, 9 *ich hœr iu sô vil tugende
jehen,* ferner 71, 19. 114, 17. 119, 29 und ein anonymes gedicht MSH III 445ᵇ *mir ist ein wip sêre in mîn gemüete komen,
von der hân ich ganze tugende vil vernomen, des minnet si daz
herze mîn.* die geliebte als die vorzüglichste aller frauen zu bezeichnen, lag nahe (Reinmar 197, 4) und braucht durchaus nicht
auf romanischem einflusse zu beruhen; doch vermag Michel zu
dem ausdrucke Morungens 122, 9 *si ist aller wîbe ein krône*
vgl. 133, 29 *diu mînes herzen ein wünne und ein krôn ist* keine
directe parallele aus der provenzalischen litteratur beizubringen,
ähnlich ist nur das compliment BdeBorns (Michel s. 43), die
römische krone würde geehrt werden, wie sie ihr haupt um-
schlösse[1] (Diez Leben s. 214).[2] auch im älteren minnesang entspricht nichts, es scheint also Morungen diese phrase (vielleicht
nach geistlichem muster) gemünzt zu haben. sie kommt bald in
umlauf: Walther 40, 24 sagt von seiner dame, sie sei *mit lobe
gekrœnet* (vgl. Morungen 141, 8) und 107, 29 *gelêrter fürsten*

---

[1] Reinmar von Zweter MSH II 204ᵃ *ein künec der wol gekrœnet
gât . . . dâ ziert der künec die krône baz, dann in diu krône zieie-
ren müge.*

[2] die worte 'erhabne zier und blume aller frauen' gehören nur dem
übersetzer, nicht dem dichter an. *flos* so verwendet Carm. bur. 129, 5 *flos
prae cunctis floribus.* ich erinnere an Winterstetten I 162ᵃ *rôse ob allen
wîben man si nennen sol.* der Engländer verwendet dafür: *pink.*

króne. bei Tiufen heifst es MSH i 109ᵃ *si ist ein króne ob allen reinen wiben.* öfter von Maria: Rotenburg MSH i 85ᵃ *maget aller megde ein króne,* Eberh. vSax i 70ᵇ *ó wibes króne.* die geliebte ist *aller tugende króne* (i 78ᵇ), *ein kron weiblicher güte* (Ambr. lb. i 13), sie trägt *der éren króne* (MSH i 31ᵃ); Swanegou i 281ᵃ meint *ir zœme wol diu króne, só schœne wíp wart nie.* ähnlich Kudr. 1222, 1 *ir sit sô rehte schœne, ir möhtet króne* tragen (auch das folgende bleibt im bilde, so dass Martins einwurf zu dieser stelle sich einfach erledigt). dieses bild nimmt seinen ausgangspunct von der vorstellung dass die geliebte oder Maria eine königin oder kaiserin sei. deutlich wird der übergang durch ein lied Rotenburgs i 87ᵇ *diu mir dd ze herzen lit, dar nie guotes wibes ouge in mé gesach, dá reht in mins herzen kraft lebet diu werde schóne mit gewaldes króne: daz tuot mir der minne meisterachaft,* und die krönung vollzieht der dichter i 111ᵃ *sit min vrouwe, die ich krœne* (vgl. MSF 141, 8).

S. 50 bringt Michel für 123, 10 ff eine parallele aus BvVentadorn bei (vgl. s. 246), die überzeugend ist, *min érste und ouch min leste frôide was ein wíp, der ich minen lip bôt ze dienest iemer mé: e vos etz lo meus jois premiers, e si seretz vos lo derriers, tan quant la vida m'er durans.* Paul (Beitr. ii 547 ff) wollte der lesart von A folgen, weil ihm der ausdruck in v. 14 *diu hœhste und ouch diu beste* (CCᵃ) unpassend schien, *diu beste* könne nicht die stellung kennzeichnen, welche die dame im herzen des dichters einnehme, die beste sei sie unabhängig von seiner empfindung; er will also *diu hérste* aus A einsetzen und dann auch in v. 10 *min liebste und ouch min érste* mit A lesen.[2] die parallele, auf welche Michel aufmerksam macht (vgl. s. 84 anm.), ferner die stilistische eigentümlichkeit Morungens[1], an die spitze seiner lieder einen frappierenden ausspruch zu stellen, sprechen gleichmäfsig für die richtigkeit der lesart in CCᵃ; dazu erledigt sich der einwurf Pauls durch einen ähnlichen ausdruck bei Chuonrat dem schenken von Landegge MSH i 359ᵇ *mir wart nie lieb als rehte wert, si ist in mines herzen veste wol diu hérste und ouch diu beste, sist, der min wunsch úf erde gert.*

S. 53 (vgl. s. 64 f). das gedicht 127, 34 ff 'als eine parodie auf die bei den dichtenden zeitgenossen vorwiegende richtung der liebesklage ohne ende' zu betrachten, liegt gar kein grund vor. auch bin ich nicht einverstanden mit der s. 55 f ausgesprochenen behauptung, in dem gedichte 124, 32 ff, bes. 125, 10, sei uns 'ein, wenn auch nur äufserst flüchtiger blick in Mo-

---

[1] in einem anonymen gedichte, das einfluss Morungens zeigt MSH iii 442ᵃ, reimt so *érste : hérste; diu érste* von den *niun vrouwen* sagt, ihr geliebter *dunket mich der hérste;* doch beweist dies nichts für unsere stelle. Neifen 12, 8 *si muos diu érste und ouch diu leste vns an min ende sin.*

[2] über sie an anderem orte.

rungens persönliche verhältnisse verstattet'; man ist durch nichts
genötigt anzunehmen dass Morungen mit dem verse *mîne kinde
wil ich erben dise nôt* auf einen schon lebenden *sun* hindeute.
es entspräche seinem den 'phantasien' geneigten wesen ein solches
klopstöckeln ganz wol; warum sollte man ihm nicht ein *in meinen
umarmungen soll einst die Fanny, welche mich lieben wird, dein
süfs geschwotz . . . die kleine Fanny lehren* (Auf meine freunde
v. 125 ff) zutrauen? dass er witzige aussprüche liebt, kann man
nicht läugnen; man vgl. 147, 10. ähnliche hoffnung auf rache an
der geliebten durch die künftige generation drückt Walther 73, 19
aus so *ist mîn hdr vil lihte alsô gestalt, dazs einen jungen danne
wil. sô helfe iu got, hér junger man, sô rechet mich und gét ir
alten hût mit sumerlaten an* (vgl. Wilmanns zu 12, 30). wenn
Michel s. 57 zweifel an der vollen wahrheit des *von kinde* äufsert,
(jedoch s. 60 anm.), so billige ich dies vollständig (vgl. Lehfeld
aao. 398. Zs. 14, 147. Strauch QF 14, 148). bei der erwägung
über Morungens zwei liebesverhältnisse werde ich näher darauf
eingehen können; dann werde ich mich auch mit Michels erörterungen s. 59 f beschäftigen, welche die unterschiede zwischen
den beiden liederbüchern unbeachtet lassen.

　　S. 69. kein lied Morungens scheint so bekannt gewesen
zu sein wie 125, 19 ff. besonders strophe 126, 1 ff wurde wider
und wider nachgeahmt und übt auch noch auf uns den grösten
reiz aus. im ganzen MSF nichts ähnliches, Walther sagt 110, 13
wol mich der stunde, daz ich si erkande, was natürlich nicht auf
Morungen zurückzugehen braucht. Rubin MSH ɪ 317ᵇ *sœlic si
diu süeze stunde, dô guoter wibe wart geddht.* von Swanegou
kommt nicht nur die von Michel citierte strophe (MSH ɪ 281ᵃ)
in betracht, sondern noch 283ᵃ: *wol mich des daz ichs ie gesach,
sœlic si diu stunde, dô mîn herze erwelte die, der tugende mei-
sterinne!* anonymus ɪɪɪ 442ᵃ *sœlic si diu werde stunde dô er mîme
rôten munde minneclich bevolhen wart.* noch sind zu vgl. Rotenburg ɪ 87ᵇ *wol mich des tages und ouch der zît, daz mir von
der sœldenrîchen alsô beschach.* Limpurg ɪ 131ᵃ *wol mich dirre
stunde* (Winterstelen ɪ 162ᵇ *wdfend der lieben stunde).* Singenberg ɪ 296ᵃ *sœlic wile, sœlic zît, sœlic allez, daz der süezen stunt
geschach, dô si, diu mir sœlde gît, ein sô süeze sœlic wort ze mir
gesprach, daz mich iemer werdeclîcher vröude hœhen muoz: ouch
nîge ich ir willeclîche, wirt mir state, unz ûf den vuoz.* Weifsen-
see ɪɪ 24ᵇ *wol mich der stunde! von rôtem munde mir liep geschach.* Carm. bur. 118, 3 *o quam felix hora, in qua tam decora
sumpsit vitam.* auch sonst werden andere verse dieses liedes
nachgeahmt, besonders von UvLichtenstein. vgl. Frauend. 515, 3.
450, 7. 35, 13.

　　S. 71 ff beschäftigt sich Michel mit einer chronologischen
schwierigkeit; Morungens lied 147, 17 zeigt ähnlichkeit mit einem
liede Jaufre Rudels und einem Peire Vidals, welches letztere um

1200 verfasst ist; jenem ist mehr die form, diesem mehr der inhalt entlehnt. Morungens lied gehört gewis in seine spätere zeit. wenn es überhaupt von ihm ist, ich stelle es nahe an den schluss des zweiten liederbuchs, und es ist ganz gut möglich dass es erst nach 1200 gedichtet wurde; wir sind durch nichts zur annahme gezwungen dass fünf jahr zur verbreitung eines provenzalischen liedes nach Deutschland nötig waren.

S. 100. das motiv der bezauberung durch die geliebte *von der elbe wirt entsén vil manic man: só bin ich von grózer liebe entsén* kommt sonst im minnesange nicht zur geltung, nur ein nachahmer Morungens Wernher von Honberg sagt MSH ɪ 64ᵃ *ich muoz eigen sin, swie si wil, diu vrouwe mîn. ach, rîcher got, hât si minne den z o u ber gelêret? möhte ich den zerbrechen, mîn wurde guot rât.* auch im romanischen scheint sich nichts ähnliches zu finden. was Grimm Myth. 411 f aus dem minnesang anführt, lässt sich nicht vergleichen, *ûlve* (MSF s. 308 f) und *ûlfheit* (MSH ɪɪ 209ᵇ) bedeuten 'tölpel' und 'tölpelhaftigkeit'. im ma. war aber die sage von den sirenen bekannt und im Tristan 8089 f heifst es *wem mac ich si gelîchen (Isôt) die schœnen, sældenrîchen, wan den Syrénen eine, die mit dem agesteine die kiele ziehent ze sich? als zôch Isôt, sô dunket mich, vil herzen unde gedanken în* (vgl. RvBrennenberg MSH ɪɪɪ 329ᵇ *si* [die geliebte] *ziuhet mich, als tuot den halm der agetstein, und als der magnes tuot von art den îsenstein.* Hätzlerin ɪɪ 45, 80 *ir wifst nit, was die man tûnd. Sy ziehen an sich frawen rain, als Mangnet vnd der Angstain.* vgl. Bartsch Albr. vHalberstadt ʟxxv ff). das letztgenannte lied Morungens zeichnet sich durch seine glücklich gewählten bilder aus und man erkennt den meister in der art, wie er selbst altbekanntes neu darzustellen weifs; das gilt vor allem von den versen 126, 24 ff *mich enzündet ir vil liehter ougen schîn, same daz fiur den dürren zunder tuot, und ir fremeden krenket mir daz herze mîn same daz wazzer die vil heize gluot.* man vgl. zur ersten hälfte Reinmar vZweter MSH ɪɪ 186ᵇ *daz sich ir ére enzünde alsam daz viur den dürren zunder tuot.* WvHonberg ɪ 64ᵇ *ich sach ein wîp, der ir munt von rœte bran, sam ein viur in zunder.* zur zweiten hälfte UvLichtenstein 114, 1 *mit dem wazzer man daz fiuwer leschet gar.* die vorstellung des liebesfeuers ist eine weitverbreitete, findet sich aber im MSF noch nicht, so dass auch hier wider Morungen an der spitze steht. häufig wird das bild des brennens in den lat. gedichten des ma.s verwertet: Carm. bur. 154, 1 *urit Venus corde tenus quam nec Rhenus nec Euphrates maximus valeat extinguere. me sola poterit salvere vel perdere* (Marc. Ant. Barbaro: *ma ad estinguere amore l'oceano è poco*). 154, 7 *nam face flammea me (Venus) peruris ... igne demolior, mors mihi melior, quam vita longior.* 154, 8 *incessanter ardeo, nexu vinclus igneo.* 31, 4 *novus ignis in me furit, et adurit indeficienter.* 137, 4 *amor tuus urit me indeficienter.* vgl. AvHalberstadt xvi 76 *ir schóne in enzunde und tet in alsó brinne daz er vergaz der sinne und gewan gedanke sianecvalt.* Heinzelin ı 58 *diz traip si unz an die stunde, daz mich ir fiur enzunde.* Kilchberg MSH ı 26ª *daz mîn herze alsó iht von dir verúrinne.* Liningen ı 27ª *in dîner gluot ich brinne.* WvKlingen ı 72ᵇ *ach got, wie brinnet mir mîn herze nách der lieben vrouwe mîn.* Ambr. lb. xvɪɪɪ 5 *ich bin entzündt mîn hertz daz brint.* Limpurg ı 131ᵇ *wizzet daz ich brinne in der liebe als ein gluot.* Rluach ı 210ª *dur die minne ich brinne, von der minne viure lîde ich sende nót.* JvBrabant ı 15ᵇ *in sender nót ich brinne.*

Die bilder aus dem kriegsleben, welche Michel s. 100 f bespricht, finden sich bei Morungen erst im zweiten lb. häufig. das *rouben* erwähnt schon Dietmar 40, 22 *si roube: mich der sinne mîn.* Gutenburg 72, 2 *der ougen blicke mich vil dicke mîner sinne roubent.* Reinmar 171, 39 *bin ich beroubet alles des ich hán fröide und al der sinne mîn: daz hát mir nieman wane si getán.* vgl. WvHonburg ı 63ª *wil si mich lebens rouben, daz stêt an ir eine gar, nách der mîn herze ranc.* 64ª *swie si mich hát beroubet muotes und der sinne gar.* Rotenburg ı 77ᵇ *der mich der sinne roubet.* Titurel 110 (107), 4 *Sigúnen, diu mich roubet lange úf der fröude und an frœlichem sinne.* Frauend. 399, 13 *Si nimt mir vreude, diu mich sorgen solde machen vrî. nu láts alsó rorben: si mac vreuden mich vil wol behern: ab einez kan si niht erwer.i, mir enst noch freuden hoffenunge bî.* und 17 ff *Si vil ungenædic wîp, diu mich só roubet sinne, sælde und al der vreuden mîn, waz mac ir gewalt mir liebes mêr benemen? ich wil einer vreuden immer al die wîle ich lebe von ir unberoubet sîn, diu mir áne ir danc muoz rehte wol gezemen.* die geliebte wird *roubærin* genannt (MSF 130, 14), ebenso Trostberg MSH ıı 73ª *mîner sinne ein roubærin.* Sarne ıı 131ᵇ *mîn roubærin.* vgl. Frauend. 411, 27 ff. auch *behern* in dieser übertragung: Gliers ı 108ᵇ *wie du mich vröuden hást behert.* Hartmann 1 büchl. 392. Morungen nennt seine dame (147, 4) auch *vil süeziu senftiu tœterinne,* dazu vgl. man RvBrennenberg MSH ı 337ª *jd si reine süeze senfte mordærin* (LPhHahn im Robert vHohenecken s. 113 *schlafe sanft, theure mörderin).* die geliebte verwundet und tötet, sie heilt aber auch die liebeswunden vgl. ESchmidt QF 4, 111 ff. ferner Bartsch AvHalberstadt ʟxxı und Haupt Neidh. s. 108. zu den von Schmidt beigebrachten stellen vgl. noch Simrock Volksbücher 8, 231. MSH ı 257ª. 307ª. Neidh. 10, 3 ff. Frauend. 45, 27 und Carm. bur. 42, 2. die würkung der liebe ist meist für den liebenden schädlich, doch weiß er das angenehme stets auch dabei herauszufinden; so erkennt zwar Morungen als grund seiner krankheit dass die geliebte in seinem herzen wohne, aber er hat dadurch auch den genuss, sie mit sich zu führen. die geliebte dringt durch die augen, ohne türe, heimlich in das herz des mannes, wo sie dann haust und herscht. Michel vergleicht ein gedicht von Folquet von Marseilla (s. 102), welches das vorbild für eine stelle des jüngeren Titurel gewesen sein könnte. Folquet macht die geliebte auf die gefahr aufmerksam, in der sie sich befindet, wenn sie seinem herzen, d. i. ihrer wohnung einen schaden zufüge, ebenso Albrecht 3965 *sit habt ir iuch geliebet dem herzen min* sd *vaste, swie oft ir von mir schiebet gemach, iedoch sd wolt ich iur ze gaste niht wandel hân in mînes herzen klûse, ob ir mich danne krenket, dëst iu gëtân ze heimsuoch und iuwerm hûse.* vgl. auch 3964. aber auch der liebende ist dadurch zu gröfserer vorsicht genötigt, darum klagt Hohenvels MSH ı 208[b] *wie möhte ich mit der gestrîten, diu so gar gewalteclîche sitzet ûf mins herzen turn? der ist vest an allen sîten; sôst si schœne und ëren rîche: wie gekebe ich einen sturn daz ich si getrîbe drabe?* 209[a] *sist ûf mines herzen veste vil gewaltic küniginne.* einiges hieher gehörige hat ESchmidt aao. 116 zusammengestellt. vieles liefse sich nachtragen und in manchen puncten abhängigkeit von Morungen nachweisen. die dichter hegen auch den wunsch, in das herz der dame zu gelangen, zb. BvHohenvels MSH ı 209[a] *kœme ich in ir herzen kamer, ob si daz mit willen lieze, dd wont ich, daz mich verstieze nie mér wankes zange.* einen solchen wunsch aber in ihrer gegenwart auszusprechen hätte keiner gewagt. diese schüchternheit scheint mehr durch mode als würkliche empfindung bedingt zu sein. Relumar sagt schon 164, 21 ff *owé daz ich einer rede vergaz, daz tuot mir hiute und iemer wé, dd si mir dne huote vor gesaz! war umbe redte ich dô niht mé?* vgl. Walther 115, 22 ff. Uhland v 171. Frauend. 35, 13. 15. WvBöhmen MSH ı 9[a]. Honberg ı 65[b].

Ansprechende bemerkungen finden sich s. 111 ff über die ansichten der Provenzalen und minnesänger vom sittigenden einfluss der liebe auf den liebenden. es wäre interessant gewesen, die stellen aus dem minnesang zu sammeln, in denen gegen die *unminne* geeifert wird (zb. MSH ı 12[a]), welche der wahren minne gegenübersteht.

Der äufsere apparat, man möchte sagen scenerie und decoration für das liebesverhältnis, wurde nach romanischem muster gearbeitet. s. 141 wird die rolle geschildert, welche die aufsenwelt für die liebenden spielte. die verstecknamen sind im minnesange der Deutschen ziemlich wenig zur geltung gekommen, wenn überhaupt davon die rede sein kann. Michel fasst Walthers erwähnung der Hiltegunde 74, 19 so auf, wol mit recht. *diu vil wolgetâne* bei Morungen für den versteckname zu halten, geht nicht an. die auffassung, es sei anspielung auf Veldegge 58, 19, wird durch das oben angeführte widerlegt, man müste erwarten *min vil wolgetâne.* dagegen muss man wol 134, 36 *wd ist nu hin min liehter morgensterne?* zu den versteck namen rechnen.

auch ein witz Walthers gehört hieher 63, 36 *gendde und unge-*
ndde dise zwéne namen hât mîn frowe beide. der versteckname
ist nur ein mittel, um die liebe geheim zu halten, und *tougen*
minne ist das ziel, nach dem der mann zu streben hat (MSF
3, 12 ff. vgl. Alexander 2789 M., wo als lohn der heldentat bezeichnet wird *ouh mugint in di frowen deste gerner minnen tou-*
gen). ein ungenannter dichter singt MSH iii 447ª *swer tougen-*
lîchen minnet, wie tugentlîch daz stât! dâ vriuntschaft huote hât.
Limpurg i 132ª klagt *tougen minne ist mir unkunt, lieplich twingen*
tiure. Carm. bur. 43, 8 *non bene dixeris iugum secretum Veneris,*
quo nil liberius, nil dulcius, nil melius. vgl. noch MSH i 285ª.
287ᵇ. und die liebe geheim zu halten, war nicht nur *guot,* sondern auch klug wegen der merker, hüter und verleumder, welche
den dichtern so viel leid bereiteten. das *wê der huote* finden
wir vielfach variiert im ganzen minnesange wider; von der einfachen klage bis zum nachdrücklichsten fluche, bis zum *daz si*
sîn vervluoht; ir zungen sint sô lanc, ir hæler ganc ist tugende
vrî; si sehent umb, sam diu kazze nâch der mûs. daz der tiuvel
müeze ir aller pfleger sîn, und brechen in ir ougen ûz versteigen
sich die dichter (meister Hadloub MSH ii 281ᵇ) vgl. Carm. bur.
168, 1 ff *lingua mendax et dolosa, lingua procax venenosa, lingua*
digna detruncari, et in igne concremari. MSH i 64ª. 303ª. 14ª.
32ᵇ. Frauend. 12, 3.[1] Michel behandelt diese störer des liebesverhältnisses in den §§ 26—29, versäumt es aber das unterscheidende zwischen Morungen und den anderen minnesängern
darzulegen. besonders das hervortreten der eifersucht erscheint
als merkwürdiges persönliches moment in Morungens dichtweise.
dass die Provenzalen und Deutschen sich vor der eifersucht des
betrogenen gatten fürchten, ist nichts auffälliges, wol aber dass
der liebhaber es wagt, seine eigene eifersucht auszusprechen; ich
kenne aus dem minnesange nur noch die stelle bei Walther
66, 13 ff, der versichert dass er nicht eifersüchtig sei. auch
im provenzalischen scheint sich wenig derartiges zu finden.[2]

Wie es hier störend würkte dass Michel dem deutschen
minnesange so geringe beachtung schenkte, so wird es um so
empfindlicher bemerkbar im zweiten teile der arbeit, der die form
der darstellung behandelt. nur für das sprichwort[3] *ich sach daz*
ein sieche verboten wazzer tranc (137, 9) bringt er zwei belege

---

[1] die auffassung des liedes 137, 27 ff bei Michel s. 153 erscheint mir
vollständig verfehlt.

[2] s. 165 wäre bei der betrachtung der poetischen liebesbriefe an die
büchlein zu erinnern gewesen.

[3] vgl. Zingerle Die deutschen sprichwörter im ma. 158 unter 'verboten' und 163 unter 'wasser'. ferner Simrock 10823 ff. Körte 7821. 8170 f.
Freid. ci. Heinzel machte mich auf Parzival 185, 1 ff aufmerksam, wo
Wolfram über seine armut spottet: *dâ heime in mîn selbes hûs, dâ wirt*
gefreut vil selten mûs. wan diu müeze ir spîse stein: die dörfte nieman
vor mir heln: ine vinde ir offenlîche niht.

bei (s. 173), sonst beschränkt er sich auf Morungen und die Provenzalen. es ist mir nicht möglich alles von Michel versäumte nachzuholen, ich greife nur einzelnes heraus. § 1 über das sprichwort ist nicht glücklich; Michel führt alle bei den troubadours vorkommenden sprichwörter und sentenzen an, obwol bei Morungen nur ein einziges mal ein ähnlicher ausdruck sich findet; überhaupt ist das ganze cap. t dieser abteilung nicht ganz befriedigend. im cap. ii handelt Michel über die bildliche ausdrucksweise, s. 197 f. es ist merkwürdig, wie wenige tiere und pflanzen von den minnesängern genannt werden.[1] die art, sich selbst mit vögeln zu vergleichen, wie wir sie bei Morungen vier mal finden, ist nicht häufig, meist werden dinge mit vögeln verglichen, besonders weifse gewänder mit dem *swan* (Knorr QF 9, 87). Morungens weise findet sich nach Knorrs zusammenstellung viermal bei Ulrich vLichtenstein. Wolfram l. 9, 17 vergleicht die geliebte mit *mûzervalke* und *terze.* Winli MSH ii 31[b] *der nahtegale wolte ich mich gelichen.* der Taler ii 147[a] *ich sach dar offenbar als ein star, ich sprach: gendde frouwe mîn!* Der tugendhafte schreiber ii 151[a] *mir ist sam der nahtegal, diu sô vil vergebne singet, und ir doch ze leste bringet niht wan schaden ir süezer schal.* einige male finden sich aussprüche wie der Walthers vKlingen i 72[b] *wil si mir genœdic sîn, mit den vogelin wolde ich singen.* einige mal wird der vogelsang in dieser verbindung gebraucht zb. von Dietm. vAist 32, 14 ff *lieber het ich ir minne dan al der vogele singen* (ESchmidt QF 4, 90 ff). vgl. MSF 83, 36. 141, 42. MSH i 315[b]. die sage vom singen des sterbenden schwans war viel verbreitet, vgl. noch Diez Poesie 235 f. Mätzner Altfr. lied. 228. Bartsch AvHalberstadt cxx. in Wickrams überarbeitung heifst es 14, 426 ff über Signe: *Bifs das sie an die Tiber quam, do lag sie nider und besang ir ellende und jamer so lang wie noch thut der swane, so er jetzt fahet zu sterben an.* — die bemerkungen s. 198 f (§ 10) sind sehr richtig; die vergleichung der tränen mit dem tau kennt noch Morungens nachahmer UvLichtenstein Frauend. 450, 6 f dd *von kumt mir ofte tougen freuden tou ûz dd zen ougen, daz ûz herzen grunde gdt.* vgl. Wolfram Parz. 113, 27. 191, 29. 319, 16 (Kinzel Zs. f. d. phil. 5, 1 ff). wie BvVentadorn sagt Gutenburg MSF 79, 6 *ûz zuo den ougen (daz ist ein wunder) von dem herzen daz wazzer mir gdt* (vgl. Tristan 4223). die beiden hyperbeln 127, 12 und 32 stehen ziemlich singulär da, in Wirnts Wigalois 104 *daz*

---

[1] nur folgende tiere werden erwähnt; *merlikîn, ar, valke* (vgl. ESchmidt aao. 97 f), *star, sittich* (nur bei Morungen), *nahtegal, swal, gouch, gucgouch, iuwel (iule), turniule, storch, storchel, terse, mûzervalke, tûbe, krâ, grasemügge, witewal, tröschel, lerche, gense, hüener, pfâwen; krote. wurm, hunt, hundelîn, mûs, vohe, rêch (rê), visch, houschreck, löuwe, affe, heime, snegge, pardus, lêhbart, hase, wolf, ohse, swîn, igel, ros.* über die erwähnung von vögeln vgl. Zingerle Das deutsche kinderspiel s. 125 anm. 2.

rief ich gerner in den walt. vgl. Lachmann Kl. schriften i 489.
mit der andern vergleicht Lehfeld aao. 401 Wolfram l. 9, 32 und
Steinmar MSH ii 157. Strauch QF 14, 150. Partonop. 5444.
Marner vi 15 f. ich verweise noch auf Simrock Sprichw. 852.
ferner auf das md. ged. Die minneburg v. 1628 ff *ich möchte
bafs durchlüchen (: sprüchen) ainen grossen marmelstain mit ainem
syden faden clain, wan jr gnad erwerben.* AvHalberstadt xxxii 254
jd mohte man gewegen é einen berc dan dinen muot. Neifen 34, 26
ir brechent Botenlouben é die steinwant. HFressant GA ii 35, 1 ff.
ii 38, 280. oftmals finden sich ähnliche bilder für den ausdruck
der erfolglosigkeit, Wolfram Parz. 1, 26 ff *wer roufet mich dd nie
kein hár gewuohs, inne an miner hant?* Walther 124, 16 *als in
daz mer ein slac.* vgl. ferner Gryphius Verl. gespenst (Tittmann 103) *il parle von so tollen sachen, 's möchte une pierre
darum lachen.* Günther (5 aufl., Frkf. und Lpz. 1733, s. 219)
*diefs sol man wol nicht eher hören, als bis die bäum' am himmel
stehn.* Lohenstein Cleopatra 1661 i 60 ff *wer auf des keisers
gütte den trosi der wolfarth baut, baut pfeiler in die see sucht bey
der natter gunst, und flammen in dem schnee* (Goethe Faust ii 27
will den frost erwarmen. dazu Löper). PFleming (Lappenberg
i 408 f oden v 17 v. 37 — 42. 49 — 54 und i 403). — *sunder
wdfen bin ich sére wunt* Sahsendorf (MSH i 300ᵃ). *der wirt dne
wdfin resclagin* MSD 49, 3, 3. Heinzel Erinn. 922. — zu dem
vergleiche der treue mit dem winde (136, 9) erwähne ich den
unechten Walther 122, 26 f *daz si zem winde bi der stæte sin
gezalt.* — die zahlreichsten bilder nimmt Morungen von sonne
und mond; schon in der bibel heifst es Cant. cant. 6, 9 *quae
est ista, quae progreditur quasi aurora consurgens, pulchra ut
luna, electa ut sol?* im minnesang ähnliches zuerst bei Dietmar
40, 23 *sist schœne alsam der sunnen schín.* Carm. bur. 141, 6
*tui lucent oculi sicut solis radii, sicut splendor fulguris, qui lucem
donat tenebris.* solche vergleiche bleiben lange modern; es liefsen
sich unzählige stellen anführen. nicht nur die sonne im allgemeinen wird erwähnt und der sonnenschein, sondern auch die
morgensonne (zb. Morungen 134, 37. Carm. bur. 143, 1. 147, 4.
Hobeavels i 206ᵃ. Brennenberg i 336ᵃ. Frauend. 519, 27. Wildonie i 348ᵇ [Kummer S, 1]. Tristan 311 ff. Reinbot 4750 ff).
ferner die sonne im mittag (MSF 135, 1), die abendsonne (MSH
ii 288ᵇ), die sonne im mai (MSF 123, 1 ff. MSH i 336ᵃ. Frauend.
513, 25), im sommer (MSH i 357ᵇ). — s. 204 *adamas* zuerst im
minnesang von Morungen verwendet. seinem ausdrucke nahe
steht AHeinr. 62. vgl. Frauend. 105, 18 (Knorr QF 9, 84). MSH
i 304ᵇ und OZingerle zu FrSonnenburg m 6 (s. 97 f). — auch
der mond erfreut sich grofser beliebtheit. schon Fenis 84, 8 *min
lachen stát si bi sunnen der mâne* und Veldegge 65, 4 *ich hân
alld minne begunnen dá mine minne schinen mir danne der mâne
schíne bi der sunnen.* vgl. KvHamle MSH i 112ᵇ *rehte alsam*

der liehte måne in den sternen dicke swebet, dem ståt wol gelich diu reine. ähnlich Nib. 282, 1 *sam der liehte måne vor den sternen ståt, der schin so lůterliche ab den wolken gåt, dem stuont sie nu geliche vor andern frouwen guot.* 700, 1 *sihestu wie er ståt, wie rehte hérliche er vor den* recken *gåt, sam der liehte måne vor den sternen* tuot (MSH II 145ᵇ. 1 163ᵇ). — schliefslich erwähne ich noch die sterne: Carm. bur. 50, 6 *vidi stellam splendidam cunctis clariorem.* 43, 1 *eius vultus, forma, cultus pre puellis, ut sol stellis sic praelucet.* damit vgl. Trostberg n 71ᵇ *dó begunde ich érst ir gůete schouwen, wie si vůr ir* [der frauen] *aller schœne brach sam der morgensterne liehte ůz vil sternen.* Minneburg 1902 *si liuhtet als der morgenstern, der vor dem tag ůfbrichet und då diu sunne ůfstichet.* AvHalberstadt xvi 55 ſſ *ir minneclicher schóne lip was vur alle ander wip mit schónde also verne, als der tagesterne vur allem gestirne gåt so in daz trůebe wolken låt. dem můezen geliche alle sterren wlche: alsus schein ir schóne.* MSH 1 76ᵇ. 66ᵇ. OZingerle Sonnenburg IV 144 f. von Maria MSH II 181ᵃ. 70ᵇ. — s. 207 f. der ausspruch PVidals, in ihr verfeinere sich die schönheit, wie das gold in der glühenden kole, ist zwar nicht von Morungen, aber sonst häufig widerholt worden; noch bei Gryphius heifst es (Leo Armenius 1663 s. 64. IV 4 v. 357) *gold wird durch glutt, ein huld durch angst und ach bewehrt!* vgl. Epigrammata nr LVI (1663 s. 11) so *wird das schöne gold durch heifse glutt bewehrt.* — auch der s. 208 f behandelte witz *hete ich nåch* gote *ie halp so vil gerungen* usw. findet sich nicht selten. Lehfeld aao. 400 f vergleicht Hausen 51, 21. ich verweise noch auf Frauend. 406, 25 *got si mir als ich ir si.* ferner auf Titurel 226, 3 '*got si mir als ich dir', so sprach der werde: 'so wœre ich frî vor nœte durch elliu lant.*' ein čechisches volkslied, das ich aber nur vom singen hören kenne, lautet:

Když Tě vidím má panenka
V tom kostele klečeti,
Nemohu se k Bohu modlit'
Musím na Tě hleděti.

  Kdybych Boha tak miloval
Jako miluji Tebe
Byl bych dåvno za svatého
Jako andělé z nebe.

deutsch etwa: wenn ich dich, mein mädchen, sehe in dem kirchlein knieen dort, kann zu gott ich nimmer beten, muss nach dir sehn immerfort. wenn ich gott doch je geliebt hätt, innig, mädchen, so wie dich, wäre wie des himmels engel längst ein heiliger auch ich. — die *helle* wird schon von Johansdorf 87, 35 zu einem bilde verwertet, ferner von Walther 74, 6. vgl. RvRotenburg MSH 1 83ᵇ. — s. 210. auffallend ist dass Michel den aufsatz Bartschens Germ. III 304 f ganz übersehen zu haben scheint, in welchem das original zu Morungens liede 145, 1—32 nach-

gewiesen ist. das anonyme provenzalische gedicht bietet nicht
nur die entsprechung für *sinen schaten : sa ombra*, sondern auch
für *in einem brunnen : dedins lo pots cler*, wodurch die höchst
gezwungene erklärung Michels unnötig wird. zugleich erledigen
sich die stellen s. 221. 255 und 251. denn auch *mirst geschehen
als eime kindeline, daz sin schœnez bilde in eime glase gesach* usw.
ist bloß übersetzung von *aissi m'ave cum al enfan petil que dins
l'espelh esgarda son vizatge* usw. das gedicht gibt uns auch gelegenheit zu sehen, wie frei sich Morungen, bei aller abhängigkeit,
zu der quelle verhält; er ändert das versmaß, verkehrt die reimstellung, lässt strophen fort, und ist auch im einzelnen durchaus
nicht sclavisch: nicht der zusatz v. 3 *ei tast ades e tan l'a es-
salhit*, sondern die reizendere erklärung des kindlichen vorgangs:
unde greif dar nâch sin selbes schine; auch *per son folatge* v. 4
bleibt fort, wie v. 5 das weinen. ganz verändert ist der abgesang der ersten strophe. merkwürdiger weise wird auch der
name des kindes, welchen die vorlage bietet, nicht genannt. —
für die grabschrift 129, 36 wurde bisher noch kein original nachgewiesen. in der Minneburg 2528 ff heißt es: *da von was all
min frôde gra in miner jugent worden, ich bin im siechen orden.
ist si nun gar erstorben, das han ich, frow, erworben an dir vnd
wil ez gern haben. nun wil ich sie zu mal begraben, dar zu du
werde frowe min vnd schrib daz epithaphium: 'hie lit tot diu
minne vnd von getriuwen sinne mins dieners frôde selge.'* —
s. 216 ff über das 'eindringen der liebe in sein herz': schon
Reinmar und Walther wie Morungen *dur diu ougen*, dann oft,
vgl. OZingerle zu Sonnenburg ı 25 ff. Wilmanns zu Walther
25, 19. 74, 11. ferner Frauend. 512, 21. MSH ıı 182ᵇ. ı 318ᵃ.
ı 344ᵇ. 354ᵃ. das tor des herzens wird erwähnt von Ulrich
Frauend. 152, 3 ff. Landegge MSH ı 350ᵇ. vgl. Parz. 433, 1 ff.
Albrecht im Titurel 3964. 3965 und Grimm Frau aventiure. —
s. 220. der vergleich 131, 7 f *siner trehenen wart ich nat und
erkuolte iedoch daz herze min* ist sehr eigenartig; erwähnen möchte
ich Kudrun 125, 4 (und Martin zu dieser stelle), Gregorius 3311
der ougen flôz regens wis ir wdt begôz. ähnlich Parz. 440, 16.
Goethe schreibt an die Stein ı 8 über die herzogin *Luise war
gestern lieb. groſser gott ich begreife nur nicht, was ihr herz so
zusammenzieht. ich sah ihr in die seele, und doch wenn ich nicht
so warm für sie wäre, sie hätte mich erkältet* (vgl. Wahlverwandt-
schaften. Hempel 15, 218). — spiegel als bild auch sonst. schon
Reinmar 168, 12 *miner wunnen spiegel derst verlorn.* der ausdruck stammt aus dem lat. Carm. bur. 50, 12 *cunctis speculum
eras et fenestra.* 163, 3 *sed iam postulo, quod sis facilis virgo,
seculo tam amabilis, soli oculis comparabilis, que pro speculo servis
populo spectabilis.* vgl. Heinzel zu HvMelk Priesterl. 127 *(ir sit
lâien spigelglas).* Strauch QF 14, 178. OZingerle aao. ıv 139.
Pudmenzky über Wirnts ausdrucksweise s. 11. ferner Parz.

692, 13. MSH i 14ᵃ. 32ᵇ. 79ᵇ. 360ᵇ. ii 126ᵇ. 355ᵇ. Frauend.
520, 9. 521, 25. Trist. 1905. — *begraben golt* ist sprichwörtlich,
vgl. Strauch QF 14, 172 (Marner xv 52). Freid. xcix. MSF 19, 19
kommt gold als vergleich noch vor bei Rietenburg. — s. 221.
wunderbar ist die vorstellung dass die *sele* auch im jenseits um
die *sele* der frau werben werde (147, 10); dies folgt aus der
mittelalterlichen anschauung dass die seele liebt: in der Minneburg fragt das *kint* (d. i. die liebe) den *meister*, wo es wohne,
und er antwortet, es wohne nicht im herzen und im leibe (709 ff):
wár dan din leben in hertz in liben, so *mochtest du nit ewig
pliben: din edel wesen das ist gantz mit vernunfft in der sele
glantz. lib vnd herz das minnet nicht, es ist ain fleisch als man
wol sicht, vnd hat vernunfft nirgen kain. es mynnet nit dan diu
sele rain, davon wonestu mit ganzer zunfft in der sele mit vernunfft.* das bild, wie es Morungen verwendet, findet sich bei
seinem nachahmer KvLuppin MSH ii 20ᵃ: *wan seit, in himelriche
si vröuden vil, swes den man lüste, diu vröude si im nd. durch
ir willen ich dar komen wil, wirt si mir niht hie, seht, sô wirt
si mir dd. môhte ab mir ir hulde werden, ich belibe úf der erden
alhie, got lieze ich dort die werden.* ebenso in dem gedichte
Frauenlist GA ii 26, 329 ff: *ich trage iu immer holden muot,
vrouwe hér, swie ir mir tuot; in dem muot ich sterben wil, es ist
mir ein wunnenspil, ob durch iuwern willen iht ungemaches mir
geschiht; ze trôste hân ich iuch erkorn, ich bin ze dienest iu geborn immer al die wîle ich hân von got daz leben, und swen ich
dan sterbe, sô sol diu sele mîn iu undertân mit dienste sîn in
jener werlt, als hie der lip.* erinnern möchte ich an einen ähnlichen zug in einem (pseudo?)Tibullischen gedichte, wo nur die vorstellung von der seelenwanderung hinzukommt: iv 1, 201 ff *quod
tibi si versus noster, totusve, minusve, vel bene sit notus, summo
vel inhaereat ore, nulla mihi statuent finem te fata canendi. quin
etiam mea cum tumulus contexerit ossa, seu matura dies celerem
properat mihi mortem, longa manet seu vita, tamen, mutata figura
seu me finget equum rigidos percurrere campos doctum seu tardi
pecoris sim gloria taurus sive ego per liquidum volucris vehar
aera pennis, quandocumque hominem me longa receperit aetas, in-
ceptis de te subtexam carmina chartis.* — Michel hat nicht alle
bilder Morungens aufgeführt und sogar characteristische übersehen. über 131, 23 *und in doch als einen bal mit ir bœsen
worten umbe slânt* ist schon im MSF gehandelt vgl. Zingerle Das
d. kinderspiel im ma., Wiener sitzungsber. lvii 149. dem rechts-
leben ist entnommen 137, 28 *die schulde rich* (vgl. 126, 13).
ähnlich RvRotenburg MSH i 89ᵃ *owé wes hât sich diu liebe an
mir gerochen . . . si hât mit ir schœne hôhe mich gepfendet.*
MSF 53, 23. 92, 13. 207, 28. Walther 40, 21. 73, 22. MSH
i 30ᵃ. auch 136, 37 *swer der frouwen hüetet, dem künd ich
den ban* gehört in diesen vorstellungskreis. ganz singulär ist

126, 15 *daz ich vor liebe muoz zergèn*: vergleichen lässt sich kaum Toggenburg MSH ɪ 22ᵇ *des zergât an fröuden gar mîn lîp* und Neifen 35, 25 *diu welt an fröiden wil zergân*: die freude zergeht (Frauend. 118, 8. 533, 22), das trauern (Frauend. 520, 6. 549, 28), das lob (Parz. 3, 10), der schmerz (Iw. 244), aber nicht der dichter selbst. Lessing im Nathan ɪ 2 (Hempel 3, 84) *ihr . . . könnt in entzückung über ihn [den engel] zerschmelzen.* Goethe Faust (12, 88) *und ich fühle mich in liebestraum zerfliefsen . . . der grofse Hans . . . läg, hingeschmolzen, ihr zu fü/sen.* Lenz in Wagners übersetzung von Merciers Neuem versuch bei ESchmidt Wagner¹ s. 77 über Goethes Prometheus: *sein von ihm nach seinem ebenbild geformtes mädchen schmelzt uns in mitleid und liebe dahin.* häufiger ist das bild 144, 31 ff vgl. MSH ɪ 295ᵇ. — auch das capitel Personification ist im § 18a nicht ganz abgehandelt. einzelnen körperteilen werden menschliche handlungen zugeschrieben, das *herze* lacht (cf. Trist. 4680), der mund stielt und die augen rauben aus (130, 28) und verwunden (140, 18). zu erwähnen wären noch gewesen ausdrücke wie 136, 8 *daz was der ougen wünne, des herzen tôt*; 129, 33 *diu liebe und diu leide die wellen mich beide fürdern hin ze grabe* (cf. Mai 122, 16), dann verblasstere personificationen wie 122, 3 *sô daz ir lop in dem rîche umbegèt.* 133, 5 ff *sist mit tugenden und mit werdekeit . . . behuot vor aller slahte unfröuwelicher tât.* 132, 30 *sô stuont ir daz herze hô* (vgl. ESchmidt aao. 110). 134, 28 *dèst ein nôt diech niemer überwinde.* 140, 27 *des muoz ich ringen mit der klage unde mit der nôt, diech selbe mir geschaffet hân* (cf. Walther 78, 20. 58, 24. pseudoWalther 123, 23). 136, 1 *owê war umbe volg ich tumbem wâne, der mich sô sère leitet in die nôt.*

In dem schlusscapitel werden nochmals die 'religiösen und historischen beziehungen' besprochen, wobei sich — wie freilich im ganzen buche — widerholungen zahlreich finden; im § 25 speciell 'gott als quelle für die vorzüge der geliebten'. Diez Poesie s. 161 hat einiges zusammengestellt, dann ESchmidt QF 4, 87. vgl. Benecke zu Iw. 44. 1334 und bes. 6915. Guiraudet der rote sagt 'gott gab sich alle mühe, als er erschuf den liebevollen leib.' und schon DvAist 36, 28: *der uns alle werden hiez, wie lützel der an ir vergaz.* Lehfeld aao. 387 möchte dies lied Reinmarn zuweisen, unter dessen namen es in B erscheint, und glaubt, Hausen habe diese phrase in den deutschen minnegesang eingeführt, doch sagt schon Wernher im Marienleben von Maria *an die got sînen vlîz leit.* von Hausen kommen in betracht die stellen 44, 22. 31. 49, 37 (Iw. 1020 ff). Reinmar 154, 23. Walther 53, 35. 45, 25. vgl. Lachmann zur stelle. im Titurel 107 (104), 2 heifst es *daz got selbe, und des kunst, mit willen ir clârheit geschuofen.* Frauend. 507, 6 *got hât mit wunsche sinen vlîz an ir vil werden lîp geleit.* 353, 15. 426, 16. Iw. 27. Parz.

749, 17 Jupiter *hât sînen vliz geleit an dich* (123, 13). ich erwähne noch MSH ɪ 33ᵇ. 64ᵇ. 154ᵃ. 294ᵇ. 295ᵃ. 296ᵃ. 327ᵃ. 340ᵃ.
ɪɪ 65ᵇ. 72ᵃ. 168ᵇ. 183ᵇ. AvHalberstadt xvɪ 52. HvKonstanz Minnel.
639 ff. 664. Carm. bur. 132, 1 *neque traxit cura insignitae virginis, in cuius figura laboravit deitas et mater natura* (vgl. cxcvɪɪ 1).
ähnlich auch im deutschen von der natur MSH ɪ 79ᵇ *alsô hât
der natûre vliz gemachet ir wengel var* usw. (vgl. ɪ 349ᵃ). Carm.
bur. 142, 1 *quam natura prae ceteris mira praeflorat* arte (vgl.
40, 2). Parz. 646, 3 *sorge hât ûf mich geleit ir vliz*. Steinmar
ɪɪ 155ᵃ. beliebt sind auch phrasen wie ɪɪ 74ᵃ *wer gap iu sô
schœnen lîp, daz er iu niht gap güete mê*. vgl. Mätzner aao. 205.
fast all das wird nun auch von Maria berichtet, zb. MSH ɪ 68ᵇ.
69ᵃ. ɪɪ 134ᵇ. 135ᵃ. 184ᵃ. — nahe lag auch die geliebte als bild-
werk aufzufassen und gott als den künstler, Morungen 141, 10.
vgl. Walther 45, 25 *er solte iemer bilde giezen, der daz selbe bilde
gôz* (vgl. Wilmanns zu 39, 29). ferner MSH ɪ 64ᵃ. 95ᵃ. 206ᵇ.
342ᵇ. 344ᵇ. 351ᵃ. ɪɪ 131ᵃ. 133ᵃ. 183ᵃ. eine andere bedeutung
ɪ 208ᵇ *nu hâstû doch mannes bilde, wie ist dir mannes muot sô
wilde* (dh. du bist mann, wie ähnlich *gelîch* verwendet wird).
auch etwas unserem ausdrucke 'bild ohne gnaden' entsprechendes
findet sich ɪɪ 262ᵃ. von Maria dieselben bilder ɪ 69ᵃ. 70ᵃ (vgl.
noch Novalis HvOfterdingen ɪ teil cap. 2). — § 27 (s. 241) ist
ganz unnötig. — s. 260—266 sind dem liede 122, 1—123, 9
gewidmet. Michel fasst es 'als eine leistungsprobe des angehen-
den dichters', eine art meisterstück mit dem gegebenen thema
'preis der geliebten' (er müste eher sagen: 'an die zukünftige geliebte'). es erscheint ihm dies gedicht abweichend von Morungens
sonstiger weise, wie von den troubadours. das erstere läugne
ich und Michel kommt mit sich selbst in widerspruch, wie er
auch im einzelnen bald von nur theoretischer frauenverehrung,
bald von wahrer empfindung spricht. das lied zeigt die Morungen
eigentümliche responsion (über sie an anderem orte) im baue
der strophen und im inhalt, eine reihe von bildern, die sich auch
sonst bei ihm finden und mehrere stilistische eigentümlichkeiten.
es ist ein preislied auf die dame, welche, wie die welt vom
mondlichte, von güte umfangen, ja die krone aller frauen ist.
[viele frauen zürnen dass er keine von ihnen ausgenommen
habe, da er die seine zur krone aller anderen setzte. er beschreibt sie kurz,] er wünscht, gott möge sie ihm noch recht
lange am leben erhalten: wider eine kurze beschreibung. er
verspricht sie immer zu preisen. ihre guten eigenschaften sind
der sonne gleich, die im mai die trüben wolken licht färbt.
sie überstrahlt *wîp unde frouwen*, die besten in ganz Deutschland.
fern und nah ist sie die beste. die zweite strophe, deren inhalt
in [ ] steht 122, 10, bezieht sich auf 122, 9 und 123, 6 f und
bezeichnet eine würkung der anderen beiden strophen. dies
scheint darauf hinzudeuten dass sie ursprünglich nicht an dieser

stelle gestanden, überhaupt nicht zum liede gehört habe, sondern eine spätere zusatz- und rechtfertigungsstrophe sei, die am
rande nachgetragen und dann falsch eingereiht wurde; es schwin-
det dann das auffallende der doppelten beschreibung und das
gedicht wird dreistrophig. überdies ist die überlieferung in dieser
strophe schlechter: v. 14 und 16 muss gegen alle hss. (BCC')
geändert werden. noch eine andere schwierigkeit hilft diese erklärung wegschaffen. bekanntlich existieren zwei auffassungen
des metrischen baues. Pfaff Zs. 18, 44 ff sieht darin einen an-
satz zur romanischen silbenzählung mit vernachlässigung des wortaccentes, während Paul (Beitr. II 546 f) am dactylischen verse
festhält und nur annimmt, die zwei letzten verse jeder strophe
müsten in éinen zusammengezogen werden. Michel billigt den
ersten teil, liest also alle verse als 4 bebige dactylen mit ausnahme der letzten beiden, die er so auffasst

$$\acute{\iota} \smile \smile \acute{\iota}$$
$$\smile \acute{\iota} \smile \acute{\iota} \smile \acute{\iota} \smile.$$

ich stimme Paul bei und schlage eine ganz geringe änderung vor,
v. 8 f zu lesen: *dés man jé't, aller wlbe ein króne,* wie es 144, 26 f
heißt *ich mac wol von schulden sprechen, ganzer triuwe ein
adamas.* der hiatus stört nicht, da er auch 130, 22 *triuwe
und,* 131, 30 *sange ir,* 143, 20 *liebe ein,* 21 *huote alsô* steht. in
strophe 3 und 4 lauten dann die schlusszeilen wie Paul vorschlägt: *sénfte unde lós; dar umbe ich si noch príse* und
vérre unde nâ'r sost siz dîu baz erkánde. nun bleibt noch
strophe 2. bei ihr müssen wir in jedem falle v. 17 ändern, da
auftact nicht stehen darf, also *gbiutet* oder *biutet,* dann ist überhaupt schlechte überlieferung zu constatieren, welche bei einer
zusatzstrophe nichts wunderbares an sich hat. — ein zweiter
excurs bei Michel s. 267 — 272 beschäftigt sich mit dem liede
136, 25 — 137, 9, welches einem gedichte des grafen von Poitou
(Bartsch Chrest. prov. 29, 38 ff) nachgeahmt sein soll. der nachweis scheint mir nicht gelungen, vor allem die metrische erklärung ganz zu verwerfen. ähnlichkeit in der polemik gegen
die *huote* ist vorhanden, aber nicht so grofs, dass directe beeinflussung angenommen werden müste. störend würkt hier, wie
durch das ganze buch der ermüdende, breite ton und der oft
recht unbeholfene ausdruck, so s. 34. 240. 262.

Die dritte ausführliche arbeit über Heinrich von Morungen hat
Emil Gottschau geliefert und mit einem anhange über die drei
perioden des minnesangs vor Walther von der Vogelweide versehen. sie erschien in Paul-Braunes Beitr. VII 335 — 430 und betrifft 1) heimat und zeit. 2) die überlieferung der lieder. 3) dialect.
4) metrisches. 5) echtheit der lieder. 6) Morungens stellung innerhalb der lyrik des 12 jhs. da aber dem plane des Anz. nach aufsätze, welche in zss. stehen, nicht besprochen werden, so begnüge ich mich mit der anführung des inhalts und behalte mir

vor, in einer eigenen abhandlung über Morungen näher auf ihn einzugehen.

Zum schlusse gedenke ich eines 1875 'als manuscript gedruckten' heftes Heinrich von Morungen aus dem mittelhochdeutschen metrisch übertragen von O. W[omatschka] (o. o. u. j. druck von EFrommann in Jena. 33 ss. 8°), in welchem der mislungene versuch gemacht ist, die lieder zu einem liebesromane zu ordnen, ohne rücksicht auf die hsl. überlieferung.

Graz, juli 1880.   RICHARD MARIA WERNER.

Die poetischen erzählungen des Herrand von Wildonie und die kleinen inner-österreichischen minnesänger. herausgegeben von dr KARL FERD. KUMMER. Wien, Hölder, 1880. XIV und 228 ss. 8°. — 5,60 m.*

Bereits Bergmann hat in den Wiener jahrbüchern für litteratur bd. 95 und 96 (Anzeigeblatt) die poetischen erzählungen Herrands vWildonie vollständig veröffentlicht; und wenn er seinen text auch über gebür nach dem mhd. der blütezeit normalisierte, so muss derselbe doch immer noch als 'lesbar' bezeichnet werden. aber Bergmanns publication ist nunmehr schwer zu erlangen, und darum glaubte Kummer, eine neue ausgabe dürfte nicht unwillkommen sein. man kann das unternehmen gewis nur gut heißen, um so mehr als der verfasser vorliegenden buches auch die 'vier kleinen innerösterreichischen minnesinger' (Wildonie, Sounecke, Scharphenberc und Stadecke) in den rahmen seiner arbeit gezogen hat, wodurch ein hübsch abgeschlossenes bild geboten wird, das überdies durch die betrachtung der gesammten lyrischen poesie des mittelalterlichen Österreichs eine passende folie erhält.

Dem heute herschenden brauche, editionen eine eingehende einleitung voraus und anmerkungen nachzuschicken, ist auch K. gefolgt. erstere umfasst 126 seiten, letztere füllen deren 33.

Ich wende mich zu jener, zunächst soweit sie die erzählungen Herrands behandelt. diese sind bekanntlich nur in der Ambraser hs. überliefert, umgeschrieben in die sprache des beginnenden 16 jhs. es ist nicht auffällig dass sich hiebei doch zu verschiedenen malen die schreibweise der vorlage oder des originals erhalten hat, worauf K. in dem capitel: 'die schreibweise der handschrift' (s. 2 ff) unter heranziehung von mancherlei beispielen aufmerksam macht; eine sichere scheidung ist aber nicht durchweg möglich — wir kennen ja das verhältnis von original und vorlage gar nicht —, und dann lässt sich auch nicht für

[* vgl. Beilage zur Wiener abendpost 1880 nr 131 (ASchönbach). — Litteraturbl. für germ. und rom. philologie 1880 nr 9 (WWilmanns). — Zs. f. d. ph. 12, 250 (KKinzel).]

jeden fall bestimmen, ob eine von der gewöhnlichen schreibung abweichende form auf die alte fassung zurückzuführen sei, da die schreibweise der kais. kanzlei nicht ganz uniform war. es ist das auch begreiflich, wenn man bedenkt, wie verschiedene persönlichkeiten dort beschäftigt waren, von denen nicht jede ihre erste praxis in derselben durchgemacht hatte, sondern welche z. t. in Sigismunds diensten ergraut waren und daher veraltetes im stile nicht mehr völlig abzuschütteln vermochten. nur weniges möge hervorgehoben werden. K. führt stellen an, wo *i* bewahrt ist; sporadisch finden wir das aber auch in den acten der hofkanzlei. dagegen ist erwähnenswert dass weder diese noch der Theuerdank, so viel mir bekannt ist, -*leich* für -*lich* aufweisen, während ersteres in der Ambraser hs. überwiegt. K. bemerkt ferner, *sch* sei noch nicht durchgeführt, was doch gar nicht auffallend ist, denn die urkunden und erlasse Maximilians haben ebenso in der regel *s* bewahrt (aus dem Theuerdank könnte ich allerdings belege für *sch* bringen). diese zeigen ebenso vereinzelt das unflectierte pronom. poss. *ir*; *dhain* und *ze* ist gar nicht selten, wenngleich letzteres meist nur vor infinitiven gebraucht wird und die gewöhnliche form *zue, zu* lautet. prüft man die ganze lese so durch, dann bleibt schliefslich sehr wenig übrig, von dem man mit sicherheit behaupten kann, HRied habe es 'in seinen modernisierenden bestrebungen durch seine vorlage ab und zu irre gemacht' beibehalten. abgesehen von diesem wenigen können wir im allgemeinen nur vermuten, er habe jene formen, welche zu seiner zeit nicht hersehend aber doch noch üblich waren, aus der vorlage herübergenommen (wenn auch nicht consequent), dass also eine übereinstimmung der abschrift mit jener an solchen stellen wahrscheinlich ist.

Wünschenswert wäre gewesen, wenn der herausgeber alles, was man unter schreibweise begreift, zusammengestellt hätte. der nutzen ist ein zweifacher: 1) wird der variantenapparat, wo jedes *y* verzeichnet ist, auf das wesentliche beschränkt, dh. die rein graphischen abweichungen fallen fort, und 2) kann man dann mit leichtigkeit eine übersicht der schreibweise gewinnen. in unserem falle, wo die gedichte nur den kleinen teil einer grofsen und bekannten hs. ausmachen, ist der mangel einer derartigen zusammenstellung allerdings weniger fühlbar, zumal consequent durchgeführte schreibungen durch den beisatz 'immer' markiert sind; eine notierung derselben von fall zu fall ist dann aber überflüssig.

An die spitze der eigentlichen abhandlung über die gedichte Herrands ist die metrische analyse gestellt. es tut mir leid dass ich mich hierüber nicht so lobend äufsern kann wie über andere partien des buches. K. hätte sich besonders hier eine nochmalige durchprüfung nicht ersparen sollen, zumal er seine arbeit auf mehrere jahre ausdehnen und vielfach unterbrechen muste.

als ein hauptfehler ist es zu bezeichnen dass die untersuchung an
einem noch nicht endgiltig constituierten texte angestellt wurde,
in folge dessen die lesarten der citierten stellen häufig nicht mit
jenen des textes übereinstimmen, ja es muss eine reihe der für
einzelne erscheinungen beigebrachten belege, die leider auch meist
unvollständig sind, ganz gestrichen werden. zuweilen stofsen
auch irrtümer auf und ein zu ängstlicher anschluss an die überlieferung nötigte nicht selten zu harten betonungen. K. scheint
mir besonders im beibehalten der apocopen usw., die bekanntlich in späteren hss. in reichlichstem mafse auftreten, zu weit
gegangen zu sein.

Reim. aus der sammlung der ungenauen reime ergibt sich
dass Herrand dieselben gerade nicht meidet: etwa 100 fälle sind
für 805 verspare eine hohe zahl; ja einige male folgen die
reimungenauigkeiten fast unmittelbar hinter einander (zb. 1, 97 ff).
im ganzen ist aber das zahlenverhältnis für die einzelnen erzählungen dasselbe, so dass sie zur bestimmung der zeitlichen folge
der dichtungen nichts beitragen. zu corrigieren ist in dem verzeichnis bei *gdch : sach* 113 in 213; *man : getdn* (1,) 235 in 2, 235;
gdz : daz in. *g. : waz*; 3, 291 nicht *gdn : man* sondern *man : gdn*
(K. scheidet sonst, ob der kurze oder lange vócal vorausgeht),
ebenso 4, 79 nicht *hdt : stat* sondern *stat : hdt.*

Kürzungen im reim. hier entfällt 3, 557 *got* (dat.) : *bot*
(subst.) und 3, 601 *het : stet* (dat.).

Der reim *ir : (sch)ier* (2, 185) kann nicht als arge ungenauigkeit bezeichnet werden: er ist mit *ih : ieh*, das bei Herrand
auch ein par mal vorkommt, auf gleiche stufe zu stellen und wird
wie jener bei bairischen dichtern häufig angetroffen (s. Weinhold
Mhd. gr. § 112. BG § 90).

Hebung und senkung. zusammenstofs zweier
hebungen in demselben worte. *billich* 3, 457 *(in allen
und düht in billich)* ist zu streichen. 2, 17 schreibt hier K. *hér
Uolrích*, dagegen im text *Her Uolr.* 3, 182 nicht *herbérge* sondern
hérberge (gén der herberge hin). der artikel erhält den ton wol
nicht 3, 109 *dén lantliuten* (l. *und hier den lántliuten).* auch
in den anderen noch herangezogenen versen ist die betonung
desselben nicht notwendig. im letzten beispiele l. *almuosens* für
almuosen. 'die vocalische senkung kann eingesetzt oder doch
als dem dichter noch fühlbar gedacht werden.' unter den vor-
geführten stellen erscheint sie im texte geschrieben 2, 189. 3, 71
und 3, 159, nicht aber 1, 67. 1, 113. 1, 174 und 2, 2. warum
hier nicht?

Einsilbige wörter für die erste hebung und senkung. mit recht hat Kummer in mehreren versen durch leichte
änderungen den regelmäfsigen rhythmus hergestellt. anderswo
hilft versetzte betonung und so bleibt nur 2, 151 *(dorn, nezzel,
manic ast)* übrig, wo erste und zweite hebung zusammenstofsen.

dabei ist aber nicht so sehr 'das gewicht des wortes und der absatz des stimmtones' zu beachten, als vielmehr der vocalische
nachklang des *r*, der in hss. auch oft bezeichnet wird: *doren,
zoren, koren, geren* (für *gern*) usw.

Zwischen zweiter und dritter hebung fehlt die senkung. 3, 51 *ndch phinxten der keiser gie* muss getilgt werden
(text: *phingesten*). abweichungen im wortlaute der citierten stellen
vom texte fallen auf: 3, 154 *dó* für *dd*, 234 *dó vant er n. dd
vor* für *dd — dar vor*; ebenso 276 *dó* statt *dd*.

Das fehlen der senkung kann auch hier nicht selten durch
einschiebung eines e beseitigt werden, aber 2, 227 *bewaren* gehört nicht zu diesen stellen, denn im text finden wir für das
sinnlose *bewaren* die richtige emendation *bewæren*. anderswo will
K. das zusammentreffen zweier hebungen durch betonung des
pronomens beseitigen, doch scheint mir dies nicht überall am
platze zu sein: so 1, 24 nicht *diu was im liep áls sin li'p* sondern *diu was im liep áls sin lip*, auch 207 betone ich lieber *si
sprách: var hin, lieber knábe* (nach *hin* ist comma zu schreiben,
die stimme setzt ab); 2, 187 hätte K. selbst streichen sollen, da
er im text liest *si sprach: waz habet ir getán*; für 2, 317 und
3, 73 erinnere ich daran, was zu *dorn* bemerkt wurde. — 1, 231
fällt die hebung nicht auf den artikel: im text *daz wort im alse
ndhen gie.* bei den beispielen für fehlende senkung zwischen dritter und vierter hebung ist das citat 3, 197 in
192 zu corrigieren; 3, 573 l. *teidinc* für *tagedinc*; 3, 659. 1, 131
si für *si.*

Dass zwei oder mehr senkungen in einem verse
fehlen, braucht nicht angenommen zu werden. auszusetzen ist nur dass K. 3, 71 hier und im texte bei der herstellung der senkung einen verschiedenen weg einschlägt, *und
álliu míne arbeit* gegen *und alliu min arebeit*; 4, 287 muss anstatt *só' vert áber fürbaz* emendiert werden *só vért er áber für-
báz*: so steht auch richtig im text. — s. 11, zeile 7 von unten
lies 182 für 132.

Einsilbigkeit von hebung und senkung. elision
der lang- oder kurzsilbigen senkung auf die hebung.
2, 86 gibt nur *wer ich* sinn, nicht aber *wær ich*; 3, 73 betont
K. mit elision *únd solt ein arm ménsch dort wésen*: jedesfalls hart;
3, 409 kann *mín (ére)* unflectierter accus. sein; — 4, 40 l. nach
dem texte *ander* für *andre.*

Apocope. A. auf der hebung. 1, 209 *kom:from* kommt
nicht in betracht. 1, 86 *spart (:wart)*, 2, 233 *zwár (:hár)*, 4, 95
(trút:) lút wurden schon unter 'kürzungen im reim' angemerkt,
andere apocopen im reim erscheinen dagegen nur hier eingereiht. ich hätte alle diese beispiele dort gegeben und nun einfach auf 'kürzungen im reim' verwiesen. — 4, 76 *hóch swie* entfällt. — B. auf der senkung. 3, 73 *ein arm mensch* kann

auch unflectierte form des adjectivs sein. dass der herausgeber
mit den handschriftlichen apocopen gar zu conservativ umgeht,
wurde schon früher erwähnt.

Syncope. A. auf der hebung. 4, 239 *gewint mir* ist
zu streichen, da im text die emendation Heinzels *gunnet* angenommen ist. 3, 513 *du sihst wol* hätte auch fortbleiben können,
sonst müsten alle fälle, wo stummes e zu verschleifen ist, angeführt werden. daran ist aber gar nichts auffälliges. — B. auf
der senkung. 4, 89 *diu müg mir* wird wol nur aus versehen
unter die beispiele für syncope gekommen sein.

Enclisis, proclisis. bei den belegen für enclisis von
es ist 4, 231 *dd ers e* irrtümlich notiert: *ers* ist er *si*. nicht
immer, wo K. verschmelzung von *si* mit folgendem vocal annimmt,
ist dieselbe notwendig. *die si ir* findet sich nicht 2, 268 sondern
1, 268; 4, 271 steht nicht *zen* sondern *zem*; das citat 4, 117 bei
hie ziu ändere in 4, 171.

Krasis. die conjectur 2, 172 *nu sehet deich hie hdn* muss
als überflüssig bezeichnet werden; wenn auch K. das handschriftliche *seht* in *sehet* umschreibt, kann doch ohne anstofs *nu sehet
daz ich hie hd'n* gelesen werden. 4, 114 *mir ist liep deich iuch
ie gesach* entfällt: der text bietet *mirst liep daz ich.* 2, 200 l.
dd für *dd.*

Unter den versen, die mit auftact und hiatus zu lesen sind
(s. 16), begegnen wir auch 3, 284 *dd er den torwartel vant.* K.
betont (l. unter 'schwebender betonung' *den torwartel* für *der
tórwartel*) *dd ér dén torwártel vant*; warum nicht *dd er den tór-
wártel vant?*

Bei den beispielen für hiatus lies 3, 552 anstatt 522
(*sazte úf daz houbet sin*).

Schwebende betonung. 3, 321 (nicht 121) *der blôze
sprach: hérre friunt mîn*: vielleicht ist das in der anrede beliebte
her für *hérre* zu schreiben. 3, 613 *allén den die* muss beseitigt
werden (text: *al ende*).

Letzte senkung. 1. a) der übersicht und raumersparnis
halber wäre es gut gewesen, gleichartiges zusammenzustellen; K.
schreibt zb. 1, 241 *wandels frî . . . . . .* 4, 57 *wandels frî.* b) einsilbige gekürzte wörter gehen voran. unter *dar* stellt
der verfasser auch 1, 83 (*dar bî*) und 3, 234 (*dar vor*). bei
diesem *dar* ist aber bekanntlich kein e abgefallen. ebenso macht
er zwischen den verschiedenen pronominalformen *ir* keinen unterschied. 4, 197 steht nicht *mir* sondern *niht* in letzter senkung.
die beispiele für *unt* sind zu streichen, da im text überall *unde*
hergestellt ist. hier hätten auch die fälle, wo *mit, úf* der letzten
hebung voraufgeht, angeführt werden sollen. K. reiht sie unter
c) andere einsilbige, zum teil auch schwere worte
gehen voran ein. von störenden druckfehlern ist in letzterer
rubrik zu berichtigen: .4, 74. 118 *mich* für *iuch*, 76 *iuch* für

mich. d) *m* als endung des dativs vor *m* nirgends; doch citiert K. selbst 2, 235 *ûz dem man.* die unterabteilung *m* vor anderen consonanten ist wol an den falschen platz geraten. e) zweisilbige senkungen. l. bei *waere beliben* 3, 141 für 131. f) gekürzte formen. als beispiel von dem abfall der flexion bei vorausgehender liquida bei substantiv und adjectiv wird 1, 117 *dester baz* angegeben. unter den anderen notierten kürzungen sind nicht alle 'auffallend' und manche beispiele nicht zutreffend. — 2) die letzte hebung lautet vocalisch an: a) liquiden gehen vorher. hieher hat sich auch der klingende reim 3, 87 er *al eine* verirrt. — b) andere consonanten: *crónicd da ez an* 3, 4 entfällt (text: *dar an*); für 1, 151 l. 2, 151.

Auftact. von den citaten für leichtere fälle ist auszuscheiden: 3, 250 *wider zûo (der),* denn im text steht *wider zer;* 4, 239 *nu gewint* (text: *nu gunnet).* statt 177 l. 247. für schwere fälle: 1, 62 *sines libes sines guotes* (text: *sins);* 3, 386 *der dan wâltet hie der éren mîn* (text fehlt *dan).*

Übereinstimmung metrischer und einzelner sprachlicher erscheinungen veranlassen K., wie vor ihm schon Hagen, Bergmann und Weinhold angenommen, den dichter der erzählungen und den der in der Pariser hs. unter dem namen Wildon überlieferten lieder für identisch zu halten (s. 20). auf die zeit des ersteren führt auch das zeugnis des HvTrimberg im Renner, der die dichternamen daselbst, wie K. nachweist, im wesentlichen ebronologisch geordnet hat. ob der von Brunecke, welcher auch aufgezählt wird, mit dem Brunecker des FvSonnenburg eins sei, lässt sich nicht entscheiden. ohne weiteres möchte ich auch letzteren nicht für das Bruneck im Pustertale in anspruch nehmen. die vage namenbezeichnung setzt notwendig voraus dass der betreffende eine bekannte persönlichkeit war, über die der zuhörer oder leser nicht im zweifel sein konnte. wüsten wir etwas von dem manne, der damals auf der burg des Brixner bischofs zu Bruneck safs, und wüsten wir, wo FvSonnenburg sein gedicht verfasste, dann wäre die lösung des rätsels erleichtert.

Der folgende abschnitt (s. 21—34) ist der chronologie der erzählungen gewidmet. wie so häufig konnten auch hier nur bescheidene resultate erzielt werden. nach versbau und sprache kann nur Herrand u, urkundlich nachweisbar 1248—1278, der verfasser sein. sehen wir von den minneliedern, die wol in die erste zeit der dichterischen tätigkeit gehören, ab, so gelangt K. auf grund seiner untersuchung zu folgender reihenfolge:

1. Diu getriu kone, nicht vor 1257, Ulrichs vLiechtenstein Frauenbuch.

2. Der verkêrte wirt, nicht nach 1275, Ulrichs vLiechtenstein tod.

3. Der blôze keiser, etwa 1259/60.

4. Von der katzen, zwischen 1269 und 1271.

Auf die datierung von 3 und 4 führten politische anspielungen. 3 weist zudem der eingang in frühere zeit, in die zeit
des minnedienstes, nur geht das nicht so sehr aus v. 8 *(dô bat
ein frouwe minneclîch)* hervor als aus v. 16 ff: *het ich ze tihten
wîsen muot, dâ diende ir gerne mit mîn lîp, sô liep ist mir daz
selbe wîp.* auf die bescheidene äuserung v. 16 an sich halte ich
nicht viel: die führen auch ergraute dichter nicht selten im
munde, so dass man von ihr aus nicht immer auf einen anfänger
schliefsen darf. die bestimmung für 2 ergibt sich aus v. 12, womit v. 18 *der ie in ritters êren schein* gar nicht im widerspruch
steht. Herrand hatte die zeit bis zur abfassung des gedichtes,
also die vergangenheit, im auge und darum braucht das präteritum nicht mit reimnot entschuldigt zu werden. stünde *ie* nicht,
dann wäre das bedenken gerechtfertigter.

Ich vermisse dass K. bei erledigung der frage nach der entstehungszeit nicht auf das gegenseitige wertverhältnis der dichtungen hinsichtlich versbau, reim, diction, ob etwa eine mit der
anderen in sprache und darstellung nähere verwandtschaft zeige
usw., rücksicht genommen hat. bei der spärlichkeit der sonstigen
anhaltpuncte wäre eine solche betrachtung, wie ich glaube, nur
förderlich gewesen.

Die stoffe, welche Herrand behandelt, haben bereits früher
deutsche bearbeiter gefunden. K. bespricht ausführlich das verhältnis unserer erzählungen zu jenen der vorgänger (s. 34—43),
er weist nach dass H. sowol Das auge von einem unbekannten
dichter (GA xii) als auch Strickers König im bade und Freier
kater gekannt und benützt habe. manche der parallelen, welche
zum beweise beigebracht werden, hätte ich aber lieber bei seite
gelassen. K. geht zu weit, wie er meines erachtens auch den
einfluss Strickers und Liechtensteins (s. 44—50) zu hoch anschlägt. bei einer zweiten auflage muss der wortlaut der citate,
welcher oft vom texte abweicht, mit diesem in einklang gebracht
werden.

Den schluss der betrachtung von H.s erzählungen machen
bemerkungen über den wortschatz, der einerseits bekanntschaft
mit Iwein und Parzival erkennen lässt, andererseits eine reihe
heimatlicher dialectausdrücke enthält.

Eine recht hübsche übersicht des minnesangs in den österreichischen ländern mit specieller berücksichtigung Inneröster-
reichs führt zu Wildon als liederdichter sammt dessen genossen.
K. hat nicht blofs die bisherigen forschungen ausgebeutet, er
bringt auch eigenes bei. etwas zu viel gesagt scheint mir dass
Österreich die geburtsstätte des minnesangs sei; dass er sich
da zur schönsten blüte entwickelt habe, wird niemand läugnen.
ferne liegt auch die bemerkung zu HvMelk Erinner. 597—635,
wo ua. von *troutliet* (nicht *trôstliet!*) die rede ist. was berech-

tigt da, aus dem der frau gemachten vorwurf(?) der sinnlichen
bewunderung auch auf frauenstrophen zu schliefsen? von Tirol
sieht K. in seiner betrachtung ab, weil es lange kein einheitliches gebiet bildete und, als es zu Österreich kam (1363), der
minnegesang bereits verstummt war. OvWolkenstein wurde ganz
vergessen. den als Tiroler bezeichneten sängern aus früherer
zeit dürfte vielleicht auch meister Konrad aus Tirol, der in Ota-
ckers Chronik unter den spielleuten Manfreds genannt wird, bei-
zuzählen sein. den burggrafen von Lienz rechnet K. zu den
Kärntnern und zwar will er in Konrad (1251—1269) den dichter
erblicken, während man bisher dessen vater Heinrich dafür hielt,
der aber nicht 1258 sondern 1269 das letzte mal urkundlich
erscheint.

Bei feststellung von heimat und zeit der vier innerösterreichischen dichter (s. 76—84) konnte Wildon kurz abgetan werden: letztere wurde schon oben zu bestimmen gesucht, und was
über heimat resp. geschlecht und person Herrands gesagt werden
kann, findet sich in K.s abhandlung Das ministerialengeschlecht
von Wildonie (Archiv für österr. geschichte bd. LIX, 1 hälfte,
s. 177—322) zusammengestellt. der verfasser hat damit einen
wertvollen beitrag zur geschichte der Steiermark, in der die Wil-
donier, besonders zur zeit des interregnums, eine wichtige rolle
spielen, geliefert; seine arbeit basiert auf reichem materiale; was
an quellen zugänglich war, wurde benützt, und so verdient schon
der sammelfleifs alle anerkennung, nicht minder aber auch die
umsicht, mit welcher der gebotene stoff behandelt wurde. wenn
auch die quellen, besonders für die spätere zeit, ziemlich reichlich fliefsen, so laufen doch, wie gewöhnlich bei solchen histo-
risch-genealogischen forschungen, nicht wenige schwierigkeiten
unter, der kritik bleibt ein ziemlich weites feld. mag man nun
ein oder das andere mal auch eine verschiedene ansicht gewonnen
haben, so muss man doch gestehen dass der verfasser durchaus
verständig vorgegangen ist. dankenswert ist der anhang von urkunden und die beigegebene stammtafel; vermisst wird aber ein
register, zumal der über 110 seiten langen abhandlung jede gliederung fehlt, es geht immer in einem atem fort und so wird
das aufsuchen einzelner daten sehr erschwert.

Was die drei anderen dichter betrifft, so besteht über die
heimat Scharfenbergs kein zweifel; da aber kein vorname gegeben
ist und seine zeit nur nach einer seite abgegrenzt werden kann,
bleibt die wahl zwischen verschiedenen gliedern der familie. bei
dem Sunecker ist gröfsere vorsicht nötig, da es mehrere ähnliche namen gibt, doch stammt der dichter wol von dem unter-
steierischen Souneck. als derselbe wurde bisher Konrad I, 1220
bis 1237, angesehen, K. denkt dagegen an einen von dessen söhnen,
die zwischen 1230—40 geboren waren. Weinbolds bestimmung
des Stadeckers behält Kummer bei.

Bei einer characteristik der sänger (s. 84—96) und noch
mehr, wenn es sich um vorbild und nachahmung handelt, ist die
genaue kenntnis der gesammten mhd. lyrik unerlässlich, denn
man läuft sonst fortwährend gefahr, auf trügerische spuren zu
geraten, eine gefahr, die um so gröfser wird, sobald voreingenommenheit sich beigesellt und der forscher von einem lieblings-
gedanken befangen ist, der ihn nicht objectiv sein lässt. so wird
häufig eine allgemein übliche anschauung als individueller zug,
formelhaftes als eigenheit des dichters bezeichnet oder zum beweise der nachahmung herangezogen: die folge ist dass das bild
sich nicht getreu gestaltet. auf einen solchen abweg ist auch K.
geraten, wir schreiben aber einen teil der schuld gerne auf rechnung des umstandes dass noch genügende vorarbeiten mangeln.

K. spricht zuerst vom 'naturgefühl' der dichter: bei Wildou
ist es lebhaft ausgeprägt, so dass ihm Uhland eine erhebliche
anzahl individueller züge entnehmen konnte. schon hier ist zu
bemerken dass zb. die vergleichung eines schönen weibes mit
der tauigen rose durchaus nicht individuell ist. wenn diesem
sänger wie dem Stadecker gegenüber Suneck die anschaulichen
epitheta zum verdienst angerechnet werden, so muss ich gleichfalls widersprechen, da auch diese epitheta grofsenteils ganz land-
läufig sind. — *die liehten sumertage so heiter unt so lanc: lieht*
und *lanc* sind die gewöhnlichen adjectiva bei *tac*, zb. *die l. l. sumertage* HvMeifsen 14 (ɪ 14ᵇ); *liehte sumertage* Neidh. 99, 3.
s. 32, 15 lesart c; *l. tage l.* Neidh. 58, 25; *l. t.* Reinmar MF
196, 24. 178, 13. HvAue MF 217, 38. Sahsendorf 1 (ɪ 300ᵃ).
Toggenburg 6 (ɪ 21ᵃ). Rotenburg 32 (ɪ 89ᵃ). Winterstelen 4
(ɪ 150ᵃ). 104 (ɪ 166ᵃ). Marner xɪv 247. Neidh. 76, 27. Meifsner
123 (uɪ 108ᵇ). HMS xxɪx 4 (ɪɪɪ 211ᵃ). xxxɪɪɪ 3 (ɪɪɪ 213ᵃ). cɪɪ 2
(ɪɪɪ 266ᵇ). cxxv 1 (ɪɪɪ 288ᵇ). vɪ 2 (ɪɪɪ 303ᵇ). s. überdies K.s anm.
zu Stad. 6, 2. von anderen notiere ich: *liebe sumertage* HMS
Lxxxɪx 1 (ɪɪɪ 251ᵇ); *sumerlange t.* Reinmar MF 165, 1. s. Neidh.
s. 165; *sumerliche t.* HvSchwangau 47 (ɪ 284ᵇ). KvWürzburg 21, 14.
Neidh. 99, 3 lesart von C; *frœlicher sunnentac* Steinmar xɪɪ (ɪɪ 158ᵇ);
wunnecliche t. KKonrad 3 (ɪ 4ᵇ). Toggenburg 22 (ɪ 23ᵃ). Steinmar 12 (ɴ 155ᵃ). HvRugge MF 108, 6. HvAue MF 217, 14.
Walther 30, 15. Marner xv 43. Neidhard 69, 26. s. GvdForste 1
(ɪɪ 164ᵃ); *liebe t.* WvMetz 17 (ɪ 308ᵇ). Hawart 15 (ɪɪ 164ᵇ)
scheint liebesgenuss besser als ein *heizer langer tac.* s. Neidh.
6, 18 *sunnenheizer tac;* ps. Neidh. xLvɪɪɪ 24 *die liehten lieben süezen
t. reine.* Hadlaub gebraucht *klâr:* 86 (ɪɪ 289ᵃ). 105 (291ᵇ). 111
(292ᵃ). 114 (292ᵇ). s. UvLiechtenstein 30, 25.

liehter meie: das gewöhnlichste epitheton ist *lieht* und *süeze,*
sonst findet sich *wunneclich:* Neidh. 31, 5. s. 32, 9 lesart von c.
Landegge 6 (ɪ 351ᵇ). Aukheim 13 (u 76ᵇ). KvWürzburg 29;
wert: Neifen 24, 33. Düring 2 (ɪɪ 25ᵇ). Werbenwag 8 (u 68ᵃ),
letztere stelle ist übrigens mit N. zu vergleichen; *liep:* Brennen-

berg 4 (i 335ᵃ). ps. Neidh. xiv 2 lesart von c, ebenso xxxvi 5.
HMS xxxiv 8 (iii 214ᵇ). lxxvi 1 (238ᵃ). cxxii 1 (283ᵃ); *wunne-
bernde:* Püller 12 (ii 70ᵇ); *wunnebære:* HMS vi 1 (iii 188ᵇ).
xlv 2 (224ᵇ); *frœlich:* Tug. schreiber 4 (ii 148ᵃ); *schœne:*
Landegge 35 (i 354ᵇ). Wizlav 32 (iii 83ᵇ); *blüende:* Dörner 1
(ii 336ᵇ). Meifsner 118 (iii 108ᵃ). Walth. anh. xxviii 18; *glanz:*
Steinmar 2 (ii 154ᵃ); *wunneclich, süeze:* Landegge 53 (i 357ᵃ);
fröudenrich, süeze: Werbenwag 13 (ii 68ᵇ); *sælic:* UvLiechtenstein 98, 13; *luftesüeze:* ders. 429, 11; *riche:* Wizlav 29 (iii 83ᵃ).
HMS cxxii 3 (iii 283ᵇ); s. Neidh. 3, 22.

kleiniu vogellin kommt unzählige male vor. daneben erscheinen nur wenige andere adjective: *grôz* und *kleine:* Regen-
bogen 6 (iii 468ˡ). HMS iii 4 (iii 299ᵇ); *wilt* und *kleine:* KvWürzburg 12, 25. Hadlaub 117 (ii 293ᵃ); *wilt:* Winli 15 (ii 30ᵃ).
Hadlaub 86 (ii 289ᵃ); d. *wilde waltgesinde* sagt Tug. schreiber 35
(ii 151ᵇ), vgl. Püller 12 (ii 70ᵇ) *stolze w.;* Kanzler 25 (ii 391ᵇ)
gebraucht den ausdruck *wilde missevarwe geste,* s. Neidh. 52, 25;
junc und *alt:* HMS xi 1 (iii 309ᵇ); *hêre:* Walth. anh. xxvii 13;
süeze: Wizlav 35 (iii 84ᵃ). Frauenlob iv 9 (iii 368ᵇ). HMS n 1
(iii 186ᵇ). von den bei bestimmten vogelnamen erscheinenden
adjectiven sehe ich ab.

boume breit erinnert an *linde br.:* DvAist MF 33, 17. Kirchberg 5 (i 24ᵃ). Stamheim 3 (ii 77ᵃ). Kanzler 44 (ii 394ᵃ). Marner v 15. Neidh. 35, 3. s. 18, 10. ps. Neidh. xxxvi 20. nebenher
geht *grüene:* HvSax i 19 (i 91ᵇ). Kanzler 55 (ii 396ᵃ). KvWürzburg 13, 1. DvAist MF 39, 34. Neidhart 11, 6. 38, 12. 46, 31.
ps. Neidh. xxi 7. liv 35. HMS iv 2 (iii 187ᵇ); *schœne:* HMS 21
(iii 468ᵃ). s. Neidh. s. 111; *wolgetân:* HMS iii 447ᵇ; *mære:* Walther 61, 14, in einer unechten strophe *süeze und linde.*

spilnde sunne begegnet nicht selten, wie verhältnismäfsig
auch *liehter sumer,* doch wiegt bei *sumer, sumerzît liep* und
schœne vor.

Bei Stadeck wird uns als beispiel frischer lebendiger natur-
anschauung 1 *nebel snê und rîfen* angeführt. meist sind nur
snê und *rîfe* zusammengestellt, diese verbindung ist formelhaft;
winter und *schnee* gruppiert BvHornberg 1 (ii 66ᵃ) und Wintersteten 85 (i 162ᵇ), *reif* und *wind* Landegge 88 (i 361ᵇ) und Rost
vSarne 1 (ii 131ᵃ). indem ich anderes übergebe, will ich nur
noch bemerken dass der Kanzler stets auch das *eis* erwähnt, wenn
es über das typische *rîfe unt snê* hinausgeht: 37 (ii 393ᵃ)
rîfe, wint, îs unde snê; 28 (ii 392ᵃ) *îs, snê, rîfen, luft;* 25
(ii 391ᵇ) *rîfen, snê mit kaltem îse.*

8, 1 *swie gar diu heide in grüene stât* weist auf *grüene h.,*
was neben *h. breit* am zahlreichsten zu belegen ist: zb. Neifen
47, 10 — dieser dichter bevorzugt sonst *wunneclîch* 14, 9. 11, 7.
50, 7; 40, 25 gebraucht er *breit* —. WvKlingen 11 (i 72ᵃ). Stret-

lingen 9 (ɪ 111ᵇ). Wintersteten 67 (ɪ 160ᵃ). 113 (ɪ 167ᵃ). 118
(ɪ 168ᵃ). LvSäben 5, 1. Botenlauben 22 (ɪ 32ᵇ). Reinmar MF
169, 11. Aukheim 1 (u 75ᵃ). Tanhauser ɪɪ 23 (ɪɪ 83ᵇ). 2 (n 91ᵃ).
Kanzler 26 (ɪɪ 391ᵇ). Neidh. 86, 36. ps. Neidh. xxɪ 7. Walther
30, 11. HMS vɪ 1 (ɪɪɪ 188ᵇ). xLvɪɪɪ 2 (227ᵃ). cxvɪ 2 (274ᵃ). ɪɪɪ 4
(299ᵃ); *h. breit*: HvBreslau 6 (ɪ 10ᵇ). WvKlingen 6 (ɪ 71ᵃ).
Rotenburg ɪ 16 (ɪ 75ᵇ). HvSax ɪ 17 (ɪ 91ᵃ). Wintersteten 15
(ɪ 152ᵃ). 62 (ɪ 159ᵇ). Landegge 16 (ɪ 352ᵇ). Stamhein 9
(ɪɪ 77ᵇ). Schulm. von Ezzelingen 14 (ɪɪ 139ᵇ). Geltar 5 (ɪɪ 173ᵇ).
Kanzler 40 (ɪɪ 393ᵇ). 50. 55 (ɪɪ 395). Reinmar MF 191, 31.
KvWürzburg 5, 1. 23, 2. UvLiechtenstein 130, 27. HMS xxxv 1
(ɪɪɪ 215ᵇ). xLɪɪɪ 1 (221ᵃ). auch *lieht* ist beliebt: Wintersteten 9
(ɪ 151ᵃ). Landegge 53 (ɪ 357ᵃ). 98 (ɪ 363ᵃ). JvWarte 1 (ɪ 65ᵃ).
Püller 12 (ɪɪ 70ᵇ). Tanhauser 34 (ɪɪ 96ᵇ). Anh. zu Walther ɪɪ 6.
s. Neidhart 34, 8. HMS ʟxxɪx (ɪɪɪ 446ᵇ). in verbindung findet sich
lieht und *breit* bei HvBreslau 4 (ɪ 10ᵃ) und Kirchberg 15 (ɪ 25ᵃ).
20 (ɪ 26ᵇ), *grüene* und *breit* beim Tanhauser ɪɪ 2 (ɪɪ 82ᵇ). Neidh.
s. 131. *wunneclich* kann ich neben den schon citierten stellen
Neifens für Obernburg 4 (ɪɪ 225ᵃ), KvHamle 12 (ɪ 113ᵃ) und
Neidhart 17, 9. HMS ʟxxvɪ 1 (ɪɪɪ 238ᵃ) belegen. von anderen epi-
thetis sind mir aufgestofsen: *glanz*? Alexander 8 (ɪɪ 366ᵇ); *blüende*
GvEhenhein 4 (ɪ 347ᵃ); *rôt* HvMure 4 (ɪ 119ᵇ) und Anhang zu
Walther xx 8, s. auch Walther 32, 8; *wol gestalt* Kanzler 32
(ɪɪ 392ᵇ) und KvWürzburg 11, 31; *wit* ps. Neidhart ʟɪɪɪ 32 und
KvWürzburg 16, 13; *schœne wol gezieret* Walther .51, 40; *liep,
schœne* Hadlaub 95 (ɪɪ 290ᵃ); *liep* Neidhart 52, 22. HMS ɪɪɪ 1
(ɪɪɪ 468ᶜ).

Aus dieser zusammenstellung ersieht man, welch geringen
wechsel im ausdrucke diese liederdichter im allgemeinen bieten,
wie arm sie an eigentümlichen anschauungen sind. davon wird
man erst recht überzeugt, sobald man eine vollständige übersicht
gewonnen hat. diese hier zu geben würde zu viel raum beanspruchen; nur auf den *grüenen walt* — daneben ist nur bekannt
wilder w. Tug. schreiber 35 (ɪɪ 151ᵇ), Gutenburg ɪ 29 (ɪ 116ᵃ)
und Kanzler 32 (ɪɪ 392ᵇ); *wunneclicher w.* KvWürzburg 3, 8;
schœne HMS ʟxɪɪɪ (ɪɪɪ 445ᵃ); *voll* ɪɪɪ 170ᵃ; *loubes rich* cxx 1 (ɪɪɪ 280ᵃ)
— möchte ich beispielshalber noch verweisen sowie auf das beliebte *grüene* bei *klê*, dem ich blofs *(ouge)brehende* bei HvBreslau 4
(ɪ 10ᵃ) und 7 (ɪ 11ᵃ) gegenüberstellen kann, wie bei *gras* aufserdem noch *touwic* vorkommt. der winter wird meistens *kalt* und
lanc genannt, dann auch öfters *leide, arc*; die andern epitheta wie
ungehiure (Neifen 23, 8), *ungeslaht* (Steinmar 37, ɪɪ 158ᵃ), *un-
gestalt* (Kanzler 49, ɪɪ 394ᵇ), *wilt* (Landegge 88, ɪ 361ᵇ), *hœne*
(KvWürzburg 8, 6. s. 9, 13), *swœre* (Reinmar MF 191, 28), *veige*
(Kanzler 37, ɪɪ 393ᵃ) usw. erscheinen vereinzelt. *kalt* ist auch
das gewöhnliche beiwort von *snê, rîfe* und *wint*. bei einem
solchen stande der phraseologie wird man daher immer gut tun

sich sceptisch zu verhalten und schritt für schritt prüfend vor-
zugehen.

K. sagt dass sich in bezug auf liebevolle naturbetrachtung
Wildon und Stadeck zunächst stehen und bemerkt dabei: 'man
darf wol kein besonderes gewicht auf einzelheiten legen, wie dass
bei beiden die blumen eine rolle spielen'. ich wäre noch weiter
gegangen. wenn zb. bei beiden von *liep* und *leit*, von schönheit
und güte gesprochen wird, wenn *man unde wîp* zusammengestellt
erscheint, so möchte ich daraus auf nichts schliefsen, denn wol
jeder minnesinger singt von der minne lust und leid, und was
speciell die stellen bei Wildon und Stadeck betrifft, so sind sie
einander nicht parallel zu stellen; 'schœne und *guot* in vereinigung
ist formelhaft' (anm. zu Stad. 3, 2) und so auch *man unde wîp.*
was soll ferner beweisen, wenn bei beiden die worte *minneclich,*
wunneclich, tôre, triuwe vorkommen? es ist überhaupt auszusetzen
dass K. bei erledigung von solchen fragen das gewichtige von
dem unwichtigeren und belanglosen nicht streng genug scheidet.
der eindruck wird dadurch nur geschwächt.

Nach einer untersuchung über syntax und stil (s. 88 ff) sowie
strophen- und versbau (s. 91 ff) wird über vorbilder und nachahmer gehandelt. bezüglich der ersteren wird für Wildon, Suneck und Stadeck fast gleichmäfsige bekanntschaft und verwandtschaft mit Walther, Neifen und Liechtenstein, für Scharfenberg
engste anlehnung an Neidhart und dessen schule angenommen.
die begründung hiervon erstreckt sich auf das kleinste detail. K.
sucht alles zusammen, was ihm irgendwie auf einfluss der oben
genannten dichter zu deuten scheint, und so weit müssen wir
seiner gründlichkeit volles lob zollen. bekanntschaft mit diesen
machen schon die ortsverhältnisse wahrscheinlich, aber damit ist
einwürkung von anderen nicht ausgeschlossen und darum wäre
es ratsam gewesen, weiter auszugreifen, was, wie es scheint,
unterlassen wurde. hätte sich daraus dann auch nichts ergeben,
so würde K. doch zur überzeugung gelangt sein dass gar manches,
was er für nachahmung hält, in der tat keine ist. wie vielen
formelhaften wendungen begegnen wir zb. unter den gegebenen
citaten. solche treten im allgemeinen keineswegs unterstützend
zu den beweisenden anklängen hinzu. das können wir gelten
lassen, wenn ein dichter eine reihe von minneliedern nach einander fabriciert hat und wir wüsten dass er kurz vorher etwa
lieder Walthers gehört habe. finden wir da neben einem wörtlich herübergenommenen verse noch die phrasen *süeziu minne,*
rîfe unde ouch der snê, walt unt heide uä., so ist die entlehnung
noch glaublich. fehlt aber eine solche voraussetzung, so muss
man sich vor allzu rascher folgerung hüten. fällt zwischen die
entstehung der einzelnen gedichte ein kürzerer oder längerer zeitraum, so ist es schon möglich dass der dichter inzwischen mit
den producten eines anderen sängers bekannt geworden, und obige

ausdrücke können reminiscenzen aus diesem sein, wenn wir überhaupt von solchen reden. leider muss ich mir aus raumgründen versagen, meine abweichende ansicht weiter auszuführen.

Am ende seiner abhandlung bespricht K. noch die überlieferung, wobei er vermutet dass Wildonie, Suneck und Scharfenberg, als die sammlung C angelegt wurde, schon in éinem liederbuche standen; bezüglich des Stadeckers glaubt er, seine gedichte seien durch ein versehen an den platz, welchen sie in der hs. einnehmen, gekommen. ·

Der text, welchen K. bietet, weist manigfache besserungen auf, doch sind ziemlich viele druckfehler stehen geblieben, grofsenteils geben sie die längenbezeichnung an. consequent ist'in der zweiten erzählung *aventiure* geschrieben. aufserdem habe ich folgendes zu bemerken. erstlich scheint mir die übertragung der titel ins neuhochdeutsche überflüssig. ob *Ditz püechel hayssel* unter den strich verwiesen werden darf, will ich nicht entscheiden. solche erweiterungen rühren zwar häufig von abschreibern her, aber es gibt auch beispiele, wo diese bezeichnung unanfechtbar dem verfasser angehört. — II 59 *er vant die snuor und vingerlin* ist vielleicht umzuändern in *er vant dd sn. u. v.* — 157 l. *inne* für *ine*. — 208 l. *selben* für *selber*. — 272 ist *was* sinnlos, es muss heifsen *wd* oder *war*. — 336 l. *versolt* für *verscholt*. — III 153 *und reit vil spdte durch die stat; dd was bereit im ein bat. dd gie er in* ist entschieden unbeholfen. ich glaube, *dd* ist relativ zu fassen und zu lesen *dd im was bereit ein bat.* der satz kann dann entweder auf das vorhergehende bezogen werden: er ritt durch die stadt dahin, wo ihm ein bad bereitet war, oder ebenso gut auch auf das folgende *dd gie er in.* — die verse 199—208 sind, wie K. bemerkt, nicht ganz klar. eigentlich ist nur der ausdruck *des rlchen sarjant* (200) anstöfsig, womit nach dem folgenden nur der kaiser gemeint sein kann, den der eintretende badeknecht als kriegsknecht ansah. ist die stelle nicht verderbt *(dd lac der rlche als ein sarjant?)*, so war der dichter jedesfalls sehr kühn. *sust* oder richtiger *sus* v. 194 ist gerade nicht auffallend. — 255 l. *gesellen* für *geselle*. — 604 ist vielleicht zu lesen *daz allez des w.w.* — IV 53 ist überliefert *bey Thier schone manigvalt. solt Ir wol han gewalt.* sicher liegt eine verderbnis darin; Heinzel schlägt vor '*beide ir schœne manicvalt und ére* (oder *und gwaltes*, denn *schœne* und *gewalt* stehen später immer beisammen) *sult ir hdn gewalt.*' mir ist das unwahrscheinlich: die sonne rät dem kater den nebel zum weibe zu wählen, worauf dieser sagt, sie möge es ihm nicht übel nehmen, wenn er weiter ziehe. wie matt wäre darauf jene antwort der sonne! wir erwarten eigentlich auf die letzte rede des katers gar keine mehr, sondern eher noch dass er seiner verwunderung über die teuschung ausdruck gibt, wie es würklich beim nebel (81) und beim wind (109) geschieht. hierauf gestützt lese ich mit geringer änderung *bî dirre* (betont) *schœne manicvalt soldet ir wol hân gewalt!*

Das letzte capitel des buches enthält textkritische, sprachliche, grammatikalische und metrische bemerkungen. ebenso wurden parallelstellen, wenn auch nicht erschöpfend, hier zusammengestellt. ı 100 *der reinen süezen klâr* und 248 *diu reine minnicliche klâr* wird mit Parz. 369, 1 *diu junge süeze klâre* verglichen; näher wäre gelegen auf Alexander 10 (ıı 366ᵇ) *der reinen süezen klâr* zu verweisen oder auf Rumeslant 24 (ıı 371ᵇ), der ebenso diese adjective bindet; wahrscheinlich liefsen sich noch andere beispiele beibringen. schwerlich hat W. an Parz. gedacht. — 241 *'wandels frî*. diese wendung ist stehend bei den minnesängern', sehr geläufig aber auch erzählenden dichtern. — ıı 159 *pühel*: der dialectische ausdruck *puchl* ist auch in Tirol gebräuchlich. — ııı 73—75 wird eine stelle aus dem Buch der rügen (963) citiert. der gedanke daselbst begegnet nicht selten in haussprüchen. — ıv 5 *ranzen* findet sich in ähnlicher bedeutung in Tirol. — 9, 2 die liebe oder die geliebte dringt durch die augen ins herz. eine reihe von stellen habe ich bereits in einer anmerkung zu Sonnenburg gegeben. dass die variation des gedankens bei Rubin 61 (ı 318ᵇ) *ich gesunge lîhte alsô, daz ez dur diu ôren in daz herze klunge* nicht weiter zu belegen sei, ist unrichtig: s. WvKlingen 6 (ı 71ᵃ), auch WvMetze 20 (ı 309ᵃ). — 3, 6 l. für *erwerben*: *ersterben*. die dort angeführten reime sind sehr häufig, auch *erben* wird nicht ungerne gebunden. — 6, 3 zu *holdez herze tragen* führt K. nur noch drei stellen an, obwol für die redensart die minnesinger allein leicht ein dutzend belege bieten. solche sammlungen sollten wenigstens grofsenteils erschöpfend sein, weil der minder bewanderte, wenn nicht der beisatz 'uŏ.' dabei steht, über die gebräuchlichkeit einer phrase irre geführt wird. — Scharfenberg 12, 9 sind die beigebrachten citate mit ausnahme des letzten unpassend. der vergleich mit gold, silber, edlem gesteine begegnet oft.

Mit einem register zur einleitung und zu den anmerkungen schliefst das buch.

Innsbruck, sept. 1880.   Oswald Zingerle.

Das veterbůch. herausgegeben von dr Carl Franke. erste lieferung: einleitung. Antonius. Johannes. Paderborn, Schöningh, 1880. vııı und 167 ss. 8°. — 3,60 m.

Ich habe die vorliegende schrift mit der angenehmen erwartung zur hand genommen, in ihr den ersten teil einer sorgfältigen ausgabe des Buches der väter zu finden, einer abschliefsenden zugleich, da dieses werk, welches so lange auf einen ersten druck

warten muste, schwerlich bald, gewis nicht mehr im gesichts-
kreise der jetzt lebenden philologen einen zweiten erfahren wird:
— ich bin jedoch recht unbehaglich entteuscht worden. guten
willen und eifer wird man dem herausgeber jedesfalls·zugestehen
dürfen, aber seine kräfte sind noch gar sehr schwach und für
die zwar nicht gerade schwierige, doch immerhin umfangreiche
und nur mit ordentlichem wissen und tüchtiger schulung anzu-
greifende aufgabe ist er keineswegs ausreichend gerüstet.

Schon in bezug auf die kenntnis der einschlägigen litteratur.
man wird von einem anfänger nicht verlangen können dass er
collectaneen über sein besonderes arbeitsgebiet besitze, wie sie
nur durch anhaltendes, aufmerksames sammeln entstehen können,
allein dass er die gewöhnlichsten und überall zur hand liegenden hilfsmittel benutze, ist wol eine selbstverständliche forderung.
und zu diesen gehört doch gewis die neue, von Martin so mühe-
voll besorgte auflage von Wackernagels Litteraturgeschichte (das
hieher gehörige 3 heft ist 1878 erschienen, dort § 55) und die
von Bartsch seit 1864 in der Germania veröffentlichte bibliographie. der verfasser kennt beide nicht und so ist es möglich gewesen dass ihm die grofse, gründliche und in mehreren puncten
zu endgiltigen resultaten gelangende arbeit von Joseph Haupt
über das mitteldeutsche buch der väter, Sitzungsberichte der
Wiener akademie band LXIX — auch als separatabdruck: Wien,
Gerold, 1871, 78 ss., vollkommen unbekannt blieb. ich
will davon gar nicht reden dass ich in der Zs. f. d. ph. 6, 248 ff
auf Haupts arbeiten ausdrücklich aufmerksam gemacht habe, dass
in derselben zs. im 10 bande JWichner einen aufsatz über die
Legenda aurea als quelle des Alten passionals veröffentlicht hat,
an dessen spitze die erwähnte arbeit von Haupt citiert wird.
diese beklagenswerte unkenntnis schädigt die ganze schrift und
macht sie eigentlich von vorne herein unbrauchbar.

Nur in einigen beziehungen will ich das nachweisen. herr F.
kennt 9 hss., Haupt 15. den jüngst entdeckten Hildesheimer
codex hatte natürlich auch Haupt nicht; dass hr F. zu spät davon kunde erhielt, ist ein misgeschick, an dem er keine schuld
trägt. cap. II handelt hr F. über die quelle des Veterbüchs und
ihre benutzung. es ist nur etwas unbedeutendes dass auf dem
titel Das Veterbüch steht, auch das längezeichen gesetzt wird,
welches die ausgabe nicht anwendet, aber es ist characteristisch.
was nun in diesem capitel steht, ist alles bereits besser, eindringlicher bei Haupt zu lesen. die art zb., wie der dichter aus
den zusammengesuchten stücken der quelle sich ein *mére* auf-
baut, die ganze composition des werkes, ist bei Haupt klar gemacht, während sie bei hrn F. dürftig oder gar nicht erörtert
wird. der weitläufige beweis dass die Vitae patrum quelle sind,
war zu sparen.

Cap. III Die überlieferung des Veterbüchs ist zum grösten

teil hinfällig. bereits § 1 Art der überlieferung und größe des
werkes ist durch Haupt überflüssig gemacht. Haupt vindiciert
auch, und zwar mit guten gründen, den von Diefenbach bekannt
gemachten Laubacher Barlaam und Josaphat dem dichter des Passionals. § 3 Verhältnis der hss. und die folgende tabelle über
ihren inhalt muss ganz umgeworfen werden.

Cap. iv Beweis, dass bei der abfassung des Passionals das
Veterbuch von einfluss gewesen ist, erledigt sich schon durch
Haupt s. 88 (20) ff. was die mundart betrifft cap. v, so wird hr F.
sich nunmehr mit Haupts annahme, verfasser des Passionals usw.
sei vielleicht bischof Otte von Culm gewesen, auseinanderzu-
setzen haben. sehr vieles von den fleißigen zusammenstellungen
dieses abschnittes wird auch durch die unvollständigkeit des handschriftlichen materiales unzuverlässig. am dauerhaftesten dürfte
sich noch das freilich zu kurz geratene cap. vi Stil und syntax
erweisen. zu dem verzeichnis der lieblingsausdrücke des dichters
ist Haupt s. 101 (33) ff zu vergleichen. dagegen muss cap. vii
Metrik neu ausgearbeitet werden, was nicht schaden dürfte, da
es auch sonst recht mangelhaft ist. den gegenstand des cap. viii
Zeit der entstehung des Veterbuches wird hr F. jetzt gewis anders
beurteilen als früher und demgemäß umgestalten. er setzt die
Legenda aurea um 1290; nach der verbreiteteren und, wie mich
dünkt, auch richtigeren annahme fällt sie zwischen 1270—75,
Haupt s. 124 (56). keinesfalls aber darf die abfassungszeit des Passionals so nahe an die der Legenda gerückt werden, wie hr F. tut.

Das angegebene lässt schon an und für sich die unternom-
mene ausgabe, deren erste partie vorliegt, verfehlt erscheinen.
aber hr F. ist auch selbst in seinen studien noch nicht weit
genug vorgeschritten, um eine solche arbeit mit einigem rechte
beginnen zu können. das zeigt sich beim bloßen durchblättern
der einleitung; ich will einiges wenige von dem, was mir aufgefallen ist, hier aufzählen.

§ 2 des cap. iii handelt über die einzelnen hss., und zwar
nach einer beschreibung ihres äußeren von der mundart, welche
in ihnen sich darstellt. ich hätte das nicht so ausführlich gemacht wie hr F. besonders ist die hs. A sehr weitläuftig analysiert. die schilderung ihres dialectes reicht von s. 20—31,
die mundart des dichters selbst wird auf ebenso viel seiten 57
bis 68 besprochen, das ist doch ein misverhältnis. dazu ist die
sache nicht wichtig genug und eine zusammenhängende bearbeitung der dialecte, welchen die codd. angehören, wird ohne dies
wider entweder die varianten der ausgabe oder die sonderabdrücke
der fragmente zu grunde legen. solche sammlungen sind gut
zur übung in seminarien, aber sie brauchen nicht in ihrer ganzen,
ursprünglichen ausdehnung gedruckt zu werden. ich wollte jedoch auch dagegen nichts weiter einwenden, wenn das gedruckte
nur correct wäre. das ist leider nicht der fall.

S. 21 heifst es: 'die mittelhochdeutsche schwächung der
präp. *zuo* zu *ze* findet sich nur vereinzelt — *zu* [wol *zû*] ist
die reguläre form.' diese falsche auffassung ist noch widerholt
zu lesen: s. 34. 35. 39. 43, versehen anzunehmen ist also unmöglich. s. 21 unten ist vom abfall des tonlosen e nach liquiden die rede: 'diesen erleidet nicht selten auch tonloses e, dat.
sing. *vater* 15402. 16508.' aber *vater* ist ein wort consonantischen stammes, der dativ ohne e die regel, mit e die ausnahme.
demselben irrtum gibt hr F. sich hin s. 22, wo er die substantiva auf -*tar* 'starke masculina' nennt, s. 33. 35. 42. dagegen
werden s. 30 *bruder vater* (auch *junger*) als reste der consonantischen declination bezeichnet. s. 22 gelten *brudere*, *clostere* als
gleichstehende fälle. s. 23 z. 1 v. o. muss es heifsen 'ind. präs.'
s. 24 steht: 'das präteritum von *komen* erscheint regelmäfsig in
der echt mitteldeutschen form *quam*, *quamen*, *queme*. zweimal
findet sich die oberdeutsche form *kome*, einige male *kam*, *kamen*,
keme.' so scharf sind diese formen doch nicht geschieden, auch
Weinhold spricht Mhd. gr. § 211 nur davon dass die anlautende
verbindung *kw* (*qu*) mitteldeutsch zäber hafte als oberdeutsch,
die verschmelzung des *w* mit folgendem vocal sei hier weit
seltener. s. 25 ist als beispiel von o der hs. A für mhd. *u*
'*vorhte* 30192 prät. von *vurhten*' angeführt; lautet denn die mhd.
form anders als *vorhte?* ebenda hätte hr F. sich genauer ausdrücken müssen, damit man nicht glaube, er verwechsele die
präpositionen *vor* und *vûr*. aao. heifst es ferner: 'v. 22269 steht
gevreget — *gevrdget*, wo sich nicht entscheiden lässt, ob diese
form das particip von *vrdgen*, also *gevréget* mit falschem [? Weinh.
§ 67] umlaut sein soll, oder das des mitteldeutschen verbums
vregen. ich halte sie für das letztere.' warum dann = *gevrdget?* ebenda hätte notiert werden sollen dass *ie* aus *ï* speciell oberdeutsch ist. daselbst trifft man auf das substantivum
'diphthongisierung', welches mit dem verbum 'diphthongisieren'
abwechselnd hr F. in ungehöriger weise für das übliche 'diphthongierung' und 'diphthongieren' gebraucht. s. 26 die regelmäfsige form ist *drîn*, dann erst *drîn* gedehnt. s. 27 die monophthongierungen versieht hr F. bisweilen mit längezeichen, dann
wider nicht: *i* für *ie*, *u* für *iu*, aber *ó* für *ou*. diese ungleich-
mäfsigkeit ist durch die ganze einleitung hin wahrzunehmen, oft
in unmittelbar neben einander geschriebenen lauten und formen.
so s. 36. 40. 41 (wird '*ei* zu *e*' contrahiert, ein par zeilen tiefer
'*ou* zu *ó*'). 43 (*hân*, sonst immer *han*). 58. 59. 60. 61 (*é* geht
in *a* über in dem prät. von *kéren* und *léren*). 62 usw. das ist
sicher eine kleinigkeit, wenn aber dem lesenden solche dinge
auf jeder seite mehrmals begegnen, so wird er leicht verdriefs-
lich. durch zahlreiche druckfehler häufen sich die unsauber-
keiten. — *j* wird von hrn F. immer durch *i* gegeben, s. 42
muss er es freilich setzen. er hat es nicht begründet, weshalb

er von dem gebrauche abgewichen ist. s. 28 wird als beispiel
der erhaltung alter media angeführt: 'einmal *daht* = schrift-
deutsche substantivum *docht.*' was ist schriftdeutsch hier, nhd.
oder mhd.? hr F. vergleicht stets mhd. formen, dann müste es
doch *tdht* heifsen. was br F. meint, wenn er s. 28 sagt: 'in
den vereinzelten *irbarmede, erwarmede* hat sich der einfluss [auf
die bewahrung von *d!*] des vorhergehenden *m* geltend gemacht',
verstehe ich nicht. von *der* für *er* heifst es daselbst dass es
sich 'anch' im oberdeutschen finde — doch wol 'ganz insbesondere'. mit rücksicht auf die fälle unter b) wäre es s. 29 genauer gewesen, 'mhd. *k* und *ck* zu *ch*' zu schreiben. s. 32 unten
steht: 'für obd. *iu* ist fast immer *u* geschrieben, selten *iu: niwan, driu.*' erstens ist *iu* nicht *iu,* zweitens ist die gewöhnlichste oberd. form eben dieses *niwan.* so auch s. 34. 41. s. 33
'*r* fällt zuweilen aus — in *zur : zubrachen, zusliffen*'; aber das
kann man doch nicht ausfall nennen: md. *zur, zu* ist parallel
zu oberd. *zer, ze*; so auch s. 37. s. 34: 'stummes e fällt oft
auch nach liquiden nicht ab', neben richtigen beispielen 'doch
in *ge : gnaden* 18999'. observationen wie eine der nächsten
ebenda 'in dem präteritum [bald praet. praes., bald prät. präs.]
von *leren* findet sich nie *a*' haben bei einem fragment von
304 versen nur dann wert, wenn auch bekannt gegeben wird,
wie oft der andere laut *(é)* vorkomme. überhaupt vermisse ich
durchaus zahlenangaben: ob wichtig oder unwichtig, hr F. bringt
stets nur eins oder etliche beispiele. zahlen wären kürzer und
belebrender gewesen. s. 35 spricht hr F. von dem schwanken
'der endsilbe *ic* und *ec*', nennt aber als beispiele substantiva, in
denen diese silben als vorletzte stehen, was nicht ohne bedeutung
für die sache ist. s. 37 sagt hr F.: 'D ist eine sehr sorgfältige abschrift, die etwas über A steht. in ihr sind die verse 1297—1300
ausgefallen. v. 1292 fehlt *heim,* 3138 *lobe.*' da das ganze fragment nur 317 verse enthält, so ist in erwägung des angeführten
die hs. nicht 'sehr sorgfältig' zu nennen. in E kommen wenig
entschieden md. zeichen vor, es ist daher vorschnell zu sagen
s. 38: 'die häufigen diphthongisierten formen, sowie das auftreten von *ay* für *ei, eu* für *iu* lassen vermuten dass die handschrift in Schlesien geschrieben ist.' ebenda ist zu lesen: 'ein
jeder abschnitt beginnt mit einem bunten, meist ziegelroten, zuweilen auch grünen, gelben oder rosaroten initialen.' ich dächte,
da es 'littera initialis' heifst, hätte hr F. keine ursache, das gebräuchliche femininum zu verschmähen (Actae sanctorum s. 18
anm.). s. 40 *dam* für *dem* wird wol nur schreibfehler sein. 'die
endung *ic, ig* hat oft *e*' ist schlecht ausgedrückt, da *ic, ec*
gleichberechtigt sind. ganz dunkel ist mir s. 41: 'für *ie* steht
meist *i,* nur *ie* wird meist *ie* geschrieben.' dass '*ue* in *wuestd*'
umlaut bezeichnen soll, ist mir zweifelhaft, es kann auch ganz
gut *û* vertreten. ebenda fällt '*r* in *unser* aus', s. 44 fällt es

richtig 'ab'. trotz allem détail fehlt bei den meisten beschreibungen der fragmente die genaue angabe, welche verse des werkes
in ihnen erhalten sind.

Bereits das oben gesagte erweist dass die tabelle über das
verhältnis der hss. wegen ihrer allzu grofsen unvollständigkeit
ohne wert ist, dasselbe gilt von dem diagramm s. 46. dieses ist
übrigens von sonderbarer beschaffenheit. alle existierenden hss.
stehen für hrn F. in éiner linie, das bezeichnet nach dem usus
gleichwertigkeit; hr F. nimmt aber wesentliche wertunterschiede
an. verwandtschaft zwischen den hss. war nicht festzustellen,
da hätte das diagramm gar nicht entworfen werden sollen. sind
ja auch die meisten der fragmente viel zu klein gegenüber der
masse des werkes, die angeführten momente viel zu unwichtig,
als dass eine entscheidung gefällt werden könnte. dieser § 3 des
cap. III ist würklich ohne sorgfalt gearbeitet und auch mangelhaft
arrangiert, wie schon die widerholung auf s. 46 (DJ) zeigt. zu
cap. IV will ich anmerken dass hr F. s. 57 schreibt: 'einzelne
ähnlich klingende verse anzuführen halte ich nach der auffindung
der besprochenen stellen für überflüssig, einige hat schon Zingerle zusammengestellt.' es war sache des herausgebers, die ähu-
lichkeiten kurz zu bezeichnen und die beispiele nach ihrer wichtigkeit geordnet mit den verszahlen anzugeben: wer soll das denn
machen, wenn nicht der herausgeber, dem es nur geringe mühe
sein kann? und nötig ist es, weil man sonst den fortschritt des
dichters in der übung seiner kunst nicht zu beurteilen vermag.
eben deshalb sollte in cap. V nicht nur das gemeinsame des laut-
und formenstandes, sondern auch das differierende aufgeführt werden. s. 63 bei besprechung des verhältnisses 'der kurzen zu den
langen vocalen' sind zahlen geradezu unentbehrlich; lieber gar
nichts als die dort angeführten pröbchen. s. 68 ff über den wortschatz ist unter der voraussetzung, dass man sich auf die sammlung, die mir etwas zu klein vorkommt, verlassen kann, ganz
gut; wenn nur auch der negativen seite der beziehungen zwischen dem Passional und dem Buch der väter aufmerksamkeit
zugewendet wäre. wenig einverstanden bin ich mit dem § 1
des cap. VII, die versmessung betreffend. von der zahl der hebungen hat hr F. eigentlich gar nicht gehandelt, nur unter 11) wird
bemerkt dass 4 hebige klingende verse nicht vorkommen. ich
bezweifle das, schon nach den par beispielen unter 3), die ich
anders lese als hr F. gar nicht erwähnt ist, ob 3 hebige verse
mit 4 hebigen gereimt werden, ob 5 hebige mit stumpfen reimen
sich finden usw. unter 2) 'tonloses e ist hebungsfähig' stehen
die beispiele: *brů´derén genů´c* und *alsús beschirmeté den knét*,
das sind aber nicht tonlose sondern stumme e, die hr F. hier
betont, im 2 beispiele sogar mit dem artikel in der senkung daneben. das ist viel stärker gegen Lachmanns regeln als was hr
F. selbst dazu rechnet: *lóbetén sie dó´*. 7) lese ich nicht *só*

offenlich(e)n daz ouch geschach sondern sd *offenli'cken ddz ouch
yschach*, da hr F. starke syncopen im folgenden erwähnt und·
harte kürzungen vor der letzten senkung. besonders empfindlich
ist in dem ganzen paragraphen der mangel statistischer zusammenstellungen; so schnell, wie hr F. es unternimmt, lassen sich die
dinge doch nicht abmachen. s. 95 bringt hr F. unter den versen,
bei welchen ein versehen des schreibers anzunehmen ist, auch vor:

> 5195 *wan er sich mit grôzer craft*
> *zu tugentlichen dingen braht : swach*

und meint 'wol *braht* = *brach*'. ebenso

> 21091 *un an gendden vur braht : sprach*

'wol *braht* = *brach*'. er hat aber s. 64 selbst apocopen des *t* erwähnt, und wenn er sich bei Weinhold § 183 s. 162 die md.
beispiele ansehen will, so wird er nicht zweifeln dass *braht* ohne
t hier vorliegt.   .

S. 98 gibt hr F. aufklärungen über seine grundsätze bei
'reconstruction des textes'. sie lauten: 'zu grunde gelegt ist A,
soweit diese hs. ausreicht, und zwar ist deren dialect und schreibart vollständig beibehalten, nur das, was sich durch den sinn
oder durch das handschriftenverhältnis [welches keins ist] als
falsch erweist, ist berichtigt. — die in A fehlenden partien sind
aus anderen hss. aufgenommen, auch hier ist der dialect und die
schreibart der ein jedes mal zu grunde liegenden hs. beibehalten.
[das wird eine hübsche mischung geben!] eine umschreibung in
den aus den reimen erschlossenen dialect des dichters vorzunehmen, schien mir allzu gewagt und der dadurch zu erwartende
nutzen geringer als der schaden, der aus der verwischung der
schreibart der haupths. A, auf der die überlieferung des grösten
teiles des gedichtes allein beruht, zu befürchten war. auserdem
halte ich gerade den dialect von A für sehr interessant. — der
text dieser ausgabe hat sich demnach 2 hauptaufgaben gestellt:
1) ein buchstäblich genauer abdruck von A zu sein, was ich
durch mehrfaches vergleichen meiner abschrift mit der hs. glaube
erreicht zu haben, so wie dadurch dass alles nicht in A stehende
curaiv gedruckt ist. 2) alles vom Veterbüche überlieferte von
den durch die überlieferung entstandenen fehlern befreit wider
zu geben, ohne jedoch für die dialectische färbung der einzelnen
formen zu garantieren.' ich denke, hr F. wird kaum jemanden
finden, der diese grundsätze, deren ausführung er 'reconstruction
des textes' nennt, billigen möchte. bei einem so grofsen werke,
wie es das Buch der väter ist, in guten hss. überliefert, wo überdies noch eine ungeheuere masse von versen desselben dichters
in brauchbarer gestalt gedruckt zur hand liegt, ist es einfache
pflicht und schuldigkeit des herausgebers, den text so herzustellen, wie ihn der dichter geschrieben hat. nicht leicht sind
irgendwo die bedingungen so günstig und ist die arbeit so hin-
dernislos wie hier. zu wagen ist da gar nichts, sondern fleifsig

zu beobachten und mit gehöriger kenntnis von sprache und metrik zu arbeiten. aber freilich, für hrn F. war das zu schwierig und er ist im recht mit seinem gefühle. die leser dieser blätter werden es jedoch begreifen dass ich, nachdem ich die 'grundsätze' gelesen hatte, den 'reconstruierten' text gar nicht ansah.

Ich meine, es wird aus dem vorgebrachten deutlich dass hr F. in den elementen der forschung noch ganz unsicher ist. ich kann ihm nichts besseres wünschen, als dass seine hier besprochene schrift möglichst bald in vergessenheit gerate und dass er sie in entsprechender zeit und nach tüchtiger vorbereitung durch eine reife und gelungene arbeit ersetze. er redet im vorworte davon dass die beschleunigung des druckes 'von vielen seiten gewünscht wird.' ich weifs nicht, wen er damit meint; die ihm dies raten, raten ihm aber gewis nicht gut. wir kennen den dichter des Buches der väter aus den vorhandenen drucken anderer werke genug, um uns eine richtige vorstellung von seiner art machen zu können. wir haben es also nicht so eilig und werden das erscheinen der vollständigen ausgabe auch dieses buches in ruhe abwarten. hr F. mag sich nur zeit gönnen, seine leistung, die die er nach gründlichen grammatischen und metrischen studien und mit kenntnis der fachlitteratur ausgestattet vorlegen wird, soll dann abschliefsend für die sache sein.

Graz 21. 10. 80.   ANTON SCHÖNBACH.

Flos unde Blankflos. von STEPHAN WAETZOLDT. (als anhang: De vorlorne sone [Robert der teufel] und De segheler.) heft I. text (Niederdeutsche denkmäler III). Bremen, Kühtmann, 1880. 57 ss. 8°. — 1,60 m.

Den hauptinhalt des heftes bildet eine kritische ausgabe des mnd. gedichtes von Flos und Blankflos auf grund der drei bekannten hss. zu Berlin, Stockholm und Wolfenbüttel. aber zur beurteilung des geleisteten fehlt jeder sichere anhalt, weil der variantenapparat nicht beigegeben, sondern für eine binnen jahresfrist in aussicht gestellte zweite lieferung verspart ist. der herausgeber wollte nämlich den weiterdruck der Nd. denkmäler nicht länger aufhalten, zur fertigstellung des ganzen aber mangelte ihm die mufse: daher schlug er einen mittelweg ein. und dieser kann sein gutes haben. denn nachdem achtzig jahre seit der ersten und einzigen herausgabe des gedichtes verstrichen sind, darf kaum erwartet werden dass es in zukunft, wie editionslustig auch unsere zeit ist, sobald wider zum drucke gelangt; es wäre daher erwünscht dass der neue text das erreichbare material nach möglichkeit verwertet. da möchte ich denn Waetzold darauf aufmerksam machen dass in der Danziger stadtbibliothek umfang-

reiche fragmente einer der Berliner nahe stehenden handschrift
des Flos sich befinden. ich kenne dieselben seit 11 jahren: sie
waren im frühling 1870 nebst einem bruchstücke des Wälschen
gastes und einer zweiten fassung des in Mones Quellen und
forschungen 1, 126 ff abgedruckten liedes Das andere land von
dem bibliothekar, prediger Bertling, an Müllenhoff gesandt worden und dieser vertraute sie mir zu näherer prüfung an. damals
reinigte, ordnete und copierte ich sie; meine abschrift schenkte
ich später an dr KSchröder, welcher mit dem gedanken einer
neuausgabe des gedichtes sich trug. ich bezweifle nicht dass
Waetzold die blätter sich leicht aus Danzig wird verschaffen
können, um sie für seine lesarten noch auszubeuten.

Die anderen gedichte De vorlorne sone und De segheler,
beide nur teilweise erhalten, sind allein in der Stockholmer hs.
überliefert und waren bisher unediert. aber vergebens fragt man
sich, weshalb im gegensatze zum Flos diese stücke nicht nur
ohne regelung der orthographie, sondern sogar ohne jede interpunction abgedruckt worden sind, obwol aus der treuen widergabe der überlieferung absolut nichts zu lernen ist: wir leben,
meine ich, nicht mehr in den zeiten des seligen Karl August Hahn.

STEINMEYER.

Geschichte der deutschen predigt im mittelalter von RCRUEL, rector a. d.
    Detmold, Meyersche hofbuchhandlung (gebrüder Klingenberg), 1879.
    XVI und 663 ss. 8°. — 15 m.*

Oft genug haben deutsche philologen, die sich mit der kirchlichen litteratur des mittelalters beschäftigten, darüber geklagt
dass es an fördernder hilfeleistung von seiten der theologen so
sehr mangele. von wenigen geringfügigen ausnahmen abgesehen
hat sich nur éin gebiet, das der mystik, andauernden interesses
theologischer forscher, katholischer wie protestantischer, erfreut.
und doch gibt es gewis dankbarere arbeitsfelder, als das gebiet
der mystik, an dessen bebauung leider manche ohne die nötige
ausrüstung herantraten. darum verdient der verfasser des vorliegenden buches aufrichtigen dank für die liebevolle sorgfalt, mit
der er einen für den theologen, cultur- und litterarhistoriker
gleich interessanten gegenstand ergriffen hat. reiche gefilde und
weite strecken dichten gestrüpps hat er gleich eifrig durchforscht
ja seine gewissenhaftigkeit in heranziehung des oft recht uner-
quicklichen materials könnte dem fast zu weit gehend erscheinen,
der die hohe bedeutung der predigt für das kirchliche leben wie
für die entwickelung des prosastils und der geistlichen dichtung

---

* vgl. Litt. centralblatt 1880 nr 13. Litt. rundschau 1880 nr 14.

nicht genügend zu würdigen weifs. Cruels werk bezeichnet gegenüber allen früheren schriften gleichen inhalts einen bedeutenden
fortschritt; aufser Geffckens Bildercatechismus ist mir kein ähnliches werk bekannt, das seinen gegenstand so zu erschöpfen
sucht. dass es die forschung nicht abschliefst, kann kein vorwurf sein, denn die weitschichtigkeit des noch wenig geordneten
stoffes und das fortwährende hinzutreten neuen materials machen
eine solche aufgabe einstweilen unmöglich. wir brauchen es
nach dem erscheinen dieses buches nicht zu bedauern dass Marbach seine oberflächliche geschichte der deutschen predigt vor
Luther nicht fortgesetzt hat; und auch Wackernagels und Riegers
abriss der geschichte der altd. predigt erscheint nunmehr als
ganzes durchaus veraltet, wenn auch manches schöne, wie die
characteristik Eckarts, bestehen bleiben mag. was Cruel vor allen
seinen vorgängern auszeichnet, ist die umfassende patristische
gelehrsamkeit. wie unentbehrlich eine solche gerade für die geschichte des ältesten predigtwesens ist, zeigt fast jeder abschnitt
seines werkes, und das dankenswerteste von dem neuen, das er
bringt, sind eben quellennachweise für lateinische und deutsche
predigtsammlungen. aber gerade weil gegenwärtig nur wenige
über ein ähnliches patristisches wissen verfügen, möchten wir
hie und da wünschen dass uns der verf. nicht bruchstücke sondern abgeschlossene untersuchungen vorlegte; ihm war es jedesfalls leichter als anderen.

Bei der beurteilung des buches ist naturgemäfs zu berücksichtigen dass C. in erster linie für seine fachgenossen schrieb.
es ist ihm gewis gelungen, sein werk zu einem recht anziehenden
zu machen, auch für den, dem der gegenstand bisher ferner lag,
aber ich finde dass dabei der culturhistoriker gelegentlich zu sehr
in den vordergrund tritt, ohne dass der kenner des mittelalters
etwas wesentlich neues erfährt; die auswahl der probestücke ist
oft mehr auf das unterhaltende als auf das eigentlich characteristische gerichtet, und wir vermissen hie und da einen hinweis, der den weniger kundigen leser das echte von dem ange-
eigneten scheiden lehrt. so ist zb. s. 339 der schwank von dem
philosophen, an dessen baume sich nach einander seine drei
frauen erhängen, nicht eigentum des Peregrinus, sondern eine
bekannte geschichte der Gesta Romanorum, wo sie bereits recht
amüsant moralisiert wird. was s. 625 f von Hollen angeführt
wird, hat dieser wörtlich aus Herolt Discipulus de eruditione
christifidelium III J—O usw. manche nachlässig eingestreute bemerkungen wären in einer zusammenfassenden characteristik der
mittelalterlichen kirchen- und gelehrtensprache, die der verf. nicht
versucht hat, besser angebracht gewesen, so s. 108 die notiz über
'gott', s. 654 die aufzählung Isidorischer etymologien ganz am
schlusse der mittelalterlichen predigt. die citate aus der herangezogenen litteratur sind oft spärlich und wenig präcis; wenn

wir C. s. 23 ff gegen Scherer polemisieren sehen, so berührt es
eigentümlich, denselben gelehrten mehrfach da nicht genannt zu
finden, wo offenbar seine untersuchungen die grundlage bilden
(vgl. zu § 20 MSD² s. 592).

Ein weiterer tadel betrifft die widergabe der texte. C. hat
es in den meisten fällen vorgezogen, übersetzungen zu geben;
ich kann das weder für die lateinischen noch für die deutschen
predigten billigen: zu viel von der ursprünglichen farbe geht dabei verloren, selbst wenn man sich treu an die vorlagen hält.
das verständnis dieser wäre durch hinzufügung weniger glossen
unter dem texte gewis auch dem des altdeutschen unkundigen
ermöglicht worden. an den übersetzungen selbst ist zweierlei zu
tadeln, einmal die verwischung rhetorischer eigentümlichkeiten
zb. durch setzung eines einfachen wortes für einen zweigliedrigen
ausdruck, eines schlichten adverbiums für eine prunkvolle adver-
biale umschreibung, und dann offenbare fehler wie s. 172 z. 15
v. o. 'frohe ostern' für *vrôn ôster*, ib. z. 17 v. u. 'scheint' für
das prät. *erschein*, s. 173 z. 8 v. u. 'die ungläubigen juden' für
diu untriwe der juden uä. die einzigen altdeutschen texte, die
im originale abgedruckt wurden, die Ambraser predigten s. 97 ff,
sind leider entstellt durch die einführung einer 'bequemeren form
für *v* und *w*' (*wituwun, vunneluste, svaren, freuve)*, durch verschiedene falsche circumflexe und fehler wie s. 97 z. 5 v. u. *wi-*
tuwa statt *wituwun*, s. 101 z. 16 v. u. *diu* statt *die*, ib. z. 15
v. u. *wiset* statt *wisel*. überhaupt wäre eine bessere kenntnis
der alten sprache dem verf. nützlich gewesen, auch zur vermeidung chronologischer fehler.

Die lange zeit, die C. auf die sammlung des materiales verwenden muste, und die frist, die für einige partien wenigstens
zwischen der endgiltigen verarbeitung und dem drucke liegen
mag, erklärt es dass die allerjüngst veröffentlichte litteratur noch
nicht benutzt werden konnte. die spätesten publicationen, die
ich angeführt finde, rühren aus dem jahre 1876 her (Grazer
predigten Zs. 19, 473 ff), nur im vorwort konnte noch die vollständige ausgabe der SPauler predigten kurz erwähnt werden.
ich sehe davon ab, den neu zugänglichen stoff in die darstellung
C.s einzuordnen; dies mit sicherheit zu unternehmen und alle
fehler des werkes zu beseitigen, dazu müssen wir erst noch
weitere veröffentlichungen abwarten.

Ich gehe nunmehr zu einer ausführlicheren besprechung des
inhalts über, wobei ich begreiflicher weise den partien des buches,
die für die deutsche litteraturgeschichte das meiste interesse haben,
gröfsere aufmerksamkeit schenke.

Das verdienstliche buch von Lecoy de la Marche La chaire
française au moyen âge, spécialement au xiii siècle, Paris 1869, —
C. scheint es leider nicht gekannt zu haben — behandelt in drei
teilen die prediger, die predigt und die gesellschaft nach dem

zeugnisse der predigt. die disposition unseres autors verdient den vorzug, sie ist streng historisch und in sich harmonisch gegliedert. zwei annähernd gleiche hälften sind der periode der unselbständigen und unorganischen predigtbildung 600 — 1200 und der periode der selbständigen und organischen predigtbildung 1200—1500 gewidmet; jede derselben zerfällt in vier capitel, von denen je drei die chronologischen unterabteilungen bilden, während das vierte einen allgemeineren character trägt und 'besondere verhältnisse' behandelt. leider ist das alphabetische register sehr unvollständig und dazu unglaublich unpractisch eingerichtet: man muss da Geiler und Reuchlin unter Johannes, Eckart und Ingolt unter Meister, Tauler gar unter Doctor suchen!

Ein einleitender paragraph gibt vorläufige grenz- und begriffsbestimmungen, erklärt ferner die technischen ausdrücke. der § 2 eröffnet dann die zeit der missionspredigt 600—900. Columban und Gallus stehen an der spitze, ihnen reiht sich Eligius mit den übrigen an. Rettbergs darstellung ist hier nicht übertroffen, ihm entlehnt C. wol auch die erklärung der merkwürdigen tatsache dass Gallus, der nach dem zeugnis der Vita die *lingua alamanica* so gut verstand, bei der bischofswahl des Johannes lateinisch predigte und sich dieses seines schülers als dolmetschers bediente. — der Libellus des Pirmin hätte wenigstens eine erwähnung verdient, da er doch wol aus einer predigt hervorgegangen ist. die eigene forschung C.s setzt mit § 3 ein, in dem die echtheit der sermone des Bonifacius gegen Scherer MSD² 504 f verfochten wird. dass der verf. auf diese frage eingegangen ist, erscheint um so dankenswerter, als nicht nur die neuesten biographen des B., JPMüller II 317 ff und Werner s. 430 f, sondern auch Ebert Geschichte der litt. des ma.s bd I sich um die mindestens beachtenswerten einwände Scherers nicht gekümmert, ja sie offenbar nicht gekannt haben. bleibt auch ein zweifel immer noch bestehen — und ganz hat ihn bisher wol niemand unterdrücken können —, die positiven gründe, die Scherer anführte, haben durch die ausführungen unseres verf.s ihr gewicht verloren. konnte nicht der übereifrige missionsprediger, zumal im anschlusse an seine patristischen vorbilder, forderungen stellen, die staatlich noch nicht sanctioniert waren? und müssen wir absolut in so wenigen kurzen sermonen noch lebhafter den kampflärm jener zeit vernehmen? C. hätte recht gut — wie schon Rettberg — auch die auffallende übereinstimmung des ausdrucks zwischen den sermonen und dem Indiculus superstitionum betonen können. ich hebe besonders die folgende unterscheidung hervor: Ind. sup. I *de sacrilegio ad sepulcra mortuorum*, II *de sacrilegio super defunctos* und sermo VI (Giles II 76): *omnia autem sacrificia et auguria paganorum sacrilegia sunt, quemadmodum sunt sacrificia circa defuncta corpora vel super sepulcra illorum.* für einzelne stellen unserer sermone weist C. patristische quellen nach, grofsen-

teils durchgeführt hat er eine solche untersuchung für das Ho-
miliarium SBurchardi, das gleichfalls noch der mitte des 8 jhs.
angehört. sein nachweis dass wir in dieser sammlung, die
manchem das echte colorit der missionspredigt zu tragen scheint,
lauter vollständig aufgenommene ältere predigten haben, ist überaus interessant. C. durfte wol erwähnen dass das ms. die älteste
predigths. mit deutschen glossen ist, s. Eckhart Francia orientalis
ı 846. — gelungen ist auch in § 6 die quellenuntersuchung
für die predigten des Hraban. auch hier nur fremdes material,
selbst da wo JGrimm und noch neuerdings Ebert n 140 f wichtige spuren deutscher mythologie sahen. das meiste hat Caesarius von Arles geliefert, dessen sermone unter dem namen
Augustins verbreitet waren und in der ganzen ersten periode sehr
oft aus- und abgeschrieben wurden. einfacher wie bei Hraban
lag die sache bei Haymo, der, wie in seinen commentaren, so
auch in seinen predigten durchaus auf Beda fußt. — dem § 5
möchte man eine etwas geschlossenere darstellung wünschen, trotz
des titels treten die umfassenden verdienste Karls des großen
nicht scharf genug hervor; es hätte die chronologische folge der
beschlüsse fester eingehalten werden müssen. leider scheint dem
verf. Müllenhoffs aufsatz in bd. x der Jahrbücher für deutsche theologie nicht bekannt geworden zu sein. dankenswertes bringt indessen auch dieser paragraph in dem, was über das carolingische
homiliar gesagt wird; C. zeigt dass es nur für das officium noc-
turnum der klöster bestimmt war und einen wesentlichen einfluss
auf das deutsche predigtwesen — wie Marbach wollte — durchaus nicht geübt hat. nach Wisén Homilio-bók s. xvii scheint es
fast, als ob es nach dem norden gedrungen sei und dort für die
predigt bedeutung gewonnen habe. da C. alle nachrichten über
berühmte prediger aufnimmt, so hätte er am schlusse des ersten
capitels doch den bischof Bernold von Straßburg nennen müssen,
dessen gewandtheit in der deutschen predigt Ermoldus Nigellus
Eleg. ı 145 ff rühmt. und neben dem Heliand durfte s. 69 gewis
mit mehr berechtigung Otfrid stehen. die einzelnen abschnitte
seines Evangelienbuches, zum vorlesen bestimmt, kommen gereimten predigten recht nahe.

Ich kann die betrachtung dieses ersten abschnitts nicht
schließen, ohne auf die principielle frage einzugehen, die der
verf. wie seine recensenten mit recht in den vordergrund stellen,
die frage nach der sprache der predigten. das vorurteil dass im
ma. auch zum volke oft, ja zeitweise nur, lateinisch gepredigt
worden sei, hat Cruel energischer als seine vorgänger bekämpft
(s. bes. s. 8. 214 ff) und hoffentlich für immer aus dem felde
geschlagen. aber wenn er soweit geht, zu glauben dass auch
die unsitte des vorlesens kurzer lateinischer homilien innerhalb
der liturgie niemals existiert habe, so kann ich ihm darin nicht
beipflichten: gerade der nachdruck, mit dem die carolingischen

erlasse immer wider das predigen in der landessprache betonen, scheint mir dafür zu sprechen dass bequeme priester gelegentlich eine kurze lateinische lectio oder recitatio vorzogen. nehmen wir freilich das *praedicare* im rechten eigentlichen sinne, so einige ich mich gern mit dem hrn verf. dahin 'dass niemals ein deutscher prediger vor einer weltlichen gemeinde seiner landsleute lateinisch gepredigt hat.'

Wir treten jetzt in die blütezeit des deutschen episcopats ein. der hervorragenden kirchenfürsten des 10 und 11 jhs., die von ihren biographen auch als meister der rede gerühmt werden, ist eine stattliche zahl. mit welchem stolze zählt der verf. der Vita Meinwerci am schlusse seines werkes die zeit- und standesgenossen seines helden auf! — C. leitet die betrachtung dieser zeit ein durch einen abschnitt über die slavische mission, dessen litterarischen mittelpunct das von Hecht herausgegebene homiliar des bischofs Hermann von Prag bildet. zu s. 91 ist zu erinnern dass nicht Vulculdus uns die predigt Bardos überliefert hat, sondern der anonyme verf. der Vita Bardonis major, der ohne kenntnis des V. schrieb, s. Wattenbach MG SS xi 321 ff. interessant ist aus dieser predigt vom jahre 1031 eine stelle, die mit Ezzo str. 4 f auf dieselbe quelle zurückgehen muss. in anknüpfung an Matth. 17, 2 *prae fulgore in conspectu ejus nubes transierunt* heifst es s. 331 f *magnae nubes et magnanimiter lucentes a principio mundi fuerunt, sed quantaecunque in conspectu divini fulgoris pertransierunt. — orto hoc sole super omnes qui in perfectam diem creverunt ab initio mundi, patres nostros qui meruerunt dici stellae, dederunt lumen suum, vocatae sunt et dixerunt: assumus: et luxerunt ei cum jucunditate qui fecit illas* usw. als solche sterne werden dann genannt Abel, Noe, Abraham, Ysaac, Jacob, Joseph, Moyses. vgl. Honorius Spec. eccl. sp. 1081.

Von keinem einzigen aller der bischöflichen redner sind uns deutsche predigten überliefert, ja von keinem ist eine sammlung in lat. fassung erhalten, obwol es solcher nach mehrfachen zeugnissen genug gegeben hat. ich füge den notizen C.s noch den Henricus homiliarius hinzu, den Honorius De lum. eccl. iv 5 nennt *(Henricus quidam homilias in evangelia fecit)*, ohne indessen über ihn näheres bieten zu können. die einzigen deutschen predigten, die uns aus der zeit vor 1100 erhalten sind, die verschiedenen bruchstücke aus Wien-Ambras und München-Wessobrunn, welche Scherer als nr LXXXVI der Denkm. zusammengestellt hat, lassen sich an keinen jener glänzenden namen anknüpfen; ihre einreihung unter die rubrik 'bischöfliche predigt' ist wol nur erfolgt, um die chronologischen grenzen der abschnitte nicht zu sprengen. C. hat den quellennachweis Scherers besonders für A ergänzt und dadurch die grenze zwischen den zwei predigten, die uns hier erhalten sind, richtig bestimmt; leider kennt er nur die erste auflage der Denkm. und weifs daher nichts von den be-

reits 1869 durch Keinz publicierten weiteren fragmenten der
sammlung.

Wir dürfen in ihr gewis schon ein beispiel der unorganischen pfarrpredigt sehen, welche das folgende jahrhundert durchaus beherscht. die homiletischen denkmäler dieser zeit haben für
uns einen eigentümlichen wert, weil in ihr die männer der kanzel
und des beichtstuhls zugleich auch in der litteratur dominieren.
ich füge hinzu: des beichtstuhls, denn der stil der geistlichen
prosa entwickelt sich freier und schwungvoller als in der vielfach
nur aus fragmenten lateinischer originale zusammengesetzten predigt zunächst in den glaubens- und beichtformeln. diese haben
frühzeitig litterarische gestalt gewonnen und dann kräftig auf die
predigt hinübergewürkt. als centrum und ausgangspunct dieser
entwickelung erscheint Baiern, und es ist gewis kein zufall dass
wir aus Wessobrunn neben den bedeutungsvollen formeln für
glaube und beichte auch die ersten predigtbruchstücke in deutscher sprache besitzen, dass ein Regensburger bücherverzeichnis,
etwa aus der zeit des trefflichen bischofs Wolfgang, *sermones ad
populum teutonice* enthält, und dass uns schliefslich am cingange
des 12 jhs. in derselben gegend ein mann begegnet, der auf die
predigt seiner und der folgezeit wesentlichen einfluss gehabt hat,
Houorius Augustodunensis, oder wie ihn C. zur vermeidung weiterer misverständnisse nennt, Honorius scholasticus. ein rätsel-
volles dunkel umgibt die persönlichkeit dieses mannes, und es
scheint dass jeder, der in der erforschung seiner lebensumstände
etwas vordringt, dafür dem lose verfällt, neue fehler zu begehen.
auch C. ist diesem schicksale nicht entgangen, seine darstellung
würde jedoch gewisse klippen leicht vermieden haben, wenn ihm
der bekannte excurs Scherers Zs. f. d. ö. gymn. 1868 s. 567
bis 578, das beste und ausführlichste, was wir bis jetzt über H.
besitzen, bekannt geworden wäre. freilich sind ihm noch andere
fehler passiert, und es mag, da Honorius immerhin eine für die
geistliche litteratur des 12 jhs. bedeutungsvolle erscheinung ist,
gestattet sein, hier die ganze frage noch einmal zu erörtern. die
wesentlichsten anhaltspuncte für die lebensgeschichte des autors
bieten die Summa totius, die Imago mundi, die widmungen verschiedener schriften sowie das verzeichnis der eigenen arbeiten,
das H. selbst am schlusse seines buches De luminaribus ecclesiae
gibt. dass das letztere chronologisch geordnet sei und wir in
der abfassung der Imago 1122 einen festen punct haben, zu
diesem resultate kommt auch C. unabhängig von Scherer. — für
einen Franzosen, der später nach Deutschland gekommen sei und
dort als einsiedler gelebt habe, hielten den geheimnisvollen scholasticus oder solitarius die Hist. litt. de la France xii 165 ff und
Scherer aao. s. 567, der diese übersiedelung etwa ins jahr 1115
setzte. von den historikern hat sich Scheffer-Boichorst Annales
Patherbrunnenses 1870 s. 191 entschieden für deutsche nationa

lität ausgesprochen; Wilmanns MG SS x 125, Wattenbach Ge-
schichtsquellen⁴ ɪɪ 197 f, Schum Über die jahrbücher des SAlbans-
klosters in Mainz, Gött. 1872, s. 59 ff, der Scheffer gegenüber
die Rossefelder annalen als quelle von H.s Summa nachwies, und
Buchholz Die Würzburger chronik, Leipzig 1879, s. 66 f lassen
die heimatsfrage ungelöst. C. nun entscheidet sich mit bestimmtheit für deutsche nationalität. wesentlich die gleichen gründe,
die er vorbringt, hatten mich schon vorher zu der gleichen überzeugung geleitet. vor allem ist beweisend dass gerade in den
zwei schriften des H., die Scherer s. 571 von Deutschland aus
an französische klosterbrüder gerichtet glaubte, in der Gemma
animae und dem Sacramentarium sich verschiedene deutsche wörter
finden (osterum == pascha, platta == tonsura, socan == frequentari).
doch auch sonst werden die ausführungen C.s genügenden anhalt bieten, um den autor als einen Deutschen zu erweisen, als
einen Deutschen wenigstens seiner ganzen würksamkeit nach,
denn der *scholasticus Augustodunensis* bleibt einstweilen unerklärt.
so ansprechend C.s hypothese eines aufenthalts in Autun nach
dem jahre 1122 sein mag, gesichert ist sie keineswegs. was der
verf. dafür s. 133 vorbringt, ist hinfällig, da schon längst Hauréau
Singularités historiques et littéraires s. 231 ff die Philosophia
mundi dem Wilhelm von Conches zugewiesen hat. überdies wird
diesem werke mit unrecht die verwendung der abälardischen tri-
nitätsformel zugeschrieben: der autor hat für den heiligen geist
nur die bezeichnung *voluntas*, hält sich also strenger an Augustin.
es findet sich freilich einmal die verbindung *voluntas et bonitas*,
aber nicht in der festen formel. in echten schriften des H. —
und für solche sehe ich alle in dem verzeichnis enthaltenen an —
ist keine spur der kenntnis oder gar verwertung der jungen französischen scholastik nachzuweisen. den nächsten würkungskreis des
mannes haben wir uns etwa in den diöcesen Passau und Regensburg zu denken. für die beziehungen zu österreichischen klöstern
sprechen schon die zahlreichen dort erhaltenen hss. seiner werke,
dort hat er auch schon frühzeitig auf predigt und dichtung eingewürkt. wenn Scherer QF 12, 59 auf Reichersberg hinweist,
so sind mir allerdings gründe nicht bekannt; dass der probst
Gottschalk, dem er den Libellus de libero arbitrio widmet, der
spätere abt von Heiligkreuz sei, wird dadurch etwas unsicher
dass die abfassung der betreffenden schrift, die im verzeichnis die
dritte stelle einnimmt, womöglich schon ins erste jahrzehnt des
12 jhs. zu setzen ist, G., der erst 1136 abt wurde, müste also
schon damals eine persönlichkeit von bedeutung gewesen sein.
als nächste gröfsere stadt, wenn nicht als zeitweiligen aufenthaltsort, dürfen wir uns gewis Regensburg denken: dass in der Imago
ɪ 24 die *civitas Ratispona* als einzige stadt in Deutschland notiert
ist, erscheint um so auffälliger als sonst städte überhaupt nicht
genannt werden (so bei Gallia!), oder doch nur wenn sie mit

dem lande den gleichen namen haben resp. anlass zu einer ety-
mologisch-ethnographischen deutung geben. C. hat nun an diese
bevorzugung Regensburgs noch weitere vermutungen geknüpft,
die sich indessen bei näherem zusehen als unhaltbar erweisen.
wahrscheinlich nach dem vorgange der Hist. litt. bezeichnet er
als den abbas Cono, dem H. seine psalmenerklärung widmete,
den abt Cuno von Siegburg, der 1126 bischof von Regensburg
wurde, begeht aber den bösen fehler, diese abtei S. nach dem
kleinen flecken Siegenberg (amts Kelheim) südöstlich von Regensburg zu verlegen, wo niemals eine solche existiert hat. in dieses
fingierte baierische kloster nun setzt er den H. als scholasticus.
jenes Siegburg (älter Sigeberg) aber ist natürlich das in der
diöcese Köln belegene, dessen benedictinerkloster 1066 durch
Anno n eingeweiht wurde. als dritter abt würkte dort Cuno
seit dem jahre 1105, sein vorgänger war jener Reginhard, auf
dessen veranlassung die Vita Annonis niedergeschrieben wurde.
er selbst hat sich, wie es scheint, schriftstellerisch nicht betätigt,
auch ins politische leben nicht wesentlich eingegriffen, zeigt sich
aber nach den spärlichen nachrichten, die wir über ihn haben,
als einen jener bedeutenden kirchenfürsten, an denen Deutschland auch in dieser zeit noch reich ist. er war der lehrer des
heiligen Norbert von Magdeburg und erscheint als gönner der
beiden grösten theologen, die unser vaterland damals aufwies:
als abt beschützt er den Rupert von Deutz, der 1113 von seinem
vorgesetzten Berengar an ihn empfohlen wird und ihm mehrere
seiner werke gewidmet hat, in seinem kampfe gegen Anselm von
Laon und Wilhelm von Champeaux, als bischof begünstigt er den
Gerhoch von Reichersberg in seinen bestrebungen, den streng
klösterlichen zug im gesammten klerus wider zu beleben. Honorius, der verf. der Summa gloria und ähnlicher hochultramon-
tauer tractate, der gründliche kenner und ausschreiber Augustins,
hätte ganz gut zu diesem geistlichen oberherrn gepasst, er würde
sich jenen beiden theologen als gleichgesinnt, wenn auch nicht
gleichbedeutend anschliefsen. doch dem steht verschiedenes im
wege. zu dem kloster, welchem jener abbas Cono angehörte,
stand H. noch länger in beziehungen, er widmet nämlich seine
Expositio in cantica dessen nachfolger, und diesen nennt eine
hs. Simon. ist dieser name richtig — bei Migne findet er sich
nicht, er könnte immerhin verderbt sein aus Salomon —, so
wirft schon das C.s hypothese um, denn Cunos nachfolger hiefs
widerum Cuno (s. Schwabes Geschichte von Siegburg s. 27). doch
auch wenn wir jenen namen nicht wüsten, es widerspricht schon
die chronologie der schriften. ich sehe ganz davon ab dass C.
selbst, der doch die chronologische anordnung des catalogs behauptet, die schriftstellerische tätigkeit des autors auf die jahre
1106—1125 beschränkt, denn diese grenze ist zu eng gezogen;
aber schon unmittelbar auf jene dem Cuno gewidmete folgt die

schrift, welche die dedication an seinen nachfolger trägt, und
in dieser ist von dem *praedecessor beatae memoriae* die rede.
dieser Cono war also bereits tot, wol als abt bald nach dem erscheinen von des H. psalmencommentar gestorben, der unserige
aber lebte noch 6 jahre als Regensburger bischof! ein zuverlässiges zeugnis für beziehungen zwischen H. und Cuno von Siegburg besitzen wir mithin nicht.

Das leben und die schriftstellerische arbeit des autors scheint
sich bis über die mitte des jhs. ausgedehnt zu haben, wenn nämlich
auch noch die fünfte ausgabe der Imago mundi vom jahre 1152
von ihm selbst herrührt (s. Wilmanns aao.). blieb er aber den
politischen und historischen interessen und der litterarischen tätigkeit stets nahe, in welche zeit soll da sein klausnertum fallen?
C. glaubt sich zwar berechtigt, *solitarius* einfach als 'mönch' zu
interpretieren, dann bleibt aber noch immer das fatale *inclusus*.
an dies bedenken knüpfe ich noch ein weiteres. C. hält es s. 135
für ganz selbstverständlich dass die in dem Speculum ecclesiae
enthaltenen predigten nicht nur deutsch gehalten werden sollten,
sondern es auch schon vor ihrer schriftlichen fixierung waren.
er legt also gar keinen wert darauf dass das ganze grofse werk
in reimprosa geschrieben ist, erwähnt dies auch eigentümlicher
weise nur gelegentlich s. 121. es verrät aber doch dieser umstand entschieden eine künstlerische absicht. würde sich wol ein
prediger bei einer blofsen übersetzung diese mühe gegeben haben?
und würde man dann nicht hier und da das deutsche original
durchschimmern sehen? C. selbst gesteht dass stil und umfang
der predigten durchaus nicht nach dem sinne des gewöhnlichen
publicums waren und sieht darin die ursache davon dass sich
fast nie ganze homilien, sondern meist nur einzelne stücke daraus
entlehnt finden. immerhin hat das werk grofse bedeutung für
die deutsche predigt des 12 jhs. gehabt, was zwar allgemein zugestanden, aber bisher noch wenig belegt war. der verf. gibt
zuerst derartige nachweise in gröfserer anzahl, aber noch immer
bleibt viel zu tun übrig; freilich keine leichte arbeit, denn es
gilt da, auch die auf bibliotheken noch recht zahlreich verbor-
genen lat. homiliarien zu durchstöbern, zu sehen wie viel hier
noch von dem altüberlieferten material der grofsen kirchenväter
fortgeführt wird und ob schon Honorius häufiger eindringt. denn
es unterliegt wol keinem zweifel dass die meisten der contamina-
tionen, wie sie C. in den deutschen predigten nachweist, zunächst bequemer in ein lat. predigtmagazin eingetragen wurden.
derartigen sammlungen hat C. bis jetzt nicht nachgeforscht, obwol er auf ihr vorhandensein selbst hinweist. es ist das ent-
schuldbar bei dem gänzlichen mangel an vorarbeiten, ja selbst an
verwertbaren bibliographischen notizen, aber dass das 12 jb. diejenige partie des buches ist, für die noch am meisten zu tun
bleibt, darf hier nicht verhehlt werden. ich hebe dies ausdrück-

lich hervor, weil ich, nachdem uns Honorius so lange aufgehalten hat, über die folgenden paragraphen etwas rascher hinweggehen muss.

Das Spec. eccl. drang, wie schon erwähnt, nicht in sehr
weite kreise, wol aber die zahlreichen lateinischen und deutschen
werke, die es ausschrieben. die Deflorationes sanctorum patrum
des SBlasier abts Werner von Ellerbach, ein nur wenige jahre
nach dem erscheinen des Speculum entstandenes sammelwerk,
sicherten auch 13 predigten des Honorius eine weitere verbreitung; noch Herolt und Surgant erwähnen das werk, es scheint
sich also doch länger in ansehen erhalten zu haben, als C. meint.

In die zahlreichen deutschen predigtsammlungen dieses jhs.
chronologische ordnung hineinzubringen, ist eine schwierige aufgabe, der sich auch C. nicht gewachsen zeigt. immerhin hat er
für die relative chronologie manche anhaltspuncte zu tage gefördert, während die positiven datierungen viel zu wünschen übrig
lassen. die s. 207 nur kurz erwähnten fastenansprachen Zs.
15, 439 ff ähnlich wie die bruchstücke Zs. 23, 345 ff gehören
einer verhältnismäfsig frühen zeit an; sie sind gewis älter als
die vom verf. an die spitze gestellten stücke, die Grieshaber
Germ. 1, 441 ff publiciert hat. interessanter als diese und die
anderen weit jüngeren predigten, welche Grieshaber schon 1842
in seinen Sprachdenkmalen herausgab — dass die Germ. 17, 335 ff
abgedruckten zur gleichen sammlung gehören, hat ihr herausgeber
nicht bemerkt —, ist die schon mehrfach besprochene Wiener
sammlung Fdgr. 1, 70 — 126. zu ihr gehören auch die Prager
stücke, die Diemer Germ. 3, 360 ff herausgab und kürzlich Steinmeyer collationierte.   C. gibt wertvolle andeutungen über die
quellen, bringt aber über die entstehungszeit recht verkehrtes
vor. zunächst bemerke ich dass allerdings letania bei Kelle s. 75
mit dem letzten abschnitte der gleichen predigt Fdgr. 1, 78 fast
wörtlich stimmt, aber gleichwol ist dadurch das höhere alter der
Wiener sammlung nicht garantiert, denn durch richtigere anführung eines citats und seiner quelle (1 Joh. 2, 6, nicht Paulus)
weist die Benedictbeurer offenbar auf eine andere, reinere vorlage. wider ein neuer beweis dafür dass sich die verwandtschaft
dieser predigtsammlungen nicht durch einen einfachen stammbaum darstellen lässt. C. setzt nun W ungefähr um 1150 an
und lässt dann B gegen 1160 entstehen. stammt indessen die
in nr 2 mitgeteilte anecdote würklich aus der Historia scholastica,
so ist jene datierung schon darum hinfällig, denn dieses werk
erschien nicht, wie der verf. meint, um 1140, sondern erst 1173.
wir haben jetzt über seinen urheber Petrus Comestor eine gute
abhandlung in der Hist. litt. de la France 14, 12 ff, neben der
die älteren confusen angaben bei Cave, Ondin, Fabricius hinfällig
werden. danach wurde Petrus erst 1147 diaconus von Troyes.
sein werk widmet er dem Guilhelmus Senonensis episcopus d. i.

Guillaume de Champagne, der dies amt 1169—1176 bekleidete. da nun die chronik des Marianus von Auxerre meldet, 1173 sei P. zu grofser berühmtheit gelangt, so müssen wir wol in dieses oder das vorhergebende jahr das erscheinen seines hauptwerkes setzen. die verwirrung mag dadurch vergröfsert sein dass P., obwol bereits seit 1164 cancellarius ecclesiae Parisiensis, sich in der widmung noch archipresbyter Trecensis nennt. —

Ins letzte viertel des 12 jhs. mag also unsere predigtsammlung gehören, und ich treffe hierin mit Schönbach zusammen, der Zs. 20, 223 ff sich für die gleiche datierung entscheidet. Strobl, der die wichtige erörterung Schönbachs nicht gekannt zu haben scheint, zerlegt Zs. 22, 250 f unsere hs. in 4 oder vielmehr 5 durch autor und entstehungszeit verschiedene bestandteile, rechnet aber durch kriterien, die ich für falsch halte, die späten jahre 1210, 1211, 1212, 1213 und 1221 heraus. er geht von dem vorurteile aus dass die predigten wie die hs. in das 13 jh. gehören und zieht dann aus der stellung der predigt auf letania major (25 apr.) hinter octava paschae chronologische schlüsse. in unseren mittelalterlichen predigthss. sind die homilieu für die beweglichen feste meist an das ende des zeitraums gerückt, innerhalb dessen sie überhaupt fallen können: wenn also in der SPauler sammlung Phil. et Jac. (1 mai) unmittelbar nach ostern steht, so braucht dieses deshalb noch nicht auf den 24 april zu fallen; wäre dieser schluss erlaubt, so gehörte diese sammlung höchst wahrscheinlich dem jahre 1177 an. wichtiger ist dass der 25 april noch in die osterwoche fiel, wie sich aus der betreffenden predigt selbst ergibt; aber wenn wir nun ostern auf den 21 april ansetzen, so brauchen wir für nr 25 nicht mit Strohl ein anderes jahr zu wählen, in diesem falle nämlich ist der tag des heiligen Andreas ein sonnabend. als solche jahre bieten sich 1185 und 1196; wählt man das letztere, so kann man die mit s. 119, 11 beginnenden stücke in ein nahes jahr legen: SUlrich fiel auf einen sonntag anno 1199.

Immerhin hat Strobl das verdienst, auf die compilatorische arbeit aufmerksam gemacht zu haben; nur möchte es ihm schwerlich gelingen, grofse verschiedenheiten des stils nachzuweisen. die tätigkeit dieser veranstalter von predigtsammlungen war eine zweifache: leichter war sie, wo deutsche stücke ganz oder fragmentarisch aus anderen magazinen aufgenommen würden, schwerer, wo aus verschiedenen lateinischen predigten eine neue zusammenzuleimen und zu übersetzen war. Schönbach scheint die eigentliche entlehnung durch abschrift von der benutzung der gleichen lateinischen quelle nicht scharf genug zu sondern. — beide wege schlug der sammler der Benedictbeurer predigten ein, die Kelle als Speculum ecclesiae 1858 herausgab. ihre lateinischen vorlagen hat C. recht hübsch zusammengestellt. ebenso entschädigt er uns dafür, dass ihm die vielfachen beziehungen der Rothschen

sammlung zu anderen deutschen noch nicht bekannt waren, durch
ein reiches quellenregister. zu den bereits von Rieger und Schönbach erkannten zwei autoren der Leipziger hs. 760 gesellt sich
nach C.s untersuchung noch ein dritter, dem nr 1—6 und, vielleicht, ein vierter, dem die stücke zwischen 24 und 31 gehören.
gelungen ist ferner der nachweis der zusammengehörigkeit der
von Pfeiffer und Wackernagel teilweise edierten Weingartner predigten mit den Basler, welche bei Wackernagel als nr xxvii—xxxiv
stehen, und der gänzlichen abhängigkeit der Dieffenbachschen fragmente von Honorius. die SPauler hs. und diejenige Kuppitschs
kommen etwas zu kurz. die letztere mag ihrem inhalte nach
leicht an das ende unserer periode gehören, der anreden und
berufungen sind weit weniger, und es finden sich stellen, die,
wie die schilderung des erwachenden frühlings in der osterpredigt,
den eindruck der unmittelbarkeit und selbständigkeit machen. die
quellen einzelner predigten scheinen mit denen der entsprechenden stücke in der Wiener hs. verwandt zu sein, vgl. zb. Mone
viii 431 f (nr 10) mit Fdgr. nr 17 und Mone viii 419 f (nr 1)
mit Fdgr. nr 6.

In den paragraphen allgemeinen inhalts, die die erste hälfte
des buches schliefsen, säubert der verf. in klarer und berechtigter
polemik die geschichte des predigtwesens von manchen falschen
begriffen, die sich hier ohne widerspruch gehalten hatten. die
bezeichnung 'predigtentwürfe' für kürzere stücke wird hinfort
ebenso verschwinden wie die 'festansprachen' Marbachs, dafür
werden die von diesem autor aus der altdeutschen kirche verbannten casual-, besonders die leichenreden wider zu ehren
kommen. § 22, der über die üblichen hilfsmittel handelt, wäre
vielleicht durch einen kurzen überblick über die grofsen prediger
der alten kirche besser eröffnet worden, als durch die characteristik der erst dem 13 jh. angehörigen homilien des Cäsarius
von Heisterbach, so dankenswert dieselbe bei der seltenheit der
einzigen ausgabe — sie war mir nicht zugänglich — sein mag.
hier wie im folgenden paragraphen gibt C. seiner neigung, etwas
bunt und anecdotenhaft zeugnisse verschiedener perioden zu mischen, zu sehr nach.

Mit dem 13 jh. treten wir in die periode der selbständigen
entwickelung ein, die predigten werden mehr und mehr einheitliche, organische gebilde, disposition das durchgehende charac-
teristicum, eine feste homiletische regel, während sie vor 1200
nur eine seltenheit war. immer breiter wird der schwall deutscher predigten, ja die masse nimmt noch zu, nachdem bereits
der höhepunct — im 14 jh. — längst überschritten ist. gar
viele der erhaltenen predigtbss. und drucke beruhen auf mehr
oder weniger sorgfältigen nachschriften andächtiger zuhörer und
zuhörerinnen, und oft muss der philologe im gewirr einer unreinen überlieferung das echte resp. relativ beste zu erkennen

suchen. später erst treten übersetzungen lateinischer concepte auf, und gegen das 15 jh. hin beginnt eine reiche litteratur von predigtmagazinen. aber diesmal erscheinen dieselben fast sämmtlich in lateinischer sprache, die entwickelung nimmt mithin in mancher beziehung einen entgegengesetzten verlauf, als in der ersten periode.

Drei factoren sind es, die, vielfach in einander greifend, die entwicklung der neuen predigtform begünstigen, das emporkommen der scholastischen theologie, die grofse bewegung der kreuzzüge, die gründung der bettelorden. Frankreich ist auch hier der heerd, von dem die fackeln überallhin ausgetragen werden, und während in der älteren periode in Deutschland Baiern von besonderer bedeutung war, treten jetzt naturgemäfs die rheinischen lande in den vordergrund. in wie weit speciellere einflüsse stattgefunden haben, ist bisher noch nicht untersucht worden. schon im 12 jh. entsendet Frankreich seine prediger über den Rhein, Bernhards von Clairvaux agitatorische wanderpredigten hatten den bekannten erfolg. es scheint dass sich innerhalb des cistercienserordens eine gewisse tradition erhalten hat, die freilich nicht an diese tätigkeit des berühmten stifters, sondern an seine kunstmäfsigen predigten anknüpft und sich durch innigkeit und poesievolle färbung der sprache zu erkennen gibt. ich nenne aus dem ende des 13 jhs. den abt Konrad von Brundolsheim zu Heilsbronn, den verf. der Socci sermones. zu s. 293, wo die würksamkeit des Norbert von Gennep auf französischem boden erwähnt wird, bemerke ich dass auch später noch mehrfach deutsche prediger in französischer umgebung tätig waren, so ein Henri le Teutonique, ein Johannes de Wildeshusen und ein Jordan von Sachsen, der den tempelherren predigte, s. Lecoy s. 233.

Was wir bis zur mitte des 13 jhs. von predigten der neuen form haben (§ 24 und 25), ist nicht viel, Berthold von Regensburg, mit dem dieselbe eine bewundernswerte höhe erreicht, hat keine bedeutenden vorgänger gehabt wie die französischen bettelmönche, welche die predigt bereits durch männer wie den heil. Bernhard und Maurice de Sully auf eine gewisse stufe gelehrter bildung gebracht fanden. — dem grofsen reiseprediger gegenüber, der seine themata ohne rücksicht auf das kirchenjahr wählt, finden wir dann in dem wenig jüngeren verf. der 'Grieshaberschen predigten', dem Schwarzwälder prediger, wie ihn C. zur unterscheidung nennt, einen geistlichen, der sich streng an die pericopen hält und in seinen reden volkstümliche wärme mit gelehrtem wissen zu vereinigen weifs. C. hat ihn in § 27 gerade im hinblick auf Berthold recht hübsch characterisiert.

Der Bernhardschen richtung gehören aufser den erwähnten Socci sermones auch die predigten aus einem nonnenkloster an, über deren zahlreiche hss. Rieger bei Wackernagel s. 384 ff treff-

lich gehandelt hat. C. erwähnt nicht, was schon Rieger sah,
dass einzelne stücke der sammelhs. keine predigten, sondern tractate sind. für einen solchen halte ich zb. gegen Rieger auch
nr LVI bei Wackernagel (vom palmbaum), wo beide gelehrte in
dem *dixi ascendam in palmam* x. 8 die textesworte lesen. der
umfang übertrifft den der längsten predigten der sammlung um
das doppelte, die anreden sind nie pluralisch wie sonst, sondern
nur im singular gehalten usw.

Cruel hat die ältere, vorzugsweise receptive periode der
mystik, der auch die erwähnten hss. angehören, nicht besonders
hervorgehoben, es durfte aber ausdrücklich betont werden dass
es jenes element mystischer vertiefung und innigkeit war, was
die predigt vor einem frühen versinken in trockenen scholasti-
cismus bewahrte. in Frankreich sehen wir dies schon um 1260
eintreten (s. Leroy s. 14), in Deutschland erreicht die predigt
einen zweiten höhepunct im 14 jh. erst jetzt treten die dominicaner in den vordergrund, in deren kreisen sich die mystische
theologie entwickelt. während sich ihre beiden bedeutendsten
vertreter Eckart und Tauler in der predigt nicht immer an den
zwang der disposition binden, erfährt diese eine um so künst-
lichere ausbildung bei den scholastischen predigern welche der
mystik fern bleiben.

Die betrachtung der mystik bringt im ganzen wenig neues,
dagegen noch einige alte irrtümer. das leben Eckarts ist im anschlusse an die forschungen Pregers dargestellt, vielleicht dürfte
s. 372 nachdrücklicher hervorgehoben werden dass die erklärung
E.s vom 13 febr. 1327 nicht als ein widerruf anzusehen ist. dass
der fortgesetzten polemik Jundts über die heimatfrage keine erwähnung geschieht, ist kaum ein mangel, doch hat Jundt Histoire
du panthéisme populaire s. 231—280 auch ungedruckte predigten
und tractate E.s publiciert. die überschrift des § 33 'doctor
Tauler' erscheint namentlich jetzt, wo wir durch Denifle QF
XXXVI 7 wissen dass T. nicht meister war, recht unglücklich. indessen ist der fehler ebenso wie die auftischung der ganzen legende des Meisterbuchs zu entschuldigen, weniger die anführung
des bereits 1877 durch denselben gelehrten als unecht erwiesenen
Buchs von geistlicher armut als eines hauptwerks T.s. schon aus
CSchmidts Nicolaus von Basel s. 75 konnte C. ferner wissen dass
dieser häretiker nicht in Vienne, sondern in Wien verbrannt
wurde. — eine neue ausgabe der schriften Seuses in moderni-
sierter sprache hat Denifle begonnen, München 1876 ff.

Die scholastische homiletik des 14 jhs. repräsentieren uns
hauptsächlich lateinische sammlungen, von denen die des Jordan
von Quedlinburg die verbreitetste sein dürfte. Henricus de Vri-
maria, dem § 36 gewidmet ist, wird bei C. fälschlich Heinrich
von Weimar genannt, er ist aus Friemar, dem durch die Abnen
bekannten dorf bei Gotha. die unter dem namen des grofsen

Albrecht gehenden predigten werden als unecht erwiesen, auf die oberdeutsche, bairische oder österreichische heimat des verf. mag man auch daraus schliefsen dass ihm *dies filii, dies pacis* und *dies solis* sprachlich éins sind; im bair.-öst. *suontac* fallen wenigstens die beiden ersten begriffe durchaus zusammen. — von deutschen autoren erfährt hier der schon von JGrimm Wiener jahrb. bd. 32, 255 besprochene Nicolaus von Landau zuerst eine ausführlichere behandlung. auch Nicolaus ist ein cistercienser, aber die mystik Bernhards scheint gänzlich verschwunden. zahlreiche abstufungen zwischen den beiden hauptrichtungen, der mystischen und scholastischen, lassen sich nachweisen; C. fasst sie als 'vulgäre predigtweise' zusammen und bespricht ausführlich zwei elsässische prediger, Nicolaus von Strafsburg, der eine höhere, und den verf. der in Birlingers Alemannia ɪ und ɪɪ abgedruckten stücke, der eine niedere gattung vertritt. für die predigerlisten s. 436 und 439 f war wol noch einiges zu tun. ob der dominicaner Johannes von Dambach, ein älterer landsmann Taulers, zu den strengeren scholastikern zu zählen ist, erscheint mir zweifelhaft; Hermann von Schilditz wird widerholt auch bei Herolt erwähnt (neben Heinrich von Friemar usw.).

An dem verfalle haben mystik und scholastik beide ihren schuldanteil. die herliche sprache der Tauler und Sense artete im munde kleinerer geister in abstruse dunkelheit hier, in plattheit und trivialität dort aus, und die geschlossenheit eines schlicht gegliederten aufbaus wich mehr und mehr der manier, den stoff zu zerfasern und in dispositionen und subdispositionen einzuschachteln. auch aus dieser letzten zeit des mittelalters ist eine unzahl von predigten vorhanden, aber des anziehenden befindet sich wenig darunter.

'Materiale blüte und idealer verfall' nennt C. das dritte capitel seines zweiten buches, über das wir hier rasch hinwegeilen wollen. predigtmagazine in lateinischer und deutscher sprache, theoretische und practische hilfsmittel für die immer bequemer werdenden geistlichen nehmen den hauptraum ein. manche der verf. tragen einen bekannten namen, so der 'letzte nominalist' Gabriel Biel, über den noch kürzlich Plitt schrieb (Erlangen 1879), der dominicaner Joh. Nider, die Wiener professoren Thomas Ebendorfer von Haselbach und Nicolaus Dinkelspühl, ferner Nicolaus Cusanus, von dem sich aufser 10 büchern Excitationes ex sermonibus auch einige deutsche predigten erhalten haben. bei ihm bricht ein humanistischer zug durch, aber weitere früchte hat die neue bewegung auf dem gebiete der predigt nicht gezeitigt. einzelne orte wie Passau zeigen eine förmliche tradition, characteristisch ist ferner auf niederdeutschem boden ein mann wie Gottschalk Hollen, dessen anecdotenfreudigkeit und derbheit ziemlich weit gehen. übrigens lassen sich die lateinischen sammlungen — und die genannten autoren schreiben

sämmtlich lateinisch — noch recht gut lesen gegenüber den
deutschen, bei denen zu der unbeholfenheit im ausdrucke oft noch
die unreinheit der überlieferung hinzukommt.

Basel und das Elsass mit Strafsburg sind durch eine besonders reiche production ausgezeichnet. in Basel lebte auch
Joh. Herolt, dessen Sermones discipuli ohne zweifel das belieb-
teste aller lateinischen predigtmagazine waren. C. setzt ihr erscheinen in die jahre 1435—1440, doch ist zu beachten dass
darin zum grösten teil der inhalt des Discipulus de eruditione
christifidelium cum thematibus sermonum dominicalium widerholt
wird. ich erwähne das frühere erscheinen dieses buches ausdrücklich, weil schon zu anfang der dreifsiger jahre entlehnungen
aus H. bei anderen autoren vorkommen; für zwei drittel der in
den Sermones enthaltenen predigten finden sich hier bereits die
ausführlichen dispositionen (92) mit jedesmaligem hinweis auf die
betreffenden stellen des nachfolgenden lehrbuchs, wo der stoff
in den üblichen rubriken der 10 gebote, der fremden sünden,
todsünden, sacramente untergebracht ist. die von C. angezogene
weihnachtspredigt (nr 12) zb. treffen wir als nr 7 der dispositionen; ihr inhalt findet sich fast bis aufs wort im tractat über
das siebente gebot. ähnlich steht es mit nr 105 (dom. x). H. kam
der bequemlichkeit der priester nur noch einen weiteren schritt
entgegen, indem er die textstellen nach der angegebenen disposi-
tiou selbst zusammensetzte und noch die heiligenpredigten hinzufügte.

Auf einer weit höheren stufe als alle seine vorgänger und
zeitgenossen steht der mann, mit dem die geschichte der mittelalterlichen predigt schliefst, Geiler von Kaisersberg. Geilern zu
characterisieren ist nicht schwer, auch oft genug versucht worden,
aber man hat, wie mich dünkt, viel zu wenig das herausgeschält,
was würklich originell an ihm ist. der Strafsburger münster-
prediger ist eine bedeutende und gewis auch eine originelle persönlichkeit, aber wie vieles in seiner homiletik ist bereits tradition! die reihenpredigten mit oft recht sonderbarer anknüpfung,
die derbe kanzelpolemik, der hausbackene ton, die bunte mischung
scholastischer citate und eigener unmittelbarer erfahrung, die re-
formatorischen tendenzen, alles das wird man auch sonst finden,
wenn auch nicht in so scharfer ausprägung wie hier. es ist sehr
zu wünschen dass der verein für nd. sprachforschung an der
herausgabe des Nicolaus Rus festhält: was man bei Geffcken Bildercatechismus s. 159—166 aus seinem werke liest erweckt ein sehr
günstiges vorurteil.

Über Geiler ist in den letzten jahren viel geschrieben worden.
ich erwähne nur das buch von Dacheux, Paris 1876. CSchmidt,
Hist. litt. de l'Alsace i und Martin ADB 8, 509 ff. alle drei autoren
haben sich eingehend über die überlieferung ausgesprochen, ich
verweise namentlich auf Martins sorgfältige übersicht und zum

trost für manchen, der den echten Geiler entbehren zu müssen
glaubt, auf die schlussworte Schmidts aao. s. 378. unrichtig sagt
Cruel dass G. aufser Gersons tractaten selbst nichts herausgegeben habe (vgl. ADB 8, 512), und wenn er klagt dass dem Ac-
cidens facetiae in den meisten drucken nicht sein recht geworden
sei, so durfte er doch hervorheben dass in den ausgaben Paulis
(zu denen übrigens noch *Her der künig ich diente gern* hinzukommt) des guten eher zu viel als zu wenig geschehen ist.

§ 45 und 46 handeln von zwei predigtarten, die im späteren
ma. zu einer besonderen bedeutung gelangten, von den fasten-
predigten, die durch zahlreiche 'quadragesimalien' auch litterarisch
vertreten sind, und von den historialen passionspredigten, die sich
oft über 5, ja 8 stunden ausdehnten. von den selteneren predigtarten (§ 48) hebe ich die catechismuspredigten hervor, denen
schon Geffcken seine aufmerksamkeit schenkte. anstofs erregt
mir nr 2 'dialogische predigten'. was wird sich der leser dabei
denken? mysterienpredigten wie in Frankreich (Lecoy s. 263) sind
es nicht, vielmehr fasst hier C. zusammen predigten, in denen
der dialog durchgehendes mittel ist, von einem gegenstande zum
anderen überzuleiten, und solche, in welchen ein dialog mitgeteilt
wird. ist dieser aber durchweg in indirecter rede widergegeben,
wie in den beiden sermonen, die der verf. aus Werners Deflorationes anführt, so kann doch deshalb nicht von einer besonderen gattung 'dialogischer predigten' die rede sein; auch die
pseudotaulerische brautpredigt (s. jetzt QF xxxvi 77) gehört nicht
hieher. — dagegen vermisst man eine erörterung der frage nach
poetischen predigten. bekanntlich spielt diese gattung in der
mittelalterlichen litteratur Frankreichs wie Englands keine unwichtige rolle (s. ten Brink Gesch. der engl. litter. i 175. 275.
332 f, Lecoy s. 256 ff), nur mit dem grofsen unterschiede dass
man es in England, namentlich im norden, zu würklichen poetischen homiliarien, geordnet nach dem laufe des kirchenjahres,
gebracht hat, während aus Frankreich nur einzelne gereimte predigten, meist heiligenpredigten, vorliegen, die zwar auch in der
kirche, aber öfter im freien vorgetragen wurden, also nicht streng
in den rahmen der liturgie eintraten. natürlich haben diejenigen
deutschen gelehrten, welche auch für unsere litteratur die reimpredigt in anspruch nahmen, nur an die letztere art gedacht.
an der gattung als solcher anstofs zu nehmen, wie das Vogt zu
tun scheint, liegt gewis kein grund vor. ich glaube mit Scherer
und Roediger dass wir als solche producte die 7 teile der alten
Genesis ansehen dürfen, bedenklicher erscheint mir die annahme
für die von Schönbach publicierte Cäcilienlegende, die über 1700
und zum teil recht lange verse zählt. das würde eine vortrags-
zeit von gut drei stunden ausmachen.

In den schlussparagraphen, die einen überblick über den
stand der predigt kurz vor der reformation geben, interessieren

am meisten die lehrbücher der homiletik. die älteren werke dieser
art haben wenig bedeutung, wichtigere sind erst im anfange
des 16 jhs. erschienen. aber der verfall des kirchlichen lebens
war bereits zu allgemein, selbst männer, die, wie Reuchlin und
Surgant, den humanistischen bestrebungen nahe standen, waren
unfähig, diese seite desselben zu heben. Reuchlin in seinem Liber
congestorum de arte praedicatoria gibt brocken aus Cicero und
Quintilian, ohne tiefer in die speciellen erfordernisse der kirchlichen beredsamkeit einzudringen, und Dungersheim wie Surgant
halten sich viel zu sehr bei vorschriften elementarster art auf,
um zu freieren gesichtspuncten zu gelangen. die 15 regulae vul-
garizandi, welche der letztgenannte in seinem Manuale curatorum i
s. xi ff gibt, sind recht bezeichnend für den bildungsgrad der damaligen geistlichkeit. über Surgant selbst lässt sich jetzt nach
CSchmidt Hist. litt. de l'Alsace ii 54 ff und 393 genaueres bieten,
als C. gibt. er war im Elsass vielleicht kurz vor der mitte des
15 jhs. geboren und starb bereits 1503. 1493 edierte er den
Homiliarius doctorum, sein Manuale curatorum erschien 1502,
die zahl 1508 bei C. muss also auf einem irrtum beruhen; es
existieren im ganzen 10 auflagen. der autor war viermal rector
der universität Basel und ein freund Seb. Brants, Wimphelings
und Bruno Amerbachs.

Das bild des deutschen predigerstandes, das uns aus diesen
lehrbüchern entgegentritt, wird bei C. durch zahlreiche zeugnisse
anderer art vervollständigt. über vortrag, zeit und dauer der
predigten handelt ausführlich der § 50. das schlussurteil, welches
der verf. über die vorreformatorische zeit, die er zum ersten male
gründlich durchforscht hat, abgibt, lautet dahin dass zwar im
vergleich mit der gesammtheit des damaligen clerus die zahl der
eigentlichen prediger gering, dass sie aber im vergleich mit der
zahl der kirchen und gemeinden durchaus normal war.

Gleichwol konnte sich bis in unsere tage der vorwurf erhalten, es sei jene zeit wie überhaupt das ganze mittelalter
predigtarm gewesen. ja gewisse leute suchten die grösse eines
Berthold, Tauler und Geiler wol nur darin, dass sie sich aus-
nahmsweise der deutschen sprache bedient hätten. leider müssen
wir das entstehen dieser vorurteile bis zu den reformatoren selbst
hinaufrücken. Luther und Melanchthon haben, wie C. zeigt, vielfach zu schroff nach den auswüchsen einer späten epoche die
ganze predigt des mittelalters beurteilt, und durch das ansehen
ihrer urheber haben derartige äusserungen einen weiten ver-
breitungskreis gewonnen. einige der heftigsten vorwürfe Luthers
weist C. mit recht zurück, aber er tut ihm doch wider unrecht,
wenn er unerwähnt lässt dass L. auch edlere erzeugnisse der
mittelalterlichen predigt, dass er die werke Taulers kannte und
hochschätzte, s. Hering Die mystik Luthers, Leipzig 1879, s. 52 ff.
so erscheint uns auch hier wider der gewaltige reformator, mit

dem ja auch für die predigt eine neue epoche anbricht, nicht ohne zusammenhang mit dem besten, was die vorzeit geboten hatte.

Ich trage zum schlusse noch wenige notizen und druckfehlerverbesserungen nach. zu s. 58 z. 1 die Colvenersche ausgabe der werke Hrabans ist widerholt durch Migne Patrologie bd. 107—112. s. 133 anm. l. tom. 172 st. 192. s. 294 der priester Fulco, den die chronik Sigberts zum jahre 1198 erwähnt, ist der in der geschichte der französischen predigt bedeutungsvolle Fulco von Neuilly, s. Lecoy s. 70. s. 346 z. 6 v. u. l. Heilsbronn statt Heilbronn. s. 594 zu den Marienklagen war am besten die arbeit von Schönbach, Graz 1874, zu nennen. s. 605 anm. l. tom. 157 st. 107. s. 617 konnte als wichtigste quelle für die kenntnis des aberglaubens im 15 jh. Geilers Emeis erwähnt werden.

Und nun noch einige worte über Cuno von Siegburg. in seinem heimatskloster entstand um 1105 die Vita Annonis, veranlasst durch den abt Reginbard, dessen nachfolger er selbst noch im selben jahre wurde. ebenda lebte gewis auch der dichter des Annolieds (vgl. bes. v. 643 *Sigeberg sin vili liebi stat* und Kettner Zs. f. d. phil. 9, 326 ff), der aus der Vita schöpfte. in Regensburg aber, wo Cuno 1126 bischof wurde, schrieb ein dichter, der wie dieser streng kirchlich gesinnt und ein freund Lothars war, in den dreifsiger jahren die Kaiserchronik und benutzte dabei ein rheinisches werk, in dem Kettner die quelle, ich lieber eine ausführlichere fassung des Annolieds sehen möchte. ich will durchaus nicht einen neuen dichternamen in die deutsche litteraturgeschichte einschwärzen, aber dass Cuno zwei bedeutenden und unter sich verwandten dichtungen aus der ersten hälfte des 12 jhs. nicht fern gestanden hat, dürfen wir gewis vermuten.

Witzenhausen a. d. Werra im september 1880.

EDWARD SCHRÖDER.

Die stellung von subject und prädicatsverbum im Heliand. nebst einem anhang metrischer excurse. ein beitrag zur germanischen wortstellungslehre von JOHN RIES. Quellen und forschungen XLI. x und 129 ss. 8°. Strafsburg, Trübner, 1880. — 3 m. *

Gegenüber der unkenntnis und ungewandtheit in syntactischen dingen, welche bei arbeiten jüngerer germanisten nicht selten in beklagenswertem mafse hervorgetreten ist, verdient das ernste und in die tiefe dringende streben, mit welchem der verf. über einen wichtigen punct der germanischen syntax klarheit zu gewinnen sucht, volle anerkennung. die untersuchung ist fesselnd, ihre ergebnisse aber sind nicht leicht zu überblicken, da der leser dem studiengange des verf. durch manche umwege

[* vgl. Deutsche litteraturzeitung 1881 nr 8 (KTomanetz).]

folgen muss. gut ausgewählte beispiele zur veranschaulichung
des gesagten hätten häufiger gegeben werden sollen. ich verzichte darauf, alle linguistischen, metrischen und exegetischen bemerkungen der abhandlung zu besprechen und greife nur heraus,
was mir zur discussion besonderen anlass gibt.

In der theorie anfechtbar und practisch wenig zweckmäfsig
ist gleich die abgrenzung der aufgabe. der titel vermengt den
logischen gegensatz: subject — prädicat und den grammatischen:
nomen — verbum. die historische erkenntnis der deutschen syntax
kann nur gefördert werden, wenn man streng und consequent
von den grammatischen unterscheidungen, dh. von den in den
wortformen gegebenen, ausgeht. einen alle sätze umfassenden
einteilungsgrund, wie ihn R. offenbar sucht, bietet die s t e l l u n g
d e s v e r b u m s, das in jedem satze einmal enthalten ist, gegenüber a l l e n von ihm abhängigen satzbestandteilen, die alle nomina oder zu adverbien gewordene nominalformen sind und deshalb alle in einem deutlich erkennbaren gegensatze zum verbum
stehen. für den aus zwei worten gebildeten satz haben wir also
zwei mögliche stellungen, welche zugleich die ausgangspuncte
aller erweiterungen des satzes angeben:

    A. nomen (adverbium) voran.

    B. verbum voran.

Enthält der satz mehr als ein nomen (adverbium), so ergibt
sich für A die unterabteilung:

A 1 ein nomen (adverbium) vor dem verbum, — die anderen
ihm folgend.

A 2 m e h r e r e — a l l e nomina (adverbia) vor dem verbum.

Die verschiedenen nominalen oder adverbialen satzbestandteile desselben satzes haben eine fest bestimmte rangordnung
unter sich im deutschen nie gehabt; oft drängt sich der subjectsnominativ hervor, aber keinem anderen ist es verwehrt dasselbe
zu tun.[1] will man die von manchen grammatikern gebrauchten bezeichnungen: gerade und ungerade folge beibehalten, so empfiehlt
es sich die erste für alle fälle von A, die zweite für alle fälle
von B zu gebrauchen. Ries dagegen bezeichnet die fälle der
stellung A 1 verschiedenartig, je nachdem der subjectsnominativ
oder ein anderer nominaler satzbestandteil vor dem verbum steht;
die ersten als 'regulär gerade folge' s. 11—12, die zweiten als
'ungerade folge als regel' s. 42—46; er behandelt diese nicht
nur abgesondert von jenen, sondern sucht auch, obwol nach

---

[1] klar und treffend ist dies ausgesprochen von Koch Deutsche grammatik § 436; Wilmanns Deutsche grammatik § 209. Gelbe Sprachlehre ii
s. 12b. 131 nähert sich dieser auffassung, bleibt aber über das wesentliche
unklar. dass Ries die äufserungen der früheren grammatiker über deutsche
wortfolge unberücksichtigt lässt, ist sonst kein grofses unglück; über die
deutsche nebensatzstellung (A 2) hätte er manche mit seinen erörterungen
s. 106 f zusammentreffende bemerkung schon bei Herling Syntax § 48 gefunden, wo freilich richtiges mit falschem wunderbar vermengt ist.

meiner ansicht vergehens, nach besonderen motiven für sie s. 45 f;
kurz, er macht sich und den lesern viele mühe, die er durch die
einfachen oben angedeuteten erwägungen hätte sparen können.

Unter den beiden oben bezeichneten haupttypen der wortstellung ist nach R.s untersuchungen A (nomen oder adverb
voran) auch im Heliand die herschende im aussagesatze, sowol
im selbständigen s. 11 f als im abhängigen s. 68 ff, und zwar in
diesem bei pronominalem subjecte ganz ausschlieſslich angewandt;
B (verbum voran) die herschende im heischesatze (s. 57) und im
fragesatze ohne fragendes pronomen oder adverb (s. 63).

Die untersuchung richtet sich hauptsächlich auf feststellung
und erklärung der diesen hauptregeln widersprechenden ausnahmen. besonders interessant sind die fälle der stellung B (vor-
angestelltes verbum) im einfachen aussagesatze (s. 12—33). R.
betrachtet diese stellung als 'nebentýpus', der jedesmal durch
besondere gründe hervorgerufen ist; und er sucht diese gründe
nach stilistischen, syntactischen und metrisch-rhythmischen erwägungen festzustellen. diese vermutungen sind zum teil recht
fein und geistreich, jedoch nicht alle gleich überzeugend; am
wenigsten für mich die aufstellungen s. 35—37, wo die schlussfolgerung von vereinzelten rhythmischen beobachtungen auf die
germanische satzbetonung mir zu kühn ist. auch sind die verschiedenen motive, welche R. als würksam annimmt, nicht immer
klar gesondert. wichtig aber ist der allgemeine nachweis dass
der Helianddichter in der voranstellung des verbums noch groſse
freiheit hat, wie sie sich ja auch bei Otfrid gerade in einfach
volksmäſsiger erzählung (II 15, 1 *fuar tho druhtin thanana*. III 20, 1
gisah tho druhtin einan man uo. Goethe: s a h e i n k n a b' e i n
r ö s l e i n s t e h n) findet. gern hätte ich diesen nachweis durch
summarische angabe des zahlenverhältnisses unterstützt gesehen;
auf manche andere der R.schen zählungen hätte ich dafür gerne
verzichtet, namentlich auf die dem zufall allzuviel überlassenden
s. 31. 32.

Merkwürdig ist mir dass die voranstellung des verbums im
c o n j u n c t i o n s l o s e n b e d i n g u n g s s a t z e nach s. 29 im He-
lisud zwar vorkommt, aber nur dreimal, nämlich zweimal dem
hauptsatze vorangehend: 4861. 5388, einmal nachfolgend: 2788.
im abd. ist sie überall schon ein fest ausgeprägtes mittel zur
bezeichnung dieses satzverhältnisses, das jede bezeichnung desselben durch eine conjunction entbehrlich macht, s. Syut. Otfrids I § 170. ihr vorkommen in anderen germanischen sprachen
bleibt zu untersuchen; im gotischen und altnordischen scheint
sie (soviel ich aus den mir zugänglichen untersuchungen ersehen
kann) gar nicht vorzukommen. — vermisst habe ich eine bemerkung darüber, ob und wie oft mit dem verbum beginnende
n a c h s ä t z e im Heliand vorkommen. bei Otfrid, der schon sehr
kunstreiche perioden baut, sind sie zahlreich; die voranstellung

des verbums erkläre ich durch verbindung desselben mit dem in
den vordersatz gestellten, dort zur conjunction gewordenen adverbium, also nach A 1 (Syut. Otfrids I § 78. 79).

Der für unsere schriftsprache besonders wichtige unterschied
der stellungen A 1 (jetzt stellung des selbständigen aussagesatzes)
und A 2 (jetzt stellung des nebensatzes) beschäftigt Ries von s. 86
ab. sein ergebnis ist für den Heliand folgendes: ganz am ende
des satzes steht das verbum in selbständigen sätzen in 23—24%,
in abhängigen sätzen in 45—46% aller gezählten fälle; aufserdem aber haben nach s. 96. 97 noch 50% der übrig bleibenden
hauptsätze, 53—54% der übrig bleibenden nebensätze m e h r e r e
nominalen oder adverbialen satzbestandteile vor dem verbum, die
anderen folgen als nachträgliche anfügung. freilich müsten die
zählungen, von denen jede nur einen teil (und nicht einmal
immer denselben) des Heliand umfasst, vervollständigt werden,
um ein sicheres resultat zu gewähren. doch scheint mir unverkennbar dass, obwol der Heliand auch in diesem puncte verhältnismäfsig grofse freiheit bewahrt, die differenzierung der nebensätze von den hauptsätzen durch die wortstellung einen bemer-
kenswerten anfang gemacht hat. das weitere fortschreiten dieser
differenzierung — mit vorsichtiger abmessung der beschränkungen,
denen sie etwa unterliegt — vom 9 jh. abwärts zu verfolgen,
bleibt eine noch nicht gelöste, solide resultate versprechende aufgabe, welcher der sichere boden der überlieferung nirgends fehlt.

Ries hat seine untersuchung auf diesem wege nicht weiter geführt; es lockt ihn vielmehr aufwärts in die immer noch nebelhaften
höhen der urgermanischen und indogermanischen syntax. er hält
(s. 88 ff), gestützt auf die untersuchungen von Bergaigne, Delbrück,
Behaghel, die stellung des verbums hinter allen nominalen bestand-
teilen des satzes für die ursprüngliche indogermanische und auch
für die ursprünglich germanische, die im Heliand zum grofsen teile
verloren gegangen sei, um sich später für einen bestimmten zweck
— nämlich die differenzierung der nebensätze — wider neu zu
entwickeln. ich stehe, wie ich schon Anz. v 373 bei besprechung
der schrift von Tomanetz bemerkte, sowol dem ersten als dem
zweiten satze sehr skeptisch gegenüber. ich meine dass irgend eine
sprache an diese bestimmte stellung des verbums bei reich und
manigfaltig erweiterten sätzen sich erst binden wird, wenn durch
ausgebildeten gebrauch der rede, namentlich auch durch schriftliche
fixierung derselben, die fähigkeit des überblicks über ein grofses
satzganzes allgemeiner geworden ist; und besonders befördert wird
diese gewöhnung werden, wenn die notwendigkeit der differenzierung bestimmter satzarten sich aufdrängt. im ungezwungenen
gespräch wird wenigstens die 'mittelstellung' des verbums (Ries
s. 95), dh. die nachträgliche anfügung neuer bestimmungen —
für die Delbrück eine etwas saloppe bezeichnung gewählt hat —
erwünscht sein; dies führt R. selbst s. 95 f sehr hübsch aus.

deshalb wird die herschaft dieses typus, selbst wenn er in einer
früheren periode des germanischen bestanden haben sollte, keine
ausschliefsliche gewesen sein.   Ries sucht nachzuweisen dass er
in früheren germanischen sprachdenkmälern noch häufiger als
im Heliand vorkomme.   unter diesen aber scheinen mir die alts.
interlinearversionen und die ahd. glossen (s. 90) sehr wenig be-
weiskräftig, weil auf sie wahrscheinlich mechanische gewöhnung
an lateinischen sprachgebrauch *(meditabitur = thenken sal* nach
meditari debet) eingewürkt hat; und die aufstellungen aus dem
Beowulf (s. 93) bedürfen wol noch genauerer und allseitiger erwägung, die R. selbst ihnen zuwenden will.

Königsberg.   OSKAR ERDMANN.

_____

Die widerholung als princip der bildung von relativsätzen im althochdeutschen.
von dr ALEXANDER MAURER. Genf, Carl Pfeffer, 1880. 32 ss. 6⁰. — 1 m.

Der verf., welcher auf sammlung und durcharbeitung der
verschiedenen ahd. satzverbindungen fleifs und nachdenken verwandt hat, erklärt mit mir die entstehung des vorherschenden
typus der ahd. relativsätze so, dass ein nebensatz an ein nomen
(pronomen) des hauptsatzes, über das er eine neue aussage angab, ohne eigenes pronomen herantrat. er erkennt auch s. 30
die von mir stets betonte analogie der durch *der* und dessen ableitungen eingeführten sätze mit den durch adverbia anderer abstammung wie *só, nú, ér* ua., die dann conjunctionen des nebensatzes werden, eingeführten an; für diese hatte bereits Koch in
Herrigs Archiv XIV 267 ff — wenn auch für manche neueren
syntactiker vergebens — die gleiche auffassung ausgesprochen.

Über meine erörterungen Otfridsyntax I s. v f. 48 ff geht
Maurer hinaus, indem er eine beziehung der p e r s o n a l e n d u n -
g e n des verbums zur satzverknüpfung annimmt. wie er sich dieselbe zu stande gekommen denkt, davon kann ich mir weder für
die vorhistorischen sprachperioden noch für die uns überlieferten
sprachdenkmäler ein deutliches bild machen. ich gebe nicht zu,
was Maurer s. 9. 14 andeutet, dass die personalendungen jemals
die functionen voll gehabt haben, welche später durch den hin-
zugefügten nominativ der personalpronomina bezeichnet wurden;
selbst wenn es der fall gewesen wäre, so wäre damit wenig für
die erklärung der relativen satzverbindung gewonnen, denn diese
wird durch die personalpronomina nur für die erste und zweite
person vermittelt. [1] aber wie man sich auch die entstehung und

_____

[1] die untersuchung sowol derjenigen ahd. sätze, in denen die verbal-
form ohne personalpronomen und ohne nominales subject gebraucht ist, als
auch derjenigen, in denen neben einem solchen subjecte noch ein anapho-
risches *er, siu, iz* steht, bleibt noch zu führen; sie hängt aber nicht mit der
entwicklung des relativen satzgefüges direct zusammen. die rasuren der
Otfridhandschrift V sind auch hierfür belehrend.

bedeutungsentwicklung der personalendungen denken mag, so wird man zwar sagen können dass sie die construction des verbum finitum auf ein subjectsnomen überhaupt erleichterten (nicht: allein möglich machten), nicht aber dass durch sie unterschieden werden konnte, ob dieses subjectsnomen bereits zu einem anderen verbum construiert war oder nicht, dh. ob das verbum einem relativsatze oder einem selbständigen satze angehörte.

Zustimmen kann ich Maurer in der auffassung — aus welcher der titel der abhandlung hervorgegangen ist — dass das zweite pronomen in sätzen wie Otfr. u 8, 25 *gibôt si thén thâr gdhun, thén, thes lídes sdhun* ursprünglich durch eine wiederholung aus dem hauptsatze zu erklären sei; doch sehe ich darin keine erhebliche differenz gegen das von mir Otfridsyntax i § 226 gesagte.

Den von Maurer zur veranschaulichung seiner theorie aufgestellten formeln kann ich keinen geschmack abgewinnen. die erklärung der zeichen vermisst man bisweilen da, wo man sie sucht. wenn Maurer s. 8 ff die endungen des vorangestellten verbums mit E, die des nachgestellten mit e bezeichnet, so verleitet er zu einer unterscheidung, die in der sache nicht liegt; denn die endung ist in beiden fällen gleich. wenn er ferner s. 8. 10 ff ohne weiteres die sätze mit vorangestelltem verbum im ahd. als hauptsätze, die mit nachgestelltem als nebensätze fasst, so denkt er sich die entwicklung dieser differenzierung durch die wortfolge wahrscheinlich anders und jedesfalls einfacher, als sie gewesen ist; vgl. das oben s. 194 über Ries gesagte.

Königsberg.   OSKAR ERDMANN.

Háttatal Snorra Sturlusonar, herausgegeben von THMÖBIUS. I. Halle a/S., waisenhaus, 1879. 121 ss. 8⁰. — 2,40 m.*

Die vorliegende ausgabe des berühmten lobgedichts Snorris enthält auf s. 1—16 den altnordischen text, während die nachfolgenden abschnitte kritischen und exegetischen inhalts sind.

Im ersten abschnitt berichtet Möbius über die art der herausgabe, und sucht namentlich die trennung des gedichtes vom commentar, den der zweite teil bringen wird, zu rechtfertigen. er macht zu diesem behufe einerseits geltend dass die beiden überschriften des codex Upsal. *(sipaz hatta tal er snorri hevir ort vm Hakon konvng ok skvla hertvga* und *hattatal er snorri sturlo son orti vm hakon konvng ok skvla hertoga)* nur des gedichts, nicht auch des commentars gedenken, andererseits dass das gedicht von anfang bis zu ende durch sich selbst verständlich und keines

[* vgl. Jahresbericht nr 365. Germ. 25, 503. Litteraturbl. für germ. und rom. philologie 1881 nr 1 (BSijmons).]

commentars bedürftig sei. dieses verfahren, welches mit notwendigkeit voraussetzt dass nur das gedicht, nicht auch der commentar von Snorri herrührt — denn der commentar setzt in
wesentlichen puncten eine andere gestalt des gedichtes als die
von Möbius dargebotene voraus —, gedenkt der verf. im zweiten
teile des werkes eingehender zu begründen, weshalb ref. vorläufig kein bestimmtes urteil darüber aussprechen möchte. im
zweiten abschnitt finden wir eine übersicht über Snorris skaldische tätigkeit nebst einer dankenswerten zusammenstellung der
uns erhaltenen fragmente Snorrischer gedichte; die abfassungszeit des Háttatal bestimmt M. im anschluss an Gislason und Storm
dahin, dass es nach dem winter 1221—22 und vor dem sommer
1223 gedichtet sei. cap. 3 bringt eine ausführliche characteristik
und inhaltsangabe des gedichtes, während cap. 4 eine eingehende
analyse der metrischen form desselben enthält. im fünften abschnitt hebt M. mit recht hervor dass der zweck des Háttatal teils
ein encomiastischer teils ein didactischer ist; das letztere geht
namentlich aus der planmäfsigen folge und der methodischen anordnung der einzelnen bættir hervor. endlich wird die frage, ob
das Háttatal nach zahl und folge der bættir uns in seiner ursprünglichen gestalt vorliegt, mit hinblick auf innere und äufsere kriterien bejahend beantwortet. es wird namentlich darauf hingewiesen dass eine beseitigung der (sehr unbedeutenden) formellen
discrepanzen durch umstellung der betreffenden strophen schon
aus inhaltlichen gründen durchaus unstatthaft wäre.

Den schluss des ganzen bilden ein verzeichnis der háttanǫfn,
metrische schemata (z. t. von prof. Sievers beigesteuert), eine
tabelle der abweichungen des Möbiusschen textes von der arna-
magnæanischen ausgabe der Snorra Edda, ferner die prosaische
wortfolge der strophen, eine übersicht der kenningar und endlich ein vollständiges glossar.

Was ich gegen die ebenso fleifsige als nützliche arbeit des
verdienten verfassers einzuwenden habe, bezieht sich wesentlich
auf die äufsere gestaltung, die M. unserem gedicht hat zu teil
werden lassen.

Es wurde oben bemerkt dass M. Snorris gedicht als ein
selbständiges, vom commentar durchaus unabhängiges ganze betrachtet, woraus dann weiter folgt dass er bei seiner textbehand-
lung sich durch die metrischen angaben und vorschriften des
commentars nicht gebunden fühlen kann. er hat es vielmehr
unternommen, die regeln über die metrische structur der skalden-
strophen, welche Sievers mit so vielem scharfsinn erörtert hat,
auch für das Háttatal in anwendung zu bringen, und hiergegen
lässt sich von dem angegebenen standpuncte aus natürlich nichts
einwenden. aber ich bin nicht immer mit M. einverstanden in
bezug auf die art und weise, wie er diese regeln durchgeführt
hat. der haupteinwand, den ich erheben möchte, betrifft die be-

handlung des wortes er resp. *es.* bekanntlich ist die form *es*
sowol als partikel als als verbum bei allen skalden, die vor dem
anfang des 13 jhs. lebten, wie die reime uns belehren, so gut
wie alleinherschend [1], wie wir denn auch in den beiden uns erhaltenen, ältesten isländischen handschriften, AM. 237 fol. und
Reykjaholts máldagi ɪ — die aus den letzten decennien des 12 jhs.
herstammen —, immer *es*, niemals *er* antreffen. hieraus folgt
dass wir bei den besagten skalden in den fällen, wo aus metrischen gründen syncope eintreten muss, immer *'s* nicht *'r* schreiben
müssen, also *þat's,* ort's, *hverr's, hinn's* usw., nicht *þat'r, ort'r* usw.
die schreibweise der relativ späten handschriften, in denen uns
die skaldengedichte enthalten sind, und die in der regel *er* darbieten, kommt hierbei natürlich gar nicht in betracht. was nun
speciell das Háttatal betrifft, so ist, wie Gislason hervorgehoben
hat, sowol *es* als *er* metrisch gesichert (vgl. Årbøger for nord.
oldkyndighed og historie 1869, 147 und vorrede zum photolitho-
graphischen Elucidarius 1869), und es könnte demnach gleichgiltig
erscheinen, ob man an den stellen, wo uns das metrum keine
anleitung gibt, die eine oder die andere form vorzöge. so finden
wir denn auch dass Möbius ohne bestimmte regel bald *(e)r* bald
(e)s gebraucht, zb. *þar's* 2³, 8³, 45⁷, 46⁷, 48³, 88⁸, *þann's* 15³,
96², *hinn's* 24⁷, 71³, aber andererseits *sd'r* 1¹, 37⁴, *þd'r* 36¹, 39⁴,
55⁷, 67², 75³, 95³, 98³, 101⁴·⁵, *svd'r* 100³, *lof'r* 80¹, *hverr'r* 40²,
hann'r 46⁶, ja sogar *ort'r* 96¹, *upp'r* 97³, *gött'r* 86³, *mitt'r* 70¹,
þat'r 67⁸, 102⁴·1 eine nähere betrachtung wird jedoch lehren dass
dies verhalten durchaus unstatthaft ist. Snorri wurde bekanntlich 1178 geboren, dh. zu einer zeit, wo die form *es* noch allgemein gebraucht wurde und ebenfalls in den skaldengedichten,
mit denen Snorri in seiner jugend vertraut wurde und nach
welchen er seine skaldische technik ausbildete, durchgängig war.
später, im laufe der ersten hälfte des 13 jhs., wird allerdings die
form *er* die allgemein gebräuchliche, ohne jedoch das ursprünglichere *es*, das besonders in den syncopierten formen *þat's,*
þann's [2] udgl. lange fortlebte, ganz zu verdrängen. vor allem
dürfen wir annehmen dass das alte *es* sich als feierlicher und
ehrwürdiger in der poetischen sprache (besonders in dem ernsten
dróttkvætt) länger erhielt als in der gewöhnlichen pros. um-
gangssprache; und was speciell Snorri betrifft, so haben wir
durchaus keinen grund, anzunehmen dass er sich unformen wie
hann'r, þat'r, gött'r usw. bedient hätte. hiermit steht es nicht
im widerspruch dass er an zwei stellen im Háttatal metrisch geboten ist (82⁵·⁶: *jarla er - austan ver,* und 87⁷·⁸: *segik allt sem*
er-vid orða sker). es ist dies als eine sehr begreifliche und

---

[1] die sehr wenigen ausnahmen sind wol auf norwegischen einfluss
zurückzuführen. in Norwegen ist die form *er* älteren datums als auf Island.
[2] im worte *uns — und es* hat es sich ja bis auf den heutigen tag
erhalten.

keineswegs unstatthafte concession an die allgemein übliche aussprache zu betrachten, welche den beiden leicht dahin fliefsenden runhentstrophen sogar noch einen eigentümlichen reiz verleiht. ich würde mithin kein bedenken tragen die form *es* resp. *'s* überall da durchzuführen, wo nicht metrische gründe notwendig *er* fordern, und ebenfalls wäre natürlich das analoge *vas* einzusetzen. Möbius gebraucht auch hier ohne ersichtliche regel bald die ältere, bald die jüngere form (*vartu* 30⁷ aber *vas'k* 68⁷).

An ein par stellen schreibt Möbius 'des reimes wegen' geminata für einfache consonanz oder umgekehrt (50⁸ *hvattr* für *hvatr*, 43² *snar* für *snarr*), was entschieden nicht zu billigen ist. selbst wenn es feststünde dass geminata nur auf geminata, einfache consonanz nur auf einfache consonanz reimen könnte, würde ich es für unerlaubt halten, metrische unregelmäfsigkeiten dadurch zu beseitigen dass man den grammatischen formen gewalt antut. aber diese voraussetzung trifft nicht einmal zu; vielmehr finden wir, auch bei den vorzüglichsten skalden, so oft strophen, in denen geminata mit einfacher consonanz reimt, dass wir hierin notwendig eine bewuste abweichung von der hauptregel, mithin eine erlaubte licenz erblicken müssen. da meines wissens bisher niemand diese behauptung aufgestellt oder durch citate zu erbärten versucht hat, so führe ich hier eine reihe unbedenklicher belege aus der Hkr. an:

iss fyr mér at vísa, Sigvatr, Hkr. 274.
ték ymisar ekkjum, Sigvatr, ib. 274.
húnn skrautlega búnar, Sigvatr, ib. 377.
nú þykki mér miklu, Sigvatr, ib. 521.
vitt hefk heyrt at heiti, Arnórr jarlaskáld, ib. 541.
gekk med manndýrd mikla, Þjódólfr Arnórsson, ib. 542.
rétt vas ydr um œtlat, Valgardr, ib. 559.
þar hykk fast ins frœkna, Þjódólfr Arnórsson, ib. 606.
deyrat mildingr mœrri, Þorkell Skallason, ib. 624.
vakti viskdœlsk ekkja, Bjorn krepphendi, ib. 638.
vitt dró sínar sveitir, Þorkell hamarskáld, ib. 639.
vitt nam vargr at slíta, Bjorn krepphendi, ib. 641.
Magnús fekk þar miklu, Halldórr skvaldri, ib. 705.

auch im Háttatal begegnen — aufser in den oben erwähnten fällen — mehrfach ähnliche reime, zb.:

fúss brýtr fylkir eisu 26¹.
mjok trúir rœsir rekka 26⁵.
brims fyr jord it grimma 35⁶,

und hier hat M. es merkwürdiger weise nicht für nötig befunden, von der üblichen schreibweise abzuweichen.

Die normalorthographie, deren sich M. bedient, ist in allen wesentlichen puncten die von Wimmer in der 2 auflage des Oldnordisk læsebog befürwortete und benutzte; doch finden sich auch hier gelegentlich kleinere inconsequenzen und verstöfse. es ist

zb. nicht zu billigen, wenn M. im glossar das praeteritum von
hrynja und *gnapa* resp. als *hrunda* und *gnapta* ansetzt, während
zb. bei *venja* und *vaka* als praeteritalformen *vanda* und *vakda*
aufgeführt werden. ebenfalls wird im glossar unrichtig *fjo_ld*
(resp. *herfjo_ld)* statt *fjo_ld* geschrieben. auch hätten daselbst in
den angaben über die syntactische function der verba unislän-
dische constructionen wie *taka eitt, taka vid einum* udgl. für
taka eitthvat, taka vid einhverjum (vgl. Gislason Om helrim s. 4)
billig vermieden werden sollen.

Berlin, october 1880.   JULIUS HOFFORY.

Lexicon deutscher stifter, klöster und ordenshäuser. herausgegeben von
    OTTO freiherr GROTE. 1 lief. Osterwieck a. H., commissions-verlag
    von AWZickfeldt. [1880.] 64 ss. 6°. — 1 m.

Es ist nicht leicht, über die erste lieferung eines (auf circa
20 lieferungen berechneten) werkes bericht zu erstatten, welche
ohne .vorrede, ohne angabe über ausdehnung, plan und zweck
vor uns tritt, und einzig 'von vorn herein die nachsicht der
herren fachmänner beansprucht.' für den grofsen fleifs und die
unverkennbare liebe zur sache, die der verf. bekundet, bedarf er
aber nicht unserer schonung, sondern sie hat allen anspruch auf
unseren warmen und vollen dank zu erheben. wenn wir gleichwol mit manchen bemängelungen gegen ihn aufzutreten uns genötigt sehen, so soll das nur mit dem aufrichtigen bedauern geschehen, dass die sache uns über alle rücksichten gehen muss,
und mit der versicherung der grösten anerkennung seines strebens
und seiner absicht.

Wir sehen zuvörderst aus der anlage dass dieses Lexicon
deutscher stifter usf. nur jene ordenshäuser berücksichtigen will,
welche in folge der zufälligen ereignisse von 1866 und 1871
für den augenblick zum deutschen reiche gehören. das ist ohne
alle frage auf diesem gebiete ein grofser mangel. wer über
d e u t s c h e klöster, ihre geschichte, ihren einfluss auf die cultur,
näheren aufschluss wünscht, der schlägt doch gewis zuerst ein
derartiges buch nach SGallen, Kremsmünster, SPeter in Salzburg
auf. dass Deutschland im jahre 1880 zwanzig minuten vor den
mauern des letzteren stiftes ein ende hat, das sollte, so wird jeder
urteilen, doch nicht auch hier noch in betracht kommen. alsdann ist es sehr zu bedauern dass in der überschrift der einzelnen
titel so gar kein system und keine genauigkeit eingehalten ist.
bald stehen blofs die jetzigen namen verzeichnet (Altenberg), bald
daneben die früheren deutschen namen (Alsleben, Alschleben,
Elesleve), bald die lateinischen (Altenhobenau, Hohenavia vetus).
in einem derartigen werke verlangen wir jetzt alle urkundlich

(oder dialectisch) vorkommenden namen, wenn nicht mit angabe
der genauen belege, so doch des jahrhunderts, aus dem sie stammen. gerade werke wie das vorliegende berühren die aufgaben,
welche Förstemann (Deutsche ortsnamen 329 ff) gestellt hat,
nicht als frommer wunsch, sondern als strenge pflicht. dazu
tritt ferner die notwendigkeit genauester kritischer reinigung der
namen. wenn sich der sprachforscher in einem solchen auf de-
tail- und specialforschung beruhenden werke nicht durchaus auf
die richtigkeit der angegebenen namen verlassen kann, wem soll
er dann noch trauen, wann soll er je mit seinen untersuchungen
an ein ende kommen! da haben wir aber hier beispielshalber
ein Allenmünster, das eigentlich Altenmünster, ein Adelhaus, das
Adelhausen heifsen sollte. ich will es glauben dass für Berchtesgaden die form *Brechtolsgaden* sich finde. aber nach den eben
gefundenen beispielen bin ich bereits mistrauisch geworden und
kann mich nicht mehr auf diese angabe verlassen. und warum
ist die für den etymologen ungleich wichtigere und sichere form
Berchtersgaden gar nicht erwähnt? was helfen mir so interessante
angaben, wie: 'S. Amarin, Damarin', oder 'Adelberg, Albergense
coenobium, Madelbergense monasterium, Mons nobilis', wenn ich
der lesarten nicht sicher bin, und nicht weifs, wo, von wem,
wann sie gebraucht werden! ein l e x i c o n muss ferner auf mög-
lichste vollständigkeit und genauigkeit der l i t t e r a t u r a n g a b e n
rücksicht nehmen. wir wollen billig sein und nicht das unmögliche verlangen. aber eine gewisse vollkommenheit ist denn doch
unerlässlich. nun sehe aber hier jemand (s. 25) das verzeichnis
der litteratur über Augsburg nach, das übrigens für Süddeutschland so ziemlich das beste ist. da stehen 14 werke verzeichnet,
und nur bei zweien wird der nichtkenner einigermafsen orientiert
durch die gewis nichts weniger als genauen angaben: 'Monumenta boica xxxiu. xxxv.' — 'Schwäbisch und Neub. (soll heifsen
Neuburger) jahrbücher vu 69.' sonst erfährt er gar nichts. ob
der alte Stetten, der zuletzt steht, ein früheres oder das neueste
werk über Augsburg ist, ob das ältere hauptwerk von Khamm
(es heifst hier 'Hier a chia'!) ein foliant oder eine broschüre, ob
die (vierbändige) geschichte von Braun einen oder mehrere bände
enthält, darüber keine andeutung. der dermalige erzbischof von
München, zweifellos der erste kenner Augsburgischer geschichte,
heifst hier Steichel (recte: Steichele). dass sein grofses werk
noch nicht vollendet ist wird widerum nicht angedeutet. bei
Benedictbeuern ist nicht einmal das fundamentalwerk des grofsen
Meichelbeck, das Chronicon Benedicto-Buranum, noch bei SBlasien
die neue arbeit von Bader, die doch zweimal (im Freiburger diö-
cesan-archiv, viii band und separat, Freiburg 1874) erschien, erwähnt. bei Andechs fehlt die geschichte von p. Magnus Sattler.
von dem grofsen Benedictinerwerke von Ziegelbauer und Legi-
pontius, von der Germania Franciscana von Greiderer, von den

grofsen geschichtswerken über die jesuiten scheint das werk gar
nicht zu wissen. dagegen stehen wider angaben wie: 'Guden
Cod. dipl. Meguet' (s. 16), oder dutzende von malen: 'v. Rout-
heim, Sauter, Wagner.' allerdings kenner wissen, was das bedeutet. aber brauchen diese dann das buch aufzuschlagen? und
was soll sich jemand dabei denken, der nicht bereits darin bewandert ist? für Norddeutschland, genauer gesagt, für Sachsen
und nachbarschaft, ist das lexicon ziemlich reichhaltig und, soviel wir bei unserer mangelhaften kenntnis jener gegenden unterscheiden können, auch ziemlich genau. am Rhein verlässt es
uns bereits mehr und mehr mit seiner hilfe (vgl. Bonn, Bacha-
rach, Boppard), die Mainlinie respectiert es aber gründlich. im
süden davon, so möchte man wenigstens urteilen, scheint der
verf. nur wüste und einöde zu vermuten. dass Altötting, welches
übrigens nicht in der 'diöcese' Freising (es gibt jetzt nur eine
erzdiöcese München-Freising), sondern in der d. Passau liegt, der
gröste wallfahrtsort in Süddeutschland ist, dass über die wall-
fahrtskirche, ihre entstehung (aus einem heidnischen planeten-
tempel?) und geschichte, über die wunderbar kunstvollen weihe-
geschenke (das 'goldene rössel') eine grofse litteratur besteht (das
wichtigste wenigstens in der Bibliographie von Oettinger, v. Marie),
dass daselbst ein grofses ehemaliges jesuitencollegium, später haus
der redemptoristen (nun capuzinerkloster) ist, das alles ist hier
übergangen. die 'Malteser-commende', die hier angeführt wird, ist
nichts anderes als eben dieses collegium. nach der aufhebung
der gesellschaft Jesu machte Karl Theodor die meisten ihrer güter
zu solchen commenden, von denen aber nichts mehr besteht.
daher die vielen baierischen 'Maltesercommenden', welche dieses
lexicon (meist nach dem alten Hirsching) namhaft macht, obwol
sich die dinge inzwischen völlig verändert haben. das in Altötting angeführte 'mönchskloster S. Francisci' war ein capuzinerkloster und wurde bei der säcularisation als aussterbekloster für
jene capuziner bestimmt, die sich nicht säcularisieren lassen wollten. gegenwärtig ist es wider capuzinerkloster, so dass daselbst
deren zwei neben einander bestehen.

Ähnlich ist das lexicon in betreff des klosters Andechs bestellt. über die grofse wallfahrt und die heiligtümer, die schon im
mittelalter ihre litteratur hatten, über die stiftung durch die
grafen von Andechs, ist kein wort verloren. dagegen lässt es
auch dieses stift in der 'diöcese Freising' liegen, da es doch zu
Augsburg gehört. so wird häufig eine diöcese Constanz angeführt, die längst nicht mehr existiert und in andere diöcesen
aufgelöst ward. so werden klöster in Würtemberg und Baden zu
Speier gerechnet, obwol die rechts vom Rhein gelegenen teile
der alten diöcese Speier nun zu Freiburg und Rottenburg gehören. die neuere zeit ist überhaupt gar wenig berücksichtigt.
dass in 'Appolinaris' nun ein franziscanerkloster, dass in Au am

Iun nun franziscanerinnen, in Beuerberg nun salesianerinnen
('von der heimsuchung') sind, dass SBlasien nach SPaul in Kärnten buchstäblich 'übertragen' wurde, das ist alles übersehen.
Baumburg gehört jetzt kirchlich nicht mehr zu Salzburg, sondern
zu München-Freising, und politisch gehörte es wol nie ins 'landgericht Berchtesgaden', sondern nach Traunstein. in Oberbaiern
werden neben einander zwei Au erwähnt, das eine 'landgericht
Hag, diöcese Salzburg, chorherrenstift regulierter augustiner', das
andere 'landgericht Wasserburg, diöcese Freising, augustiner-
mönchskloster.' beide sind ein und dasselbe kloster, und zwar
(ehemals) ein chorherrenstift. der verf. scheint wol einen unterschied zwischen 'regulierten augustinern' und 'augustiner-mönchen'
zu ahnen, aber gerade hier hat ihn das irre geführt. die chor-
herren, canonici regulares, folgen auch der regel des heiligen
Augustin, aber sie sind, was ihr name sagt, canonici. die sogenannten augustiner wie die dominicaner, franziscaner, minoriten, capuziner, carmeliten, sind keine 'mönche', sondern mendicanten (oder regulares, religiosi, fratres genannt). 'mönche',
monachi, heifsen nur jene, die nicht eigentlich für das äufsere,
tätige leben bestimmt sind, und nach einer mehr monarchischen
verfassung unter einem ständigen oberen leben (vgl. Barbosa Jus
eccl. 1, 41, 16; 43, 9 fl), also benedictiner, cisterzienser, camal-
dulenser, karthäuser. die meisten neueren ordensgenossenschaften
mit völlig anderer verfassung, jesuiten, redemptoristen usw. sind
weder mönche noch canonici noch mendicanten, sondern clerici
regulares (nicht orden, sondern gesellschaften oder genossen-
schaften, congregationen). es ist also von rechts wegen irrig,
wenn das Lexicon stets von dominicaner-, franziscaner-, capu-
ziner-mönchsklöstern spricht. die kenntnis von derlei dingen,
oder die des unterschiedes von diöcese und erzdiöcese, sollte
man in einem derartigen werke wol doch voraussetzen. unnötig
scheint uns die ohnehin nur unregelmäfsig und unvollständig
durchgeführte angabe, welche patronate oder güter jemals zu
diesem oder jenem stifte gehört haben. wol aber hätten wir
angaben über bedeutende geschichtliche ereignisse, die sich an
das eine oder andere kloster knüpfen, oder über culturhistorische
merkwürdigkeiten, bibliotheken, sammlungen, erfindungen gewünscht. jedermann würde doch lieber bei Blaubeuern statt der
in Ulm zugehörigen mühle von dem wundervollen altar daselbst
und der litteratur hierüber lesen. unerlässlich erscheint uns
aber die angabe, welche bedeutsame männer in dem jedesmaligen
kloster gelebt, schon deshalb, well nur zu oft die biographien
solcher auch mehr oder minder eine geschichte des ganzen klosters
geben (vgl. zb. Bader, Martin Gerbert s. 1—23). nirgend vermisst man das mehr als bei SBlasien, wo über den grofsen gelehrten fürstabt Martin Gerbert und die gelehrtencolonie, in der
männer von europäischem rufe, Herrgott, Heer, Ussermann, Neu-

gart, Eichhorn ua. glänzten (Bader Sanct-Blasien s. 76—135),
auch nicht ein wort verloren ist. wir machen dem verf. keinen
vorwurf daraus dass er das nicht alles selbst geleistet. das ist
überhaupt nicht sache eines einzelnen mannes. gerade die besten
hieher einschlägigen arbeiten liegen in kleinen abhandlungen, programmen, pastoralblättern, historischen provinzialzeitschriften, bro-
schüren udgl. verborgen, die niemals weit dringen. zu allem überfluss haben wenigstens die süddeutschen geistlichen, und diese
gehören auf fraglichem gebiete zu den fleifsigsten und berufensten
arbeitern, eine eigentümliche geschicklichkeit, ihre studien entweder gar nicht oder nur dort ans licht treten zu lassen, wo
sie gewis niemand vermutet oder findet. überdies ist das studium
der sogenannten diöcesan-matrikeln (zb. von München-Freising,
Regensburg), der diöcesan-archive, und vor allem der süddeutschen diöcesan-schematismen, deren gediegenheit Schulte (Status
dioecesium, Giessae 1856, p. iv) mit recht so sehr hervorhebt
(vgl. über Deutingers verdienste darum Allg. deutsche biogr. vi 90)
ein etwas, dessen notwendigkeit und ergibigkeit statistiker und
historiker noch immer nicht allgemein genug erkannt zu haben
scheinen. dass aber solches ohne gemeinsame beihilfe mehrerer
unmöglich zu einem grofsen ziele führen kann, leuchtet ein. eine
arbeit, wie die vorliegende, kann nur durch zusammenwürken
vieler, durch reisen und persönliche verbindungen zu stande
kommen. wir empfehlen dem verf., sich an professor dr Janau-
scheck aus dem cisterzienserstift Heiligenkreuz, an bibliothekar
dr Stamminger in Würzburg, an pfarrer dr Falk in Mombach,
an dompräbendat Friedr. Schneider in Mainz, an den herausgeber der Schriftsteller des benedictinerordens in Baiern von
1750—1880, ALindner, an den prior p. Rup. Mittermüller und
an p. Braunmüller im benedictinerstifte Metten, an p. Willibald
Hauthaler in SPeter zu Salzburg, an den capuziner p. Domin.
Schuberth in Diliogen, an p. Hieron. Paravicini im dominicaner-
kloster zu Olmütz, an den franziscaner p. Gaudentius Guggen-
bichler in Kaltern, an den fortsetzer von Maiers Statist. beschreibung des erzbistums München-Freising, Georg Westermayer
(den feinsinnigen biographen Baldes), an die historischen vereine
in München, Landshut, Regensburg, Bamberg, an die redactionen
des Freiburger diöcesan-archives und der Wissenschaftlichen studien aus dem benedictiner-orden zu wenden, damit aus dem begonnenen werke würklich ein vollständiges und verlässiges lexicon
deutscher stifter werde. dass wir eines solchen recht bedürftig
sind, verkennt niemand. wie gewaltig aber die schwierigkeiten
sind, die es bietet, das ahnen wenige, und der verf., so grofs
auch sein fleifs war, scheint sie selber nicht gefühlt zu haben.

Graz 23. 10. 80.   P. Albert M. Weiss O. P.

LITTERATURNOTIZEN.

StFELLNER, Compendium der naturwissenschaften an der schule
zu Fulda im IX jahrhundert. Berlin, ThGrieben, 1879. VI und
241 ss. 8⁰. — das buch enthält nach einer kurzen skizze von
Hrabans lebensgange eine übersichtliche nacherzählung derjenigen abschnitte aus seinem werke De universo, welche sich
mit physik, medicin, geographie, zoologie, botanik, mineralogie
befassen. wiewol die über diese materien entwickelten ansichten Hrabans nicht originell sondern wesentlich aus Isidor
geschöpft sind, so repräsentieren sie doch ganz gut die summe
des naturhistorischen, meist ziemlich fabulosen wissens, welches
das 9 jahrhundert besafs. ob freilich das interesse daran aufserhalb der engeren gelehrtenkreise so grofs ist, dass es sich
verlohnte, eine umfangreiche zusammenstellung in der muttersprache mit kritischer beleuchtung vom standpuncte moderner
wissenschaft aus zu liefern, möchte ich stark bezweifeln.

EHAUFFE, Die fragmente der rede der seele an den leichnam in
der handschrift der cathedrale zu Worcester neu nach der hs.
herausgegeben. Greifswald 1880. 52 ss. 8⁰. — diese schon
1838 von sir Thomas Phillipps und 1845 von SWSinger publi-
ieierten, auch metrisch interessanten sieben fragmente erhalten
wir hier in neuer ausgabe, der eine von Zupitza und Varnhagen gemeinschaftlich vorgenommene collation der hs. (12 jh.)
mit dem Phillippsschen drucke zu grunde liegt. in der einleitung sucht der herausgeber die entstehungszeit der bruchstücke soweit als möglich zu fixieren (11 jh. oder anfang des 12)
und weist den text, so wie er vorliegt, dem südlichen dialecte
zu. er hat vor allem einen lesbaren text herstellen wollen,
eine behandlung der laut- und flexionsverhältnisse lag nicht
in seinem plan.   K. VOLLMÖLLER.

KKINZEL, Der junker und der treue Heinrich. ein rittermärchen.
mit einleitung und anmerkungen herausgegeben. Berlin, Weber,
1880. 105 ss. 8⁰. 2,40 m. — als festschrift veröffentlicht
bietet diese ausgabe ein culturhistorisch und wegen märchen-
hafter züge nicht uninteressantes gedicht, dessen formelles verdienst freilich nur gering angeschlagen werden kann. der
herausgeber druckt die handschriftliche überlieferung ab und
gibt seine verbesserungsvorschläge unter dem text, vermischt mit
erläuterungen (v. 1658 ist *wol geracht* = mnl. *wol gheraket*). dass
die überlieferung nicht das ursprüngliche biete, sondern eine
annäherung an das hochdeutsche erfahren habe, wird mit grund
vermutet. die lautverhältnisse der hs. werden in der einleitung
zusammengestellt: sie weisen auf den Mittelrhein (die gegend
von Mainz bis Cöln) und in das 14 jh. aus v. 826 ff 'durch

die minne des junkers sei seine geliebte ein weib geworden
und getreten in unseren orden' schliefst der herausgeber dass
das gedicht von einer frau verfasst sei. muss man dann nicht
annehmen dass auch die zuhörer diesem geschlecht angehörten?
aufserdem vereinigt die einleitung zahlreiche stellen, in welchen
dichter des 13 und 14 jhs. über den verfall des ritterwesens
klagen. mit unrecht bemerkt der herausgeber s. 12 dass sich
dieser verfall auch in der versagung des christlichen begräb-
nisses der in den turnieren getöteten zeige. diese versagung
trat schon im 12 jh. ein: s. Du Cange s. v. *torneamentum.*
für Deutschland sind besonders characteristisch MG 23, 115,
wonach einem 1175 im turnier erstochenen sohne des markgrafen von Meifsen nur mit gröster mühe die bestattung in
geweihter erde erwürkt wurde; und aus dem anfang des 13 jhs.
Caesarius von Heisterbach Dial. mirac. 7, 38 *in tornamentis
occisi extra cimileria fidelium sepeliuntur.* die v. 1055 erwähnte
messe ist daher nicht blofs als althöfische sitte zu bezeichnen,
sondern als wolbegründete vorsorge für etwaige unglücksfälle.

E. Martin.

Korrespondenzblatt des Vereins für siebenbürgische landeskunde.
1880 nr 1—12. mit diesem dritten jahrgange ist die redaction
an hrn rector JWolff in Mühlbach übergegangen, ohne dass
aber änderungen in den zielen oder der einrichtung des blattes
eingetreten wären; nur wird der kritik ein gröfserer raum als
früher eingeräumt. für uns kommen folgende artikel, sämmtlich von Wolff verfasst, in betracht: Der muerlef; Sprich-
wörtliche redensarten für trunken sein; Siebenbürgische orts-,
flur-, bach- und waldnamen.

FLiebrecht, Zur volkskunde. alte und neue aufsätze. Heilbronn, gebr. Henninger, 1879. xvi und 522 ss. 8°. 12 m. —
es ist eine gegenwärtig sehr verbreitete mode dass lebende ihre
in zss. verstreuten kleineren und gröfseren aufsätze oder notizen gesammelt nochmals dem publicum vorlegen. eine gewisse berechtigung lässt sich diesem verfahren nicht absprechen,
wo es sich darum handelt, nach form oder inhalt hervorragende
artikel der raschen vergessenheit zu entreifsen, welcher sie in
der tagespresse unweigerlich anheimfallen: wenn aber, wie hier,
sämmtliche stücke nur in wissenschaftlichen, überall leicht zugänglichen und überall noch benutzten journalen veröffentlicht
sind, scheint mir ihr neudruck — abgesehen von der schädigung, welche damit die zss. erleiden, in denen die erste
publication geschah — um so weniger angezeigt, als der inhalt
der einzelnen sich keineswegs zu einem gesammtbilde abrundet,
keineswegs für einen bestimmten leserkreis gleichmäfsiges interesse bietet, keineswegs der durchführung grofser gedanken
dient; ihre einheit erhalten diese aufsätze nur dadurch, dass
sie sich sämmtlich mit novellen- und sagenstoffen beschäftigen

und von der in der tat ausgebreiteten belesenheit ihres verfassers zeugnis ablegen. freilich ist eine derartige gelehrsamkeit
unschwer zu erwerben und ich weifs nicht, ob stete beschäftigung mit romanen und novellen anspruch erheben kann als
wissenschaftliche arbeit zu gelten; sogar die frage, ob man
gut daran tue, immer wider in die tiefen der geschichte
des menschengeschlechtes hinabzusteigen und den unsittlichen
schmutz derselben hellem lichte preiszugeben, kann sehr verschieden beantwortet werden. sehen wir aber von allem dem
ab, so soll nicht geläugnet werden dass die meisten aufsätze, die den inhalt des werkes bilden, reichliche zusätze
gegen früher erfahren haben und dass auch manches ganz
neue stück hinzugetreten ist, das dem einen oder andern von
wichtigkeit und interesse sein dürfte.

KMAURER, Zur politischen geschichte Islands. gesammelte aufsätze. Leipzig, Schlicke, 1880. xi und 318 ss. 8⁰. 6 m. —
die hier vereinigten essais, welche bis auf einen in der Historischen zs. publicierten sämmtlich zuerst in der beilage der
Allgemeinen zeitung gedruckt sind, behandeln den langwierigen
verfassungsstreit, den, wesentlich seit 1848, Island gegen Dänemark führte und welcher erst im jahre des tausendjährigen
jubiläums der besiedelung der insel beigelegt wurde; den schluss
bildet passend ein necrolog Jón Sigurdssons, des hauptführers
seiner landsleute im kampfe um ein selbständiges staatsleben.
wenn auch das unmittelbare interesse, welches diese aufsätze
bei ihrem erstmaligen erscheinen erregen musten, jetzt geschwunden ist, und die aneinanderreihung der in längeren
pausen unabhängig von einander geschriebenen manche widerholungen verursacht hat, so folgt man doch den klaren ausführungen des hervorragenden kenners isländischer verhältnisse
um so lieber, als dieselben von warmem gefühl für einen nahe
verwandten stamm eingegeben sind, dabei aber niemals die objective ruhe des historikers vermissen lassen.

RROTH, Das büchergewerbe in Tübingen vom jahre 1500—1800.
rede zum geburtsfest seiner majestät des königs am 6 märz 1880
gehalten. Tübingen, Laupp, 1880. 55 ss. 8⁰. 1 m. — auf
ebenso anziehende wie belehrende weise stellt der verfasser in
grofsen zügen die entwicklung von buchdruck und buchhandel
in der stadt Tübingen dar, für die anfänge, die jahre 1498 bis
1534, gestützt auf die forschungen des bibliothekars Steiff,
welche demnächst selbständig veröffentlicht werden sollen. ein
anhang enthält die beschreibung des alten silberschatzes der
hochschule und berichtet über die letzten, allerdings nicht
völlig durchsichtigen schicksale desselben.

OSCHROEDER, Bemerkungen zum Hildebrandsliede. 32 ss. 8⁰.
separatabdruck aus den Symbolis Joachimicis ɪ. Berlin, Weidmann, 1880. — enthält betrachtungen über die handschrift,

die metrik und einzelne stellen des gedichtes, das zum schlusse nochmals abgedruckt ist. die tendenz geht dahin, nachzuweisen dass die lücken des liedes wesentlich den schreibern zur last fallen und nicht auf zerrüttete überlieferung deuten. wenn man auch nicht allen ausführungen des verfassers, namentlich nicht den metrischen, beistimmen kann, so verdienen doch manche sorgsame erwägung.

Deutsche litteraturdenkmale des 18 jhs. in neudrucken herausgegeben von B Seuffert. 1. Heilbronn, Henninger, 1881. — der glückliche gedanke Braunes, seltene prosaische und poetische producte der deutschen litteratur des 16 und 17 jhs. in diplomatisch treuen neudrucken allgemeinster benutzung zugänglich zu machen, hat wolverdienten beifall gefunden, wie schon die stattliche zahl der bisher ausgegebenen hefte beweist. aber auch das vorige jahrhundert hat manches denkmal hervorgebracht, welches heutigen tages zu den bibliographischen seltenheiten gehört, obwol oder vielleicht gerade weil es zur zeit seines ersten erscheinens zündende würkung ausübte. und da gegenwärtig die litteratur des 18 jhs. sich rühriger wissenschaftlicher pflege erfreut, so muss das unternehmen Seufferts als eine willkommene und höchst zeitgemäfse ergänzung der Hallenser neudrucke begrüfst werden: namentlich wird es den seminaren für deutsche philologie zu gute kommen und ebenso geeignet sein, deren arbeiten wesentlich zu erleichtern wie sie zu erweitern. mit gutem bedachte ist zur eröffnung der neuen sammlung Klingers Otto gewählt worden, der bisher, da vom dichter weder seinem Theater noch seinen Werken einverleibt, nur einmal im druck erschien, während die forschung der letzten jahre sich in hervorragendem mafse mit ihm beschäftigte. auch die für die nächste zukunft in aussicht genommenen stücke, HLWagners satire Voltaire am abend seiner apotheose, auf welche als eines neudrucks wert bereits ESchmidt hinwies, Gleima Grenadierlieder ua., dürfen auf ein dankbares publicum rechnen.

Anzeige.

Der preis der im jahre 1872 bei Franz Lipperheide zu Berlin erschienenen übersetzung des Brantschen Narrenschiffes von Karl Simrock, welche durch treue reproduction der holzschnitte und randleisten der originalausgaben von 1494 und 1495 besonderen wert besitzt und das verständnis des gedichtes damit wesentlich fördert, ist bis zum 1 mai 1881 von 15 m. auf 7,50 m. für ein gebundenes exemplar ermäfsigt worden.

Handbuch der deutschen alterthumskunde. übersicht der denkmale und gräberfunde frühgeschichtlicher und vorgeschichtlicher zeit. von LLindenschmit. in drei theilen. erster theil: die alterthümer der merovingischen zeit. mit zahlreichen in den text eingedruckten holzstichen.
erste lieferung. Braunschweig, druck und verlag von Friedrich Vie-
weg und sohn, 1880. xii und 320 (321) ss. 8°. — 12 m.

Über dreizehn jahre lang vorstandsmitglied der 'königl. Schles-
wig-Holstein-Lauenburgischen gesellschaft für die sammlung und
erhaltung vaterländischer altertümer' und mehr als zehn jahre
hüter und pfleger der schon damals nicht unbeträchtlichen Kieler
sammlung habe ich veranlassung und gelegenheit genug gehabt,
mich mit der dem erdboden entrückten 'hinterlassenschaft unserer
vorzeit' näher bekannt zu machen und das unbehagen über der
dunkeln kluft, die diese stummen zeugen der vergangenheit von
den in sprache und litteratur zu uns redenden trennt, so stark
wie irgend jemand empfunden. zwar die eröffnung der gräber
bei Oberflacht 1847, dann die des totenfeldes bei Selzen 1848
machten allem hin- und herreden über das zeitalter und die herkunft ähnlicher funde ein ende. eine feste epoche, die letzte
für die gräberfunde aus heidnischer zeit im gebiete des Rheins
und der oberen Donau war gefunden. aber sonderbar! so gut
wie jede spur dieser letzten heidenzeit fehlte bei uns im norden
der Elbe, vielleicht überhaupt im gebiete der Elbe? was war
daher mit jener fixierung viel für die unserer alten bronze und
gar unserer steinwerkzeuge gewonnen? eine reise, im herbst 1853
recht eigentlich im antiquarischen interesse unternommen, die
mich von Nürnberg über Mainz, Wiesbaden, Bonn nach Hannover, Berlin und Schwerin führte, brachte mich zu der ansicht,
die ich in einem damals erstatteten (freilich ungedruckten) reise-
bericht aussprach, dass das gebiet der alten bronze sich west-
wärts etwa bis zu einer durch den lauf der Weser bezeichneten
grenze erstrecke, die sich mir nachmals auf einem ganz anderen
wege als die älteste westgrenze der Germanen herausstellte;
das eigentliche gebiet des steinalters dagegen schien nach der
massenhaftigkeit seiner ablagerung auf eine ziemlich schmale
zone gegen die see hin beschränkt. im Berliner antiquarium
aber mit seinen altgriechischen, makedonischen und italischen
erzwaffen drängte sich außerdem die überzeugung auf, dass die

nordische bronzetechnik, wenn gleich hie und dort verschieden
und eigentümlich entwickelt, in einem zusammenhange mit der
südlichen stehen müsse.

So eröffnete sich die aussicht auf ein weitläuftiges und, wie
es schien, wol ergiebiges arbeitsfeld. zugleich aber muste einleuchten dass, um hier zusammenhängende und wol begründete
resultate zu erlangen, es für den einzelnen vor allen dingen der
ungeteilten hingebung bedürfe; es muste ihn weiter das glück,
mehr noch als durch neue ausgiebige funde, durch das entgegen-
kommen zahlreicher gleichstrebender mitarbeiter begünstigen und
ihm vergönnt sein, das auf vielen puncten gesammelte material
nach und nach genau zu vergleichen, und endlich musten ihm zur
publication seiner ergebnisse nicht unbedeutende mittel zu gebote
stehen. die entscheidung, welchen weg ich einzuschlagen hätte,
konnte nicht zweifelhaft sein. die erste notwendige und wichtigste aufgabe der deutschen altertumskunde fällt unstreitig der
rein philologischen forschung zu: aus der geschichte der sprache,
den nachrichten der alten und der späteren überlieferung ist
allein in die älteste innere entwicklung der Germanen und in
ihre verzweigung und verbreitung nach aufsen eine einsicht zu gewinnen. die speciell archaeologische oder antiquarische forschung
tritt daneben für éine seite des lebens aufklärend und ergänzend
ein, gerade da, wo sprache und schriftliche überlieferung uns im
stiche lassen; aber sie kann ihre arbeit kaum beginnen ohne auf
philologischem wege gewonnene resultate vorauszusetzen, und
noch weniger darin fortfahren ohne auf jener seite immerfort
einen anschluss zu suchen. und je mehr sie dies tut, um so
weniger kann es an einer übereinstimmung im letzten ergebnis
fehlen; mögen nur beide richtungen mit gleich strenger methode,
gleicher umsicht und gewissenhaftigkeit, die kein moment an
seinem orte übersieht, auf ihrem felde neben einander fortarbeiten.

Mit nicht geringen erwartungen nahm ich daher das oben
genannte, durch saubere typographische ausstattung und eine
menge schöner holzstiche einladende buch, den anfang eines,
wie man dem verfasser nachrechnen darf, seit mehr als dreifsig
jahren vorbereiteten werkes in die hand, wurde aber freilich
schnell entteuscht.

Herr Lindenschmit beginnt sein Handbuch der deutschen
alterthumskunde mit den altertümern der fränkischen oder merovingischen zeit, also mit den erzeugnissen der jüngsten periode
die überhaupt für ihn in betracht kommt, und mit den ergebnissen eines bodens, der zum bei weitem grösten teile jahrhunderte lang ein bestandteil des römischen reiches war und von
den Germanen erst den Römern abgewonnen wurde, der, selbst
wenn wir das ganze gebiet des Rheines vom Maine abwärts hin-
zurechnen, was allein schon die namen der zuflüsse beweisen,
niemals für einen ursprünglich germanischen gelten kann.   hr L.

möchte sein verfahren nach s. viii f. s. 60 als methodisch wol begründet angesehen wissen. aber entscheidend ist ohne zweifel dafür der umstand gewesen dass er von jeher eben jenes gebiet der altertümer vorzugsweise bearbeitet und sich gewöhnt hat nur von da aus die übrige welt zu betrachten. scheint es doch fast dass er über die grenzen desselben niemals hinausgekommen ist und namentlich die im umkreise der Ostsee gemachten funde in ihrer masse niemals ruhig in augenschein genommen hat. bei einem unbefangen und vorurteilslos die wahrheit suchenden forscher ist sonst die törichte, ja lächerliche polemik, die hr L. gegen die bekannte dreiteilung der archaeologischen vorzeit erhebt, gar nicht zu verstehen; lächerlich durch das pathos der 'höheren pflicht', mit dem s. 30 ff ein obscurer Marburger studiosus von 1714 dem gründer des Kopenhagener museums entgegengestellt wird, und töricht wenn hr L. s. 47 anerkennen muss 'dass diese einteilung vorzugsweise aus dem tatbestande der altertümlichen fundo des Nord- und Ostseegebiets hervorgegangen ist' und weiterhin s. 50 einräumt 'dass der ausschliefsliche gebrauch von werkzeugen aus stein in ganz Europa jenem der metalle vorausgieng und dass die in unserem lande gefundenen erzgeräte einer früheren zeit angehören als die zeugnisse einer allgemeinen ausgiebigen benutzung des eisens.' als wenn Thomsens einteilung jemals etwas anderes bezweckt hätte als die anerkennung dieser sätze, und als wenn die forscher nicht seitdem auf allen seiten bemüht gewesen wären die übergänge und das übergreifen der einen periode in die andere zu verfolgen und dadurch die abstracte unwahrheit der einteilung aufzuheben und sie in ihrer concreten wahrheit darzustellen! ist sie falsch angewendet worden, so möge man das bekämpfen wo man noch nicht davon zurückgekommen ist. jeder unbefangene wird und muss froh sein dass jener 'tatbestand' auf unzweifelhaft urgermanischem boden so rein und klar vorliegt. der deutschen archaeologie ist damit eine frage gestellt, die sie aufs glücklichste in die lage versetzt ihre untersuchungen völlig voraussetzungs- und vorurteilslos von anfang an beginnen zu können und die sie zugleich auf den standpunct erhebt, von dem aus sie allein ihre wissenschaftliche dh. historische aufgabe erfüllen kann. aber dass die archaeologic, so gut wie die deutsche altertumskunde überhaupt, sich auf den boden des ur- oder gemeingermanischen stellen muss, davon weifs hr L. nichts oder will nichts davon wissen, wenn er eigensinnig auf seinem fränkischen oder 'römischgermanischen central'-standpunct verharrt und den ausgangspunct, den die methodische untersuchung nehmen muss, sogar mutwillig von sich stöfst.

Überhaupt auf einem freien, rein wissenschaftlichen standpuncte würde er sich zu den Dänen und ihren arbeiten in ein anderes verhältnis gesetzt haben. äufserungen des nationalen ge-

14*

fühls, von denen andere kaum berührt worden sind, die sie jedesfalls sehr nachsichtig als verzeihlich und selbst gerechtfertigt hin-
genommen haben, empfindet hr L. (s. 29) als 'widerlich' und 'aus-
nehmend abstofsend'. die reisebemerkungen Worsaaes von 1846,
in denen, wie es unbefangeneren schien, der damalige zustand
der antiquarischen forschungen und sammlungen in Deutschland
einer scharfen, aber nicht ungerechten kritik unterworfen wurde
(Berichte der Schlesw. Holst. Lanenb. gesellschaft 1848 s. 19),
scheinen damals dem werdenden, eben aufstrebenden archaeologen
Lindenschmit sehr zu gemüte gegangen zu sein (s. 48 f), und er
seitdem mit dem ingrimm eines geschäftsmannes seinen betrieb
durch fremden import, vor allem von nordischer seite bedroht,
ja bis heute eingeengt zu fühlen, obgleich ihm kein schutzzoll
jemals, nur die eigene vorurteilslose einsicht aus der klemme
helfen wird. der eigentliche grund seiner wissenschaftlichen be-
schränktheit ist leider bald entdeckt.

Herr L. spricht von Jacob Grimm und dessen leistungen
nicht anders als in den ausdrücken der höchsten bewunderung
und verehrung, s. v von JGrimms unvergleichlicher würksamkeit,
s. 19 von dem 'grofsen forscher', s. 24 von 'unserem verehrungs-
würdigen Jacob Grimm' usw. das wäre alles ganz schön und
gut, wenn diese lobsprüche von einem manne herrührten. der
würklich den segen von JGrimms arbeiten an sich erfahren und
mehr als schaum zu schlagen gelernt hätte. die Rechtsaltertümer werden einmal s. 241, die Mythologie s. 282 und vielleicht
noch sonst citiert. aber was will das sagen? die 'Geschichte der
deutschen sprache' scheint hrn L. JGrimms hauptbuch. aber
das lob, das er ihr erteilt s. 19 dass sie 'unübertroffen in fülle
der gelehrsamkeit und ihrer ergebnisse, wie in anziehendster darstellung' einen 'schatz von funden und beobachtungen' enthalte,
lässt schon vermuten dass er keine ahnung davon hat, was jeder
einigermafsen wissenschaftlich vorgebildete weifs, dass Grimm in
keinem anderen buche mehr auf den arbeiten anderer fufst als
in diesem; noch viel weniger ahnt er dass kein buch von allen
Grimmschen gefährlicher zu gebrauchen ist für einen, der nicht
gelernt hat es in jedem puncto zu controlieren. das grofse, für
die gesammte germanische altertumskunde grundlegende werk der
Deutschen grammatik kennt hr L. höchstens vom hörensagen oder
ansehen, er kennt nicht einmal die freilich sehr der erweiterung
fähigen, immerhin aber auch in ihrer gegenwärtigen gestalt für
jeden archaeologen äufserst lehrreichen, ja unentbehrlichen abschnitte im dritten bande über die germanischen benennungen
der waffen, kleidung, kleinode und geräte, noch viel weniger ist
er tiefer eingedrungen um einzusehen, wie viel aus der sprache
für seinen zweck zu gewinnen ist, ja dass ein zusammenhängendes
sprachstudium allein die rechte wissenschaftliche basis für den
deutschen altertumsforscher abgibt.

Es wird nicht viel daran fehlen dass nicht hr L. jedesmal, so oft er die GDS gebraucht, glänzend zu falle kommt. unbedenklich nimmt er s. 20. 22 nach GDS 10. 13 an dass skr. *ajas* mit got. *eisarn*, ahd. *îsan* und mit *îs* im ablaut stehe und dass *ajas* eisen bedeute. aber nur in *îs*, *eisarn* gehört das s der ablautenden wurzel an, in *ajas* dem suffix des neutralen substantivs, und Grimm hat sich einer argen übereilung schuldig gemacht, indem er *ajas* mit *îs eisarn* zusammenbrachte. auch die meinung, dass *ajas* eisen bedeute, ist durch Zimmer (Altind. leben s. 51 f) wol für immer abgetan. skr. *ajas* ⚊ lat. *aes*, got. *aiz*, ahd. *êr* bedeutete χαλχός, und war auch die grundbedeutung die von metall überhaupt, so ist doch nicht einzusehen wie die Inder, Germanen und Italiker übereinstimmend zu der von kupfer gelangt sein sollten, wenn nicht schon ihre arischen oder indogermanischen vorväter das metall gekannt hätten. sprechen die archaeologischen erfahrungen dagegen — aber ein sechstausendjähriges stück eisen aus der grofsen pyramide des Cheops udgl. will noch nicht viel sagen —, so versuche man den widerspruch zu schlichten. alles was hr L. darüber vorbringt, ohnehin confus und unverständlich genug, ist vollständig in den wind geredet. — s. 199 scheint ihm Grimms — übrigens früher schon von anderen (Schilter Thes. 3, 315) versuchte — combination der ohne zweifel zunächst nach dem volke die 'fränkische', *francisca* genannten *securis missilis*, sowie der gleichfalls wol nach den Franken von den Angelsachsen *franca* benannten *lancea* — die nur einmal im Rigsmal belegte altn. *frakka* kommt nebst dem msc. *frakki* als wahrscheinlich entlehnt kaum in betracht — mit der alten *framea* durchaus 'überzeugend', er hält es aber für nötig eine reihe von erläuterungen und belehrungen hinzuzufügen, die jedesfalls nicht blofs über seine urteilsunfähigkeit der GDS gegenüber, sondern überhaupt über seine berechtigung in diesen dingen mitzureden weiter aufklären und zu berichtigungen gelegenheit geben, die anderen vielleicht von nutzen sein können.

JGrimms unglücklichen versuch, die in der Germania siebenmal, dann bei Juvenal, Gellius und öfter in der christlichen litteratur (s. unten) gleichmäfsig wolbezeugte lesart *framea* zu verdächtigen, glaubt hr L. aao. in der anm. durch die bemerkung zu stützen dass die hss. der Germania 'erst im 15 jh. entdeckt seien', die bei den profanscribenten feststehende wortbedeutung *hasta* aber dadurch schwankend zu machen 'dass alles was — in der Germania — zur näheren beschreibung der *framea* gesagt werde, bei einer lanze überflüssig erscheine, während die schilderung für eine wurfaxt nötig und vollkommen zutreffend sei.' im texte aber versucht hr L. zunächst nachzuweisen dass auch 'die älteste und am allgemeinsten verbreitetste art des deutschen schwertes, der *sax*' — das wort *sahs*, hr L., war ein neutrum und bedeutete, da es mit dem gleichgebildeten, aber ungleichwertigen lat. *saxum*, sowie mit *securis, secula*, ahd. *saga, seh* und *segansa* zur wurzel von *secare* schneiden gehört, ein schneidewerkzeug — 'als wurfwaffe gebraucht wurde'. hier stutzen wir über die neue, bisher unbekannte tatsache. allein s. 206 ff erfahren wir dass zwar eine stelle in der Lex Langob. wenig oder gar nicht, wol aber das messerwerfen im Wolfdietrich des Heldenbuchs — das nach einem druck des 16 jhs. angeführt wird — für das alter des gebrauches zeuge; denn 'als spätere zutat könnten wir diese schilderung des kampfes unmöglich annehmen'; aber doch wol dass die geschicklichkeit ehemals so wie heutzutage von einzelnen zu besonderer virtuosität ausgebildet wurde, wie auch das gedicht sie darstellt, jedoch keineswegs dass diese kunst eine allgemein verbreitete art des kampfes war. hr L. glaubt ferner s. 207 'Holtzmann habe das richtige getroffen, wenn er in der *materis* oder *matara*', d. i. in der von den alten allgemein als wurfgeschoss der Gallier anerkannten waffe, 'das wurfmesser findet'; nach hrn Lindenschmits wie nach Holtzmanns willen kann unser messer also nicht ehedem *matisahs* (instrument zum schneiden der speise) geheißen haben und Glück (Kelt. namen s. 134—137) hat sich vergeblich mühe gegeben Holtzmann zu widerlegen. auf alle fälle, wenn auch alle alten zeugnisse versagen, kann hr L. s. 208 noch einen beleg für die fortdauer des alten gebrauchs mindestens in volks- und zunftspielen — in sonderheit wie es scheint der barbiere — beibringen, da Fischart von Gargantuas waffenübungen sage 'aber das baderisch und bechtungisch messerwerfen und scharsachschiefsen liefs er st. Velten haben.' ohne zweifel, hätte hr L. ein gleiches getan, hätte man nicht an seiner vertrautheit mit der baderischen kunst gezweifelt und nicht angenommen dass er die auf s. 207 angeführten zeilen des Heldenbuchs:

Er warff im von der Blasse Zween Löcke wunnesam,
    Als sie mit eim scharsasse weren geschorn kindan

entweder schon auf s. 208 vergessen oder nach der baderischen seite hin nicht ganz verstanden hat.

Nach alledem ist es damit nichts dass 'der *sax*' allgemeiner bei den Germanen 'auch als wurfwaffe gebraucht wurde', und auch die bedeutung von *framea* als *gladius* kann dadurch nicht 'begründet' werden. diese ist allerdings aus der späteren und mittelalterlichen latinität oft genug zu belegen und hinlänglich 'beglaubigt', aber hr L. meint s. 199 f im gegensatz zu Grimm, 'nicht darauf zurückzuführen dass man in späterer zeit den von Tacitus aufgestellten begriff des wortes nicht mehr vor augen hatte. auch Gregor von Tours — die stelle 3, 15 führt Grimm mit anderen aus dem ma. GDS 515 in der anm. an — gebrauche *framea* für *gladius*. von den Romanen könne dieser gebrauch des wortes, welches ihrer sprache gar nicht angehörte, unmöglich ausgehen, er müsse auch bei den deutschen stämmen ein allgemeiner gewesen sein, und dass er, wie Grimm aus Notkers übertragung der Vulgata, aus stellen des Waltharius und althochdeutschen glossen nachweise, noch in spätere zeit hinabreicht, zeuge eher für altheimischen ursprung als für übertragung von aufsen her.' hierüber ein wort zu verlieren wäre beinahe überflüssig, wenn der seltsame bedeutungswechsel schon von anderen erklärt wäre. es bedarf dazu vor allen dingen einer etwas vollständigeren und genaueren zusammenstellung der wichtigeren belegstellen, als sie sich bei Grimm ua. findet.

Die bedeutung von *framea* stand, wie gesagt, in der älteren lateinischen profanlitteratur durchaus fest. Tacitus nennt in der Germania so die *hasta* der Germanen, wie er angibt, *ipsorum vocabulo*, ohne zweifel nach den besten gewährsmännern, aber schwerlich zum ersten male in der römischen litteratur, schon deshalb nicht weil alle sieben stellen (GDS 514) dem ersten teile der schrift angehören, der vorzugsweise aus der litteratur geschöpft ist. dass er sich des fremden wortes in seinen späteren historischen schriften enthielt, kann nicht auffallen, da es sich hier nicht um eine specielle schilderung der Germanen handelte. wenn etwa dreifsig jahr (Borghesi Oeuvres 5, 49 ff) nach dem erscheinen der Germania Juvenal 13, 79 das vornehmste, älteste attribut des Mars (Preller Röm. myth. 1858 s. 299 f), die lanze des gottes, *framea* benannte — 'welche stelle nachher eine bei Martianus Capella 5, 425 im sinn hat' (GDS aao.) —, so rechnete er darauf allgemein verstanden zu werden und dies allgemeine verständnis stammte gewis nicht allein aus der Germania. Gellius 10, 25, 2 zählt die *frameae* unter den wurfwaffen auf in einem verzeichnis, das er nach grammatiker art aus *historiis veteribus* gezogen hatte, und geradeswegs aus der grammatikerschule und somit aus ähnlichen quellen stammen die glossen, die der älteren, echten bedeutung schon die jüngere hinzufügen, Mai Classic. auctor. tom. 6,562ª *frameae hastae longissimae sunt, quibus etiam nunc Armorici utentes hoc nomen tribuunt. quidam ita etiam gladios significari putaret;* 7, 562ª *framea hasta longissima et acutissima vel gladius versatilis, id est bis acutus;* vgl. 6, 525ª *framea gladius versatilis id est bis acutus.* den letzten beleg für den gebrauch des wortes im alten sinne liefert aus dem anfang des zweiten jhs. der jurist Ulpian, Dig. 43, 16, 3 § 2 *Arma sunt omnia tela, hoc est et fustes et lapides, non solum gladii, hastae, frameae [id est romphaeae],* wo die letzten worte, wie Mommsen bemerkt, sichtlich ein zusatz sind, den die juristen Justinians aus lateinischgriechischen glossarien (gl. Philoxen. p. 97 Steph. *framea ῥομφαία,* vgl. Cyrill. p. 603 Steph. *ῥομφαία framia gladium)* entnahmen, die *frameae* aber, auf die sich der zusatz bezieht, sicher dem citierten auctor gehören, der nach der ordnung seiner aufzählung darunter nicht einen *gladius,* sondern nur eine gröfsere, schwerere art der *hasta* oder *lancea* verstanden haben kann.

Die jüngere bedeutung *gladius* gehört dagegen allein der christlichen litteratur, zunächst der biblischen sprache an. nicht einmal, sondern viermal steht *framea* in den Psalmen der Vulgata (Ps. 9, 7. 16, 13. 21, 21. 34, 3), einmal auch im Zacharja (13, 7) der ῥομφαία der LXX gegenüber, wofür sonst *gladius* (Ex. 5, 21. Ps. 36, 14. 15. 43, 4. 7 usw.), auch im N. t. (Luc. 2, 35. Apoc. 1, 16. 2, 16. 6, 8. 19, 15. 21) die übliche übersetzung ist: nur einmal (Apoc. 2, 12) ist hier *romphaea* beibehalten. an allen fünf stellen, wo die Vulgata, hat auch schon die Itala *framea*, aufserdem aber auch Ps. 36, 15 *framea*, wo die Vulg. *gladius eorum intret in cor ipsorum.* die höchst verworrenen citate der GDS aus Augustin ergeben gleichfalls dieselbe übersetzung für

Ps. 9, 7, Enarratio in psalm. 9, 8;

Ps. 16, 13, Sermo de diversis 114 (bei Migne 313), 4. 5;

Ps. 21, 21, Epistol. 120 (140 bei Migne) cap. 16, 41, wo Augustin erklärt *framea gladius est, nec utique tali ferro Christus occisus est, sed cruce, nec latus eius gladio, sed lancea percusserunt* und man sieht wie fremd ihm schon die ältere, echte bedeutung war;

Ps. 34, 3 vgl. Serm. de div. aao. 4 *framea vero dei, hoc est gladius dei, — ecclesia adversus eos, qui se persequuntur, precatur effundi atque concludi; 5 hanc effudit frameam — et conclusit adversus eos qui persequebantur ecclesiam.*

allein in der Enarr. in psalm. 149, 12 lesen wir als interpretation von v. 6 *et frameae bis acutae in manibus eorum,* statt *et gladii ancipites* in der Vulgata, und dazu die erklärung *Framea appellatur quam vulgo spatham dicunt. sunt enim gladii ex utraque parte acuti. ipsae sunt machaerae. ipsae autem frameae ipsae et romphaeae, ipsae etiam spathae appellantur. magnum mysterium habet hoc genus ferramenti, quod ex utraque parte acutum est. ipsae 'frameae' sunt 'bis acutae in manibus eorum'.* JGrimm muss wol, wie die vorhergehenden citate, so auch diese stelle nicht selbst nachgeschlagen und vollständig vor sich gehabt haben. sonst hätte er ohne zweifel gesehen dass sie und die von ihm und oft auch von anderen angeführte erklärung des Isidor Orig. 18, 6, 3 — *Framea vero gladius ex utraque parte acutus, quod vulgo spatham vocant. ipsa est et romphaea. framea autem dicta, quod ferrea est. nam sicut ferramentum, sic framea dicitur, ac proinde omnis gladius framea,* — trotzdem dass vorhergeht *Machaera autem est gladius longus ex una parte acutus,* in naher beziehung zu einander stehen, entweder durch eine gemeinsame, biblisch grammatische quelle oder weil Isidor direct oder indirect den Augustin benutzte. die übrigen vorisidorischen psalmencommentare darauf hin nachzusehen überlasse ich anderen; ebenso nachzuspüren ob die kirchenväter aufser Augustin, namentlich auch Hieronymus[1] selbst in seinen schriften, sich in der übersetzung von ῥομφαία immer gleich bleiben. Augustin kommt zu Ps. 149, 12 auch noch auf Hebr. 4, 12, wo er die μάχαιρα δίστομος mit *gladius bis* acutus, die Vulgata mit *gladius anceps*, ähnlich wie Ps. 149, 6 übersetzen. und dies hätte JGrimm auch schon auf die spur bringen können, dass jedesfalls die beschreibung der *framea* als *gladius bis* oder *ex utraque parte acutus* bei Augustin und Isidor, als *gladius versatilis id est bis acutus* in den lateinischen glossen lediglich aus der lateinischen bibelsprache stammt und vor allem vermittelt ist durch zwei stellen der Apocalypse, wo 1, 16 ῥομφαία δίστομος ὀξεῖα durch *gladius utraque parte (utrinque vel bis* h, *ex utraque* parte Iren bei Lachmann) *acutus* und 2, 12 τὴν ῥομφαίαν τὴν δίστομον τὴν ὀξεῖαν durch *rhomphaeam utraque parte (ex utraque* h bei Lachmann) *acutam* widergegeben wird. für jeden nicht ganz unwissenden und verkehrten versteht es sich von selbst dass *framea* durch die bibelsprache an Gregor von Tours und weiter ins ma. gelangte und hier für ein lateinisches wort galt, das der tradition gemäfs deutsch und ags. glossiert und von Notker in den Psalmen dreimal (9, 7. 16, 13. 34, 3) mit *suert* übersetzt, einmal aber 21, 21 mit *fone waffene, fone lancea (spere) militis (Longini)* zugleich so umschrieben wurde dass, wenn man *wdfen* als *gladius* (Graff 1, 785) nimmt, daneben noch die alte echte bedeutung mit einer von Augustin (Epist. 120 s. oben) ausdrücklich verworfenen auslegung hervorbricht. wie aber der bedeutungswechsel einmal zu stande gekommen, liegt in den sprachlichen zeugnissen klar genug vor.

Bei den Römern können wir die *rhomphaea* oder wie das wort im munde der soldaten sich bei ihnen früh gestaltete, die *rumpia* von Ennius an (Gellius 10, 25, 4) durch Livius 31, 39, Asconius Pedianus in Milon. § 4 und Valerius Flaccus (Argon. 6, 98) bis zu ende des ersten jhs. nach Chr. verfolgen und zwar als eine mächtige thrakische stofs- und wurfwaffe, die der letztgenannte poet, indem er sie den germanischen Bastarnen beilegt, als gleich lang von eisen und schaft beschreibt, durch die jedesfalls die *framea* der Germanen, sobald sie sich furchtbar gemacht hatte und in der litteratur genannt wurde, in den schulen gar wol erläutert werden konnte. die *rhomphaea* als 'schwert' kommt in der römischen litteratur wol zuerst bei Tertullian, also einem christlichen schriftsteller, in der legende der Perpetua (De anima

---

[1] Schilter Thes. 3, 315ᵇ citiert Hieron. ad psalm. xvi, aber der tractatus desselben ist verloren, Ernst Henrici Quellen von Notkers psalmen s. 14. Henrici meint, da das Psalterium romanum und gallicanum 16, 13 *framea*, die Translatio iuxta hebraicam veritatem aber *gladius*, aufserdem das pseudohieronymische Breviarium beide lesarten biete, so sei Schilter zu seinem citat gekommen. aber schwerlich hat dieser sich so viele mühe gegeben, um ein falsches citat zu stande zu bringen.

c. 55 B) vor. von griechischen profanscribenten wird Phylarch (c. 250 vor Chr.) genannt, der die ῥομφαία als βαρβαρικὸν ὅπλον erwähnte (Steph. Thes. s. v.); nach Plutarch (Aemil. Paull. c. 18) sah Scipio Nasica in der schlacht bei Pydna (a. 168 vor Chr.) zuerst die Thraker ὀρθὰς ῥομφαίας βαρυσιδήρους ἀπὸ τῶν δεξιῶν ὤμων ἐπισείοντας heranrücken; aber da Nasica eben hier Plutarchs (s. Peter Quellen s. 86) hauptgewährsmann war, so wird man die stelle vielleicht lieber unter die lateinischen als die griechischen belege für den gebrauch des wortes zählen. dass es indes in der griechischen profanlitteratur in dem sinne von lat. rumpia keineswegs fehlte, lässt des Hesychins ua. (s. Steph. Thes. s. v.) erklärung Ῥομφαία, Θρᾴκιον ἀμυντήριον, μάχαιρα, ξίφος ἢ ἀκόντιον μακρόν nicht bezweifeln. die bedeutung μάχαιρα, ξίφος taucht dagegen zuerst im hellenistischen griechisch auf: die LXX übersetzen mit ῥομφαία (s. vorher s. 216) dasselbe hebraeische wort חֶרֶב, das sie an anderen orten (Deuteron. 32, 41. Ps. 56, 5. Isai. 1, 20. 27, 1. 34, 5. 6. III Reg. 18, 28 usw.) gewöhnlich mit μάχαιρα, einmal (Ex. 20, 25) mit ἐγχειρίδιον widergeben, und in demselben sinne fanden wir ῥομφαία im N. t. bei Lucas und in der Apocalypse gebraucht. wie diese verschiedenheit der bedeutung entstanden und zu erklären sei, wissen wir nicht und kann hier dahin gestellt bleiben. denn unläugbar steht nunmehr zweierlei fest: 1) sie war im griechischen viel eher vorhanden als im lateinischen, ehe man hier auch von der *framea* etwas wuste, aber 2) sie allein hat den bedeutungswechsel von *framea*, auch den von *romphaea*, in der biblischen und christlichen latinität herbeigeführt, weil der übersetzer der Psalmen anfangs oder der übersetzer des ersten buches derselben (Ps. 1—41) und des Zacharja glaubte das ihm von der schule her als synonymum von ῥομφαία, *rhomphaea*, *rumpia* bekannte wort auch für ῥομφαία in dem sinne von *gladius* verwenden zu dürfen.

Dieser hergang war aus einer zusammenstellung der biblischen stellen unschwer zu ersehen und der pfarrer David Popp hat sie in einer abhandlung 'über einige grabhügel' (Ingolstadt 1821 s. 82 f) längst gegeben, die am wenigsten hrn L. hätte unbekannt bleiben sollen. aber freilich, wer JGrimm auf die oben (s. 214 f) angegebene weise zu belehren sucht, wäre niemals im stande gewesen aus des pfarrers nachweisungen belehrung zu schöpfen und die nötigen folgerungen zu ziehen. wer JGrimm entgegenhält, 'auch Gregor von Tours — an einer ihm wol bekannten stelle — gebrauche *framea* für *gladius,* von den Romanen könne dieser gebrauch des wortes, das ihrer sprache durchaus fremd sei, unmöglich ausgegangen sein, er müsse bei den deutschen stämmen allgemein verbreitet gewesen sein, und, dass Notker und die glossatoren *framea* durch *swert* verdeutschen, der dichter des lateinischen Waltharius (uam.) *framea* in gleichem

sinne verwendet, zeuge eher für seinen einheimischen ursprung
als die übertragung aus der fremde,' der hat, wie man annehmen
muss, verstehen und nachdenken in gelehrten dingen überhaupt
niemals gelernt. über *framea* als deutsches wort lässt sich folgendes sagen. ich benutze hier die gelegenheit Zs. 7, 383 zu
vervollständigen und zu berichtigen.

Unbestritten und unbestreitbar ist *framea* = *framia* ein de-
rivatum von *fram*. die von JGrimm (zuerst Zs. 7, 470 f; dann
GDS 513 f) gebilligte vermutung Wackernagels, dass das *fr* aus
hr, wie in romanischen, aus dem deutschen entlehnten wörtern,
entstanden und *framea* aus got. *hramjan* σταυροῦν (= altn.
hremma to clutch) zu deuten sei, ist sprachlich und methodisch
gleich unzulässig, weil auch nicht ein einziges beispiel des
gleichen lautübergangs innerhalb des deutschen selbst beizubringen ist und weil zur erklärung notwendig zuerst das ge-
meingermanische, als adverb und praeposition gebräuchliche *fram*
πρόσω und ἀπὸ mit seiner familie in betracht kommen muss,
ehe von anderen deutungsversuchen die rede sein kann. an
fram knüpfte auch Schilter (Thes. 3, 315ᵇ) wol zuerst die deutung
an, nachdem er gleich verständig die combination der *framea*
mit der *francisca* abgelehnt. von der wortfamilie aber muss
schon das schwache verbum *framjan* (ehemals *framejan)*, altn.
fremja, ahd. mhd. *fremen*, ags. *fremman* promovere, perficere ganz
aus dem spiele bleiben. *framea* war ein starkes femininum auf
ia (ēa), das, wie teils die verschiedene lautgebung, teils die verschiedenheit der formation anzeigt, zu *avia* in *Scadinavia Austra-
via*, *Lūpia (Λουπίας)* und zu den in lateinische masculina auf
is verwandelten flussnamen *Albis*, *Visur(g)is*, *Amisis* (Germ. antiq.
82. 93, neben *Amisia* und *Amisius)*, sowie zu *Bacenis*, Βυρ-
χανίς udglm. gerade so sich verhielt, wie die gotischen *sibja*,
sulja (solea) zu *mavi þivi heiþi hulundi jukuzi lauhmuni*, das
also den ersten beleg dafür liefert dass auch im westgermani-
schen die kurzsilbigen feminina in *ia* von den lang- und mehrsilbigen im casus rectus sing. ebenso wie im ostgermanischen
unterschieden wurden. dass aber ags. *fremu* commodum, beneficium jemals mit *framea* gleichlautete, wird niemand glauben,
der sich erinnert dass got. *sibja*, *banja* ags. *sibb*, *benn* ergaben.
es ist auch mit dem adjectiv *freme*, das die wörterbücher nach
Beov. 1932 *fremu folces cvén* ansetzen, nichts (Gen. 2330 ist
fremum dasselbe wie Räts. 51, 8), da ein got. *framjis* ags. *fremm*
und nicht *freme* wäre, wie got. *unsibjis* ags. *ungesibb*. man
möchte also *fremu* im Beov. aao. für einen schreibfehler statt
fromu (freomu) oder *framu* halten, wenn nicht der merkwürdige
alte, c. 790 und 802, also zweimal bezeugte baierische *Sigifrem*
(Zs. 7, 383) wäre und der stamm von *fremu* commodum! wie es
sich damit verhält, mögen andere entscheiden. von demselben
stamm, aber in hinsicht des suffixes noch einfacher gebildet als

das femininum *framea* ist das adjectiv in *a*, altn. *framr* 'used almost always in a bad sense, impertinently forward, intrusive, in a good sense, prominent; comp. *fremri* the foremost (of two), superl. *fremstr*, foremost, the best'; ags. *fram, from,* promptus, alacer, von sachen praestans. dieselbe grundbedeutung wie namentlich in dem adverb tritt hier hervor, nur noch lebendiger. *framea* kann daher eigentlich gar wol 'das nach vorn hin befindliche', die spitze bedeutet haben, auch wol eine waffe, mit der man vorgeht oder vorwärts kommt; aber warum nicht auch 'proiectio, proiectura, proiectibile' (GDS 515), also einen wurfspiefs, wie Schilter meinte? got. *brakja* πάλη, *vrakja* διωγμός — neben *vraka* verfolgung und neben *vraks* verfolger, wie *framea* neben *framr, from* — drücken eine handlung aus, *ludja* πρόσωπον, *vipja* στέφανος das product des *liudan* und *veipan, bandi* δεσμός das mittel um zu binden; warum nicht auch *framea* ein instrument um im kampfe vorzudringen oder in der ferne zu treffen? in welchem sinne das wort ursprünglich gemeint ist, lässt sich nicht ausmachen; aber eine andere erklärung als aus dem nächst liegenden *fram* wird ein methodisch und besonnen denkender nie verlangen. es ist später in allen germanischen sprachen spurlos verschwunden, auch bei den Westgermanen, bei denen die Römer es gewis zuerst kennen lernten, ohne zweifel weil die alte dürftige waffe mit der kurzen und schmalen, aus leicht zerbröckelndem raseneisen geschmiedeten spitze allmählich durch eine bessere von vollkommenerer technik völlig verdrängt wurde. dass man schon eine bessere, vornehmere wurfwaffe, den *gêr* kannte, beweist der name des Quadenkönigs Ἀριόγαισος aus der zweiten hälfte des zweiten jhs.

Nach dieser abschweifung wenden wir uns wider zu hrn L., um ihm — und andern — weiter seinen wissenschaftlichen standpunct klar zu machen. dass der gebrauch nicht nur des aperes und schwertes, wie ihn hr L. durch die *framea* zu beweisen suchte, sondern auch noch des beiles 'ursprünglich manches gemeinsame' hatte, — davon lassen sich nach s. 200 f noch spuren in der merovingischen zeit a u f f a s s e n, ja die scheinbare willkür in dem gebrauche der waffenbezeichnungen findet sich in den ältesten d e u t s c h e n liedern bestätigt: im Beovulf, so heifst es, 'werde innerhalb weniger verse, oft in demselben satze die nämliche waffe einmal s c h w e r t und das andre mal *b a r t e* genannt und es lasse sich denken dass diese dunkle, hochaltertümliche ausdrucksweise schon lange vorher der sprache des volkes eigentümlich war (denn Diodor 5, 31 sage von den nördlichen völkern — vielmehr nur von den Galatern, den Galliern nach Posidonius, einem kenner von land und leuten —: im gespräch drücken sie sich kurz und dunkel aus und deuten manches nur unvollständig und bildlich aus; der stolze und feierliche ton, den er ihrer sprache zuteile — er spricht nur von ihrer tiefen und rauhen

stimme und von ihrer prahlerei und grofstuerei —, entspreche
vollkommen dem character unserer ältesten dichtungen). für die
hochdeutschen werde das b e i l als waffe durch das Hildebrandslied verbürgt und die b a r t e der Nordgermanen im Beovulf
häufig genannt.'

Aber *bearde* barte ist gar kein ags. wort und kommt selbstverständlich niemals im Beovulf war, wie jeder sich aus irgend
einem beliebigen glossarium zum gedichte leicht überzeugen kann.
es ist an dem von hrn L. citierten orte im Beov. 1557 und noch
öfter, ebenso in dem weniger hochdeutschen als niederdeutschen
Hildebrandsliede, wie im alts. Heliand nur vom *bill* die rede und
immer nur als von einem synonymum von schwert, wie schon
Grimm Gr. 3, 440 bemerkte.   wenn aufserdem ags. *bill* als erklärung von *marra, ligo* und *falcastrum, tvibill* neben *stdnäx* und
stdnbill für *bipennis* (Wright Gl. 34ᵇ. 36ᵃ. 84ᵇ) begegnet, die bedeutung von engl. *bill* noch weiter geht und unsere müller den
mühlstein mit einer zweischneidigen 'bille' schärfen und schon
im ahd. (aufser *uuidubill* runelna) das denominativ *billôn,* billen
sich findet, so kommt man, ohne auf die etymologie einzugehen,
die vielleicht ein etwas anderes resultat ergibt, für das wort auf
die allgemeinere bedeutung 'haue, klinge'; aber verständiger weise
kann niemand es dem zweisilbigen hochdeutschen *bîhal* (beihel, beil)
gleichsetzen oder gar etymologisch damit zusammenbringen. hr L.
versteht eben kein ags., kein ahd. und alts., ja nicht einmal mhd.
er kennt den Beovulf nur aus Ettmüllers übersetzung, daher das
citat und allein die 'barte'l er kennt sonst kein ags. buch oder
gedicht (nur einmal s. 157 wird das fragment von Finnsburh
angeführt), das Hildebrandslied gleichfalls nur übersetzt und aus-
gelegt von unbekannten autoritäten (s. 169), den Heliand wie es
scheint (s. 67) nicht einmal dem namen nach, und was das mhd.
betrifft, so sehe man sich nur die stellen an, die er für seine
zwecke aus den Nibelungen aushebt und dann regelmäfsig in
einer ganz neuen gestalt und sprache erscheinen lässt.

Hr L. versteht von seiner muttersprache und deren schwester-
sprachen gar nichts, was der rede wert wäre. es mangelt ihm
überhaupt jede philologische vorbildung, um die quellen unserer
altertumskunde auszubeuten und in diesen dingen mitreden zu
können. es ist unnötig weitere belege dafür zu häufen. neu und
fein ist allerdings die bemerkung s. 221 f, dass der schmid Tre-
buchet im Parz. und Wh. an einen der altgermanischen stämme
des linken Rheinufers, ohne zweifel die *Triboci,* erinnere. aber
die alte einfalt, unkenntnis und confusion, wie wir sie schon bei
der *framea* kennen gelernt haben, blickt uns nur entgegen, wenn
s. 181 f der herzog Erich von Friaul zu ende des achten jhs.
einer *romphaea* sich bedient haben soll, wie Valerius Flaccus sie
bei den Bastarnen beschreibt, da die *romphaea* bei dem gelehrten
poeten, der jenen verherlichte, doch nur mittel- oder unmittel-

bar aus Apoc. 2, 12 stammt, oder wenn s. 184 aus Peuckers
Kriegswesen angeführt wird dass die *cateia* oder *teutona* 'noch
in einem angelsächsischen glossarium genannt werde', als wenn
der ags. glossator die beiden waffen anders woher als aus dem
Isidor (und Vergil) wie jeder andere im ma. gekannt hätte. dieselben erfahrungen finden im buche überall ihre bestätigung und
überall widerholt sich dergleichen, wie s. 304 dass der *regius
iuvenis Sigismeres* bei Sidonius Apollin. Ep. 4, 20 'ungeachtet
seines fränkischen namens, kein Franke oder Burgunde war,
sondern eher einem anderen deutschen stamme, vielleicht dem
gotischen angehörte', als wenn ein Franke ebenso gut ein Burgunde sein könnte und als wenn der mit *sigis* statt mit *sigi* com-
ponierte name, wie schon der index nominum zu Gregor von Tours
ausweist, nicht gerade unfränkisch wäre und nur die wahl lässt
zwischen einem Westgoten und Burgunden, ganz entsprechend
der lage des aquitanischen dichters. zu dem letzten, ganz der
kunst des barbiers und friseurs gewidmeten capitel sei nur noch
bemerkt dass hr L. s. 318 den Goten oder Westgoten durch die
behauptung entschieden unrecht tut dass sie nach dem zeugnis
Isidors nur den lippenbart behalten hätten, blofs weil er im Du-
cange oder anderswo wol ihre *granos*, nicht aber den *cinnabar*
gedeutet fand, also in seiner unschuld nicht wissen konnte dass
er es mit zwei gut gotischen wörtern und nicht blofs mit dem
schnurrbarte, sondern auch dem kinnbart der Westgoten zu
tun habe.

Herr L. besitzt ungefähr die schulbildung eines realschülers,
wie man sie heutzutage auch auf universitäten trifft. er versteht
wol vom latein soviel um die autoren für seinen zweck auszu-
ziehen, zumal mit hilfe der Geschichtschreiber der deutschen vorzeit oder anderer beihilfe; aber wo er sich auf eigene füfse stellt,
wird die sache mislich. nachdem s. 305 in Einhards beschreibung
der tracht Karls des grofsen die *tunica quae limbo serico ambie-
batur* irreleitend und falsch durch 'ein wamms, das mit s e i d e n e n
s t r e i f e n verbrämt war' widergegeben, soll der *thorax ex pellibus lutrinis et murinis confectus* gar 'ein aus s e e h u n d s - und
z o b e l p e l z verfertigter r o c k' sein, ohne dass hrn L. wegen
der bestimmung des kleidungsstücks nur schultern und brust
(*humeros ac pectus*) zu schützen und wegen der ungeheuerlichen
zusammensetzung desselben irgendwie bedenken einfielen! hr L.
befleifsigt sich eines schönen, schwungvollen, substantivreichen
stiles, aber nicht selten hält der denkende leser staunend inne
bei sätzen wie s. 1 'diese unmittelbare berührung mit einer fern-
abliegenden vorzeit (bei antiquarischen funden) erinnert auf er-
greifende weise an den zusammenhang u n s e r e r gegenwart mit
der mehrtausendjährigen geschichte e i n e s grofsen volkes'; s. 3
'bis dahin (bis zu den Massageten, Dahen und Saken am Oxus
-und Jaxartes in Asien) und tiefer nach osten reichen die an-

deutungen und spuren verwandter stämme, welche in dem mittleren Asien — hervorzutreten beginnen' usw. dazu kommt die närrische anwendung einer anzahl neugebackener wörter, wie 'culturlich' ('culturliche hypothesen' s. 18, 'culturliche anschauungen' s. 38), 'spätzeit, spätzeitlich' ('die spätzeitlichsten münzfunde' s. 75, 'eine völlig fremdartig gewordene spätzeit' s. 76, 'unverkennbar spätzeitliche erzeugnisse' s. 77, 'eine verhältnismäfsig spätzeitliche einführung des bogens' s. 157, 'die spätzeitlichste erscheinung dieses *baculus*' s. 188, auch 'frühzeitlich' meine ich kommt dazu im gegensatze vor) udglm. hr L. hat nie eine ernste, wissenschaftliche bildung genossen und es entgehen ihm damit alle vorbedingungen um eine sache wissenschaftlich zu erfassen und zu erörtern.

Aber bemerkenswert ist nun die kühnheit und entschiedenheit, mit der hr L. sich und seine sache auf dies nichts gestellt hat, bewundernswürdig das gefühl der freiheit und sicherheit, ja der gröfse und überlegenheit, mit dem er sich von seinem puncte aus nach allen seiten hin bewegt. nach seiner meinung braucht er nur seine stimme zu erheben, seiner rede freien lauf zu lassen, so sinken mauern und türme vor ihm ein, und es ist ganz einerlei dabei was er redet, ob sinn oder unsinn. 'die indogermanischen phantasien' (s. 17), 'die mit der erdenklichsten gelehrsamkeit gegen tradition und historie gerichtete hypothese' von der herkunft der vornehmsten europaeischen völker aus Asien muste als ein hemmnis 'für den jeweiligen fortschritt der wissenschaft', dh. hier für die hypothesen des hrn L. oder anderer seines gleichen, 'beseitigt werden' (s. 25), und wie? 'das nächstliegende und zwar s c h w e r wiegende bedenken' ergibt sich s. 5 f daraus 'dass weder für den elephanten und das kameel, noch für den löwen und tiger eine gemeinsame bezeichnung zu finden ist.' nach einer anmerkung unter dem text scheint die tatsache durch eine 'kritik' oder ein referat im Magazin für litteratur des auslandes über Benfeys vorrede zu Fiks — so schreibt hr L. — Wb. der indogermanischen grundsprache von 1868 erst zur kenntnis desselben gekommen zu sein. wenigstens redet er davon nur nach hörensagen und hat die worte der von ihm citierten gelehrten keineswegs vor augen gehabt. denn Rudolf Roth hat nicht blofs 'bezweifelt ob die Wedadichter den elephanten gekannt haben', sondern er sagt (zu Nir. s. 79) mit aller bestimmtheit 'der elephant ist den liedern des Rigveda noch fremd'; höchstens war er den alten Indern, die die lieder dichteten, nur noch ganz von ferne bekannt als ein gewaltiges, ungezähmtes waldtier (Zimmer s. 80), und Benfey aao. s. vɪɪɪ f hebt es nur als 'beachtenswert' hervor 'dass sich nicht die spur eines indogermanischen urnamens für die bedeutendsten asiatischen raubtiere, löwe und tiger, findet und ebenso wenig für das kameel.' die tatsache als ersten 'schwerwiegenden' einwand gegen den asiatischen ursprung der Indogermanen zu

erheben, konnte nur einem gelehrten von der art des hrn L. einfallen, der nicht wuste dass die Inder des Rigveda noch im
Pengáb am mittleren Indus safsen. war ihnen zu der zeit der
entstehung der lieder nicht nur nicht das semitische oder hami-
tische kameel, sondern auch und zwar noch vollständiger selbst
als der elephant der bengalische tiger (Zimmer s. 79) unbekannt,
so müssen selbstverständlich diese tiere damals im süden des
Hindukusch und Himalaya nicht so verbreitet gewesen sein, wie
etwa später, und nördlicher am obern Oxus und Jaxartes blieb
raum genug für die urheimat der Indogermanen, wenn nicht
andere gründe dagegen sprechen. aufserdem hätte es indogermanische urnamen für die tiere je gegeben, weil sie in der urheimat des stammes lebten, wie sollten die Europäer sie behalten
haben, nachdem sie in gegenden sich niedergelassen hatten, wo
die tiere gänzlich fehlten? — der zweite einwand gegen 'die
indogermanische hypothese', auf den hr L. offenbar sich etwas
zu gute tut (vgl. s. x), ist allem anscheine nach ganz seinem
eigenen kopfe entsprungen und ganz darnach geraten. er stellt
ihr die 'nachrichten der tradition und geschichte' s. 5 ff entgegen, 1) als 'erste kunde' (aus der zeit der babylonischen sprach-
verwirrung) 1 buch Mosis 11 cap. 2 v. 'da sie nun zogen gegen
morgen, fanden sie ein eben land, im lande Sinear, und wohnten
daselbst'; 2) die inschrift von Karnak, die, wenn sie richtig gelesen und gedeutet ist, beweist dass schon um die mitte des
zweiten jahrtausends vor Chr. die völker auf der nordseite des
mittelmeeres dieselbe stellung einnahmen, wie später nach den
ältesten nachrichten der Griechen und von dort aus angriffe gegen
Aegypten richteten; 3) die Keltenzüge des vierten und dritten jhs.
nach Italien, Griechenland und Kleinasien, wohin sie nur auf dem
'alten traditionellen wege', wie ehemals — dh. in einer vorge-
schichtlichen zeit — die 'Phrygier und a n d e r e thrakische stämme'
gelangten, zu denen (s. 7) auch die Iberer und Albanen am Kau-
kasus gehörten, da sie sich noch im ersten jh. nach Chr. (nach
Tac. Ann. 6, 34) ihrer abstammung — von den Thessalern des
Jasons erinnerten! hr L. übergeht dabei, wenn wir auch gegen
ihn die vorhistorische besiedlung Britanniens durch gallische Kelten
nicht geltend machen, doch die durch Caeșar bezeugte übersied-
lung der Belgen dahin und das noch ältere vordringen jener in
südwestlicher richtung nach Spanien, und er verschweigt ebenso
weislich neben dem auftreten der Goten am Pontus das ältere
und spätere vordringen der Germanen gegen süden und westen.
wie aus seinen daten ein g e s e t z für die bewegung europaeischer
völker gegen osten sich ergeben soll, oder, wie er sich ausdrückt
s. 6 dass 'alle die frühesten nachrichten europaeischer völkerbe-
wegungen — so! — eine richtung nach osten bezeichnen', wird
keinem aufser ihm einleuchten. haben etwa die völker oder auch
nur die Juden und ihre stammverwandten, die Phönizier, nach der

babylonischen verwirrung sich gegen morgen ausgebreitet? gehören nicht auch die Griechen und Römer zu den Europäern
und sind diese blofs gegen osten vorgedrungen? von den ältesten
historischen nachrichten bis zu dem ursprung der völker stellt
die sprachforschung einen unermesslichen zeitraum zur verfügung,
in den wir nur, wenn wir von der ältesten, uns erreichbaren
stellung und verbreitung jener ausgehen, durch rückschlüsse
und mit der hilfe der sprachgeschichte eine einsicht erlangen
können, wenn auch ohne eine andere als höchstens relativ be-
stimmbare chronologie. weifs also hr L. nichts besseres vorzubringen als jene 'nachrichten der tradition und geschichte', so
bleibt 'die indogermanische hypothese' oder 'phantasie' vorläufig
noch als ein hemmnis des geplanten 'fortschritts der wissenschaft'
bestehen.

Aber unbekümmert und unaufhaltsam schreitet hr L. seinem
ziele zu. wir erfahren zuvörderst s. 8 dass, wenn 'uns auch vor
allem die kenntnis und vergleichung der sprachen über die verwandtschaft oder nahe beziehungen räumlich getrennter völker
aufschlüsse gewähren könne, sie doch die erklärung des eigentlichen grundes, den nachweis der tatsächlichen veranlassung dieses
verhältnisses — des verwandtschafts- und beziehungsverhältnisses
— anderen forschungsrichtungen überlassen müsse.' wir fragen
neugierig, welchen? hr L. aber weist zunächst die sprachwissenschaft weiter in ihre schranken: 'ohne die belehrung der geschichte würde selbst die erkenntnis der ethnologischen verhältnisse unseres eignen weltteils — nach der philologischen methode
— zu den allerverkehrtesten aufstellungen gelangen müssen. in
welcher weise etwa die nationalität der Engländer und Franzosen
construiert würde, sei freilich bei der kühnheit philologischer
combination nicht vorauszusehen, dagegen würden uns sicher
die Sachsen in Siebenbürgen, wie die Deutschen an der Weichsel
und in den baltischen ländern als zurückgebliebene germanische
reste von der grofsen wanderung aus osten her nachgewiesen
werden.' aber vorauszusehen war hier für hrn L. gar nichts,
nur nachzusehen und zu lernen, was heutzutage selbst wol jeder
realschulabiturient weifs, dass die zerlegung der sprachen für
die zusammensetzung der englischen und französischen nationalität wesentlich dasselbe resultat ergibt, wie die geschichte,
so dass, wenn uns diese ganz im stiche liefse, wir uns mit der
philologischen methode durchaus nicht auf dem holzwege befinden würden, und was die zweite meinung betrifft, die hr L.
für so 'sicher' hält, dass auf sie nur einer verfallen kann, der
vom deutschen ebensowenig als er, db. eben gar nichts versteht.
mit welcher unbefangenheit und kühnheit, um nicht mehr zu
sagen, er in der 'kunst des nichtwissens' zu werke geht und den
'fortschritt der wissenschaft' sucht, leuchtet darnach hinlänglich
ein. aber 'einzig nur der sprachvergleichung zugewendet, hat

man die prüfung eines ebenso wichtigen merkmals der völker-
wandtschaft, jene der körperbildung, mit auffallender nach-
lässigkeit behandelt, so zu sagen beinahe unbeachtet gelassen'
s. 9 f. 'fragen wir nach dem resultate der untersuchungen über
die körperbildung asiatischer und europaeischer völker, so
begegnen wir einer so oberflächlichen beobachtung', dass hr L.
meint 'einige sich ihm aufdrängende bemerkungen am besten
sogleich auszusprechen' s. 10. ob er nun ein besserer anthro-
polog als philologe ist, weifs ich nicht. er gelangt auf seinem
neuen wege, auf dem die sprachvergleichung selbstverständlich
gar nicht in betracht kommt, zu einem seinem römisch-germani-
schen centralstandpunct (oben s. 211) durchaus conformen resultat,
zu einem 'alteuropaeischen' oder 'keltogermanischen' völkerstamm
(s. 19 anm. 54 usw.), 'welcher — nach s. 16 — in frühester
zeit den ganzen weltteil in seiner vollen breite von dem atlanti-
schen meere bis an das östliche gestade des Pontus bedeckte
und allem anscheine nach als die ursprüngliche grundlage der
gesammten europaeischen bevölkerung', ja nach s. 14 'in allen drei
weltteilen (Europa, Asien und Africa) — bei der constitution der
bevölkerung — als wesentlich mitwürkend zu betrachten ist.'
wir lassen ihn bei diesem resultate —'oder hirngespinst — ungestört, um so mehr weil, wenn unser gedächtnis uns nicht
teuscht, es wesentlich schon einmal in der 'geistvollen schrift
seines verstorbenen bruders' (s. 14 anm.), Die rätsel der vorwelt
von WLindenschmit (Mainz 1846), vorgetragen und mit ihr begraben ist. wir haben mit hrn LLindenschmit nur noch einen
punct auszumachen.

Es ist einiger mafsen schwer zu sagen wie man mit ihm am
ende daran ist. aber zu seinen aufserordentlichsten leistungen
gehört unstreitig der passus s. 38—40 gegen die Keltomanen
und Keltisten. wie bei der polemik gegen die 'indogermanische
hypothese', und die drei archaeologischen perioden, so werden
auch hier sachkenner und unkundige zusammengeworfen und
wird die wissenschaft für allen unfug und misbrauch, der in
ihrem namen getrieben wird, verantwortlich gemacht. von seinem
'alteuropaeischen' oder 'keltogermanischen' standpunct ist natürlich
hr L. dagegen, 'die deutschen völker — von dem grofsen alten
Keltenstamme zu trennen und dieser behauptung, welche nirgend anderswo' — also nach hrn L. (und Holtzmann) auch
nicht in den unzweideutigsten und bestimmtesten aussagen der
bestunterrichteten alten — 'einen anhalt findet, durch den nachweis einer verschiedenheit der sprachen eine tiefere begründung
zu geben' (s. 38) oder s. 46 'die vorausgesetzte trennung der
Deutschen und Kelten tiefer als durch unsichere sprachmittel
zu begründen.' wir nehmen an und glauben dass er von der methodisch historischen erforschung des keltischen, wie sie namentlich durch Zeufs (1853) in aller breite begründet ist, keine kenntnis

hat. unverständlich ist dabei freilich, welche 'spitzen der sprachwissenschaft das irische sofort zu dem ausgedehntesten gebrauch für vergleichungen und bestimmungen von wortbildungen der ältesten vorzeit — nach hrn L.s kauderwelsch — herangezogen haben' sollen (s. 39); er müste denn den unter dem texte angeführten WObermüller (wegen seines Deutsch-keltischen wörterbuchs von 1868) oder die seltsame, rätselhafte 'partei keltischer geheimräte, professoren, pastoren und doctoren, die schon die harzgegend und das ganze land bis nach Cöln an der Spree den fremden urbewohnern wider überliefert haben und die Preußen schon als Prausi (um 280 v. Chr.) mit gegen Delphi marschieren lassen' (s. 40), mit unter die 'spitzen der sprachwissenschaft' zählen. auf diese und vielleicht einige andere (vgl. s. 43 anm.) würde es wol passen dass sie 'mit hilfe keltischer lexiken zu ihren überraschenden ergebnissen gelangen' und in dem glauben leben dass die heutigen keltischen sprachen 'seit mehr als zweitausend jahren keine wesentlichen veränderungen erfahren haben' (s. 39), nicht im entferntesten aber auf Zeuß und seine vorläufer und nachfolger. dass diese hrn L. unbekannt geblieben sind, möchte man auch daraus schließen dass er s. 40 vielmehr von einem 'neuen aufschwung der keltischen studien in Frankreich' spricht, der die Keltomanie in 'Süddeutschland und namentlich in Österreich frisch belebt' haben soll. aber wie dem auch sei, wie auch hr L. sich zu Zeuß verhalten mag, in der anm. s. 40 heißt es mit dürren worten, 'wir wissen recht wol dass diese übrigens — für sie? — sehr bezeichnenden extravaganzen der Keltomanen den eigentlichen vertretern der sprachwissenschaft höchst unbequem und lästig erscheinen und dass sie durch bestimmteste zurückweisung sich gegen diese paroxismen — so! — verwahren, welche das gebiet der keltischen ansprüche weit überschreiten, wie sie dieselben, wenn auch nach sehr allgemeinen und verschwommenen —! — begriffen' — dh. nicht nach der 'keltogermanischen' phantasie des hrn L. — 'nach ihren bedürfnissen einmal fest abgesteckt haben. es entlastet dies jedoch keineswegs von aller verantwortlichkeit', weil sie und überhaupt die einseitigen philologen nach hrn L.s meinung die bösen geister nur hervorgerufen haben. dass die methodisch historische erforschung des keltischen jünger ist als die Keltomanie und dass diese ganz auf eigene hand und gefahr nicht nur neben jener, sondern im völligen gegensatze zu derselben ihr wesen fortsetzt, darüber ist wie gesagt hr L. vielleicht nicht im klaren, nach der ausgehobenen anmerkung aber weiß er im allgemeinen von der wissenschaft so viel, dass sie jede gemeinschaft mit der Keltomanie und vermutlich jedem ihr ähnlichen unwissenschaftlichen treiben ablehnt. wenn er dennoch ihr ohne erbarmen und unterschied alle außerhalb ihres kreises begangenen sünden aufbürdet und seine bisherige praxis mit der ausdrücklichen erklärung beschliefst dass sie vornehmlich für alles verantwortlich sei, so versetzt er uns und sich in die peinliche lage ihm sagen zu müssen, entweder hr L. sagt wissentlich die unwahrheit und lästert um die ihm unbequeme wissenschaft so schnell als möglich aus seinem wege zu schaffen, oder aber er ist völlig unzurechnungsfähig und weifs nicht was er redet; und für diese mildere seite des dilemmas, in das er sich versetzt hat, möchten wir uns als die wahrscheinlichere entscheiden. denn welcher vernünftige mensch wird die wissenschaft für die unwissenheit, die tugend für das laster, die wahrheit für die lüge verantwortlich machen? hat etwa JGrimm oder haben die philologen überhaupt es verschuldet dass dem hrn L. jede wissenschaftliche bildung abgeht?

Die aufgabe der deutschen oder germanischen archaeologie erheischt vorläufig in ihren ersten stadien und rasten keine grofse gelehrsamkeit, nur fleifs, sorgfalt und umfang der beobachtung und zwar zunächst auf dem boden, den die Germanen am frühesten inne gehabt haben, wenn sie überhaupt innerhalb unseres weltteils existierten und hier eine gens sui similis geworden sind, dh. auf dem gebiet zwischen Weser und Weichsel und vom hercynischen walde nordwärts bis nach Scadinavien. daran mag sich dann die beobachtung und sammlung der tatsachen in den übrigen, nach und nach von ihnen besessenen landschaften und ländern anschliefsen. ein handbuch, das alle bisher in diesem umkreise gewonnenen resultate sorgsam und ohne vorurteil zusammenstellte, wäre im höchsten grade wünschens- und dankenswert. das von hrn L. 'Handbuch der deutschen altertumskunde' betitelte werk ist bis etwa auf die zeichnungen und holzstiche ein schlechtes, ja erbärmliches product. so viel es beansprucht, so wenig leistet es. von den pflichten und aufgaben eines autors oder was es heifst ein buch zu schreiben, hat hr L. schlechterdings keine vorstellung, er hat hingeschrieben oder hinschreiben lassen was ihm eben in den kopf und in den mund kam; aber nachdenken und nachprüfen, satz für satz, und vor allen dingen nichts vorbringen, was er nicht gründlich kennen gelernt, das fällt ihm nicht ein! kaum zum nachschlagen ist sein buch zu gebrauchen; denn sehr oft fehlen die nachweisungen am gehörigen ort oder es fehlt bei der art des autors die zuverlässigkeit für seine angaben. die genauigkeit der abbildungen mögen andere prüfen; die der Müncheberger sperspitze s. 167 fig. 58 ist nach einer mir vorliegenden photographie durchaus ungenau.

12. 2. 81.   KARL MÜLLENHOFF.

1. Pariser tagzeiten, inauguraldissertation von STEPHAN WAETZOLDT. Halle a/S.
   1975. 56 gezählte, 2 ungezählte ss. 8°. — 1 m.
2. Die Pariser tagzeiten, herausgegeben von STEPHAN WAETZOLDT. Hamburg,
   Meifsner, 1880. XXIII und 167 ss. 8°. — 4 m. *

Die vorliegende dissertation enthält nach einer beschreibung
der hs., welche in der bibliothèque nationale zu Paris aufbewahrt
ist, in mehreren abschnitten eine kurze inhaltsangabe des neuen
stückes, eine übersicht der entwicklung der horae canonicae, ein
verzeichnis der deutschen Tagzeiten, eine besprechung der art,
in welcher der passionsstoff auf die einzelnen horen verteilt wurde,
eine erörterung des zweckes der Tagzeiten. ferner wird der zustand der überlieferung untersucht, eine anzahl bemerkungen über
den versbau vorgetragen, sehr eingehend die lautlehre, kürzer
formenlehre und syntax behandelt, das wichtigste des wortschatzes
ausgehoben, das ergebnis auch etwelcher vergleichungen mit
anderen geistlichen gedichten zusammengestellt und schliefslich
als probe eines ins mhd. umgeschriebenen textes die complete
abgedruckt. nach einem zwischenraume von fünf jahren hat W.
nun das ganze gedicht, aber nicht bearbeitet, sondern nach der
hs. mit interpunction und einzelnen besserungen herausgegeben.
in der einleitung zu seinem buche hat er seine frühere darstellung des entwicklungsganges der kirchlichen tagzeiten verkürzt
wider vorgebracht und über das dichtwerk selbst seine nun einigermafsen geänderten ansichten ausgesprochen. es war ihm schon
vorher nicht entgangen dass der lautstand der hs. alle wesentlichen und unwesentlichen kennzeichen des md. an sich trägt.
er glaubte aber damals, diese dem schreiber anrechnen zu dürfen,
während er auf grund einzelner, vornehmlich vocalischer reime
den dichter für einen bairischen mönch hielt, der in einem kloster
Mitteldeutschlands seine arbeit zu stande gebracht habe. seither
jedoch hat W. sich überzeugt dass jene reime auch in md. dichtungen sich finden, vielfache übereinstimmungen der Tagzeiten im
wortschatze mit md. werken haben ihn weiter bestärkt, und er
erklärt jetzt, wie ich denke mit recht, auch den autor selbst
für einen mitteldeutschen und zwar aus Hessen, der sein gedicht
in der ersten hälfte des 14 jhs., jedesfalls nicht vor 1300 abgefasst hat. aus dieser gewonnenen erkenntnis entstand für den
herausgeber die neue schwierigkeit, bei der herstellung eines
kritischen textes die mundart des schreibers von der nahe verwandten des verfassers zu sondern und die letztere möglichst rein
erscheinen zu lassen. er hat nun darauf verzichtet, eine solche
herstellung zu geben, wie es scheint, insbesondere aus furcht
dass dann der text 'unserem geliebten mittelhochdeutsch' (P. IX)

[* vgl. Litterarisches centralblatt 1880 nr 45. — Zs. f. d. ph. 12, 372
(KKinzel). — DLZ 1881 nr 11 (ESchröder).]

auf kosten der treue der überlieferung zu sehr angenähert werde,
und hat die hs. abgedruckt.

Die dissertation genauer zu besprechen, wird wol überflüssig
sein. verschiedene ergänzungen des dort gebotenen (zb. zu s. 31
dass *n : m* im reime 2764 steht, dass der reim *hérre : gertenere*
auch für die bestimmung des dialectes wichtig ist, dass inlautendes *d* auch durch den reim *scheide : geleide* 1866 belegt wird,
dass die mitteilungen über *s* s. 36 der berichtigung bedürfen usw.)
kann der herausgeber jetzt wol selbst beibringen, anderes schliefst
sich besser an die kritik des textes an.

W. hat das bedürfnis gefühlt, für diesen doch einiges zu
tun. er hat also nicht blofs interpungiert, er hat auch einzelne
stellen erklärt, hie und da emendiert. es ist dies in bemerkungen
unter dem text geschehen. der herausgeber hatte wol nicht die
absicht, den schwierigkeiten der überlieferung auf diese art syste-
matisch abzuhelfen, und so blieb es nicht ganz zu vermeiden
dass diese noten den character des zufälligen an sich tragen, ja
manchmal irrtümer enthalten, welche durch den mangel an zusammenhängender betrachtung der gleichen oder ähnlichen stellen
veranlasst wurden. die dichtung scheint mir interessant genug,
um sie etwas näher und im einzelnen zu untersuchen. sie umfasst 4062, eigentlich 4064 verse, da nach 1804 und 3286 je
ein vers fehlt, was bei der zählung unberücksichtigt blieb. der
eingang ist verloren, W. veranschlagt ihn auf 100 verse. bis
3454 reichen die tagzeiten, darauf folgen zwei abschnitte über
auferstehung und dreifaltigkeit. dass diese zu den vorangehenden
gehören und mit ihnen éin ganzes ausmachen (nicht, wie der
recensent im Litterarischen centralblatt meint, als selbständige
stücke aufzufassen sind) ergibt sich schon aus den letzten versen
der complete, die keinen schluss enthalten, und aus der ganzen
beschaffenheit des abschnittes von der trinität, aber auch aus
anderen, später vorzubringenden gründen.

Ein grofses schöpferisches talent ist der verfasser der Pariser
tagzeiten nicht gewesen. er ist zwar nicht arm an würklicher
und wahrer empfindung, mit einer gewissen weichheit verbunden,
aber sehr arm an gedanken. die äufsere form seines werkes
macht ihm viel sorgen, besonders findet er schwer reime, auf
deren reinheit er achtet, er unternimmt ganz greuliche umstellungen der worte, um einen bequemen reim zu erlangen; hat
er einen widergefunden, dann spinnt er an diesem weiter und
gerät sehr häufig in dieselben gedanken, die er schon früher
vorgetragen hat. daher die zahlreichen repetitionen. er liebt
vollklingende worte, besonders composita, wie überhaupt sein
wortschatz nicht übel bestellt ist. er gehört unter die späteren
nachahmer Gottfrieds, das zeigen schon die häufungen von worten
desselben stammes (ich führe hieraus an 603. 725. 787. 798. 840.
915. 1096. 1107. 1408. 1436. 1447. 1492. 1676. 1688. 1703.

2031. 2320 usw.), aber er kennt auch Konrad von Würzburg, Frauenlob, den Marner und vielleicht noch manchen der späteren minnesänger. vieles eigentümliche in den worten hat er gemein mit dem dichter der Erlösung und der Elisabeth, auch mit anderen hessischen dichtungen; es scheint mir dies jedoch nicht stark genug zu sein, dass man entlehnung oder auch nur kenntnis dieser werke annehmen müste, die gemeinsame heimat genügt wol, solche übereinstimmungen im wortschatz zu erklären. der autor hat auch seine individuellen lieblingsphrasen. er bemüht sich redlich etwas gutes zu liefern und hat gute tradition gehabt. so übt er gewissenhaft das reimbrechen und schafft dadurch manchen anhalt zu richtiger interpunction. er verstand latein, wol auch französisch, ohne von diesem wissen übermäfsigen gebrauch zu machen.

In seinen versen lässt der dichter hebung und senkung mit solcher regelmäfsigkeit abwechseln, dass man ihn schon als silbenzählend bezeichnen kann. dies wird durch die verschiedenen mängel bestätigt, an denen der innere versbau leidet. versetzte betonungen schlimmer art sind auch in deutschen wörtern sehr häufig. die eigennamen accentuiert er natürlich ganz verschieden: Jésus und Jesús, das zweite ungleich öfter als das erste; Heródés 634. 709. Heródes 656. Pílató 610. 669. 709. Evín, Addm 1817. Simón 1181. dagegen scheint er Káyphás dreisilbig gesprochen zu haben: 400. 404. 407. 417. 434. 496. ebenso Móysés 2012. ein rest alter kunst ist es, wenn am schluss des stumpfreimigen verses zweisilbige composita oder wörter mit schweren bildungssilben zwei hebungen tragen. arbeit gilt dreisilbig. — es finden sehr schwere enjambements statt. auftact fehlt oft, dann aber gleichmäfsig in beiden versen desselben reimpares. vierhebige verse mit klingendem ausgang sind häufig. — auf eine quelle, die, wie aus vielen undeutschen constructionen mit bestimmtheit zu schliefsen ist, lateinisch abgefasst gewesen sein wird, verweist 3318: seit daz bůch. — der schreiber hat sich überaus oft zusätze und auslassungen gestattet.

Ich gehe nun daran, einzelne stellen durch das gedicht hin zu besprechen und zu emendieren. v. 2 fehlt des. 4 of allen orten = 285. (728. 1165.) 1925 uö. 6 ist zu schreiben: under ůch allen einer ist. 9 zů den stůnden ist ein sehr häufig gebrauchter ausdruck: 15. 67. 287. 443. 639. 647. 861. 1267. 1397. 1683. 1874. 2006 usw. auch zů der frist wird bisweilen verwendet. 11 ebenso ist fin lieblingswort des autors; verbunden und nachgesetzt (also für den reim notwendig) bei Christus, Maria, wort, schrift, licht, tag 25 mal. 27 plicht, in ganz allgemeiner bedeutung, mit dem vorhergehenden gen. eines abstractums verknüpft, dessen anteil, verbindung, wesen bezeichnend, sehr häufig: 1266. 2180. 2711. 2803 uö. wie hier mit jamer (1349. 1498 f.) 3139. 3320. 3386. 3542 uö. die directe rede

hier ist als eine art ἀπὸ χοινοῦ gegeben. diese weise der construction, besonders auf die verbindung von sätzen angewandt,
kommt ungemein häufig vor; hauptfälle sind: 136 ff. 385. 597.
632. 831. 934. 961. confusion dadurch 979. 1634. 1798. 2133.
2515. 2721. 3706. 4046. das ist in hohem grade auffallend,
vielleicht hat der autor einem schreiber dictiert.   32 *ordenünge,*
md. und ein lieblingswort des dichters, ebenfalls ganz allgemein
zu nehmen, nur als verstärkung des begriffes im vorausgehenden
gen.   35 *des ganges wil ich manen dich,* der regelmäßige ausdruck, meist hebt damit ein kleiner abschnitt an.   43 *zů berge,*
empor, auch in Elisabeth und Passional.   44 das komma nach
gefalden ist zu streichen.   53 *von noden heiz: sweiz* auch
103 uö.   70 dass *lust* hier richtig ist, ergibt sich aus 1307.

78 würde ich *din menschlich* mit umstellung schreiben, trotz
der zahlreichen beispiele, in denen possessivpronomina und adjectiva geschraubter weise nachgesetzt werden.   86 *der schanden
ungelücke* halte ich für abhängig vom vorhergehenden vers, streiche
daher das komma nach demselben und vermag auch die von W.
vorgeschlagene änderung nicht zu billigen.   92 dass hier, wie
W. meint, etwa *gib mir* fehlt, glaube ich auch, schon des verses
wegen; aber eben deshalb setze ich nach 89 punct und tilge
den strichpunct in 90 nach *lebens.*   93 lies *pine* für *pin.* sehr
oft hat der schreiber apocopiert, wo der dichter tonloses *e* sprach,
umgekehrt hat die hs. dem dichter manches e fälschlich octroyiert.

98 l. *gerechtekeit.*   102 ist wol *von* statt *vor* zu schreiben.

104 punct nach *sweiz;* ich glaube dass eine lücke nach 106
anzusetzen ist.   109 *für, loft, centrum und daz fret* — ich
denke dass diejenige von W.s vermutungen, welche er selbst
für die weniger sichere hält, die bessere ist, nämlich *frêt* = lat.
fretum. es wären dann alle vier elemente in dem verse bezeichnet; dass im vorhergehenden schon einmal *wasser* und *erde*
stehen, hindert nicht. *centrum* ist als fremdwort für *erde* gebraucht, vgl. MSH II 390ᵃᵇ der Kanzler: *ze der erden zenter.*
frêt ebenso für meer. bestärkt werde ich in dieser auffassung
durch 1637 *daz firmamentum und daz fret. grât, grêt,* wie W.
meint, geht schon wegen des geschlechtes nicht an, auch die
bedeutung will in keiner weise passen. *sprât,* welches W. in der
dissertation s. 30 vorschlug, hat er jetzt mit recht aufgegeben.
114 nach *dich* ist *durch* einzuschalten. die interpunction ist nicht
in ordnung: dem satz von 107 ab fehlt der schluss, dagegen
passen 115 und 116 nicht zusammen. ich setze komma nach
112 und punct nach 115.   118 *fünden, fünt* gehört ebenfalls
zu den beliebten worten: 291. 352. 640. 1255. 2688. 2868.
3144 uö. auch mehrmals in der Elisabeth.   125 das zweite *ir*
ist zu streichen.   162 l. *daz ist der rechte schůldich man.*
171 nach *jüden* ist *alle* zu schreiben und nach dem verse ein
punct zu setzen.   173 *crist scheppere* sind gesonderte anrufungen,

also durch komma zu trennen. das erhellt auch aus vielen stellen, in denen *schepper* mit und ohne *crist* bei der anrede gebraucht wird: 206. 424. 451. 617. 793. 804. 1070. 1243. 1309. 1463 uö.

nach 174 ist komma zu setzen, nach 175 punct. 176 l. *Du* für *Da*. 180 *ummefach*, ein seltenes wort, Kolm. meistl. 7, 298. 61, 279 (ich entlehne die beispiele, wo ich es nicht anders sage, aus Lexer). nach 182 setze ich komma und 183 schreibe ich *Daz dich betwanc din mildekeit*. 188 *snellich* kann anstandslos bleiben, es scheint md. besonders im gebrauche. 202 ist verderbt, indem das adj. *groz* von 201 durch versehen hier nochmals gesetzt wurde, dadurch ist der notwendige dativ ausgefallen. ich schreibe also: *in zorn er einem abe slûc*. 203 *da* für *daz?* nach meiner änderung von 202 bedarf es nun der von W. vorgeschlagenen starken änderung von 204 f nicht.

217 das zweite *an den* streiche ich, solche knappheit ist in dem werk gewöhnlich. 220 würde ich eine form von *et* vorschlagen. 232 = 1288. 3830. vgl. 1682. *din herze fil geslacht*, wol geartet, auch bei Konr. vWürzburg. 234 *balsimsmac* zu schreiben, *ge-* fügt der schreiber öfters hinzu. 238 lege ich *allen* nicht als schwächung von *allem* aus, wie W., sondern nehme, da *pin* in dem ganzen gedicht nur femininum ist, schreibfehler für *aller* an. 245 *Die ist* fasst auch W. als corruption, aber er übersieht dass zweifellos eine 2 pers. sing. präs. darin steckt, etwa: *versmahen lidist, da er gnaden gert*. 248 l. *din smacheit*. 249 l. *von der sünden bant*. 268 ff ist die interpunction unrichtig, es muss stehen: 268 nach *Daz* ein komma, nach *dri* kein zeichen, nach 269 komma, nach 270 doppelpunct.

272 *mensclicher?* vgl. aber 338. Docen würde das 'gräcismus' genannt haben; ich glaube dass fälle dieser art von dem schreiber herrühren, der starke versetzte betonung scheute. 278 nach *person* komma. 282 l. *die* für *dich*. W.s vorschlag ändert zu viel. 285 *Do* für *Di?* nach 288 komma. nach 295 punct. 300 l. *aller*. 310 ich streiche *Die* ganz. 311 *zů der selben zide* mit varianten viele male 316. 332. 415. 689. 797. 886. 1064. 1230 uö. 321 l. *dů lide*. 324 *Ye me* zu streichen, nach 325 punct. vgl. 684—687. 328 anrede an Maria: *aller megdelicher glantz*, passt nicht; auch findet sich durch das ganze gedicht *megetlich* = *virginalis* geschrieben: 473. 1356. 1358. 1515. 2613. 3130. ich setze deshalb *aller megde lichter glantz* vgl. *aller megede wůnne* 779. *aller megde cron* 1580 vgl. 952. *lichter glast* 1860, auch Elis. 867. 3685. nach 331 strichpunct. 332 l. *Des* für *Daz*. 334 der vorschlag W.s bringt einen neuen unpassenden gedanken herein; ich setze nach 333 komma und schreibe 334 *von der din*. wenn man 338 schreibt *und du m. n. k.* oder *daz du*, dann ist der vers in ordnung und es bedarf der vorhergehende keiner änderung. nach 342 setze ich komma. 363. 4 ist da eine lücke anzunehmen? 379 ver-

ferit für *verserit* ist wol nur druckfehler.   384. fehlen zwei
silben.   392 l. *du worde, daz.*   393 *din* zu streichen.
395 *al* zu streichen.   402 *wart* zu streichen und 403 zu
schreiben: *dir wart von liden ufgeleit,* oder *wart dir.* oder gehört das zu den fällen, über welche ich zu 1129 spreche? ich
bemerke hier dass der schreiber den grammatischen wechsel
(*lidde*) meist mit grofser sorgfalt bezeichnet.   421 ff sind mir
nicht ganz verständlich.   nach 430 doppelpunct. *verschalden*
auch 504. 1820. 3121. auch nach 435 setze ich doppelpunct,
nach 437 punct.   441 *bisunderbar* auch 2072. 2438 uö.
448 da *criste* zwei hebungen trägt, darf es nur einmal stehen.
      455 ich war anfangs geneigt, *sunden* für part. präs. = *sue-
nenden* zu halten, mit rücksicht auf *sunder*, versöbner 707. 2873
(*gunden* 3025 und Weinhold Mhd. gr. § 174), aber dagegen stehen
die angaben Weinholds § 384, und wenn *sunden* = peccatorum
ist, so passt doch auch *gunst* noch hinzu.   457 *Daz ich be-
kage dich, geman;* die änderung von W. *daz ich beklage dich
man* ist mir schon des verses wegen unwahrscheinlich; ich schlage
vor: *daz ich der klage dich geman,* vgl. 459.   die phrase 460 ff
= MSH ıı 198ᵇ. ııı 23ᵃ. · 464 *bedichten* ist md., ebenso 479
swerde.   481 dass *groz* hier schon wider stehen soll, glaube
ich nicht und vermute: *smerzen in der.*   485 *der eren konig,*
der übliche ausdruck für Christus, wenn er in die vorhölle hinabsteigt. hier auch 3562. 3733. 3785.   494 l. *werlt.* die
apocopen sind nicht immer genau zu erkennen, da eben vierhebige verse mitunter klingend ausgehen.   515 *minnenflamme*
vgl. 1171. MSH ıı 231ᵃ.   517 adjectiva auf -*sam* sind in dem
gedicht häufig, besonders *wunnesam, freissam.*   528 *fullen-
sprechen; -len-* muss getilgt werden, wie noch öfters bei diesem
worte, dem es vom schreiber eingefügt wurde.   nach 531 komma.
      532 l. *al.*   537 l. *dins.*   552 der fehler erklärt sich viel-
leicht dadurch dass der schreiber das richtige *n* von *freuden* bei
ware antecipierte. *freuden* vielleicht noch 553.   556 die construction auch Elis. 2600.   561. 2 möchte ich mit klammer
einschliefsen.   562 steht *alz* für *also.*   nach 565 punct.
nach 571 punct, nach 572 komma.   nach 579 komma.   588 vgl.
Elis. an mehreren stellen.   nach 590 ist wol eine lücke anzunehmen.   595 schreibe ich *und welle mir.*   596 l. *genaden.*   599 *forme und gestalt* = 821. 1671. vgl. auch 1703.
      600 l. *manichfalt.*   632 fasse ich als ἀπὸ κοινοῦ und
setze darnach komma.   nach 637 kein zeichen, 638 nach
sehen komma.   644 *furen* mit dem dat. wie 742 nach dem
lat. *adducere.* ich merke hier an dass häufig kleine abschnitte
des gedichtes mit klingenden reimen schliefsen.   645 *plage*
schon 164 uö., auch Elis. und überhaupt md.   664 emendiere
ich etwas verwegen zu: *daz diner schulde nie was e: Herodé*
und stütze mich dabei auf die reime 634. 715.   665 f l. *ge-*

nant : gewant. 676 die zweite vermutung W.s, es liege asyn-
detische construction vor, kann ich nicht billigen; es fehlt eine
senkung, was in den beispielen 400 und 705, die überdies anderer
art sind, nicht statt hat. 682 ist metrisch überlastet und unverständlich, 683 dagegen hat zu wenig hebungen; ich schreibe:
Da von du sünderlich (Elis.) *inphan, Maria, must groz herzeleit.*
686 ist statt des zweiten *ie* vielleicht *und* zu schreiben. *mancher
handen* steht auch 488. 1074. 1388. 1655. 1667. 1842. 2236.
2510 uö. nach 703 doppelpunct, nach 704 komma. 712 *list*
als fem. md. 733 fehlen zwei silben, wahrscheinlich ein adjectiv. 744 wol *zu* für *uz* zu setzen. nach 746 komma, 747 nach
jüngeren strichpunct. 758 l. *mancher.* 760 schalte ich *unde*
ein, der vers muss vier hebungen haben. 762 nach *woldis*
strichpunct, nach 763 doppelpunct. *meine* auch 1223. 2141.
2433. 2469. 2557. 2570 uö. *meinunge* 1949. 2335. 2464 uö.
md. und wie das folgende *leidestap* in Elis. häufig. nach 770
komma oder doppelpunct, 771 *of dich was g. i. a. n.* in klammer.
795 l. *u. din g.* 797 *selden* für *selben* ist wol nur druckfehler. 806 l. *jamers.* nach 808 komma, vgl. Erlös. 1667.
nach 810 punct. 816 l. *ummirme.* 830 dem ἀπὸ ϰοινοῦ
entsprechend ist anders zu interpungieren: nach 831 kein zeichen,
832 nach *liden* komma (l. *rürte),* nach 833 doppelpunct. 833 l.
der p. *k.* 835 l. *da die d.* nach 837 punct, nach 839 doppelpunct. 842 verstehe ich nicht; vielleicht ist es angemessen,
zu schreiben *zu zucht und dol mit f. g.* 858 *ermeren* vgl.
1314. 1740. 2929. 865 — 1527. 1558. nach 867 doppelpunct. 878 lies *er* und streiche *und;* hierher passt die analogie von 400. nach 882 punct. 893 l. *Da* für *Das.*
893 l. *i. da dürch m.* und nach *mich* gedankenstrich, der nach
895 zu widerholen ist. W. hat selbst dies auskunftsmittel sonst
angewendet, zb. 968 f. 902 ist zu lesen *versunchen,* 'versunken und erstickt'. 906 fehlt eine silbe. ich vermute
nach 908 eine lücke, oder ist der mir dunkle abschnitt 909
bis 922 eingeschoben? 909 sieht aus wie eine übersetzung
von *sapientia verborum prophetarum.* 915 l. *süssekeide.* das
wort steht hier wol wie 1051 für lat. *suavitas* als tugend.
922 *dich,* piscina, ebenso 1254. 925 *gewalt* übersetzt hier
einen lateinischen ablativ. 929 ich glaube dass W. die stelle
schwieriger findet als sie in der tat ist. ich halte *der* (statt
des zweiten *dir) gudin lon* für apposition zu *Jhesus.* 931
ungefüge sehr häufig: 1082. 1168. 1174. 1240. 1386. 1534.
2211. 2522. 2690 uö. nach 932 setze ich komma, da
933 parallel ist zu 931. 939 der vers ist metrisch nicht zu
lesen. die besserung ist ziemlich einfach, statt *hiemelsche fürste*
ist *hiemelfürste* zu setzen, wie 1028. 1505. 2132. 2854. 3281.
3403 würklich steht. 946 l. *ummer.* 949 l. *muscadris* vgl.
MSH n 358ᵃ. die endung *is* antecipiert das *ris.* nach 963

komma und *Důrch* 964 zu streichen.　　nach 978 komma.
984 l. *von got des.*　　986 vielleicht *sinem ungenanten l.* ― un-
nennbar.　　987 f l. *pin : sin.*　　991 l. *lop der, die.*　　nach
992 komma.　　995 fehlt eine silbe.　　vor und nach 999 ist
ein gedankenstrich zu setzen.　　1000 *man* kann bleiben, denn
der jůden schar 1002 ist als apposition zu nehmen. ähnlich
1043 f durch vorausnehmen beim dictieren ein schwaches ἀπὸ
χοινοῦ.　　1012 ist so unverständlich; ich lese: *Lest dů in, dir
wirt er gehaz.* 1015 l. *baz und ie.*　　1017 l. *umme.*　　1020 *Da?*
　　1026 f sind in unordnung: 1027 ist zu lang, 1026 zu kurz;
ich denke, es ist auf folgende weise abzuhelfen: *Pilato wart die
rede kůnt, do sin fraŭwe bat for dich.*　　1028 vor und nach
himelfůrste komma, ebenso 1029 vor und nach *milde.*　　1030 l.
Daz du w.　　1042 ist wol wegen nachahmung einer lateinischen
construction so sonderbar geworden.　　1048 acc. cum inf.
1062 fehlt *und.*　　1068 ein einsilbiges adverbium ist einzuschalten. wenn die construction nicht nachbildung einer lateinischen ist, so muss sie durch die gut mhd. *sin unschulde bot*
ersetzt werden.　　1084 *der* ist zu streichen.　　1087 *Sůz
― sus.*　　1097 f die construction nach dem lateinischen.
1100 l. *gerechtekeide.*　　1103 vermischung der constructionen.
1110 fehlt *die.*　　1115 l. *unde.*　　1123 der accusativ *last* ist
in lateinischer weise vom infinitiv *dragen* abhängig.　　1129 verschleifung zweier wörter findet sehr leicht und oft statt, wenn
vor dem ausgehenden tonlosen oder stummen e des ersten wortes
ein consonant steht, angehörig derselben gruppe wie der, mit
welchem das zweite wort anhebt. am häufigsten bei dentalis
1131. 1424. 1781. 2104. 2152. 2246. 3212. 3278. 3429. 3503
und wol noch öfters. die sonstigen gewöhnlichen mhd. zusammen-
ziehungen sind dagegen hier selten.　　1131 l. *terzje.*　　1145 fehlt
da.　　1146 vgl. 1213. 1238.　　1148 *undedic* md.　　1153 für *uns*
ist etwas einzusetzen, sonst fehlt eine silbe. aber vielleicht kann
es überhaupt bleiben und ist nur wiederholt worden in folge des
dictierens.　　1156 vgl. 1302. 2213.　　1159 *jamerůnge* ist besonders md.　　1172 f ist zu schreiben *důrch den stam des crŭces.*
　　1178 möchte ich einen punct setzen: *daz* 1176 ist für den
nebensatz von 1171 *ich bit dich* vom autor genommen worden.
　　1181 ff: der teufel erschwert dem sünder die last, statt, wie
Simon Christo, sie zu erleichtern.　　nach 1188 strichpunct.
1189 *dich* zu streichen.　　1203 das zweite *selic* zu streichen.
　　1205 l. *Geseŭgten.*　　1214 l. *Uff in, den.*　　1215 l. *Megel-
lich und kůsch gebere.*　　nach 1217 komma.　　1219 *jamerleben*
unbelegt.　　1226 ist nicht leicht zu erklären. ich denke dass
1225 *begriffe* das präsens ist; dann ist *rife* anzunehmen. ist es
substantivum (vgl. Gold. scbm. 1872), so ist *der* nach *dot* einzuschalten, und das halte ich für das wahrscheinlichste.　　1228 l.
fon.　　1233 nach *důfelz* komma.　　1241 fehlt eine silbe.

1244 *ůz* gehört an die spitze von 1245. 1254 ff eine der häufigen priameläbnlichen verbindungen; ich führe nur die wichtigsten an: 71. 1468. 1709. 1918. 2118. 2176. 2228. 2588. 3420.

1254 *ungescheppet = inexhaustus* ist unbelegt. 1268 schreibe ich *gein ir und hart gebůnden*, ein fragezeichen muss wol am ende dieses verses gesetzt werden wegen aller früheren satzteile. 1274 fehlt eine silbe. 1278 vgl. 3369. 1279 ist *umme in* zu streichen, dagegen *manichfalt* zu schreiben. 1286 f vgl. 1330 f und Gold. schm. LII 21. 1290 der dritte sprung ist hier nicht angegeben, er wird angedeutet 1330 ff, weshalb 1333 *anderm* zu schreiben ist. 1292 l. *ir vil cl.* 1293 l. *ander.* 1297 vgl. MSH I 337ᵃ. II 261ᵃ. 1300 f der satz in lateinischer weise vorausgenommen. nach 1303 strichpunct. 1307 ist *der* für *aller* zu schreiben. 1315 vgl. 2422. 1328 ist wenigstens *ditze scheiden* zu schreiben. nach 1333 punct. 1336 auch hier ist wol *man* falsch vorausgenommen worden für eine construction, welche der autor dann nicht fortsetzt. 1342 l. *fon dir.* 1349 hier punct, nach 1352 komma. 1355 vgl. MSH II 261ᵃ. nach 1359 punct. 1363 conjunctiv ohne conjunction. 1365 f sind verderbt; ich schreibe 1365 *dines*, 1366 *und ich mit den g.* 1368 l. *hemelriches.* 1375 l. *fon* vgl. Elis. 7282. 1377—1379 der vorschlag W.s kann nicht angenommen werden, weil der vers darüber zu grunde gienge; auch ist er unnötig, denn da *ir* 1378 auf *pine* 1376 zu beziehen ist, scheint ohne dies alles ziemlich klar. nach *were* setze ich einen punct. dagegen ist 1380 corrumpiert, es fehlt das subject; ich schreibe daher *al sin swere. gezeret (: gefloreret)* 1381 ist nicht, wie W. es nimmt, als von *zeren* stammend aufzufassen = 'hinbringen', zeitlich, sondern ist mhd. *gezieret (: geflorieret)*, wie denn derselbe reim auch 1487 sich findet.

nach 1415 punct. 1417 l. *Inkonden.* 1430 l. *loz si worfen.* 1435 *undtůlich = inexplicabilis.* 1443 l. *wandelmale* = 1952. nach 1457 punct. ob es 1459 nicht statt *belůden* (= mhd. *beliuten) bedůden* heifsen soll, wie in der parallelstelle 3041, und auch 1471. 1476 uö.? *lit = liet* zu nehmen, ist gewis nicht gut, eher geht die zweite vermutung an = *enlidet*; oder *enliget?* 1461 l. *terzje.* nach 1467 punct, nach 1468 komma. 1468 ist *und* einzuschalten, *manichfalt* zu schreiben. in diesen versen stehen genetive in lateinischer weise, als subject hat der schreiber wol *scholt* genommen, da er 1474. 5 umstellt. die construction erinnert an Frauenlob. nach 1481 punct. 1486 l. *Der* für *Den; dump* ist stf. 1489 *ge-* zu streichen. 1499 l. *jamersnot.* 1515 l. *und rein.* 1522 *leitfirdrip* auch 2811. 3091. 3256. 1539 *lon* muss bleiben, trotz 1630. 1639 usw. wegen 1689 und besonders 2231. 1545 nach *herze* ist *hete* des gleichen anlauts wegen ausgefallen. 1546 l. *leidem leide* vgl. 1586. 1549 f l. *geliche : krefiecliche.* 1559 l.

man dir k. 1568 l. *kein z. n. keinen d.* 1571 fehlt ein
wort, wahrscheinlich ein adjectivum, da kein eigenname recht
passen will. 1572 l. *der die dri.* vielleicht sind die beiden folgenden verse umzustellen. 1591 *dich* zu streichen.
1603 ff bietet ein beispiel, wie der übergang der gedanken
ohne controlle stattfindet. 1604 = 3512. 1606 l. *zir-
kelmaze* vgl. MSH III 468² und Kolm. meistl. 1613 nach *schepper* komma, vgl. 1621. 1624 nach der ganzen lautbezeichnung der hs. ist die annahme W.s, *gewilt* sei = *gevillet*, unmöglich. das wort reimt auf *hilt* = *helt* und steht verschrieben
für *gequilt* = *gequelt*. vgl. 2817. 1625 *Gespinget* ist nichts,
es muss *gepinget* = *gepinget* heifsen wie 1911 und 2194. zu
1635 ff vgl. Elis. 208 ff. zu 1660 vgl. Ring 35ᵃ, 3, wo es
vom teufel gesagt wird. 1663 *hirten steinen?* 1666 l. *daz l.*
    1668 ist einzuklammern. 1669 *ver* zu streichen. 1674 fehlt
ist. 1683 l. *zů den st.* nach 1685 punct. 1692 *Daz* zu
streichen; *magit din?* 1704 *gnaden* gen. plur. von *spigel* 1703
abhängig. 1712 l. *dins.* 1718 l. *an den a.* in den parallelen versen 1709. 11. 13. 17. 22. 23 steht überall der artikel,
1716 *beiden.* 1749 vgl. Kolm. meistl. 163, 18. 1754 vgl.
2085. 1755 die deutung von *firwondet* ist unrichtig; es ist
= *verwundet,* die *wonden* stehen zwei zeilen vorher 1753, *sünden* 1755 ist gen. plur. von *mûdgelüste* abhängig. 1765 *un-
gedeilit* ganz so wie mhd. *ungeteiltez spil.* die sätze sind in
lateinischer weise verschoben. 1773 *aůch* ist wol zu streichen.
    1784 l. *unde.* nach 1789 strichpunct. 1790 l. *ferdienit;*
breit in dieser bedeutung auch 702. 962. 1831. 2177. 2196 uö.
    1793 l. *kein.* 1807 *und* einzuschalten. 1808 l. *man.*
1820 l. *firdarft.* 1825 nach *cristen* komma. 1841 l. *din.*
ich verzeichne nun nicht weiter, wenn e einzusetzen oder zu
streichen ist. 1856 l. *inhat.* 1857 *helfe* ist gen. von *rat*
abhängig. 1863 *prisbejac* = 2783. MSH III 295ᵇ. Kolm. meistl.
1, 36. nach 1872 punct. 1873—1901 enthält polemik,
wahrscheinlich gegen einen dichtenden zeitgenossen, der einen
ähnlichen stoff gewählt hatte. 1880 fehlt *des.* 1881 l. *inkan,* das komma darnach zu streichen. 1884 l. *dine.*
1885 *graben* = *begraben.* nach 1886 komma, nach 1888
punct, der relativsatz bezieht sich auf *grünt.* 1890 fehlt etwas,
wie W. schon bemerkt; ich denke *enwec* und trenne *fon den,*
weil das participium in der hs. *fůnden* lautet. damit fällt auch
W.s anmerkung. 1912 näher liegt *gezůckit.* 1934 l. *wonden.*
    1938 l. *zů der st.* 1940 muss es heifsen *ir reines herze.*
1946 l. *Uzerwelter.* 1947 l. *dů da zů.* 1974 W.s vermutung ist unhaltbar, denn *leit* ist nominativ, parallel zu *wort*
vgl. 2001. 1977 l. *g. wdr.* 2000 *zů pris* nun öfters 2598.
3912. 3984. 4003; auch Elis. 2017 die annahme W.s ist nicht
zu billigen, es fehlt nur er und der vers ist in klammer zu

setzen. nach 2028 komma. 2029 'ohne möglichkeit der hilfe.' nach 2040 punct. 2052 die von W. vorgeschlagene umstellung ist unnötig, denn *gein* wird zweisilbig genommen auch 2095. 3253. 3443 uö. 2053 l. *al.* 2058 *Daz* ist schreibfehler für *Der.* ebenso ist 2064 *Laz* für *Daz* einzusetzen vgl. 2067. 2073 — 2439. nach 2079 darf kein zeichen stehen. 2084 *da* einzuschalten. das komma nach 2100 ist zu streichen. 2107 l. *sinnes list n. inkan.* 2109 ff hat W. nicht richtig aufgefasst. es ist nicht zu ändern, denn *sa wise* (für *wisse) ein münt* ist parallel zu *nieman* (vgl. 2484 ff) und das folgende steht wie 2822 ff. daher ist nach 2110 ein komma zu setzen, dagegen das in 2111 zu tilgen. 2116 f wol für *lenge : strenge* vgl. 3062 f. *strenge* ist sehr beliebt, zb. im folgenden 2243. 2261. 2326. 2381. 2541. 2700 uö. 2119 vgl. 314. 2161 l. *diner megetlichen b.* 2177 l. *milde ein milde.* 2180 l. *freuden plicht.* 2187 l. *getrůwelichen,* vgl. den nächsten vers, dann 2258. 2377 ua. 2220 ist wol eher *Daz* zu schreiben, aber *Die* könnte sich auf *gnaden* beziehen. 2225 *E* ist zu ändern, denn das *herzeleid* ist nicht vor der passion eingetreten, ich schreibe *Dů.* 2237 *intstoren* ist md. 2253 f vgl. 2356 ff. 2262 l. *in dem h.* 2267 l. *in sines d.* 2271 l. *als můderm.* wie öfters. 2288 das zweite *din* zu streichen. 2300 l. *uns hat; erbehaz* ist selten. 2306 *dich* zu streichen. nach 2318 strichpunct, ebenso nach 2320. 2329 l. *und auch důrch n.* nach 2347 komma, 2348 *Dinem,* oder wenigstens steht dann *-n* für *-m.* 2350 l. *uns daz e.* 2354 *elentlich* als adj. unbelegt. 2362 l. *menschendiet,* vgl. 1471. 3515. 2367 l. *sint dů in* dodis *kraft und pin* vgl. 2370. 2373 *grimme* zu streichen. 2395 vgl. 3310. 2397 l. *hiemeldaůwe.* 2407 *sinis* zu streichen. 2413 f 'loben dich wegen des süfsen wortes.' 2415 ff absichtlich dreimal derselbe reim. 2429 l. *zeůget.* 2434 l. *drifaldekeit.* 2449 l. *Des.* 2453 ungenaue construction; oder *stdt* zu lesen. die sonst in den reimen vorkommenden formen des wortes mit *é* hindern nicht auch *d* zu gebrauchen. 2480 *Und* muss bleiben, denn *follenkommen* ist prädicatives adjectiv wie *wonnesam.* 2491 wird zu verkürzen und vor 2490 zu stellen sein. 2498 vgl. 2668 ff. wortspiel mit *wort* — λóγος. 2506 *der sonnen reif,* kreisförmige bahn; vgl. *des mdnen reif* Elis. 210. 2508 l. *firlas* == *firlasch.* 2523 *die lůft, planeten gnůgen?* 2554 l. *stam der u., last* ist im md. fem. 2555 *fil* zu streichen. nach 2556 komma, dagegen das nach 2557 zu streichen. 2563 fehlt ein adjectivum. 2588 l. *grůfte.* 2591 vgl. 3505. 2599 l. *in al der wise.* nach 2601 doppelpunct. 2610. 2618 *firheisit* heiser geworden, unbelegt. ebenso *heisin* 2614, heiser sein. 2637 l. *bit* und streiche *ge-.* die form ohne *ge-* kommt ein par mal in dem gedicht vor. 2641 *daz* zu streichen. ebenso 2643 *sin,*

wo der schreiber das präteritum plur. für ein partic. gehalten
hat.   2647 *erwickit* vgl. 1536. ' an beiden stellen könnte das
wort übrigens besser für *erquicket* = *erkucket* stehen.   2660 l.
reichen.   2663 ist keine lücke anzunehmen, es fehlt nur *den*
vor *noden*, da *kein* nicht pron. indef., sondern das prät. des stv.
kinen ist.   nach 2665 strichpunct.   2682 l. *werde.*   2711 l.
folleiste.   2718 l. *siner.*   nach 2727 doppelpunct.   2746 ff
ist die ansicht von der würdigkeit der priester anzumerken.   in
der anm. zu 2777 ist *din* druckfehler für *sin.*   2809 gewis
der dativ von *last.*   2830 l. *alle.*   nach 2831 komma.   nach
2836 punct.   2845 muss es *inspart* heifsen, 'schont nicht',
vgl. 3043.   2847 l. *grimmen.*   2854 l. *hiemelfürsten.*
2856 fehlt ein adjectivum, etwa *bröde?*   nach 2863 ist der punct
zu streichen und gar kein zeichen zu setzen.   2873 ist *daz,*
2874 *man* zu streichen.   2882 vgl. Germ. 5, 64 ff.   2886 l. *sun-
derdiener* vgl. *sunderkneht* Martina 5, 25 und *sundertrut* in diesem
gedichte 1297.   2887 ist in klammer zu schliefsen.   2906 es
fehlt nicht *den*, wie W. vermutet, da bei *ruofen* auch der dat.
steht, hier von *centurius*, der im deutschen gebräuchlichen form.
2917 l. *des waz.*   2933 l. *Daz da din.*   2936 l. *Die dü.*
nach 2938 strichpunct.   2943 l. *Daz ich nů den* und am
schluss des verses ausrufungszeichen zu setzen.   2960 l. *Die
da zů* und am schlusse des verses komma.   2966 l. *worde da g.*
   2973 hs. und vers erlauben nur die form *mâc* anzunehmen,
nicht das swm. *mâge*, wie W. meint.   3014 ff auch hier die
vielverbreitete vermischung der verschiedenen Magdalenen.
3016 *nů* zu streichen, ebenso 3020 ein *herre.*   3041 *daz* steht
wol für *dazz.*   nach 3054 ist ein komma zu setzen, dagegen
das 3055 nach *licht* stehende zu streichen.   3077 l. *inbeiz.*
3085 fehlen zwei silben, etwa *wunder (zeichen)?*   3088 l. *zů-
gesichte*, vielleicht übersetzung von *adspectu.*   3133 auch hier
ist das *ge-* beim zweiten partic. zu streichen.   3149 l. *zů der v.*
   3154 l. *juncfraůwe.*   3175 *apostolfürste* unbelegt.   3179 ob
der zu streichen ist?   3196 l. *inkan.*   3212 vielleicht ist *da*
in den nächsten vers hinüberzunehmen.   3216 *dir* zu streichen.
   3273 fehlt mehr als *er*, aber was, kann ich nicht angeben.
3312 'Maria wollte nichts als auch mit hinab'.   vgl. 3403 ff.
3334 l. *inwart.*   3335 vielleicht fehlt *minen.*   nach 3340
komma.   3353 *do* zu streichen.   3357 l. *inworde.*   3397 *her*
zu streichen.   3408 *ich* ist aus *mir* des vorhergehenden verses
zu entnehmen.   3437 l. *inkünden.*   3452 l. *compledenzit* vgl.
3276.   3453 l. *Haldent.*   3472 l. *sweren* vgl. 3476.   3482 l.
und do zů.   3483 *wandelzfri*, unbelegt. vgl. 3725. 3966, aber
auch 4055.   3485 l. *ging.*   3509 ist einfacher zu bessern, als
W. annimmt, es muss heifsen: *zů milde zeichen* = *ze milde
ziehen*; oft steht in der hs. *ei* für *ie* (e auch 1233. 2660. 3569).
   3571 'dahin zu gelangen'.   3580 l. *gesaz.*   3619 l. *Sůchte.*

3627 ich glaube nicht dass eines der beiden *in* getilgt werden darf; das erste ist acc. des pron., das zweite präp. 3633 ich denke dass die fehlende form *rechten* heifsen müste. 3639 fehlt *do.* zu 3648 vgl. 3929. nach 3681 doppelpunct. zu den fällen von *a* für *o* gehört auch *nach* 3687 und damit gewis dem dichter, denn der schreiber hat es misverstanden und *essen* aus dem folgenden vers beraufgenommen, wo es mit einem genetiv-*s* nach *fraûwen* stehen bleiben muss. nach 3688 komma, der doppelpunct nach 3689 ist zu tilgen. 3695 f die namen werden des versbaues halber getrennt. 3698 fehlt *Si* im anfang. 3708 ist noch von 3705 abhängig. 3710 l. *Daz da of?* 3715 ist *den lieben* zu streichen, das durch versehen aus dem vorhergehenden verse aufgenommen wurde. 3770 l. *k. und auch a.* nach 3771 komma. 3790 l. *n. al b.* 3834 wol *biddest den.* nach 3866 punct. 3875 ich denke, das über- lieferte kann bleiben, aber das komma muss wegfallen, da *fergen hie* und *ersten* dort gegensätze bilden. 3892 nach *wasser* und *rein* kommata. 3903 l. *zire.* 3944 will mir so nicht passen; vielleicht *Da* und nach *bedachte* komma. 3957 besser *Do.* 3962 l. *Daz er sich.* 3987 *crisemedaúf* unbelegt. 4008 l. *uns e.* 4022 fehlt noch eine silbe. 4024 W.s zweite vermutung ist richtig. 4044 l. *Den;* das masc. in *siner* ist so zu fassen, wie in *diner* 4047 beim wechsel der anrede. nach 4055 punct. 4061 an der spitze des verses fehlt ein wort, vielleicht *suner.*

Wie schon erwähnt, hat W. auch einiges historische über die horae canonicae beigebracht, weitläuftiger in der dissertation, kürzer in der einleitung zur ausgabe, weshalb ich im folgenden an die erstere fassung mich halte. manche puncte scheinen mir noch einer erörterung und berichtigung zu bedürfen, die ich in diesen blättern bringe, da einzelne beziehungen deutscher tag- zeitendichtungen zu den kirchlichen quellen deutlicher werden. ich habe zuvörderst anzumerken dass ich für mehrere nach- weisungen von büchern meinem verehrten freunde Albert Weifs O. P. dankbarst verpflichtet bin.

Die angaben W.s s. 6 f über die bestimmung der horen in der ältesten zeit sind nicht ganz richtig. die von mehreren stellen der h. schrift bevorzugten gebetsstunden des tages waren die 3. 6. 9. so die Apostolischen constitutionen, Tertullian, Cyprian. zu ihnen traten dann das übliche morgen- und abend- gebet. noch später das gebet media nocte, und zwar ist diese vermehrung wahrscheinlich im occident früher als im orient ein- getreten.[1] dies wuste man schon in alter zeit und Smaragdus

[1] vgl. Probst Lehre und gebet s. 340 ff und desselben älteres werk Brevier und breviergebet s. 122 ff. Binterim Die vorz. denkwürdigkeiten der christkathol. kirche, 4 band, 1 teil s. 340 ff. das dort citierte werk

drückt es am präcisesten aus, indem er cap. xvi seines commentars zur Benedictinerregel (Migne Ser. lat. cn 836 f) sagt, terz, sext, non seien schon von den aposteln überliefert (wobei er dieselben bibelstellen anzieht wie Hieronymus, besonders in der Vita Paulae und in dem briefe ad Demetriadem virginem, wie Cassian, Cassiodor und Benedict), matutin, vesper, complet dagegen *a patribus sunt adjunctae.* die berufung auf die bekannte psalmenstelle hat allerdings dann beigetragen dass die zahl der gebetsstunden von 5 auf 7 erhöht wurde; aber das geschah nur sehr allmählich, die prim als abzweigung der matutin trat zuletzt hinzu. lange zeit herschten differenzen in bezug auf die zahl der horen und die verteilung der psalmen auf sie, äufserst langsam wurde einheit hergestellt. — nach s. 7 f scheint es dass W. die ausbildung der officien für Maria und einzelne heilige zu spät ansetzt. Martène De antiquis ecclesiae ritibus (Antwerpen 1737) iii 56 erwähnt eines ordinarium Silvanectense ab annis circiter 400, worin mit dem stundengebet lectüre aus den martyrologien verknüpft war (vgl. auch seinen Commentarius super regulam SBenedicti und lib. i De antiquis monachorum ritibna). Petrus Damiani erzählt im 16 capitel seines Opusculum de horis canonicis (Migne cxlv 221 f) *Horarum B. Virginis efficacia quanta* von einem kleriker und fügt hinzu: *Hoc tamen procul dubio novimus, quia quisquis quotidiana praedictis horis officia in ejus (Mariae) laudibus frequentare studuerit, adjutricem sibimet, ac patrocinaturam ipsius Judicis matrem in die necessitatis acquirit.* und Durandus im Rationale divinorum officiorum (Lugduni 1551) lib. v cap. 1 absatz 8 (128ª) spricht sehr ausführlich über die horen für Maria. ich setze die ganze stelle hierher, weil sie mehrfach als quelle für die deutschen tagzeiten unserer lieben frau gedient hat: *In eisdem quoque horis beatam virginem laudare debemus, scilicet in nocturnis sive matutina: quia tali hora quaedam stella apparet in coelo, quae transmontana vocatur, cujus ductu nautae perveniunt ad portum; et ipsa beata virgo est stella transmontana, quia et si eam digne laudaverimus, nos qui sumus in hoc seculo ducet ad portum salutis. item in prima: nam tunc apparet quaedam stella, quae Diana vocatur, quam sequitur sol; et ipsa beata virgo est vera stella Diana, quae verum solem scilicet Christum nobis portavit, qui illuminat totum mundum. item in tertia: nam hora tertia consuevimus esurire et ipsa portavit nobis panem verum, scilicet Christum, cum quo est omnis satietas. item in sexta: quia illa hora magis fervet et calefacit sol et ipsa laudanda et roganda est, ut nos frigidos calefaciat in charitate per solem Christum, quem genuit. item in nona: quia illa hora sol declinat ad occasum et ipsa juvat nos et*

des cardinals Bona De divina psalmodia habe ich erst nachträglich und mit geringem nutzen einsehen können; dieses autors Rerum liturgicarum libri duo, Rom 1671, enthalten nichts über die canonischen horen.

*protegit, cum ad occasum, id est ad senectutem, declinamus. item
in vesperis: quia tunc incipit dies finiri et ipsa laudatores suos
in hora mortis defendit. item in completorio: nam tali hora dies
est completa et ipsa in complemento vitae nostrae pro nobis inter-
cedit et in aeterna tabernacula recipi fecit, ubi completum est gaudium electorum.*

Für die geschichte der deutschen tagzeiten überhaupt ist es
am wichtigsten, die entwicklung der mystischen deutungen der
horen kennen zu lernen, sowie die art und weise, in der sie an
einzelne puncte der evangelischen überlieferung angeknüpft wurden, da daraus meist die deutschen stücke ihren inhalt schöpfen.
W. bespricht ganz kurz s. 9 ff die 'verteilung der passionsgeschichte
auf die einzelnen horen' und nicht ohne irrungen. es sei mir gestattet, eine knappe übersicht dessen, was bei den wichtigsten ritualisten darüber sich findet, hier zusammenzustellen. ich merke
an dass viele der zu erwähnenden schriften in dem bequemen
sammelwerke von Melchior Hittorp De divinis catholicae ecclesiae
officiis et mysteriis, Paris 1610, vereinigt sind, doch habe ich
noch die ausgaben von Migne nachgeschlagen und einiges ergänzt.
'die Apostolischen constitutionen halten diese stunden (terz, sext,
non) besonders für das gebet geeignet, weil in der dritten Christus
von Pilatus verurteilt wurde, zur sechsten die kreuzigung stattfand und zur neunten, da der herr am kreuze hieng, alles erschüttert wurde' (Probst Lehre und gebet s. 341). ähnlich bei
Clemens Alex., Tertullian, Cyprian. diese letzteren verbinden auch
die drei hauptstunden mit der trinität. die deutung von vesper
und matutin ist zunächst ganz einfach: Ap. coust. viii 34: *vespere,
quod noctem dederit ad requiescendum diurnis laboribus. ad galli
cantum, quod. ea hora adnunciat adventum diei ad facienda opera
lucis.* Athanasius (6 zeiten) gibt im Liber de virginitate der terz
eine etwas weniger bestimmte bedeutung: *post tertiam horam
synaxes conficies, quoniam ea hora defixum est lignum crucis.* Ba-
silius (6 zeiten) erwähnt im sermo ι de institutione monachorum
(ich citiere aus Martène) die passion nur bei der non. Chry-
sostomus (7, auch 6 zeiten) ebenso wie die Ap. const. genauer
sind die Constitutiones arabicae concilii Nicaeni (6 zeiten): sie
führen zur sext kreuzigung und tod, zur non abnahme vom kreuz
an und fahrt in die vorhölle. auch die morgenstunde wird im
abendlande von Cyprian (6 zeiten) im Liber de oratione in beziehung zu Christus gebracht: *sed nobis praeter horas antiquitus
observatas orandi nunc et spatia et sacramenta creverunt. nam et
mane orandum est, ut resurrectio domini matutina oratione cele-
bretur, quod olim spiritus sanctus* usw. *recedente sole* wird ge-
betet, damit das ewige licht komme. nichts neues steht darüber
bei Ambrosius (6), Hieronymus (6), Augustinus (6), Cassian (7)
De institutione coenobiorum lib. iii cap. 3 ff, Cassiodor (7) in der
erklärung des 118 psalms, Benedictus (8 praeter nocturnas) in

16*

der Regula cap. 16. Caesarius Arelatensis empfiehlt dem volke vier
zeiten: matutin, terz, sext, non. Isidorus Hispalensis De ecclesiasticis officiis lib. III cap. 19 — 23 hat einiges der mystischen
deutung hinzugefügt, was dann in folge seines einflusses geblieben ist: terz, sext, non bezieht er auf Daniel und die drei
jünglinge im feuerofen, aber auch auf die trinität. und einzeln
genommen ist zur terz der heilige geist abgestiegen, zur sext
Christus passus, zur non *patibuli cruciamenta porrexit,* zur vesper
hat das abendmahl stattgefunden, die complet sichert den schlaf,
die matutin bringt licht, der herr ist zu dieser zeit auferstanden.
Beda hat den gegenstand ausführlich behandelt in seinem De me-
ditatione passionis Christi per septem diei horas libellus (VIII 955 ff
ed. Colon. 1688). er beginnt mit der complet, in der er abendmahl, ölberg, gefangennahme, Annas und Kaiphas bespricht, der
matutin weist er zu die verspottung Christi, der während der
nacht gebunden bleibt, der prim das verhör vor Pilatus, der terz
die verhandlung bei Herodes und Pilatus, die krönung, das urteil,
der sext die kreuzigung, der non die sieben worte und den tod,
der vesper kreuzabnahme und begräbnis. einzelne vergleichungen
hat Beda noch an mehreren stellen seiner werke vorgenommen
(II 52 vergleicht er die matutin mit Christus, II 47 die vesper
mit der kirche). aus dem schon vorhandenen combiniert Hrabanus Maurus De institutione clericorum lib. II cap. 1—10 seine
deutungen: matutin, auferstehung, zug durchs rote meer; prim,
tageslicht; terz, beginn der passion; sext, kreuzigung; non,
7 worte und tod; vesper, abendmahl; complet, nacht und schlaf.
Walahfrid Strabo De rebus ecclesiasticis handelt zwar im 25 capitel eingehend über die horen, schweigt aber von ihrer deutung.
für Amalarius De ecclesiasticis officiis lib. III cap. 1—8 ist insbesondere Hieronymus mafsgebend gewesen; er vergleicht die
horen im 2 capitel mit den stunden der arbeiter im weinberge,
bespricht sie im 3 capitel und führt Hieronymus in der Expla-
natio Danielis an, wo der passion nicht gedacht wird. auch er
hat im 10 capitel noch die notiz: *in matutinali tempore baptizati
sunt filii Israël in mari rubro, ut Exodus narrat.* ausführlich ist
Smaragdus in dem citierten werke, wo er folgendermafsen den
stoff verteilt: prima — *pro inchoatione diei;* tertia — ausgiefsung
des heiligen geistes; sexta — kreuzigung; nona — *pro eo quod
eadem hora dominus noster descendens ad inferos sanctorum animas, quae clausae tenebris tenebantur, exinde liberavit, et secum
ad coelos completorio transvexit;* duodecima — tagesende. einiges
neue hat Petrus Damiani in dem bereits angeführten opusculum,
besonders wird von ihm die verbindung der horen mit der trinität betont: *sicut enim primae horae officium, ut praetaxatum
est, s. trinitatis fidei dedicatur, ita et completorium in ejusdem s.
trinitatis assertione concluditur, ut cui totius diei cursus militare
dignoscitur, in eum peractae tandem lucis clausula terminetur.*

Hugo von SVictor spricht lib. ɪɪ cap. 1—7, 10 des werkes De
ceremoniis, sacramentis, officiis et observationibus ecclesiasticis
über horen, besonders das gleichnis vom weinberge nach Hieronymus, bringt aber da nichts weiter vor von mystischen auslegungen. dagegen handelt er in seiner schrift In speculum de
mysteriis ecclesiae cap. 3 näher *de officiis horarum canonicarum,*
indem er die deutungen so ordnet: *nocte enim media natus est
de virgine, diluculo surrexit; hora prima mulieribus ab angelis an-
nunciata est resurrectio; hora tertia spiritus sanctus inflammavit
apostolos; hora sexta crucifixus est dominus, scilicet mundi redemptor; hora nona emisit spiritum pro salute mundi; in vesperis
commemoramus adventum domini in mundi vespere; in completorio
completum est gaudium sanctorum in die generalis retributionis.*
er nimmt dann die zeiten einzeln durch, wobei er für die matutin
noch ausführlich den zug der Israeliten durch das rote meer anzieht. Rupert von Deutz De divinis officiis lib. ɪ cap. 1—9 gibt
reichliches in folgender ordnung: prim — *consputus, illusus atque alapis caesus et adhuc opprobriis saturandus, Pilato propter
nos ligatus astitit. itemque redivivus stans in litore, cum in cap-
tura piscium, a quibus retia rupta non sunt, significasset ecclesiam,
qualis futura est in resurrectione mortuorum, mellitum cum septem
discipulis celebravit convivium.* terz — *duplici* ratione: *spinis coronatus et linguis Judaeorum crucifixus est, spiritus sanctus ef-
fusus est.* sext — *in cruce exaltatus est.* non — 7 worte, tod.
vesper — abendmahl, fußwaschung, begräbnis, Emaus. matutin
— Petri verläugnung, der engel und die frauen, der herr zeigt
sich nach der auferstehung. complet — ölberg, tritt mit pax
vobis unter die jünger. Honorius Augustodunensis erörtert in
der Gemma animae lib. ɪɪ cap. 53 die horen und führt verschiedene beziehungen an. zuerst verweist er bei der matutin auf
Adam und Eva; prim — Abel, Enoch; terz — Noe und die arche;
non — Abraham; vesper — die apostel und ihre nachfolger;
complet — zeit des Antichrists. cap. 54 vergleicht er die horen
mit den lebensaltern. cap. 55 bringt er die momente der passion
in üblicher weise bei und cap. 61 bezieht er auf die dreiheit von
terz, sext, non die trinität. wider neues ist bei Joannes Belethus
zu finden, dessen Rationale divinorum officiorum ich in der editio
Laurimani, Dillingen 1572, benutze; dort steht, nachdem cap. 28
die lebensalter verglichen waren (dabei zu den laudes die bemerkung *rursus eadem hac hora Christus victor a morte surrexit)*
im 29 capitel folgendes: *prima enim hora Christus Pilato a Ju-
daeis traditus est et a morte resurgens prima hora Mariae Magda-
lenae apparuit. prima hora visus est in litore septem discipulis
piscantibus, quibus dixit: pueri, habetis aliquid pulmenti? (Jo. 21).
hora vero tertia crucifixus est linguis Judaeorum et flagellatus,
eademque hora spiritus sanctus ipso die pentecostes discipulis fuit
datus. sexta hora Christus* pro *nobis ligno crucis clavis affixus*

est, atque eadem quoque hora ipso die ascensionis cum discipulis discubuit. nona hora exclamans spiritum emisit, et lanceatus e *latere corporis sui duo nobis eduxit sacramenta, aquam videlicet baptismatis et sanguinem redemptionis ac salvationis nostrae. vespere de cruce depositus est, qua item hora in ultima coena cum discipulis suis coenavit; ubi illis sacramentum corporis et sanguinis sui tradidit, quod nobis saluberrimum testamentum hinc discedens reliquit. eadem rursus hora duobus suis discipulis proficiscentibus in Emaus in fractione panis fuit agnitus. postremo in completorio patrem* pro suis *discipulis oravit, qua etiam hora in sepulchrum positus est.* sehr sorgfältig ist Durandus; sein werk habe ich schon genannt, es kommen daraus für uns cap. 1—10 des v buches in betracht. ich gebe das interessante aus den capiteln der reihe nach. im 1 werden die lebens- und weltalter verglichen. 3 nocturn — *media nocte natus, captus, illusus.* 4 laudes — *surrexit, super mare ambulavit.* 5 prim — Pilatus, die frauen beim grabe, *eadem hora dominus conveniebat in templo et populus manitabat, id est, mane exspectabat.* 6 terz — ausgiefsung des heiligen geistes. 7 sext — kreuzigung, *hac etiam hora Adam de paradyso ejectus est.* 8 non — tod, wie in der ältesten zeit *Joannes et Petrus ascendebant in templum causa orationis, Petrus in coenaculum* usw. 9 vesper — abnahme, abendmahl, Emaus. 10 complet — ölberg, grablegung. aufserdem stellt er einmal in kürze die passionsdeutungen zusammen: *in nocte comprehensus, mane illusus, hora prima gentibus traditus, tertia flagellatus, voce crucifixus, sexta cruci affixus, nona mortuus, undecima a cruce depositus, duodecima sepultus.* endlich gibt er noch eine art auferstebungsoffiz: *item in nocte spoliavit infernum; mane surrexit; in prima hora Mariae apparuit; tertia de monumento redeuntibus obviavit; sexta Jacobo, nona Petro, vespera duobus discipulis euntibus scripturas aperuit et se manifestavit; in completorio apostolis pax vobis dixit et cum eis manducavit.* bei den späteren schriftstellern sind keine neuen auslegungen angegeben, nur das bekannte wird von ihnen zusammengetragen. ich denke dass es möglich sein wird, mit hilfe der hier gelieferten sammlungen den inhalt aller vorkommenden deutschen tagzeiten auf anschauungen, in der theologie des mittelalters geltend, zurückzuführen.

Schon aus diesem erhellt dass noch mehrere angaben W.s zu berichtigen sind. zb. ist nicht (wie es s. 11 heifst) das benedictineroffiz anlass gewesen für die beziehung der terz auf das ausgiefsen des heiligen geistes. W. sagt s. 12: 'bei unserer geringen kenntnis von der entwicklung der liturgik in ältester zeit ist es unmöglich, die mafsgebenden gründe für die einzelnheiten dieser zusammenstellung (der bestandteile des officiums) zu finden.' aber die vorhandene kenntnis ist nicht so gering als er sie anschlägt. wenn er die angeführten ritualisten durchsehen will, dazu noch

Agobardus (Migne cɪv 325), Bruno von Asti (Migne cʟxv 1089 ff),
Drogo Hostiensis, des Radulphus homilien, den Micrologus usw.,
wenn er dann von späteren arbeiten insbesondere die treffliche
und gründliche Mabillons De cursu Gallicano disquisitio benutzt,
welche Migne mit recht im ʟxxɪɪ bande wider abgedruckt hat,
wenn er endlich die erwähnten werke Martènes (vgl. auch JLSel-
vagio Antiquitatum christianarum institutiones — ich kenne nur
die editio altera Patavii 1780 — cap. ɪx § 1—17) heranzieht, so
wird er seine behauptung aufgeben und dann, wie ich meine,
auch etwas anders über Allioli urteilen, als er es aao. tut. —
s. 15 sagt W. über die Pariser tagzeiten: 'nicht ohne sinn für
composition hat der dichter die passionsgeschichte dem canonischen und dem marianischen offiz zugleich eingepasst und in
den erzählenden abschnitten das leiden des sohnes zum mitleiden
der mutter in beziehung gesetzt. wie üblich schliefst er die
complete mit der grablegung Christi. es mochte ihm indessen
wünschenswert scheinen, eine fortsetzung der heiligen geschichte
anzuknüpfen, und so fügte er in einem 8 abschnitte das oster-
evangelium und in einem 9 eine betrachtung über den inhalt des
pfingstevangeliums hinzu. diese letzten beiden abschnitte ergänzen ihrem inhalte nach die sieben ersten, sind aber der form
nach ihnen ungleich.' so liegt die sache nicht, wie mir scheint.
vielmehr sind die ergänzungen ganz unbedingt notwendig. da
in den tagzeiten selbst nur die passion berücksichtigt war, muste
die auferstehung nachgetragen werden, welche eigentlich zur matutin gehört, aber bei einigermafsen geschickter verteilung des
stoffes in der dichtung doch nicht am anfang angebracht werden
konnte. sie muste also nach der complet erzählt werden. ebenso
steht es mit dem abschnitt über die dreifaltigkeit. ich denke
dass die angeführten stellen der kirchlichen autoren jeden zweifel
darüber benehmen werden dass man mit der psalmenverteilung
auf die horen die trinität in zusammenhang brachte. wenn erzählung, anrufung, gebet dem dichter die tagzeiten füllte, so
konnte er über die trinität natürlich erst später sprechen. überdies zeigen sowol die fassung dieses abschnittes im ganzen als
hauptsächlich die letzten verse mit wünschenswertester deutlichkeit
dass erst hier der würkliche schluss des gedichtes eintritt. die
weitergehende behauptung des recensenten im Litt. centralblatt
(s. oben s. 230) erledigt sich damit von selbst.

S. 3 ff der dissertation spricht W. von den sonst noch
vorhandenen deutschen reimwerken über die tagzeiten und gibt
eine dankenswerte übersicht der ihm bekannt gewordenen. aus
meinen sammlungen vermag ich einige ergänzungen beizubringen,
die ich möglichst kurz gehalten hier folgen lasse.

An die spitze seines verzeichnisses hat W., wie billig, die
Tagzeiten Hartwigs von dem Hage gestellt. es ist über diesen

dichter bisher·nichts weiter bekannt, als was Docen im Museum
für altdeutsche litt. und kunst 2, 265—269 und ·fünf jahre
später im 3 bande der Altdeutschen wälder s. 148—159 berichtet
hat (vgl. noch Miscell. 2, 171 ff. Mafsmanns Alexius s. 5 anm).
da mir nun von den Tagzeiten herr dr Ferdinand Khull eine abschrift aus cgm. 717 freundlichst zur verfügung gestellt hat und
ich selbst eine abschrift der legende von SMargaretha desselben
autors aus demselben codex angefertigt habe, so kann ich etwas
mehr mitteilen.

Docen stützte seine meinung, dass auch die legende von
dem sei, der bei den Tagzeiten seinen namen in einem akrostichon kundgab, auf formelle übereinstimmungen. diese sind allerdings so grofs, dass an der identität der autoren nicht gezweifelt
werden kann. SMargaretha hat 1738 verse, die Tagzeiten 1564.
die ungenauigkeiten der reime sind in der legende nicht sehr
grofs. ă : d vor n 12 mal, vor r 4 mal, vor l 1 mal, vor k 1 mal;
ŏ : ó vor r 1 mal; ĭ : i vor n 3 mal. die formen von -lĭch reimen
nur auf längen. lieht : übersiht 799 und der starke fall, in dem
katalog der martern, denen die glaubenskämpfer unterworfen
wurden, v. 47 f

> ettlichen wart der tod getan
> geschlagn von bli mit gayslan.

sind als dialectisch zu bezeichnen. von contractionen kommen nur
die gewöhnlichen vor: seit, ldst, gĭt, lĭt. dagegen starke und ziemlich zahlreiche apocopen der endungen, auch der tonlosen e. freilich ist das nicht immer sicher auszumachen, weil 4 hebige verse
mit klingendem ausgang unzweifelhaft vorkommen. es steht sogar val : qudl 653. consonantische ungenauigkeiten finden sich
fast gar nicht (auch nicht s : s); nur warf : scharpf, was aber
sicher scharf gesprochen wurde, 49. 687. 851. brant : darm 73
fällt nur dem schreiber zur last und muss emendiert werden.
stdn, stén, gdn, gén werden abwechselnd im reime gebraucht.
das ist alles und, wie man sieht, nicht viel. — wenig schlimmer
steht es um das kleinere gedicht, die Tagzeiten: ă : d vor n 4 mal,
vor r 6 mal, vor l 1 mal, vor st 2 mal; prophét : het 253; ŏ : ó vor·
r 1 mal. die formen von -lĭch sind in der regel lang, 1 mal
kurz 301. lieht : übersiht 349. 1023. wirde : gezierde 852. und
widerum 658:

> und dich als ainen schachman
> schlug mit besmen und gayslan.

contractionen seit, treit, leit öfters, ldst, zĭt, lĭt. entspent : ver-
zent (== verzehent?) 681. der unschöne reim allmᵃhtiger : gnádiger
kommt zweimal in identischen versen vor 381. 1523. ebenfalls
starke und häufige apocopen, manche zweifelhaft. auch hier
val : qudl 289. d und é wechseln in stdn, stén, gdn, gén. — der
schreiber von cgm. 717, aus dem jahre 1347 (von Docen zuerst
um 1330 gesetzt), hat grobe schwäbische lautbezeichnung: au

für *d*, volle vocale in den endungen, *z* für s (Weinhold AG.
§ 184) und ähnliches. dass aber auch der dichter ein Alemanne
war, geht nicht blofs aus dem sicheren *gayslan* hervor, auch *ĭ*
: *ie* vor *h* stimmt damit, und *ĭ : ie* vor r ist zwar vorzugsweise
bairisch, findet sich aber auch bei Heinzelein von Constanz. trotzdem glaube ich nicht, da die dialectischen reime so spärlich sind,
dass man bei einer kritischen herstellung der gedichte wird viel
von der groben lautgebung des schreibers in den text aufnehmen dürfen.

Das auffallendste moment im reimgebrauch der beiden gedichte, welches auch Docen zu seiner annahme veranlasst hat, ist
die überaus häufige verwendung aller arten von rührenden reimen.
in der Margaretha sind es nicht weniger als 57, d. i. nahe ¹/₁₅
des gesammten reimstandes, auf 15 reimpare kommt ein rührender reim. genau so verhält es sich bei den Tagzeiten. unter
782 reimparen sind 52 rührend, widerum nahe ¹/₁₅. diese übereinstimmung ist ganz singulär und Docens urteil gewis gerechtfertigt.‘ um so mehr als die allergröbsten und ganz unent-
schuldbare beispiele vorkommen, reime zwischen auch der bedeutung nach gleichen wörtern: *werden : werden*, *ist : ist*, denselben
bildungssilben usw. unempfindlichkeit gegen das üble und geschmacklose des rührenden reimes mag schuld tragen, ganz
besonders aber die reimarmut, unter welcher Hartwig leidet. das
wird noch aus anderem klar. 3 reime setzt der dichter mit absicht an den schluss jeder hore, 4 an den schluss des ganzen
gedichtes. aber auch sonst kommen aufserordentlich oft widerholungen derselben reime vor, und wie es dann unvermeidlich
ist, auch ganzer verspare. mitunter ist es vollkommen deutlich zu
sehen, wie die reimnot den dichter in einen schon verlassenen ge-
dankengang wider hineinzieht. in der Margaretha beläuft sich die
zahl solcher fast identischer verspare auf mehr als 20, noch
gröfser ist sie in den Tagzeiten, und nimmt man beide gedichte
vergleichend zusammen, so wächst diese zahl noch um ein er-
kleckliches. es lässt sich schon aus dem angegebenen erschliefsen
dass, da reimnot nur ein äufseres symptom der dürftigkeit des
wortschatzes ist, Hartwig auch nicht viel abwechslung im vortrag
ähnlicher gedanken und in der schilderung ähnlicher situationen
zeigen wird. in der tat, ungewöhnlich grofs ist die zahl sogenannter lieblingswörter und -phrasen bei ihm. nur einige der
am häufigsten vorkommenden und auffallendsten will ich ohne
genaue ordnung aufzählen: *barn, joch, beschöude, kür, widerstrtt,
vaterheit, vreise, ungehabe, orden, húsgenôze; sælderich, zergänc-
lich, lobesam; berinnen, enbunnen, verrigelt, versigelt* usf. dass
beide gedichte auch in der verwendung dieser worte übereinstimmen, ist ein beweisendes moment mehr für Docens hypothese.

Der innere versbau ist ziemlich sorgsam gestaltet und der
dichter ist einer guten überlieferung gefolgt; welcher, habe ich

nicht feststellen können. an versetzten betonungen fehlt es freilich nicht, enjambements sind gleichfalls nicht selten, und in
einem gewaltsamen verzerren der wortstellung findet Hartwig
häufig ein auskunftsmittel zur glättung seiner verse. dies letztere
hat schon Docen angemerkt. ebenso auch die starke verwendung
der participia praes. und praet., einfach und in zusammensetzungen. der einfluss lateinischer vorlagen, welche der dichter
bearbeitete, ist da unverkennbar. das reimbrechen übt Hartwig
in der Marg. ganz streng; fallen satzschluss und reim zusammen,
so steht in der Marg. darnach eine rote initiale. nicht ganz so
sorgfältig ist er in den Tagzeiten. alles in allem glaube ich dass
man die abfassung beider werke schwerlich weit nach 1300 wird
setzen dürfen; ich wäre geneigt, diesen termin selbst als den
sichersten zu bezeichnen. einen Hartwig von dem Hage habe
ich nicht nachweisen können.

Schon bei der ersten lectüre fällt auf, um wie viel besser
die legende ausgefallen ist, als die Tagzeiten. die verschiedenheit
der stoffe hat einfluss geübt. jedesfalls ist der ton in der Marg.
viel frischer, lebhafter; es kommen zahlreiche bilder vor, ja es
fehlt auch an warmer empfindung gar nicht. der verkehr des
präfecten mit Marg. bewegt sich ganz in den höflichen formen
des ritterepos, die zwiesprache der heiligen mit dem teufel ist
in ihrer wunderlichen naivetät geradezu recht anziehend, und es
sieht würklich aus, als ob der dichter dem armen burschen, den
die übermacht seiner besiegerin so malträtiert, ein bewegtes mitleid gegönnt hätte. die schilderung der martyrien ist zwar von
der gewohnten scheuslichkeit, aber man sieht dass der autor
ganz bei der sache ist. auch das schlussgebet ist warm und
herzlich.

In den Tagzeiten hat sichtlich der knappe stoff und die
furcht vor verletzung des überlieferten den dichter beengt. er
bewegt sich in hergebrachten gedanken und phrasen; die sprache
ist zwar gut und rein, aber was er zu sagen hat, ist nicht sonderlich interessant und durch die widerholungen ärgerlich. ob
Hartwig ein kleriker war, wie Docen annimmt, bei dem solche
furcht dann recht erklärbar wäre, wage ich nicht zu entscheiden;
es sind keine angaben vorhanden, welche bestimmte schlüsse gestatten. ja er scheint doch den weltlichen dingen aufmerksamkeit
gewidmet zu haben, wenn ich folgende stelle voll fürbitten richtig
auffasse:

Tagzeiten 575

la dir auch, herr, enpfolhen sin,   die kung aller krysten,
das du gerüchst mit dinem segen   die fursten, vogt und richter,
des babstes, unsers vaters, pflegen,   das si uns wesen vridbär;
der bischof und ir pfaffhait   dar zu la dir bevolhen sin
und swer geistlichen orden trait.   den vater und die müter min, 585
580 Gerüch ze gůt auch vristen   min friund und all min kunden

den ich des bin gebunden,
das du in diner gnaden tail
verlihest und daz ewig hail.
Erbarm dich auch über die
die sich mir hant enpfolhen hie
und mir hie gut getaten,
die lebenden hie ze . . . .
in dinem dienst und gib in
ze güten dingen rehten sin;
den hie erstorben gib ze lon
die ewigen fraud, die ewigen chron.

Erlös auch der gevangenn bant,
den siechen tü ir hail bekant,
wis dinen pilgerinen bi,
und swer in wazzers vorhten si
und [in] andern dehainen nöten
won,
da hilf im durch din güt von;
witwen und arme waysen
beschirm vor allen fraysen;
zün auch, herr, mit diner kraft
under crysten alle vintschaft;
unrehte lut beker,
bewis zwiflar unde ler

behalten rehten crystentüm,   610
gerüch auch von ir irtüm
und von ir blinthait schaiden
chetzer, juden und haiden.
Erlüter unsers hertzen brust
von des bosen gaystes a[ku]st, 615
daz wir die kusch behalten,
in vollen tugenden alten.
Gerüch auch, milter gotes barn,
den schelm und. bisåz (Lexer
  I 214 f) undervarn
und uns von allen schawres sclegen 620
an allem baw und fruhte wegen;
ner uns vor doners schriken
und wildes fures bliken,
behüt uns, herr, und bewar
vor aller schlacht vind schar,   625
zi sihtig oder unsihtig wes,
daz sel und lib vor in genes.
Den ungewarneten enden
und gåhen tod den wend,
beschirm und ner uns all   630
vor des ewigen todes vall — usw.

Von den beiden dichtungen Hartwigs ist die legende der publication schon wegen des wortschatzes entschieden wert, die Tagzeiten werden dann mitgenommen werden müssen. dem inhalte nach zerfallen sie in folgende gruppen: 1—18 akrostichon. 19—324 mettin — gefangennahme (erlösungsfrage), mishandlung. 325—465 lausmettin, aber nicht durch 3 reime vom ersten abschnitt getrennt. 466—642 prime — gericht, erscheinung vor Maria Magdalena. 643—765 terz — geifselung, zu den jüngern kommt der heilige geist. 766—910 sext — dornenkrönung, Herodes, kreuztragen, kreuzigung. 911—1157 none — 7 worte, tod, Longinus; himmelfahrt. 1158—1376 vesper — abnahme vom kreuz, begräbnis; abendmahl. 1377—1564 complete — gebet Christi am ölberge; begraben, vorhölle. diese momente kreuzen sich stets.

Ich darf nicht vergessen dass von den Tagzeiten Hartwigs noch eine zweite hs. erhalten ist; freilich ist sie so beschaffen, dass sie dem herausgeber nicht den mindesten nutzen gewähren wird. im Anzeiger f. k. d. d. v. 1853 s. 106 ff hat Frommann die hs. 1740ᵃ des germanischen museums beschrieben. sie gehört dem 15 jh. an und soll schön sein. die Tagzeiten stehen auf 33½ blättern pergament von je 17 zeilen. das würde 1119 verse gegen die 1564 der Münchner hs. ausmachen, wobei

gar nicht veranschlagt ist dass der überarbeiter auch neue verse
gemacht, somit das original um eine noch gröfsere anzahl von
versen verkürzt hat. in wahrheit wurde von dem schreiber des
Nürnberger codex die arbeit Hartwigs ganz unverständig verstümmelt, aber auch albern erweitert. es wird genügen, wenn
ich nur etliche reimpare als probe neben einander stelle:

Cgm. 1158	Nürnberger hs.
Diu vesper kundet uns benamen	*Waz crist ze vesperzeit begie*
den waren gotes lichnamen	*daz chúndet man und offert hie.*
1160 *und wie diu gotes súz*	
den jungern tŵg ir fúz.	
Furst ob aller engel schar,	*Fúrst ob aller engel schar,*
warer got und mensch allwar,	*warer got und mensche gar,*
du da vil súzer ihesu crist	*Christ, von der rosen sunder dorn,*
1165 *des vater sun ainborn bist,*	*der maide sant Mareien geporn,*
wis gelobt der triwe din,	*wis gelobet der trewen dein,*
diu dines milten herzen schrin	*di deines milten hertzen schrein*
und din gedultig menschlich art	*und dein vil rain gedultich art*
uns ze vesperzit entspart	*uns hat ze fesperzeit entspart.....*

dass man aus der Nürnberger hs. keine richtige vorstellung von
dem ursprünglichen werke gewinnen kann, wird schon aus diesem
exempel klar sein; sie darf im ganzen unberücksichtigt bleiben,
und auch dort, wo cgm. 717 im stiche lässt, wird man sich in
der Nürnberger hs. wenig hilfe holen können.

Über tagzeiten in Klosterneuburger hss. hat JMWagner, Anz.
f. k. d. d. v. 1861, 273 f. 311 ff genau berichtet. die abschriften,
welche er damals benutzte, hat er mir vor etwa zehn jahren geschenkt, und ich teile aus ihnen noch einiges über die stücke
mit, welche ja doch, wenn überhaupt, erst sehr spät zum druck
gelangen werden.

Mariae tagzeiten in zwei hss. nr 1170 (= A, vgl. Altd.
blätter n 87 f) und nr 1222 (= B), beide xiv jhs., erhalten,
308 verse, die in folgende abschnitte zerfallen: 1—58 A *metten*,
B ohne überschrift. empfängnis, sonst nur gebet und anrufung
Mariae. 59—98 A *laus mettein*, B *preym.* ganz der freude mit
Elisabeth gewidmet. 99—140 A *preim*, B *tercz.* geburt Christi.
141—184 A *terze*, B *sext*, blofs gebete. 185—204 A *sexte*, B
ohne überschrift. marter Christi, kreuzigung. 205—248 A *none*,
B ohne überschrift. auferstehung, wunder. 249—276 A *vesper*.
B ohne überschrift. himmelfahrt. 277—308 A *complet*, B ohne
überschrift. grufs und gebet. im allgemeinen ist B wesentlich
schlechter als A, durch unaufmerksamkeit finden verschreibungen
statt, fehlen worte; die constructionen, welche einer späteren auffassung gemäfs sind, werden für die älteren eingesetzt. andererseits aber hat B an vier stellen besseren text als A und fehlt in

A vers 6 (213—216 fehlen B, sind aber in A nur fehlerhafte
widerholung von 209—212), so dass B nicht aus A abgeschrieben
sein kann, sondern mit diesem gemeinschaftliche vorlage hat.
die schreiber beider hss. sind Österreicher, in B viel gröberen
dialectes als in A, auch der autor selbst ist es gewesen. unter
den 308 versen sind nicht viele ungenaue. *ǎ : ǎ* vor *n* 1 mal,
vor *r* 2 mal, vor *t* 1 mal, vor *ch* 1 mal, vor *ht* 1 mal. *namen
: dmen* 307. *enphdhe : slahe* 131. *gêt : gebet* 155. von contrae-
tioneu *gît* 37. 129. *mait, sait, gechlait. schier : mir* 181. *: dir* 305.
tuon : sun 101. die verse 287 f *mit wainen und mit chlagen in
diser zeher graben* können nicht geändert werden (31 f heifst
es: *die in dirre zeher graben mit. manigen sunden ist uberhaben).*
zwei rührende reime 171. 291. 4 reime nach einander 155. 299.
sehr starke apocopen, die verse mit klingendem ausgang sind
meistens vierhebig. die verse 18 ff

> *und mach mich von sunden vrei*
> *und vesten mich mit siner chraft,*
> *daz ich werde berhaft*
> *guet werch und rein gedanch —*

scheinen nahe zu legen dass das gedicht von einer frau verfasst
worden sei. ich setze es in die mitte des 14 jhs.

Codex 1226 in Klosterneuburg, 14 jhs. *Daz sind suben tag-
zeit von unser vraun,* enthält 144 verse. die ersten 20 machen
die einleitung aus, die andern verteilen sich auf 8 horen, da die
laudes besonders gerechnet sind. stellt man die anfangsbuchstaben der einzelnen verse hinter einander, so bekommt man
folgende reihen:

ich wil varen in echlvnm .	20.
da ich iin vil wol er	16.
chantwildi mit mie	16.
rvashim neme inedh	16.
erzencheneginnedawdl .	20.
ich dier vrowe	12.
gepeser vnd gwtvld	16.
semddezledev	12.

daraus geht, wie ich denke, mit sicherheit hervor dass ein akrostichon, vielleicht in versen beabsichtigt war, ebenso aber dass
das gedicht in unheilbarer corruption überliefert ist, etwa so wie
Hartwigs werk in der Nürnberger hs. es wäre aber der erhaltung wert gewesen, das bewahrte ist gut und eigentümlich.
nur wenige ungenaue reime, meist längen auf kürzen vor liquiden; *au* aus *û* 103 zum beweise dafür dass hier diphthongierung durchgedrungen ist. der innere versbau ist gut, dort aber
bedeutend schlechter, wo das akrostichon verderbt ist. — der
inhalt bietet nichts erzählendes, nur anrufungen, die abwechselnd
an gott, Christus, Maria gerichtet sind. Maria steht dabei zurück,

und Christus wird hauptsächlich genannt, so dass die überschrift
dem inhalte nicht entspricht. deswegen, dann wegen der schlechten
verse und des mangels eines akrostichons halte ich die einleitung,
welche das ganze als ein *churzlein — kurselin* bezeichnet, für
später, etwa erst von dem schreiber hinzu gefügt. in der *preim*
wird Maria als *tramontam* angerufen, vgl. das citat oben s. 242
aus Durandus.

Codex 1222 in Klosterneuburg enthält Christi tagzeiten in
220 versen. die ersten sechs abschnitte enthalten je 30, der
letzte 40 verse. das gedicht ist arg verderbt, verse fehlen oder
sind zusammengezogen. man sieht mehrmals deutlich dass bessere
formen als die überlieferten vorhanden gewesen sind. länge reimt
öfters auf kürze, -*œre* ist bereits zu -*er* geworden, starke apocopen, contractionen (*wdt : ladet* 125, *stat : ladet* 145) und syncopen finden sich. *gndde : erchlage* 87 ist sicher nur ein fehler,
es ist *entlade* zu schreiben. diphthongierung ist durchgedrungen,
zeit : angeleit 123. klingend gereimte verse haben meistens vier
hebungen. widerholungen 36 f. 161 f. ein rührender reim, aber
an corrumpierter stelle 99 f. das stück ist von einer frau gedichtet nach v. 24 ff:

> *nu man ich, arme sünderin, dich,*
> *daz du geruchest trösten mich*
> *an meiner leezten hinvart.*

ich setze es nach Österreich in den anfang des 14 jhs. sehr
merkwürdig ist die verteilung des stoffes, welche folgender mafsen
stattfindet: vesper — abendmahl; complet — ölberg, gefangennahme; metten — gericht, mishandlung; prim — rat, krönung,
bei Pilatus; terz — Barrabas, geifselung, kreuztragen; sext —
kreuzigung; non — tod und erdbeben. damit schliefst sich das
stück an ritualisten wie Rupert von Deutz, Belethus, Durandus usw.
auch die alemannische übersicht des leidens Christi, aus einer
Konstanzer hs. bei Mone Lat. hymnen ɪ s. 130 abgedruckt,
stimmt damit überein.

Im cgm. 718, aus dem 15 jh., welcher mit dem Leben der
heiligen Elisabeth von Johannes Rothe beginnt, stehen Tagzeiten
Christi und Mariae in je 8 sechszeiligen strophen, denen gebete
angehängt sind. diese stücke hat Philipp Wackernagel Das deutsche
kirchenlied ɪɪ nr 1079. 1080 aus dem Ortulus animae, Strafsburg 1501, abgedruckt; die Münchner fassung ist älter, gehört
einem anderen dialecte an, gewährt viel besseren text, dessen
naivste, volkstümlichste züge in dem drucke getilgt sind, steht
aber mit diesem in keiner directen beziehung. — die Katharinen-
tagzeiten des Klosterneuburger codex 1226 sollten nicht mehr
angeführt werden, da es keine tagzeiten sind, wie schon Wagner
aao. bemerkt hat, sondern anrufungen der heiligen auf die sieben
wochentage verteilt.

Eine sorgfältige arbeit über die tagzeiten, etwa mit der edition der ältesten und wertvollsten deutschen stücke verbunden, scheint mir zu wünschen. sie wird von der masse des Wiener und Münchner materiales auszugehen haben. vielleicht sind einige bibliographische notizen, die ich zum endlichen schlusse noch zusammenstelle, nicht unwillkommen.

Serapeum 1855 s. 23, deutsch, Bernhards 7 tagzeiten des herrn. 1856 s. 285 laus vigiliarum, beide deutsche hss. der Zeisbergischen bibliothek. 1859 s. 57 Prager hss., wovon ich abschrift genommen habe. vgl. dazu Altd. blätter n 88. Anzeiger f. k. d. d. v. 1861 s. 270 und Serap. selbst 1841 s. 306 die von Maßmann angegebenen drucke. 1865 s. 28 aus der Vadianischen bibliothek in SGallen. 1868 s. 132 Marienofficium aus Prag. — Mones Anzeiger 1834 s. 373 f Basler druck. 1835 s. 446 ff Christi und Mariae tagzeiten in einer Kölner hs. des 15 jhs. — Zs. 13, 538 aus Königsberg. — Donaueschinger tagzeiten, bei Barack 358. 365 vgl. auch 402 (Katharinae tagzeiten nr 116). — Adrian Gießner hss. nr 784. 878. — Erlanger hs. nr 1744, bei Irmischer s. 294. — AvKeller Altd. hss. verzeichnet (nr 4) s. 42 (1879) Karlsruher hs. xv jhs. — Wilh. Grimm, Freidank anm. zu 15, 19. — niederdeutsch bei Österley, Goedeke Deutsche dichtung xii buch s. 63. die altniederländischen stücke in Hoffmanns Horae belgicae i hat schon Wagner aao. notiert, dazu bei Mone Übersicht der niederländischen volkslitteratur älterer zeit die nummern 153—156. 208. 230. — Wackernagel Predigten und gebete s. 244; tagzeitengebete s. 561 ff (natürlich ist in den predigten unzählige male bezug auf die tagzeiten genommen). — tagzeiten als fenstergemälde, vdHagen in seiner Germania viii 278.

Graz 25. 11. 80.   ANTON SCHÖNBACH.

Büchelin der heiligen Margaréta. beitrag zur geschichte der geistlichen literatur des 14 jahrhunderts. herausgegeben von dr KARL STEJSKAL. Wien, Hölder, 1880. 33 ss. 8°. — 1 m.

Unter den deutschen poetischen bearbeitungen der Margarethenlegende ist die nach Mitteldeutschland (Thüringen) weisende fassung des 14 jhs. die verbreitetste. von ihr liegt in obiger schrift eine kritische ausgabe vor, die leider in keiner weise genügen kann. nirgends spricht sich der herausgeber über sein verfahren bei der textherstellung aus; ich glaube, er ist sich über das handschriftenverhältnis selbst nicht klar geworden. St. sagt nur auf s. 6, sein text beruhe auf einer wörtlichen vergleichung des Erfurter fragmentes (A), der Wiener (c), Olmützer

(e), Göttinger (f) hs. und des alten Leipziger druckes aus dem
jahre 1517 (h). nach dem verbleib dreier anderer hss. (abd),
über die wir durch Docen und vdHagen kurze nachricht besitzen,
scheint er sich nicht weiter umgesehen zu haben. in bezug auf
die heimatsbestimmung schliefst sich St. den ansichten Schums
und Vogts an; das s. 4 f zum beweis beigefügte reimverzeichnis
ist unvollständig und fehlerhaft. es fehlen *samen : amen* ? 776;
nöten (dat. pl.) : *goten* 164; *müter : brüder* 694; *worden : vor-
dorben* 106. 528. auch *geist : leist(e)* 60 durfte angeführt werden, desgleichen *nicht : licht* (= mhd. *lieht)* 630 mit beziehung
auf Weinhold Mhd. gr. § 40. unter den reimen auf *é : œ* findet
sich *mére* (subst.) : *marterére* angemerkt! eine ungenauigkeit in
der bindung *mal* (so auch im text) : *quâl* 594 besteht nicht, da
mâl zu schreiben ist, und auch *uberwinde : vorslinde* 438 *(d : d
(g))* ist zu streichen, vgl. Gramm. 2, 391. — in den versen
577 f *daz al die bant erknachen und gar ser zerbráchen* soll die
reimbindung *ch = ck : ch* vorliegen: man erwartet aber auch in
der ersten zeile das praet., wofür St. doch hoffentlich nicht die
form in seinem texte ansah; das in c überlieferte *irknagten* liefse
vielleicht eine bindung *irknahten, irknachten : zerbráchen* vermuten,
vgl. den übrigens auffallenden reim Erlösung 3226 *sprâchen : vol-
bráhten* mit Bartschs anm. aber es ist wol nach e zu lesen,
etwa: *diu bant begunden knechen* (= hd. *knacken) und gar ser
zerbrechen.*

Was nun den text selbst betrifft, so ist gar manches an ihm
auszusetzen, abgesehen von dem schon erwähnten verkennen des
handschriftenverhältnisses: aufser einigen schlimmen sprachschnit-
zern, die schon von andern gerügt worden sind, hat St. viel zu
wenig den Mombritius, die quelle, die dem dichter vorlag, herbeigezogen: ihre benutzung würde ihn oft auf das richtige geführt
haben. auch der nicht immer geschickt angelegte variantenapparat ist nicht zuverlässig, wie mich die vergleichung einer
früher genommenen abschrift von c mit St.s angaben lehrt. St.
hat freilich 'offenbare misverständnisse und fehler der hss.' von
der aufnahme in die varianten ausgeschlossen, allein ganz abgesehen von der subjectivität solches verfahrens, so ist doch manches
übersehene nicht unter jenen stichwörtern zu begreifen. auch die
metrik hätte im text viel sorgfältiger behandelt werden müssen.
endlich sind trotz der verbesserungen auf s. 6 noch manche druckfehler steben geblieben. die folgenden, jedoch bei weitem nicht
erschöpfenden bemerkungen mögen meine ausstellungen rechtfertigen. ich gebe dabei nur von St.s text aus; gründlich hier die
ziemlich complicierte handschriftenfrage zu erörtern, gebricht es
mir augenblicklich an zeit: ich glaube dass eine erneute untersuchung einen teilweise andern text aufstellen wird.

25 f bietet nur f die richtige lesart; St.s text ist unsinn.
98 lesarten: auch c *sunder.*   107 lesarten: c und auch wol

eſ onder;... 121 f sind schwerlich richtig hergestellt. 126 ist zu lesen si achtet nicht der gote din, wie denn auch in ç gote überliefert ist, vgl. Mombritius puella illa non est serviens diis nostris; sodann Marg. marter Germ. 4, 444 v. 143; Magdeburger druck von 1500 (PhWegener Drei mittelniederdeutsche gedichte des 15 jhs. s. 14 ff) v. 108. 139 f da sonst stets Margardt gereimt ist (31. 143. 205. 235. 419. 467. 541. 691), so wird auch hier zu schreiben sein Margardt : stdt, vgl. hdt : stdt 348; nichts hindert ebenfalls innerhalb des verses diese form durchzuführen. 143 lesarten: auch in c fehlt hin. 147 lesarten: c nicht got sondern hot. 148 l. behütet. 152 lesarten: c do ℞ me = dorumme. 176 lesarten: c dy ist. 188 f l. durch die gotes ére : daz blût zû der erden flôz. 191 f l. leide : heiden, also ungenauer reim. 195 lesarten: an dir leyt c. 202 l. mit c gote. 205 lesarten: in] im ceh. nach 205 hat c der alle ding geschaffin hot = 144. 207 l. geloubet. 210 lesarten: der tewfil c. 214 lesarten: Irledige mir nw c. 216 l. diser. 223 l. du lidest (c ledist). 241 statt mich l. mit. 263 lesarten: einic] ûg c. 276 lesarten: hymel reycher c. 279 l. mit c heiz. 292 der text bietet nach f die ougen wdren kupfertn: die stelle lautet bei Mombritius oculi eius velut margaritae splendebant, womit die lesarten von ceh dy worn (als der) clarfunkilstein jedesfalls besser stimmen; es ist etwa zu lesen die zene (nicht zéne) wdren íserin, die ougen als karfunkilstein, vgl. Diemer Beiträge 1, 125 (93) seih augen deu schinen; Magdeburger druck 355 dar to geven syne ogen flammen schyn; aber die bindung t : eí s. Weinhold Mhd. gr. § 74. 294 rouch : ouch vgl. 700. 326 fehlt nicht in c: icht geschadeñ moge mir. 333 lesarten: mayt hir c. nach 336 punct. 366 der zwelf boten lougen verstehe ich nicht; es ist wenigstens zu lesen : der patriarchen ouge, der zwelf boten loube = geloube, worauf auch die lesarten zu 366. 368 führen, vgl. gelouben : ougen im Spiel von den zehn jungfrauen ed. Bechstein, Wartburg-bibl. t 21, 17; es fragt sich übrigens, ob 365 ouge, welches nur durch h (ougen) gestützt wird, würklich das ursprüngliche bietet, vgl. louen f. 390 lesarten: vacht mich c. 393 du mugest? vgl. Weinhold Mhd. gr. s. 384. 398 lesarten: nu fehlt c. 401 f scheint mir f mit unrecht bevorzugt gegenüber ceh, vgl. die lesarten. 405 lesarten: und] ich bin c... 409 lesarten: sante dar c. 410 lesarten: ys czu hant o. 411 lesarten : qwam c. 424 l. mit c gote. 435 l. mit c Belzebub bin ichs genant, Lachmann zu Iwein 2611. 438 ist mit c zu lesen ir erbeit (erbet c) ich vorslinde, vgl. Mombritius ego multorum iustorum labores in ventrem meum glutivi; Marg. marter 425 (Germ. 6, 379); Diemer Beitr. 1, 126 (99); Germ. 18, 101. 448 lesarten: bistu her komen c. 453 lesarten: weysheit wer c. 456 ist schwerlich richtig hergestellt. 463 lesarten: dor sine fluch c.

465 fehlt auch in c.   489 *her sprach* wird zu streichen sein.
493 f l. *willu wizzen wer wir wesen, sô soltu diu bûch lesen,*
vgl. Mombritius *in libris tamen Januae et Mambrae* usw.
495 lesarten: *wol]* vil ce.   501. 557 .l. *ledege (lledige c).*
506 das reimwort ist sicher *haz,* etwa nach c *und warf uns ûf
des meres haz;* St. schreibt *daz mere!*   519 f der Magdeburger
druck 567 f bietet dieselben reimworte wie c *quam : nam.*
521 lesarten: *ez]* hy (nicht *sy*) c.   533 *her hîz si wol vordornen:* ich glaube, das echte steckt in den lesarten von Aef
irczornen, von tornen, vgl. Magdeburger druck 587 *dorch sinen
thornn,* es ist also vielleicht zu lesen *her hîz si von* oder *vor
zornen (zorne* swm. Passional ed. Köpke 603, 25) *mit lichten
sêre bornen;* oder sollten die worte im Mombritius *in carcere eam
suspendite* auf *vordornen* — mhd. **vertürnen* (Lexer 2, 1584
türnen in den gefängnisturm setzen) führen? *vordornen* = mhd.
verdürnen möchte ich nicht annehmen. jedesfalls hätte St. uns
seine auffassung mitteilen sollen.   539 lesarten: *wurde* c.
567 lesarten: *vor* c.   579 *und* ist zu streichen.   595 lesarten: *vorfluchte* c.   596 lesarten: *got sy an ruffle* c; St.s
text bietet sicher nicht das richtige.   625 fehlt c.   statt 627
steht in c *Inir (imr?) vnd dor an stele ist das ist von meyn'
martir gelicht.*   651 lesarten: *sorgen]* vinde c.   665 f unverständlich.   699 lesarten: *nû* fehlt.   710 fehlt nicht in
c. die zeile lautet dort *wenne du bist yn got geschicht.*   s. 31
z. 5 v. u. ist die zahl 729 zu streichen.   zu 732 hat bereits
Behaghel Litteraturblatt 1880 s. 350 richtig bemerkt dass das
reimwort sicher *wart* (= wärts) war.   nicht 735 sondern 736
fehlt in c, 735 ist zu lesen mit ceh *die crumben und die blinden,*
vgl. 642.   739 l. *sûchten.*   744 lesarten: *irclang* c.   die
beiden in die varianten verwiesenen verse nach 744 sind echt
(Behaghel).   746 lesarten: *ir]* desir c.   747 ist in c *gâte,*
752 *ezirde* überliefert.   767 auch c bietet abbreviertes *gotes.*

Tübingen 31. 12. 1880.   PHILIPP STRAUCH.

Reinmar der alte und Walther von der Vogelweide. ein beitrag zur ge-
    schichte des minnesangs von KONRAD BURDACH. Leipzig, Hirzel, 1880.
    VI und 234 ss. 8°. — 5 m.

Wir begrüfsen in dem buch eine sehr erfreuliche erstlings-
arbeit, einen wichtigen beitrag zur geschichte des minnesangs.
Reinmar der alte hat augenscheinlich den ausgangspunct für die
studien des verfassers gebildet; mehr aber als dieser dichter an
und für sich interessierte ihn bald sein verhältnis zu Walther

von der·Vogelweide, in sorgfältiger vergleichung wurde ihm die
eigentümlichkeit beider deutlich, ein neues bild von der dichterischen entwicklung Walthers erhob sich vor seinen augen, er sah,
deutlicher als andere vor ihm, wie der sänger allmählich aus der
tradition heraus wächst, wie er neue bahnen einschlägt und auf
ihnen den gipfel der lyrik gewinnt. der verfasser zeigt eine erfreuliche belesenheit, liebevolles eingehen und feines verständnis
für sprache und dichtung, klarheit und bestimmtheit der auffassung, und was wir vor allem schätzen: er verbindet unver-
drossenen fleifs im sammeln des kleinen mit offenem sinn für
die vielseitigkeit des lebens und seine gröfseren strömungen.

Für das gelingen des vorliegenden werkes war die auffassung
der minnedichtung überhaupt von wesentlicher bedeutung. die
untersuchungen über unsere älteren lyriker waren bisher von der
anschauung beherscht, dass ihre lieder der unmittelbare und volle
ausdruck ihres lebens und empfindens seien; wer es überhaupt
wagte, in das dunkel einzudringen, liefs sich durch das irrlicht
dieser realistischen auffassung leiten. aus Walthers liedern schloss
man auf zwei liebesverhältnisse: erst habe er ein mädchen niederen standes geliebt und besungen, nachher einer vornehmen
frau gedient; ähnliches nahm man bei Reinmar wahr; man versuchte, unterstützt durch einzelne beziehungen, die sich in den
liedern nachweisen liefsen, eine möglichst natürliche anordnung
zu gewinnen, die die geschichte der liebesverhältnisse darstellen
sollte; bei manchen dichtern boten die handschriften selbst eine
strophenfolge, welche der ebenmäfsigen entwicklung eines minne-
verhältnisses entsprach; die lieder schlossen sich gleichsam zu
einem liebesroman zusammen: was lag also näher als die vermutung, dass sie von den dichtern selbst in der überlieferten
ordnung im dienst der frau allmählich gedichtet und ein treuer
spiegel ihrer herzenserlebnisse seien. zwar hat es wol immer
gelehrte gegeben, die dieser auffassung der poesie mistrauten;[1]
zweifel und widerspruch traten um so bestimmter hervor, je consequenter jene ansicht verfolgt und ausgebildet wurde. aber Burdach hat es zuerst versucht, aus der negation in die position
überzugehen und an die stelle des morsch gewordenen funda-
mentes ein anderes zu legen; er unternahm es bei dem dichter,
bei welchem am ehesten, vielleicht allein, auf erfolg zu rechnen
war, dessen bedeutung vor allem zu einem versuch herausforderte;
und der versuch ist gelungen.

Wir wissen dass Walther aus Reinmars schule hervorgegangen
ist; es liegt in der natur der sache dass in der ersten zeit der
einfluss des berühmten meisters am stärksten gewesen sein muss,
zumal kein sänger von irgend gleicher bedeutung seinen einfluss

---

[1] vorsichtig und zutreffend sagt Gervinus (1³, 520) von Walthers liedern,
man glaube unter der dichterischen hülle überall würkliche lebensverhältnisse zu ergreifen.

hätte paralysieren können. es ist also ein ebenso einfacher als
richtiger gedanke, durch eine gründliche prüfung dieses einflusses
die älteste stufe in der kunstentwicklung Walthers festzustellen.
eine einfache chronologische liederreihe lässt sich auf diesem
wege natürlich nicht finden, aber darauf kommt auch verhältnismäfsig wenig an; die hauptsache ist dass wir die entfaltung und
das wachstum der dichterischen individualität im ganzen begreifen.
der verfasser hat seine untersuchung mit geschick und secu-
ratesse geführt, und, mögen im einzelnen zweifel bleiben: das
eine wichtige resultat ist aufser zweifel gestellt, dass eine reihe
der schönsten lieder Walthers, die man, weil sie sich auf die
niedere minne beziehen, in die jugendzeit des dichters setzen zu
müssen glaubte, producto seiner reifsten kunst sind.

Um einen mafsstab für die richtige schätzung dieses fort-
schrittes zu gewinnen, gibt Burdach eine kurze geschichte des
älteren minnesangs. Scherers Deutsche studien wiesen ihm für
diesen teil der arbeit den weg; wo Scherer aufgehört hat, setzt
Burdach ein. er entwirft zunächst eine kurze ansprechende characteristik der einzelnen dichter, deren lieder in des Minnesangs
frühling aufgenommen sind, von Veldeke an; in betreff der
anderen (Kürenberg, Meinloh, Regensburg, Rietenburg) verweist
er auf Scherer. darauf folgen dann zwei inhaltsreiche capitel,
in denen der verfasser durch betrachtung der sprachlichen form,
des stiles und der poetischen technik darzulegen sucht, wie das
allen gemeinsame durch die einzelnen dichter umgeformt und
weitergeführt ist. in zwei abschnitten 'zur syntax' und 'zur poetischen technik' ist eine fülle von einzelnen beobachtungen unter
fruchtbaren gesichtspuncten zusammengestellt und verwertet; auf
den versuch, die ausbildung des minnesanges durch eine geschichtliche entwicklung seines gedankeninhalts darzulegen, leistet Burdach mit bewustsein und aus gut entwickelten gründen verzicht. —
im folgenden capitel werden dann die gewonnenen resultate angewandt, um durch eine gründliche untersuchung der einzelnen
lieder die abhängigkeit Walthers von seinen vorgängern, namentlich von Reinmar zu zeigen; das letzte capitel behandelt Walther
als selbständigen lyriker. der verfasser sieht in der vollendung
der Waltherschen kunst dieselbe reaction gegen das einseitig hö-
fisch-ritterliche wesen, welche in Wolfram und den Nibelungen
hervortrete, er bezeichnet Walther als den ersten fahrenden, der
den minnesang gepflegt habe; er combiniert damit ein emporsteigen der fahrenden im 13 jh. und den unterschied zwischen
den ober- und niederdeutschen fahrenden; endlich erörtert er
das verhältnis zwischen der volksmäfsigen lyrik Walthers und der
satirisch zersetzenden höfischen dorfpoesie Neidharts.

Den schluss bilden zwei anhänge 'über die musikalische bildung der deutschen dichter' und 'beiträge zur kritik und erklärung
der gedichte Reinmars'. — diese kurze übersicht zeigt dass der

inhalt des buches auf allgemeineres interesse anspruch hat; und
aufser der erörterung der angegebenen themata wird der leser noch
manche gelegentlich angebrachte ansprechende bemerkung finden.

Dem recensenten möge es erlaubt sein, ehe er einzelnes
heraushebt, auf ein par puncte von allgemeiner bedeutung hinzuweisen.[1] nach zwei seiten hin hat Burdach seine forschung be-
gränzt: er verzichtet auf eine zusammenhängende erörterung des
inhaltes der minnedichtung, und er richtet in der formalen betrachtung sein augenmerk auf das unterscheidende; 'wie das allen
gemeinsame durch die einzelnen dichter umgeformt und weiter
geführt ist', will er zeigen. wir haben kein recht diese frei-
willige beschränkung zu tadeln; denn die schranken sind nach
verständiger überlegung und der gewählten aufgabe gemäfs auf-
gerichtet. andererseits aber ist klar dass gerade diese schranken
den zusammenhang der lyrik mit dem gesammten geistigen leben
des volkes verdecken; denn für dieses ist der inhalt des kunstwerkes bedeutender als seine form, die betrachtung des gemeinsamen wichtiger als die des unterscheidenden.

Die frage, die ich zunächst erörtere, ist das verhältnis zwischen männer- und frauenstrophen. wenn man sich die ritterliche gesellschaft des 12 jhs. vergegenwärtigt, wie wir sie aus der
geschichte kennen, immer noch geistig ungebildet und sittlich
roh, so erscheint der inhalt ihrer liebeslyrik höchst merkwürdig.
wir sollten in ihren liedern den ausdruck kecker begehrlichkeit
und roher lust erwarten, statt dessen finden wir geduldiges harren,
sentimentales klagen und hinschmelzende resignation. die tatsache ist um so auffallender, als diese höfischen sänger keineswegs die lobredner einer platonischen freundschaft sind; halsen,
triuten, bigelegen blieb immer ihr eigentliches ziel, und trotz
der harten tugendhaftigkeit ihrer damen haben sie dessen nirgends
hehl. so viel ist klar dass diese lyrik, was ihre wahrheit betrifft,
im günstigsten falle uns ein sehr einseitiges bild von dem liebes-
leben jener zeit gewährt; und es fragt sich nur wodurch diese
einseitigkeit bestimmt war. ohne zweifel war die gesellschaftliche
etikette die macht, welche der poesie diese grenze zog. seitdem
die frauen an der gesellschaft der männer teil nahmen, verbot es
der anstand, mit liebestriumphen zu renommieren, und diese
sitte wurde nun in äufserlicher, unsere moderne anschauung sehr
befremdender weise für die dichtung zum gesetz erhoben. ohne
bedenken hörte man tagelieder, ohne erröten lauschte man den
schlüpfrigen geschichten der Artusromane, aber das sollte sich
keiner einfallen lassen, sich selbst genossener frauengunst zu
rühmen; dem unverschämten hätte der herr des hauses unsanft
die tür gewiesen.

[1] eingehendere erörterung beabsichtige ich in einem buche über leben
und dichten Walthers, welches einer neuen auflage meiner Waltherausgabe
vorangehen soll.

Die eigentliche lyrik also, welche sich als unmittelbaren ausdruck des selbst erlebten und empfundenen gibt, war durch die
etikette auf das enge gebiet des minnewerbens beschränkt. gewährung blieb versagt, muste versagt bleiben: die hute und die
hartherzigkeit der geliebten wurden notwendige requisite des lyrischen haushaltes. manchem mann wird das wenig nach dem sinn
gewesen sein. unsere minnesänger klagen oft genug über die
spötter, welche die ganze minnefratze verlachten, und auch unter
den sängern waren manche, die ungern in die vorgeschriebene
bahn einlenkten. sänger, die in den höchsten kreisen verkehrten
und von jugend auf gewöhnt waren sich der feinen sitte zu fügen,
männer wie Friedrich von Hausen schmiegten sich leicht, andere
aber, die in natürlicheren verhältnissen aufgewachsen waren,
streubten sich lieder zu singen, die mit ihren eigenen wünschen
und idealen so wenig harmonierten. für diese nun bot sich ein
ausweg in den frauenstrophen. der dichter selbst durfte sich der
gunst der frauen nicht rühmen, er durfte nur bitten, wünschen,
träumen; wenn sie aber sagte: *ime wart von mir in allen gâhen
ein küssen und ein umbevâhen*, was konnte er dazu? die frauen-
lieder gaben der eingezwängten kunst ein mittel, die frauen von
einer seite darzustellen, von der der übrige minnesang sie nicht
darstellen durfte. dass dies ihre bedeutung war, daran lässt ihr
inhalt keinen zweifel: während in den mannsliedern die frau
zurückhaltend, hart und stolz erscheint und notwendig erscheinen
muss, findet in den frauenstrophen fast ausnahmslos die liebende
hingabe ihren ausdruck. es ist ganz natürlich dass wir gerade
bei den dichtern, die als die naturwüchsigsten erscheinen, diese
form mit vorliebe angewandt sehen; aber die schranke der etikette erkennen sie alle an, auch der Kürenberger. es ist jetzt,
so viel ich weifs, eine allgemein anerkannte annahme dass die
älteren frauenstrophen würklich von damen gedichtet seien; ich
will die möglichkeit dass auch einmal eine frau ein liebeslied
gedichtet habe nicht läugnen; aber unsere überlieferung führt
nicht darauf hin dass irgend eine der erhaltenen strophen von
einer frau gedichtet sei, manche sind deutlich als männerarbeit
zu erkennen, und insbesondere fehlt jeder triftige grund die
Kürenbergstrophen dichtenden damen zuzuschreiben. der unterschied des characters in den männer- und frauenstrophen, den
Scherer namentlich betont hat, und den wir durchaus nicht
läugnen, besteht sehr vortrefflich mit der annahme eines dichters. näher will ich darauf nicht eingehen; wer mit den fragen
vertraut ist, für den genügen vielleicht schon die gegebenen andeutungen. — das natürliche gefühl also fand in den frauenstrophen einen gewissen ersatz für die einseitigkeit der übrigen
lyrik, weniger aber die kunst selbst; verlangen und sehnsucht
herschten hier wie dort. aus dieser engen einschränkung des
lyrischen stoffes erklärt sich nun auch die rasche entwicklung

des poetischen stils; denn auf sie war, so lange der stoff nicht
erweitert wurde, die entwicklung der lyrik wesentlich beschränkt.
ein kleiner kreis von gedanken war gegeben; die aufgabe der
sänger war es, neue combinationen der alten gedanken zu suchen,
und durch kunstreiche arbeit die vorgänger zu überbieten. die
hauptcapitel in der stilistik des minnesanges sind die manigfachen formen des rhetorischen nachdrucks, zumal des com-
parativs und superlativs. braucht doch Walther selbst die schönen lieder der niederen minne, um einen comparativ zu bilden
(47, 5).

Nicht minder bedeutenden einfluss als die etikette hat die
sonderung der stände auf die gestaltung unserer ältesten lyrik
ausgeübt. es ist bekannt dass der älteste minnesang durchaus
in den händen ritterbürtiger männer lag. alle dichter, die uns
genannt werden, waren 'herren von', und wir haben bestimmte
zeugnisse dass die fahrenden leute gewöhnlichen schlages davon
ausgeschlossen waren. auch Burdach hebt an verschiedenen stellen
diese tatsache nachdrücklich hervor und führt zu ihrem beweise
namentlich und mit recht auch eine stelle des Strickers an, die
Bartsch in der einleitung zum Karl misverstanden hatte. die ritterliche gesellschaft betrachtete zwei menschenalter hindurch den
minnesang als ein privileg ihres standes. mit dieser tatsache vermag ich nun schlechterdings nicht zu vereinen die allgemein
giltige, auch von Burdach geteilte ansicht, dass schon seit un-
denklichen zeiten eine liebespoesie in Deutschland bestanden
habe, die durch den höfischen minnesang nur zeitweise verdrängt
und überwuchert sei, bis Walther in die alte natürliche bahn
zurücklenkte. dass junge leute zu allen zeiten getanzt und gesprungen haben, stelle ich natürlich nicht in abrede, auch das
glaube ich dass sie lange vor dem 13 jh. verschen gesungen
haben; verschen, etwa wie jenes in den Carmina Burana überlieferte: *swaz hie gât umbe daz sint allez megede, die wellent âne
man allen disen sumer gân*, verschen, wie unsere kinder zum
ringelreihen singen. aber ebenso wie wir diese verschen von
unserer litteratur scheiden, war es auch früher der fall, und es
verwirrt nur, wenn man den unterschied aus dem auge lässt. ich
bestreite es entschieden dass es vor dem höfischen minnesang
eine volksmäßige liebeslyrik in Deutschland gegeben habe, gedichte, die persönliches liebesgefühl zum ausdruck brachten, oder,
um mich vorsichtiger und doch umfassender auszudrücken, gedichte, welche die form hatten, als wollten sie persönliches liebesgefühl zum ausdruck bringen; ich bestreite es dass es liebeslieder
gab, die auch nur auf der bescheidenen kunststufe standen, wie
die primitiven sprüche und lieder des alten Herger. hätte derartiges von alters her als besitz des ganzen volkes in Deutschland bestanden, es wäre unmöglich gewesen, den minnesang zum
besitztum eines abgeschlossenen standes zu machen.

Also der minnesang war zunächst eine adelige kunst und wurde mit bewostsein als solche gehegt und gepflegt. daraus erklärt sich nun auch der poetische stil, der gerade in dem, was allen dichtern gemeinsam ist, am merkwürdigsten ist. characteristisch ist vor allem das geflissentliche fernhalten epischer elemente. der mangel an bestimmten situationen ist aus dem gesetz der verschwiegenheit nicht zur genüge zu erklären. selbst wo frauen reden, gibt sich der dichter nur selten und in sparsamen worten als berichterstatter zu erkennen. eine beliebte form ist es, empfindungen der frau und des mannes im wechsel neben einander zu stellen, aber ohne jedes erzählende mittelglied. der dialog, für den das deutsche epos längst vorbereitet hatte, wagt sich nur schüchtern hervor. vielleicht nie hat sich die lyrik reiner und schärfer vom epos gesondert als im 12 jh. der strenge und eifersüchtig bewachte unterschied der stände schützte die sonderung der poetischen gattungen; wie die ritter den nicht ritterlichen spielmann vom minnesang fern hielten, so mieden sie ihrerseits eine darstellung, die ihre kunst der des spielmanns genähert hätte. — um die schranken, welche der ritterstand um sich gezogen hatte, ist lange gekämpft; zuerst musten sie auf dem gebiete der kunst fallen. das episch-lyrische lied, der liebling der volksdichtung, erhob sich auf dem grenzrain; das tagelied kündigt die spätere entwicklung an; die sinnlichste situation wurde zuerst ergriffen. und der dichter, der auch sonst vor seinen genossen sich durch die neigung für das volkstümliche auszeichnete, Wolfram, fand vor allem gefallen an dieser gattung. Heinrich von Morungen löste den stoff noch in rein lyrischen wechselgesang auf, Walther folgt Wolfram. auf die erweiterungen, welche das gebiet der eigentlichen lyrik durch Walther erfuhr, will ich hier nicht näher eingehen.

Aber wo bleiben die Kürenbergstrophen? wenn sie würklich, wie man gewöhnlich annimmt, erzeugnisse einer alten volkstümlichen kunst wären, würden sie der vorgetragenen ansicht widerstreiten. aber wo sind die beweise? dass sie älter sind als der höfische minnesang Veldekes und Hansens hat man gar keinen grund anzunehmen, ist mit rücksicht auf die strophenform nicht einmal als wahrscheinlich zuzugeben. der dichter ist, so viel wir wissen, ein ritter. die etikette, welche männer- und frauenstrophen ihren inhalt vorschrieb, ist beobachtet. die natureingänge, die man, freilich ohne grund, als ein besonderes zeichen der volkstümlichkeit anzusehen pflegt, fehlen bei ihm. wir begrüßen in diesen strophen die anfänge einer lyrik, die sich von der gemein üblichen form des minneliedes frei hält. wir dürfen mit grofser wahrscheinlichkeit annehmen dass diese lyrik blühte, ehe die lieder Hansens und seiner nachfolger im südöstlichen Deutschland anerkannte muster waren. aber nichts zwingt zu der annahme dass sie überhaupt älter sind als jene und zeugen

einer alten volkstümlichen lyrik; ja nicht einmal dass sie ori-
gineller seien möchte ich behaupten, trotz des scheines frischer
originalität. zweien von seinen strophen steht bekanntlich ein
romanisches sonett so nahe, dass die eine oder die andere dichtung nachgebildet sein muss, und ich zweifle nicht dass es die
deutsche ist.[1] das genrebildartige einiger seiner strophen findet
sein gegenstück bei dem gleichfalls an romanischen mustern gebildeten Morungen (MF 139, 19).

Also mit dem höfischen minnesang beginnt unsere liebeslyrik, die volksmäfsige liebesdichtung ist jünger. es ist selbstverständlich dass bei dieser auffassung dem rec. auch manches
einzelne anders erscheint, als es in dem vorliegenden buche angesehen wird. das geringschätzige urteil, welches über den ritterstand im allgemeinen und speciell über seine bedeutung für die
litteratur ausgesprochen wird, vermag ich nicht anzuerkennen;
namentlich aber scheint mir Heinrich von Veldeke, dessen frische
kunst sich weniger beengt zeigt als die Hausens und anderer ober-
deutscher dichter, unbillig behandelt zu sein. es macht sich seit
einiger zeit die neigung geltend, die bedeutung dieses dichters
herabzudrücken; aber man sollte sich nicht so leicht über das
urteil der zeitgenossen hinwegsetzen und lieber versuchen durch
historische betrachtung dasselbe zu erklären als durch unsichere
hypothesen bei seite zu schieben. gegen die annahme dass Eilbart von Oberge früher gedichtet habe als Heinrich von Veldeke
habe ich bestimmte bedenken und erwiesen ist sie gewis nicht.
wie mir scheint, geht Oberge dem Veldeker nicht voran, sondern
er folgt ihm mit ungleicher kraft. — ferner, wenn die lyrik
würklich mit dem höfischen minnesang beginnt, wird man auch
geneigt sein, den fremden mustern gröfsere bedeutung für seine
entwicklung beizumessen als Burdach, und die musikalische bildung der sänger anders zu beurteilen als er.

Über den romanischen einfluss sich eingehend auszusprechen,
hat Burdach keinen anlass gefunden; der annahme dass der deutsche
minnesang von der lateinischen vagantenpoesie abhange, widerspricht er sehr entschieden. aber so siegesgewis der verfasser
gerade hier auftritt, ich zweifle, ob er in diesem feldzuge gegen
Martin grofse lorbern erworben hat. rec. verkennt nicht manche
schwäche an Martins arbeit, aber Martin hat das grofse verdienst

---

[1] gewöhnlich sieht man die sache umgekehrt an, aber warum sollte
hier zwischen der deutschen und romanischen kunst ein anderes verhältnis
bestehen als gewöhnlich? beachtenswert ist dass der deutsche dichter, der
sonst seine gedanken in den umfang einer strophe schliefst, hier deren zwei
braucht, und dass der allgemeine gedanke, mit dem er die zweite strophe
schliefst, zu der vorher dargestellten situation nicht passt. der dichter benutzt eine phrase ohne ihre bedeutung und ihr verhältnis zum vorhergehenden scharf zu erfassen. in dem romanischen gedicht decken sich inhalt
und form.

die frage zuerst aufgeworfen zu haben, und hat, meines erachtens,
das verhältnis im ganzen richtig angesehen. man muss hier inhalt und form auseinanderhalten. der inhalt wird bestimmt durch
die lebensverhältnisse der dichter und zuhörer, die form ermöglicht die weiteste verbreitung, und nach den allgemeinen cultur-
verhältnissen kann ich mir nicht vorstellen dass die lateinischen
compositionen auf die deutschen nicht sollten eingewirkt haben.
Burdachs deductionen reichen nicht aus, diese ansicht zu widerlegen. was das verhältnis der einzelnen deutschen strophen in
den Carmina Burana zu den lateinischen liedern betrifft, so halte
ich für ihren zweck, die melodien der lateinischen gedichte durch
unterlegung deutscher texte weiteren kreisen zugänglich zu machen,
wie Eckehard, um Ratperts lobgesang zu erhalten, das veraltende
deutsche gedicht ins lateinische übersetzte, und Ulrich von Lichtenstein auf bitten einer dame zu einer romanischen weise ein
deutsches lied dichtete. wo dem verfasser der liedersammlung,
die den Carm. Bur. einverleibt ist, eine deutsche strophe bekannt
war, welche nach der melodie des lateinischen liedes gesungen
wurde oder vielleicht auch nur gesungen werden konnte, setzte
er diese hinzu, andernfalls dichtete er selbst eine.

Burdach nimmt einen scharfen gegensatz zwischen der musik
der weltlichen lieder und der geistlichen kunstmusik an; er ist
der ansicht dass der minnesang aus der schule der fahrenden
hervorgieng. ich glaube vielmehr dass das eigentümliche der
neuen kunst in einer abkehr von der vortragsweise der fahrenden
bestand. im minneliede wurde der weltliche gesang zur kunst
ausgebildet; und das kann nur unter anlehnung an den vorhandenen kunstgesang geschehen sein. die möglichkeit dieser
an und für sich am nächsten liegenden annahme wird jedesfalls
durch Burdachs auseinandersetzungen in dem sehr dankenswerten
ersten anhang nicht ausgeschlossen. Burdach führt dort an dass
Guido von Arezzo (11 jh.), der erfinder einer neuen notation,
unterscheide zwischen den musici die per se singen könnten,
und den cantores, die ohne die schriftliche aufgezeichnete ars
nur nach dem usus db. nur nach der überlieferung durch das
gehör sängen. wie Guido sprechen auch spätere gelehrte musiker
des 12 und 13 jhs. ihre geringschätzung gegen solche natursänger
aus, die an einer stelle des Engelbert von Admont (c. 1280) mit
den weltlichen dichtern identificiert werden. nach einem zeugnis
Hugos von Reutlingen aber hätten zu seiner zeit (c. 1332) fast
alle Deutschen den cantus usus aufgegeben und sich der wahren
kunst der musik zugewandt. ich glaube nun dass solche bewegung lange zeit braucht und dass sie schon mit den anfängen
des minnesangs beginnt. dass es wenigstens im 12 jh. nicht
unerhört war auch vornehmeren laien die höhere musikalische
ausbildung zu geben, zeigt Lamprechts Alexander; der zweite
meister, der den jungen könig unterwies, *der lôrt in wol musicam*

und lârt in di seiten zien daz alle tône dar inne gien, rotten unde der liren clanc unde von ime selben heben den sanc. 'von ime selben' ist der cantua per se. ich halte also vorläufig noch an der ansicht fest dass der minnesang sich an der vorhandenen kunstmusik bildete und durch diese schule befähigt wurde die concurrenz mit dem geistlichen gesange aufzunehmen. vorher war dieser in unbestrittenem ansehen gewesen; die fränkischen geistlichen selbst hatten ihn ehedem mit schwerer mühe gelernt; jetzt traten die adeligen sänger in die schranken und machten auch hier den geistlichen das feld streitig. eine stelle Walthers (104, 1) lässt die rivalität deutlich erkennen, und besonders charakteristisch ist das lob, das Horant in der Gudrun (390, 2) für seinen schönen gesang erhält: *sich unmârte in den kœren dâ von der pfaffen sanc*; der geistliche gesang war vorher unbestritten das schönste, was man an musik hatte.

Eine andere frage ist, ob alle minnesänger diese schule durchmachten. beweisen lässt sich hier nichts, aber es ist an und für sich wahrscheinlich dass, als der musikalische vortrag eine beliebte höfische unterhaltung geworden war, auch natursänger sich daran beteiligten, so gut es eben gehen wollte. ich vermute dass Des minnesangs frühling auch werke solcher autodidacten enthält, für den Kürenberger ist es mir wahrscheinlich, mehr noch für Meinloh von Sevelingen. denn keinesfalls darf dieser dichter zu den ältesten gerechnet werden; denn der inhalt seiner lieder zeigt deutlich die spuren des voll ausgebildeten minnesanges, und in der form bekundet er ein streben, das die bekanntschaft mit zierlichen mustern voraussetzt, denen er freilich nicht nachkommen kann.

Endlich noch ein punct: hatte die musik der minnesänger einen wesentlich anderen character als die geistliche kunstmusik? Burdach nimmt es an; ich wage nicht, es zu behaupten. zwar die abhängigkeit von der geistlichen musik schliefst es keineswegs aus dass die weltliche musik sich sofort in einer gewissen selbstständigkeit entwickelt habe, es brauchte diese entwicklung nicht einmal in Deutschland vor sich gegangen zu sein, die deutschen sänger könnten sie von den Romanen überkommen haben; denn wie fremde sagen wurden auch fremde melodien begierig aufgenommen (Parz. 639, 7. Gudrun 397, 1. Salman und Morolf 256); es wäre auch möglich dass die früher allgemein übliche und neben dem höfischen minnesang fort bestehende vortragsweise weltlicher gedichte den einfluss der geistlichen kunst bis zu einem gewissen grade aufgehoben und zu einer neuen mischart geführt habe. ich sehe hier noch kein mittel zu entscheiden und die verschiedenen einflüsse abzuschätzen. dass das gefühl für verschiedene, durch den inhalt bedingte musikalische darstellungsformen im 13 jh. noch wenig entwickelt war, dafür sprechen der erste und sechste leich Rudolfs von Rotenburg (MSH 1, 74. 84); der eine

ist ein minneleich und ganz persönlich, der andere allgemein und
religiösen inhalts, beide aber gehen nach derselben melodie.

Ich lasse einige einzelne bemerkungen zu Burdachs buch
folgen. s. 33. an verschiedenen stellen (s. 42. 48. 114) wird sehr
richtig die bedeutung der geistlichen poesie und litteratur für
die phraseologie des minnesanges hervorgehoben; daher stammen
auch die 'offenbar weit verbreiteten volkstümlichen' worte: *ich
bin dîn dû bist mîn.* Cantic. 2, 16 *dilectus meus mihi et ego illi.*
6, 2 *ego dilecto meo et dilectus meus mihi.* vgl. die reichlich mit
minnereden geschmückte predigt bei Wackernagel s. 168 f (nr LXIV).
— s. 42. in Johansdorfs lied *Ich vant si âne huote* (93, 12) ist
eher einfluss Heinrichs von Veldeke als Reinmars zu erkennen. —
s. 44 dürfte den liedern Reinmars zu viel reale wahrheit beigelegt
werden; dasselbe bedenken habe ich auch sonst zuweilen gehabt. — s. 46. Morungen 127, 18 'doch *klaget ir meneger minen
kumber vil dicke mit gesange:* daraus geht hervor, was sowol Gottschau wie Michel nicht bemerkt haben, dass Morungen seine lieder
oft auch durch andere sänger, also spielleute, der geliebten vortragen liefs.' Michel und Gottschau werden die stelle so verstanden haben, wie sie auch rec. versteht, dass der dichter hier
wie 139, 16 und Walther 73, 5 von dem gebrauch seines gesanges
durch andere spricht; die lieder des dichters waren beliebt, viele
sangen sie, darum hörte die frau des sängers kummer von vielen.
auf den fürstlichen stand von Heinrichs frouwe wird aus 129, 29
schwerlich mit recht geschlossen; ich habe irgendwo von 70 ge-
krönten frauen, die im gefolge geben, gelesen, vermag aber augenblicklich nicht die stelle anzugeben. ich halte Heinrich von Morungen für einen berufsdichter wie Reinmar. — s. 46 anm.
schüpfen findet sich schon bei Lexer ganz richtig erklärt. ob
unsere redensart 'einem einen korb geben' mit dem vom verf.
erwähnten gebrauch directen zusammenhang hat, ist mir zweifelhaft; übrigens verdient die aufmerksamkeit des verf. auf die rechts-
sprache lob; Walther 112, 1 hat dadurch eine vortreffliche erklärung gefunden (s. 141). — s. 47 anm. Morungen 131, 25 hat
Gottschau s. 346 richtig erklärt. — s. 51. MF 139, 33. die erklärung des verf. scheint die letzten drei verse aufser acht zu
lassen; ich verstehe die zweite hälfte der strophe nicht. die drei
strophen des tones bilden nicht eine 'volksmäfsige ballade'; es
sind drei zusammengehörige aber vollständige bilder; vgl. Dietmar
32, 1—12, Scherer D. st. 2, 44. — s. 58. Meinloh 13, 24 *stæ-
chens ûz ir ougen, mir rätent mîne sinne an deheinen andern man;*
ich halte an Haupts auslegung fest. — s. 59 f. Veldeke 63, 35 f
ist weder der text noch die interpunction zu ändern. was Burdach wünscht: *'lebt si noch als ich si lie? odr ist si dort und ich
bin hie?* dh. lebt sie noch in aller ihrer schönheit, wie ich sie
verliefs? oder ist sie dort (im jenseits) und ich bin hier (auf
erden)?', dieser sentimentale gedanke liegt Veldeke fern; der

dichter schliefst das emphatische liedchen mit einem scherz. —
s. 77. Dietmar 39, 30 wird mit recht als frauenstrophe angesehen; aber die auslegung der worte *swaz mir leides ist geschehen,*
in denen Burdach denselben sinn findet wie in den Carm. Buran.
s. 200 *dar chom ich als er mich pat; dd geschach mir leide,* ist
gewis nicht richtig. die strophe setzt dieselbe situation voraus,
wie die beiden folgenden strophen desselben tones; die lange
trennung von dem lieben mann, für welche der winter ersatz verspricht, ist das leid. — s. 78. ob Hausen das lied 54, 1 verfasst hat, ist mir zweifelhaft, vgl. Paul (Beiträge 2, 450); das
wort *senen,* das hier zweimal vorkommt (v. 2. 15), braucht Hausen
sonst nicht. — s. 64 bemerkt der verf. mit bezug auf Meinloh
13, 35, die complicierte periode zeige, was auch an sich klar sei,
dass die syntactischen formen bereits früher vorhanden und ausgeprägt waren, als sie in litterarischen gebrauch kamen. ich
hätte statt des letzten satzes lieber gesagt: obschon sie nicht von
allen dichtern gebraucht werden. diese richtige anschauung hat
aber der verf. nicht überall festgehalten; manche stellen in den
beiden capiteln über syntax und poetische technik machen den
eindruck, als sollten sich syntax und poetische technik erst im
minnesang entwickelt haben. die formen waren da; ihre üppige
entfaltung gerade in der lyrik hat in den vorhin angedeuteten
allgemeineren verhältnissen ihren grund. vermutungen wie die,
dass die hypothetische satzform dem minnesang von der volkstümlichen gnomik gekommen sei (s. 59), dass Hausen den gebrauch der einschränkung 'erfunden' habe (s. 63), dass der Rieten-
burger die rhetorische frage vom anonymus und seines gleichen
gelernt haben möge (s. 72), die zurückführung der antithese auf
den wechsel der jahreszeiten, durch den die vorstellung des gegen-
satzes zum gefühl gebracht sei (s. 66), dergleichen erscheint mir
traumhaft und nichtig. antithese, rhetorische frage, einschränkung,
revocatio, parallelismus, widerholung, oxymoron ua. dienen dem
streben, eine anschauung oder einen gedanken kräftig hervorzuheben; und dieses streben ist naturgemäß da am stärksten, wo
es sich darum handelt, andere zu überbieten, oder das bewustsein herscht dass die empfänglichkeit der zuhörer durch das
einerlei der eindrücke stumpf geworden sei; gerade die stoff-
armut des minnesangs machte ihn zu einer schule formaler bildung. — der zunehmende gebrauch der parenthesen, der aus-
rufungen, der anreden an die zuhörer, der höflichkeitsformeln
udgl. zeigt den fortschritt der lyrischen kunst, die, ohne je der
unmittelbare ausdruck der empfindung sein zu können [1], doch
den schein erstrebt es zu sein. — s. 117. 'Walther 119, 20
*mich müet daz ich si hôrte jehen, wie holt si mir entriuwen wære
und sagte mir ein ander mære, des min herze innecliclen kumber*

---

[1] das wird öfter als billig aufser auge gelassen.

lidet iemer sît. was heifst das? ist etwa gemeint dass die dame
dem boten gegenüber sich dem dichter geneigter gezeigt habe
als in der eigentlichen antwort, die der bote überbringen sollte,
und hatte der dichter nun doch ihre wahre gesinnung erfahren?'
ich verstehe diese interpretation nicht. Walther meint, die frau
habe ihre liebe erklärt aber zugleich den willen, ihre weibliche
ehre zu behaupten; vgl. Veld. 67, 17 *durch sinen willen, ob er
wil, tuon ich ein und anders niht; des selben mag in dunken vil,
daz niemen in sô gerne siht.* — s. 125 heifst es, der dichter der
Nibelungen müsse im gegensatz zu dem allgemeinen geschmack
der höheren kreise, für den die alten ideale der heldensage einen
sehr tiefen platz eingenommen hätten, ein warmes interesse an
der nationalen sage gehabt und sich bemüht haben, sie aus den
niederen kreisen in mehr höfische emporzuheben. das wird sich
schwerlich beweisen lassen. nicht der stoff widersprach dem geschmack der höheren kreise sondern die ungebildete behandlung
des stoffes. die übersetzungen hatten den geschmack gebildet;
die schule der übersetzungen muste die deutsche dichtung durchgemacht haben, ehe sie im stande war, die nationalen stoffe
auf eine höhere stufe zu erheben. — s. 134 f wird der unterschied zwischen den fahrenden dichtern Oberdeutschlands und
Mittel- und Niederdeutschlands ausgeführt; jene setzen den adeligen
minnesang fort, diese bleiben auf dem boden der spruchpoesie.
der unterschied läuft darauf hinaus, dass in Oberdeutschland die
fahrenden früher die standesschranke überwanden als in Nieder-
deutschland, wo gerade um die mitte und in der zweiten hälfte
des 13 jhs. der minnesang als adelige kunst an den höfen blüht.
dass der oberdeutsche bruder Wernher keine minnelieder dichtete,
ist nicht daraus zu erklären dass er 'wol ein kleriker' war, sondern dass er, der älteste der oberdeutschen fahrenden noch den
alten standesunterschied anerkannte und festhielt. Burdach hebt
öfters hervor dass Walther der erste fahrende gewesen sei, der
minnelieder gedichtet habe. angenommen, die behauptung sei
richtig: nicht das ist der punct, auf den es ankommt. Walther
sang minnelieder als ritterbürtiger mann, das bedeutende in seiner
tätigkeit ist dass er sich nicht auf die adelige kunst des minnesangs beschränkte; er war nicht fahrender, der minnelieder sang,
sondern ein ritter, der die stoffe, welche man bis dahin den
fahrenden überlassen hatte, in pflege nahm. — s. 142. Walther
119, 35 *nû si alle trûrent sô, wie möhte ichz eine denne lân.*
Burdach deutet *trûren* als die sentimentale modepoesie; ebenso
(s. 172) *trûric* 110, 27; gewis mit unrecht. der sänger meint
schlechte zeiten, wo kunst und freude nicht begehrt waren. —
s. 149. in Walthers lied 70, 22 vermag ich eine schneidige
satire gegen das unsittliche des minnedienstes nicht zu erkennen.
— s. 136 heifst es, die alte volksmäfsige gnomik habe den wahren
adel nur in edlem wesen erkannt. die alten Germanen waren

davon weit entfernt; das christentum vertrat die demokratische
anschauung und die fortschreitende geistige bildung brachte sie
zur geltung. den Spervogel, den Burdach als gewährsmann anführt, halte ich, beiläufig bemerkt, nicht für einen alten dichter;
er kann leicht fünfzig jahre jünger sein als der alte Herger, den
man jetzt gewöhnlich Anonymus nennt. bemerkenswert ist, obwol sich darauf mein zweifel an dem alter des dichters nicht
gründet, dass seine weise in der Jenaer hs. erhalten ist. — s. 151.
die interpretation von Walther 41, 13 ff scheint mir dem sinne
des dichters geradezu zu widersprechen. — s. 153 schilt der
verf. die frauen; er schliefst aus Reinmar 171, 11 *in ist liep daz*
man si stœteclichen bite und tuot in doch só wol daz si versagent
dass die frauen durch die höfische modepoesie verwöhnt, launisch
und eitel geworden seien. die zeit wird das urteil wol mildern;
vgl. Freid. 100, 20—25.

In dem zweiten anhang bespricht der verf. zuerst die handschriftliche überlieferung der lieder Reinmars; ich kann seinen
auseinandersetzungen nicht ganz beipflichten, will aber nicht näher
darauf eingehen, weil die untersuchung umständlich ist, und die
resultate selbst im besten fall so unsicher bleiben, dass für die
kritik nicht viel gewinn davon zu erwarten ist. auch der sich
daran anschliefsenden besprechung der einzelnen lieder Reinmars,
die den text prüft, echtheit und unechtheit behandelt, namentlich
aber den zusammenhang der strophen desselben tones erörtert,
will ich nicht nachgehen, denn erspriefslicher als zustimmung
oder abweisung in einzelnen fällen ist vielleicht eine allgemeinere
bemerkung.

Wie ich selbst einst die lieder Walthers einem strengen
examen auf einheit und zusammenhang unterworfen habe, so erkenne ich auch heute noch die berechtigung und notwendigkeit
einer untersuchung, wie sie Burdach geführt hat, an; aber ich
sehe auch ihre einseitigkeit. Simrock hatte nicht unrecht, wenn
er diese kritik einmal als eine wölfische bezeichnete. denn oft
ist wahrzunehmen dass, wenn auch die strophen eines tones in
loserem zusammenhange stehen, als dass wir ihnen den namen
eines liedes geben möchten, sich doch zartere fäden hinüber-
spinnen, die man durch vollständige abtrennung und neue überschriften nicht zerreifsen sollte. wenn man das verbindende ebenso
scharf ins auge fasst wie das trennende, findet man zuweilen einen
liederkranz, wo man ein lied verloren hat.

Diese untersuchung darf sich nicht einmal auf die strophen
desselben tones beschränken. die alte art, strophen verschiedener
wenn auch verwandter form mit einander zu verbinden, lebt auch
noch in unserem minnesang, zumal in den liedern des ältesten
sängers, Heinrichs von Veldeke. oft lassen sich bei ihm verschiedene strophen zwanglos verbinden, zuweilen v e r l a n g e n sie
die verbindung um verständlich zu werden; die überlieferung lässt

das streben der späteren zeit, dem zusammengehörigen gleiche
form zu geben, erkennen. die gemeingiltige annahme, Veldeke
liebe einstropbige lieder, characterisiert seine kunst nicht. ich
führe als beispiel die fünf strophen 64, 34—65, 35 an, die in
folgender ordnung zu einem liede oder liederkranz zu verbinden
sind: 1 (65, 28). natureingang: 'wenn die vöglein fröhlich den
sommer empfangen, der wald belaubt ist, die blumen prangen,
dann ist der winter vorbei, und ich muss von neuem mein herz
der minne ergeben.' 2 (65, 13). gegensatz zwischen der jahreszeit und der gesellschaft, die von minne nichts wissen will: 'die
jahreszeit ist wol hell, aber leider nicht die welt (gesellschaft);
sie ist trübe und fahl, und ihr gesinde sagt, sie werde immer
böser; denn die, welche einst der minne folgten (ehemänner),
tun ihr jetzt abbruch.' 3 (65, 21). törichtes beginnen dieser
minnefeinde: 'wer die frauen bewacht, tut übel. mancher mann
schlägt sich mit seiner eigenen rute. wer so handelt, verfällt
oft in verdruss und unmut, wovon der verständige nichts weifs.'
4 (65, 5). die eifersüchtigen mühen sich vergebens: 'man braucht
diesen bösen nicht zu fluchen, sie leiden genug in sich. ihr
vergebliches spähen steigert ihre wut, aber man braucht sich nicht
darum zu kümmern, sie suchen birnen auf buchen.' 5 (64, 34).
erklärung warum die eifersucht vergeblich ist und rückkehr zu
den persönlichen angelegenheiten: 'was ich meine (mit der vorhergehenden betrachtung) ist denen unverständlich, die die art
meiner liebe nicht kennen (dh. den edlen minnedienst im gegensatz zur genusssüchtigen liebe): ich habe meine minne einer frau
gewidmet, der sie kleiner scheint, als der mond bei der sonne.'

In diesem gedicht hat jede strophe ihr besonderes mafs; man
kann es vielleicht als eine natürliche weiterbildung dieser form
ansehen — obwol diese auffassung keineswegs notwendig ist —,
wenn verschiedene ähnliche töne, die mehrere strophen umfassen,
mit anderen worten, wenn mehrere lieder zu einer einheit verbunden werden, wie zb. die beiden botenlieder Reinmars 177, 10.
178, 1 augenscheinlich zusammenhängen. — wie hat man sich
überhaupt die vorträge der liederdichter vorzustellen? liefs die
gesellschaft die sänger nur zum vortrag einzelner lieder und
strophen zu, oder gestattete und verlangte sie auch längere vorträge? und wenn dies geschah, reiheten dann die dichter nur
einzelne selbständige lieder zusammenhangslos an einander, oder
hatten sie auch wol liedercyclen? das letztere zu vermuten liegt
an und für sich sehr nahe und wird, wie mir scheint, durch
das überlieferte aufser zweifel gestellt. wir finden oft deutliche
beziehung zwischen einzelnen liedern, so dass das volle verständnis
des einen von der bekanntschaft mit dem anderen abhängt. zu
dem glauben dass diese beziehungen daher stammen dass alle
diese lieder die nackte würklichkeit aussprechen, dass die sänger
auf ereignisse anspielten, die ihnen vor jahr und tag passiert, auf

lieder, die sie vor jahr und tag gesungen hätten, kann ich mich
nicht bekennen. es widerstreitet dem nicht nur die anschauung,
die ich von dem wesen des minnesangs und seiner bedeutung
für die gesellschaft überhaupt habe, sondern oft auch der inhalt
der lieder, der absurd wird, wenn man ihm reale würklichkeit
beimisst. wie sollte zb. ein liebhaber, der durch unverhüllte begehrlichkeit die geliebte verletzt hat, darauf kommen, die geschichte in alle welt hinauszurufen: schweigen wäre in diesem
fall das einzig verständige und das einzig natürliche. die ver-
botene rede, die wir bei Veldeke finden, bei Reinmar und Walther,
ist nichts als ein poetisches mittel, einige abwechslung in den
eintönigen liebesroman zu bringen, ein motiv, das, wie so vieles
im minnesang, der eine vom anderen übernimmt. die gedichte
also schliefsen sich an einander, weil sie für den zusammenhängenden vortrag bestimmt waren; und indem so lieder, welche
verschiedenen phasen eines liebesverhältnisses entsprachen, hinter
einander gesungen wurden, kam doch auch in den lyrischen vortrag ein episches moment, dessen die einzelnen teile entbehrten.
Müllenhoffs und Scherers beobachtung, dass die alten liederbücher
öfters ein ganzes liebesverhältnis zur darstellung bringen, halte
ich, trotz Pauls gegenbemerkungen, für durchaus richtig, nur erkläre ich die tatsache anders als gewöhnlich geschieht. in diesen
lyrischen romanen fand dann, wie Scherer gleichfalls schon angedeutet hat, Ulrich von Lichtenstein unzweifelhaft die anregung
zu seinem Frauendienst.[1] ob auch etwa zu dem erzählenden
teil? ob die sänger das verständnis ihres vortrages etwa durch
kurze freigesprochene zwischenbemerkungen erleichterten? ob auf
solchen, poesie und würklichkeit mischenden ausführungen die
biographien der troubadours beruhen? — ich schliefse mit der
offenen frage.

---

[1] ich bekenne dass ich auch, was Ulrich von seinen wunderbaren er-
lebnissen im minnedienst erzählt, für erfindung und phantastischen unter-
haltungsstoff halte. zweierlei ist in seinem buche zu unterscheiden: das,
was er von seinen ritterfahrten erzählt, und das, was seine geheime minne
betrifft, fingerabhacken, aussätzige usw. das erstere hat man für real zu
halten, und ist nicht auffallender als in unseren tagen Kölner carneval und
historische festzüge; das andere ist phantasie, und stand für jene zeit der
würklichkeit kaum näher als für unsere. im leben Wilwolts von Schaumburg werden ähnliche fahrten erzählt, ohne dort glaublicher zu sein.

24 dec. 1880.   W. WILMANNS.

Die deutschen dichtungen von Salomon und Markolf herausgegeben von
FRIEDRICH VOGT. 1 band. Salman und Morolf. Halle, Niemeyer, 1880.
XII, CLX und 218 ss. 8°. — 10 m.*

Das gedicht von Salman und Morolf hatten wir bis jetzt nur
in von der Hagens ausgabe vom jahre 1808; jeder freund der
älteren litteratur wird sich freuen, diese durchaus und in jeder
beziehung ungenügende arbeit nicht mehr benutzen zu müssen.
Vogts arbeit legt uns zum ersten mal das ganze erreichbare material übersichtlich vor; die überlieferung ist gründlich und vielseitig durchforscht, die geschichte der dichtung und sage bedeutend gefördert.

Drei handschriften hatten das gedicht auf unsere zeit gebracht:
eine Strafsburger ist 1870 untergegangen, ohne dass, so viel bekannt, eine abschrift vorhanden wäre; eine zweite, die Eschen-
burg ehemals besafs, legte von der Hagen zu grunde; die dritte,
eine Stuttgarter hs., wird zum ersten mal durch die vorliegende
ausgabe bekannt. dazu kommt dann noch ein alter druck. die
Eschenburgsche hs. hat der herausgeber leider nicht auftreiben
können; er war auf die angaben von der Hagens beschränkt, und
auf das, was sich aus der vergleichung des alten druckes mit
Hagens text ergab; da von der Hagen nur zwei quellen benutzt
hat, konnte man aus der abweichung vom druck auf die lesart
der hs. schliefsen. diese vergleichung war wol nötig, denn die
angaben vdHagens sind ungenau und nachlässig, an einer stelle
hat er ganze hundert verse aus versehen übersprungen (Vogt zu
232, 2). erst nachdem der druck abgeschlossen war, erhielt Vogt
wenigstens von der Hagens ms. zu seiner ausgabe der beiden
Morolfdichtungen, welches hin und wider einen zweifel löste, eine
angabe berichtigte, eine vermutung bestätigte. es ist zu bedauern
dass die hs. verschollen ist, obschon der text wol nicht viel förderung aus ihr würde gewinnen können. denn die Stuttgarter
hs. ist bei weitem die beste; sie hatte auch MHaupt seinem versuch, die dichtung in ihrer ursprünglichen form herzustellen, zu
grunde gelegt (s. vorwort s. VI ff). auf dieselbe quelle wie die
Stuttgarter hs. geht der alte druck zurück, aber er bietet sie in
sehr entstellter form. eine selbständigere stellung nimmt Eschen-
burgs hs. ein. aber alle drei überlieferungen setzen eine gemeinsame quelle voraus, eine mit bildern geschmückte, vielfach
verderbte, stellenweise auch wol schwer lesbare hs. demgemäfs
folgt der verf. im allgemeinen der überlieferung in S; nur wo E
durch die übereinstimmung mit d gestützt wird, oder innere
gründe gegen S (d) entscheiden, hat E den vorzug. diese grundsätze der kritik sind einfach und überzeugend entwickelt und

[* vgl. Litt. centralbl. 1880 nr 40. — Litteraturbl. für germ. und rom.
philologie 1881 nr 1 (HPaul).]

richtig befolgt; jedoch stimme ich dem recensenten im Litterarischen centralblatt bei, dass an mehr stellen, als Vogt annimmt,
innere gründe für E hätten den ausschlag geben sollen.

Aber bei einem so stark verderbten und willkürlich behandelten text, wie ihn unser epos bietet, kommt im allgemeinen
wenig darauf an, ob man an dieser oder jener stelle vielleicht
besser die lesart einer anderen hs. aufgenommen hätte; andere
und wichtigere aufgaben sind hier zu lösen. der Salman und
Morolf setzt wie die übrigen sogenannten volksepen und spiel-
mannsgedichte eine lange geschichte voraus. nur das resultat
der entwicklung liegt uns vor, ein resultat, das jeden aufmerksamen leser immer und immer wider treibt, nach den factoren
zu suchen, aus denen es gebildet ist, und doch nie ganz in seine
factoren sich wird auflösen lassen. die ausgangspuncte für die
untersuchung sind die anderweitige überlieferung der sage und
die form des gedichtes, besonders seine composition.

Für die geschichte der sage hat Vogt ein reichhaltiges und
wichtiges material herbeigeschafft und verwertet; eine kleine abhandlung Liebrechts über denselben gegenstand, die während des
druckes in der Germania (25, 33—40) erschien, bringt kaum
etwas von belang, was dem verf. nicht auch bekannt gewesen
wäre. an dem orientalischen ursprung der sage ist nicht zu
zweifeln; durch byzantinische, nicht durch mongolische vermitt-
lung kam sie, wie es scheint, ins abendland. in der einfachsten
gestalt liegt die erzählung in russischen volksliedern vor. ihre
überlieferung zwar ist jung; aber die festere fügung des baues,
die beschränkung auf die hauptpersonen und den hauptinhalt,
besonders aber die darstellung Salomons macht den eindruck
grofser ursprünglichkeit. Salman erscheint hier noch als dä-
monenfürst, der, als er in höchster gefahr unter dem galgen
steht, durch sein born die dienenden geister zur rettung herbeiruft. Vogt hat es versucht zu dem ursprung der sage und in
die ersten phasen ihrer entwicklung einzudringen. ich will seiner
untersuchung, die überall mit dem bewustsein ihrer schwierigkeit
und unsicherheit geführt ist, nicht folgen; zweifel sind wolfeil,
zu ihrer lösung vermöchte ich nichts beizutragen, ich wende mich
gleich zur deutschen überlieferung.

Zweimal oder, wenn man will, dreimal ist die sage in deutscher
sprache behandelt; einmal als anhang zum spruchgedicht (vdHagen
s. 62 v. 1605—1876), und dann in unserem epos, das, ähnlich
wie der Rother ua., dasselbe thema zweimal hinter einander aus-
führt (Vogt s. cxix). so verschieden diese drei überlieferungen
unter sich sind: in einem wichtigen punct stimmen sie im gegensatz zu der einfacheren russischen überlieferung überein, nämlich
in der einführung Morolfs.

Vogt sucht auf s. lix den ursprung dieser persönlichkeit zu
erklären. nach einer russischen prosaerzählung (xluii) und anderer

überlieferung (LV) war der gegner Salomons, der ihm die gattin
entführte, sein eigener bruder (LI). diese verwandtschaftliche beziehung, meint Vogt, habe mehr auf gegenseitige unterstützung
als auf tödliche feindschaft hingewiesen, und so habe man den
bruder Salomons zu seinem verbündeten gemacht, die rolle des
entführers anderweitig besetzt. — offenbar ist in dieser erklärung
die eigentliche schwierigkeit nicht sowol gelöst, als umgangen;
die hauptsache ist nicht die aufhebung der verwandtschaftlichen
beziehung, sondern die schöpfung einer neuen person. um jenes
zu erreichen, genügte es das attribut bruder wegzulassen, wie in
den russischen volksliedern geschehen ist; dieses verlangt eine
andere erklärung. vielleicht bietet sie das folgende.

Salomons gewalt über die geschöpfe der erde und die geister
ist in der geheimen kraft seines siegelringes beschlossen (XLVI).
in den besitz dieses kleinods gelangt nach dem Talmud und
anderen hebräischen traditionen der könig der Schedim, Aschmedai. die art des erwerbs wird verschieden erzählt: nach einer
arabischen tradition (L) ist es ein weib Salomons, welches dem
feinde den siegelring verschafft. mit diesem ring verliert nun
Salomon die gewalt über die dämonen; er wird von Aschmedai
verstosen und zieht wie ein bettler von haus zu haus, mit den
worten: 'ich Koheleth war könig der juden.' Aschmedai hingegen übt in Salomons gestalt herschaft über Jerusalem und Salomons harem. schliefslich aber wird er entlarvt, des ringes be-
raubt und bewältigt, Salomon in die herschaft wider eingesetzt. —
der gegner Salomons heifst hier Aschmedai, in anderen traditionen
wird er anders genannt, den übertritt Morolfs in diese stellung
erklärt Vogt s. LV f; er ist nicht erst aus den Morolfdialogen in
das epos gekommen, sondern dialoge und epos setzen einen gemeinsamen ausgangspunct voraus, von dem sich beide getrennt
entwickelt haben.

In dem geheimnisvollen gestaltentausch nun sehe ich den
grund für die einführung einer neuen person. indem Salman
durch den raub des siegelringes seine herliche gestalt verliert, teilt
sich sein wesen; aus der doppelten form wurden zwei personen,
ähnlich wie Christus als selbständige person aufgefasst wird, und
doch gott selbst ist. natürlich steht dieser Morolf mit Salman
im engsten bunde, lebt und handelt nur für ihn; denn eigentlich ist er ja Salman selbst, nur seiner herlichkeit entkleidet in
elender knechtsgestalt. — in diesem ursprung Morolfs ist sein
costüm begründet: als armer wallbruder tritt er im ersten teile
auf, als elender schemeler auf einem eselein im zweiten. das
grobe kleid, der pilgerstab sind die überall widerkehrenden attribute; daneben im ersten teil die tasche und das barëllin (282, 5.
310, 4). dem entsprechend heifst es im babylonischen Talmud-
tractat Gittin (Vogt s. 212): 'damals (als Salomon den ring verloren hatte) sprach er: '. . . und das mein teil von all meiner

mühe.' was bedeutet 'und das'? da sind verschiedener ansicht
Rab und Samuel (zwei Talmudlehrer aus der schule der Armo-
räer); der eine sagte, er meinte seinen stab, der andere sein
kleid oder trinkgefäfs. er wanderte von einer tür zur anderen'
usw. — aus dem ursprung Morolfs durch gestaltentausch erklärt
sich auch die rohe tat, die er vor seinem auszuge aus Jerusalem
an dem juden Bermann begeht; er schindet ihn und legt die ab-
gezogene haut an, so dass ihn niemand erkennt:[1] *in der hûte
ging der ritter lobesan in allen den gebérden als sie im wére gewachsen an* (str. 163. 185. 261). das war eine rationalistische
erklärung des gestaltentausches. eine nachbildung dieser aus dem
kern der sage erwachsenen erfindung ist es, wenn an einer anderen
stelle Morolf den kämmerer Fores erschlägt, um in dessen kleidern
unerkannt bohnwerk zu üben str. 312 ff. vielleicht diente auch
die unmotivierte und unbenutzte gewalttat, die Morolf an dem tor-
wächter begeht (str. 183) in einer anderen tradition der sage dem
gestaltentausch. denn dass verschiedene traditionen der sage in
Deutschland bekannt waren, das zeigen unsere drei vorliegenden
berichte, deren keiner aus einem der anderen hergeleitet werden kann.

Was das verhältnis dieser drei berichte zu einander betrifft,
so bezeichnet Vogt (s. LXV) den anhang zum spruchgedicht als
den relativ treuesten vertreter einer diesem und dem epos zu
grunde liegenden gemeinsamen tradition. in den hauptpuncten
stimmen der erste teil des epos und der anhang zum spruchgedicht überein; aber dieser ist zusammenhängender, einfacher,
frei von störenden episoden und der lästigen widerholung am
schluss; ohne frage macht der anhang den eindruck gröfserer
ursprünglichkeit. aber doch kann ich Vogts ansicht über das verhältnis beider berichte nicht uneingeschränkt gelten lassen. wir
werden nachher zu erweisen suchen dass die übereinstimmung
zwischen dem epos und dem spruchgedicht ursprünglich nicht
so weit gieng als in unserer späten überlieferung; und nicht
überall, wo beide von einander abweichen, hat das spruchgedicht
eine ursprünglichere sagenform bewahrt. einige ziemlich un-
wesentliche puncte dieser art hat Vogt s. LXIV aufgeführt; die
bedeutendste abweichung ist. meines erachtens nicht richtig beurteilt. nach der erzählung des spruchgedichtes hat Morolf der
königin, als sie im zauberschlaf lag, blei durch die hand ge-
gossen; später zieht er als krämer verkleidet durch das land und
erkennt die frau beim handschuhkauf an dem brandmal. — vielleicht ist das motiv anderswoher entlehnt, keinesfalls kann ich
es als eine in unserer sage begründete und ursprüngliche erfindung ansehen. nach der grundanschauung der sage sollte er,

---

[1] über anderweitigen gebrauch solcher häute verweist Liebrecht Germ.
25, 34 anm. auf RKöhler GGA 1870 s. 1272 f.

wie im epos, als armer waller auftreten, nicht als krämer, und
eines besonderen merkmals an der königin bedurfte er nicht, da
er sie ja genau genug kannte. von dem merkwürdigen schluss
des spruchgedichtes nachher.

Eine eigentümlichere gestalt hat die sage im zweiten teil des
epos gewonnen. als willkürliche erfindung und fortsetzung des
spielmannes darf derselbe mit nichten angesehen werden. Vogt
hat richtig erkannt dass die bedeutung, welche dem ring Salomons
im zweiten teil beigemessen wird, auf die alte in den übrigen berichten vergessene oder ganz verblasste (str. 166—172) sage hinweist; ein zweites moment kommt hinzu, die rolle Morolfs. wenn
Morolf, wie wir glaubten annehmen zu dürfen, würklich nur
Salman selbst in anderer gestalt ist, so konnte ursprünglich nicht
Salman neben ihm auftreten; in dem augenblick, wo dieser ring,
macht und weib verliert, bleibt nur Morolf übrig. dem entspricht
es nun dass im zweiten teil unseres epos würklich Salman ganz
aufser action tritt, Morolf allein auszieht die Salme wider zu gewinnen, mit list und gewalt den gegner besiegt und an dem weibe
rache nimmt. auch im ersten teil macht sich die existenz solcher
tradition geltend. Salman streubt sich, selbst zu handeln, und
der dichter sucht es ausdrücklich zu begründen dass Morolf zurück bleibt (str. 394). — also auch der zweite teil des epos beruht auf alter sagenmäfsiger tradition. die behandlung desselben
themas zweimal nach einander scheint damit von selbst erklärt
zu sein; der dichter kannte verschiedene traditionen, die er auf
diese weise verband (LXXIV f). die kunstlose widerholung war das
einfachste mittel sich mit der schwankenden tradition abzufinden
und den widersprechenden forderungen sagenkundiger hörer gerecht zu werden. zugleich aber lag darin der keim zur umbildung der sage; der dichter muste darauf aus sein, die lose verbindung zu festigen und das eintönige einerlei mit anmutigem
wechsel zu umkleiden. ohne frage ist der zug, dass der held in
der gefahr durch geheimnisvolle hilfe gerettet wird, alt in der
sage; aber da der dichter im ersten teil ausführlich die geschichte
vom galgen erzählt hatte, so sann er im zweiten teile auf etwas
neues; daher das steinhaus auf dem meeresfelsen, der unterirdische
gang, die meerminne und die offne feldschlacht. in diesen teilen
ist alte tradition nicht wahrzunehmen.

Auf diese weise scheint sich die kindliche composition unserer
dichtung zur genüge zu erklären, aber doch, wenn man die anderweitige überlieferung berücksichtigt, wird es sehr zweifelhaft, ob
die existenz verschiedener sagengestalten hier allein gewürkt hat.
auffallend ist schon der schluss, den der anhang des spruchgedichtes hat. dass in unserem epos am ende des ersten teiles
Fore allein gehenkt wird und Salme am leben bleibt, ist selbstverständlich, denn Salme wird weiter gebraucht; dass aber auch
im spruchgedicht das schicksal des verführers von dem der frau

getrennt wird, Fore allein an den galgen kommt, Salme aber
erst nach Jerusalem geschleppt und dort getötet wird, ist seltsam
und unnatürlich. als der einzig angemessene ausgang erscheint
das, was die russische überlieferung bietet; dort werden die misse-
täter gleich behandelt und unmittelbar nach Salmans befreiung mit
denselben schnüren aufgeknüpft, die für diesen bestimmt waren. —
nun steht das spruchgedicht mit seinem seltsamen schluss nicht
allein; der zweite teil des epos berichtet ebenso. also ältere tradition war hierfür jedesfalls vorhanden. soll man nun annehmen
dass der verf. des spruchgedichtes (oder der seiner quelle) zwei
verschiedene darstellungen des einfachen stoffes kannte, und aus
der zweiten gerade den befremdlichen schluss aufnahm? oder ist
es nicht wahrscheinlicher dass seine dichtung auf einer die beiden
teile unseres epos umfassenden überlieferung beruht, und dass er
die lästige widerholung der entführung ausscheidend, allein den
schluss des zweiten teiles beibehielt? das urteil kann kaum
schwanken.

Ein sicheres zeugnis dafür, dass die Salmansage schon früh
die frau nach ihrer ersten entführung mit dem leben davon kommen
liefs und eine fortsetzung anknüpft, liefert eine erzählung in den
Nugae curialium des Gualterus Mapes, die Vogt auf s. LXV behandelt. der Oxforder archidiaconus erzählt von einem ritter Raso,
der einen feindlichen heidnischen emir gefangen nimmt und der
obhut seiner gattin anvertraut. der emir gewinnt die liebe der
frau, entführt sie, Raso sucht sie als bettler auf, wird erkannt,
soll an den galgen, da bricht sein sohn aus dem hinterhalt und
befreit ihn. der emir wird niedergemacht, das weib entkommt,
sie sucht verbindung mit einem anderen heiden, Raso teuscht und
hindert sie, er kommt in neue lebensgefahr, wider rettet ihn der
sohn, der nun auch an der frau die strafe vollzieht. die sage
stimmt in allen wesentlichen puncten so genau mit der Salmansage überein, dass ihre identität nicht zu bezweifeln ist. [1] der
sohn nimmt die stelle ein, die in der Salmansage der bruder
Morolf hat. da nun auch diese Rasosage die an sich wunderliche
fortsetzung hat, so wird man doch fragen müssen, ob eine derartige fortsetzung nicht in der bedeutung der sage selbst ihren
anlass hat. ich glaube diesen zu erkennen.

Wenn ich vorhin das verhältnis zwischen Salman und Morolf mit dem zwischen gott und Christus verglich, so tat ich
es, weil ich eine würkliche und bedeutende berührung zwischen
den vorstellungen der christlichen religion und der sage von
Salman annehme. nicht dass ich behaupte, die Salmansage sei
aus christlichen anschauungen entstanden: ich spreche nur von
einer bedeutenden berührung; ältere wie auch immer beschaf-

---

[1] Liebrecht Germ. 25, 37 f. Vogt scheut sich die identität auszusprechen.

fene tradition hat sich unter dem einfluss der christlichen anschauungen ausgebildet und entwickelt. in ihrer ausgebildeten
gestalt umfasst die sage folgende wesentliche züge: Salmans weib
wird entführt, ein heide hat ihm durch zauberkunst ihre liebe
entfremdet. Salman sucht sie auf in der gestalt eines elenden
bettlers; das weib erkennt ihn, aber wendet sich von ihm,
und überlässt ihn dem heiden zum gericht. als Salman eben
die schmach am galgen erleiden soll, wird er gerettet; der feind
wird überwunden, die geliebte frau hingegen findet gnade. aber
sie lässt sich von neuem berücken, und ist nun dem gericht
Morolfs verfallen. — Salman ist gott, sein weib ist des menschen
seele, Morolf ist Christus, Fore das bild des bösen. — Salmans
herlichkeit und seine hohe stadt als bild des himmlischen königs
und seines ewigen reiches lag nahe; sein Hohes lied, das Canti-
cum canticorum, wurde auf die christliche kirche oder die menschliche seele bezogen; der gesang seiner liebe war der ausdruck der
liebe gottes zum menschen. die seele ist seine verlobte: *sponsam vocat hominem quantum ad baptismum, quia ei jungitur quasi
sponsa in baptismo.* [1] darum erscheint Salman in unserem gedicht als herr der christenheit und Jerusalem als christliche burg;
seine geliebte hat er durch die taufe gewonnen (str. 4): er *toufte
sie und lërte sie den salter ein ganzez jâr*, darum liebt er sie, so
viel sie ihm auch leides zufügt: *im was die kuniginne liep, swaz
si im zû leide ie gedet.* — aber des fleisches lust und der teufel
verführen den menschen; Fore bricht in Salmans land mit feindes
macht: *Pharao id est diabolus.* [2] er legt seinen zauber an die
seele, sie neigt sich zu ihm (str. 99, 4), sie beredet mit ihm den
verrat (str. 100 f), sie entweicht (str. 122 f); denn auf dreifache
weise fällt des menschen seele: *cogitando, loquendo, operando.* [3] —
da zieht gott aus, sie wider zu gewinnen, 'er äußerte sich selbst
und nahm knechtsgestalt an; er hatte keine gestalt noch schöne;
wir sahen ihn, aber da war keine gestalt, die uns gefallen hätte.
er war der aller verachtetste und unwerteste, voller schmerzen
und krankheit. er war so verachtet, dass man das angesicht vor
ihm verbarg; darum haben wir ihn nichts geachtet. er erniedrigte
sich selbst, und ward gehorsam bis zum tode, ja zum tode am
kreuz' (Philipper 2, 7. 8. Jesaias 52, 2. 3). darum nimmt Morolf nicht nur eine kleidung an, die ihn unkenntlich macht, er
zieht nicht als spielmann aus, sondern als armer bettler, würklich voller schmerzen und krankheit (str. 618). — die erlösung
war für Christus ein schweres werk: 'ist es möglich, so gehe
dieser kelch von mir; doch nicht wie ich will, sondern wie du
willst' (Matth. 26, 39). so erklärt Salman, als er sich zu dem
schweren gang nach Fores burg anschickt (str. 381, 4): *ich wart*

---

[1] Magistri Romani cardinalis sermo de poenitentia, Migne Patrolog. ccxvii
p. 687.   [2] aao. p. 689.   [3] aao. p. 687 f.

dir undertân, ich gibe dir mîne trûwe, ich wil an dînem râte sîdn.
er weifs dass Salme die ehe gebrochen hat, aber er kann nicht
von ihr lassen (str. 387, 2): *kunig, ez mûz alsô ergân. Salmé
die ist dir alsô liep, und gieng ez dir an dîn houbet, du enliezest
sie belîben niet.* er will selbst den tod um sie leiden (str. 450):
*Frouwe, daz ist nit zü vil: wie gerne ich daz durch dich lîden
wil.* dem entsprechend heifst es in der lateinischen predigt, deren
worte schon öfter angeführt sind (s. 687): *amplius diligit nos,
quam sponsam suam maritus; voluit enim crucifigi pro salute nostra,
quod nequaquam faceret maritus. et sicut maritus non vult habere
aliquem participem uxoris suae, sic nec Christus fidelis animae,
quae tamen si ab eo recesserit peccando, revocat eam dicens per
Ezechielem: 'tu fornicata cum amatoribus tuis (cap. xvi) tandem
revertere ad me'.* — aber nur einmal wollte gott dieses opfer
bringen: *er getuot ez niemer mêr* (MF 30, 18), *sîn drô ist ûf ge-
spart* (Walther 77, 27); 'dem mutwilligen sünder steht ein schrecklich warten des gerichts und des feuereifers bevor, der die widerwärtigen verzehren wird.' dann kommt der herr zum ewigen
gericht im tal Josaphat, östlich von Jerusalem, zwischen der stadt
und dem ölberge. darum ist, als Morolf zum zweiten mal auszieht, der tod der Salme beschlossene sache (str. 614), und darum
wird sie am schluss der dichtung nach Jerusalem zurückgeführt,
um dort die execution zu erleiden.

Die beziehungen sind so manigfach und bedeutend, sie erklären so vieles, was in dem zusammenhang der dichtung teils
auffallend, teils rätselhaft ist, dass eine würkliche berührung und
durchdringung der Salmanssage mit den christlichen vorstellungen
und lehren vom sündenfall, der erlösung und dem ewigen gericht
nicht wol bezweifelt werden kann. auch dass zwischen den reichen
Salmans und Fores das meer liegt und Jerusalem zu einer see-
stadt geworden ist, mag sich so erklären; denn zwischen himmel
und hölle liegt die irdische welt, die gern als wildes meer vorgestellt wird. ja selbst der name Morolf hat vielleicht engere beziehung zu Christus. dass Morolf auf den jüdischen Markolis zurück geht, und den zusammenhang dieses jüdischen idols, das
durch steinwürfe verehrt wurde, mit dem lateinischen Mercurius,
dem griechischen Hermes, dem ähnliche verehrung zu teil wurde,
hat Schaumberg (Beitr. 2, 56 f) gezeigt. Christus selbst aber nennt
sich mit bezug auf alte weissagung (Jesaias 8, 14) in oft angeführten worten den stein, den die bauleute verworfen haben und
der zum eckstein *(lapis anguli, l. offensionis)* geworden ist (Matth.
21, 42 ua.); ihn als Markolfs einzuführen lag also wenigstens
nicht fern. — dass Morolf nicht als sohn Salmans eingeführt ist,
erklärt sich daraus, dass man dem sohn nicht die rache an der
mutter übertragen wollte; die Rasosage hält an der sohnschaft
fest, aber sie entgeht der schwierigkeit durch die annahme, dass
der sohn aus früherer ehe stammte.

Eine andere frage ist, ob der verf. und die bearbeiter unserer
dichtung wusten, welch ernster gehalt einst in sie gelegt war.
angesichts der possenhaften ausführung möchte man es in abrede stellen. aber die merkwürdige anlehnung, welche gerade
einige stellen zeigen, die weder in der sage noch in der dichtung
alt zu sein scheinen, deutet darauf hin, dass die symbolische bedeutung nicht vergessen war (s. u. s. 289 anm. 1. 292). doch ich
will diesen punct hier nicht erörtern [1], und kehre zur erklärung
der composition unserer dichtung zurück.

Im anfang des epos findet sich eine widerspruchsvolle häufung
der motive:

Salman vertraut den feind der obhut seines weibes an, obwol er weifs, welche absichten der feind auf sie hat; und Morolf
unterzieht sich langer und mühevoller kundschaft, obwol nach dem
zusammenhang unserer dichtung kein zweifel ist, wer die frau
geraubt hat. in anderen traditionen fehlen diese widersprüche;
in den russischen volksliedern kennt man den entführer nicht, in
der Rasosage kam er als landesfeind, und diesen der obhut der
frau zu überlassen, hatte kein bedenken. es ist möglich dass
durch die combination zweier versionen, die selbständig aus derselben wurzel erwachsen sind, die verständiger berechnung widersprechende darstellung des epos erwachsen ist; für möglich aber
halte ich auch dass die verständige anlage der Rasosage durch
ein ausscheiden früher vorhandener motive erreicht ist, die nur
im symbol neben einander bestehen konnten. gott gibt die seele
der versuchung preis, obwol er die list und macht des feindes
kennt, und er entschliefst sich zu langem erdenwallen, um die
verlorene geliebte wider zu gewinnen. — hingegen auf spätere
vereinigung verschiedener darstellungen weist die doppelte darstellung des gerichtes, das über Salman ergeht; wenigstens wüste
ich eine beziehung auf das doppelte gericht Christi vor Kaiphas
und Pilatus nicht wahrscheinlich zu machen: bemerkenswert ist
es zwar dass im epos, wie im bericht der evangelien, die erste
verhandlung zur nachtzeit, die andere am folgenden morgen vor
sich geht; aber sonst findet sich keine ähnlichkeit. in der dichtung wählt Salman sich zunächst den tod am galgen (str. 444 ff),
Fore bestätigt das urteil, die ganze sache scheint abgetan, und
doch wird sie widerholt: Fores mannen kommen am anderen
morgen, erheben klage gegen den landesfeind, und Fore verur-

---

[1] der einfluss christlicher anschauungen auf die mittelalterliche sagenbildung ist noch nicht nach gebür gewürdigt, wie denn überhaupt die
fundamentale bedeutung, welche die christliche lehre und kirche für die
ganze geistige entwicklung des deutschen lebens gehabt hat, oft unter-
schätzt wird; teils weil man eine zu hohe meinung von der geistigen po-
tenz der alten Deutschen hat, teils weil die heutige stellung der kirche das
urteil über ihre bedeutung in der früheren zeit trübt. ich denke hier zunächst an den Parzival, Orendel, Tristan, auch an einige züge der Ni-
belungensage.

teilt den beklagten zum strange. die wahl der todesart findet sich
in der russischen tradition und im spruchgedicht, das zweite gericht ist in den verhältnissen der Rasosage begründet, wo es sich
darum handelt, den landesfeind zu bestrafen.

Aufser der Rasosage ist von grofser wichtigkeit die fortsetzung der polnischen Walthersage (s. LXVIII). in ihrem ersten
teil stimmt sie mit der sage von Raso überein, dann nimmt sie
einen anderen weg. Walther, der hier die stelle Salmans einnimmt, gewinnt nämlich, nachdem er entdeckt und dem tode bestimmt ist, die schwester des entführers für sich. diese verspricht, ihn zu befreien, wenn er sie zur gemahlin nehmen wollte,
was Walther ihr zuschwört. auf sein geheifs entwendet sie Walthers schwert aus ihres bruders gemach, durchschneidet die stricke,
mit denen er an die wand gefesselt ist, am äufsersten ende und
verbirgt das schwert zwischen seinem rücken und der wand. als
nun am folgenden tage die gatten im speisesaale bei einander sitzen
und Walther zeuge ihrer liebkosungen ist, redet er sie wider seine
gewohnheit an, indem er auf die rache anspielt, die er nehmen
würde, wenn er seiner fesseln ledig wäre (vgl. str. 443). das
weib erbebt, sie erinnert sich, Walthers schwert vermisst zu haben;
der mann beruhigt sie: da springt Walther mit geschwungenem
schwert an das lager der beiden, und tötet sie mit einem streiche.
Vogt verfolgt die weite verbreitung dieser sage bis in eine erzählung des Somadeva, wo die göttin Tschandi dem gefesselten
und mishandelten gatten zur hilfe kommt, seine bande löst und
das ruchlose par in seine hand gibt. [1] — aus dieser tradition
stammt die schwester Fores, die in unserem epos eine ziemlich
grofse aber bedeutungslose rolle spielt; wir kommen nachher
darauf zurück.

Es fällt auf dass Vogt in diesem zusammenhang nicht auch
den Rother behandelt hat, in dessen zweitem teil die Salmanssage deutlich zu erkennen ist. während Rother abwesend ist,
wird die frau durch die list eines spielmannes, der als kaufherr
verkleidet sie aufs schiff lockt, entführt (vgl. die russischen lieder).
um sie wider zu gewinnen rüstet Rother eine grofse flotte, zieht
hinüber nach Constantinopel und verbirgt sein heer in verstecktem
lager zwischen wald und gebirge. Rother selbst beschliefst als
waller in die stadt zu gehen, nimmt aber auf den rat eines seiner
mannen den weisen Berhter und Luppold mit und sein gutes
horn: *daz sal die bezechenunge sin.* in einem herlichen saal
findet er Konstantin bei tische, ihm zur seite könig Ymelóts sohn
Basilistjum, dem Rothers weib gegeben werden soll. Rother ver-

---

[1] die göttin erhebt keinen anspruch auf die hand des befreiten; als
sie aber zur menschlichen jungfrau wurde, muste es motiviert werden dass
ihr der natürliche lohn vorenthalten blieb; sie ist ein hässliches weib, das
keiner mochte.

birgt sich unter dem tisch [1], und steckt der frau ein ringlein mit seinem namen zu. Basilistjum merkt es, Konstantin lässt die tür besetzen, damit keiner aus dem saal entkomme, und erklärt, wenn Rother im saale sei, so zieme es ihm nicht, sich verborgen zu halten (vgl. Morolf 398, 4). *Róther dd vore gie: 'ich bin sicherliche hie. mich scouwe wer sô welle'* (vgl. Morolf 261. 438). Basilistjum und Konstantin bedrohen Rother mit dem tode, dieser erklärt sich einverstanden und verlangt nur dass man ihn draufsen vor dem walde aufhänge und zwar in gegenwart der fürsten, wie es einem fürsten gezieme (v. 3975—3991). nun war aber in der stadt ein graf Arnold, dessen treue anhänglichkeit Rother ehedem durch seine freigebigkeit gewonnen hatte. als Rother mit grofsem geleit zum galgen geführt wurde, folgt Arnold mit seiner schar nach; er mahnt sie zur tapferkeit (v. 4122 ff. vgl. Morolf 484, 4. 485) und befreit die gefangenen. Rother bittet ihn nun, seine bande zu durchschneiden, damit er sein horn blasen könne. auf dieses zeichen stürmen Rothers mannen herbei, die heiden werden völlig geschlagen, Basilistjum gehenkt, Ymelôt lässt man entwischen. — der ebenmäfsige fortschritt der handlung wird hier durch die einführung des grafen Arnold behindert, die verhältnisse liegen insofern anders, als dem könig Rother sein weib nicht feindlich gesinnt ist, aber trotzdem ist die verwandtschaft der sagen nicht zu verkennen. [2]

Endlich verdient noch das altfranzösische gedicht von Huon von Bordeaux angeführt zu werden, in welchem wesentliche elemente der Salmanssage widerkehren, obschon in anderer verbindung (Guessard et Grandmaison, Huon de Bordeaux, Paris 1860, inhaltsangabe p. LV—CXXV). Huon ist durch Oberons güte in den besitz eines hornes gekommen, das ihm in der stunde der gefahr die hilfe des mächtigen geisterkönigs und seiner scharen sichert; er hat auch einen ring erworben, der ihm wunderbare macht gewährt (p. XCVI. 169 f). früher war dieser ring im besitz eines furchtbaren riesen gewesen, den Huon getötet hat (p. XC f); der riese aber heifst Orgueilleux (der hochmütige, vgl. Lucifer, Asmodäus). auch an Huon ergeht wie an Salman und Rother die mahnung, sich nicht zu verläugnen; auch er wird von Gandisse zum strange verurteilt und findet im gefängnis trost und hilfe

---

[1] im russischen volkslied steckt Salman in einer kiste, im deutschen epos steht er hinter einem wandteppich.
[2] die scene, wie ein gefangener, der gehenkt werden soll, durch sein horn die befreier herbeiruft, findet sich auch in dem roman von Lother und Maller wider (FSchlegel Sämmtl. w., Wien 1823, bd. 7, 229); auch sonst zeigt der roman zusammenhang mit dem Rother, selbst die namen Rother und Lother könnten identisch sein. — vor drei jahren legte man mir einen kleinen abschnitt eines pergamentblattes vor, der sich als bruchstück eines niederländischen gedichtes über Lother und Maller ergab. ich bin nicht in der lage das fragment mitzuteilen; aber auch diese notiz hat vielleicht für manchen interesse.

eines mädchens; auch er hat sein gefolge zurückgelassen, während
er die gefährliche fahrt unternimmt. ein spielmann, dem Ruon
zu dank verpflichtet war, wird von ihm gerettet, indem er, als
die beiden dem manne schon den strick um den hals gelegt haben,
plötzlich mit den seinen hervorbricht (cxii). anderes kehrt im
ersten teil des Rother wider.

Über die verbreitung einzelner motive, die weniger bedeutend
in dem gefüge der sage sind: wie Morolf Fore und seine leute
zu mönchen macht, die schachspielscene, den ring mit der singenden nachtigall, das lederschiff, den sitz unter der linde ua. s. Vogt
cxvi. cxx f, anm. zu str. 248. 605. Liebrecht aao. [1]

Die untersuchung der sage ist für das verständnis der dichtung von grofser wichtigkeit; vieles, was in dieser auffallend und
rätselhaft ist, gewinnt licht, wenn man seine herkunft kennt und
den zusammenhang, in dem es ursprünglich gedacht war. die
sagenuntersuchung lehrt uns das material kennen, aus dem das
werk aufgeführt ist, aber nur die untersuchung der dichtung
selbst kann zeigen, wie dieses material benutzt wurde.

Vogt hat wahr genommen dass nicht nur in jeder der uns erhaltenen aufzeichnungen einzelne interpolationen hinzugekommen
sind, sondern dass auch schon die gemeinsame grundlage aller
unserer hss. ziemlich bedeutende erweiterungen erfahren hatte.
unter den interpolationen, die er annimmt, sind die wichtigsten
die, welche von Fores schwester handeln (Vogt xxxvi—xl). wir
werden mit dem mädchen zuerst bekannt gemacht, als Morolf
mit der königin schach spielt; sie wird ihm als preis gegen seinen
kopf gesetzt [2]; bedeutenderen anteil gewinnt sie mit Salmans auftreten. sie empfängt ihn, als er in Fores burg einlass begehrt
(400—406), sie hegt den wunsch ihn zu warnen, als Sahme ihren
bösen willen zu erkennen gegeben hat (408), sie bittet ihren
bruder um gnade für Salman und zeigt diesem den verrat an
(428—437), sie erbittet es sich, ihn in der letzten nacht vor dem
gericht trösten zu dürfen (451—480) und begleitet ihn zur richtstätte (482. 503—512). dann als die beiden besiegt sind, lässt
Salman sie durch Morolf herbeiholen (541—551), sie wird nach
Jerusalem geführt (575) und empfängt dort die taufe, um später-

---

[1] das haupt könig Princians wirft Morolf der königin Salme in den
schofs (str. 772); vgl. Eckenlied (im Dresdner heldenbuch str. 325), wo Dietrich Ecken haupt den königinnen vor die füfse wirft; der zug ist dort alt
in der sage, aber nicht in der dichtung (Altdeutsche studien s. 98 f. 133).
ähnliches bei Liebrecht Volkskunde s. 40 anm. GDS s. 141. an das Eckenlied (Zupitza str. 35) erinnert auch das bedauern der Salme, dass Fore zu fufs
gehen müsse str. 112. in dem verse *ich mac ze fuoze vil wol gân* stimmen
beide gedichte wörtlich überein (Ecke 34, 5. Morolf 113, 2). wenn, wie ich
glaube, eine entlehnung statt gefunden hat, so ist sie auf seiten unseres
epos anzunehmen; aber die betreffende stelle halte ich für interpoliert, für
die datierung des ursprünglichen gedichtes ist sie nicht zu verwerten.

[2] dass ein spielmann im schach sein haupt gegen ein vornehmes mädchen
setzt, kommt auch im Huon vor (aao. p. cviii), und Liebrecht aao. s. 34 anm.

hin Salmans frau werden zu können (579—597). als Morolf zum
zweiten mal auszieht, empfiehlt er sie dem schutze des königs
(620 f), endlich wird sie ihm angetraut (782. 783). — der interpolator verfährt erstaunlich rücksichtslos; nur auf sein ziel gerichtet lässt er den zusammenhang und die gegebene situation
oft ganz aufser auge. an den meisten stellen lassen sich seine
zutaten glatt wegnehmen und die teile, die er aus einander gerissen hat, schliefsen sich wider zusammen. aber doch nicht
überall, nicht bei str. 620. 621 und namentlich nicht bei str. 451
bis 480. daraus folgt nun natürlich nicht dass diese stellen älter
sind und der ursprünglichen dichtung angehört haben; denn es
wäre eine unbegründete und an und für sich unwahrscheinliche
annahme dass der interpolator nur interpoliert, nicht auch das
vorhandene überarbeitet habe. so zweifle ich auch nicht dass
str. 620—621 würklich dem interpolator gehören, obgleich sich
hier eine zusammenhängende dichtung durch athetese nicht herstellen lässt; die ungehörigen gedanken und die zerstörte strophenform weisen hier deutlich genug auf überarbeitung hin. ob aber
Vogt die umfangreiche episode 450—481 richtig beurteilt, ist mir
zweifelhaft. freilich, nachdem mit evidenz gezeigt ist dass eine
bestimmte person eine ganze reihe von interpolationen veranlasst
hat, ist die annahme kaum abzuweisen dass eine einzelne übrig
bleibende stelle von demselben dichter verfasst sei; aber so sehr
ich mich bemüht habe hier mit dieser annahme durch zu kommen,
ist es mir nicht gelungen; ich kann diese episode als interpolation
nicht begreifen. sie beginnt mit directem widerspruch gegen unmittelbar vorangehende angaben. Fore wird in seinem verhalten
gegen Salman als ein ziemlich mild denkender mann dargestellt;
im gegensatz zu seiner hasserfüllten gattin will er Salman frei
lassen, wenn dieser sich gut zu verantworten wisse (425), in der
verhandlung mit Salman (439 ff) spricht er sich sehr mafsvoll
aus, er gestattet ihm sich selbst das urteil zu sprechen (444 ff)
und sichert ihm ehrliches gefängnis bis zum vollzug der strafe:
*nŭ nement sin war al mine man und lánt in ungebunden vil schône
in mîner burge gân.* und darauf setzt nun str. 451 die angabe:
*Fóre hiez her fur tragen, ich wilz úch wêrlichen sagen, zwó vez-
zern, wâren ĭserîn, dâ hiez er zorneclichen den riehen keiser sliezen
în.* dass ein interpolator, indem er nur sein kleines ziel ins
auge fasst, die vorliegende situation und den zusammenhang des
ganzen misachtet, das ist begreiflich; aber ein so directer widerspruch gegen das unmittelbar vorhergehende erklärt sich durch
die annahme einer einfachen interpolation nicht. ebenso wenig
erklärt sich durch diese die widerholung der gerichtsscene. Salmans hinrichtung und die art, wie sie vollzogen werden soll,
ist schon vollkommen festgestellt (str. 444—448), und dennoch
spricht die jungfrau erst in str. 474 die befürchtung vor dem
bevorstehenden gericht aus, und ihre befürchtung erfüllt sich am

anderen morgen; Salmans mannen kommen zu fuſs und zu roſs,
klagen gegen den gemeinen feind und bewürken seine verurtei-
lung. wie hätte ein interpolator auf diese wunderlichkeiten kommen sollen? — wir werden nachher diese scenen als einen teil
der älteren dichtung erweisen und ihre bedeutung erkennen; hier
sollen nur einige interpolationen, die sich innerhalb dieser scene
finden, besprochen werden.

Die harte gesinnung, welche der anfang der scene voraussetzt, behält Fore in der unterredung mit der schwester bei; zwar
überlässt er ihr den gefangenen schlieſslich; aber erst als sie ihr
haupt zum pfande setzt, und nicht ohne die nachdrückliche versicherung hinzuzufügen dass er auf dem pfande bestehen werde:
*und wêrest dû von tûsent liben die swester mîn, daz houbt heiz
ich dir abe slahen, des gib ich dir die trûwe mîn.* einen ganz
anderen ton schlagen dann plötzlich die beiden folgenden strophen
an (458 f). als das mädchen fortgehen will, heiſst Fore sie stille
stehen, bittet sie den edeln fürsten Salman standesgemäſs zu ver-
pflegen; es würde ihm leid tun, wenn ihm etwas abgienge, am
liebsten lieſe er ihn ganz frei. der verf. dieser strophen hat
augenscheinlich den widerspruch in dem verhalten Fores bemerkt,
er sucht ihn zu lindern, er macht die sache aber noch schlimmer,
indem er den widerspruch wiederholt. die beiden strophen, die
den fortschritt der handlung hinhalten und syntactisch verbunden
sind, erscheinen als interpolation. nach dem ursprünglichen zusammenhang warf Fores schwester, sobald sie ihren willen erhalten, die fesseln bei seite, und wandte sich zu Salman. — das
folgende schildert nun den verkehr der beiden während der nacht.
in diesem teil ist eine episode eingeschoben: die jungfrau lässt
einen spielmann kommen und dingt ihn für einen bunten mantel [1]
zum nächtlichen zeitvertreib. hernach nimmt ihm Salman die
harfe ab, der dichter benutzt die gelegenheit anzugeben, was sonst
in der dichtung ignoriert wird, dass Salman Davids sohn gewesen
sei, und der habe vor der alten Troie das erste seitenspiel erdacht.
Salman spielt dann so engelhaft schön, dass die jungfrau in die
worte ausbricht: *dû bist ein clûger spielman; ich nime ez ûf mîn
trûwe, ich wolle mich mit dir wol begân;* eine bemerkung, die
wol für eine scene passt, in der der held würklich für einen
spielmann angesehen wird, aber nicht hier, wo die jungfrau weiſs,
wen sie vor sich hat. [2] ich hatte anfangs diese episode nebst

---

[1] *einen vêhen mantel* 464, 3. *einen vêhen mantel von golde rôt*
307, 2. *mit irem vêhen mantel* 492, 2. ein roter seidenrock als tracht des
spielmanns 665. 688 (s. Vogt zu 665); *scharlachen kleider* trägt er str. 169.
Huon erhält von dem jongleur einen pelzrock von hermlin (vgl. Mor. str. 506,5)
und einen scharlachmantel: *pren en me malle un kermin engoulé et un
mantel d'escrelate fouré* (p. 214).
[2] gedankenlose benutzung überkommener phrase zeigt auch str. 486, 1 f.
die verse passen nur unter der voraussetzung dass ein heer die schiffe verloren hat.

der einleitenden strophe 463 für jünger (463—465. 467—471)
gehalten; sie enthält kein wesentliches element und die strophen
sind zum teil unrichtig gebaut. aber andrerseits wird die ganze
scene ohne diese episode zu dürftig, und sie fügt sich so tadellos
in das andere ein, dass eine athetese keine wahrscheinlichkeit
hat: die letzten worte von str. 463, 5 weisen auf die belustigung,
welche der spielmann bringt; str. 465, 5 [467, 5] darauf dass
Salman selbst die harfe nimmt, und unter dem eindruck seines
spiels erfolgen dann die vorschläge der jungfrau (str. 470). ich
glaube also dass diese episode von anfang an zu der scene gehörte, mag sie auch im einzelnen bearbeitet sein. — hingegen
halte ich str. 466 f, wo die junge königin einen trank herbeiholt,
für jünger; dieselbe sorge um das materielle wol beschäftigte auch
den interpolator in str. 431 f, und str. 467 kehrt mit den schlussworten genau zu demselben punct zurück, auf dem die dichtung
schon in str. 464, 5 war: der kaiser vergisst seiner sorge und
hebt selbst zu spielen an. — ferner muss str. 476 jünger sein;
sie ist unrichtig gebaut, überflüssig, für die person, an welche
sie gerichtet ist, unverständlich und bezieht sich auf eine stelle,
die wir später als interpoliert erweisen werden. für jünger halte
ich endlich die nutzlosen strophen 474. 475, die syntactisch mit
den vorhergehenden strophen verbunden sind, ohne dass diese
eine fortsetzung verlangten (s. Vogt s. xciii f). indem Vogt die
ganze scene verwarf hat er diese interpolationen innerhalb derselben unbemerkt gelassen.

Auch die athetese von str. 575 vermag ich nicht anzuerkennen, obschon ich Vogt zugebe dass die jungfrau hier ursprünglich nicht vorkam. entbehrlich zwar ist str. 575; aber sie
fügt sich so tadellos in den zusammenhang, dass die annahme
einer interpolation aus dieser stelle selbst in keiner weise begründet werden kann; str. 574 ziehen sie zum strande, 575
schiffen sie sich ein, 576 fahren sie über meer. wie in str. 575
werden auch sonst bei der abfahrt regelmäfsig die kiele erwähnt:
str. 46. 379. 727. 774. ich glaube daher dass nur eine leichte
umarbeitung stattgefunden hat, dass in v. 4 statt der *juncfrowe*
ursprünglich *die helde* oder *die reise* genannt waren. dass diese
erwähnt wurden, war nicht mehr als billig. der alte druck, der
der mangelhaften überlieferung öfters mit ganz richtigem verständnis zur hilfe kommt, hat hier zu gunsten der ritter und
mannen einige verse eingeschoben.

Während ich also die in str. 451—480 erzählte scene und
str. 575 für die ältere dichtung in anspruch nehme, glaube ich
einige andere strophen, die Vogt nicht verwirft, dem interpolator
überweisen zu müssen. — an str. 495 f haben sowol Haupt als
Vogt anstofs genommen. Salman motiviert sein verlangen, das
horn blasen zu dürfen, doppelt: einmal durch seinen fürstlichen
stand, sodann durch den vorwand, die engel würden auf dieses

signal kommen, und seine seele retten. ein grund genügt; nur den ersten (496, 1—3) führt das spruchgedicht an, er war auch in unserem epos ursprünglich der einzige, str. 496 bereitet wie str. 476 auf die interpolierte episode 503—512 vor[1], wo eingehend von den geisterscharen geredet wird. die interpolation von str. 496 hat in E eine verkehrte einordnung der verse veranlasst.[2]

Die letzten strophen des gedichtes erzählen das ende der Salme. str. 777 tötet Morolf sie durch aderlass im bade, st. 778 erprobt er, ob noch ein lebensfunke in ihr ist, 781 wird sie ins grab gelegt. die folgenden strophen, die Salmans vermählung mit Fores schwester melden, hat Vogt abgeschieden; aber angenscheinlich gehören demselben dichter auch str. 779. 780; denn nur wenn die neue hochzeit in aussicht stand, hatte es sinn, hier noch einmal Salmans kummer hervorzuheben.[3] —

Auf die interpolierte stelle 541—552, wo erzählt wird dass Morolf Fores schwester aufsucht, des königs schätze verteilt und

[1] wenn irgend eine der athetesen Vogts berechtigt ist, so ist es die von str. 503—512, und doch gemahnt diese scene stark an die durchdringung der Salmanssage mit den oben besprochenen christlichen anschauungen. Salman erwartet die hilfe der engel; so spricht Christus (Matth. 26, 53): 'oder meinst du nicht, dass ich meinen vater bitten könnte dass er mir zuschickte mehr denn zwölf legionen engel?' Salman am galgen ruft die scharen herbei; Christus am kreuz ruft: 'Eli, Eli lama asabthani', woran die menge die sehr merkwürdige deutung knüpft: 'der ruft den Elias; bald, lasse sehen, ob Elias komme und ihm helfe.' in unserer dichtung kommt die hilfe. — die dritte der scharen, die herbeikommt, sind die bleichfarbenen aus der unterwelt, die mit unerklärtem ausdruck (Vogt zu 507 f) als *unsers hérren mâge* bezeichnet werden. im Matth. 27, 52 heifst es: 'und die gräber taten sich auf, und standen auf viele leiber der heiligen, die da schliefen.' sollte sich dadurch nicht das rätselhafte *unsere hérren mâge* erklären?

[2] denselben anlass wird die verkehrte ordnung der verse in str. 406 haben. in der älteren dichtung schlossen sich 405, 1. 2. 406, 1—3 zu einer regelmäfsigen strophe zusammen. die malerischen züge von den falkenaugen und den adeligen braoen brachte ein interpolator hinein, vermutlich derselbe, der str. 482, 4 f dichtete. über die falkenaugen vgl. aufser Vogts anm. GDS 43 f und Winli MSH 2, 31' *eins edeln valken ougen brün diu siht man blicken ûz dem wîzen kasten.* — str. 416 würde besser auf str. 413 folgen; auch diese strophe scheint jünger als die vorangehenden, denn nach der besseren überlieferung in Sd, die Vogt hier freilich verlässt, tritt hier auf einmal die anrede *ir* statt *du* ein (vgl. aber lesarten zu str. 140. 243).

[3] auch str. 776 scheint durch v. 4 auf zusammenhang mit der interpolation hinzudeuten; die falsche metrische form macht sie der überarbeitung verdächtig. — der tod der Salme wird nach der überlieferung in B zweifellos durch aderlass herbeigeführt (vgl. Vogt s. LXIII anm. und Gellius Noct. Att. 10, 8, wo der aderlass als strafe bei soldaten angeführt wird). in E hingegen heifst es: *an der riemenddern er ir lie, er drukte sie só lise, das ir die séle úz gie.* Liebrecht (aso. s. 36 anm.) erklärt: 'er ließ ihr mit einem (ihr um den hals gelegten) riemen zur ader und drückte sie damit so leise, dass ihr die seele ausgieng.' ich glaube nicht dass dieser gedanke so hätte ausgedrückt werden können. Lexer Wb. 2, 425 vergleicht zu unserer stelle MSH 2, 235' *das ich mit riemen lihter twinge einen stein, das man im an der åder liese bluot.*

mit seinen leuten turniert, folgt eine umfangreiche episode vom
überfall könig Isolts, die Vogt (s. xxxix f) demselben dichter zu-
weist. ob mit recht, ist mir zweifelhaft. der kunstwert ist verschieden; an der ersten stelle wird die gegebene situation nicht
berücksichtigt, Salman, die hauptperson, ist vergessen; die andere
fügt sich bequem in den zusammenhang. in beiden episoden
nimmt man ganz verschiedene interessen war; obwol sie unmittelbar auf einander folgen, stehen sie doch in keiner engeren
verbindung. ja, die zweite knüpft nicht sowol an das nächste
vorhergehende an, als an str. 540, die letzte vor der episode von
Fores schwester; str. 540, 3 heifst es: *er brach die burge und
brante daz lant*, str. 553 beginnt: *ein burg die was só wunnesam, die wolten sie zerbrochen hân.* ich glaube daher kaum dass
beide stellen im zusammenhang hinter einander weg gedichtet
sind. die erwähnung der bleichfarbenen schar in str. 562 würde
beweisen dass die zweite episode wenigstens nicht älter ist, als
die interpolationen von Fores schwester; aber sicherheit gibt auch
diese strophe nicht, da sie eingeschoben sein kann. wenn man
sie auslässt, ergibt sich eine erzählung, die in str. 489—491
ihr analogon findet. auch dort wird eine dreiteilung des heeres
vorgenommen; eine schar führen die tempelherren, die zweite
der herzog Friedrich, die dritte, an deren spitze man sich Morolf
selbst zu denken hat, wird nicht besonders erwähnt. — ein sicheres
urteil über das verhältnis dieser episode zu den besprochenen interpolationen habe ich also nicht; aber in einem anderen punct muss
ich entschieden widersprechen: dadurch dass man str. 541—573
ausscheidet wird der zusammenhang ursprünglicher dichtung nicht
widerhergestellt. v. 574, 1. 2 kann nur unmittelbar auf die schilderung einer schlacht folgen, wie das in der überlieferten gestalt
der dichtung der fall ist, nicht auf str. 540.

Der Isolt-dichter, wer er auch immer sei, zeigt interesse
für einen herzog Friedrich, über dessen person sich nichts bestimmtes sagen lässt (vgl. Vogt cxii). derselbe fürst kommt noch
an anderen stellen vor, aber nur an solchen, die wie der kampf
gegen Isolt jüngeren ursprungs verdächtig sind. zuerst bei der
einteilung des heeres in str. 490; diese ganze einteilung aber
mitsammt dem hinterhalte findet nachher keine verwendung;
str. 491 schliefst sich sehr gut an 488. — str. 726 meldet sich
der herzog zur teilnahme am kriege gegen Princian; seine erwähnung unterbricht die verhandlungen zwischen Salman und
Morolf; die strophe ist mehr als entbehrlich. — endlich tritt er
in str. 754. 757 während des kampfes auf. dass hier die erzählung nicht in ordnung ist, hat Vogt bemerkt; richtig, wie
mir scheint, verlangt er dass man str. 754. 756. 757 verbinde;
aber alle drei werden jünger sein. die interpolation hat wider
die unordnung in der strophenfolge veranlasst; in str. 758 wird
neben Morolf nur der Surian erwähnt, von dem herzog Friedrich

aber ist nachher ebenso wenig die rede als von seinen helden
und dem banner.

Andere gröfsere stellen, die Vogt ausgeschieden hat, sind
str. 213—222 und 360—369; ich habe seinen gründen (s. xxxv.
xxxvii) nichts hinzuzufügen. beiden stellen gemeinsam ist die
müfsige erfindung dass Morolf einen panzer unter dem kleide
trägt[1]; der eigentliche zweck der zweiten stelle aber war 'des
spielmanns rache', der sich an der züchtigung eines kämmerers
erlabte (über die beliebtheit dieses motivs s. Vogt cxxv). dieselbe
gesinnung zeigt sich in einer anderen episode, die im zusammenhang der dichtung nicht fester steht wie jene; man wird daher
für sie denselben verf. annehmen müssen. str. 644—652 vermisst sich ein kämmerer, den armen schemeler von seiner krankheit zu befreien und ihm die beine zu recken; dieser aber lohnt
ihm mit einem f..z, und der kämmerer büfst noch freiwillig mit
einer milden gabe. str. 653 schliefst sich eng an 643 an; (vgl.
*644, 1. 653, 1; hier dasselbe verhältnis wie zwischen *467, 1.
471, 1).[2] — dieselbe roheit wie gegen den kämmerer begeht
Morolf gegen könig Princian (660—662) und während des schach-
spiels gegen Salme (243—245); auch diese beiden stellen sind
interpoliert, und die dichtung gewinnt in jeder beziehung, wenn
man sie übergeht.[3]

Aufser den erwähnten umfangreicheren episoden hat Vogt
in den anmerkungen noch mehrere einzelne strophen als jüngere
zusätze bezeichnet. dass aber durch diese athetesen und die,
welche wir im vorstehenden hinzugefügt haben, der bestand der
alten dichtung widerhergestellt sei, von der überzeugung bin ich
weit entfernt. noch viele stellen bleiben übrig, die nicht geringeren anstofs erregen als die besprochenen, und der umbildung
oder interpolation dringend verdächtig sind. einige, die mir besonders interessant scheinen, will ich behandeln.

Zunächst Salmes grablegung str. 143—152. die unebenheit

---

[1] begründet ist diese verkleidung bei Salman 390 f; der braucht die
rüstung im kampf 516 f. der interpolator widerholt die züge des älteren
gedichtes ohne rücksicht auf das bedürfnis.
[2] die ältere dichtung hielt sich würdiger; s. str. 193 ff, wo auch ein
kämmerer in conflict mit Morolf kommt.
[3] die schachspielscene bedarf der erklärung (vgl. u. s. 293 anm). in str. 242
bietet die königin mit einem ritter schach und matt. da das spiel trotzdem
nicht zu ende ist, so muss der dichter die absicht gehabt haben, dieses
matt zu vereiteln; Morolf muste einen ausweg finden, den die königin nicht
vorausgesehen hatte, und nur in str. 246 kann dieses mittel angewandt sein.
die letzten drei verse derselben wären sinnlos, wenn man sie so deuten
wollte, dass Morolf und die königin Salme ihre plätze wechselten. wie wäre
das beim spiel möglich und zu welchem zweck sollte es geschehen? ich
glaube dass Morolf sich dem schach durch ein umsetzen der figuren, durch
eine art des rochierens entzog; die königin in v. 6 muss eine schachfigur sein;
vielleicht hiefs es ursprünglich *kunig*, vgl. die lesarten zu str. 241, 2 und
Vogts anm.

der darstellung bemerkt Vogt. die entführung der königin durch
den spielmann wird zweimal erzählt, einmal v. 145, 4. 5 mit
kurzen worten, dann breiter in den beiden folgenden strophen.
aber gröfseren anstofs bereiten str. 148 ff. Salman findet den sarg
erbrochen, mag jedoch die geschichte Morolf nicht mitteilen; er
schickt eine jungfrau mit einem rauchfass zum grabe, und erst
als diese ihm gemeldet hat, was er schon weifs, wendet er sich
an Morolf. warum diese wunderlichen umschweife? wenn Salman würklich, wie str. 150 angibt, sich nicht entschliefsen konnte,
das ereignis anzuzeigen, warum wartet er denn nicht ab dass es
das gerücht zu Morolfs obren trug? der seltsame gang der erzählung erklärt sich daraus dass ein bearbeiter den ihm vorliegenden bericht nach einem anderen muster umgestaltete. die parodistische anlehnung an die grablegung Christi ist nicht zu verkennen. daraus entsprangen der vergleich der königin mit einem
engel (143, 2), der schwere stein, mit dem der sarg verwahrt wird
(145, 3), die auferstehung am dritten tage, die jungfrau, die dem
grabe mit rauchwerk nahet, und es geöffnet findet. alle diese
züge sind dem bericht der bibel nachgebildet; indem aber der
interpolator zugleich das ursprüngliche stehen liefs und benutzte,
kamen die widersprüche hinein. der persönliche besuch Salmans
am grabe, der in der bibel nicht vorgezeichnet ist, ist das ursprüngliche; nachdem der könig den sachverhalt erkannt hatte,
gieng er sogleich zu Morolf. so ziemlich lässt sich das ältere
wol wider herstellen. der engel in v. 143, 4 weist schon auf
die intention des bearbeiters; ihm gehört also auch Morolfs spott
in str. 144, der dem engel gegenüber gestellt wird. ursprünglich gehörten der anfang von str. 143 und der schluss von str. 145
zusammen. in welcher weise, zeigt eine andere stelle. in str. 210
erzählt Morolf der königin, als er in Jerusalem gewesen sei, wären
Salman und sein bruder Morolf über den tod der königin traurig
gewesen: *sie hatten si geleit in eynem stein* (E; *sie verwirkten
sie in einen sarck vnder einen stein* Sd); *dô kam der ubele tüvel
und fûrte sie mit ime hein.* von einem rotgoldenen sarge und
einem engel ist hier nicht die rede. hiernach wird es an unserer
stelle etwa geheifsen haben:

> *Salman dô nit enliez*
> *die kunigin er verwirken hiez*
> *in einen sarc undr einen stein.*
> *dô kam der heidensche spilman*
> *und fûrte si sîme hêren heim.*

die bestattung war an beiden stellen in gleicher weise erzählt,
in beiden wurde die entführung kurz hinzugefügt. so fällt auch
der widerspruch fort, den Vogt in der anmerkung zu str. 781
bemerkt; er ist erst durch die interpolation in str. 143 f hineingebracht. — die auferstehung am dritten tage str. 146. 147 gehört natürlich dem interpolator; ebenso str. 150—152, die von

der jûngfrau erzählen. das übrige (str. 148. 149. 153) schliefst
sich ohne sprung in der erzählung an einander; ob diese strophen
aber gerade die ursprüngliche dichtung repräsentieren, ist doch
zweifelhaft. str. 148 hat in ihrem inhalt zwar nichts, was auf
den interpolator hinweise, aber der anfang gemahnt sehr an die
interpolierte str. 146, und der gleiche anfang der strophen, die
nach ausscheidung des übrigen unmittelbar auf einander folgen
würden, ist verdächtig. so viel aber scheint klar dass die stelle
überarbeitet ist, und was den anlass zur bearbeitung gab.

Einige andere interpolationen sind aus dem bestreben hervorgegangen, die tradition, die im anhang zum spruchgedicht vorliegt, auch im epos zur geltung zu bringen; daher stammen die
backofenscene, das loch in der hand der königin, das hornblasen
und die wahl der todesstrafe. — im spruchgedicht giefst Morolf
der königin, als sie im zauberschlaf lag, blei durch die hand.
seine hoffnung, ihr dadurch ein lebenszeichen abzugewinnen, wird
zwar nicht erfüllt; er gewinnt aber ein merkmal, sie später zu
erkennen. als er in der kleidung eines krämers in Fores land
weilt, kommt auch die königin an seine bude, um handschuhe
zu kaufen; da erkennt er sie an dem brandmal. hier ist also
die erzählung gut gefügt. anders im epos, wo Morolf als waller
in Fores land kommt, und die königin beim kirchgang erkennt
(str. 197 f). für den handschuhhandel war hier kein raum; das
loch in der hand erwähnt erst eine willkürlich und ungeschickt
eingefügte strophe in der schachscene (str. 247), und der interpolator weifs die späte angabe nicht besser zu verwerten als
durch die geschmacklose bemerkung: *allererst bekante er si rehte.
er sluog ir noch einen stein.* [1] wenn str. 247 interpoliert ist, so

----

[1] man vergleiche mit der schachscene Heinr. von Freiberg, Tristan
v. 4154 ff. Tinas kommt als Tristans bote zu Isolt und trägt als erkennungs-
zeichen einen ring; er findet könig und königin beim schachspiel und darf
sich zu ihnen setzen:

*Isôt ersach daz vingerlîn
Tinasen an der hende sîn;
inredes der künic sprach
zu der küniginne: 'schâch!'
'dâ schâch!' sprach diu künegîn
'hie buoz mit dem ritter mîn!'
'abschâch!' sprach der künic sân.
sie gedâhte: 'abschâch wirt iu getân:
mich dunket, er sî aber kumen,
von dem mir sorge wirt benumen.'
nu wart vorrücket ein stein;
des huob ein kriec sich under in zwein,
den muoste bescheiden Tinas,
wan anders nieman bî in was.
der stein wart ûf dem brete entwer
gerücket hin unde her,
er rücket in her, hin rücket in sie.
inredes was Tinas hie*

müssen natürlich auch die anderen strophen, in denen dieselbe
sache erwähnt wird (str. 259 f. 132 f), sich als interpolationen erweisen oder verstehen lassen. str. 259. 260 bilden eine kleine
episode, in der Morolf mit kümmerlichen mitteln und ohne erfolg den verdacht der königin besänftigen will; der zusammenhang gewinnt, wenn man die beiden strophen ausscheidet. die
andere stelle gehört einer umfangreicheren interpolation an; sie
ist mit der unmittelbar folgenden backofenscene, die gleichfalls
aus dem spruchgedicht stammt, zusammen zu fassen. an dieser
letzteren nahm auch Vogt anstofs, weil der rohe streich [1] Morolfs sich in dieser umgebung wunderlich genug ausnehme, während er an der entsprechenden stelle des spruchgedichtes ganz
an seinem platz sei. er konnte sich aber zu einer athetese nicht
entschliefsen, weil er für str. 142 keine passende anknüpfung
fand. diese ist aber gewonnen, wenn man die beiden aus dem
spruchgedicht stammenden stücke zusammenfasst und str. 142 unmittelbar auf str. 131 folgen lässt. der zusammenhang, der sich
dann ergibt, ist besser als der überlieferte. zwischen str. 131
und 132 fehlt überhaupt jede verbindung, und die verbindung
von str. 141 und 142 finde ich nicht so tadellos wie Vogt. auf
Salmans erklärung, er würde Morolf das leben nehmen, wenn
es ihm nicht ewige schande brächte, folgt in str. 142 ein gedanke, dem man leicht die form einer motivierung hätte geben
können, der aber so, wie er da steht, eher das gegenteil einer
solchen ausspricht. eine natürliche verbindung wäre: es würde
mir zur schande gereichen, dir das leben zu nehmen; bist du
doch mein bruder; in unserer überlieferung aber steht neben
einander: es würde mir schande bringen, dich zu töten; mein
bruder bist du nicht. also die beiden episoden sind als einschub anzusehen, und mit ihnen fällt dann weiter str. 130, wo
Morolf sich als *arzetknecht* ankündigt. es erinnert diese strophe
einigermafsen an die vorhin besprochene interpolation, in welcher
Princians kämmerer sich für einen heilkünstler ausgibt, ebenso
vergeblich wie Morolf hier.

Wichtiger ist die scene, die sich unter dem galgen abspielt.
die unterhandlung Salmans mit Fores schwester (str. 503—512)
hat Vogt schon als interpolation erkannt und ausgeschieden; aber
damit ist, wie ihm gleichfalls nicht entgangen, eine geordnete er-

> *der getriuwe von Litan,*
> *und jach: 'der stein al hie sol stän!'*
> *und greif mit der hant aldar.*
> *alrerst si rechte wart gewar,*
> *siöt diu blunde künigin,*
> *ir beamises vingerlin*
> *und wart ir werlich bekant* usw.

sollte nicht der bearbeiter diese scene gekannt haben?
  [1] es weht hier derselbe geist wie in den interpolierten str. 649.
661. 244.

zählung nicht hergestellt. in str. 494 bittet Salman um die erlaubnis sein horn dreimal blasen zu dürfen: *frouwe durch die besten tugent dîn hilf(mir daz ich geblâse drî stunt mîn kleinez hornelîn.* auch im anhang zum spruchgedicht wird dieses dreimalige blasen erwähnt (v. 1825); ebenso in den russischen volksliedern, und in diesen letzteren ist jedes einzelne signal in zweckmäfsige verbindung mit dem nahen der retter gebracht (XLII).[1] in unserem epos hingegen fehlt nicht nur diese zweckmäfsige verbindung, sondern Salman kommt überhaupt nur zweimal zum hornblasen. aber so übel dieser fehler ist, viel schlimmer ist es dass in unserer dichtung das ganze hornblasen überflüssig ist, obwol so starkes gewicht darauf gelegt wird. schon ehe ein signal ertönt, sind Morolf und sein heer in action getreten; Morolf hat die heiden beobachtet; als der zug zum richtplatz zieht, setzt auch er mit dem heere sich in bewegung, kampfbereit stehen sie am waldessaume und überschauen die richtstätte: was soll ihnen unter solchen verhältnissen durch das signal gemeldet werden? — also an zwei grofsen fehlern leidet hier die composition: ein aufgenommenes thema ist nicht durchgeführt, und die verbindung der bestandteile ist sinnlos. beide fehler sind der art, dass sie viel leichter begreiflich sind bei einem bearbeiter, der in ein vorhandenes gedicht bestimmte anderswo überlieferte züge hineinarbeiten will, als bei einem dichter, der freie hand in der ordnung und darstellung seines stoffes hatte. die plumpe art, wie raum für die sinnstörende abschweifung gewonnen wird, bestärkt uns in der annahme einer interpolation. der dichter, der uns das vorrücken Morolfs berichtete, war mit str. 492 bis hart vor die action gekommen; diese lage erkennt die mahnung der mannen an: *'Môrolf, dugenthafter man, nu ensûme dich nit lange, kum zû helfe dem kunige Salmân.'* mit einer ebenso kühnen, als willkürlichen und unschönen wendung wird nun der weiteren entwicklung halt geboten: *Dô sprach der listige man 'Idnt sehen welchen tûvel wollent sie mit im ane vân.'* schlecht wie der übergang ist die erzählung selbst. es ist unnatürlich dass Salman nach dem, was vorhergegangen, sich mit seinen bitten an Salme wendet; die absicht des dichters mag gewesen sein, die herzenshärtigkeit der Salme recht kräftig hervorzuheben, die absicht ist ganz gut, aber seine mittel taugen nichts. die rede der königin 496, 5—497, 6 ist ungeschickt an drei verschiedene partien gerichtet. str. 499 nimmt sehr übel die verse 515, 3—5 voraus; dort stehen sie an ihrer stelle und haben gute würkung, sie sind das signal zum kampf; hier sind sie würkungslos. str. 493, 5. 6 sind aus 523, 4. 5 entlehnt. nach str. 500, 3 erwartet man vergeblich dass gesagt werde, was die helden unternahmen; der

---

[1] dass eine derartige tradition in Deutschland bekannt war, scheint die Gudrun vorauszusetzen.

dichter lässt sich genügen, anzugeben dass sie das signal hörten.
dass nun aber gar Salman seinen mantel abwirft [1] und sich kampf-
fertig macht, ist vollens unglaublich; der dichter will die situation
von str. 516 vorbereiten, aber so hätte er es nicht tun dürfen.
endlich haben von den 10 strophen fünf falschen bau. nach alle
dem zweifle ich nicht dass hier eine interpolation vorliegt, und
dass die ursprüngliche dichtung vom hornblasen nichts meldete.
ebenso wenig aber bezweifle ich dass die sage diesen zug schon
in sich aufgenommen hatte, als unsere dichtung verfasst wurde;
eben die abweichung von einer altüberlieferten sagenform veranlasste die interpolation. — unter der bearbeitung aber gieng
hier der zusammenhang der älteren dichtung verloren. man
könnte zwar daran denken, 492, 2 und 513, 3 unmittelbar mit
einander zu verbinden. aber str. 514 macht es sehr wahrscheinlich dass vorher erzählt war, wie Morolf das banner ergriff und
vorrückte. die eingeschobene unterhaltung zwischen Salman und
Fores schwester veranlasste dass diese verse wegfielen.

Hiernach wende ich mich zu str. 451—480 zurück; vorhin
hatte ich zu zeigen gesucht dass dieser teil nicht von dem bearbeiter verfasst sei, der sonst Fores schwester zu liebe so manche
stelle hinzugedichtet hat, dass er überhaupt als interpolation nicht
zu begreifen sei. nachdem sich ergeben hat dass unser epos
ursprünglich einen selbständigeren gang nahm und die übereinstimmung mit der tradition des spruchgedichtes zum teil auf
späterer bearbeitung beruht, scheint es mir gerechtfertigt, auf
dieselbe weise die widersprüche zu erklären, die zwischen der
vorliegenden scene und manchen anderen teilen der dichtung bestehen; diese scene gehört der ursprünglichen dichtung an, jene
der bearbeitung. wie die alte dichtung nichts von Salomons born
erwähnte, so liefs sie ihm auch nicht die wahl der todesart, in
beiden puncten mit der Rasosage übereinstimmend. Fore war
ein harter feind; als Salman erkannt war, lässt er fesseln herbei
bringen; mit mühe erlangt die schwester gegen das unterpfand
ihres lebens dass der könig ungebunden bleibt; am anderen
morgen findet das gericht statt. dieser zusammenhang wurde
durchbrochen, um der anderen tradition geltung zu verschaffen.
Salman sollte sich selbst urteil sprechen, dadurch kam die widerholung des gerichtes; Fore muste als ein entgegenkommender
mann dargestellt werden, daher die widersprechende darstellung

---

[1] 500, 4. Vogt hätte in diesem verse der hs. E nicht folgen sollen:
es genügt auf seine eigene anmerkung zu verweisen. — nach der vorstellung des dichters hatte Salman, indem er zum richtplatz gieng, die krücke
unter seinem pilgermantel auf dem rücken verborgen. jetzt wirft er den
mantel ab und nimmt die krücke in die hand. man begreift nicht, warum
Salman, der als pilger gekommen ist, den pilgerstab verbergen muss, und
seltsam ist der versteck auf dem rücken. wider mag ein anderes muster
die darstellung geleitet haben. in der Walthersage verbirgt Walther sein
schwert zwischen seinem rücken und der wand.

seines wesens und verhaltens; es ergab sich ein neuer gegensatz zwischen dem milderen Fore und der hartherzigen Salme[1],
daher der unbefriedigende ausgang, dass Fore gehangen und Salme
begnadigt wird. die scene, die mit str. 451 beginnt, gehörte
also zu der alten dichtung, und es ist ganz natürlich dass ihre
verbindung mit der folgenden scene (481 ff) nirgends die möglichkeit zu kritischer scheidung bot. hingegen was der str. 451
ursprünglich vorangieng, ist unter der bearbeitung, welche durch
die einführung eines neuen tief greifenden motivs nötig wurde,
verloren. spuren der bearbeitung nimmt man in den str. 438
bis 450 wol war, es ist wahrscheinlich dass der bearbeiter stücke
des alten werkes benutzt hat, aber sie lassen sich nicht mit
sicherheit erkennen, und die alte verbindung ist nicht erhalten.[2] —
endlich bleibt noch die frage, wie der dichter dazu kam, an dieser
stelle Fores schwester einzuführen, wenn sie weder hier etwas
der handlung wesentliches leistet, noch auch nachher verwendung
findet. nicht immer werden solche fragen sich beantworten lassen:
hier ist eine befriedigende erklärung möglich. der grund der scene
liegt in dem stilgesetz, das als das oberste unsere ganze dichtung
beherscht: im parallelismus. Salman und Fore sind gegensätze;
Fore misbraucht schändlich die grofsmut und das vertrauen des
siegers, er bezaubert sein weib und entführt sie; Salman hingegen verschmäht die flucht, obschon der tod ihm droht und die
gelegenheit ihm aus freien stücken entgegengebracht wird. die
stellen, welche ein liebesverhältnis zwischen Salman und der jungfrau anspinnen, widersprechen also geradezu der tendenz der
ursprünglichen dichtung; in dieser zeigt zwar das heidnische
mädchen begehrliche liebe, aber Salman widersteht (473, 1. 2);
nur in den interpolationen ist von vergeltung die rede; die athetese von str. 476 bestätigt sich von neuem.

Ich will diese kritischen streifzüge nicht weiter verfolgen,
obwol ich noch manche angrifsspuncte sehe. es liegt in der
natur der sache dass die resultate nicht immer den wünschen und
der aufgewandten mühe entsprechen. vieles bleibt unsicher, und
wenn man auch oft einen freien blick auf die ursprüngliche dichtung erhält, so ist es doch hier wie in allen anderen gedichten
gleicher art unmöglich, das ursprüngliche wiederherzustellen. denn
die späteren dichter waren eben nicht nur interpolatoren, sondern

---

[1] ursprünglich war Fore-diabolus der eigentliche täter, Salme ihm
willenlos ergeben. demgemäfs sagt sie 427, 4: *nu begang dich mit im wie
du wollest, dîns willen ich ie gevolget hân* (vgl. 449). die verschiebung
der rollen tritt in den interpolierten strophen 496 f hervor und veranlasste
die unterredung zwischen Salme und Salman str. 410—416 einzuschieben,
durch welche die zweifelhaften worte der Salme in str. 424, 3 und Salmans
schmerzliches erstaunen str. 420 unverständlich werden.

[2] die strophen, welche in den vorhergehenden teilen der dichtung durch
das neue motiv nötig wurden, lassen sich ohne schaden für den zusammenhang entfernen: 392. 394—398. 425. 426.

sie waren bearbeiter. sie legten hier und da das alte werk nieder,
um seine räume zu erweitern, zuweilen mit benutzung alter
werkstücke und nach erborgten plänen. ja nicht einmal die aufgabe,
den torso des alten rein herauszufinden, wird sich ganz
lösen lassen. selbst unter der voraussetzung dass die ursprüngliche
dichtung nach einem festen plan consequent ausgeführt
wäre, würden an manchen stellen zweifel bleiben, ob sie für alt
oder jung zu halten seien. der zaghafte kommt in die gefahr
zu viel zu behalten, der kühne zu viel zu verwerfen. der fehler
aber ist in beiden fällen gleich grofs.

Noch weniger als die trennung des ursprünglichen von den
jüngeren zusätzen kann es gelingen, die verschiedenen schichten
der interpolation von einander zu sondern. die geschichte vom
hornblasen ist früher hineingebracht, als die interpolationen von
Fores schwester, und in diesen hat Vogt einige jüngere zusätze
erkannt, endlich hat jede handschrift ihre eigentümlichen interpolationen,
die letzten ausläufer einer jahrhunderte lang fortgesetzten
tätigkeit. also verschiedene bearbeiter sind nach einander
gekommen; aber wie viele, und was einem jeden gehört, ist unmöglich
zu erkennen. auch das ist sehr wol möglich, vielleicht
sogar wahrscheinlich dass derselbe mann, der dieses gedicht in
pflege genommen hatte, zu verschiedenen malen bearbeitungen
vornahm.

Dass an einem solchen werk die grundsätze der gewöhnlichen
textkritik scheitern, ist klar; ihre anwendung wäre nicht
methode, sondern willkür und schablone. da wir nicht einmal
mit sicherheit die strophen bezeichnen können, die der ursprünglichen
dichtung angehörten, so sind wir noch weniger im stande,
das einzelne nach vers und sprache wider herzustellen. in richtiger
würdigung dieser schwierigkeiten hat Vogt bei der herstellung
des textes ein näheres ziel im auge behalten; er will nichts
mehr, als den text zur darstellung bringen, auf welchem unsere
dreifache überlieferung in SdE beruht. was über dieses ziel
hinausgeht, ist in die anmerkungen unter dem text verwiesen,
wo auch eine reihe gleichartiger besserungen Haupts angeführt
werden. die zahlreichen einklammerungen einzelner Wörter im
text sollen nicht als sicheres angesehen werden; diese form der
bezeichnung ist nur der bequemlichkeit und raumersparnis wegen
gewählt.

Bei weitem die meisten änderungen haben den zweck, regelmäfsige
strophen und verse herzustellen. das idealmafs der Morolfstrophe
umfasst vier viermal gehobene durch stumpfen reim
parweis gebundene verse, deren letztem eine weise von drei
hebungen mit klingendem ausgang vorgeschoben ist. aber dieses
idealmafs überschreiten von den 783 strophen in Vogts text 63 in
der ersten reimzeile, 244 in der zweiten, 96 in der dritten, 32 in
der vierten. die zahlen sind grofs, und dabei ist noch zu be-

merken dass Vogt schon bei auswahl der lesarten dieses princip im auge hatte, dass er ausgedehnten gebrauch von zweisilbigen senkungen, sicher mit recht, annimmt, und zweisilbigen, zuweilen auch dreisilbigen auftact gelten lässt. das misverbältnis zwischen dem idealmafs und dem überlieferten hält nun Vogt doch nicht ab, jenes für die ursprüngliche dichtung vorauszusetzen und nicht nur für diese sondern auch für die interpolationen; für die metrische zerrüttung macht er spätere redactoren verantwortlich (s. xciii). die art, wie er die verderbnis erklärt, ist sinnreich. zunächst nimmt er an dass die form des zweiten teiles der strophe auf die umbildung des ersten eingewürkt habe; daraus erkläre sich dass gerade der zweite vers so unverhältnismäfsig oft sein mafs überschreite; nicht weniger als 109 mal hat dieser zweite vers vollständig die bildung des strophenschlusses (3 ⌣ 4), so dass also die strophe in zwei völlig gleiche hälften zerfällt. ferner nimmt Vogt einwürkung des Nibelungenverses an; die erste zeile hat 28 mal, die zweite 73 mal, die dritte 37 mal, die letzte 4 mal das mafs 3 ⌣ 3. was aber die dichtung in diese beliebte und nahe liegende form hinüberleitete und überhaupt die verlängerung der verse herbeiführte, das sei das einfügen neuer, das steigern vorhandener epitheta gewesen, das zusetzen von partikeln und einführungen der rede, überhaupt eine verbreiterung und verdeutlichung der knappen ausdrucksweise des originals. — dass nun das vorhandene aus dem angegebenen grunde und in der angegebenen weise veränderungen erfahren habe, ist nicht zu bestreiten; aber andererseits sehe ich mich dieser überlieferung gegenüber noch immer in zweifel, ob würklich alles, was von der normalstrophe abweicht, auf diese weise entstanden ist. auch mir ist es nicht glaublich dass in der alten dichtung zweiteilige strophen neben der anderen form vorgekommen seien, wol aber erscheint es mir annehmbar dass im bau der einzelnen verse von anfang an gröfsere freiheit herschte, welche die spätere willkürliche behandlung erleichterte. am wenigsten kann ich mich mit der ansicht befreunden dass die schuld dieser ganzen metrischen zerrüttung auf spätere redactoren geschoben wird. Vogt kommt zu der annahme, weil er zwischen den stellen, die er für interpoliert hält, und der übrigen dichtung keinen wesentlichen unterschied warnimmt. mir scheint dass die höhere kritik noch nicht so weit gefördert ist, um darüber ein urteil zu gestatten.

Auch der zeitlichen und örtlichen bestimmung des gedichtes setzt die beschaffenheit der überlieferung schwierigkeiten entgegen. durch die untersuchung der reime findet Vogt (s. civ) die ansicht bestätigt dass das gedicht jedesfalls in einem fränkischen dialect abgefasst sei, und zwar zeigt es in den reimen verwandtschaft zum Rother und zum Orendel, welcher letztere nach Trier oder in dessen umgebung gehört. der Salman und Morolf steht unter diesen drei gedichten dem hochdeutschen am nächsten. seinem

text hat Vogt die orthographie der Stuttgarter hs. zu grunde gelegt, welche ein mischungsverhältnis alemannischen und fränkischen dialectes zeigt, das etwa auf das südliche grenzgebiet der
fränkischen mundart hinweist (s. vɪɪɪ). über die einschränkungen,
die bei diesem verfahren zu beobachten waren, s. s. cLvɪɪɪ f. die
untersuchung über die zeit führt den verf. zur bestätigung der
ansicht, die Lachmann schon in seiner abhandlung über singen
und sagen ausgesprochen hatte (s. cxɪ). die beweismittel sind
die behandlung des reimes und die sprachformen, welche durch
die reime bezeugt werden; der inhalt gibt kein brauchbares
moment; die äufseren zeugnisse führen nicht über das 14 jh.
zurück. vielleicht darf man für die entstehung der grundlage
in der angenommenen zeit auch die strophenform geltend machen.
es ist eine merkwürdige tatsache dass die volkstümliche epik in
den letzten jahrzehnten des 12 jhs. die reimpare aufgab und den
formen der lyrik folgte. worin liegt die nahe beziehung zweier
dichtarten, die sonst so wenig gemeinsames zeigen? es ist wol
möglich dass die alte vortragsweise der epischen sänger mit der
kunst des vorlesens, die an den langen wälschen romanen geübt
wurde, weniger ähnlichkeit hatte, als mit dem einfachen gesang
einer unentwickelten lyrik, dass also die ausbildung der kunst
das volkstümliche epos und die lyrik als zwei benachbarte gebiete in gleicher weise betraf; aber ein anderes moment kam
jedesfalls hinzu. die langen romane machten den wandernden
spielleuten nicht zu viel concurrenz; ihr genuss setzt stille zeit
und bleibendes publicum voraus; für den unruhigen verkehr in
festlicher zeit und für die gelegenheit kürzeren vortrags waren
sie nicht geschaffen. hier hatte ehedem die poesie der spielleute
allein gegolten, je mehr der ritterliche gesang an verbreitung
und beliebtheit gewann, um so mehr wurden die spielleute mit
ihren epischen liedern in die enge gedrängt, und es war natürlich dass sie, um die concurrenz zu bestehen, der form der feindlichen kunst folgten, so gut es eben gieng. ich habe schon
anderswo die ansicht ausgesprochen dass Walthers klage über
das eindringen eines ungefügen gesanges von den bauern an die
herrenhöfe auf den vortrag des volksmäfsigen epos geht. unser
epos ist nun in einer möglichst einfachen strophe abgefasst, man
wird es daher an die spitze der ganzen bewegung stellen müssen.
später griff man zu kunstreicheren formen, den gipfel bezeichnet
die Berner weise. aus dieser ansicht von der entwicklung der
volkstümlichen epik folgt weiter, wenn nicht mit notwendigkeit,
so doch mit wahrscheinlichkeit, dass unser Salman ebenso wie
die Nibelungen und die Gudrun zunächst für die höheren kreise
der gesellschaft bestimmt war[1]; denn gerade der wunsch, vor

---

[1] durch diese nebeneinanderstellung soll natürlich nicht der unterschied aufgehoben werden. der Salman ist noch ganz in der alten poetischen technik der
spielleute begründet, über welche Nibelungen und Gudrun weit hinaus kommen.

ihnen zu bestehen, gab dem alten stoff die neue form. und so
viel ich sehe, enthielt die alte dichtung nichts, was diesem zwecke
nicht entspräche. später, als die ansprüche an litterarische unterhaltung allgemeiner wurden, sank das epos in die hände niederer
spielleute, die im ring ihre pfennige sammelten (vgl. str. 651),
und wusten dass prügel und rohe zoten ihren zuhörern am besten
gefielen. die gegenteilige ansicht, welche das gedicht von anfang
an in die niederen sphären versetzt (Vogt cxxiv), stützt sich auf
stellen, die sich als interpoliert ergeben haben.

   ı Das schlusscapitel in Vogts buch bildet eine betrachtung des
stils, eine darstellung 'der volksmäfsigen manier der dichtung'.
diese reichhaltige und gut angelegte sammlung greift weit über
die bedeutung des vorliegenden gedichtes hinaus, und wird allen
willkommen sein, die sich für diese wichtige seite der poesie
interessieren. — ich scheide von dem buch mit dem dank für
manigfache belehrung und anregung, und in der hoffnung dass
es dem verf. bald vergönnt sein möge, den zweiten teil seiner
arbeit, der das spruchgedicht enthalten soll, nachfolgen zu lassen.

Bonn, 8 januar 1881.   W. WILMANNS.

Briefwechsel zwischen Jacob und Wilhelm Grimm aus der jugendzeit herausgegeben von HERMAN GRIMM und GUSTAV HINRICHS. Weimar, Böhlau,
   1881. VI und 541 ss. 8°. — 10 m.*

Eine detaillierte biographie des Grimmschen brüderpares besitzen wir bisher nicht und werden auch, allem anscheine nach,
in absehbarer zukunft eine solche nicht erwarten dürfen. der
grund liegt auf der hand: das leben und die arbeit beider brüder
ist dermafseu innig verwachsen mit den anfängen und einem
guten teile der entwicklung der deutschen philologie, dass eine
berechtigten ansprüchen genügende darstellung nur dann sich
erreichen liefse, wenn der standpunct derselben so umfassend
gewählt würde wie das in Scherers vorzüglichem, leider torso
gebliebenem essai über Jacob geschehen. trotzdem muss es als
ein empfindlicher mangel bezeichnet werden dass wir über manche
stadien des geistigen lebens der hauptbegründer unserer disciplin
unzureichend unterrichtet sind. ihm helfen nur sehr bedingt
die während der letzten jahre in immer reicherem mafse veranstalteten publicationen der briefe ab, welche von den Grimms
ausgegangen oder an sie gerichtet sind. denn was auf der einen
seite den hauptreiz solcher briefe ausmacht, die frische und unmittelbarkeit der auffassung sowie die vielseitigkeit der discutierten
interessen, das involyiert auf der anderen doch auch wesentliche
nachteile: wir sehen die verhältnisse nur in einseitiger, momen-

  * vgl. Neue freie presse 1880 nr 5629 (WScherer). — Im neuen reich
1880 nr 51 (RHildebrand). — DLZ 1881 nr 17 (MRoediger).

tauer beleuchtung, wir werden gezwungen, vieles in den kauf zu
nehmen, was für uns von gar keinem belange, was vielleicht
schon in dem augenblicke, wo es dem papier anvertraut wurde,
unrichtig oder mindestens gleichgiltig war.

Doch das bessere soll nicht der feind des guten sein. unter
den obwaltenden umständen können neue mitteilungen aus der
correspondenz der brüder immer nur mit höchster freude und
wärmstem danke begrüfst werden. so auch diese Jugendbriefe.
sie zerfallen in sechs abteilungen. die erste enthält die während
Jacobs Pariser aufenthaltes vom januar bis zum september 1805
zwischen ihm und Wilhelm gewechselten briefe, die zweite die
durch Wilhelms kur in Halle (april bis september 1809) ver-
anlassten; an diese schliefst sich unmittelbar die dritte an, Wilhelms besuch zu Berlin in Arnims hause während der monate
september bis december des gleichen jahres. in der vierten sind
die correspondenzen aus der ersten hälfte des jahres 1814 vereinigt, wo Jacob als legationssecretair des hessischen gesandten
den feldzug gegen Frankreich im hauptquartiere der verbündeten heere mitmachte. die fünfte bringt das material aus der
zeit von Jacobs teilnahme an den arbeiten des Wiener con-
gresses (september 1814 bis juni 1815), die sechste endlich umfasst seine dritte reise nach Paris (september bis december 1815).
jeden dieser abschnitte eröffnen, zur orientierung des lesers, abdrücke der einschlägigen partien aus den autobiographien beider
brüder, den letzten auch auszüge aus den Freundesbriefen. dem
ganzen voran steht Jacobs ältester erhaltener brief, am 30 september 1798 von Kassel aus an die mutter gerichtet, um ihr
seine und des bruders reiseerlebnisse und glückliche ankunft zu
melden. den schluss bilden anmerkungen, welche sich durch
knappheit und weise beschränkung auf das würklich der erklärung
bedürftige vorteilhaft auszeichnen, ein register der in den briefen
genannten personen sowie ein verzeichnis der im texte stillschweigend vorgenommenen ergänzungen oder berichtigungen. in bezug
auf die äufsere ausstattung möchte man wünschen dass die nummern der briefe zur erleichterung des nachschlagens den co-
lumnenüberschriften zugefügt wären.

Aus dem reichen inhalte dieses briefwechsels will ich nur
einiges ausheben, das für die geschichte unserer wissenschaft und
für die characteristik der brüder mir von bedeutung scheint. zunächst dass Wilhelm es ist, welcher in einem briefe vom 24 märz
1805 seinen bruder auf altdeutsche studien zuerst hinweist (s. 30):
'ich habe daran gedacht, ob Du nicht in Paris einmal unter den
mannss. nach alten deutschen gedichten und poesieen suchen
könntest, vielleicht fändest Du etwas, das merkwürdig und unbekannt.' ferner dass Jacobs Zs. 8, 1 ff entwickelte ansicht über
den Jorcus des deutschen volksbuches vom gehörnten Siegfried
ursprünglich von AWSchlegel herrührt (s. 338. 432). manigfache

notizen über hss. begegnen: über Oberlins mss. (darunter den
später von Groote erworbenen Tristan) s. 326, andere Tristanhss.
s. 482. 484, Parzivalfragmente s. 319 (wol F), den Jüngeren Titurel s. 360, Nibelungen C s. 366. 373. 388 f, deutsche mss. in
Agram s. 366. dass der erzählungshs. zu Kalocza häufig erwähnung geschieht, versteht sich. urteile, zuweilen scharfe, über
fachgenossen, wie Rühs, Büsching, Docen, vdHagen, sind zahlreich: über des letzteren ansicht, dass das Nibelungenlied eine
übersetzung eines einzelnen dichters aus einem lateinischen gedichte sei, s. s. 189. wenig erfreuliche mitteilungen über Koch
s. 177, welche freilich nach Hoffmanns biographie dieses mannes
nicht auffallen können. der beginn der bekanntschaft Jacobs
mit Lassberg und mit Groote lässt sich nun genau feststellen:
s. 426. 472. interessante einblicke in die traurigen zustände der
Freiburger bibliothek zur zeit des Rheinbundes gewährt s. 228. —
vor anderm ist natürlich von den eigenen arbeiten die rede, nicht
nur von den gerade im druck befindlichen (Märchen, Edda, Armer
Heinrich, Wälder, Silva usw.), sondern auch von projectierten
oder von solchen dingen, denen aufmerksamkeit zu widmen wünschenswert erscheint, so vom Reinhart s. 44. 302. 436, von den
lateinischen gedichten des mittelalters s. 242, von einem compendium der deutschen litteratur s. 35, von studien über das alte
deutsche recht s. 390 uö., von ahd. interlineargll. s. 370. 384.
389, von mhd. orthographie s. 362, von der allitteration s. 139. 147.
Der historische sinn Jacobs kommt auch hier wider bei
mehreren anlässen unverhüllt zum ausdruck. so urteilt er s. 98
über Arnim und Brentano: 'sie wollen nichts von einer historischen genauen untersuchung wissen, sie lassen das alte nicht als
altes stehen, sondern wollen es durchaus in unsere zeit verpflanzen,
wohin es an sich nicht mehr gehört, nur von einer bald ermü-
deten zahl von liebhabern wird es aufgenommen.' vgl. damit
s. 167: 'frag gescheidte leute, die ich gar nicht anders haben
möchte, ob ihnen nicht zehn lieder von Goethe lieber sind, als
die zehn besten aus dem Wunderhorn?' und gegen seinen bruder
s. 173: 'dass Dich mit Deiner untereinanderarbeitung der alten
sagen und bücher. sag mir nur, ist denn die poesie so etwas
besonderes in der welt, dass man von außen her eben besonders
mit ihr umgeben und erst alles einrichten muss; wird nicht alles
von selber durch ein wunderbares zartes geheimnis geboren, so
dass es lebendig ist, darum weil es da ist? ich will niemand die
freude daran nehmen, aber hat je dieses absichtliche begreifen
und eingreifen etwas rechtes hervorgebracht? blofs die historie
der poesie verfährt absichtlich, eben weil sie die einzige erklärung
derselben ist.' dieser geschichtliche sinn aber war wesentlich ge-
nährt worden durch Jacobs aufwachsen in kleinen verhältnissen,
an denen er mit liebe bieng. in den rahmen passen daher völlig
äußerungen, wie die s. 115: 'eine kleine stadt von 2000,

3000 menschen wünsche ich mir und uns zum aufenthalt . . . .
wenn uns gott so viel gäbe, dass wir ein äufserlich mittelmäfsiges
leben, aber unabhängig von dem geldverdienenden dienen führen
könnten! denn ich glaube, man kann an ein feineres äufseres
leben nach und nach gewohnt werden, wogegen man alsdann
sonst nicht mehr so rein lebt. und alles, was aus einer gewissen
stille, häuslichkeit herausgeht, ist im grund ein verderbnis.' oder
s. 262: 'in solchen augenblicken kann ich aufrichtig wünschen,
der selige vater und mutter lebte noch, ich wäre ihm in seinem
amte beigegeben und wüste von nichts weiterm, damit die treue
erwartung, die er sich von uns gewis in vielfachen gedanken
gemacht hat, nicht zerstört würde durch etwas, das gegen ein
rechtschaffenes leben betrachtet immer nur eine blofse form und
jenes die sache ist.' auch s. 341: 'wie wol tat es mir, wider
die höheren dächer, kleineren fenster und verschiedenartig gestellten, bemalten häuser zu erblicken. so ein kleines fenster
ist doch zum hinausgucken gemacht und lädt dazu ein, während
man bei den grofsen immer ganz im fenster steht und nicht in
der stube sein kann, ohne alles draufsen zu sehen, es ist keine
ruhe dabei.' aber bei aller verschiedenartigkeit der brüder —
denn mehrere der angeführten äufserungen bekämpft Wilhelm in
seinen briefen —, und trotzdem es auch zwischen ihnen zu misverständnissen kommen konnte, vgl. s. 134, doch der innigste zu-
sammenhalt, dem Jacob s. 59 auf rührende weise ausdruck verleiht: 'denn lieber Wilhelm, wir wollen uns einmal nie trennen,
und gesetzt, man wollte einen anderswohin tun, so müste der
andere gleich aufsagen. wir sind nun diese gemeinschaft so gewohnt, dass mich schon das vereinzeln zum tode betrüben könnte.'

Treuherzig wie der inhalt ist auch die sprache der briefe,
schmucklos, aber mit ihren dialectischen worten und wendungen
so recht anheimelnd. ich glaube dass die correspondenz Jacobs
notwendig in rücksicht gezogen werden müste, wenn es sich um
eine erschöpfende darstellung seiner sprache handelte, zu welcher
Andresen bausteine herbeigeschafft hat.

S. 195 setzen die herausgeber zu den worten: 'allein wenn
Dir dann nur die 32 thlr., die am montag abgegangen sind, bis
nach Gotha schicken' ein fragezeichen. ich glaube nicht dass
ein fehler vorliegt; man kann recht wol 'schicken' im sinne von
'ausreichen' verwenden. dagegen ist wol s. 54 z. 18 v. u. 'als'
für 'aller' verschrieben oder verdruckt. — zu s. 145. 508 kann
nachgetragen werden dass Jacobs anfrage über die spiele steht
in: Allgemeiner anzeiger der Deutschen. oder allgemeines intel-
ligenz-blatt. zweiter band, Gotha 1809, sp. 2172 f. — im register
sp. 537* ist Friedrich von Raumer irrtümlich angesetzt statt Karl
von Raumer.   STEINMEYER.

GERMANISCHE ELEMENTARGRAMMATIKEN.

1. Sammlung kurzer grammatiken germanischer dialecte herausgegeben von WILHELM BRAUNE. Halle, Niemeyer.
   ɪ Gotische grammatik mit einigen lesestücken und wortverzeichnis von WILHELM BRAUNE. 1880, vɪ und 117 ss. 8°. — 2 m.
   ɪɪ Mittelhochdeutsche grammatik von HERMANN PAUL. 1881, vɪɪɪ und 69 ss. 8°. — 1,20 m.

Mit freuden begrüfse ich dies dankenswerte unternehmen. von berufener seite wird ein würkliches bedürfnis ausgefüllt durch diese sammlung, welche in gedrängter, aber darum nicht aphoristischer darstellung die selbständige erlernung der elemente der deutschen grammatik ermöglichen soll. der erste teil, Braunes Got. grammatik, löst in übersichtlicher anordnung, in klarer darstellung der gesicherten tatsachen das problem, dem anfänger ein genügendes material vertraut zu machen, ohne ihn vorläufig durch unsystematisch angebrachte ausblicke auf die vergleichende grammatik zu verwirren, trägt dabei aber doch den stoff so vor, dass das erlernte sich weiteren grammatischen studien, welche — so weit die kenntnis der grammatik nicht blofses hilfsmittel sein soll — nur historisch-vergleichende sein können, sofort fügt und der lernende nicht gezwungen ist, einzelheiten oder auch gröfsere zusammenhänge wider zu vergessen und anders zu erlernen. dass einige lesestücke nebst glossar beigefügt sind, dagegen wird selbst der nichts weiter einwenden, welcher ein bedürfnis für dieselben nicht anerkennt.

Würdig schliefst sich an diesen ersten teil als zweiter Pauls Mhd. grammatik. ein besonderes capitel bespricht das verhältnis der mhd. laute zu den nhd. es soll damit keineswegs die schlechte methode gestützt werden, die älteren dialecte von den modernen aus zu erlernen, oder vielmehr zu erraten, sondern es wird ihr im gegenteil eher gesteuert durch die übersichtliche hervorhebung der abweichungen. sonst macht sich in der lautlehre das bestreben bemerkbar, nach einer methode, die weiterer ausbildung fähig ist, das material nicht einzeln abzuhandeln, sondern in gruppen zusammenzufassen, um die gröfseren züge der sprachentwicklung hervortreten zu lassen, und es wird mehr gelegenheit genommen, als vielleicht für den speciellen zweck unbedingt erforderlich gewesen wäre, in die allgemeinen erscheinungen der sprachgeschichte einzuführen, wie der verf. sie in seinem buche Principien der sprachgeschichte breiter entwickelt hat. die methode ist entschieden anerkennenswert, aber sie macht doch eine statistische behandlung des materials nicht überflüssig in einem buche, welches zugleich zum nachschlagen dienen soll. das ist allerdings bei dem vorliegenden nicht der fall, und ich will also keinen tadel ausgesprochen haben. eher wäre anzumerken dass in der lautlehre zuweilen dinge hypothetischer natur mit zu grofser sicher-

heit vorgetragen werden. aber es ist hier nicht der ort, um auf
einzelheiten einzugeben. bei der ganzen formenlehre hätte ich
kaum eine ausstellung zu machen. am meisten fällt mir noch
auf die bemerkung im § 171 über *kleit* für *klaget* uä., nach dem
was im § 78 gesagt ist. die darstellung erreicht nicht überall
die durchsichtigkeit derjenigen Braunes. auch die anordnung der
paradigmata, besonders beim adjectivum, wäre vielleicht mit rücksicht auf den anfänger etwas übersichtlicher zu wünschen.

Die beiden teile der sammlung berechtigen uns, mit besonderer spannung dem dritten, der Ahd. grammatik von Braune,
entgegenzusehen, welche die allerfühlbarste lücke ausfüllen wird.

---

2. Abriss der mittelhochdeutschen laut- und flexionslehre zum schulgebrauche.
mit einem anhange über mittelhochdeutschen versbau von E Bernhardt.
zweite verbesserte auflage. Halle, waisenhaus, 1881. vi und 33 ss.
6°. — 0,49 m.

Kurze grammatiken, selbst wenn sie so gut sind, wie die
eben besprochenen, zeigen dass es immer mislich bleibt, einen
an sich umfangreichen stoff, welcher sich aus einer grofsen anzahl
ziemlich gleichwertiger einzelheiten zusammensetzt, kurz zu behandeln. auch Braune und Paul müssen sich immer noch den
erläuternden und ausführenden lehrer im hintergrunde denken.
wie viel mislicher ist eine laut- und flexionslehre, die sich —
allerdings teilweise mit rücksicht auf ihren zweck — so dürftige
grenzen steckt, wie die von Bernhardt! wenn beispielsweise das
streben nach kürze sätze erzeugt wie 'das mhd. unterscheidet
streng kurze und lange vocale', oder 'der haupton ruht auf der
ersten silbe des wortes, ausgenommen, wenn dasselbe mit einer
der partikeln *be, ent, er, ge, ver, zer* oder *ze* zusammengesetzt
ist'! hier und da lässt der verf. seitenblicke auf die historische
grammatik fallen, manchmal mit nutzen — soweit die kenntnis
einzelner abgerissener tatsachen von nutzen sein kann —, manchmal aber auch sind sie übel angebracht, wenn zb. der schüler
erfährt dass es noch nicht völlig erklärt sei, wie aus den redupli-
cierten praeteritis die ahd. formen entstanden, oder wenn es gar
heifst 'der plural *tdten* ist vielleicht von einem erweiterten stamme
tat gebildet, gleichsam te*te, tat, tdten, geteten.*' an misgriffen in
einzelheiten fehlt es nicht. was heifst es doch, der laut des *h*
vor *t* und *s* habe nahezu unserem nhd. *ch* entsprochen? bei
der erwähnung der lautverschiebung ist wol aspirata statt spirans
beibehalten worden, um auf die beigesetzte figur nicht verzichten
zu müssen.

Die existenzberechtigung des büchleins scheint mir zweifelhaft. der schüler, welcher nicht mehr lernt, als darin steht,

lerne lieber gar nichts; der lehrer, welcher heutzutage noch einen
solchen leitfaden nötig hat, verdient nicht lehrer des deutschen
zu sein.

———————

3. Übungsstücke zur laut- und flexionslehre der altgermanischen dialecte
von Moritz Heyne. Paderborn, Schöningh, 1881. 95 ss. 8°. —
1,35 m.

Die 6 hauptdialecte des altgermanischen auf 6 bogen; das
nähert sich bedenklich dem Kleinen Altgermanen. die zusammenstellung 'soll nur die möglichst schnell zu überwindende anfangsstufe bilden'. ich fürchte nur dass diese anfangsstufe gar zu
schmal und wackelig ist, um darauf fufsen zu können. die texte
nehmen nur den kleinsten teil der seiten ein, der ganze gotische
besteht zb. aus 196 zeilen. unten folgt, wo es vorhanden ist,
das lateinische oder griechische original und dann eine präparation, durch welche bei jeder form auf den betreffenden paragraph der Laut- und flexionslehre des verf.s so genau verwiesen
wird, dass der schüler sich nicht nur nicht den bau der ganzen
grammatik, sondern nicht einmal die ganzen paragraphen einzuprägen braucht. das ist allerdings recht bequem für denjenigen
studenten, welcher auf die präparation für die interpretations-
stunde möglichst wenig zeit verwenden will. jeder andere wird
dafür halten dass diese texte kaum mehr zweck haben, als wenn
sie für die Laut- und flexionslehre als beispiele excerpiert worden wären. wenn die texte zeigen dass der verf. in grammatischen dingen noch vielfach auf antiquiertem standpuncte steht,
wenn selbst der got. reduplicationssilbe noch der diphthong zuerteilt wird, so fallen diese vorwürfe auf seine Laut- und flexionslehre zurück. aber die übungsstücke selbst trifft es, wenn in
der ansetzung der quantität besonders der endsilben — abgesehen
davon dass auch sie keine genügende aneignung der neueren
forschung bekundet — sogar inconsequenzen vorkommen, wenn
dasselbe in der methode der erklärungen geschieht, wenn schiefe
erklärungen unterlaufen, wenn bei der correctur weitaus nicht
die nötige sorglichkeit angewandt worden ist.

Die im vorwort erwähnten leute, deren wünschen die zusammenstellung der übungsstücke entgegenkommt, werden vielleicht ihren nutzen aus dem buche zu ziehen wissen. ich meiner-
seits kann weder das bedürfnis für ein solches anerkennen, noch,
das bedürfnis vorausgesetzt, zugeben dass demselben in genügender weise abgeholfen wäre.

Bonn.   Franck.

———————

20*

Die verba im altostfriesischen. ein beitrag zu einer altfriesischen grammatik von CURT GÜNTHER. Leipzig 1880. 82 ss. 8°.*

Gegenüber den meisten anderen mundarten, für die special-grammatiken längst existieren, steht das friesische bisher vernach-lässigt da; das beste und handlichste hilfsmittel, welches sich dem lernenden bietet, ist immer noch Heynes Kurze grammatik der alt-germanischen dialecte, in der die laut- und flexionslehre des alt-friesischen, wiewol sie dem verf. 'fast zu weitläufig gegen die der anderen dialecte angelegt erscheinen will', doch dem character des buches entsprechend nur im abriss dargestellt ist und auch nicht scharf genug zwischen den einzelnen ostfriesischen dialecten scheidet. recht erwünscht ist daher dass herr dr Günther in seiner inauguraldissertation den anfang zu einer altfriesischen grammatik gemacht hat, die diesen mängeln auf das beste abzu-helfen verspricht.

Die arbeit beschränkt sich auf ein capitel der grammatik, auf die conjugation, und hier widerum auf das ostfriesische, welches uns in den ältesten und besten handschriften überliefert ist. aufser den bei Richthofen gedruckten denkmälern des Rü-stringer, Brokmer, Emsiger und Hunsingoer dialects ist für den Fivelingoer, von dem dort nur eine kurze probe gegeben ist, Hettemas Fivelingoër en Oldampster landregt benutzt. in drei teilen werden die verschiedenen conjugationsarten behandelt, so dass zuerst die belegten formen classenweise aufgeführt sind, die reduplicierenden, die ablautenden, die schwachen verba der a-und o-classe, zum schluss die praeteritopraesentia und die binde-vocallose conjugation. im anschluss daran werden in besonderen abschnitten einzelne wichtige formen, dann einzelne verba, dann die flexionssilben besprochen und endlich paradigmen aufgestellt. die belegstellen sind bei den angeführten formen meist angegeben, was kaum nötig gewesen wäre, da man Richthofen doch stets zur hand haben muss, und sein vortreffliches wörterbuch die controle schnell und leicht gestattet. in allen stücken ist die sorgfalt und genauigkeit, mit welcher der verf. gearbeitet hat, lobend anzuerkennen.

Zu Richthofens wörterbuch bringt die arbeit einige er-gänzungen und berichtigungen. s. 23 wird *ûtesin* durch *ûtesigen* von *stga* sinken erklärt, s. 22 auf grund des opt. praes. *bisóke* das starke *biséka* von dem schwachen geschieden; *berstet* Richth. 68, 6 ist nicht indicativ sondern optativ = *berste hit* (s. 32); *sléph* wird mit recht zu **slèpa* got. *slaupjan* gestellt (s. 50); für das dem sinn und der form nach ungehörige *bistridith* Richth. 234, 25. 27 hat Günther gut *bistrídich*, widerstreitend, vermutet;

[* vgl. DLZ 1881 nr 5 (ten Brink).]

wese Richth. 130, 8. 77, 16 kann nicht impérativ sondern nur optativ sein; s. 74 endlich werden *dura vermögen und *thurva nötig haben richtiger getrennt: zu jenem gehören nur die optativformen *dure, dur, dor* und westfriesisch *dorste,* alles andere ist der bedeutung und der form nach zu dem zweiten verbum zu ziehen, welches sich freilich in seinem praet. *thorste* an das erste gelehnt hat.

Zahlreicher sind die ergänzungen und verbesserungen zu Heyne. an stelle der vier von diesem angeführten ablautenden verba der *u*-classe, die im praes. *û* haben, sind hier neun nachgewiesen (s. 24); das auftreten des umlauts im praes. der *a*-classe mit ungeschwächtem praesensvocal, wo Heyne nur eine vocaldepravation annimmt, wird durch genügend viele beispiele erwiesen (s. 26). die umlautende kraft der aus altem -*an* zu -*in* erhöhten endung des zweiten participa ist s. 8. 9 gleichfalls ausführlich belegt; wenn sich *bresan* (fractum) findet, so lehrt die verwandlung des ursprünglichen *k* in den palatalen laut deutlich dass eine form *brekin* voraufgegangen sein muss (s. 35). *helen* (celatum) hat nicht deswegen den gleichen vocal wie *jeven* (datum), weil man diesen verben nach analogie den ablaut des infinitivs widergegeben hätte; die form *kimen* gegenüber dem inf. *kuma, koma* beweist dass eine abschwächung aus *u*, o in e anzunehmen ist. praeterita wie *nédigade* part. *nédgad,* deren *g* Heyne aus verhärtung der breiteren schreibart des inf. *néd-igia* für *néd-ia* erklärt, werden zu verben gestellt, die von adjectiven auf -*ig* gebildet sind, also zu einem inf. *nédig-ia*; mit recht, wie die bezeugten adj. *blôdich, weldich, stêdik, skeldich, lethog* neben den von ihnen abgeleiteten verben schon zur genüge beweisen. aufserdem sind noch manche verstreute bemerkungen, besonders aber die abweichungen in den aufgestellten paradigmen wol zu beachten.

Zu der erklärung von *blérem* durch *blé ther him,* blies er ihm, und *thetterne* durch *thet ther hine* (s. 13) weise ich darauf hin dass, wie aus Richthofens wörterbuch unter *thet* zu ersehen ist, das *tt* kein zwingender beweis für die annahme des verf.s ist. zweifelhaft bleibt mir auch was s. 31 anm. 2 über die entstehung des gerundiums auf -*ande* aus participien des praesens mit passivem sinn gesagt ist. auch für das friesische kann man bei dem bleiben, was Grimm annimmt Gr. 4, 66: 'die jener construction des *ze* mit dem inf. zuweilen gebürende passive bedeutung hat den misgriff herbeigeführt, die falsche analogie des lat. part. auf *ndus* befestigt.' in *bisette* (s. 27) für *bisetene,* nicht *bisettene,* dürfte verderbnis aus *bisetne* anzunehmen sein.

Da die arbeit doch wol zu einer vollständigen altfries. grammatik erweitert werden soll, so sei es erlaubt auf einiges den gebrauch der abhandlung störende hinzuweisen. vornehmlich sind da die zahlreichen verweisungen auf später behandeltes zu bemerken, bei denen eine genauere angabe erwünscht wäre. einige male wenigstens habe ich vergeblich gesucht. s. 6 heifst es: *'blia, sia, mia* (vgl. *skia, sia* p. 40).' .auf der angegebenen seite ist nichts hieher gehöriges zu finden; wahrscheinlich ist s. 27 gemeint. s. 7 wird der leser über *hléph* weiter unten hin verwiesen; in dem abschnitt über die flexionssilben der starken verba s. 32. 33 nachzusehen fällt manchem gewis nicht so bald ein. s. 55 anm. 2 lautet: *'neredest, sôchtest* sind angesetzt nach der n schwachen conjugation, vgl. daselbst.' aber auch in der *o*-conjugation ist nach s. 66 die 2 pers. sing. praet. unbelegt und deshalb auch im paradigma nur fragweise angesetzt.

S. 64 heifst es: *'inthinsza* ist mir unerklärlich, da es der bedeutung nach zu *thingia* zu stellen ist, formell aber, des *sz* wegen, nicht zu diesem gehören kann.' hier wäre eine verweisung auf s. 71, wo diese bemerkung erst ihre volle erklärung findet, am platze. *cômest* wird s. 18 mit langem d angesetzt, das später s. 34 gerechtfertigt wird; auch warum s. 1 *stdta* und nicht *stêta,* wie Richthofens wb. angibt, geschrieben ist, und wie sich beide formen zu einander verhalten, erfährt man erst, wenn man s. 9. 13. 44 gelesen hat; ebenso ist s. 52 und 54 auf die einteilung der kurzstämmigen schwachen verba s. 45 bezug genommen: in allen diesen fällen empfähle es sich, wenn auf das zusammengehörige deutlich hingewiesen würde. aus dem gleichen grunde möchte man wünschen dass die besprechungen einzelner verba nicht in besondere abschnitte gebracht, sondern in den bemerkungen, die sich an jede einzelne classe schliefsen, vorgenommen wären. es wäre damit zugleich eine gewisse breite der darstellung vermieden, die auch sonst zuweilen hervortritt.

Von druckfehlern merke ich an: s. 9 z. 1 v. u. 157, 20; s. 12 z. 1 133, 14; s. 13 z. 11 *heth* für *thet*; s. 17 z. 7 v. u. B 163, 9; s. 18 z. 4 204, 23; s. 74 *thuron* ist Richth. 17, 26 1 pers. plur.

Auf die fortsetzung seiner arbeit lässt der verf. hoffentlich nicht zu lange warten.

Lübeck, weihnachten 1880.   P. FEIT.

Zur geschichte der mittellateinischen dichtung. Hugonis Ambianensis sive Ribomontensis opuscula. herausgegeben von dr JOHANN HUEMER. Wien, Hölder, 1880. XIX und 40 ss. 6°. — 2,40 m. *

Die von Huemer edierten stücke sind folgende: 1) eine bearbeitung des Pentateuchs in 505 distichen mit meist zweisilbigem leoninischem reim, eine einfache versification des biblischen textes für den schulgebrauch bestimmt ohne die sonst beliebte allego-

[* vgl. DLZ 1891 nr 5 (EVoigt).]

risierende deutung. 2) ein leben Jesu in 82 rythmischen tro-
chäischen tetrametern, deren je 4 eine strophe mit folgender reimstellung auf 2 ◡, 4 ◡ und ◡ 8 bilden:

a	a	b
c	c	b
d	d	f
e	e	f

meistens sind die reime zweisilbig. 3) ein loblied auf Maria in
15 zweisilbig-leoninisch gereimten distichen. 4) ein gebet um
schutz gegen feinde und gegen die alte schlange, nicht ein lob-
gedicht auf gott, wie Huemer s. xiv nach den ersten 13 versen
angibt. es sind 61 zweisilbig gereimte hexameter. 5) ein kleiner
prosaischer tractat, vier druckseiten einnehmend, über die frage,
*utrum anima primo homini data de nichilo facta sit an de praeia-
centi materia,* welcher bereits aus einer anderen handschrift gedruckt war bei Martène Anecd. i 481.

Für nr 1 benutzte der dichter 2 hss., eine aus Troyes und
eine aus Gotha, die anderen stücke stehen nur in der Gothaer hs.
in dieser ist als verf. von 1—3 ein gewisser Hugo von Amiens
bezeichnet, 4 ist ohne jede über- oder unterschrift und 5 trägt
den namen eines Hugo von Ribemont. Huemer vermutet nun
dass diese beiden Hugo eine und dieselbe person seien, aber nicht
der Hist. litt. de France xii 647 besprochene Hugo von Amiens,
sondern der ebenda xi 113 erwähnte nur aus dem prosaischen
tractate bekannte. den grund zu dieser vermutung gibt die überlieferung aller 5 stücke in derselben hs. ab, den beweis will der
verf. einer späteren zeit überlassen. — die abfassung von nr 1
dürfte, nach der namentlich im hexameter ziemlich durchgeführten
zweisilbigkeit des reimes zu urteilen, nicht vor ende des 11 jhs.
zu setzen sein.

Die ausgabe ist wenig zu loben. da für das umfangreichste
stück 2 hss. vorliegen, so muste vor allem deren verhältnis bestimmt werden. dazu ist nicht einmal ein versuch gemacht worden. der verf. folgt eklektisch und ziemlich willkürlich bald dem
Trecensis bald dem Gothanus. nun ergibt aber schon eine flüchtige
prüfung dass G nicht nur durch schreibfehler und auslassungen
weit weniger entstellt ist als T, sondern auch an einigen stellen
offenbar den ursprünglichen text bietet, wo T interpoliert ist.
mithin war die lesart von G allenthalben in den text zu setzen,
wo nicht, wie 749, ein offenbarer schreibfehler sich eingeschlichen
hat. interpoliert zeigt sich T an zwei stellen. erstens 143—4.
hier gibt G:

> *Abram mutasti nomen Deus idque nouasti;*
> *Ante uocatus Abram dicitur hinc Abraham.*

T, überschlug, wie 249—50 und 816—17, die zweite hälfte des
hexameters und die erste des pentameters:

> *Abram mutasti nomen dicitur hic Abraham.*

Diesen unsinn suchte nun T₂ aufzubessern und interpolierte::
> *Abram mutasti nomen Abrahamque uocasti*
> *Remque notans magnam dicitur hic Abraham.*

diese schlechte interpolation, die im hexameter einen prosodischen
fehler, im pentameter einen zum mindesten recht überflüssigen
zusatz bietet, setzt H. in den text, indem er aus G *hinc* für *hic*
einführt, als gienge eine solche contamination so ohne weiteres!
die zweite stelle ist v. 20, wo G bietet:

> *Das loca corporibus, tempora labilibus.*

dh. du gibst den weltkörpern ihren platz, so weit sie beweglich
sind, ihre zeit. T₁ hat statt dessen:

> *Omnia distribuis tempore certa locis,*

wo *certa*, wenn überhaupt, nur proleptisch verstanden werden
könnte. T₂ machte aus *certa cuncta*, was in der tat auch weit
besser wäre, Huemer aber recipiert die corrupte lesart von T₁.
die von H. in den text gesetzten lesarten von T sind ferner an
folgenden stellen zu beseitigen: 334 *nesciit*, G richtig *nesciat.*
das perf. stimmt nicht zu den vorausgehenden praesentibus. —
480 *dies*, G richtig *fames* nach Genes. 41, 54, sinn: erscheint
als vorausverkündetes unheil die krankmachende hungersnot. —
545 setzt Huemer unbekümmert um die prosodie das verkehrte
minoris der hs. T in den text, obwol 6 verse später *minoris*
steht. die Vulgata gibt Genes. 44, 2 *iunior*, was nicht in den
vers passt. daher richtig G *iuuenilis*, T suchte den ungewöhnlichen ausdruck zu beseitigen. — 679 wählt H. widerum den
offenbaren, sinnlosen schreibfehler von T *proficit* statt des klaren
prospicit von G. — 756 bieten T und H. *nec non indiguit*, was
doch nur heifsen kann 'und es hatte mangel' während es nach
Exod. 16, 18 heifsen soll 'es hatte keinen mangel', G gibt mit
nec tamen wider das richtige. — 853 T und H. *qui murmurat
igne feritur.* wer Num. 11, 1—2 nachliest, wird nicht zweifelhaft
sein dass G mit *quia* das richtige bietet; denn das ganze volk
murrt und wird dafür mit feuer heimgesucht. — dies die offenbaren versehen, welche H. aus T recipiert hat. bei solchem verhältnisse der hss. wird man aber auch an allen den stellen, wo
G und T an sich gleich mögliches bieten, der lesart von G den
vorzug zu geben haben, so 256. 268. 297. 674: 717. 956.

Noch mehr wird der text entstellt durch einige unnütze und
verkehrte conjecturen des verfassers: 45 haben die hss. ganz
richtig *hoc*, was auf das vorher aufgezählte zusammengenommen
geht 'dies alles'; H. glaubt eine bestimmtere beziehung herstellen
zu müssen und schreibt *hunc,* als hätte Adam nur den feuchten
ort und die quelle bewohnt. ebenso verkehrt ist 290 *hinc* statt
des handschriftlichen *hic*; von wo hat denn Jacob zum zweiten
male Esaus recht geraubt? unnütz zum mindesten ist 199 *prae*
für *pro* 'vorn an.' umgekehrt unterlässt es der verf. zu bessern,
wo es notwendig und leicht gewesen wäre. iv 6 ist das *attrictus*

der hs. offenbar nur schreibfehler für *affrictus*; H. lässt es stehen
und will es zu einer nebenform von *attritus* stempeln!

Der kritische apparat nimmt sich beim ersten anschauen
ganz stattlich aus. allein die aufgeführten lesarten sind zum
grösten teil nichts anderes als orthographische abweichungen;
jedes e für *ae*, jedes *y* für *i*, jedes *c* für *t* ist registriert. welchen
zweck oder wert kann diese unnötige erschwerung der hand-
schriftenprüfung haben?

Für die erklärung hat der verf. gar nichts getan und doch
bedürften stellen wie ı 53. ıı 29 wahrlich einer aufhellung. zum
wenigsten durfte man erwarten dass der herausgeber die bibelstellen, auf welche angespielt wird, angab. was soll man zb.
ıv 38 mit der *clauis dauitica* anfangen, wenn man nicht auf
Apocal. 3, 7 hingewiesen wird?

Ebenso wenig hat der verf. die sprachlichen und lexicalischen eigentümlichkeiten seines autors zusammengestellt; das hätte
mindestens in form eines kleinen glossars geschehen müssen.
es kommt so manches interessante vor zb. *misereri* c. dat., *me-
morari* = reminisci, *dominari* c. gen. ı 275, *quo* für ut, *minus
hinc* = en moins 'weniger davon' ı 756, substantiva auf -*amen*
(*iuuamen*, *moderamen*), *abinde* und ähnliches.

Mehr hat sich der herausgeber in folge früherer beschäftigung
um reim und metrik bekümmert, aber auch nicht in ganz aus-
reichender weise: 'künstliche reimformen werden dem aufmerksamen leser ohne suche in die augen springen.'

Verdienstlich dagegen und dankenswert ist die zusammenstellung und teilweise characterisierung der alttestamentlichen
dichtungen des 11 und 12 jhs. hierbei sucht Huemer eine erklärung dafür, dass von den poeten jener zeit das alte testament
so auffallend vor dem neuen bevorzugt wurde. dabei gerät er
nach meiner meinung auf einen argen abweg. als erste ursache
dieser erscheinung stellt er nämlich hin — die vielen schlüpfrig-
keiten des alten testamentes; die hätten 'jene lebenslustigen dichter
und priester' angezogen; denn sie seien 'nicht umgangen sondern
in ihrer nacktheit widergegeben'. nun wahrlich, wie es früher
an der tagesordnung war, die keuschheit unserer vorfahren bis
in den himmel zu erheben, so scheint es jetzt mode zu werden,
dieselbe nach kräften unter die füse zu treten. ich behaupte
dem gegenüber erstens dass das alte testament nun und nimmer
schlüpfrig ist [1], gerade weil es die sexuellen verhältnisse so behandelt, wie sie behandelt werden müssen, offen und mit sitt-
lichem ernst. mit demselben rechte wäre eine antike Venus
schlüpfrig zu nennen, weil sie nackt ist, oder Homer, weil jungfrauen bei ihm männer baden und vom μιγῆναι ohne schminke
und schleier die rede ist. zweitens spricht gerade das nichtum-

---

[1] ebenso verkehrt ist es natürlich, dem neuen testamente 'streng asce-
tische auf entsagung alles irdischen zielende lehren' zuzuschreiben.

geben dieser stellen durch die dichter für ihre unverdorbenheit.
etwas anderes wäre es, wenn sie die betreffenden stellen aus-
malten oder anmutig zu machen suchten wie ein Ovid; nun aber
zeigen diese scenen bei ihnen denselben holzschnittartigen character wie in der schrift selbst. was sollte man im gegenteil
davon denken, wenn sie von dem alten testamente eine editio in
usum Delphini hergestellt hätten? dann, gerade dann hätte man
ursache, an ihrer und ihres publicums sittlicher integrität zu
zweifeln. etwas mehr berechtigung haben die anderen beiden von
H. angegebenen ursachen, die kriegerische stimmung der zeit, die
im alten testamente mehr nahrung gefunden habe als im neuen,
und die vielen prophetischen beziehungen des alten testamentes,
welche der damaligen neigung zu mystischen grübeleien entsprochen hätten. doch zeigt Otfrid dass man auch über das
neue testament mystice und spiritaliter genug reden konnte, und
die kriege des alten testamentes treten in den poetischen bearbeitungen keineswegs so sehr in den vordergrund. also der
kern der sache wird auch hierdurch noch nicht getroffen. man
braucht meines erachtens gar nicht so weit herumzusuchen. die
wahrheit ist auch hier einfach und nahe liegend. was bietet denn
dem epischen dichter den bunteren reicheren bewegteren stoff:
die geburt, die wunder und lehren und der tod des einen, der
die welt erlöst, oder jene fülle von erhabenen wunderbaren und
widerum idyllischen und — im rechten verstande — fast roman-
haften erzählungen, die das alte testament über den leser aus-
schüttet? die tiefe des neuen voll zu würdigen, dazu war der
sinn des 12 jhs. noch nicht reif, noch nicht innerlich genug,
wol aber besaß die phantasie volle empfänglichkeit für die geschichten von der schöpfung, vom sündenfall, von der grofsen
flut, den erzvätern, von Joseph, dem wüstenzuge usw. die tiefere
bildung der karolingischen zeit und der weitgreifende einfluss
hervorragender lehrer, eines Beda Alcuin Hrabanus Maurus, hatte
die studien der geistlichen auch dem neuen testamente zuzu-
wenden verstanden. von dieser höhe war man seit dem 10 jh.
wider auf ein tieferes aber vielleicht natürlicheres niveau herab-
gestiegen.

Für die weiteren publicationen, welche der herausgeber in
aussicht stellt, ist ihm anzuraten dass er seinen stoff gründlicher
nach allen seiten hin durcharbeite. man darf auch an die geringere poesie des lateinischen mittelalters nicht ohne dieselbe
strenge der methode, achtsamkeit der beobachtung und genauigkeit auch im kleinen herangehen, die man einem Horaz und
Aeschylos zuwendet. alle philologische arbeit ist und bleibt der
nämlichen art, mag ihr object sein welches es wolle.

Trarbach, den 29 december 1880.   F. Seiler.

Über den einfluss des holländischen dramas auf Andreas Gryphius von dr RAKOLLEWIJN. Amersfoort, AMSlothouwer, und Hellbronn, gebr. Henninger, o. j. [1880]. 96 ss. 8°. — 2 m.*

Eine genaue wissenschaftliche kenntnis der deutschen kunsttragödie sowol als des deutschen volksschauspiels im siebenzehnten jahrhundert zu ermöglichen müssen die fremdländischen einflüsse gehörend untersucht werden, wozu bisher nur geringe ansätze gemacht sind. keine epoche fordert mehr ein vergleichendes verfahren. es gilt die antike und die renaissancelitteratur der Romanen wie der Holländer unverrückt im auge zu behalten, die theorie und die praxis. was gab Seneca auch im einzelnen? was Sophokles, an dem sich Opitz gleichfalls versuchte? was die Franzosen, Italiener und Holländer? was die englischen comödianten, denen auch die vertreter der academischen kunsttragödie keineswegs ganz auswichen und deren aufführungen junge gelehrte gelegentlich geradezu zur nachahmung reizten? so ist mir Andreaes zeugnis in seiner autobiographie wichtig dass zwei leider nicht erhaltene stücke *Esther et Hyacinthus, comoediae ad aemulationem anglicorum histrionum juvenili ausu factae* von ihm als sechszehnjährigem studenten verfasst worden sind. welche wechselwirkungen fanden zwischen kunstdrama und volksdrama statt? in welcher gestalt eigneten sich etwa deutsche bühnendichter den Corneille an? der process dürfte der umarbeitung deutscher kunsttragödien in handlungsreichere gemeinverständlichere mit komischen elementen freigebig ausgestattete haupt- und staatsactionen ähneln. CWeise hält die mitte zwischen beiden richtungen und es interessiert die aufnahme des Papinianus und andererseits des Masaniello in das repertoire der banden zu prüfen. JRRichters Die grofse neapolitanische unruhe durch den fischer Thomas Agnello ist in Wien handschriftlich erhalten. Weise kannte holländische kluchten. die italienische comödie hat uns lange zeit vor dem Gherardischen Théatre italien bereits typen und motive ausgeliefert.

Es ist sehr erwünscht dass ein junger holländischer gelehrter wenigstens für den bedeutendsten schlesischen dramatiker eine sorgfältige quellenuntersuchung vorlegt, die nur etwas zu schematisch und trocken ausgefallen ist, da Kollewijn sich begnügt das mehr oder weniger übereinstimmende ohne feinere abschätzung der abweichungen, verbesserungen oder verschlechterungen und ohne nach den künstlerischen gründen des jeweiligen verfahrens viel zu fragen, neben einander zu rücken und auf diese weise allerdings einen bequemen überblick zu gewähren.

Die einleitung recapituliert die geschichte des holländischen dramas im siebenzehnten jahrhundert mit besonderer rücksicht

[* vgl. Litteraturbl. für germ. und rom. philologie 1881 nr 2 (EMartin).]

auf Hooft und Vondel. zu s. 8, wo der vom Titus Andronicus
abgeleiteten blutigen tragödie Aran en Titus von Jan Vos aus
dem jahr 1641 gedacht wird, verzeichne ich, als kleinen beitrag
zur geschichte der Shakespeareschen dramen in Deutschland, dass
Greßinger in der vorrede zu seiner demnächst von W\Öttingen
zu besprechenden übertragung Die sinnreiche tragi-comoedia genannt Cid Hamburg 1650 dem leser verheifst *gefällt dir dieses,
so erwarte noch drey andere, nähmlich den bekläglichen zwang, die
Laura, und den Andronicus mit dem Aron.* und zu dem s. 9
herangezogenen Gryphischen citat *perlen bedeuten bey den traum-
auslegern thränen . . . besiehe . . . PCHost [Hooft] in der Lebens-
beschreibung Henrichs des grofsen. Oók had sy ghedróómt, toen
men besigh was met hare króón van ghesteente op te maken, dat
alle de gróte demanten waren verandert in perlen (AGryphii Teutsche
gedichte,* 1698 s. 179), dass Lessing, mit Gryphius schon zur zeit
seiner Logaustudien vertraut, daher und gewis schon für die
bürgerliche Virginia seines jungen tragicus die anregung zu dem
traum der Emilia Galotti 2, 7 von ihrem geschmeide *als ob plötzlich sich jeder stein desselben in eine perle verwandle. — perlen
aber, meine mutter, perlen bedeuten thränen* Lachm. 1, 140 gewonnen hat. erwähnung verdiente auch das von Gryphius in
Leiden gelesene *collegium tragicum,* worunter doch nur vorträge
über wesen und einrichtung des trauerspiels gemäfs der renais-
sancepoetik und der praxis der Vondel usw. verstanden werden
können. ich würde auch dem nicht auf uns gekommenen erstlingswerk, dem Kindermörder Herodes ein wort mehr gewidmet, an
Heinsius und Klaj erinnert und als bezeichnend für die neigung
der leidenden gräuelreichen zeit zu derlei stoffen auf Marinos
Strage degli innocenti und Brockes kurz hingewiesen haben.

Vondels Gibeoniter hat Gryphius treu übersetzt. Kollewijn
corrigiert die irrigen urteile AHagens, der nur die abweichende
zweite ausgabe der Gebroeders benutzte, lässt sich aber auf keine
characteristik der übersetzung ein, was doch stilistisch von belang wäre. heim Leo Armenius merkt Kollewijn ALeeuws übertragung von 1659 an. der stoff hat einen weiteren bearbeiter
gefunden in dem jesuiten JSimon, dessen Tragoediae v Leodii 1680
an letzter stelle den Leo Armenus, sive impietas punita enthalten.

Der Leo nimmt, da nur der Ibrahimentwurf ihm nahe steht,
eine sonderstellung gegenüber den die standhaftigkeit verherlichen-
den martyrien des stoikers Gryphius ein, aber ich entsage hier
allgemeineren ausführungen. den einfluss der Vondelschen Maag-
den (1639) auf die Catharina scheint Kollewijn zu überschätzen,
obgleich die stichomythischen religionsgespräche in der tat eine
kaum zufällige übereinstimmung zeigen, zum CStuart (1649) zieht
er Dullaerts Karel Stuart aus demselben jahr heran; beide stücke
haben den zusatz im titel nach Vondels Maria Stuart of gemar-

telde majesteit erhalten. Papinianus wird mit dem von Martin
Archiv für litteraturgeschichte 1 eingehend gewürdigten·Palamedes
verglichen. den unentwegten vertreter der Themis vorzuführen
sah sich Gryphius in einer zeit, wo bei verkehrung von recht
und gesetz alle ordnung auf dem spiele stand, leicht veranlasst
und er hat den snstofs kaum von Vondel empfangen. rhetorischer
einfluss ist deutlich in 1, 1 vgl. Palamedes 1, 1, schwächer im
fünften act, wo der dialog zwischen Bassian und Papinian anklänge an das gespräch des Palamedes mit Agamemnon in Vondels
letztem aufzug verrät. s. 33 war auch Horaz zu erwähnen. im
einzelnen ist Kollewijn mehr als einmal zu findig und beschränkt
sich zu sehr; so ist es wichtiger bei den furien 2, 542 ff an die
furien im deutschen Hamlet, im Faust usw., an Seneca zu erinnern, als an Megeer und Sisyphus bei Vondel. wie Gryphs Er-
mordete majestät ist auch sein Grofsmütiger rechtsgelehrter oder
sterbender Papinianus, übrigens gar nicht so roh und unver-
nünftig, wie die gewöhnlichen urteile über haupt- und staatsactionen glauben machen könnten, umgearbeitet und um einen
komischen Traraeus vermehrt durch die banden auf die schaubühne gebracht worden. von dem aus Löwens theatergeschichte
bekannten GRHaskerl oder Hasskarl verwahrt die Wiener hofbibliothek ein ms. Tragoedia genannt der grofsmütige rechts-
gelehrte Aemilius Paulus Papinianus oder der kluge phantast,
über welche bald näherer aufschluss erfolgen soll. die schwierige
frage, in welchem verhältnis der Peter Squentz und Gramsbergens
Hartoog van Pierlepon zu einander und zu Shakespeare stehen,
hat Kollewijn, ausgehend von Moltzer Shakespere's invloed usw.
im Archiv 9, 445 ff anregend abgehandelt, weshalb er hier nur
eine knappe zusammenfassung gibt. [die untersuchung ist inzwischen Zs. 25, 130 ff durch einen neues material verwertenden
aufsatz von FBurg gefördert worden.] wie hat man es zu erklären dass der name Peter Squenz später eine bezeichnung für
unleserliche krakelfüfse geworden ist? weil der träger kirchschrei-
ber war oder weil er mit seinen spielern so viele *säue* machte
oder aus dem gespräch Neudrucke 6, 19? ich finde nämlich in
einer Colombinenarie Der ausgelachte baus-knotzer nr 2, str. 3
folgende spottverse auf die receptschmiererei der ärzte

> *sie schreiben spielend mit den händen*
> *ein alpha und omega hin*
> *sie mahlen ihre Peter Squenze*
> *der geyer weifs es ob es kräntze,*
> *und ob es stelltzen sollen seyn.*

auch Peter Squentz ist von Leeuw übersetzt worden, s. 45 f.

Zum Horribilicribrifax verweist Kollewijn nur flüchtig auf
ein par milites gloriosi in den lustspielen des sechszehnten und
siebenzehnten jahrhunderts und schliefst *es ist aber nicht anzunehmen dass der Horribilicribrifax von irgend einem holländischen*

stück *beeinflusst worden sei.* gewis nicht, aber von der italienischen comödie und ihrem capitano glorioso, Spavento da vall'
inferna, Rinoceronte, Cocodrillo. vgl. HGrimm Fünfzehn essays
und Lorenz Ausgewählte comödien des TMPlautus 3, 254 ff.
FAndreinis anleitung für den Spaventodarsteller Le bravure del
capitano Spavento 1607 wird auch nach Deutschland gelangt sein.
ein capitän Schwermer gibt in Gryphs drittem Strafgedicht vortreffliche rodomontaden zum besten, don Daradiridatumtarides ist
capitain und wird *hr capiten* angeredet, sein begleiter don Cac-
ciadiavolo hat seinen namen aus der commedia dell' arte geborgt,
erprobte hyperbeln kehren getreu oder variiert wider, dann würkt
der Horribilicribrifax seinerseits auf Weises Schauspiel des grafen
von Alfanzo und die diener des armen maulhelden Alfanzo heifsen
Maraveglio und Spavento.

Überraschend war die von Kollewijn bereits im Archiv 9, 56 ff
mitgeteilte, hier s. 48 ff widerholte entdeckung dass Die geliebte
Dornrose in starker anlehnung an Vondels 'landspiel' De Leeu-
wendalers entstanden sei. Gryphius rückte die den hauptmotiven
nach entlehnte handlung aus der Guarinischen und Tassoschen
sphäre Vondels in die derbe würklichkeit des schlesischen dorfs.
kein Pan, keine gottgesandten plagen, kein orakel. auch ist
Dornrose keine unermüdete jägerin wie Hageroos sondern ein
stilles feines kind, das durch sein auf dem schlosse gelerntes
hochdeutsch hübsch von der bäuerlichen umgebung absticht. die
umwandlung und die originalität bei aller nachahmung, ja wörtlicher benutzung konnte anschaulicher gemacht werden. die streit-
reden zwischen Bartel und Jockel sind, wie die gegenüberstel-
lung s. 56 ff zeigt, der zankscene zwischen Warner und Govert
nur partienweise und auch dann mit einer glücklichen steigerung
und belebung entnommen. ausgezeichnet würkt, um nur eine
kleinigkeit zu nennen, bei Gryphius der jedesmalige abschluss einer
reihe von fragen und gegenfragen durch ein *he?*, das man sich
immer lauter und hitziger gerufen denkt. eine treffliche bereicherung ist der neue parallelismus dass wie Bartel über seinen
hahn so Jockel über den verbrühten hund Lusche jammert. überhaupt ist diese ganze mundartliche prosa ungleich drastischer als
Vondels alexandriner. ich bemerke endlich dass Litzmann in seinen gründlichen textkritischen Güntherstudien s. 146 ff Leubschers
einladungsschreiben zur aufführung der Athenais mit einem leicht
zu beseitigenden fragezeichen citiert; Leubscher sagt, die jugend
werde versuchen den ernst des stückes, wenn die zeit reiche, *durch
wechselweise angestellete aufführung des Kornblumschen schauspiels(?)*
oder des übersetzten *legataire universel* Regnards *zu mäfsigen.* das
Kornblumsche schauspiel ist natürlich Die geliebte Dornrose, der
liebhaber heifst eben Gregor Kornblume. es war also ein wechsel
beabsichtigt, wie Gryphius Das verliebte gespenst und Die geliebte
Dornrose verschlungen hatte.

Der letzte teil erörtert s. 62 ff Form und behandlung, dh. einheiten, chor, exposition, allegorie, tendenz, handlungslosigkeit, mangel an characterentwicklung bei Hooft und Vondel. obgleich ich nicht mit Kollewijn s. 73 glaube dass Gryphius die dramen Rebhuns, Kulmans, Krügers gekannt hat, die ihm ja noch nicht wie unserem verfasser in der planlosen sammlung Tittmanns vorlagen, möchte ich nicht bei jeder übereinstimmung bewusten anschluss an die Holländer behaupten. die technik im allgemeinen ist holländisch. gräuel- und geisterscenen zb. aber verweisen nicht so sehr auf den mafsvollen Vondel, als auf die englischen comödianten. ihre manier ist für Gryphius und JVos eine gemeinsame quelle. die bemerkungen über Gryphs stil und tendenz sind die landläufigen, daher der vertiefung und erweiterung fähig. was über die holländische und Gryphische comödie vergleichsweise gesagt wird trägt zu sehr den character zufälliger zusammenstellung.

Aber die schrift ist frei von phrase, solid gearbeitet, reich an positiven ergebnissen und wir hoffen hrn Kollewijn, wenn er sich bald von Gryphius aus anderen dichtern zuwendet, noch öfter als einem willkommenen vermittler zu begegnen.

Wien 23 ıı 81.   ERICH SCHMIDT.

JACOB GRIMMS ANTRITTSREDE DE DESIDERIO PATRIAE.

Jacob Grimms antrittsrede De desiderio patriae, mit welcher er am 13 november 1830 in Göttingen seine professorenlaufbahn eröffnete, ist durch den ziemlich freien auszug, welchen er selbst für die Göttingischen gelehrten anzeigen 1830, stück 201, s. 2001 bis 2006 (= Kl. schriften v s. 480—482) abgefasst hat, dem inhalt nach bekannt, während sich der wortlaut bisher unserer kenntnis entzog. das manuscript war nicht aufzufinden, und der text muste mithin auch noch von der zweiten auflage der Kleineren schriften ı (1879) ausgeschlossen bleiben (s. s. 20ª und 52). als mir am 26 september 1879 der Grimmsche schrank auf der königl. bibliothek zum ersten mal zugänglich gemacht war, entnahm ich aus ihm ein convolut mit der bezeichnung: Göttinger universitätsreden Wilhelm Grimms und fand darin von seiner hand eine äufserst zierliche abschrift der vermissten rede. zum glück entdeckte ich am 2 juli 1880 an demselben orte auch das original von Jacobs hand auf 15 seiten in grofsoctav; denn wie die vergleichung zeigt, enthält die abschrift, welche augenscheinlich nur zu privatzwecken genommen ist, zweiundzwanzig kleine ungenauigkeiten und vier lücken einzelner worte. zu sehen, wie Jacob Grimm latein schrieb, und zwar unverkennbar mit innerem widerstreben, ist auch

sicherheit der orthographie und plaidiert für die gründung einer
kaiser Wilhelms-schule für die deutsche sprache. Strackerjan
handelt über das bürgerrecht der fremdwörter. — besonders
dankenswert sind die berichte über die reformbestrebungen in
den anderen culturländern. Sayce (Oxford) mahnt Engländer,
Franzosen und Deutsche das wissenschaftliche alphabet der
lautphysiologie zur grundlage eines practischen alphabets für
die sprachen Westeuropas zu machen; der grad der civilisation,
dessen ein volk sich erfreue, lasse sich am besten an der vollkommenheit seiner schreibweise erkennen. de Beer (Amsterdam)
berichtet über die durch de Vries und te Winkel herbeigeführte
reform der holländischen orthographie, Beissel (Kopenhagen)
über die orthographische reform in Dänemark, Raoux (Lau-
sanne) über die noch ziemlich ergebnislosen versuche des schwei-
zerischen und ausländischen vereins für neographic; er meint,
eine internationale sprache werde ein immer dringenderes bedürfnis Europas und man werde sie bei der sprache suchen,
deren orthographie dem phonetischen ideal, dh. der vernunft,
dem gesunden menschenverstand und der einfachheit am nächsten
komme. — an diese originalartikel schliefsen sich recensionen,
berichte, nachrichten über orthographische vereine. die im
prospecte in aussicht genommenen untersuchungen über die
tatsächliche aussprache des neuhochdeutschen, die sehr bedeutende locale verschiedenheiten bietet, werden hoffentlich
später geboten werden. — die zeitschrift ist zunächst wol veranlasst durch die erregung, welche die einführung der preufsischen schulorthographie hervorgerufen hatte. wir wünschen
dass das kind ein längeres leben habe als die mutter. die
angabe des verlegers, dass schon im ersten vierteljahr über
erwarten zahlreiche abonnements eingelaufen seien, berechtigt
zu der hoffnung.   W. WILMANNS.

EILHART 8268

dô sante der veige Parlasin
den leidigen Antretin dare

schlägt KHofmann zu lesen vor: *palazin* == altfr. *palasin* held
== *palatinus.*

BERICHTIGUNG zu Zs. 25, 162. 166.

Nachdem ich mehrere mir früher unbekannte übersetzungen
des Sommernachtstraumes eingesehen, bemerke ich dass die Vossi-
sche weder die einzige ist, welche die beiden verse des mondes
(v 1) ungereimt widergibt, noch die einzige, in welcher Pyramus
(ui 1) seinen vater nicht erwähnt. auch in der Fischerschen erwähnt er ihn nicht. meine frühere angabe über diese war irrig.
Berlin 20. 4. 81.   F. BURG.

ANZEIGER

FÜR

DEUTSCHES ALTERTHUM UND DEUTSCHE LITTERATUR

VII, 4 SEPTEMBER 1881

1) Berthold von Regensburg. vollständige ausgabe seiner deutschen predigten mit einleitungen und anmerkungen von Franz Pfeiffer. zweiter band. enthält predigten xxxvii—lxxi nebst einleitung, lesarten und anmerkungen von Joseph Strobl. Wien, Braumüller, 1880. xxx und 696 ss. 8°. — 12 m.

2) Die lateinischen reden des seligen Berthold von Regensburg. von Georg Jacob, domvicar und bischöflich geistlichem rat in Regensburg. Regensburg, Manz, 1880. viii und 182 ss. 8°. — 2,40 m.

Von der entwicklung und dem gedeihen der deutschen philologie hat bisher die prosa des mittleren zeitalters geringeren vorteil genossen als die poesie., begreiflicher weise. die bestände unserer handschriftensammlungen machen die tatsache einleuchtend dass diese ungleiche verteilung der gunst nicht allein den forschern anzurechnen ist: wie viel gute, erträgliche und besonders schlechte dichtung, wie wenig aller categorien in ungebundener rede! es kommt dann in betracht dass der manigfaltige inhalt, der in den massen der verse sich ausbreitet, mehr anlockt als die wortfülle der geistlichen, die knappe bestimmtheit der juristischen prosawerke. überdies bieten der untersuchung die metrischen gesetze, der reim viele feste anhaltspuncte und gewähren das willkommene gefühl der beschränkung und des schutzes vor allzukühnen hypothesen; unsicher und schwankend ist in anbetracht der alten abschreiberfreiheit der boden, wo solche stützen fehlen. aber nun scheint die zeit auch für eine richtige schätzung der altdeutschen prosa gekommen. die vollen schwaden der haupternte sind abgemäht und, wenn auch nur notdürftig, unter die rasch zusammengeschlagenen dächer in sicherheit gebracht; zwischen den furchen werden zwar noch manche ähren aufgelesen, allein das hauptteil ist geborgen und man kann daran gehen, den erwerb zu überschauen und zu prüfen. es ist in diesem sinne bezeichnend dass nun die oben angeführten schriften, welche den gegenstand dieser anzeige bilden, rasch hinter einander erschienen sind. beide beschäftigen sich mit den predigten Bertholds von Regensburg, Strobls buch mit den deutschen, die schrift von Jacob mit den lateinischen, und sie zusammen bieten erst, wenn noch die versprochene ausgabe der

lateinischen reden wird hinzugekommmen sein, eine brauchbare
grundlage für eindringliche forschung, deren, wenn ich mich anders
nicht tensche, in dem leben und der tätigkeit des 'guten seligen
landpredigers' mancherlei und schwierige probleme harren. —

Die arbeit von Strobl ist schon durch den titel als fortsetzung des von Franz Pfeiffer 1862 herausgegebenen predigt-
bandes gekennzeichnet. ihren inhalt lehrt eine kurze übersicht.
auf eine vorrede I—IX folgt bis XXVIII die einleitung zu den neuen
texten des bandes, XXIX f verzeichnis, s. 1—274 stehen 35 predigten, 275—300 vorbemerkungen zu den lesarten des ersten
bandes, 300—558 diese selbst, 559—670 die varianten zum
zweiten bande, 670—694 drei anhänge anonymer geistlicher stücke
aus Bertholdhandschriften, 695 f register der anmerkungen, welche
in die lesarten eingestreut sind.

Wie Strobl selbst s. VII f angibt, hat er es unterlassen, verschiedene versprechen zu erfüllen, welche Pfeiffer gegeben hatte.
er hat keine 'erschöpfende characteristik Bertholds' geliefert und
hat damit gewis recht getan; ohne die ausgabe der lateinischen
predigten, welche jetzt in ungeahnter fülle vor uns auftauchen,
ist es schlechterdings undenkbar, die entwicklung des predigers,
der ja nicht als fertiger angefangen hat, auch nur zu scizzieren.
ebenso darf eine quellenuntersuchung nicht auf die deutschen
sermone Bertholds allein sich erstrecken, wenn sie irgend halt-
bares bieten will. ob wir aber auch noch, wie Strobl meint,
die publication französischer und englischer predigten des mittelalters abwarten sollen, ist mir sehr zweifelhaft, ich verspreche
mir nur äufserst geringe ausbeute davon. ebenso hat Strobl auf
ein glossar verzichtet, obschon die blätterfüllende arbeit ihm nicht
schwer hätte fallen können. er stellt es mit recht in abrede dass
ein bedürfnis für ein solches heute vorhanden sei. Berthold von
Regensburg findet sein publicum unter philologen und theologen,
die ersten brauchen anfser den trefflichen handwörterbüchern,
die wir schon besitzen, kein anderes hilfsmittel, die andern werden
in die nicht gar schwierige sprache der predigten sich bald hineingearbeitet haben; wer aber nur einen gesammteindruck zu erlangen wünscht, ohne zeit und mühe aufzuwenden, dem wird Gö-
hels bearbeitung gute dienste leisten. Pfeiffer hatte sich ferner vorgenommen, in den anmerkungen eines u bandes einen commentar
zu bringen. der grund, welchen Strobl s. IX gegen die erfüllung
dieser absicht vorträgt, ist etwas gewaltsam mit der sache in beziehung gebracht worden und wird wol nur bedeuten sollen dass
würklich vieles wider die forderung eines systematischen commentares einzuwenden ist. welche grenzen müste er haben? er
kann doch nur für fachgenossen berechnet sein, denn sonst müste
er bei dem vielfärbigen inhalte der predigten zu einem volumi-
nösen handbuch der realien des deutschen mittelalters aufschwellen.
andererseits widerum: schaffende und deutende kritik im ganzen,

untersuchung des verhältnisses einzelner abschnitte zu den quellen
verbieten sich von selbst, da durch das buch erst die möglichkeit
bereitet werden sollte, studien zu unternehmen, mittelst deren
ein solcher commentar zu stande kommen könnte. ich vermag
also die enthaltsamkeit Strobls in diesen puncten nur zu billigen.
damit will ich freilich nicht behaupten dass die von ihm gegebenen
anmerkungen, sei es dass sie unter den lesarten sich finden, sei
es dass sie in die vorbemerkungen aufgenommen worden sind,
mich befriedigten. sie bewegen sich etwas zu sehr auf der ober-
fläche des materials, nehmen auch nur auf einzelne partien desselben (1 oder n band), mitunter nur auf die stücke rücksicht,
welche den besprochenen stellen zunächst liegen, und tragen
mehr oder minder zufälligen character. doch hat die arbeit, wie
sie vorliegt, so viel entsagungsvolle mühe gebraucht, dass ich
nicht tadeln will; ich weiß recht wol, um wie leichter es ist,
einem schöngedruckten buche gegenüber anspruchsvoll zu sein,
denn aus der verwirrenden menge der papiere einen lesbaren
text fertig zu stellen. gar viele objective überlegung wird nur
durch das rüstwerk erdrückt.

Welche aufmerksamkeit Strobl der ergänzung von Pfeiffers
arbeit zugewendet hat, ist schon äußerlich durch den umfang
der lesarten zum 1 bande kundgegeben, welche fast die hälfte
des buches ausfüllen. Pfeiffer hatte nur eine hs., die Heidelberger nr 24 (A), benutzt und sie, nachdem er ihr den anstrich
des 'classischen' mittelhochdeutsch verliehen und sie interpungiert
hatte, abdrucken lassen. die Brüsseler hs. (a) hatte er gar nicht
zugezogen, obwol sie seit 1833 bekannt war; was ihn dazu bewog, weiß ich nicht zu sagen. vielleicht wünschte er das buch
so schnell zu veröffentlichen, dass die berücksichtigung der Brüsseler hs. ihm als lästige verzögerung von sehr unsicherem werte
erschien. Strobl verzeichnet nun nicht nur die lesarten von A,
sondern hat es sich auch sauer werden lassen, die varianten von
a einzutragen und mit vorzulegen. ich kann mich dem tadel
nicht anschließen, der von Goedeke gegen diesen teil von Strobls
arbeit, bloß um seiner ausdehnung willen, ist ausgesprochen worden. gilt es bei jeder philologischen behandlung eines autors
als selbstverständlich dass man die resultate der arbeit des herausgebers, so weit sie im text erscheinen, von der überlieferung
deutlich erkennbar sondert — es gäbe ja sonst keinen fortschritt
in der kritik —, warum nicht bei Berthold? Pfeiffer hatte, wie
ein blick in sein buch lehrt, die hs. nicht buchstabengetreu widergegeben, bis zur vorliegenden arbeit hin wuste niemand, wie er
sich zu der hs. gestellt hatte. irre ich nicht, so hat man seine
leistung mit großem vertrauen entgegengenommen. die von Strobl
zusammengestellten lesarten werden keinen zweifel darüber lassen
dass dieses vertrauen unberechtigt war. ich sage 'keinen zweifel'
und weiß doch dass Bartsch GGA 1881 s. 141 geschrieben hat:

'im ganzen jedoch zeigt sich Pfeiffers arbeit am ersten bande als
eine zuverlässige und auch von druckfehlern ist sie fast durchaus frei.' dieses lob ist aber gegenüber den tatsachen, welche
aus der durchsicht der varianten sich ergeben, nicht aufrecht zu
erhalten und ich glaube, Bartsch wird es selbst zurückziehen,
wenn er den text Pfeiffers neben die hs. hält.

Pfeiffer hat schlecht gelesen und das gelesene nicht collationiert. ich schliefse das aus der grofsen anzahl von lesefehlern
und besonders aus den vielen fällen, wo einzelne wörter oder
kleine wortgruppen ausgelassen wurden. manche der letzteren
können auch Pfeiffers rücksichtslosigkeit zum opfer gefallen sein,
der sich wenig reserve auferlegte, wenn die hsliche fassung einer
stelle ihm misfiel. aber noch stärker ist dass Pfeiffer a u c h
g r o f s e w o r t g r u p p e n u n d g a n z e s ä t z e der hs. a u s -
g e l a s s e n h a t, in der regel, weil zwei ähnliche oder gleiche
worte am anfange oder ende auf einander folgender sätze vorkommen. wortgleichheiten am a n f a n g e haben ihn verleitet: 115, 38.
(118, 17. 27.) 126, 39. 211, 18. 224, 25. 358, 18. 27. 409, 26.
427, 9. 545, 9. gleiche a u s g ä n g e waren veranlassung: 29, 26.
58, 32. 72, 11. 77, 18. 82, 39. 103, 28. 137, 5. 188, 18. 234, 7.
276, 30. 311, 32. 319, 18. 339, 19. 370, 24. 375, 35. 380, 12.
496, 11. 574, 31. Bartsch hat aao. nur éinen fall 359, 33 als
durch Pfeiffer verschuldet angeführt.

Pfeiffer hat die überlieferung in einen selbstentworfenen canon
des mhd. gezwängt, alles was darein sich nicht schickte geändert.
es ist nun freilich sehr schwer, ja kaum möglich, allgemein giltige
grundsätze für die reinigung altdeutscher prosa aufzustellen, je
nachdem sie in einer oder mehreren, guten oder schlechten, älteren oder späteren hss. vorliegt, allein das ist wol allen klar dass
ein so freies gewähren des subjectiven geschmackes nicht statt-
haft ist, wie Pfeiffer es übt. er entnahm seine vorstellungen von
mhd. sprache einer gewissen beschränkten anzahl von poetischen
schriftstellern und waltete darnach in den texten; bei der un-
gemeinen raschheit, mit welcher er arbeitete, besafs er auch nicht
an der späteren überlegung ein correctiv. so ist sein text nicht
blofs in bezug auf den wortbestand der überlieferung durchaus unzuverlässig, nicht minder sind die wortformen willkürlich und ganz
inconsequent hergestellt. dialectisches nimmt er bald auf, bald
schliefst er es aus; hier duldet er umlaut, dort streicht er ihn;
ein und das andere mal ist ihm das tonlose e im auslaute recht,
dann apocopiert er es wider. am schlechtesten ist es den conjunctionen ergangen: die verschiedenen grundformen zb. von was
werden beständig vermengt. swer, swaz, swie sind von wer, waz,
wie nicht gesondert. kurz, ohne die varianten zur hand zu
haben, ist man nicht bei einem einzigen worte sicher, ob es so,
wie es bei Pfeiffer sich findet, auch in der hs. steht, welche zum
teil allein, zum teil nur neben éiner andern die hauptwerke der

deutschen beredsamkeit Bertholds aufbewahrt hat. [1] ich führe
beispiele im einzelnen nicht an, das wäre raumverschwendung,
da ich nur aus Strobls angaben abdrucken müste. jedermann
ist es möglich, sich von der wahrheit meiner behauptungen zu
überzeugen.

Wir machen damit wiederum eine erfahrung, die uns in bezug
auf Pfeiffers arbeiten nicht neu ist. ähnliches wissen wir von
seinem Jeroschin, der Livländischen reimchronik, den zwei Arznei-
büchern schon lange. ich habe gleiche wahrnehmungen mit hilfe
von Pfeiffers eigenem apparate bei Boner und Wigalois gemacht,
sehr schlimmes erzählt mir Denifle von den mystikern. heim
Berthold bringt der sachverhalt deswegen einen besonders ungünstigen eindruck hervor, weil zwischen den hochgestimmten
worten der ansprache an Jacob Grimm und zwischen der nachfolgenden leistung ein so starkes misverhältnis besteht. doch
genug davon. ich bin der letzte, welcher geneigt wäre, Pfeiffern
einen stein nachzuwerfen (auch bei Berthold verdankt man ihm
schöne und scharfsinnige besserungen), dessen stellung in unserer
wissenschaft ich nach gebür zu schätzen glaube; allein, den bemerkungen von Bartsch gegenüber, besonders wie sie am schlusse
seiner recension sich zuspitzen, schien es mir nötig, auf die tatsachen hinzuweisen. Strobls zweiter band mag sein wie er will,
man könnte nichts ärgeres von ihm sagen, als dass er ebenso
gearbeitet wäre wie der erste band von Pfeiffer. —

Ich weifs nicht, ob ich die geduld gehabt hätte, die lesarten
schon von A so ausführlich anzugeben wie Strobl; da er es getan hat, mögen wir ihm dankbar sein auch für die unzähligen
wiederholungen gleicher oder ähnlicher fälle. an einer grofsen
anzahl von stellen hat Strobl aus dem wortlaute der hss. bereits
die consequenzen für den text gezogen, bei manchen auch conjecturen vorgebracht. was ich im folgenden zum ersten bande
nachtrage, ist zu einem teile schon vor ein par jahren notiert
worden. natürlich erwähne ich alle die zahllosen fälle nicht, in
denen es dem leser sofort klar ist dass die lesart der hs. ein-
gesetzt.werden muss. éinen nutzen sicherlich werden diese vorschläge und bemerkungen bringen, sie werden die meinung nicht
aufkommen lassen, als ob mit Strobls mühevoller variantensamm-
lung die textesconstitution des 1 bandes abgeschlossen sei, in der
tat kann jetzt die arbeit erst würklich beginnen.

Erster band. · **2,** 18 für *diu kunst* ist *der* (A) *künste,*
von *vil* abhängig, zu schreiben. 28 l. *tören.*   **4,** 19 nach
kunst strichpunct.   **5,** 23 *mir mit volgen (nit* A).   **6,** 19.
33 uö. lies *Absolón* mit der hs.   **7,** 21 l. *ze hant.*   **8,** 11

---

[1] daher steht es mit solchen arbeiten übel, welche die zuverlässigkeit
des Pfeifferschen textes voraussetzen. so verhält es sich leider auch mit
dem sonst fleifsigen schriftchen eines früheren zuhörers von mir, prof. Resch:
Zur syntax des B. v. R., programm der oberrealschule in Leitmeritz·1860.

nach *wœrliche* wenigstens komma. **9**, 20 l. *niwer ze* statt
wan ze und ähnlich sehr viele male. **10**, 31 l. *lüterre.*
13, 3 *diu] den* A, vielleicht ursprünglich *deu.* **14**, 6 f ist der
reim beabsichtigt? die wortstellung scheint darauf hinzuweisen.
15, 17 *rêhter;* solches gebrochenes e statt mhd. *i* noch öfters:
20, 36. (37, 16 A.) 272, 38. 525, 26. II 205, 39 uö. — das anführungszeichen sollte auch die sätze 33—35 umfassen. **16**, 33
mit A die form *gebûren* zu schreiben. **17**, 36 aus dem *Jo*
der hs. ist *Jd* zu entnehmen, nicht *Só. genôze* muss bleiben.
19, 3 hier und durch den ganzen band sind die formen auf
-ent der 3 pers. plur. iud. der präteritopräsentia mit und ohne
die hs. gesetzt, was der sonstigen umschreibung widerspricht.
20 ich denke, hier muss das präteritum *vertriben* stehen. 33 hier
scheint mir nach *wîse* zu fehlen *unde ezzen,* auf einen ausfall
weist wol auch das *zu* der hs. 39 *Daz — pfunt* ist einzuklammern.
20, 11 vgl. 41, 22. — 23 ff vgl. 244, 25 ff. 39 hier fehlt
etwas, denn *tornei* und *hôhvart* werden sonst auf ritter, nicht auf
räuber bezogen. **21**, 17 Pfeiffers *riuwe* ist schon gut, aber
es darf nicht für *eine* gesetzt werden, sondern ist vor dem zu
bewahrenden *eine* einzuschalten; dann erst entsteht der rechte
gegensatz zwischen dem habgierigen und den anderen sündern.
23, 31 hier erlaubt der zusammenhang nicht, einen absatz
zu machen. **25**, 16 die declinierten infinitive der hs. wären
überall beizubehalten gewesen. 24 l. *halbez.* **27**, 35 hier
geht das citat so in den context über, dass man um den schluss
der klammer verlegen ist, ich möchte sie noch auf den nächsten
satz sich erstrecken lassen. **29** *von den drin lâgen,* eigentlich
sechs, vgl. 45, 28 ff. — 23 schon nach der analogie von 20 ist
es überflüssig, *und* hier einzusetzen. 26 der satz der hs. scheint
beizubehalten und entweder mit dem ind. selbständig zu nehmen
oder mit dem conj. an den vorangehenden zu knüpfen. 27 dürfte
sô vor vil einzuschalten sein. **30**, 33 das in der klammer
rectificiert das eben gesagte, beide sätze können nicht neben
einander bestehen. **31**, 4 f man verlangt nach *liste* wol *dar
an.* 29 die negation nach dem sinne, nicht nach der construction.
37 *von als* an einzuklammern, aber wie weit? ich denke, bis
32, 2 *wirt.* **32**, 4 l. *diu.* 13 hs. *schepfent:* da dieses verbum
auch 31, 19. 33, 13 f gebraucht wird, so muss es hier bleiben.
19 ff weil gevatterschaft ein canonisches ehehindernis bildet, ist
es nicht gut, viel gevattern zu haben. **33**, 19 *durch iuch* passt
nicht, hs. *die iuch:* ich glaube dass nach *iuch* ein verbum ausgefallen ist, etwa *hazzent.* **34**, 8 ff hier sind die sätze in unordnung. ich vermisse die directe antwort auf die frage, 8 f ist
nur eine consequenz der antwort. 15—19 gehören vor 13—15.
nach *iuwer* 21 setze ich doppelpunct. ebenso sind 23—25 nach
22 auch zu stellen. **35**, 36 scheint etwas ausgefallen zu sein.
36, 37 in anbetracht von 34, 20 ist der satz der hs. voll-

ständig beizubehalten. **40,** 1 gewis muss es mit A *noch* heifsen.
41, 9 ich denke dass *die* hier nicht zu ergänzen ist; fehlt
etwas? **42,** 5 das *und* ist zu streichen, denn dadurch wird der
gegensatz gestört; auch *vorhte* ist specificiert. 38 dritten zu ergänzen, wie Pfeiffer tut, scheint mir unnötig, da durch den relativsatz die *ldge* hinlänglich bestimmt ist. **45,** 2 nur das letzte
verbum passt auf Katharina, eine der genannten heiligen, also sind
die beispiele zufällig. 32 der ausfall ist vielleicht am besten auf
ein homoteleuton zurückzuführen, dann möchte ich das verbum *er-
wante* einfügen. **46,** 9 *scherzent* von den kälbern ist nicht parallel
den anderen verben vgl. Grimm Kl. sehr. 4, 350. 18 ich möchte
hier mit der hs. keinen absatz machen, dafür aber 47, 12 vor
der recapitulation. **49,** 18 ich nehme das zweite *unde* relativ
und schreibe 19 *zemet*. **50,** 16 für das falsche zweite *craft*
möchte ich nicht mit Pf. *maht* setzen, sondern *gewalt*, wie es in
der recapitulation 64, 13 verbunden vorkommt; als fem. 50, 30.
35 (wol auch 39). 51, 4. **51,** 7 fehlt nicht auch *wesen? mugen*
wäre zwar allein denkbar vgl. 59, 22. 89, 22. **52,** 14 könnte
besser *gesæhet* beifsen. 37 *verblindet* der hs. ist zu behalten.
53, 34 setze ich nach *démüetigen* nur komma. **54,** 3 *eben-
tiure* bezeichnet wol den wetteifer der frauen in bezug auf die
kostbarkeit ihrer gewänder. 7 ich glaube nicht dass *lobelachen* hier
anders als abstract sein darf, auch 320, 7. lobendes lächeln?
36 wenn *buoze (si)*, dann bedürfte man vielleicht keiner weiteren
ergänzung. **56,** 29 *trühsen* gehört doch wol zu dem verbum
trügen. 39 *ldt?* **57,** 10 ich denke, besser *aller* oder *alles*.
58, 32 anm. die frage Strohls ist hier und anderwärts in
ähnlichen fällen überflüssig. 34 während Pf. sonst bei diesem
verbum den acc. gerne statt des gen. einsetzt, tut er hier das
gegenteil; beides mit unrecht. 35—39 um der würkung willen,
welche die directe anrede ausübt, wechseln unmittelbar nach einander die bedeutungen derselben pronomina. **59,** 16 von den
beiden *ouch* der hs. ist das erste wahrscheinlich das bessere.
18 ff hier ist schlimme unordnung: *unde visch, wilt unde zam*
stehen nach *met unde wln unde bier* so unpassend als möglich,
auch sind *wilt unde zam* schlechte prädicate für *visch*. ich meine
dass *visch* 18 nach *brótes* gehört, dazu dann *unde gefügele, wilt
unde zam*. 20 setze ich punct nach *werlt*, dann *Reht als genuoc
als er* und 21 strichpunct nach *geschaffen* vgl. 23 ff. **60,** 1 *hör-
deler == hurtelære* in dem später zu erwähnenden cod. Graecensis
== thesaurarius. 13 vor *Er* fehlt gewis einiges. 21 *ezzen* muss
des parallelismus halber gestrichen werden. **61,** 10 dass Strobl
der hs. folgt, scheint mir zu billigen; nur fehlt noch, wenn ich
Bertholds art kenne, die erklärung dass *Venus* die *minne* bedeutet.
besser scheint mir zu interpungieren 12 komma nach *frîtac*,
punct nach *heizen*. **63,** 7 ist *minnet* zu widerholen. 13 vielleicht: *daz er gar vil jdr niht enkumet, er kumet in drizec jdren*

niwan ze einem mâle. jedesfalls fehlt 12 vor *Daz* ähnliches wie
es die anderen hss. über die namensdeutung haben. vgl. aber
Bartsch s. 140 f. 28 *Swelhes* bis 31 *untugent* steht ganz falsch
hier und gibt unsinn, da nur ein stück des satzes vorhanden ist.
denn 31 *Sô lêret* ist ein selbständiger satz, der an 28 genau anknüpft. wohin der begonnene satz hätte führen sollen, sieht man
aus 64, 7 ff, wo die richtige bedeutung der conjunction entwickelt
wird. 64, 15 ist nicht eine widerholung (wie etwa 68, 38 uö.),
die zu dulden wäre, es muss das zweite verbum nach analogie
von 50, 24. 27 f. 38 *betwinget* heifsen. 65, 22 bei der einschaltung des ausgelassenen ist nach *solten* strichpunct zu setzen.

66, 15 *unde sleht als ein hermelin und als sleht als ein ge-
liutert golt* — das zweite *sleht* scheint mir an und für sich schon
unpassend, besonders aber als eigenschaft des geläuterten goldes;
ich vermute *lieht.* 69, 23 es ist nach der hs. etwas ausgefallen,
da aber mit dem satze keine bibelstelle genau widergegeben wird,
ist es schwer zu bessern. 71, 20 das *vergeben* der hs. ist mit
rücksicht auf 74, 22 zu halten. 73, 8 nach *gebrinnest* fehlt
unentbehrlich *in der helle,* vgl. 10. 75, 29 ff *gestern spræche* —
von unrehtem guote, das kann auf verschiedene predigten sich
beziehen. doch hat das ganze wol nur dann sinn, wenn Berthold im folgenden höhnisch die beanstandete stelle der gestrigen
predigt widerholt. an 24, 30 ff wäre da zunächst zu denken.
Strobl zu 78, 16 bezieht unsere stelle, 78, 10 und 16 auf die
33 predigt, verhehlt sich aber nicht die bedenken. die drei
räte des teufels kommen auch in der predigt von den drei lagen
vor und 40 ff vom unrechten gut. vielleicht liegen u und m
nur wenig der zeit nach aus einander? 76, 18 ff die anordnung ist wunderlich und gar nicht in der üblichen steigernden
weise. 24 f finde ich mich nicht zurecht. ich denke dass sicher
etwas fehlt: entweder einfach *dne buoze* nach *wol,* oder besser
ein satz mit *ob,* der wegen des nächsten mit *ob* beginnenden
ausfiel. 77, 5 setze ich nach *mac* komma, ebenso in den analogen fällen 14. 17. 21, da mir die sätze eng zusammen zu gehören scheinen. 78, 19 *zal* nehme ich hier als 'rede', dh. von
denen, welche auf dem mühsamen wege zum himmel kommen.
80, 10 ff man sieht dass die Notburgalegende noch nicht bekannt ist. 30 *s. vor im n.?* 38 die ergänzung Pfeiffers halte
ich für unrichtig. nur 39 ist der fehler *der werlt* in *diu werlt*
zu bessern, dann ist der geforderte parallelismus mit gegensatz
hergestellt. 81, 7 hier ist wahrscheinlich vor *alle* ausgefallen
alsô hôch. 82, 19 zu der hslichen lesart vgl. 91, 1. — 32 möchte
ich nach *erliden* punct setzen und *niwer* mit der hs. schreiben;
auch 83, 3 f stimmt dazu. 83, 1 *ist* soll in seiner stellung
vor *unser,* wie die hs. hat, bleiben, daher strichpunct nach *want.*
3 ist das anführungszeichen nach *swer* zu tilgen. 24 sicher
besser ist part. von *goln* ~~ale-wen~~ *jôlen* anzunehmen. 84, 23

das *gein* der hs. ist merkwürdig, vielleicht fehlt 24 *gevarn* nach *sint.* 35 ff der satz hat kein ende. es ist komma nach *gewohnen* 38 zu setzen, auch beginnt mit *Ez* 39 eine andere art untreue. 85, 17 f richtiger scheint mir: — *gibst, den worten — vollebringest;* sd —. 20 l. *dîn.* 37 das bild wird sehr oft gebraucht, zb. 122, 29. 209, 11. 276, 39. 279, 36. 319, 5. 471, 18. 518, 37. ii 149, 5 uö. 86, 11 mit rücksicht auf 16, 24 ff nehme ich eine andere bedeutung für *hederer* an als Lexer, der erklärt: 'der mit *hadern,* alten kleidern handelt.' ich denke: der sie herrichtet zur widerbenutzung, dann allerdings auch verkauft. 87, 2 hat *sol* hier die bedeutung des futurums? die stelle bietet ergänzung zu s. 16 f. 10 das erste *nider* zu streichen. der sinn ist klar: ein bündel ähren nach dem andern wird in die stoppeln gedrückt. 89, 32 strichpunct nach *libe,* mit der hs. *wie* zu schreiben und 35 nach *dich* ausrufungszeichen. 90, 2 *gewaltesære* bedeutet hier wol nicht, wie Lexer angibt, blofs 'der gewalt hat oder übt', sondern mit rücksicht auf 121, 27. 260, 37 'vergewaltiger'. 14 nach *dirre oder der* setze ich strichpunct.

94, 24 f wahrscheinlich hat Pfeiffer von 95, 22 aus hier geändert, aber es ist ein unterschied zwischen den beiden stellen. 95, 39 die *etc.* der hs. müssen alle in den text eingetragen werden, denn sie stehen würklich statt der weiteren ausführungen. so ist gleich 98, 38 das *etc.* nach *begern* recht interessant, da die abstracten tätigkeiten anzugeben nicht genügte und die concreten noch angeschlossen wurden. 99, 25 auch das zweite *dem* ist zu entbehren. 102, 27 *Gregorius* kann unmöglich als beispiel unter den märtyrern aufgezählt werden, es muss *Georgius* beifsen, wie 302, 2. auch Strobl hat zu ii 88, 4 in demselben falle gebessert. 103, 1 ff ist allzu sprunghaft. es fehlt etwas, denn von guten werken müste mehr die rede sein; dem vorhergehenden gemäfs wäre eine frage den gottesdienst betreffend. auch das *etc.* zeugt dafür. 38 f *Sô trûwet maniger niht, daz er iemer genesen müge, daz er ze allen zîten niht vol ist als ein krapfe.* mit *krapfe* bringe ich keinen sinn heraus, es muss *kropf* beifsen, wie 14, wozu die wörterbücher stimmen. den beweis für die emendation erbringen 261, 8 *der iuch erkrüpfen und erfüllen mac,* 261, 10 f *der git iu allen volle kröpfe.* vgl. Grimm s. 351. 104, 4 *an worten* und 7 der schluss des satzes bringen einen gedanken neu hinzu, der dem ganzen abschnitte fremd ist und auch hier nur kurz angedeutet wird. das ist wider Bertholds art; vielleicht sind diese ausdrücke nur reste einer eingehenderen behandlung. 106, 23 in hinblick auf 21 und 29 muss hier *græzer* statt *grôze* geschrieben werden. 107, 26 *Unde* — 33 vor *Aber* sind als citat einzuklammern. 35 Strobls vermutung dass *einer* zu ergänzen sei, wird vor allem durch 108, 20 bestätigt. noch ist 35 *vor behabent* zu trennen. 108, 13 das ergänzte *ein* kann fehlen. 39 acceptiert man Strohls

änderung, so ist strichpunct nach *liebeste* zu setzen.   **109**, 34 f
der merkwürdige predigtschluss kehrt auch 195, 34 f wider.   dort
hat die hs. noch *etc.* es sollte also wol ein eigentlicher schluss
noch kommen. freilich muste dieser die würkung verderben.

111, 15 f was heifst *geistliche lêre* hier? wegen des folgenden
satzes kann es nicht 'lehre' bedeuten, also 'belehrung, vollmacht,
auftrag'?   **112**, 5 fehlt ein satz nach *wellen*, etwa: sd *sult ir
sie dd von ldn.* der ausfall wäre durch den gleichen anfang des
nächsten satzes erklärt; nach *ldn* muss dann punct stehen. solche
auslassungen kommen in A öfters vor, Bartsch hat s. 140 f einige
erwähnt, eine recht eclatante ist 186, 39 f. — auch 30 scheint
ein sprung zu sein.   **113**, 8 f ist die interpunction zu ändern:
8 nach *werlte* komma, 9 nach *teile* punct.   **115**, 6 dass Salomo
die kokette frau *Schenteld (= scandala?)* nenne, ist nicht nachzuweisen, wol aber steht Eccli. 9, 8: *averte faciem tuam a mu-
liere compta.* ich würde die namen 6 ff. 10 ff. 24 ebenso mit
grofsen anfangsbuchstaben schreiben, wie es Pfeiffer im analogen
falle 116, 1 getan hat.   **116**, 19 *nôtstiure* wol = *nôtbete*,
zwangssteuer. der abschnitt ist nicht ganz in ordnung.   **116**, 4
ist ein sprung, 39 (= 115, 39) lassen sich die 17 nur zur not
herausbringen.   **117**, 2 ist wider der übergang hart, 28 ff ist
ganz abgerissen aufgezeichnet. es scheinen also starke kürzungen
vorgenommen zu sein.   **119**, 9 nach *rehte* ist komma zu setzen.

120, 4 hier ist ausgefallen *und daz kint von der muoter.*
28 f die construction ist mir zweifelhaft, sie ist wenigstens sehr
selten, vgl. Mhd. wb. I 170°.   **123**, 5 das *nû* gehört schon zu
gottes rede, vgl. 110, 3. 111, 4. 6. 123, 11 und anderwärts.
124, 19 Strobls argumentation zu 27 leuchtet mir nicht ein. ich
denke, 19 ist *liute und* ein ungeschickter zusatz, 23 f *wil* erst
futurum. für die annahme dass die betonung dieser sätze durch
mimik unterstützt worden sei, lautet mir die stelle zu wenig bestimmt, nicht mehr als zb. 244, 22.   **126**, 33 *in* ist muss gestrichen werden, es ist gar kein anlass, zu ergänzen. zu 36 ff
und den mehrfachen widerholungen dieser stelle bei Berthold
vgl. in des priesters Arnold Juliana 380 ff: sd *twon ich ein un-
sælige vart an einer viurînen sûle, diu snîdet als ein scharsahs, an
allen vierin is si wahs* — und dazu Kaiserchron. Diem. 152, 1.
167, 11. MSD² Salom. 5ᵇ, 14.   **129**, 19 das geschwächte *der*
ist mit *nider* doch immer zusammenzuschreiben.   **132**, 6 ist
besser *verwirken* zu schreiben.   **134**, 1 ff die composition ist
sehr lose, denn die drei gattungen werden aufgezählt, als ob ein
neuer abschnitt erst angefangen hätte.   **136**, 32 *des hêren herren*
ist zu lesen.   **137**, 4 mit der einschaltung des ausgelassenen *ist*
auch die interpunction zu ändern: strichpunct nach *widergeben.*
37 l. *var.*   **138**, 1 l. *diu.* von 6 ab ist wider unordnung.
der satz *Nû sich* hat gar keinen anschluss an das vorangehende.
7 ff setzen voraus dass die *gîtege* schon *zwîvel* ausgesprochen

habe, was nicht der fall ist. mir scheinen 6—10 ganz depla-
çiert. **140,** 8 ff die entwicklung des themas ist nicht glücklich,
da der acker zwei bedeutungen hat, vgl. Wackernagel Pred. und
geb. s. 363. **141,** 9 und 15 nicht punct, nur strichpunct.
143, 2 ff *varn* wird als conj. mit der hs. gesetzt werden müssen.
7 *mit den gerihten,* die geistliche gerichtsbarkeit, als in der
priesterweihe eingeschlossen, für das siebente sacrament gesetzt?
20 die anmerkung von Strobl könnte gründlicher sein: *abgründe*
ohne artikel schon 218, 9. *guot* als subst. artikellos 213, 24.
fride 57, 3. 81, 32. 238, 19. 28 uö. *stich* 383, 15. *lieht* 505, 4
und gewis noch mehr. **144,** 17 hier ist *nôt* nach *kristenliuten*
einzusetzen, die einfache verbindung des verb. subst. mit dem
dat. (vgl. Gr. 4, 703) halte ich hier schon des zusammenhanges
wegen nicht für zulässig. **145,** 10 der satz *Ir wellet* darf nicht
mit in das citat eingeschlossen werden, denn er steht mit den
angezogenen stellen der 23 predigt, s. 357 f besonders 362 ff, in
keiner directen verbindung und gewährt nur einen summarischen
abschluss. 28 ff und 147, 33 ff stehen mit der darstellung 142, 5 ff
in widerspruch. **146,** 38 ich denke, hier muss *von dînem
valsche* gelesen werden. **147,** 27 *kis,* gegossenes, nicht ge-
hämmertes eisen? vgl. aber Grimm s. 332. 31 strichpunct nach
pfluoge, die ganze darstellung ist wider sprunghaft. **148,** 24
sollte nicht der satz mit *wan* anfangen? **151,** 33 ich möchte
punct nach *beschatzen,* 34 doppelpunct nach *sune* setzen, komma
nach *tuon.* 35 so ganz sicher ist Strohls änderung nicht: 3 Reg.
und 2 Paral. gestatten noch andere auslegung und 152, 20 spricht
für den singular. **152,** 23 nach der interpunction will es mir
scheinen, als ob Pfeiffer *zæhe* 24 nicht richtig gefasst hätte.
wenn man es mit 'geschmeidig, nachgiebig' übersetzt, dann darf
vor *unde* kein komma stehen. 29 Pfeiffers besserung wird wol
bleiben müssen, vgl. 16, 35 f. auch wäre es nicht gut möglich,
wie Strobl meint, dass der prediger durch eine handbewegung
den betriegerischen verkäufer, durch eine andere den betrogenen
käufer bezeichnete. **153,** 3 da Pfeiffer das citat nicht nachweist, hat er auch unterlassen anzugeben, wo es aufhört.
154, 10 *nâch wâne* = auf risico. 31 nach *solt* wäre strichpunct besser. **155,** 4 ich denke doch dass man mit dem überlieferten auskommt und einer änderung nicht bedarf. *verstên*
3 übersetze ich mit 'verwalten' und meine dass jeder *kôr* darauf
achten solle dass er nur gerechte leute enthalte. die mitglieder
des zehnten 17 ff sind eben nicht *gerekt* und von ihnen sind
ausdrücklich 24 die gerechten gesondert. aber 4 ist nach *velschet*
punct zu setzen und 5 nach *amt* komma. **157,** 12 ist *dem*
zu ergänzen ganz überflüssig, fehlt ja auch vor *böumen* der artikel.
14 ist der reim beabsichtigt? 17 ff ohne zweifel ist die schöne
stelle falsch interpungiert. jeder satz mit *suochen* gehört dem
redner, welcher, dem worte Bernhards folgend, immer weiter im

naturreiche nach gott forscht. nebenbei: *alle krêatiure* 15 können doch nicht bei *allen krêatiuren* 17 suchen. 25 ff ist die letzte rede, von da wird eben nicht weiter geforscht. es ist wie im märchen. also muss man interpungieren: 17 nach *ist* punct und anführung schliefsen; 19 das anführungszeichen nach *klange* tilgen, 22 nach *ist* punct und die anführung schliefsen, aber 24 das zeichen tilgen. **159,** 14 Pfeiffers ergänzung ist unrichtig. der satz 13 bis 16 gehört übrigens gar nicht hierher, er stört den zusammenhang und muss nach 25 stehen, wo sonst gar nichts genaueres über den zweiten punct gesagt würde. **160,** 39 l. *ieglicher.* **162,** 19 die klammer muss schon mit *Daz* beginnen, denn *würzelin* gehört bereits zur ausdrucksweise von 297, 39 ff. 36 *din* der hs. ist zu belassen. 37 erfahre ich aus der anm. nicht, ob *von* vor *der w.* in der hs. steht; wenn nicht, brauchte es auch nicht ergänzt zu werden. **163,** 3 die anm. Strohls, dass eingeklammert werden muss, ist richtig; aber die klammer darf sich nicht bis 7 *handen* erstrecken, sondern nur bis 4 *reden.* denn 52, 7—53, 3 sollen aus der predigt von den sieben planeten eingeschaltet werden, da setzt dann der 5 beginnende satz genau fort. 38 bedeutung? 'stelle ihm nur éine bedingung, setze voraus'? **164,** 31 ff hier ist sichtlich *got* in dem sinne 'gottmensch' zu nehmen, vgl. 165, 5. **165,** 35 auf das *wann* der hs. gestützt, ist für *unde* sicher *swenne* nach einem komma zu schreiben. **166,** 25 ff der satz ist zu confus, wenigstens in etwas sollte man ihm durch interpunction aufhelfen: 29 nach *nieman* punct, 30 nach *vier dinc* komma. **167,** 1 entweder ist das ein starker fall von Bertholds weise des verschlungenen ausdrucks, oder es ist zu schreiben *daz dû daz.* 18 strichpunct nach *maht.* 35 die fälle sind viel zahlreicher als Strobl in der anmerkung andeutet (bei 405, 23 muss es *von* statt des zweiten *vor* heifsen). noch gehören hierher 218, 39. 255, 7. 446, 25 f. 560, 19 uö. verschiedene casus bei derselben präposition 270, 17. 311, 6 uö. **168,** 33 ich denke dass es trotz 28 f *im* für *in* heifsen muss, wenn *man* richtig ist. zu 171, 19 vgl. schon 172, 7. hier ist mit der hs. auch der satzbau zu ändern: komma nach *wec.* **173,** 14 hier ist die disposition unordentlich erhalten. es wird erst genauer von demut und hoffart gesprochen, dann aber werden die drei tugenden und ihre gegensätze genannt, als ob es eben anfienge. ähnlich 177, 4 ff. **174,** 34 heifst wol (vgl. 175, 7): 'von wurzgärten allein, an und für sich, hatte er eine menge'. **175,** 3 soll man bei der hs. bleiben und *genuoc* ergänzen. **176,** 10 Lexer 1 1462 gibt an: 'frau, die mit blick, rede, gewand männer an sich zieht'; was heifst dann das masc. 83, 33? vielleicht ist die bedeutung nur: 'die sich eitel, hoffärtig macht, zeigt, erweist.' vgl. Grimm s. 336 f. **177,** 10 *alle* zu ergänzen war unnötig. **178,** 9 strichpunct nach *zer sêle.* **182,** 26 ist unmöglich. *biz danne* kann sich nur auf die

ankunft des jüngsten tages beziehen (vgl. 183, 1). die zwiefache
marter tritt aber gemäfs dem folgenden satze erst mit diesem tag
ein, nicht vorher. also muss *biz danne* falsch sein. ob man *von
danne* schreiben darf, ohne dass es local gefasst würde? am einfachsten ist es, *biz* nach analogie von 183, 8 zu streichen. **183**, 8
daz ist relativ zu nehmen und damit die ergänzung Pfeiffers zu
streichen. **184**, 15. 19 erklärt Lexer 1 660: 'ich meine es ernst,
gut mit ihm'. das halte ich nicht für richtig. ob *ernst wesen* mit
dem dat. der pers. wie 15 oder mit *ûf* und acc. wie 19. 185, 23.
36. 187, 4. 33 verbunden ist, jedesfalls liegt der begriff der strenge,
ja der härte darin. das ergibt sich schon daraus dass es gleich
15 dazu heifst *und sô vint was* er *in*, ähnlich 187, 33; dann ist
185, 23 *zornic wesen* und 187, 4 *zorn* damit verbunden. nicht
minder lehrt das der zusammenhang der stellen und so muss
ûf mit 'gegen' übersetzt werden. **186**, 1 *und* kann mit der hs.
wol bleiben. **187**, 15 vielleicht ist doch *amare amarissime* zu
lesen, vgl. 189, 17. 36 wird kaum aus der überlieferung mehr
zu machen sein, aber 35 scheint *wênic* nach *als* zu fehlen.
188, 23 nach *wil* setze ich komma, 24 nach *handen* strichpunct.
192, 35 l. *von allem iuwerm herzen.* **195**, 17 f fehlen wahrscheinlich zwei *é.* 26 da der relativsatz nicht gut auf anderes
als auf *zaher* sich beziehen kann, muss es doch *der* statt *daz*
heifsen. **197**, 14 l. *Der ist.* **198**, 21 ganz möchte ich die
hsliche fassung nicht aufgeben. vielleicht ist nur *dir* aus *dirre*
zu machen, was dann natürlich auf den *sünder* geht. die wortstellung 22 bleibt auffallend, denn aus *gote* den vocativ *got* zu
machen wird niemand wagen. 24 ff der übergang ist undeutlich
und es zeigt sich hier wider einmal dass die practischen straf-
predigten besser überliefert sind als die, in welchen dogmatische
abstractionen vorkommen. **199**, 1 die lücke wird aus 198, 11 ff
ergänzt werden können. 2 wird *uns* vor *mit* fehlen, da sonst
der genetiv in 3 nicht zu rechtfertigen wäre. 3 f ist die lesart
der hs. gewis gut. **203**, 32 l. *wdr.* **204**, 15 an die benutzung der von Grieshaber publicierten predigten durch Berthold
kann ich nicht glauben; was Strobl mitteilt, scheint mir leichter
und sachgemäfser der gemeinsamen theologischen quelle zuzuweisen. **207**, 19 die disposition, welche 204 beginnt, wird
hier ganz verlassen, denn die ersten drei hier decken sich nicht
mit den drei 204—207; es folgen noch vier, obschon die fünften
vor 208, 36 ganz ausgefallen sind. **208**, 8 vielleicht kann
man das *danne* der hs. behalten, wenn man *triben* als conj. prät.
nimmt. **211**, 22 ob nach *schar* nicht *ze huote* fehlt, das wegen
der folgenden widerholung des wortes weggelassen ist? 25 Strobls
bedenken, soweit sie in seiner conjectur sich ausdrücken, scheinen
mir irrelevant. denn der wechsel in den bedeutungsnuançen von
huote, wie er durch die hs. vorausgesetzt wird, ist nicht grofs,
jedesfalls geringer als er bei Berthold in abstracten dicht nach

einander oft vorkommt. Lexer hat ı 1395 unsere stelle schwerlich ganz richtig eingeordnet, wie sich aus dem hier noch bestehenden zusammenhange mit der biblischen erzählung ergibt;
dagegen möchten 212, 19. 217, 33 und 218, 32 ff dafür dort
nachzutragen sein.   **212**, 19 die worte *sünde und in der andern*
sind zu streichen. der singular *sünde,* der ausdruck *andern* und
die ganze fügung geben anstofs. die phrase ist aus gedanken-
losigkeit dem ähnlichen 12 nachgeahmt.   **213**, 26 f wenn man
die unnötige ergänzung weglässt, ist auch nach *helle* komma statt
des strichpunctes zu setzen. 30 *niht* ist mit Pfeiffer zu ergänzen,
aber *mit mir* muss unbedingt bleiben wegen 32: 'du allein vermagst es auch nicht zu vollbringen', weshalb ich dort nach *ge-
tuon* komma setze.   **214**, 3 aus dem citat ergibt sich dass *an
dem teile —* inwiefern, noch einzuklammern ist.   **218**, 5 l. *helle.*
9 die ergänzung ist unnötig.   **219**, 6 ff die stelle ist mir unklar. was die hs. 8 hat, ist aus den varianten nicht zu ersehen,
ich möchte lesen: *erkennen uns* (s. 5. 15) *deheiner stœtikeit.*
222, 14 ich glaube dass *als* mit A wider eingesetzt werden muss,
vgl. 23 ff.   **223**, 11 ff findet eine neue disposition statt, welche
jedoch mit der früher begonnenen sich deckt. es ist sehr möglich dass hier der rest einer anderen einleitung der predigt vorliegt, und es scheint mir sehr bezeichnend, wenn in a der schluss
des abschnittes mit der partition fehlt.   **224**, 24 das ergänzte
dú muss wider gestrichen werden.   **225**, 36 nach *diu* ist *gendde* einzuschalten. ob nicht nach *hât* stärker interpungiert werden soll: *daz* wäre dann conditional zu fassen.   **226**, 11 ff
scheint mir a fast besser zu sein als A. in diesem fehlt wenigstens sicher 13 der gegensatz zu 11 *hie.* die sätze 20—25 sind
durch interpunction enger zu verknüpfen, 21 ist sonst kaum verständlich, also: 21 nach *dne* komma, 24 nach *dinc* strichpunct.
227, 16 l. *was.*   **228**, 1 die stelle ist durch zusammenziehung verderbt. .   **231**, 19 *bürde,* schwach decliniert in A,
vgl. a 37 und 232, 1 ff. 33 ff in a ist das citat exacter als in
A, da 38 f ein passus fehlt, welcher nur auf die redeweise unserer
predigt sich bezieht.   **232**, 1 ff der satz ist nicht in ordnung.
denn das relativum in 4 müste sich noch auf 1 beziehen, was
falsch ist: die tugendhaften bedürfen nicht der reue und hufse.
deshalb ist auch der von Pfeiffer 2 gesetzte conjunctiv statt des
hslichen ind. unrichtig. *alle die* in 2 weglassen scheint mir
eine zu einfache auskunft. a hilft nichts.   **239**, 5 ff kommt
mir nicht ganz richtig vor. die sätze 3 und 7 gehören zusammen,
durch 5 wird die aufzählung unterbrochen. zudem ist 5 so gefasst, dass man es zuerst misversteht, es müste wenigstens eine
adversative partikel und der conj. stehen.   **243**, 14 das ergänzte sd ist wider zu streichen.   **244**, 18 komma nach *tiuvel.*
245, 9 ich glaube nicht dass man so sagen darf. etwa *under
disen getriwen fride* oder *úf disen getriwen fride.* alle sonst in

der predigt angewendeten phrasen sprechen dafür. vor 29 scheint
ein übergangssatz zu fehlen.   **246**, 13 f verstehe ich nur, wenn
es auf den dritten mann sich bezieht, welcher die frauen als
die mächtigsten über die männer bezeichnet.   **247**, 5 f ob in
dem reime hier und in den schon früher erwähnten beispielen
nicht eine vielleicht unbewuste nachahmung der reimprosa steckt,
wie sie die lateinischen predigten so häufig verwenden?
251, 9 f was in a fehlt, scheint in A nicht an der richtigen
stelle. ich ziehe es vor anzunehmen dass ein satz ausgefallen
ist, als dass ich 9 f erst hinter die periode vom pfennigprediger
stellen möchte.   **252**, 24 ff unrichtiges ist jedesfalls vorhanden,
man kann an verschiedene heilungen der stelle denken. nach
der hs. sind die beiden, denen man gleich werden soll, Maria
Magdalena und Maria *Θεοτόκος*. das scheint mir, auch wenn
ich 262, 25 berücksichtige, unpassend und es ist besser, Maria
und Christus für die beiden muster zu halten, vgl. 253, 4 f. damit sind aber noch nicht alle schwierigkeiten gelöst. wie kommt
man dazu, gerade bei der zweiten tugend sich in bezug auf alle
acht mit den vorbildern zu messen? entweder ist 28 zu lesen:
unde swer in an disen zwein tugenden gelichet oder, und das wäre
mir das liebste, *unde swer in zwein an dirre tugende gelichet*, vgl.
wider 253, 4 f. denn 252, 5 f darf nicht gepresst werden.
253, 10 sd *mit hôhvart* ist sicher falsch, an stelle der irrigen
widerholung muss etwas anderes gestanden haben. 14 nach *wart*
komma.   **256**, 12 das anführungszeichen zu tilgen.   **257**, 26
obschon ich weifs dass man für die fassung *dem vische* die stelle
eines kirchenvaters zur stütze anführen könnte, bin ich doch mit
rücksicht auf 27. 32 ff. 258, 24 überzeugt dass fische hier nah-
rungsmittel sind und *der* geschrieben werden muss.   **258**, 1. 2
da A oft *iz* für *ez* schreibt, ist es leicht möglich dass *irz* verschrieben statt *ez* zu gelten hat, dann könnte das überlieferte *in*
mit 2 sehr gut bleiben.   6 *ze dem niuwen* heifst hier gewis nicht
'heim neumond', sondern elliptisch 'bei der neuen ernte'.
261, 1 var. a. ich denke dass aus dem worte eine mit *gîlen*,
spotten, zusammenhängende form herauszulesen ist: *geiler = gî-*
lære?   **262**, 2 mit rücksicht auf a könnte es in der vorlage
von A geheifsen haben: *Ir gîtegen, ir sît die unsælegesten der*
niderlender, ir gîtegen, ich wil iu ouch iuwer herberge zeigen —
und das wäre durch versehen ausgefallen. — die dreizehn heer-
zeichen der niederländer sind gut aufgezählt. Lamech und Sella
stehen natürlich nur unter einem, dem zweiten. Osas schar,
die achte, steht besonders, also ist 261, 23 gedankenstrich zu
setzen. die drei bösen ratgeber bilden offenbar nur éine, die
zehnte schar. dagegen stehen unter Ananias und Saphyra zwei,
die zwölfte und dreizehnte, also 262, 11 gedankenstrich. 19 ff
interpungiere ich anders: — *sînt! Unde swie . . . . niderlande,*
unde . . . . iuch alle. . . . . ich gehe also mit A und nehme

auch das von Pfeiffer verworfene *alle* auf. vgl. 29 ff, besonders
in a. 24 scheint sd vor *gewaltiger* zu fehlen. **264**, 16 ff hier
sind die sätze verschoben. man wird sonst verleitet, den zau-
berinnen den erwähnten heidnischen glauben zuzuschreiben; auch
das *Pfl* schliefst sich besser an 15. es muss der satz 16 nach
höchste 19 gestellt werden. **265**, 9 das *unde* passt mir nicht,
die construction wird dadurch verzerrt, auch fehlt es in der widerholung 32. **266**, 27 das komma darf fehlen. **268**, 16
das zu ergänzen ist unnötig, auch Grimm hat es s. 343 nicht
für erforderlich gehalten. **269**, 3 ich teile nicht die auffassung
in Strobls anmerkung. landleute werden hervorgehoben und ihre
bezeichnung als mehrheit soll motiviert werden, es ist also zu
dem eingeklammerten satze zu ergänzen: 'die in der stadt wohnen'
oder 'die nahe zur kirche haben'. vielleicht genügt es, *andern*
nach *der* zu schreiben, das wäre dann durch versehen ausgefallen.
31 *den* ist unnötig. **271**, 11 f anders zu interpungieren. *bo-*
reies guotes und *götliche gendde*, die etwas erst schaffen, sind
verbundene gegensätze, daher komma nach *ertriche* und doppelpunct nach *hât*. 39 wenn *der hât* sich auf *ketzer* bezieht, ist
komma besser als doppelpunct. **272**, 19 ff ich nehme anstofs
an der abfolge dieser sätze. 22 ist kein übergang, auch 27 ist
besonders sprunghaft. und das vom habgierigen wird 28 wider
aufgenommen, während 25 schon auf das allgemeine geht, dessen
besprechung 273 andauert. ich ordne also 19. 25 *Pfl — 34 samt.*
27. 23. 21. 34. **273**, 8 *dur allen den toc?* **274**, 6 wenn
miure nicht 'ärmer' heifsen darf, dann ist *sie* durch *in* zu ersetzen: 'ihnen desto weniger hinterlasset'. 30 muss doch *inch*
gelesen werden. **275**, 3 vgl. 279, 9. **276**, 30 der passus
der hs. ist einzuschalten mit nachgesetztem *ist*. nach *gebræche*
natürlich punct. **278**, 20 sachgemäfser schiene mir *eines*, vgl.
anm. zu 107, 35. **279**, 9 nach anleitung der hs. ist *ir gént*
zu lesen. 31 das *Amen* ist sonst von Pfeiffer innerhalb der
predigt belassen worden, es wird auch hier bleiben müssen.
280, 29 l. *verzwivelt niht.* **283**, 8 anders zu interpungieren:
doppelpunct nach *wér* zu streichen, nach *swern* strichpunct.
284, 4 f die stellen sind von Pfeiffer wol absichtlich weggelassen,
aber ich denke dass sie mit leichter änderung doch nach der hs.
gegeben werden sollten: *sus ist din verdampnisse unde dû muost*
sine verdampnisse dur unde sus der dinen haben und din selbes
hant. **286**, 2 f *nû sage* en könnte auch zur rede des predigers gehören. jedenfalls aber ist 8 f unrichtig interpungiert.
es muss 8 punct nach *ist* stehen, 9 ist *Jâ* antwort des zuhörers,
Für wâr fällt schon dem prediger zu und darnach ist komma
zu setzen. 37 Strobls anm. kann ich nicht billigen. obwar
auch die Strafsburger hs. (bei Strobl s. 279) *ir valschen genge*
hat, steckt doch der fehler nicht in *gên*, sondern in *valsches.*
es scheint mir zweifellos dass *valsches* geschrieben werden muss.

vgl. *mit treten, mit wehen gengen* 515, 6 var. a. u 142, 10 *wæhe trite*, dazu die stellen in den wörterbüchern und meine anm. zu meister Reuaus 98. 416, 22 sind *spæhe genge* erwähnt. **292,** 25 *an sine stat* scheint mir ebensowenig richtig, wie dass 26 nicht der nominativ nach er steht. **294,** 26 f ist zu schreiben: *daz als alliu — lit, . als.* **295,** 14 l. *kristen* vgl. 270, 26. 299, 11 wider die masse der stellen mit *kristen glouben.* **296,** 29 ich glaube nicht dass man (vgl. 254, 37) so sagen kann, es scheint etwas zu fehlen, auch 33 ist ein sprung. **297,** 21 l. *swie.* 29 vor *Der* gedankenstrich. 37 l. *wurzelen.* **298,** 6 *zuo disen zwein* ist sinnlos und verschrieben für *zuo diser erzenien.* 25 zum *atzeman* vgl. u 70, 38 f. 85, 29 ff. **300,** 18 *wihen*, nämlich kirchen oder priester. 38 nach *Ist* fehlt *niwer.* ebenso **304,** 23 nach *geschuohet.* **305,** 38 f da fehlt gewis etwas, denn *sie* 306, 1 ist auf *erzente* zu beziehen, dann hängt der eben begonnene satz ganz in der luft. **306,** 15 die ergänzung ist unnötig. 20 es muss *heiligesten* heifsen. auch *zal* 22 erwartet man näher präcisiert. **307,** 32 verstehe ich die varianten recht, so steht *swie diu é heilic ist* zweimal, wogegen ich nichts einzuwenden babe; doch muss dann 31 nach *lebenne* komma stehen und 32 nach *ist* strichpunct. **309,** 4 statt *daz sint* besser *die gént*, 311, 25 ist nicht dagegen. **310,** 3 die einschaltung *oder — hânt* verstehe ich gar nicht. auch 8 ist nur dann in ordnung, wenn *leben* subject ist. **311,** 32 aus der hs. ist zweifellos nach *sint* der ganze passus aufzunehmen, etwa in parenthese von *wann* bis *lang.* **312,** 34 komma nach *sippezal.* **313,** 2 ff die darstellung ist unklar, denn die fälle 2 und 9 sind kaum zu scheiden. 18 *friuntschaft* für *friunde?* 33 ff entweder fehlt 35 etwas, oder, was leichter anzunehmen ist, 33 muss das präteritum von *haben* stehen; sonst wird der gegensatz der kinder vor und nach der taufe nicht hervorgehoben. **316,** 22 worauf bezieht sich *des?* unmöglich auf die ehescheidung, weil ja sonst die zurückhaltung 19 f ganz ungerechtfertigt wäre. es muss sichtlich heifsen: *swie wol dú geléret bist, des —* 'wie viel kenntnisse du auch selbst hast, dessen d. i. des rates eines weisen mannes kannst du doch nicht entbehren'. **318,** 39 *spiler* ist hier nur geschlechtlich zu nehmen und bei *hiutezucker* denke man an *Doll Tear sheet* in Shakespeares Henry ıv 2th part. **319,** 20 ff gehen ein recht schlagendes beispiel von dem schlechten zustande der überlieferung. 20—24 sind nämlich ganz verschoben und gehören nach 318, 28. 39 nach *sich* ist *hât* zu ergänzen. **320,** 9 vielleicht liegt hier der schlüssel zu der verschiebung 319, 20. denn eigentlich ist der satz hier nicht sehr passend, nachdem 319, 24 schon die zweite partie damit eingeleitet worden war. allerdings ist noch nicht von der hoffart der männer gesprochen, aber von den luxusdingen doch schon 319, 17 ff. **321,** 7 bezieht sich vielleicht nur auf 'unterhalt', den der schuldige teil

von dem andern nicht verlangen darf. es scheint mir nicht
nötig, *varn ldn* so zu fassen, wie Strobl tut. 21 f umschreibung
für 'beischlaf ausüben'. 26 ff die disposition geht hier ganz in
die lappen. denn die .4 und 5 feder sind in der tat (33 ff) nur
unterarten des 3 teiles der 3 feder s. 319, 6 f.   **322**, 20 ich
glaube, *dû* ist von dem abschreiber des verbums wegen hinzugefügt. *ir sin* könnte schon bleiben; *sin* bezöge sich auf das
thema, welches ja mehrmals (zb. 328, 29) mit *ez* bezeichnet wird.

325, 7—10 *wênic* ist mir die widerholung des unmittelbar
vorhergehenden zu stark und ich möchte die stelle als 2 lesart
einklammern. 30 'der nicht verstehen will' vgl. 326, 38.
327, 38 hier ist durch versehen des schreibers ausgefallen: *oder
in der megede leben*, denn sofort folgt der sonst unpassende bezug auf drei arten von leben vgl. 329, 4.   **328**, 26 liegt es
da nicht näher *blœde* aus *blude* zu machen? 35 ff hier ist sichtbar, wie die ganze disposition verwirrt vorliegt. nachdem *zuht*
und *mâze* abgehandelt worden sind als unentbehrlich bei der
ehe, ohne sie verfällt man der hölle, wird als drittes, das vom
fegefeuer befreit, geraten, beischlaf nur um dreier dinge willen
auszuüben: a) ehepflicht, b) gehorsam, c) um der kinder wegen.
b und c werden dann in eins zusammengezogen und an die stelle
des dritten kommt ein neues. aber dieses befreit nicht nur vom
fegefeuer, es hilft zur obersten himmelsstelle, das ist keuschheit
in der ehe 328, 38 ff. und doch hilft es nur vom fegefeuer 35 f.
und wer es nicht tut, muss das fegefeuer leiden. das sind crasse
widersprüche und unordnungen. damit ist es aber nicht abgetan.
der satz 32 ff kann nicht richtig sein. beischlaf soll nur um der
kinder willen ausgeübt werden, der nachsatz aber bezieht sich
auf etwas ganz anderes: die kinder werden verlobt, Isaak und
Rebekka. also gehorsam gegen die eltern erschiene dann als c?
aber das hat wider keinen bezug auf den beischlaf. entweder
ist der nachsatz überhaupt zu streichen, oder doch *ir* und *zer
heiligen ê.* ich kann mir die entstehung dieser confusion nur
durch die annahme erklären dass dem aufzeichner die subdispositionen über seine kräfte giengen. vielleicht hängt es damit zusammen dass 329, 3 abzubrechen scheint. sogar 328, 13 und 23
widersprechen einander. die verwirrung setzt sich 329 fort.
vom fegefeuer befreit werden da 7 schon die, welche nur *zuht*
und *mâze* halten, vermöge deren man 328, 10 nur der hölle
überhoben ist. die höhere stelle im himmel bekommen 329, 10 ff
diejenigen, welche auch das dritte halten. das müste nun das
dritte von 328, 12 sein. das ist es aber nicht, es ist das dritte
des dritten von 329, 1. abhilfe gibt es keine gegen diesen
weichselzopf von geboten und räten. — ich ergreife den anlass,
noch auf 321, 26 zurückzukommen. der 2 fittich hat ebenfalls
5 federn: 1. reines gesinde. 2. kein unrechtes gut. 3. mit
treue halten und zwar a) der   b) die seele, c) das gut (so

in der disposition, in der ausführung wird zuerst das gut, dann
der leib und zuletzt die seele besprochen). diese treue an der
seele, welche hier als das 3 von 3 gilt, kann in zweierlei art
gewahrt werden, durch *zuht* und *mâze*. diese aber sind die
4 und 5 feder (wider wird die ordnung gebrochen: 321, 36 ist
zuht die 4, *mâze* die 5 feder. aber 322, 6 ist *mâze* die 4 und
324, 37 *zuht* die 5). so kommt es denn dass die zwei arten des
treuhaltens der seele, welche untercategorien der categorien der
3 feder sind, nun derselben 3 feder coordiniert werden. das gibt
eine unklarheit, die es durchaus ausschliefst, was man sonst vermuten könnte, dass Berthold selbst irgend welchen anteil an der
redaction dieses umfangreichsten stückes genommen habe. so
starke misgriffe können kaum bei einem leichtsinnigen modernen
schriftsteller passieren, der kein schema hat und dem die controlle eines guten gedächtnisses mangelt, bei Berthold gewis gar
nicht. die verwirrung bemerkte schon Schmidt in seinem noch
zu citierenden programm s. 5. **329**, 20 sollte noch stehen *und
an der sêle*, wahrscheinlich ist es ausgefallen. auch ist nur vom
libe gesprochen, vom *guote* nicht (wenn nicht 35) und beide werden
39 f nachgebracht. aber das ist hier summarische recapitulation
und da kann man schärfe nicht verlangen. 37 muss es heifsen:
bî dînem herzen ûzgenomen vgl. 23 f. sonst ist es unsinn.
331, 2 l. *in*. **332**, 10 f kann ich mit Strobls auffassung nicht
einverstanden sein. was wäre das für ein ἀπὸ κοινοῦ? den
wäre jedesfalls das wort mit zwei bezügen, beidemale dativ.
das würde aber nicht das heifsen, was der zusammenhang verlangt. zu *gewinnen* würde notwendig sein *von den*, die präposition kann unmöglich fehlen und das üble des nachtrages *mit
ir willen* bleibt dann doch. ich finde Pfeiffers änderung nicht
ohne sinn: *danne*, nämlich, wenn man die frist gewonnen hat,
soll man zahlen 'nach ihrem willen = bedingungen.' 37 verstehe ich nicht wie es da lautet. wenn schon nach *sêlen* nichts
eingeschaltet werden sollte *(den maht dû mit almuosen helfen?)*,
so muss es doch heifsen *vür dich* (temporal *vor dir* ist unmöglich) vgl. 26. auch **333**, 1 fasse ich anders als Pfeiffer: nach
messefrumen strichpunct, 2 nach *frumest* komma, denn *gedenke*
bezieht sich auf die commemoratio in der messe. 24 ff ist sicher
nicht gut, die schwankende darstellung erlaubt auch verschiedene
vorschläge. ist 24 *in* vor *hin* ausgefallen? oder fehlt *iuch* nach
für wie 31 andeuten möchte? 25 *frouwen* oder *man* auf *herschaft?* vgl. Spec. eccl. 8. die einfache übersetzung der stelle
(mit *hin für* — voraus hin) befriedigt nur, wenn man nicht genauer zusieht. **334**, 8 l. *iu*. 15 ist *ir* nach *gebet* zu ergänzen. 18 an anderen stellen, die ich angemerkt habe, das 40,
hier das 30; dies scheint ein zeichen dass die gruppe, welcher
die predigt angehört, zu anderer zeit als die übrigen aufgezeichnet
ist. 18 ff hier sind auch (vgl. 30 ff) zwei ganz heterogene dinge

in éinen satz zusammengeschraubt. wahrscheinlich ist etwas ausgefallen und die zweite hälfte ist dann selbständig zu nehmen,
wie sie auch im folgenden satze sogleich gefasst wird.   335, 5 ff
der passus scheint mir hier gar nicht an der richtigen stelle,
sondern dorthin gehörend, wo von der ehetrennung die rede ist.
24 der nebensatz ist schlecht überliefert. entweder ist (wie 15)
zu ergänzen: *als sie ze rehte solten* oder *als sie* muss ganz gestrichen werden. denn es kann *als sie* doch nur auf die bufs-
fertig gewordenen sündhaften wittwen gehen und das ist falsch.
32 die bemerkung Strohls scheint mir richtig, aber stünde nicht
niwer der überlieferung näher?   337, 35 die erklärung Becbs
bei Lexer 1 1817 ist mir zu künstlich. gewis stecken in der
stelle die fünf törichten jungfrauen, vgl. 491, 23. 'sie sind zwar
jungfrauen den abzeichen der lampen nach (vgl. 32 und 338, 1),
aber nicht an der seele'.   340, 16 f wie es hier steht, kann
sich *verdienen* nur auf die teufel beziehen, was es nicht darf;
auch a hat eine andere construction. vielleicht ist 17 *die* vor
den lôn einzuschalten. 37 nach der analogie der mir bekannten
fälle müste hier die einleitung schliefsen. entweder ist eine umstellung vorzunehmen (aber 30—37 sind dagegen), oder mit a
ist 37 ein neuer absatz zu machen.   343, 4 ich denke, ich
verstehe Strohls anmerkung recht, wenn ich meine dass das
zweite *z* in *Geheizz* die übliche abkürzung für *et* ist.   344, 4 ff
interpungiere ich anders: 4 nach *himele* punct, 6 nach *friunden*
komma. 24 vielleicht stand in der vorlage von •A oder *gar mêr*
und wurde von einem r auf das andere versehen.   345, 5 ff
warum 2 und 3 so kurz?   347, 14 vor *Wie* fehlt das anführungszeichen. 27 ich denke, es ist besser mit a *ir* zu schreiben.

   348, 28 verstehe ich in der weise: Adam und Eva haben nicht
so gesprochen, daher *(alsó)* —. dann kann es nicht *redet* heifsen,
sondern etwa *lidet*.   349, 33 hier ist es gut, mit a *niht* wegzulassen. 39 f die stelle ist nicht in ordnung. *solt* ist hier nicht
gut möglich, da es 350, 1 in anderem sinne gebraucht wird.
auch ist *irre* bemerkenswert und dass a statt *solt* bringt *du machst.
verscholt* kann man nicht sagen.   351, 24 das prädicat *gellende*
zu *stein (vels* a) ist gerade in diesem zusammenhange höchst verwunderlich. es ist wol mehr unbewust der poesie als formel
entnommen.   352, 7 mir kommt *im* a besser vor als *mir*.
29 ff ich denke dass die zweite rede zuerst gebracht werden muss,
da sie dem bibelworte des pharisäers entspricht. Strohls deutung
zu 35 scheint mir wegen des adjectivums und des verbums nicht
zulässig.   353, 35 ff gehört eigentlich nach 15; oder ist das
nur der recapitulierende schluss des absatzes?   356, 16 sicher
ist *als* nach *ist* zu ergänzen. 22 ich zweifle nicht dass in dem
satze mit *weiz* die negation fehlt. nach analogien vermute ich:
sôn weiz einer in der naht eht niht; ne allein schwerlich, da ich
annehme dass blofs aus mechanischem versehen die negation aus-

gefallen ist. vgl. a, welches *eht* mehrmals durch *villeicht* widergibt. 30 Pfeiffers änderung wird durch den dreigliedrigen satz
von 17 ff sicher gemacht. **359,** 1 wegen des inhaltes und der
form der folgenden sätze halte ich Pfeiffers conjectur für besser
als das, was in a steht. 6 mir scheint des parallelismus halber
etwas in unordnung, auch weist a darauf hin. 33 gewis hat
Strobl recht, die einschaltung aus A a vorzunehmen, aber ich
finde noch einen anstofs. wenn David dem Saul *ein semelichez*
herze wünschen soll, so muss vorher die rede davon gewesen
sein, das ist aber nicht der fall. deshalb schreibe ich *ein sene-*
lichez herze gein gote, a hat *gerecht h.* vielleicht ist der fehler
schon früh durch verhören entstanden. **360,** 6 man wird nicht
einfach aus a einschalten dürfen, weil A eine ganz andere form
der periode voraussetzt. überhaupt kann der fehler leicht der
einer falschen zusammenziehung nach dem gehör sein, gleich im
nächsten satze fehlt a dafür etwas anderes (vgl. auch 361, 26 f).
    361, 7 nach *kristenlichen* doppelpunct, 10 nach *sol* strich-
punct. **362,** 17 sich an a zu lehnen in der ergänzung wäre
besser. 35 wenn Strobl noch ergänzung aus a wünscht, so hat
er übersehen dass der von *lihen* abhängige dativ noch 37 f fortgesetzt wird; a hat dort natürlich den nominativ. **363,** 16
von da ab herseht unordnung. 16. 17 hängen nicht zusammen,
17 *(der)* gehört sofort nach 15. 23 gehört nach 16, denn da
werden die *ungeloubigen liute* specificiert. und 25 schliefst sich
vortrefflich an den satz, der 22 beginnt. stellt man die aufgezählten sätze so: 1. 3. 2. 5. 6. 4. 7, dann ist alles in ordnung.
a ist etwas besser als A. **364,** 37 interpungiere ich anders:
punct nach *sprach, segent* mit A und ausrufungszeichen nach
habent. dafür spricht auch a. **365,** 25 — 33 fehlt irgendwo
hât er. **366,** 17 hat Strobl nicht recht, A ist besser, denn
unser herre bezeichnet, wie aus der ganzen stelle von 5 an hervorgeht, den erzengel Michael. **367,** 5 hier ist ein satz von
Sem, Cham und Japhet ausgefallen, wie wäre sonst Berthold
darauf gekommen, gerade diese gruppe jetzt zu nennen? 32 l.
iuch. **368,** 8 fehlt die übliche besondere bezeichnung des folgenden: *Diu êrste ist.* a hat wenigstens *die ein ist.* **369,** 19 ist
dinen zu lesen, dafür auch a. 28 wenn man a erwägt, dann
378, 37 und ähnliche stellen vergleicht, so vermisst man nach *mir*
das sätzchen *ob got wil.* **370,** 23 zu lesen: *gewizet wart mit*
eime rôre und ein durnîn krône —. **371,** 25 jedesfalls gehört
der satz mit *der* nicht mehr zum vorhergehenden. A hat *wanne*
vor *der* (wol *wan* zu lesen), a einen ganzen satz und es scheint
sich daraus zu ergeben dass etwas ausgefallen ist. **372,** 21
nach *erbûwen* fehlt *unde umbemûret*, a hat wenigstens das part.
    374, 2 mir fehlt hier ein den übergang leise andeutender satz;
sonst wird der zusammenhang erst 376, 10 ff klar. **375,** 7
sehr freie construction, wenn nicht in A etwas ausgefallen ist.

16 fast scheint mir a correcter. noch angemessener wäre eine
gradation auch in der aufzählung. Berthold ist sonst nicht träge
in weitläuftigen abstufungen. 35 in *ez trückent* ist *ez* accusativ.
376, 11 der anmerkung Strobls kann ich nicht recht geben.
der satz von Maria ist thema und also in seinen widerholungen
während der predigt formelhaft. **377**, 29 A hat, verleitet durch
die zwei gleichen satzenden *kristenliute,* den satz übersprungen,
schon ein stück des nächsten geschrieben und ist dann wider
zurückgekehrt. also war der schreiber doch nicht ganz unauf-
merksam. **379**, 36 hier vermisse ich angabe von zweck und
bedeutung des gesanges. auch a hat nichts gutes. **380**, 28
Strobls anmerkung bezieht sich wahrscheinlich nur auf a, dem
wol auch die variante gehört. denn A liefert genügendes, da
heten 29 indic. prät. und plusquamperf. ist, wozu vgl. 23 und
381, 2. **381**, 5 nach *güete* strichpunct. **384**, 12 f passt
mir nicht, ein pronomen fehlt wahrscheinlich im schluss. aus
der kurzen angabe von a lernt man nichts. 29 hier ist sicher
steine (oder *steinlin* vgl. 385, 7 und a, 31 spricht dagegen) ausgefallen, was nach *kleinen* begreiflich ist. denn auf *sünden* kann
sich das adjectivum schon nach dem folgenden nicht beziehen.
385, 9 aufser der von Strobl vorgenommenen besserung möchte
ich nach *senket sie* noch *dich* beifügen, welches in a conserviert
ist. 17 das abbrechen mit *etc.* fällt hier wol nicht Berthold,
sondern dem schreiber zur last. 20 l. *ndtern.* **386**, 10 ich
glaube dass hier die attraction zu weit geht und *her* richtig ist.
389, 33 die ergänzung von *hande* geschah ohne not. **390**, 6
vor *engele* hätte doch *alle* widerholt werden sollen. 34 nach
soltet möchte ich doppelpunct setzen, 37 nach *sehen* strichpunct.
392, 9 f die umstellung des überlieferten, welche Strobl vor-
nimmt, ist mir denn doch sehr zweifelhaft. mir scheint nämlich
9 *der wâre sunne* falsch und ich denke, es muss heifsen *der
nider sunne;* dann ist der von Pfeiffer fortgelassene nebensatz in
A durchaus an seinem richtigen platze. **393**, 16 f nach der
gewöhnlichen steigerung bei Berthold erwartet man: *in einem*
(ganzen) *tage,* auch wäre ¼ nicht bedeutend genug, es zu erwähnen. 28. 30 glaube ich sicher, auch auf a gestützt, dass
es *niwer* heifsen muss. **396**, 19 f *loben* und *hazzen* gibt mir
nicht den erforderlichen gegensatz. nun ist *loben* geschützt durch
eine ganze reihe von stellen: 395, 33. 35. 38. 396, 4. 5. 11. 16.
ich denke also dass *hazzet* geändert werden müste. wie, das
weifs ich freilich nicht zu sagen, denn *spottet* misfällt mir schon
deswegen, weil es die änderung von *in* zu *sin* sehr wahrscheinlich mit zur folge hat. 21 dünkt es mich notwendig dass nach
mite eine stärkere interpunction eintrete, da der kleine mit *unde*
beginnende satz den übergang zum folgenden abgibt. 22 nach
Dâvit ist mit a *niwer* zu schreiben. 29 f nach den analogien
und a ziehe ich hier *vitschenbrûn* vor. **399**, 12—17 ich kann

mir nicht denken dass diese sätze hier herein gehören, sie unterbrechen den ganzen zusammenhang. nach 398, 11 sind sie am
richtigen platz, vervollständigen das vorangegangene und auch
das folgende schliefst sich vortrefflich an sie. ursache dieser versetzung, welche wol beim ersten aufzeichnen unterlief, scheint
der in 12 angeführte gegensatz und das *weltwise* in 18 gewesen
zu sein. übrigens sind auch 17 ff in unordnung, wie beide hss.
beweisen. vielleicht ist mit a zu lesen. **401**, 16—21 sind
pure überflüssige und unpassende widerholung. die ideenasso-
ciationen haben den aufzeichner auf das alte zurückkommen lassen.
demnach sind diese zeilen zu streichen. **404**, 10 nämlich: 'wie
ist es d a n n mit dir wenn man . . . .' 23—25 passt nicht.
denn es wird gar kein substrat der deutung von H angegeben,
was neben der von O und M notwendig ist. es gehört der satz
denn auch nicht hierher, sondern nach 34, wo die weglassung
des H motiviert werden soll. auch schliefst sich dann 35 sehr
gut an. **406**, 26 ob es da nicht heißen muss: *swer dd sprichet
ûz der schrift —?* vgl. a. wegen des doppelten *schrift* wäre es
ausgefallen. **409**, 2 ff die sätze 2 und 8 gehören nach einander,
auch das ende des satzes 6 und 8 schliefsen gut zusammen. also
nach dem drucke in der ordnung zu lesen: 1. 4. 2. 3. 5. a hat
auch würklich so. **411**, 3—6 gefallen mir nicht als schluss der
einleitung, auch ist das *Unde dd von* gar zu wenig gerechtfertigt.
ich denke, sie supplieren nur (a hat das gewöhnliche) und sind
den vielen ähnlichen stellen (zb. 409, 11 ff) nachgebildet. 31 *un-
verbeinet* nehme ich nicht wie Lexer im nachtrag s. 386, sondern
== unverbärtet, vgl. *ze beine gén* ua. • **412**, 10 nach der construction
in A vermute ich dass nach dem ersten *ir* ein verbundenes verbum
fehlt, etwa *belibet.* a ist in seiner weise correct, indem die worte
und bezile niht ihm fehlen. 25 f die construction ist unklar und
schwerfällig. wenn *und ouch sie verleite* vor *von den ledigen* stünde,
wäre das ganze in ordnung, vgl. a. 31 ich glaube, der satz *daz —
unde* ist eine unpassende einschaltung des aufzeichners. unpassend,
weil schon 26 f dasselbe gesagt und dies ja der erste strick war.
dann, weil der satz gerade zu diesem stricke weniger passt und weil
jeder strick sonst nur einen satz hat. auch a fehlt dieses stück.
414, 7 vielleicht ist die auffallende wortstellung mit a zu beseitigen.
    415, 7 l. *geizvellîne.* **416**, 24 l. *die tiuvel.* **418**, 4 wird
der dativ *einem,* der in a sich findet, wol besser sein: 'ihr berechnet jemandem bei eurem ladentisch solche waare um einen
schilling, die für sechs pfennige hoch genug käme.' 33 ist nicht die
knappe weise hier Berthold fremd? fordert nicht der parallelismus
zu 31 hier *iuwerm stricke der hôhvart?* a hat es. **419**, 13 scheint
mir der ind. *habent* angemessen. **421**, 6 möchte ich anders interpungieren und den doppelpunct streichen, da ich *alsó* und
als zusammennehme. **422**, 33 will man nicht die andere fassung
in a accceptieren, so scheint es geraten *ein stunt* zu schreiben.

423, 7 da vorher von der taube noch nicht die rede war, so
setze ich komma vor *bediutet*.   **425**, 10 l. *ndter*.   **428**, 19
der strichpunct nach *sêle* ist zu tilgen, 21 nach *gesæhe* ist einer
zu setzen.   **435**, 25 er *vor?* A *von*, a *zu*. 35 ff die stelle ist
keineswegs klar, weil Berthold im sinne der pastoralen vorschrift
sich hütet, zu deutlich zu werden. sein eigener standpunct ist
schwankend: 436, 11 ff. 29 ff.   **438**, 16 *dem* ist ohne not ergänzt. 20 f ist schwerlich ganz correct. vielleicht ist 21 *alse*
vor *deste* einzuschalten. *als ich ez iu gewinne*, 'als ich euch es
(das geld) verschaffe'? 34 f *er* ist der käufer, welcher auf den
termin eingeht und nicht gegen baar *(in die hant)* nimmt.
439, 17 obschon in A und a (in a zwar besser dem vorhergehenden angeschlossen) erhalten, scheint mir doch der satz die
gedankenfolge zu sehr zu unterbrechen, als dass man ihn hier
dulden könnte. 440, 37, wo er im wesentlichen noch einmal
vorkommt, befindet er sich auf seinem richtigen platze.   **440**, 4 f
als — helle, die anspielung ist undeutlich und soll genauer sein.
in a heifst es: *als der reiche man da tet*; das ist wol ein bes-
serungsversuch des schreibers von a, der aber übel gelungen ist.
denn vom reichen mann und Lazarus war zuletzt 431, 10 ff die
rede, das ist zu weit entfernt. der 439 ausführlich besprochene
gîtege ist Judas und er wird hier wol auch gemeint. 29 Strobl
fasst offenbar: 'da der lohn sich nach den sünden richtet.' aber
die parallelstellen 431 und 439, wie auch hier a, sprechen für
eine ergänzung, die doch wahrscheinlich in Pfeiffers weise aus-
zufallen hat.   **443**, 1 vor *aller* komma.   10 ein *unde*, welches
a 11 statt *sô* hat, scheint nach *rubin* zu fehlen.   **445**, 11
stilistisch scheint es mir besser, *des* als *sîn* zu schreiben. 13 wenn
der passus *unde* — 14 *dingen*, welcher a fehlt, überhaupt bleiben
soll, muss es doch wol *von allen dingen* heifsen. vgl. Gemoll,
Zs. f. d. ph. 6, 469. Strobl s. 280. 27 f der ganze satz ist eine
vollkommen unpassende widerholung. die wünsche 26 schliefsen
die einleitung vortrefflich ab. auch fehlt er in a. deswegen
braucht 28 *Daz* nicht etwa in *Diu* verändert zu werden. auch
29 f ist wider der fall vorhanden dass die disposition die gegenstände anders ordnet, als sie dann abgehandelt werden.   **446**, 3 ff
die klammer muss schon 3 beginnen. dieses citat betrifft die
19 predigt von den zehn geboten s. 268 ff über die heiligen
ruhetage. es ist falsch was der text sagt, dass das bezügliche
stück ganz darf herübergenommen werden. das würde vollständig
ableiten und zu den sätzen 8 ff durchaus nicht passen. nur etwa
bis anfang 270 darf eingefügt werden.   **447**, 12 *swer die sin*
ist mir unklar. denn eben *swer* darf es ja nach dem folgenden
n i c h t sein, wo frauen ausgeschlossen sind. vielleicht fehlt etwas
oder ist das sätzchen verschoben. 36 nach parallelismus, zusammenhang und dreierteilung möchte ich *êren* nicht (wie 446, 22,
vgl. auch 448, 13) als verbum fassen, sondern als dat. plur. des

subst. und dann *der heiligen stat* schreiben, nach *éren* komma.

448, 3 gewis falsch, denn dem publicanus wird im evangelium die sünde vergeben: *dico vobis, descendit hic justificatus in domum suam ab illo* Luc. 18, 14. es darf also wenigstens nicht *unde* heifsen, *bt* vielleicht doch eher? **449,** 2 *sin* für *im?* 13 ff a hat die construction glatter. das will ich nicht annehmen, aber der vorhandene auch sachliche anstofs würde beseitigt, wenn der satz mit *unde etewenne* nach dem mit *unde drûz* zu stehen käme. 35 *der heiligen guote,* die mehrzahl der fälle und a hier spricht für *dem h. g.,* aber *der* kann zur not bleiben. **450,** 36 der biblischen erzählung gemäfs, an welche Berthold sich hier genau hält, setze ich punct nach *gewegen.* **451,** 35 will man nicht formelhaften ausdruck annehmen, wozu mir analogiefälle doch nicht hinreichenden grund abzugeben scheinen, so bleibt *diu zal* unklar, gleichviel, ob man mit A *von im* oder mit a *von in* schreibt. ich vermute dass *des zehenden kôres* ergänzt werden sollte. **452,** 1 soll der gedanke von 39 nicht verlassen werden, so ist umzustellen und *der* nach *sünder* einzuschalten, dann bleibt dieses in verbindung mit *sint an komen.* 21 l. *witte.*

453, 4 hier muss eine klammer beginnen und braucht, wie ich denke, erst 9 zu schliefsen, denn der satz 6 ff gibt nur den inhalt dessen an, was auf s. 264 steht. 14 f fehlt ein satz, der sonst mehrmals vorkommt, des inhalts, dass man das wort *tugent* jetzt vielfach falsch gebrauche. der ganze passus 12—18 fehlt a.

454, 1 hier ist etwas nicht in ordnung, weil es nach dem vorausgegangenen zweifelhaft sein muss, worauf *im, in* usw. sich beziehen. a hat einen aufklärenden zusatz. 34 l. *ndtern.* **456,** 3 nach *staten* komma; ob mit A *des menschen* aufzunehmen, ist mir zweifelhaft. **457,** 24 f ganz richtig fehlt der satz von *diu arche — treit* in a, denn er ist eine dittographie. vgl. 21—24. aber Strobl s. 296. **458,** 9 komma nach *anddht.* 22 l. *niwer* (vgl. a) für *nû,* was man auch aus dem identischen satz 163, 38 erfährt. 28 Pfeiffers *midet si* ist mir wie Strobl auch nicht wahrscheinlich nach a und der art, wie des weiteren über das nichthören der messe gesprochen wird. ich möchte schreiben: *und eteliche messe verliuset (versûmet) ir —.* was Bartsch s. 141 schreibt ist nur reception der lesart von a und ich kann es nicht billigen. **460,** 2 tilge ich die anführungszeichen, weil hier wie 6 ff Berthold selbst antwortet. **462,** 1 ff also 408, 1 bis 409, 13 hier einzusetzen. 5 komma nach *enbunden.* **464,** 19 einzuschalten 264, 10—265, 7. 31 einzufügen 265, 38—267, 39.

467, 14 der satz unterbricht die darstellung, er fehlt auch a. 38 ist unmöglich richtig. ich schreibe: *daz ez den menschen fliuhet swd ez in siht unde vert eht swar ez mac.* in a fehlt ein teil des satzes. **469,** 12 f *frdz* und *fræzinne* können nicht *ze fræzen worden* sein. will man sie nicht mit a ganz weglassen, so muss man wenigstens *sint* oder *heizent* davor setzen.

31 ob *die* vor *tiuvel* richtig ist? in a fehlt es.   **470**, 32 interpungiere ich anders: punct nach *zol*, strichpunct nach *sünde*.
Berthold denkt an eine sünde der unkeuschheit, auf die auch der
nächste satz sich bezieht.   **471**, 15 entweder ist solche verbindung anzunehmen wie in a oder wenigstens 17 *andern* nach
die.   **472**, 17 grammatisch bezieht sich *er* auf *tiuvel*, das ist
aber falsch. der redner hat sich vielleicht durch eine geste geholfen oder es ist das deutliche a aufzunehmen: *unser lieber herre*,
vgl. auch 492, 27.   **475**, 25. A *kéret iuch*. es ist jedesfalls
ein verderbnis hier. *sin* bezieht sich auf *der* 24, aber unrichtig,
denn es betrifft dem sinne nach den Antichrist. so hat denn a
auch *des Endecrist*. *ungelücke* scheint selbst dann noch nupas-
send — welches unglück des Antichrist sollte das sein? —, und
wenn ich *gaugel* in a dafür lese, so scheint es mir naheliegend
zu vermuten dass *gelüppe* für *ungelücke* zu schreiben sei.
476, 1 l. *diu érste tugent der barmherzikeit*. 10 ff einzuschalten
sind 321, 36—329, 3. dass würklich ein so grofses stück eingefügt werden muss, ergibt sich zwingend aus 13 nach der
klammer, wo eine ganz andere art keuschheit gemeint ist als 9
vor der klammer, nämlich die, welche am schluss des genannten
abschnittes erwähnt wird.   **477**, 22 fehlt correcter weise in a
ûf ertrîche, es ist auch im texte zu streichen.   **480**, 12—20
scheint mir hier gar nicht passend. das weifs man alles schon
sehr gut, auch gibt das keinen abschluss für die darstellung des
ersten strickes, während ein solcher 10 ff tatsächlich vorhanden
ist. der passus ist versetzt und schickt sich recht gut in die
gegend von 478, 15 ff, wo die darstellung ohne dies zu knapp
ist. 29 vor *andern* ist *an* ausgefallen.   **481**, 28 mit *gerüemen*
ist hier gar nichts anzufangen, es passt absolut nicht in die ganze
schilderung. ich schreibe *gerünen* vgl. die stellen bei Lexer
u 539. 30 ff ist die verbindung unordentlich. ich schreibe das
zweite mal *behüeten* und dann 31 *dd vor*, *daz sie sich — das*
ist conditional.   **482**, 6 l. *andern und*. 32 ff nach dem parallelismus in diesem ganzen abschnitte sollte hier die anwendung
auf die unkeuschheit gemacht werden, denn sonst ist die stelle
nur unnütze widerholung von 26 ff. a ist besser.   **483**, 6
dieser satz ist erst nach dem citat zu lesen. 14 l. *Der lesen*.
27 l. *vitschenbrûn*. 29 strichpunct nach *werlt*.   **486**, 1 ff das
ist kein schluss für den abschnitt. hier fehlt etwas, vielleicht
ist ein citat ausgefallen. a ist besser, aber noch nicht gut.
488, 27 *der* ist hier *(den* in a) ohne den richtigen bezug. nur
wenn der satz 21 ff hier weggeschoben wird, ist die notwendige
beziehung auf *got* herzustellen.   **489**, 24 auch hier liegt nur
ein mechanisches versehen Pfeiffers vor, er hat von *ir* auf *in*
hinübergelesen.   **491**, 5 mit rücksicht auf die inhaltsangabe in
a lässt sich der satz, denke ich, bessern: *mac, wan daz er bœte
— ende. Des —*. 25 Str̈ ⸱⸱ ꙥeint wol richtig dass etwas ansge-

fallen ist, was in a ungefähr bewahrt blieb, vor *sô: vor den wart
zuo geslozzen.* wenn nicht, dann müste anders interpungiert
werden: komma nach 24 *tôten.* 35 *daz* er halte ich nicht für
gut, *ob ez* hat a, also lese ich *daz ez.* **494,** 6 f ich vermisse eine erwiderung auf die einrede. denn sonst erkennt Berthold die berechtigung derselben an, was er doch nach der kirchlichen lehre nicht darf. vgl. 496, 35 ff. 497, 38 ff. 17 wenn
man die deu bss. gegenüber etwas gar kurze schreibung von
Bartsch s. 141 gelten liefse, müste doch der inf. *unruochen* stehen.

497, 3 nach a glaube ich dass Pfeiffer mit seiner änderung
auf dem richtigen wege war, ich möchte nur schreiben *diu andern
wort.* denn der sinn ist, dass aufser dem angeführten nur latein
in der messe vorkommt. 3—6 ist gänzlich unnütze und sinnlose
widerholung, die mit recht in a fehlt und hier gestrichen werden muss. 16 l. *unser* für das erste *uns.* **499,** 21 *was daz
der?* 34 ff stimmt nicht recht mit 28 f. **503,** 2 sichtlich gehört der satz *oder — dannen* nicht hieher, sondern in etwas ge-
änderter form nach *liset* 502, 38. a hat die stelle anders, aber
richtig. 20 ich möchte lesen: *niht alsó ungetwagen.* **505,** 26
die apposition *kristen liuten* ist wol nicht ausreichend; ich glaube,
25 wird nach *uns* einzuschalten sein: *ûz der niuwen é.* **508,** 11 f
der sinn des satzes, welcher wol in der kürzeren fassung a richtig
widergegeben wird, ist hier gar nicht zu erfinden. es muss
wahrscheinlich heifsen: *der selbe ist ein niht wider —.* vgl.
510, 39 f. 15 *der siecheit des libes?* **509,** 2 mit bewahrung
des sonstigen gebrauches in Pfeiffers druck ist *einer* und *ein* hier
zu setzen. 9 nach *mac* strichpunct, 10 nach *möhten* komma.
14 l. *siechtuom.* 26 ff in der fassung a ist die sache ganz anders
gewendet. hier in A, meine ich, soll es im hinblicke auf die
folgende schilderung der zeichen des todes heifsen: 'nicht jede
krankheit ist so beschaffen, dass der arzt sie zu heben überhaupt
versucht; bei mancher erkennt er sogleich dass die mühe umsonst wäre.' also scheint mir nach *ist* 26 ein *niht* ausgefallen.
38 l. *siechen.* **511,** 11—13 der satz bleibt hier ohne alle
folgen, unterbricht zusammengehöriges und ist unpassend. vortrefflich aber und ergänzend steht er vor dem satze *Unde dd
von* 33. die äufseren umstände erklären: bei den gleichen anfängen der sätze kann der unsere leicht im gedächtnis verschoben
sein. **513,** 3 falsch; lies: *als den lip des libes arzdt besiht,*
vgl. a. 27 *daz* ist hier conditional, deswegen vorher komma zu
setzen. **515,** 1 und 11 ist vor *daz* doppelpunct zu setzen
nach analogie der fälle 515, 30. 516, 1. 9. 36. 517, 4. 7 verstehe
ich *gebrochen* nicht und schlage vor *gebogen.* **517,** 12 ff ist
ein sprung in der darstellung (12 ff = 507, 17 ff. 509, 13 ff),
17 ein neuer sprung. 17—25 stehen schon 511, 33—512, 12.
aber die existenz beider stellen wird 26 ff ganz ignoriert, dieses
schliefst sich genau an 12. ich streiche daher hier den ganzen

absatz. zu einer recapitulierenden schlussbetrachtung wären 12 ff und 17 ff geeignet. 39 nach dem ersten *die* fehlt *meister* vgl. 518, 8. auch in diesem absatz ist sprunghaftes und undeutliches. die anwendung der beiden krankheiten auf die seele ist unausgeführt, man weifs nicht einmal das which to which. die stelle von den geistlichen leuten ist ganz verkürzt und verstümmelt.

518, 9 ff *Dd* usw. enthält keine antwort auf *waz meinet daz?* denn die frage fordert eine erklärung des *tôtsldfes*, die antwort erstreckt sich mit dem folgenden auf beide krankheiten. in A ist eine lücke anzunehmen; a ist besser, aber ganz anders.

519, 2 ff herseht wider arge confusion. nicht blofs ist 4 abgebrochen und sinnlos, sondern schon der anfang des satzes ist ganz unpassend. er ist vollkommen gleich 15 ff, das ebenso unschicklich und den schluss des absatzes 14 f zerstörend eingeschoben ist. ich denke, das richtige wird gar nicht zweifelhaft sein: 2—4 werden gestrichen als schlechter versuch, das spätere richtig hieher zu setzen. nach *sûhten* 2 kommt 15 *Unde* — 21 *gîtige,* woran sich schliefst 4 *der eht sîn vil hât des unrehten guotes.* dann fügt sich alles sehr schön zusammen. 15—21 werden natürlich fortgelassen, mit 22 beginnt ein neuer, der schlussabsatz. **521,** 35 das komma zu streichen, da *vor und* zusammengebören. **522,** 2 anders zu interpungieren: komma nach *gewalte,* strichpunct nach *menscheit.* vielleicht ist *niwer* vor *an* ausgefallen. 14 mit a ist hier zu schreiben *teil der werlte.*

524, 4 f die construction befriedigt mich nicht. etwa mit a *an manigem m.* oder *manigen m. mit g. l.* **525,** 11 f ist gewis nicht gut. wenn ich Berthold recht kenne, so würde er die jungfrau vorher genannt haben *barmherzikeit,* auch ist 13 ff von ihr nicht weiter die rede. a ist kurz und verworren. 31 ff entschieden passt der satz nicht herein. er ist, wie öfters, für einen anderen ähnlich beginnenden verhört. anders a. **526,** 2 l. *der werlte.* 5 sollte da nicht auch die jungfrau erst genannt sein? aber es ist überhaupt alles kurz hier. 15 ff (16 ff) sind in a die lästigen widerholungen vermieden; wie aber A etwa zu bessern wäre, ist daraus nicht zu ersehen. **527,** 25 ob nicht auch in A *niht* nach *wile* stehen soll, das in a für die vier worte gesetzt wurde? allerdings ist der satz auch so verständlich. 36 das zweite *ir* wird wie in a fehlen dürfen. **528,** 9 es ist klar dass hier unordnung herscht. was der siebente junker den herzogen wegnimmt, wird nicht gesagt. nach anleitung von a sind es eben die burgen und türme. also ist *unde daz* er zu streichen und *ane* nach *türne* einzufügen. *daz* er soll 8 nach *unde* geschrieben werden. 13 *werlte* ist ein fehler, vielleicht schon des aufzeichners, es muss *sunnen* heifsen. 26 ich weifs nicht, ob man bei Bertholds freiheit im gebrauch der pronomina *ez* für *in* vor *hât* vorschlagen darf. es könnte *ez hât in gît in* geheifsen haben. **529,** 6 hier habe ich gezweifelt, ob nicht

emendiert werden sollte. aber man kann doch die lesart von A
gegen die einfachere von a aufrecht erhalten: 'gegen jeden (sonstigen) junker ist jede der beiden jungfrauen eine treffliche strei-
terin.' 532, 15 ff ich denke, hier fehlt die angabe der sünde.
nach der bemerkung, dass frauen und männer so sprechen, ist
sie unschwer zu erraten, a gibt sie an: *ob zwei bî einander lægen.*
533, 37 in a die normale und wol richtige wortstellung.
534, 21 das mit *ûfende* parallele verbum muss 'mächtig, reich
machen' bedeuten (vgl. die umschreibung in a), es kann daher
nicht *richesende*, sondern muss *richende* heifsen. 535, 12 ist
aus dem verderbnis in A vielleicht *dises* zu entnehmen? 538, 26
wie mich dünkt, fehlt wahrscheinlich (wenn auch nicht unbedingt nötig) nach *iemer* oder *freude* ein infinitiv. vielleicht wider
gezeln oder wie in a *gesagen.* 539, 25 *alles* ist ohne not ergänzt. 540, 12 in erwägung alles folgenden wird es hier
sünder statt *sünde* heifsen müssen. 38 *ir urstende* zu *sîner u.*
hat schon Gemoll gebessert aao. s. 469. 541, 31 ich bin
trotz der übereinstimmung von Aa nicht mit Strobl der ansicht,
dass hier präsens zu stehen habe. das präteritum wird durch
alles vorangehende, aber auch durch 39 gefordert. 33 ff ein
ganz schlagendes beispiel von satzverschiebung, das auch a angehört, obgleich dort in der form gemildert. die sätze 37 bis
542, 2 gehören nach 33 *sehen,* dann erst folgen 33—37 *haben,*
an welche sich allein richtig 542, 3 ff anschliefsen. so ist die
confusion beseitigt. 542, 9 ich glaube dass nach *diu ėrste*
nicht *tugent* fehlen darf. 543, 7—13 muss anders interpungiert und damit näher zusammengefasst werden. 30 l. *ndtern.*
544, 10 l. *diu.* 548, 7 ich meine dass es Bertholds art
mehr entsprochen hätte, wenn hier erwähnt worden wäre dass
auch Maria Magdalena erst *stæte* wurde, nachdem sie schon gefallen war, wie die neben ihr genannten persönlichkeiten. a hat
so, aber derartig verkürzt, dass davon für A sich nichts lernen
lässt. 551, 17 l. *ndter.* 552, 7 die construction ist nicht
gut. ich streiche *unde,* schreibe dann: *dar lebet er an unge-
rehter —.* 8 l. *ndter.* 23 Lexer setzt hier ein swm. *stumbe,*
stummheit an. das konnte ich nicht recht glauben. zuerst vermutete ich, *stumben* sei als adjectivum mit *siechtuom* zu verbinden
und dann wie 'stumme sünde' verwendet, die man nicht nennen
will oder darf. das wäre somit ähnlich dem gebrauche von *un-
genant,* vgl. meine bemerkung Zs. 20, 103, zu der ich nachtrage
dass Myth. 2⁴, 968 eine brennende geschwulst am fingernagel
(παρωνυχίς), der umlaufende wurm, so bezeichnet wird. vgl. noch
ebenda 3, 338 f und Mone Schauspiele 2, 373. aber die stellen in
Strobls bande 49, 20 ff und 50, 32 überzeugten mich dass hier das
unheilbare siechtum der angebornen stummheit gemeint sei. zugleich aber ergibt sich dass *altstumbe* zu schreiben sein wird.
553, 34 ich stimme nicht überein mit Strobls anmerkung, um-

gekehrt kann a das spätere haben, oder vielmehr sind auch hier
beide gleichberechtigt.   **554,** 10 l. *ndtern.*   **556,** 7 entweder
mit a *dû dir den* s. oder wenigstens *an dinen h.* 34 hier nehme
ich anstofs. soll es heifsen: 'so lange (dieweil) ihr nicht zu den
grofsen heiligen gehören wollt', so muss nach *grôzen* doch *heiligen*
stehen, es ist sonst zu undeutlich. aber das nächste scheint mir
dazu nicht zu passen. geschieht das folgende, so kann man überhaupt nicht ein heiliger werden, auch nicht von der aller beschei-
densten art. ich meine, es soll heifsen: *Sô lange ir der grôzen
sünden niht âne werden wellet —.* a fehlen 34—37.   **557,** 12
l. *Swie.*   **558,** 3 ff widerspricht 557, 6 ff. 13 der ansicht von
Strobl könnte ich mich höchstens in bezug auf die änderung von
ir anschliefsen, im weiteren halte ich A für gut mit rücksicht
auf 3 und die variante dazu in a. 33 komma nach *tôt* zu
streichen.   **560,** 19 *den tœtlichen sünden?* dann komma vor
den.   **561,** 31 hier fehlt ein satz, wie ihn· a hat, oder doch:
Daz êrste ist.   **563,** 17 ist aus dem *iht* von A nicht *eht* zu
machen?   **564,** 5 ff hier wäre *ein* öfters durch accent hervorzuheben gewesen. 27 die ausdrucksweise ist auffallend kurz.
566, 1 ff eigentlich mehr überschrift.   **567,** 6 l. *dar zuo.*
569, 22 die erwiderung ist viel zu kurz und eindruckslos.
571, 3. 33 l. *einem.*   **572,** 37 l. *ndter, ndtern.* die predigt,
mehr beichtrede, ist merklich verschieden von den übrigen (zb.
in der schilderung des rechtsverfahrens zwischen Christus und
dem teufel), sie bleibt auch ohne eigentlichen schluss.

Soweit der z w e i t e b a n d neues enthält, hat er durch Bartsch
eine sehr détaillierte recension erfahren. Bartsch verzeichnet zuerst eingehend inconsequenzen der laut- und formengebung in
den texten, scheint mir aber dabei nicht hinlänglich zu berücksichtigen dass Strobls grundsätze (dargelegt s. 280 ff) andere sind
als die Pfeiffers. wenn Pfeiffer bei seiner uniformierung der hs.
inconsequent wird, so bedeutet das einen viel gewichtigeren mangel,
als wenn Strobl mit lauten und formen den hss. gemäfs wechselt.
andererseits wäre es ebendeshalb besonders schlimm, wenn Strobls
lesung der hss. sich als unzuverlässig erwiese. auch von dieser
seite hat Bartsch den zweiten band angegriffen; er· hat die von
Strobl vorzüglich geschätzte Heidelberger hs. nr 35 collationiert
und eine grofse masse mehr oder weniger grober versehen aufgezählt. in wie weit alles angeführte berechtigt ist, vermag ich natürlich nicht zu eruieren; es steht eine besondere schrift von Strobl
in aussicht, erst nachdem diese erschienen sein wird, ist es möglich, ein abschliefsendes urteil über die ganze arbeit zu fällen.

Die stücke der GGA, welche Bartschens erörterungen enthalten, sind mir zu handen gekommen, als meine durchmusterung
der neuen texte schon beendet war. ich hatte selbstverständlich
vieles von dem verzeichnet, was Bartsch vorbringt, und lasse das
weg, lege also nur vereinzeltes vor. weshalb mir von meinem

standpuncte aus die predigten des zweiten bandes weniger interessant sind und kritische bemühungen, die von den varianten ausgehen, dabei.weniger fruchtbringend sich erweisen, wird aus dem ferneren verlaufe meiner darstellung klar werden.

6, 12 vor *uns* scheint *niur* einzuschalten, vgl. 7, 34. **11,** 19 l. *ewigen.* **16,** 26 nach *frouwe* wird *aleine* noch zu ergänzen sein. **18,** 28 scheint *wurde* besser als *wirt.* **22,** 11 l. *Bithe du riuwe.* 13 nach *mac* möchte ich strichpunct setzen. **24,** 16 ich wäre doch für beibehaltung der in DH bewahrten stellen (hat ja Strobl auch 21—23 aufgenommen) in der form: *swie vil wir dd von der buoche haben: diu sint du zal —.* dass der gedanke in unseren hss. nicht weiter ausgebeutet wird, darf bei der ihnen gemeinschaftlichen kürze nicht wunder nehmen. **33,** 22 schlage ich vor, nach *mile* punct zu setzen, vgl. 15, 5 ff. **38,** 18 f die opposition der hss. ist nicht unberechtigt, denn es ist sichtlich dass dieser anwendung der anrede *min zarte tohter* eine andere bekanntmachend müste vorausgegangen sein. 39 anführungszeichen nach *leisten.* **42,** 7 ist diese kürze in Bertholds art? DKm haben das volle. 31 doppelpunct nach *tuot.*

45, 11 ff da auch an der correspondierenden stelle des ersten bandes, in übereinstimmung mit der bibel 3 × 50 mann genannt werden, so möchte ich hier doch ändern. **48,** 7 wenn überhaupt ein komma stehen soll, so gehört es eher vor *als,* denn nach *mist.* **50,** 12 diese stelle befindet sich nicht, wie Lexer III 160 angibt, bei David von Augsburg, sondern steht Zs. 9, 60 als.citat aus H. **54,** 1 l. *sant.* 12 anführungszeichen. **55,** 7 l. *sprechent.* **62,** 6 ich glaube nicht dass *hüeten* hier absolut stehen darf: *uns hüeten* mit K. 22 l. *gewinnen.* **63,** 3 denke ich, soll *engel,* wenn nicht weggelassen, vorangestellt werden, vgl. 64, 35. **67,** 32 strichpunct nach *selen.* **71,** 26 l. *sprach.* **72,** 1 ff verstehe ich den zusammenhang nicht, die darstellung ist ganz aphoristisch. die worte bei Jac. 3, 5 lauten: *Ita et lingua modicum quidem membrum est et magna exaltat. ecce quantus ignis, quam magnam silvam incendit.* das ist also hier nur in fragmenten bewahrt, vgl. auch anm. zu 71, 37. **77,** 27 ich meine, vor *lêre* fehlt ein adjectivum. **78,** 2 nach *kæmet* scheint mir eine starke interpunction notwendig. auch dass M 2—9 fehlen, dünkt mich ein beweis dafür. **84,** 5 f diese angabe steht im widerspruch mit dem, was dann würklich.folgt. **89,** 10 l. *Diu.* **90,** 2 nach *sterker* strichpunct. **91,** 14 ff die ganze stelle ist in confusion; *zweier* ist undeutlich, 16 darf er sie nicht nennen, vgl. dazu 25 ff. *ir* 19 scheinen die zwei zu sein, aber auch das ist nicht klar. man darf derartiges nicht verwechseln mit der technik spannender umschreibungen.

92, 27 das komma nach *selbe* ist zu streichen. **96,** 24 entweder ist *und* zu streichen oder es muss ein zusatz *(die liute?)* gemacht werden. **104,** 10 f in einer dieser zeilen muss *liute*

eingeschaltet werden.   **106,** 5 l. *villdt.*   **107,** 29 strichpunct
nach *got.*   **108,** 28 *mit disen siben?*   **113,** 1 ff ich finde in
dieser partie weniger lückenhaftes als unordnung. von 1—4 zb.
weifs ich nicht, ob sie überhaupt hieher gehören. 5 beginnt
mit einem absichtlich abgebrochenen satz, vgl. 112, 36 f.
118, 29 ich denke doch dass hier der sing. *im* für *in* stehen
sollte.   **122,** 8 entweder ist oder *tôtez* zu streichen, oder besser
mit hilfe von D so zu schreiben: *zem ersten lebendez wazzer.*
'Bruoder Berhtolt, wer gesach ie lebendez wazzer oder tôtez?' Seht,
daz lebende wazzer usw. der ausfall ist durch überspringen des
blickes zu erklären.   **126,** 36 l. *ein.*   **128** scheint mir nicht
in ordnung. 29 fängt abrupt an, es gehört nach 15. hin-
widerum 15—29 nach 129, 20 ff, was gar zu kurz gegeben ist.
    131, 2 vielleicht ist *messe* nach *lese* zu schreiben.   **133,** 8
ein sprung. 36 fehlt ein ganzer satz, der angeben muss, wo-
von die rede sein soll.   **146,** 4 anm. meiner meinung nach
sollte die stärkere interpunction nach *ungelouben* eintreten, nicht
nach *triegen.* die disposition ist völlig verworren. von 146, 13
an werden zwei diener gottes und zwei des teufels hervorgehoben,
33 f zwei sünder. 38 ist unklar. von 39 ab unterbrechende
gespräche. 147, 10. 21 zwölf sünder. 14 ff anders. von 22
an aufzählung: 1. mörder (22. 30), 2. zauberer (25. 34), 3. ketzer
(148, 15), 4. pfennigprediger (24), 5. huren (33), 6. habgieriger
(33), 7. wider den heiligen geist; dann zurück zum habgierigen.
151, 3 ff hat vier diener des teufels genannt, dann aber kommt
ein fünfter, der unkeusche. vielleicht sind 3—5 zusammen-
zunehmen. 152, 26 ff fehlt auch bei den gottesdienern die zweiteilung. es ist schwerlich zu vermuten dass etwa 147, 9 ff die
zwei hauptqualitäten aller sünden (vgl. ı 207, 19 ff) bezeichnet,
vielmehr ist die gewis gute disposition ganz zerstört.   **150,** 19
fehlt da nicht ein adverb?   **158,** 39 l. *villdte.*   **161,** 10
l. *hinz.*   **162,** 1 halte ich den plural *diu kint* für geratener.
    164, 1 ff die disposition ist ganz verloren gegangen. die vier
erbarmungen sind anders hier, die räder fehlen vollständig. die
zerrüttung beginnt aber schon mit 158, 8 ff. dort 30 sind eigentlich die dritten, 159, 18 die vierten; auch würken die widerholungen auflösend.   **165,** 25 strichpunct nach *jenez.*   **166,** 20
scheint anders zu interpungieren, vgl. 30.   **170,** 27 *ûz dem*
schimpfe ist offenbar gesagt, weil die darstellung von 13 ab scherz-
baft aufgefasst werden konnte.   aus **173,** 8. 13 schliefst Strobl,
d i e s e sei die erste predigt an einem orte gewesen; aber das
kann ganz allgemein genommen werden wie 170, 13. 27.
    174, 13 streiche ich *ze machen.* 25 scheint mir nach *got*
etwas zu fehlen, vielleicht *daz selbe dinc.*   **176,** 29 ob die anmerkung ihre kraft nicht auch auf die interpunction von 193, 22
erstrecken könnte?   **178,** 25 der ausdrucksweise Bertholds
wäre es angemessen, wep   ituation Petri nochmals für die

heiligen überhaupt erwähnt würde. daher ist das *an ïn* bei D von
richtigem gefühl eingegeben.   **179,** 34 man ersieht aus M dass
die sätze hier in unordnung geraten sind.   **180,** 26 l. *Die.*
182, 29—34 scheint nicht hieher und besser nach 183, 12 zu
gehören.   **183,** 29 dass man *tugent* hier aus *tugenthaft* entnehme, passt mir nicht; M hat anders, vielleicht dürfte man ein
unbelegtes *sich behalten* wagen.   **186** f ist confus.   11 ff wird
festgestellt und 187, 6 widerholt dass die engel fielen, ehe sie
geteilt wurden.   analog soll es mit den menschen sein.   aber
186, 39 ff fällt aus jedem der 9 teile menschen ein teil und ebenso
187, 10.   das ganze ist also schief.   auch sonst ist in dem stück
186, 36—187, 24 nicht alles in ordnung.   der satz 187, 14 gehört zum teil offenbar vor 12 *Bz.*   **187,** 28 l. *Die.*   **188,** 10
daz ir in die m. —?   25 der satz wird als schreiberbemerkung
einzuklammern sein.   **189,** 8 nach analogie von 9 und 12
muss hier stehen *der die die sünde tuont.*   **196,** 6 komma nach
kint zu streichen.   **205,** 21 ich glaube dass das erste *gesunt*
und das komma darnach zu streichen sind.   denn darauf kommt
es nicht an festzustellen dass der reiche nicht gesund ist, nur
darauf dass er nicht alt wird.   **206,** 4 l. *diu ouch.*   **207,** 3
ich hätte hier nicht einen doppelpunct gesetzt, lieber komma.
208, 10 ich glaube nicht dass man mit rücksicht auf die anderen
stellen das in M bewahrte *ûz dem herzen* nach *riuwe* missen
kann.   32 wenn für *rehten* etwas anderes stehen soll, dann kann
man eben nur raten; aber es mag wol adjectivum sein zu einem
substantivum, etwa *diep,* das hinzuzufügen wäre.   **215,** 23 *sün-*
dern?   **217,** 17 ich lese *und die lüppe.*   **218,** 17 ff der lateinische text correspondiert weder nach zahl noch art der fälle
mit der deutschen erläuterung.   **228,** 35 vielleicht ist mit rücksicht auf ı 217, 18 zu lesen: *die denne die andern liute (ëwec-*
lichen) lident —.   so wäre ein verschreiben am ehesten erklärlich.   **230,** 30 l. *werltlich.*   **233,** 18 l. *grôzem.*   **238,** 4 ff
ich glaube, es ist geboten, hier anders zu interpungieren: 4 punct
nach *sêle,* 6 *acker;* dd *von ist* —.   13 nach *selben* doppelpunct.
239, 45 ist doch gewis mit D zu schreiben *Ismahêl —* ı 367, 8.
240, 23—27 da es sich hier um eine anweisung für einen
pfennigprediger handelt, welcher das stück practisch ausnutzen
soll, so hätten eckige klammern gesetzt werden müssen.   **243,** 37
l. *maz.*   **247,** 12 ob da nicht D recht hat mit *entriwen* für
entrinnen?   denn zum letzteren kann ich mir auch nach der
bibel eine zureichende ursache nicht denken.   dagegen *wellen*
ohne infinitiv für 'fort wollen' kommt vor.   **248,** 15 l. *dn*
wuocher.   **249,** 34 l. *Diu.*   **253,** 7 *ir einez?*   **255,** 21
die hss. haben M *hurpeckher,* D *hurlpeker.* Strobl schreibt *hur-*
rebecke, das er nicht genau erklärt und das auch Lexer ııı nachtr.
s. 253 nicht deutet.   man könnte nach ıı Reg. 6, 13 ff und noch
mehr nach ı Paral. 15, 27 ff an ein musikalisches instrument

denken. das würde aber für ein schimpfwort aus Michols munde
und neben *loter* sich übel schicken. ich glaube, man soll bei
den hss. bleiben und schreiben: *horbecker* — drecktreter, was
sehr gut passt, da Michol aus dem fenster *vidit regem David
subsilientem atque saltantem (saltantem atque ludentem).* vgl. Lexer
i 265 unter *bicken.*   **257**, 6 nach analogie von i 457, 11 ist zu
schreiben *schœne* stat *niht.*   **260**, 36 l. *sœlde* statt *sêle.*
267, 15 l. *in einer.*

Noch bemerke ich dass in den varianten mancherlei hin-
dernisse für den leser sich finden, in so ferne als man oft
nicht klar wird über den bezug der angaben, auch sind druckfehler recht häufig. ich führe nur die stellen an, welche mir
bei der benutzung aufgefallen sind, ich habe keineswegs das ganze
darauf hin durchgesehen: i 29, 16. 43, 25. 55, 3. 67, 26. 82, 39.
93, 24. 143, 9. 144, 12. 172, 7. 186, 6. 199, 5. 219, 8. 225, 32.
227, 19. 231, 19. 254, 36. 283, 13. 318, 12. 326, 18. 336, 20.
348, 9. 10. 355, 26. 358, 27. 359, 13 f. 33. 361, 25. 30. 32.
362, 5. 363, 35. 364, 39. 365, 10. 380, 28 ff. 397, 2. 399, 38.
405, 16. 421, 7. 429, 9. 432, 16. 459, 25. 486, 30. 488, 7.
526, 13. 540, 18. 566, 20. 567, 10. ii 18, 25. 22, 13. 29, 23.
34, 12. 55, 36. 151, 4. 172, 29 usw. druckfehler freilich sind
ein misgeschick, dem selten jemand entgeht, in Bartschens recension zb. habe ich auf den letzten 20 kleinoctavseiten 34 stück
gezählt. —

Es mag nun nicht unangemessen erscheinen, an die vorangegangene revision des textes hier einige allgemeine erörterungen
anzuschliefsen.

Von éinem festen puncte wenigstens können wir dabei ausgehen. die übereinstimmende, wolbegründete meinung verschiedener forscher (zb. Grimm s. 352 f. Wackernagel s. 356 f. Cruel
Geschichte der deutschen predigt im ma. 285. 307. vgl. jetzt auch
Zacher in seiner zs. 12, 183 ff) darf nun als überzeugung ausgesprochen werden: die predigten Bertholds von Regensburg — wir
wollen das zunächst vorsichtig auf die stücke des ersten bandes
einschränken — sind uns in den aufzeichnungen von zuhörern
überliefert. den terminus 'nacbschriften', welcher von einzelnen
gelehrten gebraucht wird, möchte ich gerne vermeiden, damit die
falsche vorstellung ausgeschlossen bleibe, als ob während der predigt selbst, nach art der collegienhefte unserer studenten, die gesprochenen worte fixiert worden wären. es ist schon oft und stark
genug hervorgehoben worden dass solche niederschriften nach dem
gottesdienste im mittelalter viel leichter herzustellen waren als jetzt,
da zu jener zeit noch nicht druck und schnellschreiben das gedächtnis abgestumpft hatten; ein gebrauch mag noch erwähnung finden,
der an unseren katholischen gymnasien meistens und nicht un-
zweckmäfsig fortbesteht: die am sonntag morgens vom religions-
lehrer in einem grofsen sa**   **vorgetragene predigt (exhorte) muss

nachträglich durch die schüler aufgezeichnet und an einem bestimmten wochentage dem exhortator das elaborat eingeliefert werden. diese einrichtung beruht auf alter tradition und erhebt also an die gedächtnisträge jugend der gegenwart ansprüche, wie sie eben einst von einzelnen eifrigen oder beauftragten aus Bertholds auditorium befriedigt wurden. Jacob Grimm hat geltend gemacht dass immerhin eine oder die andere predigt von Berthold selbst aufgeschrieben sein könnte. wenn mir das auch nicht gerade wahrscheinlich ist, so muss doch zugegeben werden dass Berthold hie und da eine fertige aufzeichnung redigiert haben kann. Strobl bemerkt s. 299 dass 'wir wissen, wie Berthold in diesem falle (wenn er die predigten selbst sammelte) vorgeht, er hätte die predigten redigiert, beziehungen auf seine person usw. getilgt'. was Strobl damit meint, ist mir jetzt unbekannt. auf éin beispiel aber glaube ich doch verweisen zu dürfen. das *wénige büechelin*, dessen umfang und anordnung kaum zu bestimmen sind (Strobl s. 296 ff), hat vielleicht stellenweise Bertholds bessernde hand erfahren (317, 25 ff, aber dagegen 319, 20 ff). irre ich nicht, so ist in einzelnen stücken der ton ruhiger, auch fehlen einer ganzen gruppe die citate aus anderen predigten, wie sie sonst schon von den aufzeichnern eingeflochten werden. dass aber auch dann noch gar viel unordnung und verwirrung zurückgeblieben ist, wird man hoffentlich aus meinen früheren bemerkungen genügend ersehen haben. als ein zuverlässiges zeugnis für die mitwürkung Bertholds bei einer revision der niederschriften möchte ich selbst dieses beispiel nicht in anschlag bringen. viel bestimmter kann ich mich gegen die annahme von concepten unter den mit Bertholds namen überlieferten deutschen predigten äufsern. ich glaube schon theoretisch nicht an die existenz solcher concepte. dem prediger war latein und deutsch gleich geläufig, das erstere handhabte er sogar sicherer. die deutsche sprache ist und war es damals in unendlich höherem grade breit, schwerfällig. sie eignete sich durchaus nicht zur notierung von schlagworten, zu brouillons. sie besafs äufserst wenig abkürzungen und nur von solcher art, die geringe erspafnis gewährte; wer jemals deutsche phrasen unter lateinischen sätzen in guten hss. gefunden hat, wird bestätigen dass zuerst der gröfsenunterschied, die differenzen in den buchstabenspatien die aufmerksamkeit auf die mischung lenkten. und unter diesen so erschwerenden umständen sollte ein mann wie Berthold, dessen zeit aufs aller knappste zugemessen war, — man denke nur an seine umfassende seelsorgertätigkeit, wie sie in seinen predigten vorausgesetzt wird und wie sie seine missionen ununterbrochen begleitete — sich in seiner reifsten periode, wo ihm die homiletische technik längst vollkommen geläufig war, der deutschen sprache zu predigtconcepten bedient haben? gewis nicht. ich halte mich für überzeugt dass er damals überhaupt keine concepte mehr entworfen hat, weil er ihrer nicht mehr bedurfte. genau genommen ist es überflüssig, wenn ich hier lebhafter geworden bin, denn Cruel hat in den §§ 19—22 seines werkes klar genug die zustände der deutschen predigt im XII und XIII jahrhundert auseinandergesetzt. von lateinischen concepten spreche ich später.

Es dünkt mich wünschenswert dass aus diesen voraussetzungen auch die unumgänglich notwendigen consequenzen gezogen werden. zuvörderst für die gestalt des textes, wie sie die hss. bewahren. Jacob Grimm sagt s. 352: 'hinzufügen muss ich jedoch dass ich die niederschreibung für höchst treu halte, und dass sie die eigentümlichkeit des redners in wendungen, ausdrücken und selbst im mundartlichen genau erfasst haben wird.' das kann ich nicht ohne beschränkung gelten lassen, denn Grimms vorstellung geht von A aus und diese hs. lässt allerdings in ihrem gesammten umfange einheitliche haltung (wie Pauli bei Geiler von Kaisersberg) sichtbar werden. unterschiede habe ich bemerkt, sie sind aber nicht erheblich und müsten besonders untersucht sein, bevor schlüsse darauf gebaut werden könnten. man geht gewis nicht fehl, wenn man den gemeinsamen habitus der stücke in A für den der redeweise Bertholds erklärt. aber die predigten in Pfeiffers erstem bande sind ja nicht nur in A überliefert, ein grofser teil auch in a. und nun betrachte man einmal die übersicht der verschiedenheiten in wortgebrauch und satzbildung beider hss., welche Strobl s. 287—294 zusammengestellt hat. ich trete nicht Strobls ansicht bei, unmöglich kann man in der freilich einfachsten weise diese differenzen durch die annahme erklären: A ist echt, a hat überarbeitet. aber was ist nun von diesen verschiedenheiten Bertholdisch? einem ganz kleinen teile nach können wir sie jetzt schon als würklich von ihm stammend vermuten. wir finden nämlich, wie bekannt, dass Berthold häufig synonyma neben einander stellt: ist den leuten der éine ausdruck nicht zugänglich, so ist es doch der andere. und wir hören ihn auch geradezu fragen: *verstêt ir mîn tiutsche?* dialectische unterschiede kannte er sehr genau, wie allein schon die 18 predigt bezeugt; ich denke, er wuste auch mitteldeutsch und oberdeutsch recht gut aus einander zu halten. da kann es denn ganz leicht sein dass er seine ausdrucksweise einiger mafsen nach dem publicum eingerichtet hat, dass er nicht mit bewustsein wörter, die nur in Oberdeutschland geläufig waren, vor Mitteldeutschen verwendete und umgekehrt. liegen nun aufzeichnungen aus verschiedenen orten den vorläufern unserer hss. zu grunde, so mag einiges von varianten damit verständlich sein. es sind aber auch unterschiede zwischen den predigten des I bandes, in den hss. A a enthalten, und zwischen den sammlungen, welche Strobl bringt, vorhanden; ich wünschte, er wäre darauf eingegangen, sie näher zu besprechen. sie erstrecken sich nicht allein auf den umfang der predigten und sind nicht blofs in dem begriffe gröfserer knapp-

heit eingeschlossen, es bestehen auch würkliche differenzen im
wortschatz. um nur éins hervorzuheben, so erinnere ich mich
nicht, das wort *borvil*, mit characteristischer ironie in den reden
von n bedeutsam verwendet, im ersten bande angetroffen zu haben,
auch wird man mit dem eben geltend gemachten moment zur
erklärung nicht ausreichen. und so bleibt die frage bestehen:
da doch nicht angenommen werden kann dass Bertholds wortschatz selbst im laufe verhältnismäfsig kurzer zeit grofse umwand-
lungen erfahren habe, wie viel von den unterschieden des ausdrucks (alle freiheit der variation abgerechnet) haben wir ihm
zuzuschreiben? oder anders: wie viel von der individualität der
aufzeichner ist in die widergabe von Bertholds weise eingedrungen?
man könnte sich der frage nur durch eine sehr sorgsame erwägung
der hslichen überlieferung nähern, wahrscheinlich erst dann mit
einiger aussicht auf erfolg, wenn auch die lateinischen predigten
vorlägen. ob jemals sichere und einschneidende resultate sich ergeben werden, ist mir zweifelhaft, mir scheint die untersuchung
wegen der anzuwendenden methode sehr difficil zu sein. aber
selbst, wenn man es angesichts der schwierigkeiten gar nicht
versuchte, diese aufgabe anzugreifen, éins ergibt sich doch schon
jetzt aus dieser betrachtung: wissenschaftliche gewisheit dafür,
dass Bertholds worte uns überliefert sind, wie er sie sprach, ist
keineswegs vorhanden, ja gegründeter anlass zu zweifeln ist gegeben. — darauf führen nicht minder die sehr erheblichen unterschiede in der ausdehnung der predigten. ich denke dabei nicht
zunächst an den abstand der im t hande enthaltenen stücke von
denen des u, dieser muss auf andere weise erklärt werden, aber
innerhalb des ersten bandes findet man anhalt genug zur erwägung des gröfsenverhältnisses. sicher ist dass die 30 druckseiten umfassende predigt von der ehe, in welche nicht durch
citate stücke anderer predigten eingeschaltet werden, widerholt
als 'lang' bezeichnet wird. sie hat also das durchschnittsmafs
überschritten. aber um wie viel? diese abgerechnet, bleiben
für 35 predigten im t bande 545 seiten, das gibt für éine predigt
ein mittelmafs von 15,57 seiten. die 'lange' predigt wäre also
fast doppelt so grofs als die übrigen. nun kommt allerdings
hinzu dass nur wenige predigten ohne citate geblieben sind, dh.
dass einfügungen aus anderen vorgenommen werden müssen. das
geschieht in ganz verschiedenem ausmafs. mir will vorkommen,
als wenn selbst dann, wenn man die einschaltungen zurechnet,
die meisten predigten noch nicht einen solchen umfang hätten,
dass für die 21ste ihnen gegenüber die bezeichnung 'lang' genügte, dh. ich halte die uns überlieferten predigten ihrem gröfseren
teile nach (in erwägung ihres characters als missionsreden) für zu
kurz und meine, Berthold habe ausführlicher gesprochen als unsere
hss. es zugeben. in dieser argumentation steckt, wie ich nicht
verkenne, ein subjectives moment. aber findet sie nicht stütze

an den früher vorgetragenen bemerkungen zum I bande? wenn
die predigten zu kurz sind, so kann dies auf zweierlei art zu
stande gekommen sein: durch unabsichtliche auslassung und durch
absichtliche verkürzung. für beides glaube ich beispiele nachgewiesen zu haben. überhaupt wird man bei untersuchung und
heilung der corruptelen des textes, welche in weit höherem maße
und viel eingreifender vorhanden sind, als man jetzt anzunehmen
scheint, die art der überlieferung nicht außer acht lassen dürfen.
die predigten wurden gehört und nachträglich — gewis in ganz
kurzer zeit darauf — niedergeschrieben. das gibt dann fehler-
quellen von bestimmter art. ich erinnere nur an die raubdrucke
shakespearescher stücke, speciell an Heinrich VI. dieselben wurden nach den mit der aufführung gleichzeitigen niederschriften
der zuhörer publiciert und es sind daher die dem verhören, überspringen udgl. eigentümlichen verderbnisse eingetreten. ähnliches
— mit berücksichtigung der anderen umstände — wird man auch
in der überlieferung Bertholds zu gewärtigen haben. viele meiner
änderungsvorschläge sind auf diesen annahmen aufgebaut. sehr
leicht möglich sind da vor allem verschiebungen von sätzen. im
gedächtnis rückt eine periode deshalb an eine andere, zu der sie
nicht gehört, weil deren schluss gleich oder ähnlich dem schlusse
derjenigen stelle ist, mit welcher der satz richtig verknüpft hätte
werden sollen. vielfach spielen dann auch irrige wort- und ge-
dankenassociationen herein, welche auf die authentischen des redners zurückgehen. auch einzelne ausfälle erklären sich dann. ich
habe immer den meisten anstoß in den späteren teilen der predigten gefunden, das stimmt mit dem natürlichen sachverhalt.
künstliche dispositionen sind häufig in verwirrung geraten —
wenn wir ausarbeitungen von concepten des predigers selbst vor
uns hätten, so wäre das fast ausgeschlossen —, verschiedene berücksichtigung einzelner partien ist wahrnehmbar; dass die po-
pulären darstellungen alltäglicher kniffe und betriegereien auch
für die aufzeichner die stärkste anziehungskraft besaßen und daher am meisten sich wiederholten und am ausführlichsten widergegeben wurden, erscheint begreiflich.

Noch eine zweite hauptbeobachtung ist von allen in gleicher
weise gemacht worden und derselbe schluss ist aus ihr gezogen
worden. man hat die überaus häufigen wiederholungen nicht bloß
einzelner phrasen und gedanken, sondern ganzer satzreihen und
abschnitte nicht übersehen können und schon Jacob Grimm sagt
s. 310 anlässlich einer bestimmten stelle: 'solche wiederholungen
der lieblingsideen des redners sind begreiflich, da er häufig und
oft täglich und an verschiedenen orten auftrat.' und Cruel s. 311:
'man darf nicht vergessen dass Berthold beim mündlichen vortrag
fast stets ein anderes publicum vor sich hatte.' Cruel hat auch
gleichzeitig auf die ungemeine beschränkung in der zahl der gegenstände hingewiesen, welche Berthold bespricht, wie dieselben tugen-

den und dieselben·laster immer wider, und, können wir hinzufügen, in demselben gewande vor uns treten — beohachtungen, die jedem leser sich sofort aufdrängen müssen. Berthold war eben, was er seiner ordensverpflichtung nach nicht anders werden konnte, ein missionsprediger, und ich bitte den unterschied wol zu beachten, welcher heute noch zwischen einem solchen obwaltet und dem redner, der sonntäglich vor derselben gewohnten gemeinde spricht (die 31 predigt 1 488 unterscheidet sich von den übrigen). Berthold muste es darauf ankommen, den größtmöglichen a l l g e m e i n e n eindruck hervorzurufen; das konnte er nur erreichen, wenn er die aus seiner pastoralen praxis ihm als gefährlichst bekannten hauptlaster bekämpfte und zwar mit der unmittelbarkeit, welche langjährige tätigkeit ihm als würksamst hatte erscheinen lassen. die behandlung, welche der fertige sonntags- und klosterprediger wählte, als er missionär wurde, muste er dann auch beibehalten. das stellte sich practisch so dar, dass er 1) in verschiedene dispositionen denselben stoff goss — dafür ist unsere sammlung in A ein sicherer beleg —, 2) aber geradezu dieselbe bewährte predigt an verschiedenen orten hielt. ich bin überzeugt dass Berthold keineswegs achtsamkeit darauf besonders wandte, bei gleichem inhalte doch die form stets zu variieren. seine vorarbeit, wie sie in den collectionen seiner lateinischen predigten niedergelegt ist, hätte ihm zwar solche verschiedene rahmen jedesmal herzustellen sehr leicht gemacht und ihn kaum in verlegenheit geraten lassen, allein er hat mit recht kein gewicht darauf gelegt und sich nicht gescheut, eine bequem zu fassende einteilung des geläufigen materials (zb. von den zwei wegen) oftmals vorzutragen. wie die fahrenden spielleute, die ihm so widerwärtig waren, aus dem gehörten und selbstgedichteten sich das auslasen, was ihnen am meisten lohn und beifall einbrachte, es zu einem ständigen repertorium vereinigten (man sehe die bekannte stelle des Marner) und dieses etwa auch in ihre büchlein einzeichneten, so hat Berthold selbst einen stock von predigten (nicht schriftlich fixiert) dem inhalte und der anlage nach gehabt, mit dem er reiste und aus dem er stets wider entnahm. dass er·seine predigten einfach auswendig gewust und dann immer wider recitiert hätte, dies zu vermuten bin ich weit entfernt. dafür ist der mann denn doch zu bedeutend und die volle geistige freiheit, im schwung, den der augenblick brachte, die phrasen und sätze, ja ganze abschnitte umzuformen und improvisierend neu zu gestalten, wird er immer geübt haben. auch sehen wir aus dem erhaltenen zur genüge deutlich, wie der prediger durch eingetretene umstände, durch beschaffenheit von ort und zeit zu kleinen neuen hervorbringungen angeregt wurde.

Die folgerung, welche aus diesen prämissen zunächst abzuleiten ist, finden wir schon bei Strobl und seinen vorgängern wenn auch nicht, so wenig als die erwägungen selbst, präcis formuliert.

Bertholds in A (vorerst) bewahrte predigten sind missionsreden. sie sind also höchst wahrscheinlich nicht von derselben person aufgezeichnet worden; man müste denn annehmen dass ein zuhörer freiwillig oder im auftrage dem reisenden redner gefolgt wäre, um das vernommene nachzuschreiben, eine annahme, die mir zu wenig glaublich ist, als dass ich sie hier mit ernst in betracht zöge. damit behaupte ich aber keineswegs dass eine jede predigt einen anderen aufzeichner gehabt habe, vielmehr können sehr gut (und sind auch, wie wir wissen) mehrere in eine gruppe vereinigte von demselben geschrieben worden sein. unsere predigten wurden zumeist in städten, wenn auch häufig vor denselben, gehalten. das ist fast selbstverständlich, denn nur da konnte ein ausreichend grofses publicum sich leicht und ohne zu grofse misstände der verpflegung zusammenfinden. wenn man wol meinte, am 'lande' im engeren sinne des wortes, in der nähe unbedeutender örtchen und dörfer habe Berthold gepredigt, so beruht das auf einer nicht sehr klaren vorstellung von mittelalterlichen bevölkerungsverhältnissen und verkehrsmitteln. ganz abgesehen davon dass die bischöfe eine schwer controllierbare predigttätigkeit der minoriten nicht würden geduldet haben. einzelne gruppen von reden sind gewis dadurch entstanden, dass zusammengenommen wurde, was Berthold in einer stadt, zb. Augsburg, Regensburg, Constanz vorgetragen hatte (dauer der mission II 209, 33 ff). folgendes ist auch wichtig sich vorzuhalten. dieselbe éine predigt kann — in städten sehr leicht — von zwei oder mehreren geistlichen personen (wenn auch nicht vielen) daheim aufgeschrieben worden sein. ferner: Berthold ist mit seinem predigtvorrat dies jahr in Bayern gewesen, ein nächstes in Österreich, ein drittes in Mitteldeutschland. jedesmal haben mit der aufzeichnung derselben oder ganz ähnlicher predigten sich verschiedene personen beschäftigt.

Bevor ich weiter gehe, scheint es rätlich, von diesem standpuncte aus die vorhandene überlieferung zu betrachten. Strobl gelangt bei seiner untersuchung des verhältnisses von A zu a auf grund der wahrgenommenen differenzen zuerst s. 287 zu dem resultat 'dass keine die abschrift der anderen sein muss, keine verschiedenheit erklärt sich etwa aus dem verlesen eines wortes.' die abweichungen, besonders im gebrauche der conjunctionen, sind so stark, dass sie die annahme éiner vorlage, aus welcher direct A und a geflossen wären, nicht zulassen. Strobl meint dass mittelglieder vorhanden gewesen waren und entwirft einen stammbaum der hss. in folgender weise:

aber auch diese voraussetzung reicht noch nicht aus, die eigentümlichkeiten der beiden hss. zu erklären. nach einer prüfung
einiger stellen (viele sind in den lesarten besprochen) s. 295 ff
untersucht Strobl die anordnung der predigten, das resultat ist
ein negatives, und 298 f spricht er sich nun so aus: 'wir müssen
also darauf verzichten dass uns eine durchforschung unserer hss.
— ich habe hier nur A a im auge — auf ältere sammlungen
zurückführen wird. das verhältnis von A zu a, das auseinander-
gehen neben vielen einstimmungen lässt sich nur erklären, wenn
wir annehmen, die ursprüngliche vorlage — dass dies einzelhefte
waren, haben wir oben gesehen — habe keine vollständig ausgeführten predigten, sondern stellenweise sich mit andeutungen
begnügende predigtconcepte enthalten. nachschriften konnten es
nicht sein, da diese, waren sie während der predigt genommen, nur
kurze referate hätten sein können, waren sie aus dem gedächtnisse niedergeschrieben, wenigstens gleichmäfsiger hätten ausfallen
müssen. diese concepte wurden gesammelt und mit rücksicht
auf practische verwendung durch prediger mit verweisungen auf
andere predigten versehen. später ward diese sammlung von concepten ergänzt, und zwar zweimal, aus der einen ergänzung entsteht A, aus der anderen a. es ist kein zweifel, welcher ergänzer
den ton Bertholds besser getroffen hat, dem prediger selbst aber
verdanken wir die ergänzung so wenig als die sammlung.' und
für die citate erörtert Strobl seine auffassung noch besonders
s. 300: 'die übereinstimmung von A a lehrt dass diese noten für
den prediger schon der ersten sammlung angehörten' usw.

Die leser werden aus dem bisherigen gange meiner betrachtungen schon ersehen haben dass ich dieser sinnreichen hypothese den glauben versagen muss. mir erscheinen zunächst dieselben tatsachen etwas anders als Strobl, und ich kann seine
behauptung s. 296 durchaus nicht billigen: 'neben den abweichungen stimmen aber A a in so vielen fällen und so genau
mit einander überein, dass ihre vorlagen in sehr naher verwandtschaft gestanden haben müssen.' ich habe von den differenzen
zwischen A und a einen sehr starken eindruck schon äufserlich
empfangen, als ich die varianten durchnahm. bei A füllen diese,
obgleich Strobl naturgemäfs in den ersten partien mehr détails
lieferte als später, zu 8—9 textseiten erst eine seite druck; sobald a hinzukommt, braucht es wenigstens ²/₃ seiten lesarten für
eine seite des Pfeifferschen textes, mitunter noch viel mehr. und
nähere durchsicht stimmt mit dieser rohen wahrnehmung überein.
allerdings kommt manches gewis auf rechnung des späten schreibers von a; in a werden grofse perioden oft zerschnitten, es wird
vereinfacht, verdünnt, verwässert, aus dem concreten ins abstracte
geleitet. es ist die hand eines geistlichen büchermenschen sichtbar, der zu scharfe worte streicht, kühne constructionen plan aber
auch platt macht, eines nüchternen, schwunglosen, pedantisch cor-

recten menschen. alles dieses abgezogen, was man irgend dem
nachfahren zumuten kann, bleibt doch die grofse masse von a
übrig, die, soweit unsere kenntnis jetzt reicht, gerade so gut
Bertholdisch ist als A, in allen einzelnheiten wie im grofsen aber
von A wesentlich verschieden. ich habe vergebens darnach gestrebt, eine umformung von A zu a zu erkennen. was a bietet,
hat im grunde ganz denselben character wie die darstellung von
A, ist aber doch wider von satz zu satz, ja von wort zu wort
anders. der kräftige bauch von Bertholds individualität durchweht die eine hs. wie die andere. wo ist das echte? aber diese
frage ist töricht: beide hss. geben echtes. deshalb, weil A und
a so sehr in ton und haltung stimmen und doch in allen détails
so weit von einander abstehen, kann ich auf Strobls auffassung
nicht eingehen. ganz abgesehen davon dass ich das vorhandensein deutscher concepte schlechthin in abrede stelle. denn es
scheint mir nicht möglich dass zwei leute, die aus andeutungen
in brouillons arbeiten, zu einer solchen inneren übereinstimmung
des ganzen habitus der reden gelangen sollten, wie A und a sie
aufweisen. eben deshalb finde ich auch die annahme nicht stich-
haltig, auf welche ich zunächst verfiel, dass A und a verschiedene aufzeichnungen je derselben éinen predigt repräsentierten.
schon die realen unzukömmlichkeiten erschweren die vermutung
dass solche doppelschriften die ganze sammlung hindurch vorliegen
sollten, besonders aber sind auch für diese auffassung die wortdif-
ferenzen zu grofs. so bleibt kaum etwas anderes übrig, als anzunehmen dass A und a aufzeichnungen (in wie weit von verschiedenen
personen herrührend, ist nicht zu sagen) derselben predigten darstellen, welche Berthold an verschiedenen orten und zu verschiedenen, nicht zu weit aus einander liegenden zeiten gehalten hat.

Der nächste einwurf, auf den ich gefasst bin, wird sein:
wie aber erklärt sich dann die doch wider vorhandene einstimmung in der satzfolge und in manchen einzelnheiten (auf die
frage von der gleichen ordnung in A a komme ich noch zu
sprechen)? darauf erwidere ich zuerst dass diese einstimmung bei
genauem zusehen nicht so vollkommen ist. verschiedenheiten in
der anordnung der sätze sind überaus häufig, auslassungen da
und dort, abweichende dispositionen, in A eine partie knapp, in
a weitläufig, und wider das entgegengesetzte, alle diese dinge
kommen fast in jedem stück vor. das genügt freilich noch nicht,
den einwurf zu entkräften. nun aber prüfe man einmal die zahllosen übereinstimmungen ganzer grofser stellen innerhalb verschiedener predigten, wo abfolge der sätze, ausdrücke bis auf kleine
nüançen vollständig identisch sind, während die stücke, in denen
sie sich finden, zu verschiedenen zeiten an verschiedenen orten
gesprochen wurden. wenn das möglich ist, in der häufigkeit und
in dem mafse, wie es die oberflächlichste lectüre erkennen lässt,
dann ist auch die einstimmung möglich, welche wir bei A und

a beobachten. irre ich nicht, so fehlt es auch nicht ganz an
äufseren zeugnissen für meine anschauung. ich weise jetzt nur
auf stellen wie 373, 4. 7 f. 401, 1 ff. 549, 2 in beiden hss. hin,
aus denen ich glaube schliefsen zu dürfen dass in der tat die correspondierenden stücke von A und a zu verschiedenen zeiten gehört und aufgeschrieben sind. doch gestehe ich dass ich eine
untersuchung von diesem puncte aus noch nicht geführt habe;
gewann ich doch meine auffassung erst, nachdem ich das ganze
material durchgenommen hatte. das bleibt also zu tun und dabei wird man sehen, ob sich diese hypothese bestätigt oder nicht,
von der ich allerdings glaube dass sie auch äufserer documente
entraten könnte, ohne deshalb weniger acceptabel zu sein.

Ich füge noch hinzu dass ich in der practischen bestimmung
des einflusses von a auf A bei der correctur des textes nur ganz
unerheblich von Strobl abweiche. wie er sich veranlasst gesehen
hat, nur selten solchen zuzulassen, so auch ich, nur dass ich
noch etwas enthaltsamer sein möchte und, wie meine versuche
dartun, auf die präcisierung von fehlern, begränzung von lücken,
versetzungen und dgl. mittelst analogie von a mich beschränke;
fast gar nicht können sätze, wie a sie überliefert, einfach nach
A herübergenommen werden. für die herstellung eines selbständigen textes aus a ist keinerlei notwendigkeit vorhanden, die varianten legen a in zureichender weise dar.

Dem allen gemäfs denke ich mir auch das verhältnis der im
II bande bekannt gemachten kleineren sammlungen zu den grofsen
des I anders als Strobl. im voraus muss ich bemerken dass ich
die beziehungen der 6 hss. unter einander, aus denen die neuen
stücke genommen sind, wie Strobl sie s. XIV ff entwickelt, einer
besonderen nachprüfung nicht unterzogen habe. die durchsicht
des textes hat mir allerdings zu einigen zweifeln anlass gegeben,
insoferne nämlich, als mir nebenhss. wie M und K mitunter
das richtige zu enthalten schienen, oder wenigstens demselben
näher zu stehen als die anderen. auch D zeigte sich mir in
manchen stücken besser als H. aber ich bescheide mich da gerne
und überlasse es späterer zeit, darauf vielleicht zurückzukommen.
— wir dürfen auch hier von einer tatsache ausgehen. wenn
wir die 37. 38 predigt unberücksichtigt lassen, die aus a stammen
und noch zur ersten sammlung gehören, so haben alle neuen
nummern 39—65 (nur 40 ausgenommen) ihre seitenstücke in
denen des I bandes. nicht alle in gleicher weise. einige enthalten nur einen teil der correspondierenden darstellung, andere
das ganze, aber verschieden geordnet, wider andere setzen aus
den teilen verschiedener sich zusammen. eine gröfsere anzahl
findet sich aber auch, die nach inhalt und anlage sehr genau
stimmen. Strobl analysiert ein par der stärksten beispiele s. XVIII f
und gelangt zu dem schlusse s. XX: 'wir finden also abweichungen
in der ausführung, aber festhalten an den leitenden gedanken, ja

teilweise wörtliches anführen derselben. in X (worunter Strobl den
supponierten archetypus der hss. seines bandes versteht) sehen wir
diese leitenden gedanken oft schärfer festgehalten. wie erklärt
sich diese einstimmung neben den abweichungen? wenn sich
Berthold in den ihm geläufigen gedanken widerholt, so ist das
etwas anderes als wenn predigten verschiedener ausführung sich
an ein schema halten, ja in den gedanken, die das gerippe bilden,
wörtlich stimmen. wir müssen daher annehmen dass Berthold
sich entwürfe für seine predigten anlegte, die er bei verschiedener gelegenheit verschieden ausführte. ich glaube, wir haben
einen solchen Bertholdischen entwurf erhalten in der 56 predigt.
sie handelt wie die 19 von den zehn geboten unseres herrn und
soll nun besprochen werden.' das geschieht bis s. xxii, ohne dass
eine weitere bemerkung sich daran schlösse. — diese auffassung
Strobls hat schon von vorne herein eine bedeutende schwäche.
sie trachtet nämlich nur das verhältnis zwischen den am meisten
verwandten stücken verständlich zu machen. für die menge der
anderen, zwischen denen ebenfalls nahe beziehungen, nur in anderer
weise hersehen, ist sie nicht anwendbar. ich muss ihr durchaus
widersprechen. zunächst in bezug auf die zuletzt ausgesprochene
meinung, in der 56 predigt liege Bertholds entwurf zur 19 vor.
wir bedürfen nur der von Strobl selbst gegebenen vergleichung.
nebenbei: die trennung von A (in kaum zweckmäfsiger weise
hier H genannt, das sonst immer, auch in den varianten, die
Heidelberger hs. nr 35 bezeichnet) und X hier, annahme der
ausführung in A des in X schematisch angedeuteten, sind, da X
nicht vorhanden ist, auch nicht einmal aus anderen hss. erschlossen werden kann — denn 56 ist in der hs. H allein überliefert — höchst complicierte hypothesen, die schwerlich genügend
gestützt werden können. in der tat zeigt Strobl dass entwurf und
ausführung sich noch stark unterscheiden. der schluss ist in 19
wesentlich anders ausgefallen als er in 56 sollte disponiert sein,
so wesentlich, dass ich mit rücksicht darauf die 56 predigt nicht
mehr einen entwurf nennen möchte. auch sonst sind ziemliche
differenzen da, die vielleicht noch mehr hervorträten, wenn Strobl
die vergleichung von 56 aus anstellte. also selbst bei diesem
falle, einem der allerstärksten, bleibt die annahme eines entwurfes
nicht ohne bedenken, um wie viel mehr gilt dies nachher von
der vermutung verschiedener ausführung derselben entwürfe. versucht man sich die sache practisch vorzustellen, so tür-
men sich die schwierigkeiten in verblüffender weise empor. Berthold hat einen entwurf gemacht. wenn ihm der etwas nutzen
soll, dann muss er ihn mit sich führen und, bevor er spricht,
studieren. dabei führt er ihn bald so, bald anders aus. braucht
er ihn dann überhaupt? dass seine brouillons ihn, den meister
der predigt, auf seinen fahrten begleiteten, hat einen unläugbar
komischen anstrich, der durch das misverhältnis dieser annahme

zu den realen zuständen des mittelalters entsteht. wenn das aber
nicht der fall war, wozu die entwürfe? wir müssen uns erinnern
dass sie zur übung, zum erwerb der redetechnik nicht dienen
konnten, die zeit dazu war für Berthold vorbei, als er 'landprediger' wurde. ehemals im kloster, da bedurfte er dieser studien, und gegen lateinische concepte lateinischer predigten habe
ich nichts einzuwenden. aber ich gerate da wider auf einen
schon verlassenen punct: deutsche concepte dürfen nicht angenommen werden, man kann dem netz der bedenken und widersprüche dabei nicht entrinnen.

Auch hier helfe ich mir mit der früher angegebenen auffassung. ich halte alle diese — der ausdruck sei gestattet —
duplicatpredigten verschiedensten grades für aufzeichnungen derselben, an verschiedenen orten, zu verschiedenen zeiten gehaltenen
predigten. bei den engst verwandten paren ist es vielleicht möglich, zu glauben dass sie niederschriften derselben éinen predigt
seien, von verschiedenen personen veranstaltet. man wird eben
zusehen müssen, ob die abweichungen unter dieser voraussetzung
sich aufklären. jedesfalls sind die aufzeichnungen der stücke von
39 ab ganz anders gemacht als die der früheren. das wird schon
an ihrer kürze erkennbar. druck und ausstattung der texte entsprechen im zweiten bande genau denen des ersten. rechne ich
die zwei klein gedruckten 56 und 62 ab, so erübrigen für 39—65
(denn die klosterpredigten schliefse ich aus, da der nachweis,
dass sie von Berthold herrühren, erst zu erbringen ist), also für
25 predigten 226 seiten, das sind 9 für eine; im ersten bande
betrug der abschnitt 15½ seiten. genauere lectüre lehrt, wie
das kommt. man vermisst in diesen predigten sehr das behag-
liche sich gehen lassen der gröfseren stücke, es gibt nur wenig
breite, ausführliche schilderung, eingehende wechselrede, weite
umschreibung. die hauptsachen treten recht gut hervor und der
gang der rede ist, von den gewöhnlichen fehlern abgesehen, klar
vorgelegt, aber die angenehme fülle finden wir nicht wider. das
gerüst ist stark, seine gliederung deutlich, von der schönen um-
kleidung jedoch sind nur vereinzelte fetzen hängen geblieben.
der eindruck ist demnach ein viel weniger günstiger als bei den
anderen stücken, auch macht der vorhandene mangel an gleichmäfsigkeit der behandlung den leser unruhig. Strobl hatte also
keine so dankbare aufgabe als man vermuten mochte. so wird
man denn auch nicht allzuviel über Bertholds predigtweise aus
diesen stücken zulernen. dagegen sind sie sehr wertvoll für die
kenntnis der überlieferung Bertholds im allgemeinen, sie zeigen
so recht die manigfaltigen weisen, mittelst welcher die gesprochene
rede in die schrift übergieng, und einer späteren, nicht leichten
untersuchung mag es auch hier aufbehalten sein, zu eruieren,
wie der geist des predigers durch die media der individuen gebogen und gebrochen für uns wider zum vorschein kommt.

In bezug auf die frage nach dem entstehen der kleinen sammlungen, wie diese dann zu umfangreichen körpern vereinigt wurden, wage ich mich mit vermutungen gar nicht hervor. es existieren so grofse collectionen lateinischer predigten Bertholds, in zahlreichen hss. und in verschiedener anordnung aufbewahrt, dass eine untersuchung von dort ausgehen muss und das gewonnene erst die grundlage abgeben kann für die prüfung der relativ geringen reste deutscher sammlungen.

Nur etliche einwendungen gegen Strobls ansichten möchte ich vorlegen. Strobl bemüht sich sehr um die reconstruction des archetypus seiner stücke s. xviii. auch in der einleitung zu den lesarten des i bandes erörtert er die genesis der grofsen hss. er wendet sogar widerholt in seiner arbeit die berechnung des umfanges verstümmelter oder zu erschliefsender hss. an, obschon ich dafür keinen irgendwie sicheren boden anzuerkennen vermag. er und sein vorgänger Johann Schmidt (in dem fleifsigen und brauchbaren büchlein Über Berthold von Regensburg, programm des obergymnasiums auf der Landstrafse, Wien 1871) gehen dabei von der meinung aus, die anordnung der predigten in den hss. müsse anhaltspuncte für die datierung sowol, als auch für die eruierung des bestandes einzelner befte vor der vereinigung ergeben. ich habe das auch geglaubt und deshalb auf mächtigen bogen ordentliche tabellen mit vielen rubriken angefertigt, welche alles für die einzelnen predigtindividuen characteristische verzeichnet enthielten. ich habe eine ganze reihe von experimenten damit angestellt. erst als ich durch die gänzlich resultatlose arbeit müde geworden war, fiel mir die frage ein, welche ich anfangs schon hätte erwägen sollen, ob denn nämlich die theoretisch festzustellenden vorbedingungen einer solchen untersuchungsmethode günstig wären. ich fand dass dies trotz manchem scheine nicht der fall sei. es liegen eben die dinge viel weniger verheifsungsvoll als bei den minnesängerhss. wir haben hier verschiedene aufzeichner — auch an ort und zeit nicht gleich —, deren tätigkeit nur ganz geringen umfanges (im verhältnis zum ganzen der überlieferung) gewesen sein kann. der zufall und der sammeleifer strebsamer prediger haben das meiste getan, die vereinzelt oder in ganz kleinen gruppen bestehenden niederschriften auf einige grofse haufen zu bringen. nirgends ein fester punct, an dem einzusetzen wäre. denn was man dafür hält ist triegerisch. dass die ordnung der stücke nicht nach den festen des kirchenjahres vorgenommen worden ist, davon überzeugt man sich bald, aber nicht einmal das ideal hat ein solches moment bestimmt. dieses ideal wäre allerdings unerreichbar gewesen, denn wie wir sehen, ist es nur eine ganz geringe anzahl kirchlicher feiertage, welche mit predigten bedacht sind, auf einzelne feste fallen mehrere stücke. das hat wahrscheinlich seinen grund in der beschränkung der zeit für den rechten erfolg der missionsreden.

Am meisten verlocken zur untersuchung die citate von einer
predigt in die andere, wodurch der citierte abschnitt eingeschaltet
wird. man denkt unwillkürlich, es müste durch richtige combination der stellen die ursprüngliche gruppierung sich ergeben.
die citate sind aber nicht alle gleichartig. manche sind ganz kurz,
ungenau, manche speciell und sorgfältig. die möglichkeit dass
der aufzeichner einer predigt seine arbeit sich erleichterte, indem er auf schon geschriebene predigten verwies, welche die weg-
zulassende partie ausführlich enthielten, muss a priori zugegeben
werden. mitunter waren es vielleicht nur notate von parallelstellen. unter den vorhandenen bezeichneten zwei arten von
citaten wird man geneigt sein, die erste, knappe und nur oben-
hin treffende für die ältere, dem ersten aufzeichner nahe stehende
zu halten. citate dagegen, die sehr genau sind, ganz bestimmte
einschaltungen verlangen, wird man nicht anders entstanden sich
denken dürfen, als dass der abschreiber sie eintrug, entweder mit
den stücken seiner vorlage oder mit seinem eigenen werke, so weit
es fertig war, in der hand, die stellen nachsehend. die wichtigsten citate gehören dieser gattung an. auch die, welche auf das
'büchlein' sich beziehen, wobei ich noch auf die varianten von
a zu I 550, 1 besonders aufmerksam mache, wie denn A und a
in bezug auf die citate, ihre stelle und fassung nicht minder differieren als sonst. auch citate mit *hie vor*, wie I 214, 3. 231, 33
werden dem abschreiber anzurechnen sein. flüchtigkeiten, die
mit der unbestimmtheit der ersten categorie nicht verwechselt
werden dürfen, finden sich auch, zb. I 446, 3. 464, 19. 487, 6.
II 158, 25. es liegt nun auf der hand dass für die erkenntnis
der vorlagen, aus denen das werk des abschreibers sich zusammensetzte (mit ausnahme der das büchlein betreffenden) nur diejenigen
citate von bedeutung sein können, welche man möglichst sicher
auf die aufzeichner zurückzuführen vermag. nach dem angegebenen sieht es aus, als ob diese wichtigen citate denn doch genau erkennbar wären. aber sofort erhebt sich das bedenken:
der abschreiber fand die verweisenden noten der aufzeichner schon
vor; wie viele hat er unberührt gelassen? und wenn zugestanden
werden muss dass der abschreiber nicht blofs selbst citate gemacht, sondern auch vorhandene erweitert, bestimmter gefasst hat,
wo bleibt da die grenze für unser sonderndes urteil? nur ganz
weniges wird aus dem vorhandenen auf die erste gestalt der überlieferung zurückgeleitet werden dürfen und naturgemäfs gerade
solches, was durch seinen mangel an präcision als untersuchungs-
moment für uns den geringsten wert hat. alles détaillierte, das
zur combination reizt, ist später und gehört dem abschreiber
oder — und das compliciert die sache — den abschreibern. noch
eine weitere schwierigkeit tritt hinzu. es ist nachweisbar dass
éine predigt unter verschiedenen bezeichnungen bekannt war;
stellen: I 82, 1. 130, 37. 217, 32. 485, 8. das entspricht durch-

aus meiner früher dargelegten anschauung. an dem einen orte
gab man der predigt éinen namen, am nächsten orte einen
anderen. ein par mal weifs der abschreiber dass in verschiedenen stücken seiner vorlage derselben predigt verschiedene titel
beigelegt werden. in wie weit hat er diese getreu überliefert?
schon dadurch dass er sie einmal neben einander stellt, beweist
er seine kritische haltung; wird er nicht in den titeln geändert
haben nach den eben von ihm selbst benutzten vorlagen? wären
die titelverschiedenheiten zuverlässig aufbewahrt, so könnten sie
uns hilfreich sein; wie wir sie haben, vergröfsern sie nur das wirr-
nis. ich halte mich schliefslich für überzeugt dass auch mit combination der citate nichts für die geschichte der überlieferung
erspriefsliches gewonnen werden kann.

So bin ich auch mit Strobls datierungsversuchen im einzelnen
nicht einverstanden. sie sind mir alle viel zu kühn und bauen
mir allzu gewichtige vermutungen auf ganz schwankenden unter-
grund. wie viel zeitanspielungen haben denn aufzeichner und
abschreiber ganz oder zum teil belassen, als sie die texte für den
practischen gebrauch der nachkommen überlieferten? — vielleicht
kann noch einiges über die orte der predigten herausgebracht
werden, obschon die genaueren angaben bereits ausgeschöpft
scheinen und aus dem *graben*, auf dem *die bœsen hiute gént*,
sowie aus ähnlichen vagen notizen nicht viel zu lernen sein
wird. hie und da mag die untersuchung bevorzugter heiligen-
namen etwas ergeben, deren nur eine auffallend beschränkte zahl
gebraucht werden. aber auch hier, wie weit reichte die arbeit
der vermittler Bertholdscher rede? — ob 323, 23 ff darauf hinweist dass die predigt würklich von einem *berfrit* aus gehalten
wurde? dass 331, 6 und an anderen stellen ohne übergang und
besondere bezeichnung sofort von den frauen zu den männern
die rede sich wendet, deutet wol darauf hin dass auch bei Bertholds predigten, selbst im freien, die zuhörer nach geschlechtern
getrennt safsen. — die zahlen, welche in den zeugnissen über
Bertholds auditorien überliefert werden, halte ich zum grösten
teile für aufserordentliche, geradezu lächerliche übertreibungen,
die nur dadurch entschuldigt sind, dass auch unseren reportern
heutzutage die richtige abschätzung von menschenmassen nicht gelingt und sprünge von den würklichen 2000 zu 15000 und mehr
in den zeitungen nicht selten sind. deshalb nimmt es mich wunder, wenn Zarncke in seiner argumentation Litt. centralbl. 1880
s. 1205, deren resultat ich sonst beitrete, ernstlich zu glauben
scheint dass an 200000 menschen einmal bei Berthold zusammen-
geströmt seien. woher denn? und wovon hätten die leben sollen?
wenn die kleinen heere jener zeit, deren zahlen wir kennen, sehr
bald auf einem zuge gewaltsam fouragieren musten, wie sollte
eine solche masse, die nur aus grofser ferne hätte zusammen-
kommen können, sich anders ernährt haben als durch raub und

plünderung? und wenn, würden wir das nicht erfahren? da
hätten die regierungen bald eingegriffen und der 'gute, selige
landprediger' würde nicht lange seine tätigkeit ungestört haben
fortsetzen dürfen. irre ich nicht, so haben wir ein bestimmtes
zeugnis, wie Berthold selbst die zahl seiner zuhörer auffasste. in
der 24 predigt, zu Mariä himmelfahrt, am 15 august, im freien
(383, 14) gehalten — die leute safsen 377, 21. 33 —, heifst es
379, 2 ff: *Der dritten, den unser herre ir lôn ze aller niderst in
dem himelriche gît, der ist lihte kûme einer oder zwêne vor mir:
ob zweinzic tûsent* (a fehlt der passus) *vor mir wæren, under den
allen sament wæren kûme einer oder zwêne vor mir, den er den
minnesten unde den kleinsten lôn dâ gît oben ûf dem himelriche.*
es liegt im sinne des ganzen zusammenhanges dass Berthold sehr
stark übertreibt: 'selbst dann, wenn 20000 vor mir wären' —
auf der hyperbel beruht der eindruck des satzes —, er hat also
die zahl der unter günstigen bedingungen (in der nähe einer
stadt) bei ihm zusammengekommenen um sehr vieles niedriger
veranschlagt, und das ist in der ordnung. denn die zahl der
menschen, denen ein redner verständlich werden kann, ist gar
nicht grofs, und bei aller begeisterung für den prediger wird man
dieser erfahrung bald in der praxis nachgelebt haben.

Sind meine betrachtungen bisher mehr negativer art, an resultaten wenig ergebnisreich gewesen, so kann ich nun mit gröfserer
sicherheit auf die quellen verweisen, aus denen uns gewislich
manche aufklärung unserer zweifel, bereicherung unserer kenntnisse zu teil werden wird. nach langer zeit und nach mislungenen
anläufen eröffnet sich jetzt die aussicht, Bertholds la t e i n i s c h e
p r e d i g t e n gedruckt zu erhalten und damit die ganz unentbehrliche ergänzung seiner deutschen werke. domvicar G e o r g J a-
k o b zu Regensburg hat eine schrift publiciert, die als vorbote
der höchst wünschenswerten ausgabe angesehen werden darf. er
bespricht in derselben zuerst die nachrichten über Bertholds lateinische werke, sondert dann die erhaltenen predigtsammlungen
in fünf gruppen (Rusticanus de dominicis, Rusticanus de sanctis,
Commune sanctorum Rusticani, Sermones ad religiosos et quosdam alios, Sermones speciales sive extravagantes). s. 14—24 beschreibt er mit sorgfalt die wichtigsten ihm bekannt gewordenen
hss., wenn ich richtig gezählt habe, 13, in denen die verschiedenen
werke, teils vollständig, teils in gruppen einzelner stücke enthalten sind. s. 25—42 behandelt er die predigtwerke im einzelnen
und gibt mitteilungen über den inhalt der codices. s. 42—106
verzeichnet er titel und anfänge der predigten in den hauptsamm-
lungen, s. 106—124 werden die predigten nach inhalt, anlage,
sprache mit zahlreichen auszügen characterisiert, s. 124—141 erörtern die quellen, aus denen Berthold schöpfte, s. 141—178 vergleicht er in sehr instructiver weise die lateinischen mit den ent-

sprechenden deutschen stücken und fasst das resultat dieser untersuchung in der beantwortung von vier fragen zusammen.

Das ist alles gute und ersehnte kunde, und die schrift ist
eine schöne vorarbeit zu der gesammtausgabe. denn von dem
gedanken, einzelne sammlungen zu edieren, wird man nun wol
absteben. freilich ist die masse der arbeit, welche noch geleistet
werden muss, bevor jenes ziel erreichbar wird, sehr grofs und
die arbeit selbst schwierig. zuerst wird nachzusehen sein, ob
nicht, sowol in deutschen als in auswärtigen bibliotheken, noch
hss. der werke Bertholds aufzutreiben sind. ich möchte mit ziem-
licher zuversicht mehreres erwarten. Jakob selbst verzeichnet
s. 24 drei codices, die er nicht benutzte. dazu gehört auch
nr 3735 der Wiener kaiserlichen hofbibliothek, über welchen Strobl
dankenswerte mitteilungen in den Sitzungsberichten der Wiener
academie 1876, band 84, s. 87 ff veröffentlicht hat. ich verdanke
seiner aufopfernden freundschaft die communication reichlicher
auszüge aus dieser hs. und der noch hinzuzunehmenden derselben
bibliothek nr 3981. einen anderen und, wie ich glaube, nicht
unwichtigen nachtrag zu dem verzeichnis kann ich selbst liefern.
die universitätsbibliothek in Graz enthält unter nr 1502 (alte
sign. $\frac{42}{102}$ 4⁰) eine hs. lateinischer predigten, am schlusse mit
deutsch gemischt, dieselbe, aus welcher ich Zs. f. d. ph. 7, 473 ff
ein stück publiciert habe. ich ahnte allerdings damals schon
(s. 472) dass die collection mit Berthold in beziehung stände,
aber dass der gröste teil der predigten von ihm selbst ist, habe
ich erst jetzt erfahren. bevor ich meine dort gegebene beschreibung des codex ergänze, biete ich ein vollständiges verzeichnis der predigten. wo ich ganz aufser zweifel bin über die
identität eines stückes mit einer der von Jakob verzeichneten
predigten, dort führe ich titel und text nicht an, sondern setze
die nummer sofort = Rust. Dom. — Rust. Sanct. — Rust. Comm. —
Rel. — Spec., abkürzungen, deren bedeutung niemandem unklar
sein wird. wo ich zweifelhaft bin, ebenso dann, wenn ich keinen
übereinstimmenden text bei Jakob finde, dort gebe ich titel und
text wider. selbstverständlich müssen aufser den texten noch die
anfangsworte der predigt gleich sein, falls man identität der stücke
annehmen will. erschwert wird die sicherheit noch dadurch dass
manche predigten mehrere texte neben einander haben und nun
bald mit dem einen, bald mit dem anderen an der spitze in die
sammlungen eingetragen werden.

1 (fol. 1ᶜ) = Rel. 40. — 2 (3ᵃ) = Rel. 41. — 3 (6ᶜ) = Rel. 42.
— 4 (9ᵈ) = Rel. 43. — 5 (13ᶜ) = Rel. 44. — 6 (15ᵈ) = Rel. 45.
— 7 (18ᵈ) *Ite, ostendite vos sacerdotibus. Quum, ut dicit Gregorius,
ars est artium regimen etc.* — 8 (21ᵇ) = Spec. 13. — 9 (23ᶜ) *Accipiunt regnum decoris et dyadema speciei de manu domini. Sap.
Nota si aliquis sapiens vellet se transferre ad regnum Anglie vel
Ungarie etc.* — 10 (27ᵇ) *De dilectione dei. Diliges dominum etc.*

Johannes hanc precepit dilectionem quia nichil lenius etc. == Spec. 45 ?
— 11 (29ᵇ) *Caritas quomodo alias virtutes excellit. Manete in
dilectione mea. Johannes. Karitas est inter ceteras virtutes ut
aquila in avibus, karvunculus inter gemmas etc.* == Rust. Comm.
2. 3 ? — 12 (30ᵈ) *Dedit illi dominus scientiam sanctorum: cui
dominus h. dat magnum et maximum donum sibi dedit. Nam
licet omnes sciant christiani quod etc.* == Rel. 52. 55. 57. Spec. 9 ?
— 13 (32ᵇ) == Rel. 77. — 14 (36ᶜ) *Cogitaciones justorum ju-
dicia. Si cogitat homo quam deus dominus magna judicat et punit
peccata, nunquam perpetraret illorum aliqua etc.* — 15 (39ᵇ)
== Spec. 11. — 16 (42ᶜ) *Qui amat patrem aut matrem etc. vel
Scimus quoniam diligimus vel Serve bone et fidelis. Nota quod
duo sunt domini.* Servus (offenbar verschrieben) *et dyabolus.
uterque habet sibi servientes, sed dyabolus plures etc.* — 17 (44ᵈ)
*Justum deduxit dominus per vias rectas. regnum mundi sive di-
vicie mundi. pauperes et viles sunt etc.* — Rust. Comm. 20.
25. 26. Rel. 58. Spec. 8 ? — 18 (47ᵇ) *Speciose et delicate assi-
milare te filie syon. In hiis verbis duplex invenitur status cujus-
libet religiose puelle etc.* — 19 (51ᵃ) == Rel. 26. — 20 (56ᵃ)
== Rel. 27. — 21 (62ᵃ) == Rel. 28. — 22 (64ᶜ) == Rel. 29. —
23 (66ᵃ) == Rel. 30. — 24 (68ᵈ) == Rel. 31. — 25 (72ᶜ) ==
Rel. 32. — 26 (75ᵃ) == Spec. 4. — 27 (78ᵇ) *Timete eum qui
potest corpus et animam perdere in iehennam. per quae homo
ascendat in celum etc.* == Spec. 5 ? — 28 (81ᶜ) *Ambulate in
dilectione. Sicut et Christus dilexit nos* usw. *Diligit nos fideles
deus super omnem modum.* ℞. 16 g. *Ille dilexit eum nimis et
vult, ut nos fideles versa vice etc.* — 29 (85ᵈ) *Beatus vir qui
invenit sapientiam et qui affluit prudentia etc. Proverb.* III c.
*Inter omnia valde singulariter a Salomone commendatur sapien-
tia etc.* == Rel. 23. 24 ? — 30 (87ᵈ) *Beati misericordes etc.
Misereri debemus judeis quia omnes dampnantur, paganis, hereticis,
christianis, quorum nunc multi etc.* == Rel. 73 ? — 31 (93ᵃ) ==
Spec. 20. — 32 (97ᵃ) *Celebra juda festivitates tuas et redde vota
tua, quia non adiciet ultra ut transeat per te Belial: universus
interiit. Naū.* II. *Ecclesia celebrat multis de causis sollempnitates
sacras etc.* — 33 (99ᶜ) *Certamen forte dedit ei etc. Sap.* x.
*Iudei non pugnant contra dyabolum, quia omnes sui sunt nec ei
in aliquo contradicunt etc.* == Rel. 84 ? — 34 (102ᶜ) *Coedifi-
camini in ha. d. etc. legitur* ℞. *quod misit Salomon ad Iram
regem Syrie dicens: volo edificare templum domino etc.* — 35
(105ᵃ) *Adolescens juxta viam suam etc. in quorum persona(?)
dicit psalmus: Miser factus sum etc. Ys.* II. g. *Dixerunt anime
etc.* — 36 (105ᶜ) == nr 14. — 37 (107ᵈ) *Designavit dominus
Jhesus et alios etc. Tot apostolos dominus voluit eligere quot
partes terre et post tot discipulos alios quot lingue erant etc.* ==
Rust. Sanct. 7 ? — 38 (109ᵇ) == Rel. 77. — 39 (114ᵃ) == Spec. 15.
— 40 (118ᵇ) *Eadem quippe mensura etc. Luc. In celo sunt duo*

*genera sanctorum, quorum quidam sunt in celo majores in gaudio
et in gloria etc.* == Rel. 32? — 41 (121ᵇ) *Ecce quomodo com-
putati sunt inter filios dei etc. Sap.* v. *vel dic Thema de regno
vel de aliquo hujusmodi. omnibus nobis in baptisterio celum aperi-
tur etc.* — 42 (124ᵈ) *Ecce nomen domini venit de longinquo;
ardens furor ejus et gravis ad portandus (!), labia ejus indignacione
plena et lingua ejus quasi ignis ardens. Ysa. Inter ceteros ad-
ventus duo sunt generales etc.* — 43 (128ᵉ) *Ego dispono vobis
sicut disponit mihi pater meus regnum etc. Lu. Duo sunt genera peccatorum quae impediunt ad dilectissimam visionem dei etc.*
== Rel. 56? — 44 (130ᵇ) == Rel. 50. — 45 (133ᵃ) *Exibunt
angeli et separa. etc. Minatur dominus inimicis, id est sibi in-
obedientibus, quod mittet eos in caminum ignis, ubi semper arde-
bunt etc.* == Rust. Comm. 67? — 46 (135ᵈ) *De parvulis non
baptizatis per totum. Filius hominis venturus est in gloria patris
cum angelis suis et tunc reddet unicuique secundum operi (!) ejus.
Mt.* xxv. b. *tam in celo quam in inferno diversimodo nos dominus
remunerat etc.* — 47 (138ᵈ) *Fulgebunt justi sicut sol in regno
patris eorum. Omnes justi fulgebunt sicut sol, tunc etiam infimus
alius in tanto plus alius in tanto; et quantum fulgebunt, tantum
habet gaudii. hoc non habet sol, quod nichil habet gaudii etc.* —
48 (142ᵈ) *Gaudium est (coram) angelis dei etc. Lu.* xv. *De
omni bono nostro gaudent angeli, sed singulariter tria habent gaudia et precipuas sollempnitates de tribus generibus hominum etc.*
== Rust. Dom. 35? — 49 (145ᶜ) *Habentes donationes secundum
gratiam que data est nobis dif. Ro.* xii. c. *Nota quod dicit dif-
ferentes (?) quia dona tria dominus donat etc.* — 50 (148ᵇ) *Hoc
mandatum habemus a deo, ut qui diligit deum diligat et fratrem
suum. Jo.* iiii. g. *Quare in hac dominica legatur epistola de ca-
ritate etc.* — 51 (150ᵈ) *Intra in gaudium domini tui. Duo sunt
magna gaudia. unum quod deus de nobis habet, aliud quod nos
habebimus. vel aliud thema de dicto celo vel gloria vel remunera-
tione etc.* == Spec. 10? — 52 (154ᶜ) == Rel. 18. — 53 (157ᵇ)
*Justum deduxit dominus. Regna que dant homines, ita sunt parvi
valoris etc.* — 54 (158ᵇ) *Justum deduxit dominus per vias etc.
Mundus et omnia, que in mundo sunt, maxime in* ix *partes est
divisus etc.* — 55 (160ᵈ) *Justum deduxit dominus etc. vel Lignum vite est his qui apprehenderint eum. Proverb.* iii. *Scientia
sanctorum est scire hominem in quo statu sit etc.* — 56 (163ᶜ)
*Justorum anime in manu dei sunt. Deo dare tenemur vis s. (?)
hoc est censum suum tributum pro quo nos inpetet etc.* == Rust.
Comm. 34? — 57 (166ᵈ) *Nichil opertum quod non revelabitur etc.
Multa nunc occultant homines et mali et boni hic in terra ab
hominibus et multa deus in celo a sanctis et angelis etc.* == Rust.
Comm. 19? — 58 (169ᶜ) *Nimis honorati sunt etc. Quidam
fiunt magni et alti et econtra. Corry. Stella a stella dicit Jo. In
domo patris mei etc. Sunt autem etc.* == Rust. Sanct. 25. Rust.

Comm. 1. 15. Rel. 87? — 59 (171ª) *Panem de celo etc. Corpus Christi in se bonum naturaliter multiplex, in homine efficit accidentialiter autem malum.* Si enim humores etc. — 60 (174ᵇ) = Rel. 34. — 61 (181ª) = Rust. Sanct. 84. — 62 (185ᵇ) *Quasi holocausti ho. ac. e. etc.* Universa terra desiderat videre vultum Salomonis et audire sapientiam ejus et singuli offerebant etc. — 63 (187ᵇ) = Rust. Comm. 64. — 64 (189ᶜ) = Rust. Comm. 71. — 65 (193ª) *Non est servus major domino suo Jo.* xv. f. *Modo permittit deus prelationem, dominationem, marium subjectionem et obedientiam in omni creatura in celo, terra et inferno etc.* — 66 (197ª) = Rel. 1. — 67 (204ᶜ) = Rel. 2. — 68 (209ᶜ) = Rel. 3. — 69 (215ᵇ) = Rel. 4. — 70 (219ᵇ) = Rel. 5. — 71 (220ᶜ) = Rel. 12. — 72 (228ᵇ) = Rel. 14. — 73 (231ª) *Potestis bibere calicem quem ego bibiturus sum.* Mᵗ. *In verbis propositis ostendit dominus, quod per multas tribulationes perveniatur ad regnum celorum etc.* — 74 (233ᵇ) *.Ipsi populus ejus erunt.* Dominus dividet populos in die judicii in tres turmas, una etc. — 75 (237ᵇ) *Mittite partes eis qui non speraverunt.* dicit Esdr. *Consuetudo est quoniam aliqui usque ad mortem infirmati licet usque ad mortem flagellati etc.* — 76 (239ᵈ) *Assumpsit Jhesus Petrum et Jacobum et Johannem fratrem ejus etc.* Mᵗ. III. *In hoc ewangelio monetur (?) cum quanta diligencia Christus redempcionem humani generis prelibavit.* — 77 (242ᵇ) *Anshelmus de passione domini.* Sanctus Anshelmus longo tempore et lacrimis etc. der bekannte tractat. — 78 (252ᶜ) *Cum autem venit ille spiritus veritatis docebit vos.* hec *verba scribit Jo. ewangelista et est verbum domini Jhesu Christi in quo ut rhetor artificiosissimus etc.* = Rel. 47? — 79 (257ᶜ) *Tenuisti manum dexteram etc.* In verbis istis loquitur David sicut vir sapiens etc. = Rel. 60? — 80 (262ᵈ) *Tronus ejus sicut sol in conspectu meo et sicut luna perfecta in eternum.* Verba ista scripta sunt in libro etc. et bene conpedunt predicari etc. — 81 (267ª) *Sancta et salubris est cogitatio. pro defunctis exorare, ut a peccatis solvantur.* Mach. ultimo. *Hic nota duo sunt suffragiorum etc.* = Rust. Sanct 12? — 82 (268ᶜ) *in* xlª. *Auditu auris audivi te, tunc autem omnis videt te.* Dampnum quod oculus non videt et dolor etc. — 83 (271ᵇ) *Aquila grandis magnarum alarum, longorum membrorum ductu, plena plumis et varietate venit ad montem Lybani et tulit medullam cedry.* Nota quatuor proprietates aquile etc. — 84 (272ª) *Aquila grandis magnarum etc.* Verba ista scripta sunt in uno libro de veteri testamento et narrat ea nobis spiritus sanctus Ezechiel prophete etc. — 85 (274ᵈ) *Adorna thalamum tuum et suscipe regem Christum.* Verba ista cantantur et leguntur hodie in omnibus ecclesiis per totum mundum etc. — 86 (276ᵈ) *Animalia plena erant oculis intus et foris.* Ezech. 1ᵇ. et Apoc. IIIᵒ. per ista IIII animalia significantur quatuor evangeliste etc. — 87 (279ª) *Gloria et honore coronasti eum domine,* loquitur etc. ad Christum qui sanctum coronavit gloria et honore etc.

= Rust. Comm. 28. Rel. 74? — 88 (280ᵇ) *Omnes qui in mo-
numentis sunt, audient vocem filii dei et procedent.* Joann. *Triplicem legimus vocem etc.* — 89 (281ᵇ) *Surgit a cena et ponit
vestimenta sua et cum accepisset lintheum precinxit se. deinde mittit
aquam in pelvim.* Joa. *Ea, que his dicuntur, immediate facta
sunt etc.* — 90 (283ᵈ) = Zs. f. d. ph. 7, 473.

Wie schon aus meinen älteren anführungen hervorgeht, enthält die hs. viele deutsche worte und wortgruppen, ja im letzten
teile finden sich predigten, in einem gemisch von latein und
deutsch abgefasst. ich stelle alles hier zusammen, was ich gesehen habe, da es mir der aufbewahrung sehr wert scheint und
doch, wenn der codex zur herstellung der grofsen ausgabe mit
herangezogen werden sollte, schwerlich zu seinem rechte gelangen dürfte.

19ᵈ *vos juvenes cavete, ne dyabolus vincat vos.* vber hant gewinne in vobis. — *peccata semper adherent ut lappa et rosse egel.*
20ᵇ *qui sunt contra et (!) proximum vngelt gemeinung et hujusmodi.* 28ᵇ *celum et omnia ejus gaudia elige que vis. Si delec-
tionem. So* verteil ich dir. *omnia predicta repete.* vñ erteil dir
penas eternas —. 32ᵇ *quod pro vita suo deo sunt accepti: Got
genœm* den lvten ungenœm. vel widerzeim — *sunt deo inaccepti et
hominibus multum accepti: Got* vngenœm. 35ᵇ *sanus et integer,*
durnœchtic in verbis. 36ᵇ *levis vel tractabilis,* vertrœgelich. 38ᵃ
sunt rationabiles, redlich. 38ᶜ *isti advocati iniquissimi,* vngeltœrii,
thelonarii, tyranni ecclesiarum et hujusmodi. 39ᵃ *Similiter et isti
infelices thesaurarii,* schœtzeler, hurtelœr etc. 39ᵈ *congregationem,*
samnvng. 40ᵇ *potuissent satisfecisse pro unico mortali,* gebőzet. —
cum passione sua gebőzen. — 43ᵈ *eum offendas,* erzúrnest. 45ᶜ
qui non besteket in luto, ut numquam ascendat. 45ᵈ *opus est quod
tu te de hoc bewegest per ejus dilectionem.* 62ᶜ *capud debet habere* —
parvum et macilentum et clunes latos, weil. 62ᵈ *puritatem,* luter-
cheit. 64ᵇ *sed parcis ei,* schonst. 64ᵈ *nobiles ersprengent equos.*
in der überschrift: *Stationarius* stetig. 65ᵇ *quia quibusdam mei
formido* schœrőheht etc. 65ᶜ *aliter sepe cadunt,* Strauchent. 69ᶜ
excoriabitur, wirt abgeschunden *durissime et crudelissime et diu
exuretur,* wirt ab gebrennet, ut legitur. 70ᶜ *Secundo ad precipuas
et maximas festivitates, cum appropinquant, properant homines
novas et ornatas et mundas et pulchras,* flœtiges gewant, *quibus se
ornent,* ziren ad festum. 78ᵇ *circumit,* vmbeget. 78ᶜ *hoc est
apostasia,* abtrvnnecheit. 79ᵈ *fraudulentia,* trugheit. 80ᵈ *juxta
fundum,* grvnt, *inferni.* 85ᶜ *dominus benedicit,* lobt vnd segent —
wird widerholt. 91ᵈ *exercent enim modo ludum consuetum in
funere, qui dicitur* vntriwe. *Dic princeps postulat et judex* —
tales lupi. 93ᵇ *et dat brutis* lipnar *ex largitate.* 96ᵇ *quia bene,*
daz im wol wirt geschehnt, *ex fructibus gaudiorum terre.* 97ᶜ *et
ejectis sordibus vilium s.* gewihet. 99ᶜ *ad regis* cubiculum *varent.*

103^b *poliatur, sed lineam wol geliche et besnide.* 104^c *inpolibilia*
.i. widerspænich. 106^b *rationabilia,* redlich.⌋ 107^a *isti advocati*
iniquissimi vngeltarii thelonarii. 107^b *infelices thesaurarii,* schœtze-
lar, hurtelar, hevflar, *qui nos perire permiserunt, cum habunda-*
rent. 107^d *et illas ab aliis signavit et hat vz gemarht ex aliis —*
signa et march. 109^b widerum, da dieselbe predigt: Got genœm,
den lvten vngenœm. vel widerzœin — Got vngenœm. 112^d *in-*
teger, dvrnœhtic. 113^d *tractabilis,* vertrœgenlich. 115^b *tapetiis,*
tebech. 116^c *agatur vel tangatur,* anvech, greiffe. 118^d *qui vo-*
lunt esse probiores, di des getiwert wellent *sin.* 119^c *mordent*
ut faciunt canes væringe. — 120^b *isti sunt* werwolf. 121^b *vel*
deo faciamus herzeleit *vel proximo.* 121^c *non meruit(?) gra-*
viter offendere, niht herzeleides tvn. 131^d *In hoc negotio nulli*
debes cupere des wrsprunges. 136^a *peccatum gravius est in mo-*
nasterio an der aht, an der wis peccati. incontinentia, vnchv-
sche. 137^c stevre, *nova telonia.* 138^b *sive monachus sive con-*
versus brvder. 140^a *dominus qui ita magnus est in majestate*
et tam altus ut omnes angeli mirentur non esse Gömpelin *annus*
tuus(?). 141^d *usuras,* vngelt. 146^a *anime signum et caracter, ein*
geistlich sel zeichen. 146^b *arram sive pignus et* mœrel *aut ciro-*
graphum. 152^b *qui per aliquam vetulam submittunt cleinoda sua*
et decipiunt puellas et virgines et maritatas. 153^d *gaudet, quod*
cuilibet angelo et in omnibus choris mittit singularem vrevden-
schvzzel *magnam, in tanto gaudio confertam,* gehovffet, *quod est*
indicibile. 155^c *supplicet,* vlehe. 158^b *proximo tuo,* nœhsten.
158^d *ne tetigeritis* neque gusta. *quidquid consulat, ut sibi in hoc*
sitis Gemeinœr, *cogitetis, quod sibi non bene successit in hoc, quod*
velitis socii ejus fieri —. 159^a *appetere gloriam laudis,* eren vnd
lobes gern. 160^c *res sibi habet, hoc est* gvt vn ere. 160^d *vul-*
nera anime sue heilen, *sanare.* 161^b *vel ficus an sit* vavl bavme,
quae corticem habet fetidum. 161^d *sonat,* chlaffet. 162^a *alios*
enim flores producit malogranatum, alios talia, alios blizbavm *etc.*
163^a *corrupti, putridi et vermosi,* indativi, vngœb *et omnino in-*
sipidi. 189^c *securim lapidum, quod vulgo dicitur* steinaks. — *Item*
quodam instrumento ferreo parvo, quo lapis circa fines planatur,
quod latine dolatus, wlgo Meizzel *appellatur.* 190^b *videlicet se-*
curi et dolabro, id est parth et scalpro. — *sed ad plenissimam*
complanationem quodam instrumento, quod wlgo *dicitur* Stovzbovm
vel et hobel, *utuntur.* 196^a *habet officium eorum duplicem regu-*
lam, vbunge. 208^c *honora eum, reverere,* schon sin. 213^b *est valde*
famelicus, vil heiz hungerich. 257^c *In verbis istis loquitur David*
sicut vir sapiens. Der fleischleich blœde vnd menschleich chrancheit
erchennen (i)ch an vnd als ein chint daz siner trit nicht gewalt
hat noch an hilfe nicht gen mach. vnd sprichet also: herre du
hast mich gehabet bei meiner rechten *etc., vnd gefuegent sich den*
worten wol zubredigen. — *So lobt* sanctus .N. *deum vmbe dren*

*dinch vnd vmbe drei genade die er von im enphangen hat. In
primis quod eum a mortali peccato vnd vor menschleichem valle be-
huetet vnd bewart hat. Secundo etc. — et est verbum dei ad
angelos de anima fideli que se in bonis actibus exercet. Hec dic
ita. Ir engel, der sele diu sich an gueten werchen gevbet hat, der
gebet den lon den si verdinet hat, vnde swenne si chom an die
(258ᵃ) porten des todes, so sich div sele vrloubet vom dem leibe,
so sulen si loben ir gueten werch. propterea dico per manum
dexteram opera bona significantur. sed quia homo habet duas
manus vel due sunt manus hominis, also sint ouch zwaier hande
werch; bona et mala. Mala sicuti superbia, auaricia et similia.
hec significata sunt per manum sinistram. also sint ouch guten
werch humilitas, castitas et similia et sunt significata per manum
dexteram. hec sunt bona opera beati .N. pro quibus laudat deum
dicens: Tenuisti etc. Idoch so sul wier daz merchen vnde wizzen quod manus —. 258ᵇ Ita dico quicunque vult eternam co-
ronam percipere debet habere quinque virtutes. prima virtus, diu
heizzet diu sterche, chraft vnd macht, per quam homo debet ex-
purgare inimicos suos. Secunda vero prudencia, weistum, chunst
vnd sinne. Tercia warheit, triwe vnd gerechticheit. Quarta mazze,
zucht vnd beschaidenheit. Quinta gedult, senft vnd diemueticheit. —
fünf finger. prudencia per quam homo sibi et aliis valeat ostendere,
da div sel mit behalten (258ᶜ) sei. — Quartus in manu quem vo-
catis den vngenanten, illum nos vocamus medicum, eo quod medici
leise die ge(s)wulst da mit angreiffent et ungunt vulnera per istum.
259ᵃ Tria sunt que auferunt et auferre volunt fortitudinem hujus
digiti. videlicet parentum dilectio, deliciarum carnis proprie ac-
quisitio et stultorum subsannatio. hec dic in vulgari et nichil plus.
hec tria inpugnabant Christum in cruce, sed non potuerunt superare. Si mochten ouch in nicht her abe bringen. — primum
quod (259ᵇ) impugnabat eum [cum] in cruce fuit mater. Mit dem
iamer den si an sich leget pia mater stabat sub cruce mit hangundem
houbet, Mit roten vnd mit weinunden ougen, Mit erblichem ant-
litze, Mit gesigen handen, Mit trovrigem müt, Mit verwunten
vnd mit versniten herzen, Mit bitter vnd mit iemerleicher chlage
di si het vmbe seine bermleiche marter vnd vmbe den lesterlichen
tot der (!) er da leit. daz bedenchet heut ein isleich getriwe mue-
ter diu ie chintlich liebe versuechet herzen were. do si hort daz
ierem sun vertailet was, do si sach daz man in anslvech, do si
sach daz er selbe den galgen gegen dem gewicke trvech, et sic dic
de ceteris que sustinuit. Sich do mvest si gelten. (259ᶜ) des sie
nie enbizzen het. — do giengen ire alrerst die schvzze zv, Do
nahent sich div herze devcht, Do wart si die hent wintunde als
ein vrowe div zv einem chinde geet, Do si waren got vnd waren
mensche an dem chrevze vor ier hangen sach. — 259ᵈ Sicut impugnabat eum Sin reiner vn̄ sin zarter leip Mit angesten vnd*

mit den sorgen dier zv dem tode het, sicut ipsemet dicebat: pater etc. vater miner, si possibile est daz du mich des schemleichen tôdes vbir habest vñ begebest, Spiritus quidem etc. sed non sicut ego volo sed sicut tu. *Tercio impugnabant eum die gengelinge vnd die muezgeer mit dem geluerre daz si ovz im triben vnd mit dem spotten daz si an in legeten vnd mit dem itwizzen daz si im taten,* eorum manus agitando, pedes allidendo, sibilando, capita movendo, dicentes: *wach qui* etc. Istud improperium magis lesit eum quam cetere pene, quod nichil ledit hominem tam sam der in laitiget in seinem vngemach. Ita (260ª) debes scire quod *tu ab hiis tribus impugnaris: primo parentes, id est dein nest magen vnd dein lebiste freunt, vicini tui* te impediunt ab omni bono. *hic persequeris ut vis.* Secundo, quia corpus tuum, quia caro concupiscit adversus spiritum. *Si tu vis jejunare, corpus tuum vult comedere et sic de ceteris. dic propter quod* conquerebatur apostolus dicens Infelix etc. *Tercio inpugnaris ab occursoribus et derisoribus, qui se(!) viderint mulierem honestam sepe confiteri et communicare, ecclesiam frequentare et similia, dicunt: ecce monialis vult fieri ista. sic dic de ceteris. Idoch du reinev sel, gotes chint von himel hat dic(h) genagelt diu ware minne vnsers herren vnd nicht eisenem negel an daz chrevze, zv dem chreze gvetes gelvbdes oder gveter werch. edel chint, nu habe dich vaste zu dem chrëze gueter werch, la dich da (260ᵇ) von nicht enschaiden, vber chvm vnd gesige in an mit den drin dingen da Jhesus mit an gesiget den drin die in ab dem chrevze brach wollen haben. — sed ne omnino remaneas desolata habeas loco mei Johannem pro filio: O welich ein iemerleich wechsel. — 260ᶜ debes precogitare vnde solt dier fuer setzen. — 260ᵈ habuit .N. in dextera sua pollicem hunc sue fortitudinis, da er disen dingen mit wider stuent. — 263ª nunquam legimus ita brevia verba, dev so vin (vil?) dinges begriffen, quam ista verba. — comprehendunt sanctos et omnes justos cum omni sua beatitudine, quia von den allen sagent si vns dev niwen dinch. — 263ᵇ quod ista verba fuerunt inprimis inventa et dicta: dv got vnser herre sich genedichleichen verdacht gegen der werlt et filium suum mittere super terram voluit. — et vos prophete qui adhuc estis in dem ellende, vos rogatis me per desiderium vestrum, interrogatis wie iz muge den menschen gestalt sein de quo filius meus debet sumere (263ᶜ) humanitatem. De hoc volo vobis dicere plus, nisi tamen quod scire debet, daz sein thronus meines sunes sua sedes —. sicut luna perfecta der immer zv erget. — hoc dic in wlgari et non in latino. et postea in latino: Dicitur beata virgo tronus eburneum (!) propter puritatem. — 263ᵈ tunc dic ea similiter (ver)bis in wlgari sic: Also spriche ich, beata virgo dei —. primo assimilat eam trono eburneo propter magnam castitatem div an ier leit et propter magnam mundiciam virginitatis dev sei vmbe geben hat. — wer stinchet et putrescit. 264ᶜ Rogate beatam virginem, quod ipsa nos juvet, daz wier vestes*

*muetes werdent cum puris dei vnd daz ier nicht feulunde werdet
mit dem vncheuschen fiehe dyaboli. — 264ᵈ Quatuor genera hominum commendat spiritus sanctus verbis istis. Wiert vnd hous
vrowen, wilwen vnd witwer, matres et predicatores, Degene et virgines. Primos, hoc est conjugatos, comparat weizem sne, viduas
lucidi(!) lacti, matres et predicatores rubeo vnd zv golt varwen
ebure, virgines zv schónem vnd zv himelvarwem sapheyern. Et
tamen (265ᵃ), swie sneweiz der wiert vnd der hausvrowen li-
ben(?) ist, Swie liecht vnd swie golt var vita predicatorum et
doctorum est, Swie schón vnd swie himeluar vita virginum et
coram deo et hominibus, tamen —. zv einem himelvarwen trone
sibi et in matrem honorant —. Ezechiel dixit quoniam raptus
fuit, enzvchet in einem twalme fuit. — 265ᵇ Ich sach, dicit pro-
pheta, ovf dem himel der ob der tier hovbet swebet tronum de
lapidibus saphyrinis vnd ovf dem trone sedere hominem —. 265ᶜ
Matheus propterea scribit in forma hominis, Wand er aller maist
loquitur de humanitate Christi. — 266ᵃ vnd wol von allem recht
dedit ei deus digniorem locum. — 266ᵇ Jhesus Christus nimis splendet
per summam justicie, so swinget si sich ovf, so machet si sich her
fuer sicut nubes —. 266ᶜ quod sicca corda andacht gewinnent de
beata virgine. — O uollev vnd vber uollev vrowe der genaden,
von den vollen genaden die du enphangen hast wiert ellev creatura
gruenvnd vnde begozzen. — 266ᵈ ut sol janua celi, decus der
hovsvrowen et gloria viduarum. — 267ᵃ millesies erit lucidior quam
sol vel luna quia illi soli erit similis daz got selbe ist. O mit
wie grozzen lieht ain sunne die andern, daz ist der sunne die
muder, an wiert (sehende?). O mit wie grozze frevden ain sunne
die andern, homo et filius matrem vnd dev mveter den sun et
mater filium an lachet in celo, vnd ist nicht wunder daz er sei
nu gvtleichen an lachet, coronatus in celo, dev in ofte chint we-
sunde osculata et amplexata est in terris. Augustinus. — 267ᵈ
Sangvois enim christi, cum effunderetur, extinxit solem, daz si
nicht enschein, lunam, daz er nicht enleuchtet, stellas, daz vertagen
lumen eorum. — 269ᵃ arguo in corpore, castigo in mente, die
refs ich die straf ich. Ich refs seu an dem guet mit vngeluche,
mit gebresten, mit duerfte und mit armuet. Ich refs seu an dem
guet, daz sich daz selten meret vnd ofte zerget. ego increpo eos
in mente cum recta contricione, cum recta tristicia, mit rechter
laidewende, mit tegeleichem jamer den si haben vber alle ier sunde.
Ego martirizo eos in corpore per jejunia, vigilias, famem, sitim,
mit hartligen, mit ween, cum dolore et multiplici infirmitate. —
269ᵇ an dem jamer quem in filio suo videbat. — 270ᵃ Hoc est
geneme vnd wert, fruchtich vnd nutze, sicher vnd vervenchleich —.
270ᵇ Radices evigilant. Rami die schozent, virgule hoc est die
zwei sprozent, arbores fructificant. — 270ᵈ Sed quidam sunt ita
fatui sicut aranee. vnder allem vnrainen chunter ego nescio tam*

fatuam sicut est aranea. — 272[b] *et digne et wol von allem recht commendatur ipse a magna et alta sanctitate sua.* — 272[c] *Immundus, leprosus, in cogitationibus curvus, vngerecht, in verbis behafte. Imanis, furiosus, hoc est tobesuhtig, est in operibus, mortuus, In vita voulet* er — (272[d]) *in cogitatione gerecht mache, in verbis geslecht, in operibus erchuche, in vita pezzer.* — *venenum invidie et odii, die hantigen vergift inimiciciarum* —. *in ferventi oleo ire vnd der pitterchait.* — 273[a] er *fleizzet sich der tugende der zuchte, der geberde des leibes, der werche den im bol geuallen.* — *tenerime, innerchleichen.* — 273[b] *qui in cor suum neminem haimet, neminem went, neminem herberget, neminem setzet nisi deum.* — *in eadem sanctitate deus reddit in sua morte sicut sibi eam deus geantwurtet hat.* — 273[c] *omnem suum, allen seinen geworft leget an got vnd den zv allen zeiten honorat et laudat.* — *Tercio commendatur von dem schein* (273[d]) *seiner Lôtercheit et a castitate.* — 274[a] *ad convivium nupciarum ejus, da er an prout stuel saz cum nobili domicella Maria.* — *et propterea zvran in der chost* —. 274[b] *Quarto, quia familiariter cum ipso solo conferebat vnd zv rat wart vnd mit im rovnet* —. 274[d] *wier vinden an disen worten zv merchen dreier hande genade et triplicem bonitatem.* — 275[a] *custos vel speculator, hoc est wachter vnd warnemer, vnd ist vns da pei pedeutet tu et quilibet homo Christianus.* — 275[c] *do er di nider der diemutichait, daz tale der senfte, die flechs der aiumutigen vindet, illic veniet.* — 275[d] *der ist heimleich cum humilibus, er choset vnd hat sein gesprech cum mitibus et simplicibus* —. *si ego viderem aliquem miraculum facientem vnd sehe da pei in uno homine die ainigen diemuetigen* —. 276[a] *qui in dulcedine spiritus sancti sich ouf swingent. sicut aquila in die lufte der gierde, der senunge, der trachtunge regni celestis. hoc sunt illi, qui iam senserunt dulcedinem des honichsaimes dulcedinis dei. hoc sunt illi qui cum corpore adhuc manent in terra et spiritus alzuhant herwerge capit in celo* —. 276[b] *ymo docet et beweiset nos* —. 276[c] *geleutert de peccatis nostris* —. *et remunerare alles* (276[d]) *des ongemaches, quod in isto seculo passi sumus* —. *et quando beata virgo fuer, giench et filium et ceteros ante eam.*

Ich kann nun zu einer genaueren beschreibung der hs. übergehen, als ich sie früher bot. eine solche wird von allen Bertholdhss., die aus stücken entstanden sind und nicht die gleichmäfsige mechanische anfertigung durch éinen abschreiber zeigen, hergestellt werden müssen, damit durch vergleichung dann etwas für die geschichte der überlieferung sich ergebe. der codex ist ein starker band, in holzdeckel eingeschlossen, die mit rotem schafleder überzogen sind. die innenseite der deckel ist mit kleinen pergamentstücken beklebt, welche in zierlicher schrift des XIII jhs. fragmente eines lateinischen theologischen werkes enthalten. die pergamentblätter der hs. sind durchschnittlich

18.5 cm. hoch und 12.8 cm. breit, kleine abweichungen kommen
bei den verschiedenen lagen ebenso vor wie differenzen in der
qualität des pergamentes, welches zum teil recht stark und gut
geglättet, dann wider abgearbeitet, schwach und rauh ist. die
288 blätter (zweispaltig, mit durchschnittlich 33 zeilen auf der
spalte) verteilen sich in folgender weise auf die einzelnen lagen:
drei senionen, ein septenio, elf senionen, ein septenio, ein quinio,
sechs senionen, ein quinio. es sind vier zählungen im codex vorhanden, eine unten mit römischen ziffern auf dem ersten blatte
jeder lage, später ganz in verwirrung geraten. für die ersten
11 lagen ist alles in ordnung. am fufs der zwölften f. 135 steht
xxiv, bei der dreizehnten xii, aber ein früheres xiii ist radiert,
entsprechend bei der xiv, und nun: 15 lage (f. 171) xxii, radiert xv; 16 (183) xxiii, radiert xvi; 17 (197) xix, radiert?; 18
(207) xx, radiert . . . n; 19 (219) . . . iii, radiert x . . .?; 20
(231) i, radiert xviii?; 21 (243) . . ., radiert x . . .?; 22 (255)
iii, radiert xxi; 23 (267) iiii, radiert x . . .?; 24 (279) v, radiert x . . .? — am kopf der seiten steht zunächst eine zählung
in schönen roten arabischen ziffern, die dadurch fehlerhaft wird
dass das erste und das zweite blatt mit 1, ebenso das 52 und
53 blatt mit 51 gezählt werden, sie bleibt also um 2 hinter der
richtigen zurück. das geht bis 134 incl. nun aber springen
die roten ziffern, sind durchstrichen und die folge der blätter
wird in daneben gesetzten, viel späteren schwarzen ziffern normal weiter gezählt. das geschieht so:

meine zählung.	rote ziffern.	schwarze ziffern.
123—134	121—132	—
135—146	274—285	133—144
147—158	133—144	145—156
159—170	145—156	157—168
171—182	249—259 [1]	169—180
183—196	260—273	181—194
197—206	215—224	195—204
207—218	225—236	205—216
219—230	181—192	217—228
231—242	157—168	229—239 [2]
243—254	169—180	240—251
255—266	237—248	252—263
267—278	193—204	264—275
279—288	205—214	276—285

man wird sofort bemerken dass die stellung der roten ziffern mit
der einer reihe der schlecht erhaltenen römischen correspondiert.
die blätter befanden sich also — wahrscheinlich bevor sie den
gegenwärtigen einband erhielten — in einer anderen folge als

---

[1] 177 ist übersprungen.
[2] 239 und 240 sind für eins gezählt.

wir sie jetzt finden. — noch besteht eine vierte, aber nur über
einen kleinen teil der hs. sich erstreckende zählweise — mit
kleinen römischen ziffern werden nämlich am fufs der spalten
die predigten gezählt. der anfang der dritten ist, weil er nur
durch eine ganz kleine rote initiale bezeichnet war, übersehen
worden. das geht so bis nr 17 = xvi f. 44^d. nr 18 f. 47^b hat
keine nummer. 19 f. 51^a = xiii. — 20 f. 56^a hat keine nummer,
eine untergesetzte stelle von 2—3 zeilen ist radiert. — 21 f. 62^a
unten nr xix und nun wird fortgezählt, nur dass 23 und 27 übersehen sind, bei 31 aber um eins zu viel gezählt ist, so dass 33
f. 99^c unten xxx entspricht. von da ab findet in der ganzen hs.
sich keine solche zählung der predigten mehr. auch hier ergibt
sich aus der ziffer auf 51^a dass einstens die lagen in einem
anderen verhältnis standen als jetzt. mit den angeführten zählungen stimmen die verschiedenheiten der schrift. ich setze nicht
mehr, wie früher, alle teile der hs. ins xiii jh., sondern lasse die
möglichkeit zu dass einzelne partien in den ersten decennien
des xiv jhs. geschrieben sein mögen. wenn die schreiber, wie
das ja in der regel geschieht, ihre individuelle orthographie auf
die vorlage übertrugen, so zeugen die deutschen brocken, was
die fachgenossen sehen, mehr für das xiii jh. 1^{ab} ist leer. von
1^c an bis 31^c dieselbe hand. kleine unterschiede 22^b und 23^c,
was damit stimmt dass die bisherigen feinen bleistiftlinien 22^c bis
23^b durch tintenlinien unterbrochen werden. aber ob dass nicht
blofs neue ansätze mit anderer feder sind? 37^a eine zweite hand,
β, wider 2 spalten mit tinte liniert. schliefst schon 37^b, wo sie
abbricht, der rest der spalte ist leer, eine hand des xv jhs. hat
begonnen zu schreiben: — omo quidam fecit ce — und hat auf
der sonst leeren seite 37^{cd} auf 4$^{1/2}$ zeilen den anfang einer an
diesen text geknüpften homilie aufgezeichnet. 37 hat auch eine
neue lage, die vierte, begonnen. 38^a ist die rote initiale getilgt
worden und was da steht erweist sich als fortsetzung des abgebrochenen 37^b; deshalb ist auch unten keine neue predigtziffer
angebracht, sondern der irrtum ignoriert. ob 38^a noch dieselbe
hand ist, ob nicht schon 36^c eine andere beginnt und 38^a wider
eine andere, wage ich jetzt nicht zu entscheiden. auch 42^c sieht
fast so aus, als ob ein anderer schreiber einträte. jedesfalls aber
45^a die hand γ. 46^c mit tintenlinien hand δ. 47^b wider eine
andere hand ε mit dem predigtanfang. 50^d schliefst die predigt
und ein par zeilen bleiben leer. 51^a beginnt mit der neuen lage
eine grofse, grobe hand ζ, welche von allen vorangegangenen sich
sehr stark abhebt, tintenlinien; sie dauert bis 122^d. mit der
neuen elften lage wider eine zierliche hand η, welche die darstellung fortsetzt. 135^c andere hand ϑ. 146^c kaum ein neuer
schreiber. 170^b hört inmitten der predigt auf, rest der spalte
und 170^{cd} sind leer, 171^a beginnt mit der neuen lage eine andere
hand ι. 183^a tritt mit der neuen lage auch eine andere hand $\varkappa$

ein, welche das frühere fortsetzt. 197ᵃ neue lage, neue hand λ
und von jetzt bis zum ende kehrt keiner der früheren schreiber
wider, während bis dahin einzelne sich mehrmals einfanden zb.
δ = ϑ, η = x und vielleicht noch andere. die schriften bis
zum schluss sind alle mit breiten federn und schweren händen
aufgezeichnet, mit wenig rücksicht auf die starken tintenlinien.
204ᵃ wird neu angesetzt, 207ᵃ scheint eine neue hand mit der
lage aufzutreten μ; wenigstens wird andere tinte gebraucht. auch
219ᵃ vermute ich einen wechsel, ν, ebenso 231ᵃ. 243ᵃ wider?
249ᶜᵈ. 250ᵃᵇ sind ohne rubriken beschrieben. die schrift ist dann
bis zum ende dieselbe. ob überhaupt die unterschiede von 197ᵃ
angefangen nicht blofs durch äufsere umstände zu erklären sind,
ohne dass man sofort wechsel der schreiber anzunehmen braucht,
kann ich nicht feststellen.

Jedesfalls ersieht man aus dem angegebenen, und deshalb
bin ich so ausführlich gewesen, dass unsere hs. aus ganz verschiedenen stücken zusammengewachsen ist. ohne zweifel sind
abschriften, nicht originalaufzeichnungen hier vereinigt worden.
in mehreren fällen setzt der neu eintretende schreiber nur die
abgebrochene arbeit des früheren fort. in éinem falle hat der
schreiber zu seiner aufgabe weniger als den bestimmten raum
gebraucht und eine seite muste leer bleiben. da sind denn wol
die stücke der in lagen aufgeschriebenen originale verschiedenen
schreibern gleichzeitig zugeteilt worden, daher die irrung mit der
initiale 38ᵃ, ich wüste den umstand sonst nicht zu erklären.
sicher ist aber gleichfalls dass der codex im ganzen genommen
nicht zu éiner zeit angefertigt worden ist. ich denke mir darum
seine entstehung so: die originalaufzeichnungen waren in lagen
hergestellt, sie wurden da eine, dort die andere abgeschrieben,
dann geordnet, die ordnung aber später wider zerstört. wichtig
ist dass, wie man aus dem verzeichnis ersieht, einzelne predigten
zweimal vorkommen, also wol verschiedene aufzeichnungen repräsentieren. aus den später, im xv — xvii jh., eingetragenen
notizen ist nichts zu lernen. die am rande der seite befindlichen
geben überschriften, die den inhalt andeuten (also gewis nicht
aus alter zeit stammen, sondern in den einzelnen hss. verschieden sind, ganz wie bei den deutschen stücken), andere setzen die
namen der citierten kirchenväter aus, andere machen auf gute
stellen aufmerksam, oder verweisen aus einer predigt auf die
andere, was auch im context öfters geschieht. die erste seite
des ersten, die letzte des letzten blattes enthalten federproben
des xv jhs., auf 1ᵃᵇ findet sich noch eingetragen, zu oberst:
Sermones de Charitate, was aus der überschrift von nr 1 entnommen und dann als irrig gestrichen wurde. darunter: *Catal.
recent. Coll. S. J. Graecii* 1692. *Conciones* und von einer anderen
hand ist noch später hinzugefügt: *Anonymi cujusdam natione
Germani sermones varii, seu polius themata sermonum, et exhor-*

tationum, etiam ad religiosos. — aus dem verzeichnisse der predigten ist zu erkennen dass verschiedene gattungen Bertholdischer
sermone hier zusammengeflossen sind. oder sollte Berthold, als er
diese predigten hielt, etwa auch aufzeichnete, einen unterschied
der gattungen überhaupt nicht aufgestellt, es auf die errich-
tung von sammlungen überall nicht abgesehen haben und sollten
diese erst durch spätere ordner arrangiert worden sein? manches
spräche für diese meinung. klar werden können wir uns darüber
erst dann, wenn wir die anordnung der predigten in allen hss.
kennen gelernt haben. durch Jakob ist uns der inhalt nur derjenigen codices mitgeteilt worden, welche er selbst für die wichtigsten hielt, vielleicht in etwas durch vorzüge der äufseren
erscheinung bestimmt. für die herstellung einer philologisch
brauchbaren ausgabe sind zweckmäfsig angelegte tabellen der ordnungen ganz unentbehrlich. auf solche richten sich also zunächst unsere wünsche. wir werden dazu noch lebhafter veranlasst, wenn wir aus Jakobs angaben selbst erfahren, wie die
ordnungen sich kreuzen, wie allenthalben in den hss. die von
Jakob eruierten sammlungen durch einander laufen. und es wird
sich noch sehr fragen, ob das vorhandensein der einteilung in
sammlungen für die ausgabe bestimmend werden darf. — in wie
weit der Grazer codex echt Bertholdisches enthält, kann ich natürlich jetzt nicht angeben. darf ich vermuten, so halte ich die
letzten stücke, welche am meisten deutsches bringen, nicht für
sein eigentum. 268ᶜ wird am schlusse der 81 predigt mit den
worten: *quaere in Bertholdo* doch kaum auf etwas anderes als auf
teile unserer hs. verwiesen, aber dadurch, wie mir scheint, zugleich angedeutet dass wenigstens die 81 predigt schwerlich von
Berthold sein dürfte. war eine sammlung unter dem einfachen
titel *Bertholdus* bekannt? wie es mit dem Graecensis steht, so
mit den anderen hss. auch in bezug auf diese wird es dem
künftigen herausgeber obliegen, strenge kritik zu üben, für welche
es an äufseren und inneren anhaltspuncten nicht fehlen kann,
und uns den echten Berthold zu geben. das ausgeschiedene sollte
dann in anhängen der ausgabe doch noch veröffentlicht werden,
damit man nachprüfen kann. überdies ist auch die kenntnis der
unechten stücke unter Bertholds namen nützlich; sind doch die
unechten sermone Augustins für die geschichte der mittelalterlichen predigt wichtiger als die echten. das von Jakob gelieferte
verzeichnis enthält ganz sicher nicht alles, was in allen hss. steht,
aber schon der masse des angeführten gegenüber muss ich mich
etwas skeptisch verhalten. — das verhältnis der hss. unter einander wird sorgfältig erwogen werden müssen, damit wir den
besten text bekommen, nicht den ersten besten. dazu wird es
nötig sein, verlässliche abschriften und collationen (jedesfalls stellt
man besser und mit geringerer mühe abschriften her) zu sammeln. Strobl hat die beiden Wiener codd. mit einander ver-

glichen und gefunden, wie er mir mitteilt, dass von diesen 3735
den weitaus älteren und reineren text bietet. manches kann man
auch aus seiner schon genannten academischen publication ersehen, wo es freilich etwas verfrüht war dass auf die anordnung
der predigten in éiner hs. hin die datierung unternommen wurde.
ich zweifle sehr, ob nach vergleichung aller anordnungen eine
zuverlässige datierung daraus zu erschliefsen sein wird, aus inneren zeugnissen und anspielungen wird man wol am meisten
noch erfahren.

Der entwicklungsgang Bertholds ist uns schon jetzt deutlicher. wir sehen ihn während einer langen, langen zeit im
orden als prediger würksam. wir sehen, wie er durch unab-
lässige übung sich die fertigkeit erwirbt, mit der er dann in
raschester, sonst kaum erklärlicher weise seinen triumphzug als
missionsredner antritt. wir sehen aber auch in seine werkstatt.
Jakob spricht in seiner wertvollen summarischen erörterung der
quellen s. 125 sich so aus: 'mit recht staunen wir über die un-
erschöpfliche manigfaltigkeit seiner anwendung der historien des
alten testamentes; aber diese manigfaltigkeit ist nicht etwa spie-
lerei seines dichterischen geistes, sondern die frucht seiner belesenheit in den werken der väter. ich behaupte dass in sämmt-
lichen predigten Bertholds nicht zehn anwendungen aus dem alten
testamente sich finden, für welche nicht in den auslegungen
eines Gregor des grofsen, Hieronymus, Ambrosius ua. die begründung, wenigstens die hindeutung gesucht werden kann.' wie
einzelne freunde wissen werden, hatte ich schon seit längerer
zeit, auf die untersuchung der deutschen predigten hin, mir dieselbe meinung (mit ausdehnung auf spätere kirchenschriftsteller,
vornehmlich Hugo von Sanct Victor) gebildet, die bestätigung ist
mir überaus erfreulich. allerdings, das abschliefsende urteil über
Bertholds gelehrsamkeit, über das mafs der geistigen selbsttätig-
keit, welches er auf seine reden gewandt hat, wird erst aus
forschungen hervorgehen können, die nach der vollendung der
ausgabe angestellt werden. eins kann man schon jetzt sagen,
dass die mitteilungen verschiedener über Bertholds unkenntnis
der bibel, aus der beobachtung falscher citate geschöpft, ganz
unrichtig sind, da die fehler den schreibern zur last fallen.

S. 174 ff seiner schrift wirft Jakob vier fragen auf, die sich
auf das verhältnis von Bertholds lateinischen predigten zu seinen
deutschen beziehen; sie lauten: 1. sind die lateinischen reden
Bertholds übersetzungen aus seinen deutschen predigten? 2. sind
die lateinischen reden die concepte zu den deutschen predigten?
3. sind diese lateinischen reden in gleicher weise niedergeschrieben
wie die deutschen? 4. in welchem verhältnisse stehen die lateinischen und die deutschen reden zu einander hinsichtlich ihrer
bedeutung? er verneint die beiden ersten fragen, zur dritten behauptet er s. 177: 'also das ist, kurz gesagt, das verhältnis der

lateinischen predigten Bertholds zu seinen deutschen: diese sind
von anderen gelegenheitlich und mehr oder minder genau aufgeschrieben vom munde des predigers weg, die lateinischen aber
sind von ihm selbst vorgearbeitet und niedergeschrieben und geordnet.' und zur vierten s. 178: 'wer die ganze grófse Bertholds des predigers und die ganze bedeutung dieses mannes für
seine zeit richtig erkennen und würdigen will, kann das nicht genügend aus den wenigen deutschen predigten, wol aber aus seinen
so zahlreichen und inhaltsreichen lateinischen predigten.' ich
denke dass man besser tut, auf die discussion dieser fragen sich
jetzt noch nicht einzulassen, da sie durchaus nicht spruchreif
sind und mit nutzen erst in angriff genommen werden können,
wenn das gesammte material wird bequem übersehbar sein. jetzt
schon wissen wir, die lateinischen predigten sind früher entstanden als · die deutschen, jene sind die voraussetzung dieser.
das ist ein wichtiges moment.

Jakob berichtet uns noch am schlusse seines buches: 'es
möge für alle freunde unseres seligen die erfreuliche nachricht
angefügt sein dass sicheren mitteilungen zu folge die vorsteher
des minoritenordens bereits sich geneigt erklärt haben, die herausgabe der vollständigen werke des seligen Berthold von Regensburg in jeder weise zu fördern.' wir freuen uns aufrichtig dieser
kunde. wir hoffen auch dass die arbeit selbst, wie Jakob sie
trefflich angebahnt hat, bald im ernst begonnen und mit tun-
lichster raschheit zu einem guten ausgang geführt werde. denn
wir sind etwas ungeduldig; wir erwarten so viel neues von der
gesammtpublication, auch für die geschichte der altdeutschen
predigt im allgemeinen, dass unsere langgehegte stille sehnsucht
sich lebhaft steigert. aber wir erkennen auch den ungeheuren
umfang und die schwierigkeit des werkes und wollen uns in geduld bescheiden, wenn das monument der ausgabe Bertholds als
ein möglichst vollkommenes und seiner würdiges zu stande kommt.
es kann nur hergestellt werden durch rüstiges zusammenhelfen
von theologen und philologen; dass es an den ersteren dem mi-
noritenorden nicht fehlt, ist uns bekannt; es steht zu hoffen dass
man auch vertrauenswerter philologischer assistenz nicht entbehren wird. somit unsere besten wünsche zur arbeit.

Den verfassern der hier besprochenen schriften kommt das
verdienst zu, mit grofser mühe und anstrengung die forschung
über Berthold von Regensburg nach langem erstarren wider in
fluss gebracht zu haben. was gedeihliches zum ende sich ergeben mag, daran werden sie ihr dankbar anzuerkennendes
teil haben.

Graz, mittfasten 1881.   ANTON SCHÖNBACH.

Heidelberger passionsspiel herausgegeben von GUSTAV MILCHSACK. 150 publication des Litterarischen vereins. Tübingen 1880. 306 ss. 8°.

Mit diesem buche scheint herr Milchsack eine reihe von publicationen teils ungedruckter, teils stückweise bekannter passionsspiele zu eröffnen. das unternehmen, welchem der Litterarische verein seine hilfe leiht, verdient dankbare anerkennung. nicht ebenso vermag ich dem zuzustimmen, was der herausgeber an dem stücke getan hat. zwar die anmerkungen, welche die parallelen anderer spiele notieren, sind ebenfalls sehr erwünscht; nur hätte hr M., da er doch auch die übrigen passionen edieren will, warten sollen, bis er sie erlangt hätte, um dann die vergleichung auch auf diese zu erstrecken. so erhalten wir nur stückwerk. sonst hat sich hr M. die arbeit recht leicht gemacht. er druckt die hs. mit haut und haar ab und fügt nur eine nachlässige interpunction hinzu. sein verfahren sucht er s. 294 f zu begründen, indem er sagt: 'der versuch, die hsliche überlieferung in sprachlicher und rhythmischer beziehung einer eindringlichen und nivellierenden kritik zu unterziehen, wäre ein durchaus unhistorisches und vielmehr geradezu unkritisches beginnen.' was die unmasse der consonantendoppelungen und der ganze graphische schmutz irgend jemandem nutzen soll, ist mir nicht erfindlich; das lesen wird schwerer und unangenehm, dem dialectforscher hätte eine zusammenstellung im nachworte genügt. damit meine ich nicht dass etwas noch so geringes für die sprache des stückes characteristisches hätte getilgt werden sollen; aus dem wust, wie er da steht, lernt niemand. mancherlei wunderlichkeiten sind noch zu bemerken. hr M. setzt häufig in die lesart ein wort mit abkürzung, im texte ohne dieselbe, zb. s. 10 lesart: ꝑplacuj, text *complacuj*. das hat nur sinn, wenn der herausgeber seiner kenntnis der abbreviaturen nicht traut. ganz unrecht scheint er darin allerdings nicht zu haben, s. 161 ua. wird *nazarē_q* in *Nazareus* aufgelöst. stellenweise erwecken die varianten zweifel, ob hr M. richtig gelesen habe. dass der schreiber, welcher latein verstand, durch das ganze stück hin sollte *Contumādo* geschrieben haben für *Continuādo*, glaube ich nicht. auch sonst, denke ich, wird hr M. öfters *n* für *u* und umgekehrt angesehen haben. zb. s. 84. 112. 121. v. 1602. 1605 usw. *y* liest hr M., wo die hs. wahrscheinlich das im xv jb. geläufige *ʋ̈* hat s. 112. 127. 135. — s. 101 scheint mir *ex ne* nur die falsch gelesene abkürzung des *etiam ne*, welches hr M. in den text setzt. es wird doch in Wolfenbüttel ein exemplar von Chassant geben, wenn schon keine größeren werke über abkürzungen. mit den grundsätzen des herausgebers steht es in sonderbarem Widerspruch, wenn er die lateinischen bibelstellen der hs. nach der Vulgata ändert, zb. s. 15 *ego* auswirft, s. 116 *quod* für *et* setzt, s. 164 den satz ganz umformt, s. 201 *adversus* für *contra,*

s. 211 *ad* für *in* schreibt. die citate aus deutschen schriftwerken
würde hr M. nicht corrigiert haben, warum die lateinischen? auch
im deutschen texte sind widerholt in bestimmter schreibung vorkommende namen corrigiert zb. v. 1163 *Siole* in *Siloe*. die po-
pulären casusformen von *Jhesus* werden mit unrecht zu den grammatischen umgestaltet.

1522 ist *vermeinst* statt *vereinst* der hs., wie 1315 (3143),
gut in den text gebracht; der einfall *vereischst* aber sehr unglücklich. 1737 ff lauten in der hs.:

Helizeus hore mein stym offenbar
Ich weys das glawlich (l. glawblich) für war
das kein ander gott vff erdenn jst —

hr M. setzt komma nach *weys* und schreibt *glawbich*, beides ist
unnötig. wenn 1774 *dem* zu *den* geändert wurde, so sollte doch
wol auch *briestern* stehen. 3372 dass der vorschlag die weglassung von *leydenn* voraussetzt, hätte gesagt werden müssen. 3836
wird statt des fragezeichens hs. in der anmerkung stehen sollen.
s. 290 ff steht ein 'schlusswort des herausgebers', das zu einigen
bemerkungen veranlasst. vorerst ist es wider ein lustiges stück-
lein, wenn hr M. s. 291. 297 Oberammergau in der Schweiz
liegen lässt. an das schicksal mich erinnernd, welches Cividale
bei ihm hatte (vgl. Anz. vi 304), finde ich dass hr M. der geographie würklich nicht die aufmerksamkeit widmet, welche ihr
als element allgemeiner bildung zukommt. — s. 293 *M. G. H.*
in den schlusszeilen des schreibers wird einfach *Mit Gottes Hülf*
heifsen und nicht *Magister Gymnasii Heidelbergensis*, was hrn M.
zu erweisen schwer fallen dürfte. s. 295 'wissen wir jetzt dass
die grofsen volkstümlichen passionsspiele des xiv und xv jhs.
sämmtlich mehr oder minder auf einem urspiele beruhen, dessen
verfasser die Erlösung, ein episches gedicht des xiii jhs., welches
die ganze heilsgeschichte von der weltschöpfung bis zum jüngsten
gericht behandelt, in ein drama umwandelte', s. 298 verspricht
hr M., den beweis erst zu erbringen, s. 299 dagegen 'steht es
fest.' s. 298 nennt hr M. das Anegenge ein epos, ebenso Unser
frauen klage, ein gedicht, von welchem hr M. eine gänzlich mis-
glückte ausgabe angefertigt hat, deren revision nun nicht mehr
länger aufgeschoben werden darf. s. 295 heifst es 'noch viel
(schlimmer wäre) der (versuch), aus den hss. mehrerer spiele,
die sich ja oft sehr nahe verwandt und an vielen stellen in wörtlicher übereinstimmung zeigen, einen combinierten text herzustellen.' ich denke, hr M. wird nicht leicht jemanden finden,
der so töricht wäre, dies zu fordern. ebenso wenig wird jemand
zu haben sein, von dem mit hrn M. auf derselben seite gesagt
werden könnte: 'hiefse das nicht eine durch viele generationen
und spielarten hindurchgezüchtete gartenrose zerpflücken in der
eitlen hoffnung, die wilde rose zurückzuerhalten?' s. 269 und 296
gebraucht hr M. das wort *inszenierung* = scenarium, s. 295 scheint

er es richtig zu verwenden. diesen stilblüten füge ich noch den
satz s. 295 hinzu: 'nur so haben sie ihren vollen wert für die
wissenschaftliche erkenntnis einer vergangenen epoche, nur in
dieser gestalt sind sie der getreue abdruck ihres jahrhunderts
und des körpers ihrer zeit.' 'körper ihrer zeit' ist gut. — hoffentlich werden die folgenden ausgaben der passionen durch hrn M.
von solchen auswüchsen frei sein, damit auch der dank der leser
lebhafter werden könne.

Graz, 4. 4. 81.   ————   ANTON SCHÖNBACH.

Über die wasserweihe des germanischen heidenthumes. von KONRAD MAURER.
separatabdruck aus den abhandlungen der kgl. bayer. academie der
wiss. 1 cl. xv bd. III abth. München 1880. 81 ss. 4°. — 2,40 m.*

Das neugeborne kind war in der altgermanischen welt seinen
eltern gegenüber rechtlos: sie konnten es aussetzen und töten.
auch vor fremder gewalt schützte es ebenso wie das ungeborne
höchstens nur ein halbes wergeld, und wie dieses besafs es kein
recht erbe zu nehmen und zu lassen. nach einer bekannten
stelle der Vita Liudgeri war ihm bei den heidnischen Friesen
das recht der existenz gesichert mit dem empfang der ersten
nahrung, selbst aus der hand unberufener dritter; an dieselbe bedingung knüpften das isländische und mehrere schwedische rechte
die erbfähigkeit eines nachgeborenen und von derselben bedingung
als äufserster grenze der 'rechtlichen unfertigkeit' des neugebornen
ist auch noch einmal im angelsächsischen recht die rede. die noch
heidnische Lex salica und die ripuaria bezeichnen dagegen die
namengebung, *infra novem noctibus,* wie einige texte jener hinzufügen, als den termin seines eintritts in das volle wergeld.
denselben wert muss die namengebung auch im ältern angelsächsischen recht gehabt haben. innerhalb derselben neuntägigen
frist verlangt das nordhumbrische priestergesetz den vollzug der
taufe. das westgotische gesetz macht die erbfähigkeit von dem
empfange der taufe und einem mindestens z e h n tägigen leben
abhängig. der alemannische Pactus hält die frist von n e u n
nächten fest für den fall dass ein kind innerhalb derselben in
folge einer seiner mutter zugefügten verletzung stirbt, und macht
es auch im übrigen wahrscheinlich dass der volksscherz, der die
Schwaben (wie die Hessen?) neun tage nach der geburt blind
sein lässt, nur eine erinnerung an die alte rechtsordnung bewahrte, die den neugebornen bis zu jener frist dem noch un-
gebornen gleichstellte. die frist ist um so merkwürdiger, weil
auch bei den Griechen der zehnte, bei den Römern der neunte
tag mit der namengebung und einer feier und lustration von
ähnlicher oder gleicher rechtlicher bedeutung war. im germani-

[* vgl. DLZ 1881 nr 30.]

schen norden ist von der frist keine spur. im heidnischen Norwegen und auf Island wurde vielmehr, und in der regel sofort
nach der geburt, die namengebung, verbunden mit einer wasserbegiefsung, vorgenommen und dem kinde damit sein volles recht
gegeben; und dasselbe verfahren herschte aller wahrscheinlichkeit
nach einst auch im heidnischen Schweden und Dänemark. —
alles dies hat hr Maurer in der obengenannten abhandlung mit
gröster, man könnte sagen unerbittlicher ausführlichkeit zum ersten
male vollständig aus einander gesetzt, aber nur um schliefslich
(s. 77 f) aus der 'zwiespältigkeit' des gebrauches heraus zu der
hypothese zu gelangen dass die heidnischen Nordgermanen von
den brittischen inseln her nach dem vorbilde der christlichen
taufe den gebrauch der 'wasserweihe' in verbindung mit der
namengebung — man muss hinzusetzen, nicht nur vor der besiedlung Islands, sondern vor dem beginne der Wikingerzüge im
neunten jahrhundert oder seit dem ende des achten — allgemein
angenommen und daraus ein rechtsinstitut gemacht hätten, und
um auf diese weise auch 'vom rechtsgeschichtlichen standpuncte
aus an die neuerdings auf mythologischem gebiete angeregte frage
heranzutreten, wie weit etwa altclassische und christliche einflüsse
auf das germanische heidentum eingewürkt haben mögen oder
nicht' (s. 4).

Hr M. gesteht selber s. 81 dass 'eingehende untersuchungen
über die gestaltung der kindertaufe in der abendländischen kirche
überhaupt, und in der irischen, schottischen und englischen kirche
insbesondere erst angestellt werden müssen, ehe man sich über
die frage mit gröfserer bestimmtheit aussprechen könnte.' wenn
das ist, so räumt er ein dass seiner hypothese auf der seite, wo
sie fufs fassen möchte, vorläufig jeder halt und boden fehlt, und
unbefangeneren, denen es nicht gerade darum zu tun ist der
neueren mythologischen forschung vorschub zu leisten, überhaupt
jedem, der vorurteilslos an die sache herantritt, wird es höchst
unwahrscheinlich vorkommen dass durch einen, wie lebhaft man
ihn sich auch denke, doch immer weitläuftigen und nur sporadischen verkehr über die Nordsee der christliche gebrauch von
Britannien auf deren rechte seite verpflanzt sein und dann über
den ganzen germanischen norden als feste rechtsnorm sich verbreitet haben soll. ohne voreingenommenheit und besondere
wünsche glaube ich wird jeder schon hienach lieber bei der bisherigen ansicht bleiben dass in der nordischen 'wasserweihe' nur
ein vielleicht eigentümlich gestalteter, aber von urzeiten her einge-
wurzelter brauch sich erhalten habe, der im wesentlichen auch als
gemeingermanisch angesehen werden könne. mit der 'zwiespältigkeit' des gebrauches ist es überdies, genau besehen, auch nicht
soweit her, als hr M. glauben machen möchte, so dass wir genötigt
wären mit ihm den sprung ins ungewisse oder bodenlose zu tun.

Wenn das isländische und die schwedischen rechte (s. 30.

38. 40. 42) dem nachgebornen kinde die erbfähigkeit zuer-
kennen, sobald es lebend ans licht und speise in seinen mund
gekommen ist *(matr kömr t munn* oder *komiz nidr)* oder es
milch aus der mutterbrust empfangen hat und, wie man in Schweden auch noch hinzufügte, 'horn und baar' an ibm zu sehen
sind, so lassen sie, offeubar zu gunsten des kindes und seiner
mutter, eine seiner ersten lebensäufserungen nur anstatt der
förmlichen rechtseinsetzung als rechtskräftig gelten, wo diese bei
dem tode des vaters nicht mehr in der regelmäfsigen weise vollzogen werden konnte. auch wenn in der angelsächsischen Lex
s. 54 (Cnut 2, 76) es heifst 'die habgierigen hätten ehedem das
kind eines diebes, das in der wiege lag, auch wenn es noch niemals speise gekostet *(metes ne dbite)*, ebenso schuldig sein lassen,
als wenn es *gevittig* (verständig und bei bewustsein) wäre', so
wird auch hier das nehmen der speise nur als die alleräufserste
grenze der haftbarkeit und rechtsfähigkeit gegen die 'unfertigkeit'
angenommen, über die hinaus eine andere kaum denkbar ist und
neben der von jedem förmlichen act der rechtlichen anerkennung
abgesehen wird. und im grunde ist der fall bei der mutter des
heiligen Liudger nicht anders: um die kleine vor der aussetzung
zu retten, bleibt der mitleidigen nachbarin kein anderes mittel
übrig, als ihr etwas honig einzuflöfsen; die namengebung und
was weiter zur aufnahme in das geschlecht und überhaupt zu
ihrer rechtlichen anerkennung nötig war — in diesem falle auch
vielleicht die auslösung aus der hand der nachbarin — konnte
abgewartet Werden. der formlose act schliefst den rechtsförm-
lichen niemals aus und tritt nur im notfalle und wo alle anderen
rechtlichen anhaltspuncte aufhören an dessen stelle. um darin
eine 'zwiespältigkeit' des gebrauches zu finden, muss man sie
schon hineintragen.

Eine nordische mutter weigert sich ihr eben geborenes, aber
vom vater zur aussetzung bestimmtes töchterchen auch nur in
den arm zu nehmen (s. 10), augenscheinlich um auch nicht den
geringsten schritt zur förmlichen rechtseinsetzung desselben zu
tun. dieser erste act des ganzen hergangs, die darreichung des
kindes an die mutter, der erst das überbringen an den vater zur
vornahme der wasserbegiefsung und namengebung folgte, wird
in den quellen als rechtlich von keiner wesentlichen bedeutung
nur hie und da erwähnt (s. 9 ff). es kann sogar die wasserbegiefsung als 'selbstverständlich' bei der namengebung unerwähnt
bleiben (s. aao.); um so mehr bleibt, als 'selbstverständlich' und
neben dem förmlichen act völlig bedeutungslos, unerwähnt die gewährung oder der empfang der ersten nahrung, deren nur gedacht
wird, wo daneben keine oder kaum eine andere voraussetzung der
rechtsfähigkeit übrig bleibt. die überlieferung ist auf nordischer
seite ebenso wol als auf südgermanischer fragmentarisch und, wie
überall auf dem geschichtlichen gebiete und insbesondere dem

der altertumskunde, bleibt die herstellung des zusammenhangs zu einem teile der combination überlassen. der entscheidende act, durch den ein kind völlig zu seinem rechte kam und als person anerkannt wurde, war bei allen Germanen die namengebung, und auch dabei stellte die unterlassung und nicht blofs die übertragung von seiten der eltern den act in die willkür eines dritten. Hiörvard und Sigrlinn liefsen ihren stummen sohn namenlos; erst die valkyrie Svava erkannte in ihm den helden und benannte ihn Helgi. in der weit verbreiteten und alten Welfensage und ihren varianten (Schlesw.-holst. sag. nr 513 mit anm.) befreit die namengebung die kinder oder vielmehr das aus ihnen erlesene nicht nur von dem tode durch ertränken oder aussetzung, sondern macht es auch zum ahnherren eines edlen geschlechts. warum hr M. diese zeugnisse und andere etwa ihnen ähnliche mit stillschweigen übergeht, möchte man wissen. die bekannte sage von der benamung der Langobarden durch Wodan lehrt auch von deutscher seite dass ein geschenk auf die namengebung folgen muste. ein alter 'zwiespalt' zwischen dem norden und süden würde, soviel ich sehe, nur bestehen, wenn hier die wasserbegiefsung, dort die neunnächtige frist von jeher unbekannt gewesen wäre.

Trat der neugeborne Alemanne mit der neunten nacht in sein volles wergeld, so mag der tag, wie bei den Römern, festlich begangen und der tag der namensgebung gewesen sein, und dieselbe ehre wird er denn auch ehedem bei den Westgoten, Franken und Angelsachsen genossen haben, wenn auch die sitte sich nicht mehr unbedingt an das ziel der frist band. dass diese den Römern entlehnt wäre, hat auch hr M. nicht behauptet. gleichwol müste man dies wol annehmen, da sie sonst nicht weiter im recht vorzukommen und ziemlich zwecklos da zu stehen scheint, wenn sie nicht ebenso, wie die römischen neuntägigen wochen und fristen selbst, aus der alten, vor der verbreitung der orientalischen, siebentägigen woche bis zum vierten jahrhundert auch bei den Germanen herschenden zeitrechnung sich herschriebe und auf dem alten, auch noch in der nordischen mythologie und hin und wider selbst noch im heutigen aberglauben (Grimm Myth.[2] 916) fortlebenden sprachgebrauch, der die gröfsere, achttägige mondwoche als die eigentlich normale betrachtete, beruhte. in diesem falle müste die frist als ur- und gemeingermanisch angesehen werden, und dass sie im norden später nicht mehr in anwendung kommt, wäre um so begreiflicher, je mehr man hier sich beeilte das verfahren abzukürzen und den neugebornen so schnell als möglich in sein volles recht einzusetzen. so angesehen könnte auch die wasserbegiefsung eine abkürzung und milderung eines älteren rauheren verfahrens sein.

Aristoteles kennt bei vielen der barbaren die, wie ich höre, noch bei den Zigeunern bestehende sitte, die neugebornen in

kaltes fliefsendes wasser unterzutauchen. wie weit dafür die belege bei den alten im einzelnen reichen (Cluver Germ. ant. s. 149 ff),
kann hier dahin gestellt bleiben. im zweiten jahrhundert nach
Chr. hat der arzt Galen erfahren dass die entsetzliche sitte die
neugebórnen 'heifs vom mutterleibe, wie glühendes eisen in
kaltes flusswasser zu tauchen', bei den Germanen hersche, und
dazu kommt noch die seit dem vierten jahrhundert, aber schon
von früher her den Griechen geläufige fabel dass der Rhein
den 'Kelten' zur kinderprobe diene, weil er die unechten sinken
lasse. bei den Griechen des dritten und vierten jahrhunderts
heifsen die Germanen oft genug Κελτοί, und schon die stätigkeit
der gelehrten benennung in der mehrfach überlieferten fabel lässt
schliefsen dass die nordischen barbaren am Rheine jene und nicht
etwa die längst dem römischen reiche einverleibten Gallier sein
sollen. man kann die fabel aus der form der aussetzung, kinder
durch ertränken zu beseitigen, nicht erklären. wahrscheinlich
liegt ihr die deutung der *Germani* als γνήσιοι zu grunde und
sie setzt eine der galenischen ganz ähnliche nachricht voraus.
eine bestätigung für sie in den brunnen zu suchen, aus denen
noch heutzutage die ammen die kleinen kinder holen oder holen
lassen, überlasse ich andern. angesichts der nordischen und
— der zigeunerischen sitte wird sie niemand als schlechthin
unglaubwürdig und grundlos verwerfen und am wenigsten derjenige sie völlig mit stillschweigen übergehen dürfen, der die
nordische sitte für eine nachbildung des christlichen ritus erklären möchte. derselbe durfte ebenso wenig auch die frage un-
erwogen lassen, ob denn unser dem norden ehedem unbekanntes
'taufen' seine begriffseinschränkung lediglich daher erfahren hat,
weil die zuerst christianisierten Ostgermanen βαπτίζειν durch
daupjan widergaben, das wort als benennung des ersten christlichen sacramentes dann von ihnen zu den westlichen Germanen
im 'lande um den Rhein' gelangte und bei diesen sich für den
act schon so festgesetzt hatte, dass, als die angelsächsischen be-
kehrer kamen, sie nichts mehr daran ändern und nicht daran
denken konnten es durch ein anderes, ihrem *fulvian* und *fulviht*
mehr entsprechendes zu ersetzen; oder aber ob das wort nicht
vorher schon und zwar bei den heidnischen Südgermanen überhaupt eine rituelle bedeutung hatte: dem rechtshistoriker muste
die gewis unchristliche, friesische *wapul-* oder *waterdépene* oder
-dépinge einfallen. die erwägungen, mögen sie bei der unvoll-
kommenheit unserer kenntnis dieser dinge auch zu keinem völlig
sicheren resultate führen, ergeben doch immer so viel, dass die
'hypothese' des hrn M. auch vom standpuncte der deutschen oder
germanischen altertumskunde aus sehr übereilt, ja gänzlich unberechtigt ist, und dass daher jeder, dem die ähnlichkeit des
nordischen und des christlichen gebrauches auffällt — und wem
fiele sie nicht auf? —, wol tut auch ferner bei der alten ansicht

zu bleiben. was ist denn am ende die nordische wasserbegiefsung anderes als das erste bad des kindes, eingeleitet oder vollzogen durch den vater als bedeutsamer act seiner willenserklärung und übernahme der pflicht, demselben pflege und erziehung zu gewähren?

Mit seinem versuch, die neuere mythologische forschung 'vom rechtsgeschichtlichen standpuncte aus' zu unterstützen, blofs weil 'anhaltspuncte für die anname dass den Südgermanen eine wasserweihe bekannt gewesen sei, nicht in genügender stärke vorhanden sind' (s. 75) oder weil 'bei keinem südgermanischen stamme für die heidnische zeit der gebrauch der wasserweihe mit bestimmtheit sich nachweisen lässt' (s. 80), hat hr M. entschiedenes und, man kann nicht anders sagen, ein wol verdientes unglück gehabt. nur wenn hr M. beweist dass die Südgermanen die wasserbegiefsung oder etwas ihr analoges schlechterdings nicht gehabt hätten, dass auch der gebrauch im norden sich nicht ohne zutun von aufsen aus der gewährung des ersten bades ergeben konnte, hätte er ein recht zu seiner hypothese. bewiesen hat er nur und andern, vielleicht auch jetzt sich selbst einleuchtend gemacht dass er, bei all seiner aufserordentlichen gelehrsamkeit in nordischen dingen, nicht auf dem boden steht, den JGrimm der deutschen oder germanischen altertumskunde zuerst und vor allem durch seine Deutsche grammatik angewiesen hat, und dass es ohne diesen boden unter den füfsen zu haben einigermafsen mislich ist das wort zu nehmen, wo die gemeinsame grundlage des germanischen lebens sehr in frage kommt. seine weitläuftigen erwägungen sind unvollständig geblieben, weil er geglaubt hat alles zur entscheidung der frage erforderliche in den Leges barbarorum, dann in einer anmerkung Merkels zur Lex Alamannorum und in Mannhardts Germanischen mythen beisammen zu finden und weil er, um von Philipp Cluver zunächst nicht zu reden, über dessen gelehrsamkeit die heutige wissenschaft ja längst hinaus ist, ein ihm jedesfalls näher liegendes buch, die Rechtsaltertümer JGrimms und hier s. 935 aufser acht liefs. was sodann seine vertrautheit mit der deutschen grammatik betrifft, so kann man ihren grad, ich will nicht sagen nach den bis zu 10, ja 12 grofsen quartseiten bei ihm anwachsenden absätzen, wol aber schon nach verschiedenen ihm völlig geläufigen wortformen, wie s. 6 *undcht*, s. 10 der *Morgend*, s. 5. 76 *blos, blose*, s. 10. 11 *Schoos*, s. 14. 34. 69. 73. 77 *alleinn*, abmessen, ungerechnet die orthographischen eigentümlichkeiten s. 8 *durchbort, nemen nam Anname, änlich Änlichkeit* überall, wo ihm nicht der setzer einen streich spielt (s. 17), aber daneben s. 56 f *gebähren, gebährfähig* (doch s. 74 uö. *geboren*), s. 28 *geschmählert* udglm. für seine speciellen fachgenossen wäre die übersetzung der angeführten nordischen stellen wol wünschenswerter gewesen als die der angelsächsischen s. 52 f. 54.   K. MÜLLENHOFF.

Untersuchungen und excurse zur geschichte und kritik der deutschen heldensage und volksepik von RICHARD VON MUTH. separatabdruck aus den
Sitzungsberichten der phil.-hist. classe der Wiener academie bd. XCI
s. 223 ff. Wien, Gerolds sohn, 1878. 34 ss. 8°. — 0,50 m.

An manigfaltigkeit des behandelten stoffes und der ideen
lassen diese Untersuchungen nichts zu wünschen übrig. wir werden belehrt dass Konrads vWürzburg Engelhard entgegen Haupts
und Scherers ansicht im ersten teile wenigstens nationale, sagenhafte bestandteile enthalte: gerade die namen und die gegenseitige stellung der träger sollen das dartun. das gedicht käme
demnach als C neben die von Scherer aufgestellten gruppen A
und B zu stehen und wir hätten anzunehmen dass eine deutsche
sage, die erzählung von der werbung Dietrichs für Engelhard
um Engeltrud, die auf normalem wege der sagenbildung ihre
letzte gestalt gewonnen habe, mit einer variante der freundschafts-
sage zu einer einheitlichen fabel contaminiert worden sei. M.
macht uns ferner mit einer neuen heimat des Laurin bekannt und
endlich wird noch die neben Sindolt und Hûnolt erscheinende
gestalt Rûmolts des küchenmeisters mythisch zu deuten versucht.
der verfasser erblickt in den dreien glieder einer echten alten
trilogie. Sindolt sei 'name des genossen, der dem göttlichen sonnenwesen zusteht', Hûnolt hänge mit dem nordischen Hœnir zusammen, worauf schon früher Weinhold hinwies. da aber die
parung von wassergottheit und sonnenwesen auffällig erscheint,
war es geraten um ein analogon sich umzusehen, und dieses
findet M. in Nicolaus mit dem knechte Ruprecht, von welchen
ersterer hypostase eines wassergottes, Hœnirs, letzterer Wodans
sein soll. Nicolaus-Ruprecht, Hœnir-Hruodperacht, Hûnolt-Sin-
dolt seien nun zwei glieder einer alten trilogie, als deren letztes
Lodr-Loki erscheint, und diesem entspräche nach M.s meinung
der in gesellschaft des Nicolaus und Ruprecht umgehende Kram-
pus resp. Rûmolt der küchenmeister. ein excurs über zahlen
und zahlenwerte in den epischen gedichten bildet das finale.

Ich kann mich hier nicht darauf einlassen den wertgehalt
aller dieser artikel abzuwägen und die stichhaltigkeit der argu-
mente zu prüfen, so wünschenswert es wäre, da der über heimat und alter des Laurin schon eine über gebür lange discussion verlangt.

Die gründe, aus denen man den Laurin bisher allgemein
Tirol zusprach, scheinen M. unzureichend und nur so viel zu
beweisen, dass das gedicht einem gebirgslande bairisch-öster-
reichischer mundart entstamme. seine untersuchung führt würklich auch ganz anderswohin. folgen wir derselben. M. geht
von dem auffallenden namen Künhild aus. ihrer mythischen bedeutung nach hält er diese frauengestalt mit den anderen my-

thischen Hilden für identisch, so dass es am nächsten läge, an eine
variante von Brünhild zu denken; doch ist es seines erachtens
nötig einen 'complicierteren' weg einzuschlagen. ich überlasse
den leser auf dieser wanderung des verfassers eigener führung
und bemerke nur dass die deduction diesem selbst umständlich und sehr unwahrscheinlich klingt. trotzdem erhält sie für ihn aber ein bedeutendes gewicht in dem momente,
als die sage mit Bruno und Kuno, das ist die gestalt, welche
der ursprüngliche Brünhildenmythus nach der ersten wanderung
gewonnen hat, nachweisbar ist. angenommen ich wäre gleicher
ansicht, so würde ich doch die erwägung, ob dieser sage auch
das erforderliche alter zukomme, nicht für überflüssig halten; M.
ist es jedoch genug, wenn sie 'lebt'. und richtig: 'sie ist locali-
siert auf der burg Aggstein *(aki* schrecken, erbaut von Jörg
Schröckinwald), oberhalb Mölk an der Donau.' besonderes vertrauen in die forschungsweise des verfassers zu erwecken sind
diese par zeilen gerade nicht angetan. einmal liegt nämlich Aggstein nach geographischer ausdrucksweise nicht oberhalb sondern
unterhalb Mölk — hier sei auch des schnitzers gedacht dass der
rosengarten bei Meran als ein berg bezeichnet wird —, ferner
ist die burg nicht von Jürg Schröckinwald, den die geschichte gar nicht kennt, auch nicht von dem historischen
Georg Scheck von Wald, der sie nur aus ihren trümmern
1429 wider herstellte, erbaut, sondern in weit früherer zeit,
spätestens am beginne des 12 jhs. [1]; und endlich ist die ableitung
des namens ganz haltlos.

Auf Aggstein soll auch ein 'von altersher' so genannter
rosengarten existieren, was der sage noch vorausgeschickt wird.
die schilderung der localität ist aber so undeutlich, dass sich
kaum jemand eine rechte vorstellung davon machen kann; ich
will sie darum commentieren. wie so viele andere schlösser bei
geeigneter terrainbeschaffenheit, so besitzt auch das in rede stehende
eine hochburg, welche schroff an dem tief abstürzenden, von keiner
seite angreifbaren westlichen felsenhang steht. der hof derselben
ist rechts von einem felsen begrenzt, auf welchem die capelle
und ein aus zwei abteilungen bestehendes, einst zweistöckiges
gebäude sich befindet. aus der ersten abteilung gelangt man nun
durch ein weiter ausgebrochenes schiefsfenster in 'Schrecken-
walds rosengärtlein', eine felsenfläche von 15 m. länge und 3,8 bis
2,3 m. breite, welche dadurch entsteht dass der fels, auf dessen
äufserstem rande die mauern aufgebaut sind, hier einen vorsprung
bildet, die wand des gebäudes also um das angegebene mafs zu-
rückzustehen kommt. auf dieses plätzchen sperrte nach der sage
Schreckenwald seine gefangenen, so dass ihnen nichts übrig blieb

---

[1] ich verweise ein für alle mal auf den hübschen aufsatz über diese
burg von JFKeiblinger im 12 bd. der Berichte und mitteilungen des alter-
tumsvereines in Wien.

als zu verhungern oder durch einen sprung in die tiefe ihrem
elend ein ende zu machen. er selbst soll es ironisch sein rosengärtlein genannt haben. dass dieser sagenhafte wüterich auf den
historischen Scheck von Wald zurückzuführen sei, wird kaum zu
bezweifeln sein, nachdem wir wissen dass dieser herr sich so
manche gewalttätigkeit und so manchen misbrauch seiner macht
zu schulden kommen liefs. die sage von Schreckenwald und
seinem rosengärtlein ist demnach eine verhältnismäfsig sehr junge
und der 'von altersher' sogenannte 'rosengarten' zu Aggstein
kann bei der frage um Laurins heimat gar nicht ins spiel kommen,
da ihn die volksphantasie erst e i n i g e j a h r h u n d e r t e, n a c h-
d e m d e r L a u r i n g e d i c h t e t w o r d e n, geschaffen hat.

Vielleicht vermag noch Bruno und Kuno M.s hypothese zu
retten. er erzählt: zwei brüder, Bruno und Kuno, lieben leiden-
schaftlich eine jungfrau namens Elsbet und entführen sie auf
ihre burg Aggstein; sie erwidert die liebe Brunos, den Kuno aus
eifersucht erschlägt; Elsbet in der gewalt des ungeliebten, im
rosengarten gefangen gehalten, gibt sich durch einen sprung über
die zinnen den tod.

Ich frage, welche gemeinschaft besteht mit der erzählung
des Laurin, selbst mit jener fassung, die als die ursprüngliche
angenommen wird? hätte sich M. nur ein wenig umgeschaut, dann
würde er derlei sagen (s. Müllenhoff Schleswig-holsteinsche sagen
und märchen s. 46; Rochholz Schweizersagen II 74 ua.) in er-
klecklicher anzahl gefunden haben, welche er ebenso gut bei
seiner heimatsbestimmung hätte verwenden können. doch ihm
sind die namen das entscheidende, uns kommt es nach den vorhergehenden erörterungen am allerwenigsten mehr darauf an.
gleichwol sei auch an diese noch der prüfstein angesetzt.

Woher M. seine sage hat, darüber schweigt er, und das ist
im vorliegenden falle, wo die ganze deduction darauf basiert, eine
grobe unterlassungssünde. der leser seines aufsatzes ist darum
gezwungen, selbst nach der quelle umschau zu halten. das resultat der meinen will ich mitteilen. im Kremser wochenblatt
v. j. 1856 nr 36 und 37 wird eine sage vom Aggstein erzählt,
deren ursprung kurz der sein soll: ritter Theobald von Seuften-
berg führt seine braut Rosamunde von Seiseneck zu schiff heim,
er wird von Schreckenwald und seinen begleitern überfallen und
verwundet auf dem schiffe zurückgelassen, Rosamunde aber auf
des räubers burg entführt. der zufällig in der gegend jagende
Hans vNeudegh findet Theobalden, nimmt ihn mit sich und pflegt
ihn, bis er geheilt ist; darauf ziehen beide gegen Aggstein. beim
sturme auf die burg wird Schreckenwald von seines gegners sper
tödtlich getroffen, gibt aber sterbend noch seinem vertrauten K u n o
den befehl, Rosamunden in das rosengärtlein zu bringen. nach
der einnahme des schlosses weisen ihre klagerufe den suchenden
Theobald an den aufenthaltsort der braut, er eilt hin, sie jedoch

erkennt ihn der finsteren nacht wegen nicht und reifst ihn, in der meinung, es sei Schreckenwald, mit sich in den abgrund.

Da haben wir einmal den Kuno. wenngleich er hier als vertrauter des herrn erscheint, so stimmt er doch dem character nach zum Muthschen. die namen der anderen personen weichen zwar ab, inhaltliche verwandtschaft ist aber nicht zu verkeunen: auch hier geht der liebende unter, die jungfrau wird entführt und in das rosengärtlein gesperrt, von wo sie sich in die tiefe stürzt.

Allein den Bruno vermissen wir. anderswo hat sich auch er gefunden. dort wird erzählt, wie Bruno, der letzte des stammes der Schauensteiner, in reiner liebe der tochter eines berüchtigten fischers, des schwarzen Simon, zugetan ist. dieser Simon war der helfersbelfer des freiherrn Scheck im Wald auf Aggstein — den weiteren verlauf können wir füglich bei seite lassen.

M.s fassung ist mir nicht bekannt geworden, obwol ich in der litteratur über Aggstein umschau hielt und obwol ich in der dortigen gegend erkundigungen einzog. so ist die vermutung nicht unberechtigt dass die sage jüngsten datums und eine compilation der zwei angeführten erzählungen sei. dabei hat der compilator dann freilich übersehen dass die zweite ein roman ist — Der engel von Lachsenburg von Moriz Terke —, in dem der Bruno von Schauenstein ganz erfindung des verfassers ist. M. würde uns zu dank verpflichten, wenn er seine quelle — selbstverständlich müste sie auf volkstradition beruhen — nachträglich nachweisen wollte, wenngleich auch dann noch seine hypothese, dort die heimat des Laurin zu vermuten, eine kritisch unbedingt unzulässige wäre, sei die sage oder das gedicht gemeint: denn was sollen für letzteres die angegebenen drei reime beweisen? wir nehmen getrost auch fürderhin noch Laurin für Tirol in anspruch, und Müllenhoff wird schwerlich auf M.s aufsatz hin den beisatz 'ein tirolisches heldenmärchen' von dem titel seiner ausgabe künftig entfernen.

Was am schlusse des artikels, wo noch eine bemerkung über das alter des gedichtes gemacht wird, hinsichtlich der deminutiva gesagt ist, kann gebilligt werden. das ist aber auch das einzige. möge es mir gestattet sein, noch ein wort beizufügen. bekanntlich wird der Laurin spätestens um 1210 angesetzt. für diese zeit wurde der ausdruck *in tiroleschen landen* schon von anderer seite beanstandet, denn damals verstand man unter *Tirol* nur das burggrafenamt, also das verhältnismäfsig kleine gebiet um schloss Tirol, gegen Vinstgau bis zum Schnalserbach und gegen Bozen bis zum Aschlerbach. erst unter dem mächtig um sich greifenden Meinhard ist von einer herschaft Tirol im weiteren sinne die rede. so viel mir bekannt, gewährt eines der ältesten zeugnisse hiefür Dante im Inferno c. xx 61, wo er sagt:

Suso in Italia bella giace un laco
Appiè dell' alpe, che serra Lamagna
Sovra Tirolli, che ha nome Benaco.

man darf aber ja nicht glauben dass gegen ende des 13 jhs.
dieser name, insofern er aufser dem burggrafenamt noch andere
territorien in sich begriff, feststehend oder gar officiell war. die
in den achtziger jahren des jahrhunderts angelegten Meinhardschen
urbare scheiden noch genau. die überschrift *Der Gelt von Tyrol*
führt nur das verzeichnis der gibigkeiten im burggrafenamte, die
anderer gebiete werden unter deren namen angeführt, also: *Der
Gelt von Pfundes. Der Gelt von sand Peters perch. Der Gelt
ze Laudecke. Der Gelt von Vmst* usw. das diesen voranstehende
register wird allerdings eingeleitet mit *Hic notantur redditus Do-
minii Tirolensis, qui continentur in hoc libro*, aber dieser
vermerk rührt erst von einer hand des 14/15 jhs. her. als ein
beweis dass damals die übrigen besitzungen mit dem grundstock,
der burggrafschaft Tirol, nicht so verschmolzen waren, dass alles
zusammen als éine herschaft schon allgemein betrachtet wurde,
gilt mir auch die handschriftliche sonderung. *Der Gelt von Tyrol*
bildet den anderen gegenüber, die im Cod. Vindob. 2699* enthalten sind, ein selbständiges ganze (cod. 56 des hiesigen
statthaltereiarchives). die Wiener hs. ist zwar am ende defect,
es fehlen die letzten nummern des vorne eingetragenen registers,
aber einmal ist unter diesen nicht der gelt von Tirol verzeichnet,
und wenn es an sich auch möglich wäre dass die ihn enthaltenden blätter noch früher ausgefallen seien, so lässt doch die kritische betrachtung eine solche annahme verwerflich erscheinen.
was diese urbare für Meinhards zeit erweisen, bestätigen urkunden
noch für spätere. nur ein beispiel: herzog Rudolf setzt durch
urkunde vom 13 dec. 1363 den Berthold von Gufidaun als hauptmann *der grafschaft ze Tyrol, des Landes an der Etsch, in dem
gepirg vnd in dem Intal* ein (s. Sinnacher Beyträge v 419); es
heifst nicht kurzweg: von Tirol. wenn diese unterscheidung sich
lange erhielt, so ist freilich auch das conservative element der
kanzleisprache in anschlag zu bringen, für den anfang des 13 jhs.
ist aber der ausdruck *in tiroleschen landen* gewis auffallend, da
der name Tirol eben nur der burggrafschaft zukam, und es
dürfte sich vielleicht die aufnahme einer anderen lesart empfehlen,
will man darin nicht eine dichterische freiheit erblicken. möglicher weise taucht noch einmal eine alte, der abfassungszeit nahe
stehende hs. auf, die allen zweifel beseitigt. man sollte meinen,
unser land habe auf eine solche entdeckung das meiste anrecht.
leider wurde nur zu arg gewirtschaftet. nach kaiser Maximilians
tode kamen bald schlimme zeiten: der bauernaufstand und die
reformbewegung. die aufständischen drangen in archive und
bibliotheken ein, alles geschriebene schien verdächtig, und so
gieng mit verhassten urbaraufzeichnungen auch manch kostbare

handschrift zu grunde. nicht minder grofsen schaden richtete die gegenreformatorische tätigkeit der weltlichen und geistlichen regierung an, deren organe mit eifer auf ketzerische tractate und schriften vigilierten. mit diesen wurden haufen von ganz harmlosen alten büchern confisciert und vertilgt. man lese nur das in den Sitzungsberichten der Wiener academie phil.-hist. cl. bd. LV 610 ff zusammengestellte verzeichnis. zudem hatte man für derlei dinge auch in den hohen kreisen keinen sinn mehr; mit dem letzten ritter stieg auch die ritterliche poesie ins grab und sein Ambraser heldenbuch muss hinsichtlich der litterarischen bestrebungen, überhaupt der ganzen geistesrichtung, als markstein bezeichnet werden. vier jahrzehnte vor anfertigung desselben liefs noch herzog Sigmund ein Reckenbuch schreiben. wir lesen nämlich in einem Raitbuche v. jahre 1463 (statthalterei-archiv): *Meinem gnedigen Herrn hab ich kaufft ain grosses messing gesmeid auff das regkenbuech, dafür hab ich geben* XIII *lb. pern.* (unter *erkaufte ding*). — *An St Peters Tag ad vincula hab ich Niclasen Schupf, Schreiber, zu ganzer voller Bezallung seins Schreiblones von ainem Reknpuch, so er meinem gnedigen Herrn geschriben hat, gebn* XII *lb.* 6 *g.* (unter *extraordinaria*). und vier jahrzehnte nach seiner vollendung hatte man nur mehr für erbauliche comödien geld und gefallen, wie folgende den raitbüchern entnommene notizen, die ich hrn kais. rat und archivar dr DSchönherr verdanke, erweisen.

1540 bürger und inwohner von Innsbruck haben *die jüngst Comödi von dem Josef in Aegipten auf dem Platz tractirt*, wofür sie von der kammer durch Paul Tax, maler, 3 fl. zu einer verehrung erhielten.

1542 den comödipersonen, die jüngst die comödie *David und Goliat* gehalten haben, zu einer ehrung von wegen ka. mst. kinder 6 fl.

1548 in den pfingstfeiertagen das spiel von dem *Job* vor den erzherzoginen hie gehalten, den spielleuten 12 fl.

1549 hl. dreikönigstag ein *Spil* oder *Komödi* aufgeführt vor der gnädigsten frauen, den personen 4 fl.

1550 den spielleuten in Ambras, so ein spiel *von den sechen Altern* vor der gnädigsten frauen allhie auf dem hof gehalten, verehrt 3 fl.

Andrea Pangelio latein. präceptor hielt bei hof in der fastnacht mit seinen knaben *zwo Komödien* vor der gnädigsten frauen, verehrung 12 fl.

Peter Kirchpüchler poet allhie, so in nächstvergangner fastnacht vor d. gn. frauen mit seinen knaben ein *Comödi* gehalten hat, verehrung 6 fl.

Was von hss. weltlichen inhalts die periode der ketzer- und hexenverfolgung überdauerte, vertilgte und verschleuderte zum grofsen teile unverstand bis auf unsere tage.

Um nach diesem traurigen seitenblicke wider auf den Laurin zu kommen, so sei noch bemerkt dass dem excurse über *Tirol* zu folge nur der rosengarten bei Meran und nicht der bei Bozen, wohin nach meiner nicht unbegründeten ansicht die sage auch erst in späteren jahrhunderten übertragen wurde, in betracht kommen kann.

Innsbruck, märz 1881.   OSWALD ZINGERLE.

***

Der verlorene sohn, ein fastnachtspiel von Burkard Waldis. (1527.) Neu-
    drucke nr 30. Halle, Niemeyer, 1881. x und 76 ss. 8°. — 0,60 m.
Burkhard Waldis nebst einem anhange: Ein lobspruch der alten Deutschen
    von Burkard Waldis von GMILCHSACK. ergänzungsheft zu Neudrucke
    nr 30. Halle, Niemeyer, 1881. 50 ss. 8°. — 0,60 m.

BWaldis Verlorener sohn gehört zu den trefflichsten dramati-schen erzeugnissen des 16 jhs. wie der ganzen nd. litteratur, und ein sorgfältiger neudruck nach dem einzigen exemplar war um so mehr bedürfnis, als Höfer bei seiner ausgabe überaus will-kürlich verfahren ist. GMilchsack hat gleichzeitig mit der von ihm besorgten edition eine kurze biographie des dichters er-scheinen lassen, die, weil sie das von Schirren aufgefundene material über den Rigaer aufenthalt sorgfältiger verwertet, auch neben der stattlichen litteratur über Waldis leben willkommen sein mag. die verbreitung, die wir beiden heften wünschen, mag die folgenden berichtigungen und zusätze rechtfertigen. falsch erklärt ist s. 8 f der name: Waldis, Waldesa kann nicht 'wald-wasser' bedeuten, sondern ist wahrscheinlich == *wal-idis-aha,* 'bad der schlachtjungfrauen'. 8 glieder der familie W. aus deutschen matrikeln des 15 und 16 jhs. findet man bei Stenzel Die hessi-schen studierenden von 1368—1610 s. 107. in der anm. zu s. 14, z. 6 muss es Hanstein, in der anm. 2 zu s. 41 staatsarchiv zu Marburg heifsen. über landgraf Philipps doppelehe (anm. zu s. 40) ist jetzt der briefwechsel mit Bucer ed. Lenz zu ver-gleichen, dazu die Argumenta Buceri ed. vL., Cassel 1878. s. 36 wird eine vereinzelte action des Schmalkalder hundes (1542) mit dem Schmalkalder krieg (1546—47) verwechselt! unter den schriften fehlt: Eine wunderliche Geburt eines zweiköpfigen Kindes zu Witzenhausen in Hessen geschehen usw. Anno 1542 (Anz. f. k. d. d. v. III 364).   E. SCHRÖDER.

Das deutsche ritterdrama des achtzehnten jahrhunderts. studien über Joseph August von Törring, seine vorgänger und nachfolger von OTTO BRAHM [Abrahamson]. Quellen und forschungen XL. Straßburg, Trübner, 1880. x und 235 ss. 8°. — 5 m.*

Die würkungen einer grofsen tat im einzelnen zu verfolgen hat immer nicht nur etwas erhebendes, sondern auch etwas belehrendes, und es muss darum als ein glücklicher gedanke bezeichnet werden, dem einflusse, den Goethes Götz von Berlichingen auf das drama seiner und der nachfolgenden zeit ausgeübt, bis in die letzten ausläufer nachzugehen. und Goethes Götz war würklich eine grofse tat. wenn man erwägt, wie wenig in den tagen seines erscheinens für die geschichte des deutschen mittelalters, wie wenig vor allem für die aufhellung der culturverhältnisse desselben geschehen war, dann begreift man den enormen erfolg von Goethes schauspiel leichter. eine neue welt gieng den zeitgenossen auf. es war kein wunder dass man die schöpfung des poeten fast für ein werk gelehrter tätigkeit ansah, und das drama einer cultur- und politisch-historischen lection, wenigstens einem deutschgeschichtlichen repetitorium gleich erachtete. was Goethe mit kühnem griff aus der fülle des stoffes heraushob, war den Deutschen von damals fremder, als die längst vergangene welt des ägyptischen altertums denen von heute. er brachte das rittertum mit panzer und schild, mit fehde und gottesfrieden dem auflebenden patriotismus erst nahe. es ist darum nicht erstaunlich dass das 'interessante' costüm und fremdartige wesen gar bald in leben und dichtung nachahmung fand. Goethe hatte einen fruchtbaren boden zum ersten male angebaut, und da schiefst das getreide gar üppig in die halme. ritterbünde und ritterdramen entstanden, welche entsprechend der gleichzeitigen widererweckung des deutschen altertums bestrebt waren, das neugewonnene alte von allen seiten sich zu eigen zu machen. das ganze ritterwesen muste überdies der periode des geheimnisvollen ordenstreibens originell erscheinen: was lag näher, als es bis ins einzelnste nachzuäffen. so haben wir uns vereinigungen wie die Wetzlarer rittertafel, welche uns durch das Wertherdrama Masuren nur schwach vorgestellt wird [1], so haben wir uns die grofse

[* vgl. DLZ 1880 sp. 416 (BSeuffert). — Litteraturbl. für germ. und rom. philologie 1881 nr 2 (MKoch).]
[1] es wäre interessant zu constatieren, wann das rittercostüm zuerst wider in aufnahme kam. wir wissen dass die Wetzlarer comödie schon vor Goethes ankunft in blüte stand und dass Goué bereits früher in Wolfenbüttel einen ähnlichen ritterbund gegründet hatte (Loepers anm. zu Dicht. und wahrh. III 325). auch hebt Goethe ausdrücklich hervor, er habe sich schon früher an solchen Dingen müde getrieben (Dicht. und wahrh. III 82), wo das geschah ist mir jedoch unbekannt. Bretschneider, der geistige urheber der Wetzlarer rittertafel, lebte noch 1792 der einbildung, Goethe sei durch ihn auf den Götz gebracht worden, wenigstens schreibt er am 4 de-

anzahl von ritterdramen zu erklären; sie wurden nicht nur von den
recensenten und vom publicum, sondern von den verfassern selbst
als factoren angesehen, die zur widererweckung biderben tent-
schen wesens, teutscher treue und tentscher vaterlandsliebe führen
könnten. dies wird am klarsten durch die weitläuftigen gelehrten excurse, welche von einzelnen dichtern, zb. dem pfälzi-
schen Maier ihren dramen beigegeben wurden. Maier schreibt
zu seinem Fust von Stromberg (1782) e i n h u n d e r t v i e r u n d
v i e r z i g selbständig gezählte seiten 'anmerkungen', welche dem
allgemeinen bedürfnisse durch aufklärung über dinge wie zehnten,
seelengeräthe, bettsprung, heiratserlaubnis, leibeigenschaft, kirchen-
bußen, gottes- und burgfrieden, ordalien bes. kampfgerichte, geistliche liebesschwestern, räuber und raubburgen, bahrrecht, urkun-
denwesen, jagdgerechtigkeit der mönche, nonnen- und bufsklöster,
arme heilige, eide, privilegien der kreuzfahrer, bettellieder, einzelne
mittelalterliche sagen, kapuzen, waffen, öffnungsrechte, stifter,
priestereben und viele andere materien der deutschen cultor- wie
rechtsgeschichte abhelfen sollten. jeder dichter eines ritterdramas
war bemüht, den Deutschen ihre vergangenheit zu erklären und
einen mangel deutscher bildung zu beheben. viele recensenten
priesen den anonymen verfasser des Götz für die wahl eines
deutschen stoffes und machten ihren landsleuten vorwürfe dass
sie in der römischen geschichte besser bewandert seien, als in
der eigenen.

Die würkung des Götz äufserte sich aber in mehrfacher richtung. einmal in erregung der strömung, welche man den Sturm
und drang genannt hat; dann aber, was speciell das drama anlangt,
in zwei beziehungen: in der weckung der historien einer-, der ritterdramen andererseits. in dem uns vorliegenden ausführlichen,
fast zu umfangreichen hefte hat es Brahm mit glück versucht, die
würkung des Götz zu schildern, insofern sie sich in ritterschau-
spielen kundgibt, und es ist ihm gelungen, einige etappen aufzuweisen, welche der sturmlauf des Götz zurückgelegt hat. er
übersah dabei jedoch dass auch innerhalb der ritterdramen selbst
zwei gruppen zu unterscheiden sind, ritterdramen im eigentlichen
sinne, hervorgerufen durch die freude am ungewöhnlichen costüm
in trachten und sitten, und ritterdramen in höherem sinne, welche
bestrebt sind, patriotisch-nationale stoffe zu verarbeiten und so
dem ritterlichen elemente eine tiefere bedeutung beizulegen. Brahm
hat éine gruppe von solchen dramen herausgegriffen und im einzelnen behandelt, nämlich die bairisch-patriotische; das reicht aber
keinesweges hin, wie sich noch zeigen wird.

cember des genannten jahres aus Lemberg, wo er damals bibliothekar war,
in diesem sinne an Nicolai. Erich Schmidt hat die stelle (im neuen reich 1879
or 47, separatabdruck s. 11) nach der überaus fehlerhaften publication von
Göckingk Reise des hrn vBretschneider usw. 1817 s. 313 ff wider drucken
lassen. Schmidts in einer anm. ausgesprochene vermutung von willkürlichen änderungen kann ich nach den originalbriefen nur zu sehr bestätigen.

Brahm gieng bei seiner arbeit von Törring aus und suchte diesem dichter eine folie zu geben durch das gleichzeitige betrachten der ritterdramen, das freilich naturgemäfser an Goethe wäre anzuschliefsen gewesen. dadurch werden die verhältnisse etwas verschoben, denn die bedeutung der Törringschen dramen ist kaum so grofs, als es nach Brahm scheinen möchte. der anlass ist übrigens einerlei, wenn nur die arbeit sonst wol gelungen ist. sie gehört in eine reihe mit Sauers vortrefflicher, mir mehr zusagender untersuchung des einflusses, den Lessings Miss Sara auf die ausgestaltung des bürgerlichen dramas genommen. nun bleibt noch éin werk und sein einfluss zur darstellung übrig. es ist dies Emilia Galotti; schon ein recensent des vorigen jahrhunderts hatte behauptet, die rose der Emilia werde jetzt immer von neuem zerpflückt. Sara — Götz — Emilia bilden durch lange zeit die kleineren talente; das höhere drama wie das rührstück gehen aus diesen dreifachen anregungen hervor. im ritterstück lassen sich übrigens auch elemente des bürgerlichen dramas verfolgen, was Brahm fast vollständig aufser acht gelassen hat. vor allem ist es das motiv der rache, welches die bürgerlichen trauerspiele durchweht (vgl. Sauer QF 30, 98 f); schon im ersten ritterschauspiele, in Goethes Götz, begegnet es uns wider, es erscheint als wichtiger factor in der handlung und von da ab wird es offener oder versteckter in allen hierher gehörigen dramen verwertet. ich komme noch darauf zurück, doch sei gleich hier erwähnt, wie sich das motiv gerade bei Törring ausbildet; bei Kaspar dem Thorringer die collision zwischen rache und patriotismus, ebenso bei Albrecht in der Agnes; dort im gespräche zwischen Kaspar und dem geiste v 6

Kaspar: *keine Rache? Schande mein Lohn? — — meine Bestimmung —*

Geist: *Friede, nicht Rache; Ruhe, nicht Schande; Vaterland, nicht du!*

Kaspar: *Baiern! — auch das! —*

und hier wörtlich übereinstimmend der schluss des stückes v 8

Albrecht: *Rache muss ich haben; Rache! blutige Rache! und sollte Vater und Vaterland darüber verbluten. . . .*

Gundelfinger: *. . . Thränen verdient dieser Leichnam; er fordert nicht Rache. . . . preiset sie selig, dass sie für Bayern starb . . . ihr Tod ist Friede. . . .*

Albrecht: *. . . der Vicedom soll sterben hier! und sein Wappen an ihrem (Agnes) Grabstein zertrümmert werden!*

Alle: *Vergebung!*

Ernst: *Vergebung ist deiner würdig, mein Sohn! lass Gott die Rache!*

Albrecht: *was wäre dann mein Trost?*

Ernst: *Bayern.*

Diese form des motives findet sich schon im Götz vorgebildet

27*

und bleibt dann in den patriotisch-nationalen stücken würksam.
daneben geht die rache, wie sie im Götz die Adelheid beseelt,
sie ist der 'bürgerlichen' am ähnlichsten; endlich die rache per-
sonifiiert in den intriguanten: Törrings Vicedom stammt aus
der familie der 'kanzler', 'minister' und sonstigen bösewichter,
mit denen das bürgerliche trauerspiel herumhantiert, und er hat
nachkommen, die oftmals auch wider Vicedome heifsen.

Brahm verfolgt sein thema bis ins einzelnste und sucht durch
statistisches material einen begriff von der ausdehnung der würkung zu geben. natürlich sind die von ihm angeführten zahlen
nur relative, denn er hat nur etwa den dritten teil der sämmt-
lichen hierher gehörigen stücke mit in rechnung ziehen können.
es ist fast unmöglich das thema zu erschöpfen, aber vieles hätte
doch nicht ganz bei seite geschoben werden dürfen, wenn es sich
darum handelte, zahlen sprechen zu lassen, und gerade für die
ritterdramen ist das material leichter zu beschaffen. die stücke
waren bald beliebte bühnenwerke geworden; hatte ein theater-
principal einmal die grofse auslage für das rittercostüm gemacht,
dann lag es natürlich in seinem interesse, dasselbe möglichst
auszunützen, und daraus erklärt sich wol die tatsache dass besonders schauspieler so überaus häufig als dichter solcher dramen
auftraten. ich nenne ua. Ziegler, Vohs, Wülfing, Miedke, Anton,
Grofsmann, Weidmann. auch heute noch scheint das rittercostüm
gerade auf schauspieler den grösten reiz auszuüben; sie haben
noch heute ritterbünde, welche unter einander in cartel stehen,
und eigene, den laien unverständliche, organe Herold, Schlaraffia
usw. erscheinen lassen. alle stücke der genannten art waren für
die aufführung bestimmt und wurden widerholt gegeben, daher
finden sie sich in den Schaubühnen abgedruckt, wie solche an
verschiedenen orten erschienen. besonders reich an ritterstücken
ist die Grätzer, dann auch die Augsburger schaubühne. und
schon darum wäre die betrachtung mancher dieser stücke keine
'überflüssige und geringen lohn verheifsende mühe' (s. 70) gewesen, weil die chronologie durchaus nicht gesichert ist. einige
schwierigkeiten beschäftigen Brahm selbst. manches hat er übersehen und dies ist insofern wichtig, als er das erste vorkommen
der einzelnen motive meist mit grofser sicherheit angibt. Blumauers Erwine von Steinheim benutzt Brahm in einer ausgabe
von 1790; sie war aber schon Wien 1780 selbständig, vorher
im 5 bd. des K. k. nationaltheaters erschienen (vgl. Wurzbach
Biogr. lexicon I 443[b]) und hatte auf das von Brahm übersehene stück Babos Oda, die frau von zween männern (München
[1781?] 1782) gewürkt, in welcher ansicht mich der widerspruch
des verfassers bestärkt. nun finden sich fünf von Brahm verfolgte motive bei Blumauer vor, darunter x (erzwungene ehe),
welches nach Brahm (s. 164) zuerst in der Klara von Hohen-
eichen von Spiefs (1790) vorkommen soll, aber schon vor 1780

von Blumauer, 1782 von Babo verwertet war; *w* (pilger), nach Brahm (s. 163) zuerst in Babos Otto von Wittelsbach (1782); endlich *v* (gottesgericht), nach Brahm (s. 161) zuerst in Maiers Fust von Stromberg (1782): also nicht weniger als drei motive bei Blumauer zuerst, wodurch die Erwine von Steinheim gewis — abgesehen davon dass sie gleichzeitig mit Törrings Agnes und vor seinem Kaspar erschien — gröfsere beachtung verdient hätte, als die wenigen zeilen s. 139 beweisen.

Mir steht ein ziemlich umfangreiches material an ritterstücken zur verfügung; ich sammelte selbst für das von Brahm bearbeitete thema, das einen excurs meines buches Goethes aufnahme bei seinen zeitgenossen bilden sollte, und besitze ua. zwei von Brahm vergebens gesuchte dramen (s. 70), überdies boten mir drei hiesige bibliotheken, die des herrn bibliothekar Hammerle, die museal- und die k. k. studienbibliothek reiche hilfsmittel. auch verdanke ich mehrere notizen der bereitwilligen hilfe meines freundes BSeuffert.

Joseph August graf von Törring, geboren 1 december 1753, gehörte einer hervorragenden bairischen familie an. es ist wichtig dass ein durch geburt wie stellung bedeutender mann sich mit deutscher litteratur beschäftigte, wenn auch in etwas herablassend-aristokratischer weise. zwei andere mitglieder der familie Törring waren gleichfalls dichterisch tätig: Anton graf von Törring zu Seefeld (vgl. Goedeke 1076) und Klemens auch von der linie Seefeld, wenn die angabe bei Grandaur (aao. 213) richtig ist. unser Törring war freimaurer; das war man im vorigen jh., möchte man behaupten, wie ein hundert jahre früher mitglied einer der vielen sprachgesellschaften. Törring dürfte übrigens, was Brahm entgieng, in die bairische illuminatenaffaire verwickelt gewesen sein, jene leidige verfolgung der aufklärer, welche die ganze gebildete welt in aufregung versetzte. man gieng gegen die mitglieder dieses geheimen ordens mit der grösten rücksichtslosigkeit vor. besonders der Ingolstädter professor Weishaupt wurde hart davon betroffen. 1785 wurden an der universität Ingolstadt, bei welcher auch Törring inscribiert gewesen war, der schuleninspector Drexel und der licentiat Duschel verhört, welche auch eine rolle im orden gespielt hatten. am 14*ten Junii* 9 *Uhr* beim zweiten verhöre *deponierte* Duschel und gab es *dictando ad protocollum* dass unter vielen anderen ordensgliedern sich auch *S. Exc. der Herr Kammerpräsident von Törring* befunden habe. dies wird berichtet von der vollständigen geschichte der verfolgung der illuminaten in Bayern (Frankfurt und Leipzig 1786) ı 369 f und dazu in einer anm. ausdrücklich hervorgehoben, wie *der anwesende Procanzler Herr doctor Wibmer gewaltig die Augen gesperret, und äufserst schwer daran ging, solche bedeutende Namen, als des Herrn Grafen von Hollenstein, Herrn Grafen von Törring, und so weiters dem Protokoll einverleiben zu lassen.* ich möchte vermuten dass Törring durch diese angabe compromittiert worden sei, und darum

1785 seine entlassung gegeben(?) habe.[1] mir scheint seine mit-
gliedschaft deshalb erwähnenswert, weil ich einen zusammenhang
zwischen dem freimaurerwesen und der beschäftigung mit dem
deutschen rittertum vermute. ich werde darauf ua. durch einen
aufsatz von Aloys Blumauer gebracht. derselbe stand zuerst im
*Journal für Freymaurer. Als Manuskript gedruckt für Brüder und
Meister des Ordens. Hg. von den Brüdern der ○ zur wahren
Eintracht im Orient von Wien. Wien 5784.* III jhg. II vierteljahr
s. 33—104 und wurde später den prosaischen schriften einverleibt: *Versuch einer Geschichte der alten Ritterschaft, in Bezug
auf die Freimauerei ein Fragment von Br. B****r.* hinzuzunehmen
sind noch die beiden aufsätze *Erste Spuren der Ritterschaft und
festgesetzte Epoche derselben* und *Erziehung der Ritter. Edelknaben-
stand und Knappenstufe.* bekanntlich wurde die freimauerei aus
den bestrebungen der tempelherrn von der stricten observanz abgeleitet, schon dadurch waren die freimaurer auf das rittertum
geführt; nun aber wurde wider vermutet dass die tempelherrn
auf Artus und die tafelrunde zurückgiengen (vgl. Lessings Ernst
und Falck, Hempel 18 s. 180 ff. auch Nicolais untersuchungen
sind herbeizuziehen); in einer freimaurerischen abhandlung (Journal für freymaurer I jhg. III vierteljahr s. 96—120) von *Br. v. B****
(Born?) *M. v. St. Über den Ursprung der Tafel* 🏵 wird zuerst
das bei den zusammenkünften der tafelrunde nach den ritter-
gedichten übliche ceremoniel erwähnt und dann ausdrücklich gesagt: *Bey den Banketten der Ritter . . . ward alles Etiquette
bey Seite gesetzt. Offenherzigkeit und Gleichheit herrschten an
der Tafelrunde. Die Ritter behandelten sich als Brüder. Der
König hatte keinen Vorrang, als den ihm Klugheit und Tapferkeit
gab; keinen Vorzug, als dass die Gäste bey ihrem Eintritt ihn
begrü/sten. Alles diefs findet sich bey unserer Tafel* 🏵. *Wie sie
bringen auch wir uns wechselseitig den Becher der Freude in brü-
derlichem Vertrauen zu, und gehen nie auseinander, ohne unsern
Schwestern gehuldigt zu haben* (wie die ritter ihren damen). es
musten sich daher die brüder mit dem ritterlichen elemente be-

[1 erwähnen will ich dass, was ich eben noch sehe, möglicher weise ein
anderer Törring verwickelt gewesen sein könnte. denn in freiherrn von Meg-
genhoflens *Meine Geschichte und Apologie. Ein Beitrag zur Illuminaten-
geschichte* (o. o. 1786) findet sich s. 54 ff sein *Revers nach der Norm* abgedruckt, in welchem unter den bei seiner aufnahme in den *Freimaurerorden*
gegenwärtigen an erster stelle der *Gr. Törring Seefeld* genannt wird; nach
s. 67 war *Se. Excellenz Graf v. Seefeld: Altmeister* und nach s. 69 mit
dem *Illuminatengrade* versehen *Se. Excellenz Gr. von Törring.* ob alle
drei unter einander und mit dem oben angeführten Törring identisch sind,
weifs ich nicht. jedenfalls bleibt die gleichzeitigkeit der compromittierenden
äufserungen Duschels und der erbetenen amtsentlassung Törrings auffallend.
PScharl führt in seinem verzeichnisse der *Meisters, welche nur den* ○ *be-
suchen* an 4 stelle *Excell. Gr. v. Seefeld sen. Ulysses. Altmeister* und an
8 *Gr. Clemens v. Seefeld Telemach. Mr.* ao. vgl. p. Magnus Sattler Ein
mönchsleben aus der zweiten hälfte des 18 jhs., Regensburg 1868, s. 356.]

schäftigen und über die zustände des mittelalterlichen deutschen wie des französischen und englischen 'ritterordens' zu unterrichten suchen. überdies lag den maurern daran, möglichst viel parallelen aus früherer zeit für ihre bestrebungen aufzudecken und dadurch ihrem orden die ehrwürdigkeit höchsten alters zu verleihen. wenn freilich Anderson behauptet, gott sei der erste freimaurer gewesen, weil er die welt erbaut habe, so ist dies nichts als ein schlechter witz; gleiches darf von dem aufsatze Blumauers, wie die von mir beigebrachten ähnlichen ansichten beweisen, nicht angenommen, es muss vielmehr dem anonymen verfasser des buches *Die zwo Schwestern P.*** und W.*** oder neu entdecktes Freymaurer- und Revolutionssystem. Ganz Deutschland besonders aber Oesterreich aus Originalfreymaurerschriften vorgelegt.* 1796 (o. o.) widersprochen werden, der s. 236 f von Blumauers aufsatze behauptet, wer Blumauers travestierungsgeist kenne, der werde ihn an allen orten finden, wo es auch auf das geringste der katholischen religion ankomme. die spottende seele Voltaires sei ganz in ihn übergegangen, dass man ihn ohne unbilde den deutschen Voltaire nennen könne. gerade so sei er auch in dem aufsatze, der viel lärmen und wenige wolle darbiete. den freimaurern war es würklich ernst mit der erwähnten ansicht. ich erinnere nur an die bezeichnung 'schottische ritter'.

Die grundsätze des illuminatenordens, über den es noch immer keine ausführliche geschichte aus neuerer zeit gibt (vgl. AKluckhohn in der Augsburger allgem. zeitung 1874 nr 173—191 und KBiedermann Deutschland im 18 jh. u 2, 3, 1109 ff. FXBronner Leben von ihm selbst beschrieben 1795 und Sattler aao. 343 bis 358) waren darnach angetan, einen dichter zu fördern. in dem lesenswerten buche von Adam Weishaupt Das verbesserte system der illuminaten mit allen seinen einrichtungen und graden (Frankfurth und Leipzig 1787) wird s. 181 ff jedem illuminaten ua. zur pflicht gemacht 1) studium der natur im allgemeinen; 2) studium der menschlichen natur; endlich 3) studium der geschichte. besonders die letzte forderung ist wichtig, weil sie nach Weishaupts ansicht lehren werde, *wie sich die Folgen von jeder Handlung bis in eine unabsehbare Zukunft erstrecken, wie wenig unmittelbar gute und böse Folgen für den Werth der Sache entscheiden, und wie oft das auffallendste Übel in seinen entferntern Folgen die wohlthätigsten Würkungen für die Zukunft hervorbringe.* man vgl. vor allem Kaspars gespräch mit dem geiste v 6 und man wird einer ähnlichen geschichtsauffassung begegnen. freilich konnte sie auch von einem nichtilluminaten erlangt werden. wenn Brahms annahme richtig ist, dass Törring verkehr mit Westenrieder gepflogen habe, dann wäre übrigens zu vermuten dass er seine ansichten geändert habe, denn Westenrieder gehörte mit zur verfolgungspartei. das von Brahm erwähnte zusammentreffen Nicolais mit Törring dürfte aber wol auch darauf hindeuten dass Törring

zu den aufklärern gezählt worden sei. das persönliche bekanntwerden führte zu keinem weiteren brieflichen verkehre, wenigstens
hat sich in Nicolais nachlasse keine zeile von Törring erhalten.

Einen anderen umstand möchte ich auch noch aus der illu-
minatenbewegung erklären, welcher gröfsere beachtung verdient.
es wurden nämlich den illuminaten revolutionäre tendenzen zugeschrieben; man glaubte, sie wollten die regenten abschaffen,
seien schlechte patrioten, ja vaterlandsverräter. bei der ungewisheit und neuheit der bairischen zustände, bei der furcht vor
den österreichischen ansprüchen konnte sich ein solcher verdacht
um so leichter festsetzen, zumal auch hier gemeinheit und streberei
mit denunciationen nachhalfen. in der Vollständigen geschichte
aao. s. 262 f wird die schrift *Lehrsätze der heutigen Illuminaten
oder Freydenker gezogen aus ihren classischen Schriftstellern* unter
den beilagen citiert. darin heifst es von den illuminaten, sie
suchten *die Anhängigkeit an ihren Landesfürsten und die Vaterlandsliebe bey aller Gelegenheit aus den Herzen der Jugend zu
vertreiben,* und erklärten *den Patriotismus für ein kindisches der
Menschheit höchst schädliches Hirngespinst, . . . als einen Schall
ohne Sinn.* und weiter wird berichtet: *das noch gröfstentheils unbefangene Publicum lässt sich noch nicht abstreiten, es spiele diese
Rotte* [die illuminaten] *unter der Decke, dem Hause Oestreich die
bayerischen Staaten in die Hände zu liefern* und *solche dem Hause
Pfalz zu entrücken, in der chimärischen Einbildung, der Kaiser
würde ihnen erlauben, ihren Unglauben überall auszubreiten. Und
dieser Verdacht ist nicht ohne Grund: denn überdem, dass sie diesen
christlichen Monarchen, höchst majestätschänderisch, in ihrem Faustin
und Salvator einen Selbstdenker* [freethinker] *nennen, so haben auch
die Hausgenossen dieser Bande, die selbst Anhänger dieser Secte
gewesen, welche sie aber nach Erkenntniss ihrer Greuel verlassen
haben* [es waren dies nach einer anm. der Vollst. gesch. Utschnei-
der, Cosandey, Grünberger] *einer grofsen Frauen* [prinzessin Amalie
von Baiern, aao. 116] *versichert, dass demselben gewiss also, und
besagte Anschuldigung vollkommen gegründet seye.* es lag nach
dieser freilich unsinnigen behauptung nahe, den bairischen patriotismus zu kräftigen, um ein bollwerk gegen Österreich zu
haben. daraus dürften sich die zahlreichen patriotischen stücke
erklären, welche gerade Baiern auf den markt warf; sie erheben
alle die forderung, für Baiern einzustehen und lassen agitatorische tendenzen durchblicken. berüchtigte gegner des illuminatenordens sind daran beteiligt. Johann Baptist Strobl, professor und buchhändler, war nicht nur verleger, sondern, wie
behauptet wurde, auch geistiger urheber einer anzahl jener werke.
er hatte, wie die Vollst. gesch. aao. s. 110 f berichtet, *in seiner
Bude, sammt dem Heer seiner Scribler eine Art litterarischer De-
spotie errichtet. Bey der Abhängigkeit, in welche er als Geburts-
helfer der meisten Piecen und als Nährvater einige Schriftsteller*

Bayerns versetzt hat, hält er sich für den allgemeinen Vater der Bayerischen Litteratur, und pflegt sich selbst mit dem Namen eines Bayerischen Nicolai zu beehren. bei Strobl erschienen die meisten jener patriotischen dramen, und FMBabo, welcher mit seinem Otto von Wittelsbach fast an der spitze der bewegung marschiert, war einer der hauptgegner der aufklärer, welche er im zweiten teile seiner *Gemählde aus dem Leben des Menschen* (Frankfurt und Leipzig 1784) eifrigst bekämpft hat, auch hier für den patriotismus eintretend. Brahm erklärt die bewegung s. 107 für einen ausfluss des historischen sinnes, welcher den Baiern und Pfälzern innewohnen soll. viel richtiger hat Seuffert den bairischen erbfolgekrieg als einen wichtigen factor bezeichnet, indem er zugleich hervorhob dass sich hie und da in den genannten dramen spitzen gegen das haus Österreich bemerken liefsen; deshalb sei auch, wie er glaubt, die anfführung dieser stücke in Baiern und der Pfalz verboten worden (vgl. Brahm s. 62). dass dem würklich so sei, kann man zwar nicht aus Grandaurs Chronik d. kgl. hof- und nationaltheaters in München (München 1878 s. 26) entnehmen, wol aber aus der vorrede zur zweiten auflage von Längenfelds Ludwig dem Bajer (1782). Brahm benutzt nur die erste 'uncorrecte' ausgabe und nennt den verfasser einmal *Lengenfeld*, einmal *Lengenfelder*, während derselbe sich *Längenfeld* unterschreibt (auch der verfasser der Schweden in Bayern wird von Brahm nicht wie in Kaysers lexicon und von Grandaur aao. 28 uö. *Blumhofer* sondern *Blaimhofer* genannt). Längenfeld sagt ausdrücklich: *Es stunden ... gleich bei der ersten Bekanntmachung dieses Stücks einige gallsüchtige Hausrecensenten auf, die in dieser mit dem arglosesten Herzen niedergeschriebenen Piece unanständige und beleidigende Ausfälle auf das durchlauchtigste Erzhaus Oesterreich auffinden wollten; allein jeder biederer teutscher Mann, Gelehrte und Ungelehrte (nur die Halbgelehrten verbitte ich mir) seye Richter zwischen mir und diesen hämischen Anklägern. Ist es Sünde, die Geschichte seines Vaterlandes, anstatt in Kapiteln und Abschnitten, nur in Dialogen und Handlungen vorzutragen? — Ist es Aufruhr und Parteigeist im Jahre 1781 einige Wenige das sagen zu lassen, was in den Jahren 1314, 15, 16 u. s. f. jedermann sagte, und sagen konnte? — Ist das Pasquillenwitz, wenn man in einer dramatischen Bearbeitung keinen einzigen Umstand, ja, so zu sagen, keine einzige Rede einschaltet, die nicht auch sogar die Geschichtschreiber der beleidigt seyn sollenden Partei in den Monumenten ihrer vaterländischen Geschichte anführten?* und in einer anmerkung fügt er noch hinzu: *Es muss niemand von einer so lebhaften Hochachtung dieses hohen Erzhauses durchdrungen seyn, als ich, und niemand muss diesem Stamme der Helden so unzählige, so lorbeerreiche Siege wünschen, als eben ich; nur, und wie natürlich ist nicht dieses nur? möchte ich nicht die Trophäen der Sieger mit dem Blute meiner Landsleute besudelt*

sehen, wenn ich mich nach bairischer Laune mit den Freudigen
freuen solle. Verarg' es mir da, wer es kann. leider ist es mir
nicht möglich die beiden bearbeitungen mit einander zu vergleichen, es scheinen durchgreifende änderungen stattgefunden
zu haben, da sich nach Brahms behauptung in der ausgabe von
1780 nur eine einzige frauenrolle findet, nämlich die wirtin,
während in der ausgabe von 1782 die *Kaiserinn* nicht unbedeutend in die handlung eingreift und *Ursel die Dorfwirthinn*
ihren platz wahrte. auch die s. 109 von Brahm mitgeteilten
proben beweisen eine vollständig andere fassung des textes. die
bezeichnung *In-* und *Ausländer* für Baiern und Österreicher fiel
weg. ob die vermutung Brahms, Längenfeld habe den Kaspar vor
seinem erscheinen kennen lernen, richtig sei, weifs ich nicht;
in dem schon erwähnten *Regensburg, den* 12 *Febr.* 1782 datierten
Vorbericht schreibt Längenfeld: *Es hatte die erste Auflage viel-*
leicht kein anderes Verdienst, als das Verdienst der Neuheit, weil
vor diesem in Baiern noch kein in dieser Art geschriebenes Stück
erschien, und bei all seiner Menge von Fehlern, wenigstens darum
nützlich war, weil es nach mir weit fähigere Köpfe aufmunterte,
die thatenreiche Vorzeit unserer Ahnen zu feiern, und durch ge-
treue Gemälde dessen, was wir waren, uns zu zeigen, was wir
noch seyn sollten, seyn könnten.
    Von österreichischer seite wurde nicht geschwiegen, selbst
'im reiche' fanden sich stimmen, welche für Österreich eintraten.
es wäre interessant die gruppe zu characterisieren, was ich demnächst selbständig versuchen will. allgemeine andeutungen seien
gestattet. FWZiegler griff das von Längenfeld behandelte ereignis
auf und gab in seinem 1794(?) erschienenen 'vaterländischen
schauspiel' Fürstengröfse einen Ludwig den Baiern in öster-
reichischem gewande, ebenso wie von Steinsberg den Otto von
Wittelsbach 1783 neu behandelte. er schrieb auch ein trauerspiel Der patriotismus (Prag 1781, vgl. Goedeke 1074) und so
mehreres. von Ziegler, der bekanntlich dem k. k. nationaltheater
in Wien als mitglied angehörte, käme noch Seelengröfse oder der
landsturm in Tyrol, Wien (wann?) in betracht (vgl. Goedeke 1067),
das ich noch nicht kenne. dann wäre Iffland zu nennen mit
seinem Friedrich von Österreich 1790 und Anton mit seiner Mar-
garethe Maultasche. ferner müste Anton Kleins Rudolf von Habs-
burg, 1787 zuerst prosaisch erschienen, aber schon 1781 verfasst, erwähnt werden, der 1788 (nach Seufferts angabe) in iamben
umgeschrieben wurde (ich kenne die dritte gleichfalls iambische
ausgabe von 1789). er sollte in Wien aufgeführt werden, doch
wurde er abgelehnt. die gründe, welche eingewendet waren,
widerlegt Klein in der Wien 1787 publicierten Appelation an die
gesunde vernunft wider den k. k. hoftheaterausschuss. schon
früher hatte Werthers einen Rudolf geliefert, der aber durchge-
fallen war. die tätigkeit Weidmanns, Pelzels, Guttenbergs, Pri-

missers, Antons, Henslers, und vor allem Kalchbergs muss ihre
würdigung finden. überall regt sich bei ihnen der speciell österreichische patriotismus, es bedurfte der freiheitskriege, um ihn
in einen allgemein deutschen zu verwandeln.

Törring griff mit zwei dramen in die bewegung ein, mit
seinem zuerst 1785 erschienenen, aber schon 1779 vollendeten
Kaspar der Thorringer und mit seiner 1780 gedruckten Agnes
Bernauerinn. Brahm nimmt an dass Kaspar in abschrift vielfach verbreitet worden sei und dadurch noch vor dem Klagenfurter drucke auf die bairischen dichter gewürkt habe, während
Seuffert geneigt ist, eine überarbeitung zu statuieren, durch welche
die große ähnlichkeit mit den übrigen dramen erzielt wurde.
die weiter unten erwähnte nachricht macht Brahms vermutung
jedoch zur gewisheit. etwas mehr klarheit über die authenticität
der ausgaben hätte wol verbreitet werden können, als Brahm
in die sache bringt. es ist unrichtig dass das werk im drucke
Schauspiel oder *historisches Schauspiel,* im original dagegen *vaterländisches* geheißen habe. mir liegen drei ausgaben vor: A die
von 1785 Frankfurt und Leipzig; B die von 1791 Augsburg;
C eine von 1807 ohne ort (blieb Brahm unbekannt). A ist eine
für die theatervorstellung gemachte bearbeitung, trägt aber die
bezeichnung *ein vaterländisches Schauspiel* und scheint im texte
dem originale jedesfalls viel näher zu stehen als die vulgata.
B nennt den Kaspar *ein Schauspiel;* C vereinigt alle angeführten
titel in der erfreulichsten weise, der Kaspar ist ihm *ein historisch-
vaterländisches Schauspiel.* B hat s. 3 eine vorrede *An die Leser,*
welche also lautet: *Viel bekannt, viel unbekannt, doch wahrhaft-
historisches; viel Erdichtung mit darunter, ausschweifende düstere
Imagination, verwogene Ausdrücke, romantisch ritterliche Schwär-
merei, vaterländischer Enthusiasmus, Stolz auf biedere Ahnen: alle
Fehler Schakespeares und Göthens. Diefs ist dieses Schauspiel für
Freunde, nie für den Druck.* hat man darin ein echtes vorwort
des verfassers zu erkennen, oder stammt es aus der feder eines
anderen? in der ausgabe A haben wir vielleicht die bearbeitung von
Plümicke (Brahm s. 59 anm.) zu sehen. hier ist das stück mit
dem motto aus Horaz Od. III 3 *iustum et tenacem* . . . bis . . *ruinae*
und der folgenden nachricht *An meine Leser!* versehen: *Nie kam
mir der stolze Gedanke ein, den unbekannten gelehrten Verfasser
des Stücks verbessern zu wollen. Ich weis, er schriebs blos für
Freunde und nicht für die Bühne, diese aber sehnte sich auch längst
nach diesem Meisterstück, und behalf sich, da es zum Druck und
Aufführen nicht bestimmt war, bis jetzo mit Durchlesen grösten-
theils fehlerhafter Abschriften, davon nun auch eine im Druck erschienen ist. Dies bewog mich dies Stück mit einigen Abänderungen,
wie es leicht aufgeführt werden kann, den deutschen Theatern zu
übergeben.* durchgehends sind die scenischen vorschriften gekürzt, welche eine allzu große comparserie nötig gemacht hätten.

der häufige decorationswechsel wird durch streichungen vermieden,
so zb. im dritten aufzuge die scenen 3 *Das Gewölbe* und 4 *Landshut*, im vierten die acenen 1 *Feld.   Aussicht auf die Ebene zu
Kinnberg* und 5 *Düstere Nacht.   Ein Wald.* dafür zusätze; einmal in 4 resp. 6 eine ganze scene (s. 71 f) das gewölbe, ritter ver-
sammmelt, Kaspar fehlt noch, Pinzenauer erzählt die mordtat an
Preysinger (die dargestellt wird), dann kommt erst Kaspar. ob
dies ein eigenmächtiger zusatz des bearbeiters ist? fast möchte
ich das gegenteil vermuten. kleinere zusätze enthalten gewis das
richtige, so zb. III 2 (das gesperrt gedruckte nur in A):

   *Kaspar: Ach! Gott grüſs euch! Schon da? (schnallt seinen
Harnisch auf und seinen Helm) Guten Tag Margareth! Euer Vater
schickt euch seinen Segen! Seht das waren seine Waffen ehemals;
heut trag ich sie (alle willkommen und umringen ihn). Schon
gut! (entwafnet sich, zieht sein Schwert) Nun seht
einmal, ich habs nicht abgewischt — rathet! — so
blutete Aheimer, als ich ihn mordete.*

   *Alle (erschrocken, ausgenommen, die mit ihm ge-
kommen): Aheimer?*

   Kaspar: nicht wahr? ein gut Stück schon getan.
der name *Ahamer* ist durchgehends in das richtige *Aheimer* verändert. noch möchte ich vier stellen anführen, welche die güte des
textes in A beweisen. v 5 *Ists aus mit der Stände Vorrechten? Mit
der Freiheit. — — Seht! ich bin bewafnet jetzt gegen die
Zukunft. — Mir ists, als läse ich sie mit blutigen Buchstaben in
ein schwarzes Buch geschrieben.* v 5 ruft Kaspar in BC zweimal
Eher, dann ich statt des richtigen *Er, dann ich* in A. v 8 *Ist
Baiern nicht mein Erbe? — Thorringer war auch Erbe* BC: *Thor-
ring* A. endlich v 11 *da schwuren wir ihm Ersatz; und hätten
wirs nicht geschworen, so wärs eins: denn Dankbarkeit braucht
keine neue Pflicht* BC: *Eidespflicht* A.

   Brahm hat für Kaspar, wie für die Agnes die abhängigkeit
von Götz im einzelnen trefflich nachgewiesen, ebenso den vergleich
mit Klingers Otto, Hahns Robert, Maiers Sturm, Meiſsners Johann
vSchwaben und Ramonds Hugo angestellt, um dadurch das neue
in Törrings dramen zu constatieren. die wahl des zweiten, von
Törring bearbeiteten stoffes war eine überaus glückliche; auch
hier ist wider hervorzuheben, wie sehr das ritterdrama mit dem
bürgerlichen zusammenhängt. auf historischem hintergrunde sehen
wir eines der beliebtesten motive des bürgerlichen trauerspiels:
heimliche ehe. das motiv des vatermordes wird gestreift. die
geschichte der Agnes hat schon oftmals zur dichterischen bearbeitung gereizt, Brahm kennt eine erkleckliche anzahl von dramatischen gestaltungen, welche er zum teil einer eigenen betrachtung in Edlingers Litteraturblatt II 618 ff unterzogen hat. die
würkung der Törringschen Agnes war eine durchgreifende, auf allen
bühnen gleich groſse, wenn auch von einzelnen recensenten wie

dem licentiaten A Wittenberg entsprechend ihrem 'altfränkischen' geschmacke der beifall als nicht bedeutend bezeichnet wird. Wittenbergs anzeige (vgl. QF 22, 131 anm. 2) lobt die *viel schönen, wol ausgeführten Scenen, viel rührenden Stellen*, besonders die scene zwischen Kaspar dem Thorringer und dem herzog Albrecht, welche allenthalben grofse begeisterung erregte. zugestanden wird dem verfasser seine kunst, für das auge zu sorgen, dagegen vermisse man die hauptregeln einheit der zeit und des ortes, und natur, obwol nach ihr gestrebt werde; *hätte Voltaire diesen Stoff zu bearbeiten gehabt, er würde gewiss alle Einheiten beobachtet, und uns gleichwohl ein Trauerspiel geliefert haben, das seinen besten Stücken an die Seite gesetzt zu werden verdient hätte.* in Hamburg bei der aufführung sei ihm *keineswegs Beyfall zugebrüllt worden, wie ein gewisses Genie* [wer?] *sich ausdrückt.* schliefslich wird der verf. vor Shakespeare gewarnt und auf die Franzosen gewiesen. Törring konnte den rat nicht mehr befolgen, da er der dichtkunst den rücken zuwandte und in seinem langen leben — er starb am 9 april 1826 — keine zeile mehr schrieb. das urteil, welches Brahm über den mann fällt, ist durchaus richtig: Törring schweigt, weil er sich ausgegeben hatte und zu stolz war, die alte kost von neuem aufzutischen, wie es sonst die weise seiner collegen im harnisch war.

Brahm hat sich auf den ersten 68 seiten mit Törring beschäftigt und wendet sich dann seinem eigentlichen thema zu (s. 69—167); er schildert im iv cap. die ersten würkungen des Götz (69—102), im v die bairischen patrioten, im vi die ritterdramen nach Törring und nimmt im vii die einzelnen hauptmotive der reihe nach durch. er befolgt in der hauptsache die von Sauer zuerst eingeführte methode, aber, wie mich dünkt, in allzu mechanischer weise. dadurch wird er genötigt, fast jedes drama doppelt vorzuführen, einmal an seiner stelle im cap. iv—vi und dann im cap. vu. und überdies betreffen die von ihm hervorgehobenen vierundzwanzig motive fast durchaus äufserlichkeiten (17 davon) und nur *k* (liebe zwischen den kindern feindlicher geschlechter), *l* (streit zweier männer um eine frau), *m* (gefährdung eines geliebten lebens), *n* (falscher freund), *o* (erdichtete todesbotschaft), *p* (weiberraub), endlich *x* (erzwungene ehe) gehen auf den kern der fabel. nun ist es allerdings richtig dass die nachahmer sich vorzugsweise an die äufserlichkeiten des originales halten, aber doch lassen sich auch einige tiefergehende motive durch eine grofse reihe von dramen verfolgen. ich mache vor allem aufmerksam auf den gegensatz der männlichen charactere, den ich schon bei den kindertypen der zeit vorfand (vgl. Zs. für die österr. gymn. 1879 s. 280 ff). es stehen sich gegenüber der tatkräftige, ungestüme, unüberlegte, alles überhastende Robert, und der sanfte, edle, nachgehende, wenn nötig aber auch energische Adelbert, der etwas sentimental angehaucht zu sein pflegt. die dichter operieren verschieden mit diesen beiden typen. im Götz ist der gegensatz versteckter, ich möchte sagen verteilter; zwar ist Götz der entschlossenere, Weislingen der unbestimmtere, jener der unbedachte, dieser der berechnende, aber die beiden sind nicht zu puppen geworden, zumal Götz hat noch gar viel vom dichter mitbekommen, was nicht zum obigen schema gehört. starr ist der gegensatz bereits in der ersten nachahmung des Götz, in Klingers Otto geworden: Ludwig ist der schwärmer, Otto der tollkopf; Karl der stürmer, Konrad der schwächling. ebenso in Hahns Robert, dem die namen Robert und Adelbert entstammen; nicht weniger in Erwine: Urach und Henneberg, in Oda: Adelburg und Richard, in Adelheit von Rastenberg: Robert und Adelbert, in Thusnelde: Thuiskon und Waldo usw. selbstverständlich in allen dramen, welche das motiv *l* verwerten. ungleich ist das verhältnis der dichter zu diesen characteren: die einen stehen mit ihrer sympathie auf seite des Robert, zb. Klinger, Blumauer, die anderen auf der Adelberts, zb. Hahn und Babo. gewöhnlich verdirbt Robert mit seiner hitze alles und das erstrebte wird keinem von beiden zu teil: Adelbert erlangt es aber fast nie (vgl. jedoch Hahn). nun könnte freilich eingewendet werden, dieses typeupar sei dem bürgerlichen trauerspiele geläufig und von Leisewitz in Julius und Guido, von Klinger in Ferdinando und Guelfo vorgezeichnet worden, was in der tat auch der fall ist: aber das erscheint mir gerade wichtig dass sich überall der zusammenhang zwischen ritterstück und bürgerlichem drama aufzeigen, und im einzelnen die allmähliche umgestaltung der motive darlegen lässt. übrigens sind unter den oben hervorgehobenen motiven die fünf *k, m, n,* o und *x* durchaus nicht speciell ritterliche, sondern sie finden sich schon in den bürgerlichen verhältnissen. doch sind auch die nur äufserlichkeiten betreffenden motive nicht erschöpft, so wäre das schlafen auf der bühne (vgl. QF 22, 62), so wäre die mondlandschaft (vgl. QF 22, 58) in vielen dramen zu finden gewesen, so wären auch die zunamen, die burgnamen in ihren oft wunderlichen zusammensetzungen einer betrachtung wert, welche ähnliche permutationen ergeben würden, wie sie Sauer für die dienernamen aufgedeckt hat.

Brahm möchte drei perioden des ritterschauspiels annehmen, deren letzte, etwa mit den neunziger jahren beginnende die eigentlich frucht- und furchtbare wäre. ich kann ihm hierin nicht beipflichten, denn es muss auf zufall beruhen dass so viele ritterdramen die bezeichnung 1790 und 1791—1799 tragen. in diesen jahren begannen die Schaubühnen zu erscheinen und sie gaben auf den titeln natürlich keine andeutung dass die einzelnen werke schon früher gedruckt seien. darum ist es gewis auch nur zufall dass uns eine ganze reihe von dramen nicht in den originalausgaben vorliegen. wie weit die Schaubühnen in die irre führen k͏ bew͏͏ Blumauers Erwine von Steinheim.

Klagenfurt war ein ort, wo mehrere hierher gehörige erzeugnisse
erschienen, doch sind die Klagenfurter ausgaben überaus selten,
während man die Augsburger und Grätzer in jedermanns händen findet.

Brahm geht jedoch noch in anderer beziehung zu weit. er
schliefst ritterroman wie ritterballade fast vollständig aus (warum
benützt er aber die ballade Genovefa?), obwol sie in vieler beziehung mafs- und stoffgebend waren. vor allem durften Veit
Webers (Leonh. Wächters) Sagen der vorzeit mit ihrer halbdra-
matischen einkleidung nicht übergangen werden, weil in ihnen
ein starker niederschlag der ritterlichen motive zu entdecken ist.
und schliefslich hätte jene letzte gestalt der ritterdramen eine erwähnung verdient, welche man die parodistische nennen könnte.
sie blieb bis in unsere zeit gerne gesehen, und wer erbaute sich
in seiner jugend nicht an den scherzen des Kasperle in der drol-
ligen parodie von Hensler Teufelsmühle am (!) Wienerberg? die
grenze, welche Brahm zog, das jahr 1800 (resp. 1811), ist eine
zu äufserliche. bis in die zwanziger jahre blieben die ritterdramen
ein wichtiger zweig dramatischer fabrication und erlangten durch
die aufnahme der komischen figur, des Kasperle, welcher als Sancho
Panso die Don Quixote begleitet, und durch verwertung des feen-
haften momentes einen neuen reiz; sie bedeuten das ende der bewegung, aber ein lustiges, leicht verspottendes, so dass sie wol
zu verzeichnen gewesen wären. so bleiben trotz der ausführlichen
darstellung noch mehrere puncte zu erledigen. Brahms einteilung
bringt es mit sich dass nicht eine einzige der verschiedenen dichter-
individualitäten, welche das ritterdrama besonders pflegten, heraus-
gearbeitet werden konnte, und doch wären einige bei zusammen-
fassender betrachtung nicht uninteressant gewesen, ich erwähne
Ziegler, Hagemann, Adolph Anton. frappieren muss es geradezu
dass der mann, welcher neben Spiefs als typus des 'ritterdichters'
angesehen wird, Cramer, mit keinem worte genannt ist, und doch
wäre schon das Turnier zu Nordhausen (1799) wegen seines engen
anschlusses an Goethes Götz wichtig genug. man kann der arbeit
Brahms bei aller ihrer ausführlichkeit den vorwurf einer gewissen
flüchtigkeit nicht ersparen, und darf sich die auswahl mehr aus
dem zufalle des findens, als aus der sichtung der strengen kritik
erklären. warum wären sonst Goedekes Grundriss und die Berliner kgl. bibliothek so ungleichmäfsig ausgebeutet? warum wird
zb. Babos Otto von Wittelsbach (1782) sein 'einziges ritterdrama'
genannt (s. 112), obwol daneben noch Oda (1781 oder 1782) bei
Goedeke s. 1053 aufgeführt ist; warum von FWZiegler vier dramen,
aber weder Jolantha, noch Thekla, noch Fürstengröfse, noch Gast-
recht, noch Barbarey und gröfse (vgl. Goedeke s. 1066 f) benutzt?
graf Soden ist nur mit seiner Ignez de Castro, Iffland, Schlenkert,
Hagemeister, Anton (s. jedoch s. 70 anm.) dagegen trotz ihrer
fruchtbarkeit auf unserem gebiete gar nicht vertreten.

Die 'nationalschauspiele' werden modern. fast jede gegend
Deutschlands wird verberlicht, manche in hervorragender weise: bei
Brahm ist weder von den österreichischen, noch den Schweizer,
noch den Thüringer nationaldramen eine spur. nicht über alle
diese lücken kann der zusatz auf dem titel 'studien' hinweg helfen,
um so weniger, weil trotzdem durch das buch der schein pra-
gmatischer geschichte aufrecht erhalten werden soll. der tadel
muss um so schärfer hervorgekehrt werden, als das sonst vielfach
anregende buch mit einer vornehmen sicherheit geschrieben ist,
die sich kaum billigen lässt. es genügt nicht zahlen sprechen
zu lassen, die zahlen müssen auch richtig sein; es genügt nicht
tabellen zu entwerfen, sie müssen auch die nachprüfung aushalten; beides ist bei Brahm nicht immer der fall.

Brahm bespricht jedes drama von Klingers Otto an einzeln,
um den zusammenhang mit Götz und das weiterschreiten der
einmal gewonnenen anregungen zu verfolgen. viele feine bemerkungen beweisen sinn für das darlegen dramatischer technik
und geistiger abhängigkeit, obwol in letzterer beziehung manchmal zu wenig gebrauch von dem richtig erkannten satze gemacht
wird, dass bei ähnlicher gemütsverfassung auch ähnliche gedanken
sich einstellen. manche der angeführten parallelen beruhen sicher
auf zufall vgl. zb. s. 92 anm. 2. gut ist die analyse des Otto von
Klinger. Brahm tut recht daran von drei handlungen zu reden,
obwol die erste (α) so unbedeutend ist, dass ich sie (Zs. für die
österr. gymn. 1879 s. 278 ff) aufser acht lassen konnte. Brahm
streift den übergang vom bürgerlichen zum ritterschauspiel, geht
aber nicht näher darauf ein. bezeichnend für die zeit ist dass
durch Otto zwei bürgerliche motive fortgepflanzt werden: *k* das
Romeomotiv und *l* der streit zweier männer um eine frau. dieses
letztere, bei Klinger nur angeschlagen, findet bei Hahn eine verstärkung und wird von Blumauer in ganz neuer weise verwertet:
Blumauers form des motives bleibt für die ganze menge der folgenden dichter mafsgebend. bei Klinger läuft es nebenher, als
zweites oder drittes, bei Hahn wird es hauptmotiv. von Hahn
ab sind es zwei ritter, welche sich, von liebe getrieben, ein weibliches wesen streitig machen; bei Blumauer wird das verhältnis
im hinblick auf Goethes Stella gemodelt: beide ritter sind durch
ewige bande mit jener einen frau verknüpft, Urach ist der gemahl, Henneberg der gesetzlich verlobte Erwinens von Steinheim; es brauchte nur einen einzigen schritt und das motiv der
Stella war vollständig erreicht, und diesen schritt tat Babo mit
seiner Oda: hier ist Hermann der erste, Adelburg der zweite
gatte Odas. von 1780 resp. 1782 an versucht sich eine ganze
grofse reihe von dichtern an diesem probleme, das neben vater-,
kindes- und brudermord als viertes tritt: die bigamie. es ist
die alte sage vom grafen Gleichen, welche so neu auflebt und
nicht nur in der umgestaltung, sondern auch in alter form

dramatisch bearbeitet wird — Brahm hat diese dramen aufser acht gelassen —; es sind deren mehrere, meine aufzählung QF 22, 69 war unvollständig (s. u.). interessant ist bei diesem motive vor allem die lösung, welche bis in die neueste zeit die dichter beschäftigte, man vgl. Tennyson, Waldmüller. in der entsetzlichsten weise vollzieht sie sich in Gellerts roman Das leben der schwedischen gräfin von G***: der graf wird für tot gehalten, die gräfin heiratet den früheren reisebegleiter R.; der graf kehrt zurück und lässt sich ein zweites mal mit der gräfin trauen, welche nach seinem tode abermals ihren zweiten gemahl R. heiratet: wir befinden uns auf dem standpunct der Asiatischen Banise. Goethe, welcher auf dem alten boden der Gleichensage stehen bleibt, gibt eigentlich keine lösung (a), erst in der überarbeitung lässt er Stella sterben und erkennt dadurch die älteren rechte Cäciliens an. Blumauer, welcher den conflict in das weibliche herz gelegt hat, lässt Urach von Henneberg, den rechtmäfsigen, einzig geliebten gatten vom neuen aufgezwungenen verlobten im gottesgericht töten (b); aber Henneberg wird nicht glücklich: Erwine stirbt an gebrochenem herzen, Henneberg duldet als unschuldiger verbrecher. viel roher wird das verhältnis in der Oda: Adelburg ist bereits im besitze Odas, sie wurde ihm angetraut, weil ihr vater in verbrecherischer weise sie über den tod ihres gatten Hermann teuschte. Babo lässt Oda keinem ihrer beiden männer — ein weiterleben à la graf Gleichen ist nicht denkbar —, lässt aber auch keinen tragischen schluss zu: Oda errichtet ein kloster, Hermann und Adelburg leben versöhnt weiter (c). den grösten reiz auf die nachfolger übte die gestalt b aus, welcher ein deus ex machina in form des gottesgerichtes nötig ist. sie entspricht dem bühnendichter — Erwine von Steinheim wurde auf dem nationaltheater in Wien und auf dem zu München aufgeführt — durch das äufsere schaugepränge, hat aber etwas verletzendes. Blumauer verurteilt dadurch das unüberlegte dreinfahren des heifssporns Urach und billigt die ruhe, die gleichmäfsigkeit des gemütes bei Henneberg. Blumauer setzt sich in gegensatz zum Sturm und drang, dessen sympathie gerade jene hitzköpfe hatten. — bei Klinger ist es Otto, bei Goethe Crugantino.

Rätselhaft ist das verhältnis zwischen Maiers Sturm von Boxberg und Hahns Robert von Hohenecken. beide erscheinen gleichzeitig und weisen doch ähnlichkeiten auf, die fast nicht mehr zufällige sein können. Brahm glaubt dass Hahn auf irgend eine weise kenntnis vom plane oder drama Maiers erhalten und es flugs nachgeahmt habe. wir hätten dasselbe verhältnis wie zwischen Klinger und Leisewitz (vgl. Anz. iu 190 ff). jedoch scheint mir, Hahns angabe 'in der mitte des wintermonats 1777' müsse glauben geschenkt werden. sein drama erschien in Berlin 1778 zur ostermesse: wenn man die verbindungen jener zeit erwägt, dann ist es unwahrscheinlich zu glauben, es sei später als ende 1777 ver-

fasst worden. den monat des erscheinens vermag auch ich nicht
anzugeben. möglich dass die. gleiche volkssage verwertet wurde
(vgl. QF 22, 68). sehr genau an Hahns Robert schliefst sich das
anonyme trauerspiel Adelheit von Rastenberg, welches mir in
drei ausgaben vorliegt: Weimar 1788. o. o. 1788. Augsburg 1788
(Deutsche schaubühne i bd.): neun motive *(b.) i. l. (n.)* o. p. *(r.)*
x. y (α, β, γ, δ), dazu schlafen auf der bühne, moudlandschaft.
es will eine 'wahre altdeutsche familiengeschichte' sein.

Für Meifsners Johann von Schwaben ist das motiv der rache
mafsgebend; es erfüllt hier Eleonore von Hennegau die sendung,
nur zu leben, um ihrem ermordeten vater genugtuung zu verschaffen. etwas ähnliches findet sich in einem, Brahm nicht zugänglichen, ritterstücke von Friedrich Vohs: Thusnelde oder der
ritter vom goldenen sporn, ein ritterliches schauspiel in sechs
aufzügen, nach der altdeutschen geschichte gleiches namens be-
arbeitet(?) 1788 (Deutsche schaubühne i, Augsburg. es ward zu
München aufgeführt). das drama, welches acht motive *(c. e. g.
h. k. l. r. t)* enthält, ist ziemlich unklar durchgeführt, doch hat
die titelheldin, die tochter Thuiskons, ritters von der Heldburg,
nach dem letzten willen ihrer mutter an ihrem oheim Waldo und
seinem geschlechte rache zu üben. Thuiskon hat durch seine
tapferkeit die fünf brüder Armin besiegt, dadurch den goldenen
sporn und für sich und seine nachkommen den titel 'ritter vom
goldenen sporn' erlangt, der eigentlich dem Waldo zugedacht war.
dessen sohn, obwol durch unglücklichen ausgang des kampfes
zwischen seinem vater und den Armins um jeden anspruch gebracht, fühlt sich zurückgesetzt, und stielt den sporn. dadurch
wird er entehrt, Armide, seine schwester, die gattin Thuiskons,
stirbt aus gram. Thusnelde zieht als ritter verkleidet aus, Waldos
sohn verliebt sich in ihr bild, obwol er geschworen hat, seine
base zu hassen, und sie gar nicht kennt; sie rettet dem prinzen
Edwold das leben, er verliebt sich gleichfalls in sie. verkleidet als
ritter Tundor kämpft sie mit dem jungen Waldo und besiegt ihn.
versöhnung, der vetter erhält den goldenen sporn, hat aber vorher
geschworen, ledig zu bleiben; Thusnelde und der prinz Edwold
werden ein par. neben dem turnier ein aufzug, im turnierplatz
der ritterschlag an Waldo und Tundor (Thusnelde). erinnert an
Agnes und Erwine. motiv mondlandschaft. ob Meifsners Johann
von einfluss war, kann ich nicht beurteilen, da er mir nicht zur
hand ist.

Gleichzeitig mit Meifsner dichtet Blumauer seine Erwine, die
nicht nur ihrer späteren würksamkeit wegen wichtig ist, sondern
als beweis gelten muss, wie früh Goethe in Österreich bedeutung
gewinnt. zwar steht Blumauer noch ganz auf dem boden des
bürgerlichen schauspiels: ein prophetischer traum im eingang i
1 und 2, der wahnsinn am schlusse, die erzwungene verlobung
mit Henneberg, der alte Steinheim, welcher durch seine thränen

die tochter bestimmt; aber die technik freier, von Goethe bestimmt, massenscenen, turnier und gottesgericht, kinderscenen, alles deutet auf die neue zeit, welche nicht nur im costüm zu bemerken ist. auch im einzelnen nachahmung Goethes. der eine sohn heifst Karl. Erwine u 3 (1780 s. 28 f)

Kirmar . . . (tritt ans Fenster). . . . Doch wer kömt denn da so eilig die Strafse hergeritten. . . .

Friedrich Steinheim (tritt hinzu): Er reitet zum Thor herein. wie Götz ii 271 vgl. Brahm s. 105. der kaiser Heinrich tritt auf wie der kaiser Maximilian im Götz. die einrichtungen des gerichtsplatzes iv 1 (62) und des kampfplatzes v 1 (76) zeigen grofse ähnlichkeit mit Agnes u 3. der schluss v 4 (s. 87) stimmt mit Kaspar dem Thorringer v 9 (1785 s. 131): *unsere spätsten Enkel sollens erfahren . . . und Schande, hohe Schande ihnen, wenn sie nicht weinen, um so ein Weib!* wie Kaspar: *Mir ist er ehrwürdig, dieser Schutthaufen, und Wehe dem Enkel, dem ers nicht sein wird.* hieran hätte sich nun die Oda, die frau von zween männern. ein trauerspiel (aufgeführt auf dem kurfürstl. nationalth. in München) zu schliefsen, von der Babo selbst sagt: *Der Stof dieses Trauerspiels hat Ähnlichkeit mit dem Trauerspiel: Erwine von Steinheim; Oda war lange fertig und schon zur Aufführung bestimmt, eh' jenes Stück zum Vorschein kam.* nach Grandaur aao. s. 25 wurde es im juni 1780 zum ersten male gegeben. es verwertet zehn (oder elf) motive: *g. i. l. n. o. q. r. (u.) w. x. y (z).* ferner schlafen auf der bühne, mondlandschaft. technik strenger, nur im zweiten act dreimaliger ortswechsel. Hermann, der sohn Odas, ist ein gemisch von Karl und Georg im Götz. der alte Hainrich, Odas vater, ist ein menschliches scheusal. er besticht zwei pilgrime, welche Odas ersten gemahl, Hermann (Richard), tot melden. erst darnach gibt Oda dem andringen ihres vaters und Adelburgs nach, und vermählt sich zum zweiten male. sie achtet Adelburg, der ihrem sohn Hermann ein guter vater ist. mehrere motive laufen durch einander. Reimund, Adelburgs freund, hat eine spur von Hermann (Richard) gefunden, spricht im geheimen mit Oda, bringt das schwert und die kette Hermanns unter dem mantel hervor, ins schwert eine schrift eingegraben (vgl. die Räuber). Oda gerät zum ersten male auf den verdacht dass ihre verbindung mit Adelburg würklich eine verbrecherische sei, wird schwach, lehnt sich auf Reimund; das sieht vom fenster Oswald der schildknappe und berichtet seinem herrn dass ein ehebrecherisches einverständnis zwischen Reimund und Oda bestehe, Adelburg ersticht ihn. aufklärung. Reimund hat schwert und kette in einer hütte im walde entdeckt. dort hatte sie ein einsiedler hinterlegt: Richard, es ist der verkleidete Hermann. bei einem grabhügel, der Hermanns vermeintliche gebeine birgt, wird Hainrich, ein zweiter einsiedler, als Odas vater entdeckt. in der einsamen hütte allgemeine erkennung, Hainrich

stirbt unter den verfluchungen Adelburgs. schluss wie angeführt.
IV erinnert an die scene im Otto (Lear) vgl. QF 22, 117 ff.
Brahm 83. das drama ist verworren. die conflicte meist gestreift. besonders Hainrich ist mislungen; er ist der verbrecher,
dem doch jene ehrfurcht gezollt wird, die man dem alter schuldet.
seine tochter ist gleich geneigt ihm zu verzeihen.

Babo wird auch wichtig durch seinen Otto von Wittelsbach,
welcher zur gruppe der bairisch-patriotischen stücke gehört. es
wäre in einer reihe mit den von Brahm behandelten dramen wol
noch AWülfings Garibald, der erste könig in Bojarien ein vaterländisches schauspiel in 5 aufzügen zu nennen gewesen. auf
Garibald wird auch in Ludwig dem Bajer angespielt. Seuffert
wies mir das stück in der Würzburger universitätsbibliothek nach.

Der mir zu gebote stehende raum reicht nicht aus, um das
übrige mit der bisherigen ausführlichkeit zu besprechen und alle
mir vorliegenden nachträge und erweiterungen zu verwerten. der
stoff schwillt von seite zu seite. ich beschränke mich darauf,
den inhalt zu skizzieren.

Nicht übel ist die parodie des rittercostüms in Zieglers ori-
ginal-lustspiele Die liebhaber im harnisch (Wien 1802 mit der
bemerkung 'für das k. k. hoftheater'. vgl. Brahm s. 137); die
motive c. (e.) k. l. p. r. (s.) x werden in launiger weise herübergenommen. durch den unterirdischen gang (r) zb. gelangt der
begünstigte liebhaber Heinrich von Bärnburg in die burg. Kunz
spielt die rolle des schlauen bedienten, man könnte ihn fast
einen vorläufer von Grillparzers küchenjungen Leon (Weh dem,
der lügt) nennen. das motiv des trinkens, das Brahm bei mehreren
der komisch gemeinten pfaffen hervorhebt, wird hier übertrieben:
Ritter Hanns von Falkenfeld lässt sich I 4 ein kleines fass nachtragen, aus dem er einen humpen nach dem andern leert.

S. 123 f. für Sodens Ignez de Castro war vielleicht Ber-
tuchs übersetzung von DelaMotte Iñes de Castro 1773/4 mafsgebend (Seuffert). mir ist keines der beiden stücke zugänglich.
in Sodens Ernst graf von Gleichen, gatte zweyer weiber (1791)
findet sich eine kinderscene, die ganz in den von mir (Zs. für
d. österr. gymn. 1879 s. 282) geschilderten rahmen passt; die
beiden kinder bringen ein 'schwerd'.

Graf: He! was sollt das, Jungens?

*Lamprecht (kläglich): Heinrich höhnt mich: ich könn das
Schwerd nicht blos sehen, und liefe davon.*

Heinrich: Er kanns nicht herausbringen!

Graf: Aber du, Kröte?

Heinrich (ziehts): Da seht! —

*Graf: Junge! Junge! . . . neckt Euch nicht, so fehdet ihr
auch nicht.*

Heinrich: Es ist doch mein!

Lamprecht: Mir hat's der Vater gegeben.

Graf: Beyden! Ihr seyd Brüder . . .

S. 126. für Hagemanns Otto der schütz waren vielleicht Schneiders singspiel 1779 und Schlichts heldenspiel vorbild, vgl. Goedeke 1090 und 1091 (Seuffert). — s. 129 anm. 1. Brahm führt eine variation der von Erich Schmidt HLWagner[2] 2 und von mir QF 22, 63 besprochenen phrase an, welche sich in Maiers Fust findet. er hätte auf die anmerkung Maiers zu dieser stelle (s. 109) verweisen sollen. wie in Hahns Robert das lied würklich ausgeführt ist, so auch in FLSchmidts schauspiele Unglück prüft tugend (Grätzer schaubühne 1796 vii bd.). Werner hat ein lied über sein unglück gemacht, zieht mit Luise, seiner pflegetochter, umber, und sie singt es auf den strafsen zu seiner geige (i 16). — s. 133 die sage von Hainz von Stain erzählt Elisa von der Recke in ihrem tagebuch hg. von Böttiger, Berlin 1815, i 21 ff. sie spricht auch i 12 sehr lobend über die Agnes Bernauerin. — s. 136. von Zieglers Pilgern steht mir eine ausgabe Wien 1791 zur verfügung. — s. 141. Komareks Ida wurde von KADelaMotte in der Ida Münster 1806 (oder früher?) nachgeahmt (Seuffert). — s. 28 anm. 'der Franz von Sikkingen, auf den Schiller anspielt, wurde zuerst am 27 febr. 1783 in Mannheim aufgeführt und einmal widerholt. vgl. Taschenbuch fürs theater, Mannheim 1795, s. 64. der verfasser ist weder da, noch bei Koffka Iffland und Dalberg s. 127 genannt' (Seuffert).

Im siebenten capitel wären einzelne motive chronologisch richtiger zu fixieren, abgesehen davon dass die statistischen angaben nur relative sind.

Als beilagen bringt Brahm einige interessante zusammenstellungen, die gröfsere beachtung verdienten. Brahm sucht den zusammenhang zwischen Törring und dem Sturm und drang in einzelnen 'tendenzen' und stilistischen eigenheiten nachzuweisen, was ihm meist gelingt. er versteht es das thema auf das belehrendste zu erweitern und einige der wichtigsten anschauungen und ansichten der genieperiode in ihren wandelungen zu verfolgen. manchmal würken die überreichen belege ermüdend und dies gilt in noch höherem grade von den 'stilistischen beobachtungen', sie bringen für etwa fünf bis sechs erscheinungen ein erdrückendes material bei. der anhang füllt die seiten 168—229. trotz den hervorgehobenen mängeln kann jedoch Brahms buch nachdrücklich empfohlen und als eine bereicherung unserer litteratur über das 18 jh. bezeichnet werden.

Sinnstörende druckfehler sind nicht zu bemerken, nur fällt auf dass s. 129 f constant *Wildgan* statt *Wildgau* gedruckt ist. müste s. 22 im gedichte nicht der reim hergestellt werden?

Zum schlusse füge ich ein verzeichnis der von Brahm nicht benutzten ritterstücke bei. die mir nur dem titel nach bekannten werden durch * angezeigt. die ordnung ist chronologisch.

*Crauer	Tod kaiser Albrechts	1780 (Goedeke 1075.
Babo	Oda	1782.
ı?	Der kornet	1786.
Klein	Rudolf von Habsburg	1787.
?	Adelheit von Rastenberg	1788.
Neumann	Gottfried von Bouillon	1788.
Graf vB(rühl?)	Skizze der rauben sitten unserer guten vorältern 1790.	
*Holzmeister	Robert ohne land	1790 (Seuffert).
Neumann	Kunz von Kauffungen	1790.
Zimmermann	Eriachs tod	1790.
*Beil	Kurt von Spartau	1790 (Goedeke 1066. Grandaur 222).
Schlenkert(?)	Albert landgraf in Thüringen	1791.
?	Der blinde harfner	1791.
Iffland	Friedrich von Österreich	1791.
Soden	Graf von Gleichen	1791.
Soden	Leben k. Heinrich ıv	1791.
Stein	Die waffenbrüder	1792.
*Anton	Männerstolz und weiberrache	1792 (Senffert).
Giesecke	Lutz von Unterstain	1792.
Lendenfeld	Knapp Konrad	1792.
*Cramer	Adolph der kühne	1792 (Seuffert. überarbeitung von Karl Miedke, Augsburg 1798).
?	Das hl. kleeblatt	1792.
[*Komarek	Faust von Mainz	1793 (Goedeke 1067)?]
Hagemeister	Waldemar	1793(?)
Clesheim	Prüfung und frauengeduld	1793.
?	Minnespiel und ritterwort	1793.
⋆ ?	Deutscher biedersinn u. deutsche liebe 1793 (Seuffert).	
Ziegler	Barbarey und größe	1793.
Ziegler	Fürstengröfse	1794.
Anton	Margarethe die Maultasche	1795.
?	Die tempelherrn	1796.
Sander	Ebbesen von Nörreriis	1797(?)
⋆ ?	Maria von Schwaningen	1797 (Seuffert).
Schlenkert	Kein faustrecht mehr	1797.
*Hensler	Das faustrecht in Thüringen	1797 (Senffert. musik von Ferd. Kauer).
Anton	Die morgenländer in Deutschland	1798.
Hensler	Das Donauweibchen	1798.

Cramer	Das turnier zu Nordhausen	1799.
Schlenkert ⎫ ?	Die bürger und bergknappen von Frei-	
Weidmann ⎭	berg	1799 (?)
Anton	Der kinderfresser im Untersberg	1799.
Creutzin	Der graue mann	1799.
Creutzin	Der prüfstein	1799.
Wiesenthal	Friedr. von Haustein	1800.
Ehrimfeld	Adelheid von Werdingen	1806.
Ziegler	Das gastrecht	1807.
Ehrimfeld	Adolph der treue	1808.
Ziegler	Thekla die Wienerinn	1817.
Rümel	Emma von Raubenlechsberg	?
Rümel	Die einsiedlerin am Kniebisberg	?
Lögler	Kais. Heinrich der vogler	?
Beyer	Das gottesurtheil	?
*Streit	Ritterliebe	? (Gran-

daur. musik von Ant. Dimmler).

Salzburg im october 1880.   R. M. WERNER.

Ewald von Kleists werke. herausgegeben und mit anmerkungen begleitet von dr AUGUST SAUER. 1 teil. Gedichte. Seneca. Prosaische schriften. Berlin, Gustav Hempel, o. j. [1881].

Im jahrgang 1880 der Sitzungsberichte der phil.-hist. classe der kaiserl. academie der wissenschaften hat ASauer eine text-kritische untersuchung über die Ramlerische bearbeitung der ge-dichte ECvKleists veröffentlicht. diese vorarbeit zu der vorliegen-den ausgabe prüfte die überlieferung der Kleisttexte. Kl. hatte im frühjahre 1758 eine umgearbeitete ausgabe seiner werke voll-ständig vorbereitet. Ramler besorgte 1760 die drucklegung der-selben in seiner weise, indem er sich auch hier berufen fühlte, die dichtungen des toten verf. zu übermalen. schon Körte legte bei seiner ausgabe der Kl.schen dichtungen 1803 gegen Ramlers will-kür verwahrung ein, gieng aber auch selbst so kritiklos vor, dass er kein zuverlässiger führer genannt werden kann. er benützte zwar die in Gleims nachlass vorhandenen handschriften Kl.s, mehr als jetzt noch erhalten sind, auch er aber erlaubte sich berich-tigungen. da die manuscripte, welche Kl.s letzte verbesserungen enthalten, nicht wider aufgefunden sind, so stellte sich Sauer die ebenso interessante als schwierige aufgabe, das eigentum des verf.s von dem der bearbeiter zu sondern. indem er anser den ori-ginaldrucken hauptsächlich die Kleistpapiere im Gleimschen fa-milienarchive zu rate zog, hat er sicherlich im ganzen das rich-tige getroffen, wenn er auch im einzelnen wol manchmal Ramler

zuschrieb, was von Kl. herrühren kann — wer will überall
mit bestimmtheit unterscheiden? nach S.s erörterung sind auch
in Körtes redaction Ramlersche änderungen aufgenommen. da
aber Körtes ausgabe die Ramlerschen zutaten offen bekämpft, ist
solche leichtfertigkeit doch schwer begreiflich. Körte behauptet,
den ersten druck des Frühling 'mit vielen über- und neben-
geschriebenen änderungen, davon die letzten in der mufse der
winterquartiere von 1758 und 1759 eingetragen waren' benützt
zu haben; Ramler beansprucht auch nach der letzten gestalt, die
der dichter seinen werken gab, sie ans licht gestellt zu haben:
wo nun beide übereinstimmen, könnte doch eine verbesserung
Kl.s zu grunde liegen. die verwandtschaft zwischen dem 1 druck
des Frühling und Ramlers textrecension mag sich eben daraus
erklären dass, wie Körte mitteilt, Kl. beim verbessern auf den
1 druck zurückgegangen ist und nicht auf den von 1756, mit
welchem der verf. noch dazu nicht zufrieden war (s. LXXXVII.
LXXXIX). aber zu behaupten wage ich diese vermutung gegenüber S. nicht, da mir selbstverständlich seine vertrautheit mit der
textverfassung nicht zur seite steht.

Diese sachlage machte eine kritische ausgabe notwendig. S.
fügt durch dieselbe der Hempelschen classikersammlung einen
höchst wertvollen band an. voraus schickt er auf LXXI ss. eine
zumeist aus briefen geschöpfte biographische skizze. den ge-
burtstag Kl.s vermochte auch S. nicht definitiv festzustellen.
warum der 3 märz RHein das richtige datum zu sein scheint
(Arch. f. litteraturgesch. 9, 247), weifs ich nicht. den schluss
bildet eine nach dem muster der Redlichschen Lessingbibliothek
geordnete Kleistbibliothek. wenn das im Arch. f. litteraturgesch.
1, 494 mitgeteilte brieffragment nicht schon 1803 gedruckt wurde,
was ich hier nicht nachprüfen kann, müste es für 1870 eingereiht werden. sorgfältig wie diese teile bearbeitet S. auch den
text. seine kritischen grundsätze und deren ausführung zeugen
von gründlicher methode. dem texte der unter Kl.s augen erschienenen drucke fügt er den kritischen apparat bei und zwar
unter dem texte, eine grofse erleichterung gegenüber der sonst
bei Hempelausgaben üblichen einrichtung, die textrevisionen an
den schluss des bandes zu setzen. aufserdem wird in anmerkungen, welche die einleitungen zu den einzelnen abteilungen ergänzen, besonders zum Frühling, der text durch parallelstellen
aus Haller und Thomson beleuchtet. nicht weniger wichtig sind
die sprachlichen, grammatischen wie lexicalischen, zusammenstellungen, welche dem Frühling beigesetzt sind. dass auch diese
nicht textkritischen anmerkungen auf beide fassungen des gedichtes verteilt sind, stört; unbedingt müste zb. die note über
'gläsern' nicht bei vers 245 der zweiten bearbeitung stehen, wo
das wort durch 'unruhiges' ersetzt ist, sondern bei v. 296 der
1 fassung. es ist zu bedauern dass S. 'aus erwägungen prac-

tischer art' gezwungen wurde, die verschiedenen textrecensionen nicht parallel sondern hinter einander drucken zu lassen; so von Lob der gottheit, An Wilhelminen, Amyut, vom Frühling. das vergleichen ist nun schwierig, zumal man für das letztgenannte gedicht auch noch im anhang die bearbeitung Ramlers verfolgen muss. der anhang enthält aufser den Ramlerschen überarbeitungen noch stücke von Kl. für das letzte derselben ist Kl.s autorschaft zweifelhaft; trotz dem in der anmerkung mitgeteilten fast überzeugenden äufseren nachweise derselben fällt die auffassung des gedichtes Das kind auf dem weihnachtsmarkte doch zu sehr aus Kl.s art heraus. dass die übrigen nummern in den anhang verwiesen wurden, ist kaum zu billigen; sie seien 'von wenig wert'! in einer auf vollständigkeit abzielenden ausgabe ist dies kein genügender grund, sie von den übrigen, auch nicht gleich wertvollen gedichten zu trennen. auch die in die vorbemerkung zu den gedichten s. 4 aufgenommene strophe aus einem gedichte, dessen ganzer text nicht aufgefunden worden ist, konnte wie andere fragmente der gesammtheit einverleibt werden. die sammlung ist wesentlich vollständiger als alle bisherigen Kleistausgaben. nicht nur werden 19 gedichte nebst 4 älteren fassungen, die vereinzelt gedruckt waren, eingereiht, sondern auch 10 handschriftliche stücke zum ersten male veröffentlicht. S. versucht die dichtungen chronologisch anzuordnen, wozu häufig der briefwechsel des dichters anhalt gab. es bringt diese an sich sehr verdienstliche und wissenschaftlich wertvolle anordnung manches unbequeme mit sich. so ist nicht ganz übersichtlich dass man nicht gleich neben den zwei fassungen des gedichtes Lob der gottheit (nr 3 und 4) den Lobgesang der gottheit (13) liest, der überdies der zeit nach zwischen beiden liegt; dass neben den dichtungen Das gespenst (7) und An Damon (20) nicht gleich die umarbeitungen nr 43 und 25 stehen, während doch die umarbeitungen von Lob der gottheit, An Wilhelminen, Amyut aufser der zeitfolge zur 1 fassung gerückt wurden. gerne würde man auch die sprüche auf Vetulla (54 und 59), die hymnen (81 und 85) usw. neben einander lesen.

Es würde bei solcher gruppierung nach stoffen und arten die dichterische armut Kl.s noch klarer hervortreten. bei aller verehrung für den sänger darf man sein talent doch nicht zu hoch anschlagen. obgleich auch S. dasselbe nicht überschätzt, wie die vorzügliche characteristik erweist, die er der lebensskizze angehängt hat, darf man sich doch wol noch etwas weniger von dem verklärenden strahle blonden lassen, mit welchem der beidentod den dichter beglänzt. gewis wohnte in dem edlen mann eine empfindende und empfängliche seele — Lessings freundschaft und anerkennung bürgt dafür mehr als die des allvaters Gleim — aber als schöpferischer geist vermag Kl. kaum zu gelten. wol fähig im einzelnen dichterisch zu schauen und zu fühlen

ist sein kunstsinn nicht stark genug, gröfseres aus einem gusse
zu gestalten. sein Frühling ist nur ein bruchstück. der wille
und die idee fehlte nicht zur vollendung, aber die form wurde
nicht gewonnen. 'mein kopf ist voller winterbilder' schreibt er
einmal; 'aber kaum fange ich an zu arbeiten, so bin ich so echauf-
fiert, dass ich es muss bleiben lassen.' ein andermal: 'ach wenn
ich doch den sommer machen könnte! ... mich graut aber
für die arbeit; der rhythmus wird mir gar zu sauer, und ich
darf nicht zu viel sitzen.' eine arbeit also ist ihm das dichten,
eine mühselige arbeit. aber er vollbringt sie doch zuweilen, weil
auch er angesteckt ist von der dichtleidenschaft seiner zeit. zumal
Gleim beruft ihn! vorher hatte er nur 'carmina und schmiralien'
gemacht; als reifer mann erst beginnt er die bessere poetische
laufbahn und war darum zu anfang derselben so fertig wie am
ende; eine entwicklung aufser der ausfeilung und abrundung im
kleinen ist wenig bemerkbar. deshalb heben sich auch die von
S. abgeteilten drei perioden der gedichte Kl.s nicht scharf von
einander ab. das thema des Frühling klingt in fast allen dichtungen, von den ersten erhaltenen an, durch. nicht irrtümlich
also ist Kl.s name gerade an dies gedicht gefesselt. nur die
wenigsten stücke entbehren der vergleiche oder schilderungen
aus der natur. überall sonnenschein und schatten, blitz und
regen, schneeige berge, wälder und klüfte, fluren und hügel,
silberbäche, gesträuche und büsche, hecken und lauben, betaute
rosen und duftende blumen, hauchende winde, nachtigallengesang
und widerhall. das Lob der gottheit kann für eine skizze zum
Frühling gelten, um nur ein beispiel von widerholungen herauszugreifen. das mittelglied zwischen beiden bildet der Lobgesang der
gottheit. wer die verse 57—60 des ersten gedichtes (nr 3) mit
v. 16—31 des letztgenannten (nr 13), und dies dann wider mit
v. 344—352 des Frühling (nr 89) vergleicht, wird die grofse
ähnlichkeit sofort wahrnehmen. die beispiele lassen sich leicht
vermehren. neben der naturschilderung und gottesverehrung bevorzugt der dichter noch zwei betrachtungen: über die traurigen
folgen des krieges und häufiger noch über das eitle unwesen
von titeln und ehren, der goldsucht, des nachruhmes in denkmälern udgl. belege für letztere ausfälle enthalten die gedichte:
An Wilhelminen nr 5 v. 61—74. An herrn rittmeister Adler
nr 10 v. 11 ff. Schäferwelt nr 17. Einladung aufs land nr 55
v. 37 ff (Hymne nr 81 v. 50). Hymne nr 85 v. 1 ff. Der frühling nr 89 v. 64 f. 202 ff usf. leute, die solchen neigungen
fröhnen, sind für Kl. niederen sinnes und pöbel wie bei Klopstock die gottlosen niedriges volk und pöbel heifsen (vgl. QF
xxxix 8): zb. An Wilhelminen nr 6 v. 43. Der vorsatz nr 14
v. 13. Der frühling nr 89 v. 202. 371. überhaupt kehren bei
gewissen anlässen gerne dieselben bezeichnungen wider. selbst
so geschmacklose bilder wie der vergleich der natur mit einer

tapete zb. nr 4 v. 29 *schmückt die hand des frühlings mit tapeten unsre grenzen.* nr 81 v. 64 *bewundern in der au tapeten dich* (gott). nr 89 v. 347 *mit güldenem schimmer durchbrochen sind deiner* (gottes) *säle tapeten.* ... derartige beispiele lassen sich neben den von S. beachteten zahlreich sammeln. recht deutlich wird der einfluss des verses auf den stil, wenn man die ausgeführten vergleiche in Cissides und Paches — nebenbei das beste in dem heldengesang — betrachtet, zb. die bündige schilderung der überschwemmung im frühjahr nr 95 v. 14 ff mit der gleichen im Frühling nr 89 v. 20 ff, wo gewis der grund zur verschiedenheit nicht nur darin liegt, dass dort der ausführung schranken gezogen sind, während sie hier ausströmen muss. im ganzen würde ein Kleistlexicon nur einen kleinen wortschatz zu verzeichnen haben und als noch dürftiger würde der kreis von vorstellungen sich enthüllen.

Dass dem ungeachtet Der frühling für seine zeit eine bedeutende tat war, würde kein kenner jener litteratur läugnen, auch wenn es die nachahmungen nicht lehrten. gegen deren übermafs schrieb Schubart seinen Antikleist (Arch. f. litteraturgesch. 6, 358). Wieland ist stark von Kl. abhängig, wie auch S. andeutet, obwol die beiden verschiedene vorwürfe für ihre gleichnamigen dichtungen wählten. schon darin bekundet sich der unterschied der persönlichen anschauungen, der zugleich die differenz der sinkenden und steigenden periode verrät. Kl. will die natur beschreiben und durchwandert sie. Wieland gibt ein subjectives stimmungsbild, ruht, denkt, vergleicht. ich möchte auf ein par anklänge im einzelnen aufmerksam machen. beide dichtungen heben nach der einleitung ähnlich an: Kl. nr 89 v. 78 ff *Hier wo ... der fels ... den bläulichen strom beschattet, Will ich ins grüne mich setzen:* Wieland (ich citiere den Frühling nach den Poetischen schriften bd 1, Zürich 1762) s. 302 z. 25 f *Hier wo am hügel der murmelnde bach zum schlummer mich ladet, Ruh' ich.* ... wenn Wieland dann fortfährt 303, 5 ff *Hier wo mich mit einsamen schatten Blühende hecken* (vgl. Kl. v. 83 *feldrosen-hecken) umwölben, hier will ich, o frühling, dich fühlen...,* so vergleiche man damit die ersten verse Kl.s: *Empfangt mich, heilige schatten!* ... *Ihr hohen gewölbe voll laub und ... lüfte! Die ihr oft einsamen dichtern der zukunft fürhang zerrissen ... füllet die seele Mit ... ruh'!* Kl.s sehnsucht nach innerem frieden ist bei Wieland verwürklicht; er ruht *von keiner sorge belästigt* (303, 7); Kl. aber klagt v. 212 ff *Ach, wär' auch mir es vergönnt ... Gestreckt in wankende schatten am ufer schwatzhafter bäche ... niedrige sorgen Vorüberrauschender luft einst zuzustreuen.* ebenso characteristisch verzweifelt der trübsinnige Kl. an seiner zukunft s. 246 ff, Wieland aber hofft auf dieselbe 308, 16 ff. wenn jener wünschend ausruft v. 6 f *o, dass mein lebensbach endlich Von klippen, da er entsprang, in euren gründen verflösse!*, so stimmt Wieland zuversichtlich ein 304, 11 *dann soll mein . . . leben . . . hinüberfliefsen, dem bach gleich, Der hier aus seinem felsichten quell auf klippen und hügel . . . hinwegrauscht.* gleiche abneigung haben die dichter gegen ruhmsucht und geiz (Kl. v. 64 f), gegen gold und ehre (Wieland 303, 12). das sind törichte wünsche und sorgen (Kl. v. 209. 249. Wieland 303, 8. 11), die der mensch lassen solle, um sich der natur zu freuen (Kl. v. 61 ff. Wieland 303, 8 f). beide sänger wünschen sich freunde und die geliebte zur seite (Kl. v. 216 ff. 230. 236. Wieland 303, 17 f. 22); darüber hinaus geht nur der eine wunsch, die weisheit möge bei ihnen einkehren (Kl. 219 f. Wieland 303, 16. 304, 2). weil Kl. eine vision bringt v. 228 ff, kann Wieland eine solche nicht entbehren 309, 12 ff; wie Kl. den krieg hereinzieht v. 109 ff, so auch Wieland 312, 17 ff. bis in einzelne ausdrücke stehen sich die gedichte nahe; statt dutzenden nur zwei beispiele: Kl. v. 232 *So tritt die tugend einher, so ist die anmuth gestaltet:* Wieland 304, 30 *Dir hat er . . . die unschuld In die gestalt der anmuth gekleidet.* Kl. v. 262 *Die flügel der westwinde duften:* Wieland 306, 25 *Zephyr mit stärker düftenden flügeln. . . .* so nachhaltig war der eindruck des Kl.schen Frühling auf Wieland, dass noch, als er den Cyrus dichtet, er die phrase Kl.s *verwandelt die schwerter in sicheln* (v. 133) seinem helden in den mund legt (Zürich 1759 s. 10 z. 6). auch der vergleich mit anderen verfassern von landlustgedichten würde lohnend sein. ich greife zufällig Eberhards Friedrichs vGemmingen Poetische blicke in das landleben (Zyrich 1752) heraus. er entlehnt seine *streifichten wiesen* s. 5 z. 6 von Kl. v. 444, 78; seinen *sturm aus Islands gebyrgen* 6, 1 von Kl. v. 49 f, *schleestrauch und heken* 6, 3 v. u. von Kl. v. 83; den *kriechenden weinstock* 7, 9 von Kl. v. 143; *die mutter der dinge* 9, 2 v. u. von Kl. 254 usf. 10, 5 ruft Gemmingen aus: *Fylle dies herz mit wehmuth und ruh, es gleiche dir gegend . . . still wie die wogen Deines friedfertigen bachs in blyhende thaeler verfliefsen,* was Kl. v. 6 f nachgeschrieben ist usw.

Für solche untersuchungen bot natürlich S.s ausgabe keinen raum. treffend hat er den Frühling characterisiert und die abstammung wie den durchschlagenden erfolg angezeigt. die ganze stellung Kl.s bestimmt er mit recht als eine solche, die für die entwicklung der litteratur ohne eingreifende bedeutung ist. Kl.s dichtungen bilden kein notwendiges verbindungsglied in der kette der erscheinungen. an dem litterarischen parteiwesen nahm er wenig teil: er wendet sich gegen die Leipziger, aber, als er in der Schweiz gewesen, auch gegen die Zürcher. und doch erinnern die ansätze der von ihm projectierten moralischen zeitschrift an die Discourse der mahlern. ein gericht in der unterwelt schildert der 1 discurs des 4 teiles wie Der neue aufseher st. 1; gegen das reiten der frauen eifert dessen 4 stück wie der 6 discurs des

3 teiles. in dieser wochenschrift hätte Kl. seinen idealen character verwerten können; auch seiner neigung zum beschreiben
durfte er hier die zügel schiefsen lassen; die naturschilderung
im 5 stück mahnt wider sehr an den Frühling. dichterischer
reichtum und gestaltungskraft tat hier weniger not. der tod,
den er von der walstatt heimtrug, setzte rasch die grenze. wie
der feindliche feldherr die gefallenen gegner Cissides und Paches
ehrt und ihre asche in einer urne bewahren lässt, so geleiteten
den preufsischen major russische officiere ehrenvoll zu grabe.
also ward Kl.s dichtung zur wahrheit. zwanzig jahre nach seinem
tode wurde ihm ein denkmal von stein gesetzt; ein herr Mayer
gab eine beschreibung dieses monuments bei Frankfurt 1780 mit
kurzen lebensnachrichten. das bild, das nun Sauer dem liebens-
würdigen helden errichtete, wird zu persönlicher lebendigkeit
erwachen, sobald, wie S. verspricht, als 2 band die briefe Kl.s
erschienen sind. die vortrefflichkeit des 1 bandes ist die beste
bürgschaft für den zweiten.

Würzburg.   BERNHARD SEUFFERT.

Klinger in der sturm- und drangperiode. dargestellt von MRIEGER. mit
    vielen briefen. Darmstadt, Bergsträfser, 1880. xii und 440 ss. 8°. —
    8,60 m.*

'Man kann von Klinger, wenigstens von dem jungen, nicht
sagen, dass sein characterbild in der geschichte schwanke. es
gehört vielmehr zu denen, die fest ausgeprägt worden sind, ohne
dass man vom leben des mannes etwas rechtes wuste und von seinen
schriften eingehend und zusammenhängend kenntnis nahm....
erst die neueren studien über ihn haben begonnen, dieser ab-
schreckenden(?) figur menschliche züge abzugewinnen.' mit diesen worten kennzeichnet Rieger etwas pessimistisch den stand der
Klingerforschung. er hätte beifügen können dass die arbeiten
OErdmanns und ESchmidts mehr noch als der aufklärung über
Klingers individualität der erkenntnis seiner stellung in der sturm-
und drangperiode zu gute kamen. aber gerade dass R. hiervon
umgang nimmt, bezeichnet seine absichten. es ist nicht sein
erstes ziel, den schriftsteller Kl. in seiner zugehörigkeit zu einer
bestimmten litteraturepoche zu untersuchen, sondern als haupt-
ziel hat er die schilderung von Kl.s persönlichkeit, seiner eigenart, seiner inneren entwicklung und seiner äufseren erlebnisse
verfolgt. nicht als ob der verf. Kl.s beziehungen zu seinen zeitgenossen nicht angäbe. vor allen werden die bekanntschaften

[* vgl. Litt. centralbl. 1880 nr 45. — Zs. f. d. ph. 12, 382 (OErd-
mann). — DLZ 1881 nr 16.]

von auge zu auge sorgfältig erörtert und als characterbilder neben
Klinger gestellt. ja man könnte sogar bedenken tragen, ob R.
nicht da und dort, zb. bei der schilderung der verbindung zwischen Kl. und Seyler zu weit ausholt; was für eine nachwürkung
auf Kl. als theaterdichter der Seylerschen truppe hat Seylers teilnahme an der Hamburgischen entreprise? Seylers wesen, der
Hensel vorleben durfte unbeschadet der deutlichkeit kürzer dargelegt werden. anch die rein litterarische beeinflussung lässt R.
nicht aufser betracht, wie zb. der erörterung von Kl.s Orpheus
sehr zweckmäfsig eine beleuchtung Crebillons vorangeht. obwol
also R. die litterarische abstammung und verwandtschaft verfolgt,
obwol er auch die aufnahme der Kl.schen dichtungen beachtet,
sieht er doch nicht über die beziehungen seines helden zum
einzelnen hinaus. er verschmäht es, dem schauplatz, auf dem
Kl. auftritt, ein einheitliches gepräge zu geben, unterlässt es zu
zeigen, wie Kl. in das gesammtbild seiner zeit sich einfügt, aufmerksam zu machen worin alle sich gleichen, worin Kl. sich
abhebt, worin er die gemeinsamkeit fördert. man merkt dass R.
auf vergleiche und parallelen kein gewicht legt und dass er, um
nicht an den ausschreitungen der an sich doch fruchtbaren mo-
tivenjagd teil zu nehmen, darauf verzichtet, die gemeingiltigen
anschauungen hervorzuheben. fachgenossen werden es beklagen
dass hierin R. der eröffnung seiner kenntnisse schranken zog.
auch in sprachlicher und stilistischer beziehung hätte er mehr
geben können, wie seine ausführungen in der Zs. f. d. philol.
9, 493 ff beweisen. er will die forschungen, die er unternahm,
verdecken, um ganz erzähler und darsteller zu sein. eben diese
richtung des verf.s ist offenbar auch die veranlassung dass er
nur spärlich litterarische nachweise gibt, dass er insbesondere
mit allgemeinem danke für manche speciellen vorarbeiten es in
dem vorwort genug sein lässt. und doch wird der Klinger-
forscher auch nach der benützung von R.s buch aus diesen noch
belehrung schöpfen können.

Es kann diese stellung R.s nicht wunder nehmen. sein ver-
wandtschaftliches verhältnis zu dem dichter war die erste ursache,
Kl.s biograph zu werden. und die hingebende verehrung, mit
welcher der grofsneffe aus der familienüberlieferung schöpft und
in unermüdlicher ausdauer für seinen zweck sammelte, mit welcher
er seine darstellung durchwärmt, macht seinen standpunct nicht
nur begreiflich, sondern erweckt für den verf. wie für sein buch
anerkennende sympathien. zumal R. redlich nach unbefangener
beurteilung strebt, so dass er an den wenigen stellen, wo eine
überschätzende vorliebe sich zu zeigen scheint, weniger durch
voreingenommenheit verführt als von eigenen ansichten geleitet
der üblichen meinung widerspricht. mit überzeugender einfachheit ist das ganze buch geschrieben. das ziel, das er sich steckte,
hat der verf. ohne irrgänge glänzend erreicht: 'psychologisch be-

lebt und verständlich' steht würklich jetzt das bild Kl.s vor dem
leser. gerade darum wird das buch nicht allein den fachgenossen
eine anregende lectüre sein.

R. verbindet das leben Kl.s mit den schriften. daraus er-
wächst der bedeutende vorteil dass er die äufseren ereignisse
und die dadurch hervorgerufenen stimmungen auch in den werken
widergespiegelt zeigen kann. mit dem grösten geschick hat er
das persönliche in Kl.s schriftstellerei hervorgehoben, das subjective darin enthüllt. nur durch eine ausführliche analyse der
dichtungen war das möglich. R. teilt sogar häufig stellen aus
den werken mit. auch dadurch wird das buch denen geniefsbar,
welche nicht alle dichtungen gelesen haben. wer versucht, den
inhalt der Ki.schen jugendwerke nachzuerzählen, weifs, wie schwierig das ist. im ganzen ist es R. trefflich gelungen. freilich über
so verwirrt abspringende erzeugnisse wie die tragisch-komische
geschichte Orpheus wird der leser keinen klaren überblick bekommen können. daran trägt der dichter die schuld, nicht der
berichterstatter. vielleicht hätte dieser, wenn er doch dem ebenso
unzüchtigen als wertlosen erzeugnisse so breiten raum gönnen
wollte, etwas mehr übersichtlichkeit erreicht, wenn er nicht zwischen den einzelnen teilen des romanes stets wider ein stückchen
leben erzählt hätte. überhaupt ist wol manchmal die chronologische folge gegenüber einer sachlichen gruppenbildung zu stark
bevorzugt.

R. verfolgt Kl.s leben bis zur reise nach Russland. damit
war auch der äufserliche sturm und drang des lebens abgetan,
nachdem Kl. sich schon zuvor aus der litterarischen kraftgenialität
losgearbeitet hatte. Plimplamplasko ist als denkstein der ent-
fremdung bekannt; aber hieran hat neben Kl. Sarasin und vielleicht auch Lavater — Pfeffels anteil weist R. zurück — mit-
gearbeitet, die drei freunde, deren lustige laune auch durch eine
von R. teilweise mitgeteilte improvisation in hexametern verewigt
ist. aber dass Kl. auch selbständig schon im Derwisch sich vom
sturm und drang befreit, hat R. treffend erörtert. ja auch der
Orpheus darf nicht mehr zu dieser richtung gerechnet werden.
zwar sind einige teile in abgerissenem stile, in wechselnden sce-
nenskizzen verfasst; andere aber streben behaglichen plauderton
an, wobei Wieland das vorbild war. die ganze anlehnung an
Crebillon widerspricht den anschauungen des originalgenies. für
den roman, um einen augenblick bei demselben zu verweilen, obwol er es nicht verdient, gab Kl.s leben wol noch in höherem
grade den einschlag, als R. andeutet. Kl. hat dem schönen Bam-
bino, der alle frauen bezaubert, sicherlich erlebnisse unterge-
schoben, die er, der wolgestaltete, 'auf den alles sah, von dem
alles redete', in Eisenach und Weimar und anderswo mit Emilien
und Carolinchen und anderen damen durchgemacht hatte. zu
dem bofschen des grofsen königs im roman hat gewifs, wie R.

nachweist, Karl Eugens hof, wol auch der Mannheimische züge
abgegeben. ohne zweifel aber auch der Weimarische. die schilderung des königlichen hofes passt teilweise auf den Karl Augusts:
'es zogen sich würklich alle grofse genies an seinen hof.' ironisch zwar — man bedenke dass Kl. im unfrieden von Goethe
und Weimar schied — aber doch bezeichnend redet Ali den könig
an: 'du bist der beschützer der künste und wissenschaften. ...
du entzündest gleich einem verwegenen sohn des himmels jeden
funken des genies, die ganze welt spricht von dem liederreichen,
feurigen und kühnen sänger Salmarez, der alle geister der erde
hinter sich lässt.' ... 'der poet Salmarez war der erste günst-
ling des königs' wie Goethe der Karl Augusts. auch von poetischen matinées ist die rede, welche am hofe des grofsen königs
so gut wie in Weimar veranstaltet wurden. der könig war, erzählt der dichter, 'von einem philosophen, der die welt aus büchern
kannte, und von einem südheifsen, phantasiereichen arabischen
poeten erzogen' d. i. von Wieland. 'die gemahlin des grofsen
königs Alma (dh. Luise) war in allem das gegenteil von ihrem
königlichen gemahl. ein berg voll liebe, güte und stärke' ...
doch darf, wenn auch die ähnlichkeiten vermehrt werden können,
natürlich an eine durchgreifende anwendung der parallele nicht
gedacht werden.

Das material zur biographie Kl.s hat R. bedeutend zu vergröfsern gewust. aufser mündlichen berichten aus seiner familie
steht ihm ein wertvoller schatz von briefen zu gebote. 57 briefe
Kl.s werden von R. mitgeteilt. wer die geringe zahl der bisher
veröffentlichten schreiben Kl.s kennt, weifs den zuwachs zu würdigen. am meisten trugen Kl.s briefe an den in Giefsen gewonnenen freund Ernst Schleiermacher zur vermehrung bei. zudem sind auch schon gedruckte briefe hier nach den originalien
oder neuen sorgfältigeren und vollständigeren abschriften (als zb.
dem druck in Holteis 300 briefen zu grunde liegen) gewisser
mafsen neu geboten. ein anhang enthält 14 briefe des musikers
Philipp Christoph Kayser an Schleiermacher, die für Kl.s leben
und treiben von wichtigkeit sind. aber auch in den text sind
zahlreiche briefstellen an und über Kl. eingewebt. es geben freilich diese urkunden immer noch kein bis in alle einzelheiten
aufgehelltes bild des jünglings, so inhaltsreich sie sind, und so
sehr sie die bisherige kenntnis von des dichters leben, denken
und trachten erweitern. sorgfältig wägend und umsichtig ord-
nend hat R. alle andeutungen ausgebeutet. es war keine leichte
aufgabe, die datierung und deutung der fragmentarischen überlieferung ins reine zu bringen. selbstverständlich ist dass, wer
nach R. den weg zum zweiten male geht, manchmal stufen sieht,
auf die er lieber seinen fufs gesetzt haben würde. ich versuche
eine solche stelle zu bezeichnen.

Besondere schwierigkeit bietet die bestimmung des zeit-

punctes, wann Kl. in Weimar eintraf. die erste nachricht darüber enthalten die undatierten, an éinem tage, einem mittwoch,
geschriebenen briefe an Schleiermacher, Kayser und an die familie (nach R.s zählung nr 11. 12. 13). seit zwei tagen d. i.
seit montag sei er in Weimar. der erste genau datierte brief
daher (nr 18) ist am 6 juli 1776 an Schleiermacher gerichtet und
am 9 juli fortgesetzt. dann liegt ein brief vor mit dem datum:
sonntag im juni 76 (nr 17). vor diesem müssen nach R.s richtiger anordnung aus inneren gründen die briefe nr 14. 15 an
Schleiermacher und 16 an Agnes Klinger, sämmtlich ohne zeit-
angabe, liegen. wer nun die zwei daten, das vollständige und
das unvollständige festhält und vom 6/9 juli zurückrechnet, kann
in der tat die reihenfolge nur so anordnen, wie sie in R.s zählung ausgedrückt ist. darnach wäre 17 am 30 juni, 15 und 16,
die am gleichen tage verfasst sind, am 23 juni, 14 am 16 juni
und die ersten drei briefe am 12 juni geschrieben, so dass Kl.
am 10 juni in Weimar angelangt sein müste. damit stöfst R.
Riemers mitteilung, Kl. sei am montag 24 juni angekommen, um.
diese notiz, wie R., selbst bedenklich, beachtet, stützt sich wol
auf Goethes tagebuch, wo Kl. am 24 zuerst genannt wird. da
nun Kl. von Goethes herzlichem empfang und von häufigem zusammensein berichtet, so ist kaum denkbar dass Goethe die über-
raschung durch dessen plötzliche ankunft und den verkehr 14 tage
lang nicht gebucht haben soll. allerdings verzeichnet er ja am
24 nicht dass Kl. angekommen sei; dieselben lakonischen worte
'nachts Klinger' sind auch unterm 29 juni eingetragen. aber es
beobachtet R. ferner als 'auffallende unterstützung von Riemers
annahme' dass nach Kl.s 1 brief einige tage vor seiner ankunft
in Goethes garten ein vogelschiefsen war: ein solches wurde nach
Goethes tagebuch am 18 abgehalten. dies datum passt, wenn Kl.
am 24 juni ankam, nicht wenn er am 10 eingetroffen war. R.
muss zur wahrung seiner datierung vermuten dass auch in den
tagen vor dem 10 ein schiefsen bei G. veranstaltet war, worüber
das tagebuch schweigt. ferner ist es doch mindestens auffallend
dass Wieland am 22 juni in einem längeren briefe an Lavater,
worin er auch von Goethe und Lenz spricht, über Kl. geschwiegen
haben soll, wenn er diesem schon seit dem 11 juni die entgegenkommende freundlichkeit bewies, welche Kl.s briefe enthusiastisch
bezeugen. nicht nur diese schwierigkeiten machen mich bedenklich, R.s chronologie zu acceptieren. freilich kann ich, ohne
einen schreibfehler anzunehmen, keine bessere zeitfolge feststellen.
aber so gut Kl. am 7 august einen brief mit 7 juli datierte, was
R. bei dem briefe nr 20 mit recht behauptet, kann er auch das
datum sonntag im juni beim briefe nr 17 für sonntag im juli verschrieben haben; das leben in saus und braus verwirrte jede zeitrechnung. diese conjectur glaube ich aus dem inhalt der briefe
begründen zu können. einem so genau überlegenden forscher

wie R. zu widersprechen, bedarf einiger ausführlichkeit. am
6 juli berichtet Kl., sein leben fange an unter einander, wild
und zerstreut zu gehen, und beschreibt sein gesellschaftstreiben
vom 3 juli ab. also kann er nicht schon zuvor die letzte juni-
woche hindurch wild gelebt haben, wie das datum sonntag im
juni ergäbe. denn der brief 17, den R. auf den 30 juni ansetzt, ist an einem ruhetag nach einer flotten woche geschrieben.
ferner hat Kl. erst am 3 juli hrn vLynker in Tennstädt kennen
gelernt: er schreibt am 6, dass er bei ihm seine 'niederlage beschloss'. am 5 war er wider bei diesem gewesen und wollte am
7 aufs neue dahin. wenn er nun in brief 15 schreibt, in Tennstädt sei seine 'hauptniederlage', so kann das nur nach diesen
tagen der fall gewesen sein, nicht aber schon am 23 juni, welches
datum R.s chronologie notwendig macht. in eben diesem briefe
15 wird von einem unendlich grofsen und vornehmen schwall
von leben und einem zurückziehen 'seit samstag' erzählt; dies
muss samstag der 13 juli sein, da noch am dienstag dem 9 juli
Kl. von argem taumel berichtet hatte. brief 15 (und damit auch
16) ist also unmöglich vor dem 14 juli, wahrscheinlich erst am
15 verfasst, weil Kl. am sonntag 14 kaum den ausdruck 'seit
samstag' gebraucht hätte, zudem er in demselben briefe auch über
ein ereignis von 'gestern' spricht. demnach: seit dem 3 juli zer-
streutes leben; 1 brief darüber 6/9 (dann der briefauszug Schleiermachers vom 11 juli). eine ruhepause tritt samstag den 13 ein
davon erzählen die briefe 15 und 16 am 15 juli. dienstag, den
16, beginnt der taumel wider, darnach schreibt Kl. am sonntag
im juli, d. i. am 21 juli, dem datum, das ich für brief 17 vermute. die briefe 15 und 16 nach 17 zu rücken, hindert der
widerspruch, dass dann Kl. sonntag 14 juli ausführlich seinen
plan, soldat zu werden, enthüllte, und über eine woche später
schriebe, er sei immer noch ohne zweck und ziel. nach diesen
feststellungen sind vor dem 6 juli nur die briefe 11—14 unterzubringen. hält man für nr 11. 12. 13, die am gleichen tage
verfassten anzeigen der zukunft, den 26 juni in übereinstimmung
mit Riemer und Goethes tagebuch fest, so ergibt sich für nr 14,
wenn Kl. seinen (in 11 ausgesprochenen) vorsatz, den nächsten
sonntag zu schreiben, ausführte, das mutmafsliche datum des
30 juni. vor dem 3 juli muss der brief geschrieben sein, weil
er in demselben sein bekanntwerden mit Knebel und dem prinzen
erwähnt, mit welchen er seit dem genannten tage intim verkehrt,
auch nur vor diesem 3 juli von seinem leben 'in seiner klause'
reden kann. wer die briefe in dieser reihenfolge (26 juni nr 11.
12. 13; 30 juni 14; 6/9 juli 18; 11 juli 19; 15 juli 15. 16;
21 juli 17; 7 august 20) liest, wird kaum noch innere widersprüche finden; es greift alles besser in einander. so zb. ist Kl.
am 3 juli zu prinz Constantin zur tafel 'gebiet'; unmöglich kann
der brief 16 mit dem satze 'beym prinz Constantin kann ich

essen wann ich will' früher geschrieben sein, wie R. meint. ferner
ist brief 20 deutlich die erwiderung auf Schleiermachers antwort
über Kl.s militärplan, den dieser im briefe 17 mitgeteilt hat, indem er den stand verteidigte; darauf beziehen sich die worte am
7 august: 'mich freut unendlich . . . dass du . . . das grofse
dieses standes nun klar erkennst.' dazwischen können nicht
5 wochen, wie sie R.s datierung ergibt, verflossen sein. Kl.s idee,
offizier zu werden, wurde offenbar von Wieland vor ende juni
aufgebracht (nr 14); obwol Kl. schon vor langen jahren das grofse
dieses berufes erkannt hatte (nr 20), so waren das jetzt doch nur
zuckungen; er studiert zwar zum amusement tactik, will aber
kein soldat werden (nr 18). dann mischte sich, vermutlich auf
Wielands anstiften, die herzogin mutter ein und vor dem 21 juli
wurde Kl. beredet; Goethe hatte am 17 Weimar verlassen, sonst
würde er gewis bei der mitteilung dieses entschlusses genannt.

Auch in anderen einzelheiten wurde ich nicht völlig von R.
überzeugt; zb. müste er doch für die annahme, Kl. habe im
Goetheschen nebenhaus in Frankfurt gewohnt, sufser dem bekannten verse stärkere beweise beibringen als den, dass mutter
Aja nur dem knaben, nicht dem erwachsenen Kl. habe märchen
erzählen können.

Bei jeder umfassenden darstellung wird der aufmerksame
leser in diesem oder jenem detail zweifel begen, ein zusätzchen
machen, ein tüpfelchen gerader auf den grundstrich setzen können.
so möchte man hier etwas mehr von dem Giefsener studentenleben
hören, durch dessen unglaubliche rohheit (vgl. OBuchner Giefsen
vor hundert jahren) Kl.s derbheit doch wol gefördert worden ist.
über Kl.s verbindung mit Seyler gibt JHFrMüller in seinem Abschied vom k. k. nationaltheater einige nachrichten. das local
im Otto ist doch nicht ganz unbestimmt (s. 38): Otto wirft den
getöteten Normann zum fenster hinaus in den Rhein (Deutsche
litteraturdenkm. 1 s. 105 z. 17). nicht zuerst dem Leidenden
weib (s. 24), schon dem Otto, den ja R. als erstlingsdrama erweist, sind italienische verse eingeflochten usw. wer wird über
dergleichen kleinigkeiten mit dem verf. rechten wollen? zumal
gegenüber der fülle neuen wissens und neuer beobachtungen,
die R. vorlegt. es ist unmöglich, all das neue hier auch nur
zu skizzieren. einer genauen kenntnis Kl.s wird künftig niemand
sich rühmen können, der nicht eingehend R.s buch studiert hat.
ungeduldig wie die wenigsten bücher wurde diese biographie von
Rieger erbeten und gefordert. alle freunde der litteratur danken
es dem verf. dass er den ersten teil derselben zu veröffentlichen
sich entschloss, schon bevor ihm das ganze lebensbild zu liefern
möglich war. mit dringender bitte wünschen alle dem verf. zur
vollendung des 2 bandes, der 'Klinger in der reife des lebens'
darstellen wird, mufse und kraft. dann erst wird das psychologische musterbild, das hier geschaffen ward, zur völligen wür-

digong gelangen können. dann auch wird der bedeutende gewinn, den die litteraturgeschichte aus dieser biographie zu ziehen
vermag, ganz geschätzt werden können.

Würzburg.   BERNHARD SEUFFERT.

Faust von Goethe. mit einleitung und fortlaufender erklärung herausgegeben
    von KJSCHRÖER. erster teil. Heilbronn, Verlag von gebr. Henninger,
    1880. LXXXVI und 304 ss. 8⁰. — 5 m.

Das buch greift in erfreulichster weise in die neue deutsche
litterarische bewegung ein, indem es die dichtung geschichtlich
behandelt, die einzelnen phasen ihrer entstehung analytisch verfolgt und bei erklärung des einzelnen einer gröfseren vollständigkeit sich befleifsigt, als bisher in commentierenden Faust-ausgaben
geschehen. die germanistischen studien des verfassers zumal sind
zur überwindung der manigfachen sprachlichen schwierigkeiten
verwertet. auch hierin liegt ein fortschritt. als gereifte frucht
durch viele jahre widerholter lehre, stellt die Schröersche bearbeitung des Faust sich selbständig neben die vorhandenen com-
mentare, vor ihnen durch den reichtum neuer und treffender
erklärungen sich auszeichnend. einer fast absoluten vollständigkeit und richtigkeit derselben wird sich bei künftigen ausgaben
des werks leicht nahe kommen lassen, wenn einzelnes wichtigere
noch nachgeholt, das vielfache überflüssige, den text mit anderen
worten widerholende beseitigt, und einzelnes verfehlte berichtigt
wird. sehr zu loben ist die hinzufügung eines registers aller
noten und die correcte verszählung, deren unveränderte annahme
für alle Faustausgaben sich empfiehlt.

In das detail der erklärungen einzutreten, enthalte ich mich
jedoch, um der vorausgeschickten einleitung 'die entstehung von
Goethes Faust' eine genauere betrachtung zu widmen. vorweg
kann der wunsch nicht unterdrückt werden, dass es dem verf.
gefallen möge, den künftigen ausgaben des buchs eine andere
einleitung voranzuschicken, eine solche, welche, positiver gehalten,
noch andere seiten der allgemeinen fragen, welche bei Goethes
Faust zur sprache kommen müssen, erörtert. Schröer hat im
wesentlichen zwei artikel aus zeitschriften zu einer einleitung
zusammengestellt. diese artikel gehören aber nicht ganz hieher,
als zu speciell, zu polemisch, in ihren ergebnissen zu wenig gesichert, während der leser über die geschichte der Faustsage, ihr
verhältnis zu Goethes dichtung, die geistige und litterarische bedeutung und stellung derselben, welche zb. Carriere in der einleitung seiner Faustausgabe so trefflich darlegt, über die geschichte
ihrer aufnahme durch die zeitgenossen und ihrer würkungen im
in- und auslande hier unzureichende oder gar keine belehrung

findet. zwischen einleitung und texterklärung besteht insofern ein misverhältnis, als diese den denkbarst weiten, jene einen engen, mit den schwebenden litterarischen problemen vertrauten, einer belehrung über die bedeutung des allgemeinen und einzelnen nicht bedürftigen leserkreis voraussetzt.

Von solchen problemen berührt Schröer (s. xxiv) die an das vorkommen des erdgeistes geknüpfte, neuerdings von KFischer vertretene annahme verschiedener ursprünglicher pläne und weist die einheit in der figur des Mephistopheles, gelegentlicher widersprechender äufserungen unerachtet, sowie im erdgeist ein auf seiten des herrn stehendes, sich in das ganze einfügendes zwischenglied richtig nach. beiläufig nur erwähnen wir die ausgezeichnete entwicklung des protestantischen characters der Faustsage (s. xxi). auch den argumenten gegen die hypothese von einer ursprünglichen prosaischen gestalt der Goethischen dichtung, welche über einzelne scenen hinausgienge, wird nur beizupflichten sein.

Dagegen konnte der versuch, die allmähliche entstehung der dichtung im einzelnen aus Goethes innerer entwicklungsgeschichte herzuleiten (s. vii ff), nicht gelingen, weil die verschiedenen stufen jener entwicklung sich nicht scharf sondern lassen, eine in die andere verflochten ist und stets ein ὕστερον πρότερον die allgemeinen linien durchbricht. die entwicklungsperioden eines dichters bestimmen sich nur a potiori. dies zeigt, was Goethe anbetrifft, an sich schon die wiederaufnahme des Faust in seiner classicierenden periode, in der zeit der Achilleis und der Propyläen. um mit nur annähernder sicherheit eine einzelne scene einer bestimmten zeit zuzuweisen, bedarf es deshalb in den meisten fällen eines äufseren anhaltes. nur wegen äufserer zeugnisse setzen wir die entstehung der hexenscene in die zeit des römischen aufenthalts, und erst nachträglich finden wir einerseits unterstützende innere gründe, und lassen andererseits widersprechend scheinende bei seite. von diesem standpuncte bedürfen Schröers annahmen von der entstehung der meisten sccucn, welche der Faust von 1808 mehr enthält als das fragment von 1790, als conjecturen weiterer begründung.

Dies gilt zunächst von den kleinen sceucn Gretchen am spinnrade, am brunnen, im zwinger, im dom, welche der weimarischen zeit von 1775—1786 überwiesen werden. aber Schröer selbst sagt richtig (s. xlii): 'wir sind ja über diese zeit so genau unterrichtet; es findet sich keine spur.' keine spur in den von Keil herausgegebenen tagebüchern, keine in den briefen an frau von Stein, an Lavater usw. die art, wie Goethe in Italien von dem Faust-manuscripte als einem alten codex spricht, steht jener annahme entgegen, und der wechsel in der bezeichnung Gretchens, der einzige äufsere grund bei Schröer, kann zu jeder anderen zeit, namentlich in dem letzten Frankfurter jahre, ein-

getreten sein. ich bemerke jedoch dass auch Düntzer es für
möglich hält, die prosaische scene sei in der gedachten Weimarischen periode entstanden (Arch. f. litteraturgesch. 9, 544).

Wenn Schröer ferner die auftritte, welche die im fragment
gebliebene grofse lücke von v. 252—1417 ausfüllen (s. xxx f),
sowie die Valentin- und die kerkerscene in der Frankfurter zeit
entstanden sein lässt, so vermag ich darin nur das zugeständnis
zu erblicken dass es Goethe in den jahren 1797—1801 vollständig
gelungen sei, sein gedicht im geist und ton des früheren abzuschliefsen. der arbeit kam es zu statten dass er sie gerade auf
dem höhepuncte seines gesammten dichterischen schaffens in
dem jahre wider aufnahm, welches Hermann und Dorothea, ele-
gieu wie Euphrosyne und Amyntas, balladen wie die Braut von
Korinth und Gott und bayadere und conceptionen wie die des
Tell bezeichnen. die gleichfalls dem jahre 1797 angehörige zueignung zum Faust drückt am schönsten den ernst und die vertiefung aus, womit Goethe das jugendwerk zu einem lebenswerk
erhob. dieser zweiten productiven Faustperiode von 1797—1801
verdanken wir dadurch den Faust in seiner höheren und allgemeineren bedeutung, nicht der Frankfurter zeit, wo die dichtung
in den motiven der sturm- und drangperiode stecken geblieben
war. diese sind zwar auch in der zweiten periode festgehalten,
aber weiter geführt und einer höheren idee untergeordnet. in
der ersten periode hat Goethe das eigentlich Faustische motiv
nicht vollendeter ausgesprochen als in den zutaten der zweiten,
zb. im juni 1797 in den versen 62—65 des prologs: Vom himmel
fordert er die schönsten sterne usw. wesentlich ist dass der in
der zweiten periode entstandene teil das frühere an innerem wert
überragt, unwesentlich dass es auch der masse nach geschieht
(1773—1775 etwa 1500 verse und die prosascene; 1788 etwa
300 verse; 1797—1801 etwa 2450 verse). wie productiv sich
Goethe für Faust angeregt fühlte, zeigen in der zweiten periode
die briefe an Schiller nr 335 (4 a.) ('das werk sollte wie eine grofse
schwammfamilie aus der erde wachsen'), nr 456 vom 11 april 1798
von der 'lyrischen stimmung des frühlings', nr 756 vom 1 august
1800 (dass es mit Faust bald ein ander aussehn gewinnen sollte)
uam. dieselbe correspondenz (nr 329 4 a.) bezeichnet das damals
fehlende als teils 'e r f u n d e n', also noch nicht ausgeführt, teils
als 'h a l b bearbeitet', also als ganzes noch nicht vorhanden. zu
dem h a l b bearbeiteten wird die scene 'vor dem tor' gehört haben,
wogegen nach dem briefe vom 16 april 1800, nr 742, die 'be-
schwörungsscene' ganz neu zu dichten war. dass dies alles von
v. 252—1417, nach Schröers worten (s. xxxv), 'mit a n k l ä n g e n
an die vorweimarische zeit durchspickt' ist, da ja die paralipomena
hineingearbeitet wurden, hindert nicht, diese partien als ganzes
lediglich der zweiten periode zuzuschreiben; denn, gleichfalls
nach Schröers worten (s. xli): 'die u m a r b e i t u n g wäre erst

die dichtung'. im einzelnen scheint mir Schröer jedoch in dem suchen nach solchen anklängen viel zu weit zu gehen; das bild von dem vogel, der auffliegen will, welches schon in Goethes Leipziger episteln vorkommt, ist, als Lessings fabeln (nr 18 Der strauſs) entlehnt, wenig beweisend, ebenso wenig die stelle vom fliegen in den briefen aus der Schweiz, da diese, wie sie uns vorliegen, auch sprache und inhalt zeigen, erst der mitte der neunziger jahre angehören.

Die zeit und mühe, welche Goethe dem abschlusse des ersten teils seines Faust zugewandt hat, dürfte Schröer unterschätzen. die 'chronologie' zu den werken enthält nur unzureichende auskunft, da Eckermann die aus Goethes tagebüchern geschöpften notizen in dieser chronologie nur im anszuge gab. ich teile nachstehend jene notizen aus des dichters tagebüchern in unveränderter gestalt mit. 1 jahr 1797: 4 und 5 juni Die braut von Korinth und Oberons und Titanias goldene hochzeit (an Schiller 22 juni: 'reim- und strophendunst'); dichtet am 24 juni die zueignung von Faust (tag des briefs an Schiller nr 329); schreibt, in den 20er tagen des juni, den prolog zu Faust. 2 jahr 1798: setzt vom 10—21 april den Faust fort (dazu an Schiller briefe vom 11—29 april und 5 mai, der ihn noch im mai am Faust beschäftigt zeigt). 3 jahr 1799: nimmt im september den Faust wider vor. 4 jahr 1800: arbeitet im april am Faust (dazu an Schiller nr 726 vom 6 märz und 742 vom 16 april). schreibt im sommer daran (an Schiller nr 756 vom 1 august: 'kleiner knoten im Faust gelöst'). dichtet im september den anfang der Helena (dazu die handschriften der Valentinscene mit der jahreszahl 1800 und der Walpurgisnacht, deren anfang, 40 verse, vom 5 november 1800 datiert ist). 5 jahr 1801: im februar, märz und april arbeitet er am Faust (dazu hs. der Walpurgisnacht mit den daten vom 8 und 9 februar 1801 und an Schiller nr 800). die beiden letzten jahre sind in der 'chronologie' ganz unerwähnt geblieben, während sie den abschluss der redaction richtig in das jahr 1806 setzt, nach dem tagebuch genauer: schlieſst vom 21 märz bis zum 25 april den ersten teil des Faust ab. in diese zeit muss das dictat der prosaischen scene an Riemer fallen.

Goethe selbst hat nun das vorhandensein 'einiger tragischen scenen in prosa' im alten manuscripte (an Schiller nr 465 vom 5 mai 1798) bezeugt. diesen wird jene prosaische scene zuzurechnen sein. für eine spätere entstehung kann die bekannte stelle in Riemers Mitteilungen (ı 349 note) nicht angezogen werden, weil Riemer, erst 1803 mit Goethe bekannt geworden und eigner wissenschaft über die entstehungsgeschichte des Faust bar, an jener stelle nur die behauptung begründen wollte dass Goethes dictate stets auf eignen entwürfen beruhen, dass also in solchen fällen die eigentliche dichterische conception vorangegangen sei.

dies soll auch das dictat jener scene beweisen; auch in diesem
fall sei deren conception vorangegangen. für ihn nebensächlich
war dabei, ob diese conception älteren oder jüngeren datums gewesen; er hatte das letztere angenommen, weil Goethe wol erst
eben mit dem bleistift darin gewaltet. danach ist jene äufserung
allein für die zeit der redaction, nicht für die des ursprungs
der scene mafsgebend. Scherers scharfsinnige und, wie mir
scheint, unantastbare entdeckung, dass die schon im fragment
von 1790 enthaltene scene 'wald und höhle' als eine metrische
umarbeitung jenes selben prosaischen auftritts anzusehen sei, hat
Schröer auffallender weise gar nicht berührt. auch in dieser
entdeckung läge ein zeugnis des früheren vorhandenseins der
scene, auf welche allein die bekannten äufserungen Einsiedels
(1776) und Wielands (1796) über Faust sich beziehen lassen.

Anders die Valentinscene. mochte auch von ihr ein prosaischer entwurf aus der Frankfurter zeit vorliegen, nach ihrer
jetzigen gestalt gehört sie der zweiten periode an. da Schröer
die richtigkeit der jahreszahl 1800 auf dem einbande der hs. der
scene mehrfach angezweifelt hat (s. XLVII note und s. 218 note),
so habe ich davon anlass genommen, das äufsere der hs. einer
genauen prüfung zu unterwerfen. als sie im jahre 1843 vom
könige Friedrich Wilhelm IV der königlichen bibliothek hierselbst
überwiesen wurde, war oder wurde sie neu mit dem jetzigen
einbande versehen; denn das buchbinder-papier trägt das wasser-
zeichen 1840. wurde zugleich die jahreszahl 1800 auf den einband gesetzt, so geschah dies notwendig auf sicherer unterlage;
denn nur ein kundiger konnte ein so treffendes und in sich
wahrscheinliches geburtsjahr angeben, zumal 1843, wo die geschichte der entstehung des Faust noch ganz im dunkeln lag.
die angabe rührte entweder von Eckermann oder dem kanzler
Müller her, durch deren hände die hs. gegangen sein wird, oder
sie fand sich noch von des dichters eigener hand auf einem
defecten, beim einbinden entfernten umschlagsblatt. das papier
der hs. zeigt die firma: *Blankenb. J. G. K.* dh. Blanckenburg in
Thüringen, Johann Gabriel Keyfsner. die Keyfsnersche papier-
fabrik bei Rudolstadt, welche die universität Jena speiste, bestand von 1772—1800, wodurch die niederschrift der scene in
Frankfurt oder in Rom, sowie in einer über den anfang des jhs.
weit hinausgehenden zeit ausgeschlossen wird. das ergebnis dieser
papieruntersuchung spricht mithin zu gunsten des jahres 1800.
dass sie Goethe, wie unmittelbar darauf die ihr im stücke folgende
Walpurgisnacht, eigenhändig niederschrieb, und wir beide somit
weder im dictat, noch in abschrift besitzen, beweist für beide
die frische entstehung, oder, was in diesem falle dasselbe wäre,
die frische dichterische ausführung nach älteren entwürfen.

Gehörte die Valentinscene in einer früheren gestalt zu den
prosascenen, deren Goethe in dem briefe an Schiller vom 5 mai

1798 gedenkt, so möchten doch auf sie in ihrer jetzigen gestalt
die ferneren worte des briefs, dass nun 'die idee wie durch einen
flor durchscheine und die unmittelbare würkung des stoffes —
durch die umsetzung in reime — gedämpft' werde, weniger, dagegen ganz auf die kerkerscene passen, wie auch Düntzer aao.
einräumt. Schröer wird dem sinne der briefstelle nicht gerecht,
wenn er darin einen zwar gemachten, aber wider aufgegebenen
versuch der umsetzung in reime erblickt (s. XLI). Goethe constatiert als etwas bereits tatsächliches dass die idee durchscheine,
dass die würkung des rohen stoffs gedämpft sei. die äußerung
steht in verbindung mit den worten, dass der 'Faust nun um ein
gutes weiter gebracht sei', und Schiller, in seiner erwiderung vom
8 mai 1798, versteht die äußerung nicht wie Schröer, sondern
wie wir, indem er Goethe zu seinen fortschritten an der arbeit
'gratuliert'. in diesem zusammenhange und in berücksichtigung
der umstände, welche dafür sprechen dass die Valentinscene erst
1800 ausgeführt worden, ist in jener Goethischen briefstelle das
erforderliche äußere zeugnis für die geburtszeit der kerkerscene
klar vorhanden. es scheint daher dass Goethe, nachdem er
1797 das ganze schematisiert und die eingangsdichtungen geschaffen — das vorspiel auf dem theater wird demselben jahre
angehören, wahrscheinlich dem juni und juli —, im folgenden
jahre zunächst den schluss, seiner gewohnheit gemäß, festzustellen bedacht gewesen und dann erst das dazwischenliegende
im großen und ganzen der reihe nach ausgeführt hat.

Berlin, den 5 mai 1881.   G. VON LOEPER.

EIN BRIEF JACOB GRIMMS AN FRIEDRICH HEINRICH VON DER HAGEN.

*Wenn der Briefwechsel zwischen Jacob und Wilhelm Grimm
aus der jugendzeit, welcher für die geschichte der deutschen philologie zweifellos von großem werte ist, häufig genug genaue auskunft gibt, wie sich das verhältnis der brüder zu dem betriebsamsten
der damaligen pfleger deutscher litteraturwissenschaft gestaltete, so
bietet ein ausführlicher brief, welchen JGrimm an prof. FHvdHagen
nach Berlin richtete, eine willkommene ergänzung. bei aller anerkennung seines fleißes und seiner gelehrsamkeit tadelten die brüder
seine methode und sein eilfertiges, treibendes wesen. die spannung
zwischen beiden, in welcher Jacob einmal die erwartung ausspricht
dass Hagen et cons. bald gegen sie schreien würden und seiner
lust zu edieren sogar das unlautere motiv der geldspeculation unter-
schiebt (aao. s. 153. 173), wurde durch Wilhelms besuch in Berlin
im herbst 1809 gemildert (s. 168. 185. 189); Jacob schlägt sogar
vor, in rücksicht auf Hagen 'eine neue zeitrechnung ab urbe visi-*

tata anzunehmen' (s. 196). *in diese epoche fällt der brief vom
7 februar 1811. doch kam es sehr bald zum völligen bruch. der
anlass dazu war, abgesehen von dem ärger über die Kämpeviser-
übersetzung Wilhelms, die Grimmsche ankündigung einer sammlung
altnordischer sagen vom 11 februar 1811 im Intelligenzblatt der Heidelberger jahrbücher der litteratur, IV jahrgang 1811, VIII s. 57 f und
im Anzeiger zu Idunna und Hermode, 1 jahrgang 1812, nr 2 vom
15 januar 1812, sowie der herausgabe der Edda Saemundar und
des Reineke fuchs vom märz 1811 in der (Hallischen) Allgemeinen
litteraturzeitung 1811, bd. 1, nr 107 vom 15 april 1811, s. 853 f
und im Anzeiger zu Idunna und Hermode aao. Hagen zeigte kurz
in der vorrede des ersten bandes vom Heldenbuch, dessen dedication
an Goethe das datum des 19 april 1811 trägt, s. IX die herausgabe
der Edda und eine übersetzung nordischer sagen an. höchst wahrscheinlich hatte er bereits vor dem 1 juli 1811 aus Breslau über
Grimms vorhaben an Gräter geschrieben (s. dessen brief an J Grimm
bei HFischer s. 16). ohne dessen vorwissen (s. 44) hatte Heinze
als redacteur der Idunna und Hermode im Anzeiger nr 13 den
4 juli 1812 einen vom 14 märz 1812 datierten ausfall Hagens:
'wie es in den wald hinein schallt, so schallt es wider heraus' gegen
J Grimms recension vom Buch der liebe (s. unten anm. 6) in der
Leipziger litteraturzeitung vom 12 und 13 märz 1812, nr 62—64,
s. 489—507 aufgenommen (s. Fischer s. 41 anm. 6). dort heifst
es zum schluss:* Es gibt eine gewisse gern recensirende Vor-
nehmigkeit, die . . . sich gebärdet, als wüsste sie alles zuerst
und zum besten. . . . Aber ich sage Euch, wir verstehen auch
das eilfte Gebot.

*Die recension vom Buch der liebe war ursprünglich von Böckh
im juni 1809 für die Heidelberger jahrbücher bestellt und im november verlangt und gleich darauf von J Grimm abgefasst und ein-
geschickt worden; sie fällt mithin noch vor die 'neue zeitrechnung'
(vgl. Jugendbriefe s. 97. 110. 187 f. 193. 196). er schreibt über
die fassung derselben an Wilhelm am 24 nov. 1809 (s. 196): 'was
ich an meinen recensionen hernach bereut habe, ist, dass der stil
daran wider meinen willen zu . . . (das wort ist abgerissen) geworden ist und der Hagen manche äufserungen übelnehmen kann.'
einige jahre später hat er sie aber, wie sich unten weiter ergeben
wird, neu umgearbeitet: sie erschien also in Leipzig in einer
zweiten auflage. gleichzeitig war im Cottaschen Morgenblatt für
gebildete stände nr 65—69, 16—20 märz 1812, s. 258—260.
263—267. 271. 275 der aufsatz der brüder vom 5 nov. 1811:
Die lieder der alten Edda (WGrimms Kleinere schriften 1 s. 212
bis 227) gedruckt worden, welchen Gräter sofort, ohne den schluss
abzuwarten (er nennt nr 69 gar nicht in der überschrift), in seiner
weise beleuchtete: Idunna und Hermode, 1 jahrg. nr 17. 18 vom
25 april und 2 mai 1812, s. 65—68. 71—72. gegen Gräter
schrieben die brüder im mai 1812 eine antikritik für die Idunna*

*und Hermode, welche nicht erschienen ist (s. Briefwechsel mit Gräter
s. 32. 34. 43. 46. 49. 50. 51. 52), wie JGrimm vermutete, weil
Hagen es wahrscheinlich bei Heinze hintertrieben habe (s. 41).*

*In nr 161—163 der Leipziger litteraturzeitung vom 1 und
2 juli 1812 s. 1281—1301 hatte Wilhelm oder vielleicht beide
brüder das durch vdHagen herausgegebene Narrenbuch besprochen
(vgl. jetzt WGrimms Kleinere schriften u s. 52—80), worüber
ihnen Achim von Arnim am 13 juli aus Berlin folgendes schreibt:
'eben habe ich auch Eure rezension des Narrenbuchs gelesen, sie
ist recht gut und nebenbey in salzlauge getunkt, zb., wo Ihr ihn
aufs eigne buch seiner sammlung aufmerksam macht, ich glaube,
wenn gleich bey erster erscheinung seines Buchs der liebe Eure
rezension erschienen wäre, er würde vorsichtiger an dieses gegangen
sein, aber das ist nebenbey ein übel der rezensionsanstalten, dass
wenn auch etwas gutes darin steht, die herausgeber selten einsicht
genug haben, es zur rechten zeit zu geben, dh. auch dazu aufzu-
fordern.' Hagen antwortete wider im Anzeiger zu Idunna und
Hermode nr 15 vom 22 august 1812 unter dem titel: Zur wei-
sung. ich lasse zur characteristik seiner polemik diese erwiderung
hier folgen:*

An dem im v. J. von mir herausgegebenen **Narrenbuch**
ist in der neuesten Leipziger Lit. Zeitung Nr 161 ein Rezensent
zum — Ritter geworden, wie voraus zu sehen war, und hat un-
willkührlich, aber um so ergötzlicher, einen neuen komischen
Beitrag dazu geliefert, welchen bei einer neuen Ausgabe im Anhange mit aufzuführen ich nicht ermangeln werde. Da besagter
Rezensent aber gar so neugierig ist, die von mir absichtlich ver-
schwiegenen Namen gewisser deutscher Städte zu hören, so will
ich ihm hier noch einigermafsen darauf dienen, und mag er es
in seiner Heimat verantworten, wenn ich ihm nur Scheppenstädt
nenne: in welcher Gegend es sich abermals zugetragen, dass zwei
Witzenbürger, oder einer (denn hierin ist die Sage verschieden),
nachdem das Salz bei ihnen sich verlegen und ganz dumpf geworden, sie solches weit und breit ausgesäet und sich des lustigen
Salzkrautes bass erfreut haben; wie denn Unterschriebener selber
dessen Schärfe, zwar nur a posteriori, erfahren; item so haben
sie abermals in ein ihnen nicht hell genug bedünkendes Gebäude
das Licht in grofsen, langen Säcken und Papierdüten tragen
wollen, und was derlei ausbündige gute Possen mehr sind.

*Eine neue 'Erklärung, die collision in der herausgabe der alten
Edda und der altnordischen sagen betreffend' vom 27 august 1812
liefsen Jacob und Wilhelm Grimm in der 10 beilage zum Morgenblatt vom 14 september 1812: Übersicht der neuesten litteratur
s. 39—40 gegen Hagen folgen, worauf dieser unter dem 15 october 1812 in der Idunna und Hermode 1812, nr 51 den 19 december, s. 201—204, ebenfalls ohne Gräters vorwissen (s. Fischer s. 55),
erwiderte. die daselbst s. 202 erwähnte ankündigung steht nicht in*

*der Jenaer, sondern, wie oben angegeben ist, in der Hallischen lit-
teraturzeitung. endlich gab Jacob Grimm seiner gerechten entrüstung in der Leipziger litteraturzeitung nr 23, den 23 jan. 1813,
s. 178/179 ausdruck durch folgende höchst bemerkenswerte 'Antwort
des recensenten des Buchs der liebe und Narrenbuchs von vdHagen
auf eine im Anzeiger von Idunna und Hermode (july und august)
abgedruckte antikritik von seiten des herausgebers':*

Mit Worten baut man keinen Thurm, noch mauert man damit eine Lücke aus, zumal wo sie aus den Lungen, nicht aus
den Herzen reden.

Zu Ehren des Instituts dieser L. Z. bin ich zu folgender
Erklärung genöthigt: im Jahr 1809 wurde ich von der Redaction
der Heidelb. Jahrb. aufgefordert, das genannte Buch der Liebe
zu beurtheilen; später aber ging auch eine unbestellte Rec. desselben Werks durch A. W. Schlegel ein. Der Redacteur, damals
Hr Prof. Bökh, wünschte diesen ersten von einem beliebten
Schriftsteller eingehenden Beytrag nicht gerade abzuweisen und
hatte die Güte, mir die Schlegelsche Beurtheilung im Original
zuzuschicken mit der Bitte, sie mit meiner zu verarbeiten, zugleich aber auch mit dem Erbieten, im Fall ich mich nicht dazu
verstände, jene dennoch zurück zu geben und die mei[179]nige,
als welche das Recht für sich habe und sonstiges Lob verdiene,
das hier nicht wiederholt zu werden braucht, aufzunehmen.
Ich war freylich mit den Grundsätzen der Schlegelschen Rec.
[HJdL, III jahrg. 1810, 3 heft, s. 97—118] zu wenig einverstanden,
um in jenen Ausweg einzugehen, aber bescheiden genug, aus
freyem Willen meine Arbeit wieder zu nehmen. Was ich für
recht hielt, wollte ich auch recht sagen; Herr v. H. mag durch
irgend eine Klätscherey davon gehört haben und erfrecht sich zu
der Lüge: 'dass meine Rec. dort zu spät gekommen und vor der
Schlegelschen habe zurückstehen müssen.' Ich habe die Redaction dieser L. Z. durch Mittheilung des Originals, woran hier gelegen, in Stand gesetzt, die Wahrheit meiner obigen Behauptung
pflichtmäfsig bezeugen zu können. *[es geschieht in der anm.]*
Jenes Ereigniss konnte mich aber natürlich nicht abhalten, eine
neue Recension auszuarbeiten, als ich von einer neuen Seite her
zu Beurtheilungen im altdeutschen Fach eingeladen wurde.

Uebrigens auf den Ton oder die Sache dieser Antikritiken
etwas zu erwidern, scheint mir unnöthig und unwürdig. Arbeiten,
wie die beyden recensirten Bücher sind, werden dem allgemeinen
Ruf, ja dem Selbstgefühl ihrer Unredlichkeit, Leichtfertigkeit und
Mittelmäfsigkeit unaufhaltsam entgegengehen, und es waren ihrem
Herausgeber zum Besten der etwaigen Fortsetzungen mehr solche
unliebreiche Bemerkungen zu wünschen, weil er doch daraus
lernt, wenn sie ihn gleich in die Augen beifsen. Zeit bringt
Bescheid, und die That ist es, die den Mann tödtet. Der Rec.

Die ältesten beziehungen FHvdHagens zu den brüdern vollstän-

dig aufzuhellen, wenn es etwa für die spätere Grimmphilologie von besonderem interesse ist, reicht dieser eine brief, wahrscheinlich der letzte, nicht aus. aber es ist fraglich, ob im Grimmschen schrank oder sonst noch weitere correspondenzen von und an Hagen aufzufinden sind. letzterer spricht selbst schon in der Idunna 1812 s. 203 von 'meinem briefe, welcher aber verloren, sowie alle, die ich an sie geschrieben.' nachfolgender brief, welchen herr prof. dr HGrimm vor längerer zeit in einer auction käuflich erworben und mir mit der grösten bereitwilligkeit zur veröffentlichung überlassen hat, wofür ich ihm zu dank verpflichtet bin, vermag, mit den Jugendbriefen und den genannten erklärungen zusammengehalten, ein vorläufig sicher genügendes bild dieses verhältnisses zu geben. er ist mit deutschen buchstaben geschrieben und füllt einen bogen von dem gewöhnlichen grösten quartformat; die beigelegt gewesene fortsetzung, auf welche durch ein kreuz verwiesen wird, ist verloren. abkürzungen habe ich in klammern ergänzt.

Berlin, den 27 februar und 8 mai 1881. GUSTAV HINRICHS.

Cassel 7 Februar 1811.

Ihren letzten Brief, lieber Herr von Hagen, an den Wilhelm vor Christtag noch geschrieben, erhielten wir erst Mitte Januar; es ist ganz und gar nicht recht, dass Sie immer eins aufs andere warten lassen, jener mitgeschickte erste Theil eddischer Abschriften [1] hatte auf das neue Heft des Mag[azins] gepafst [2] u[nd] war endlich einige Tage vor defscn Ausgeben, doch ohne es, abgegangen, muthmafslich wird nun das Mag[azin] bis zum Ende jener Abschrift aufgehoben, u[nd] so haben wir es noch nicht bekommen, so gern wir dergleichen Sachen etwas früher hätten, als sie einem der Buchhändler verschafft. Ich sage Ihnen das so aufrichtig, wie ich es meine und damit Sie uns zukünftig ordentlicher bedenken mögen. Ich habe ja noch besonders durch den Verschub meinen Brief von Ihnen eingebüfst, worin Sie mir haben so manches schreiben und sich noch einmal an mich machen wollen, ob ich in meiner Unzufriedenheit über Ihre Modernisirungen [3] wanke und

---

[1] *'die drei zusammengehörigen lieder von den Helges', vgl. Idunna nr 51, 1812, s. 202.*

[2] *Museum für altdeutsche litteratur und kunst, herausgegeben von dr F HvdHagen, BJDocen und dr JGBüsching. band I heft 2. Berlin, bei Joh. Friedr. Unger 1810. heft 1 war 1809 erschienen. — gepasst = gewartet.*

[3] *vgl. besonders Der Nibelungen lied, herausgegeben durch Friedrich Heinrich von der Hagen. Berlin bey Unger 1807. 598 ss. gr. 8°, rec. von WGrimm in den Heidelberger jahrbüchern der litteratur. fünfte abteilung. jahrgang II 1809 bd. I, heft 4. 5, s. 179—189. 238—252 = Kleinere schriften I s. 61—91. über die nicht erschienene Grimmsche sammlung nordischer sagen schreibt Hagen in der Idunna aao. s. 203: dass Herr Grimm d. E. um meine Übersetzung der Volsunga- (und Wilkina-Saga) wusste, be-*

weiche. Je länger Sie das aufschieben, desto fester setzt sichs
bei mir an und mit meinem *Bruder*, so lieb wir uns haben,
dürfen Sie mir auch nicht kommen, da ich defsen Kämperviser-
übersetzung [4] so wenig machen, oder gemacht haben möchte, als
die Ihrige [5], und der insofern einen Vorzug vor Ihnen hat, als er
mit der Arbeit fertig ist, welche Sie wahrscheinlich meistens noch
vor sich haben. Ich nehme mit dieser unverbolenen Erklärung
freilich einen bestimmten Charakter an, der Ihnen etwas einseitig
dünken mag, wenn Sie mir dabei nur glauben wollen, dafs ich
eine freie freundschaftliche Gesinnung unter uns gerade so verstehe und wünsche, wie Sie Sich in Ihrem letzten Schreiben zu
meiner Freude darüber ausgedrückt. Die lebendige Art, worin
Sie die altd. Poesie aufgefafst, habe ich niemals verkannt, in den
Recensionen Ihrer Bücher, die ich geschrieben [6], ist eigentlich
nur zweierlei daran getadelt, einmal das, womit Sie mir es ein
wenig pedantisch genommen zu haben schienen (wie das Aufnehmen der elendesten Schreibfehlervarianten in Ihrer grofsen
Samml[ung] — und widerlegen Sie diesen Vorwurf, wo Sie können), dann im Gegentheil das zu leicht und oberflächlich, nicht
genommene, sondern geschriebene. Dahin gehören einige Einleitungen, oft stellenweise nur, ferner Ihre Zusätze zu *Görres* [7],
vor allem *Büschings* Aufs[atz] über Eschenbach und den Graal. [8]

weist sein Brief von 1810, worin er mich darüber befrägt, dabei überhaupt
gegen alle Übersetzungen und Modernisirungen protestirt. Wer hätte von
einem solchen, dem man damals die Lutherische Bibel vergeblich vorhielt,
nun doch noch diese Übersetzungen . . . erwarten sollen?!

[4] *Altdänische heldenlieder, balladen und märchen, übersetzt von Wilhelm Carl Grimm, Heidelberg bey Mohr und Zimmer* 1911. 546 ss. 8°.

[5] *in der vom 1 mai 1807 datierten vorrede zu der Sammlung deutscher
volkslieder mit einem anhange flammländischer und französischer, nebst
melodien. herausgegeben durch Büsching und von der Hagen. Berlin,
bei Friedrich Braunes 1807. kl. sed. s. xviii versprachen 'die herausgeber'
ein zweites bändchen und s. xix ferner 'übertragungen dänischer (aus
den kämpe- und Elskov-wieser und dem Danske sange) und schwedischer,
englischer (aus Percy etc.), vielleicht auch italienischer, besonders aber
spanischer lieder nebst fortsetzung der französischen in der ursprache:
welches einen vollständigen überblick des europäischen volksgesanges eröffnen würde.' vgl. vorrede zu Der helden buch* L 1811. s. IX (s. anm. 25).

[6] *Deutsche gedichte des mittelalters. herausgegeben von F HvdHagen
und dr Joh. Gust. Büsching. erster band [enthaltend könig Rother, herzog
Ernst, heiliger Georg, Morolf und Salomon, Wigamur]. Berlin, Real-
schulb. 1808. 4°, in den HJdL, II jahrgang 1809, bd. II heft 12. 13. 14
s. 148—164. 210—224. 249—259 = Kl. schr. IV 22—52. ferner das Museum,
s. unten 10. über die recension vom Buch der liebe. enthaltend 1) Tristan.
2) Fierabras. 3) Pontus. herausgegeben von dr Büsching und dr von
der Hagen. erster band. Berlin bey Hitzig 1809. s. oben s. 458.*

[7] *Beitrag zur geschichte und literatur der deutschen volksbücher: zu
Görres buch Die deutschen volksbücher, Heidelberg 1807 = Museum* I,
1809, s. 238—311.

[8] *Über Wolfram von Eschenbach, sein leben und seine werke = Museum* I, 1809, s. 1—36 und *Der heilige graal und seine hüter* I, 1810,
s. 491—546.

Sie sehen, ich schreibe Ihnen hier das Resultat meiner Rec[ension] über den ersten *Band* des Mag[azins] [9], welche nun schon, zum Theil wenigstens 1½ Jahr in Heidelberg liegt, so dafs sie mir selber zu alt wird und anstöfsig, weil mir dabei vorschwebt, was ich jetzo hätte befser machen u[nd] ausführen können. [10] Die Redactoren dieser allerseits gebrechlichen Anstalten merken gar nicht, dass wir in der altdeutschen Literatur wie auf heifsen Kohlen sitzen und gleich dem Heimdall oder dem einen *Bedienten* des Freilügners das Gras wachsen hören, wenn wir uns auf den Erdboden legen, welches eine sehr ungeduldige Unruh erweckt, und wobei auch der arm- und fufs-verschränkten Ruhe eines Indiers einiges Prickeln ankommen müfste.

Mein *Buch* über den Meistergesang [11] haben Sie wohl jetzt schon, oder doch vielleicht vor Einlauf des gegenwärtigen Schreibens. Denn endlich ist es fertig geworden, nachdem seit September an dem July fertigen ms. gedruckt worden ist. So ergeht es unberühmten Anfängern, dafs ich es besonders habe erscheinen lafsen, thut mir nicht mehr leid, wie anfangs, ich bedenke, dafs es in Ihrem Mag[azin] erst in zwei Jahren ausgedruckt worden wäre, da es nahe an 200 S. (enger als dort bedruckte) gegeben hat; und wer weifs, wie es dann aussieht! Nun bitte ich **bald** um Ihre Meinung schriftlich, sodann um eine Rec[ension] in der Jenaischen [12], ebenfalls so bald Sie können, Sie werden mir dadurch einen der angenehmsten Gefallen erweisen. Da ich anser Docens Meinung auch seinen Plan getadelt habe, so wäre es schlimm, wenn mein Plan wenigstens nicht befser wäre, als seiner, dennoch da dieser darauf unvermeidlich eingeflofsen hat, halte ich meine Meinung für befser, als meinen Plan. Eigentlich war es auch schlimm genug damit, einigemal hapert die Ausführung, andremal steht in Noten, was lieber im Text stände, bei den später zugeschriebenen Zusätzen, worin Kraut und Rüben untereinander gemischt sind, habe ich zu meinem Vergnügen gefühlt, wie ich das Ganze jetzt befser fafsen und mehr aus einem Stück schneiden könnte, vieles wurde erst unter dem Schreiben gewonnen, zu diesem gewonnenen Land wird sich nun auch leichter lafsen anfügen und ausbefsern. Die Fehler verkenne ich nicht, doch kommt es jetzt noch mehr aufs Ganze an, hernach aber mehr auf jene. Gegen das Ganze haben Sie Sich seither entschieden erklärt, es ist mir lieb, wenn Sie Sich, wie Sie in einem *Brief* geäusert, im letzten Heft des Ma-

[9] *vgl. Jacobs briefe an Wilhelm vom* 16 *und* 25 *juni* 1809, *s.* 109 *f.* 116 *und Wilhelms an Jacob vom* 18 *juni, s.* 113 *f.*

[10] *sie erschien gleich darauf in den HJdL, IV jahrgang* 1811, *nr* 10. 11 *s.* 145—158. 161—166.

[11] *Über den altdeutschen meistergesang. von Jacob Grimm. Göttingen bei Dieterich* 1811. 194 *ss.* 8⁰.

[12] *eine solche erschien erst in den Ergänzungsblättern* 1813, *band* i, *nr* 45. 46 *s.* 353—360. 361—364 *von W. S.*

g[azins] (ich glaube, Sie wollten es bei Geleg[enheit] des Kolmarer Ms.) bestimmt ausgesprochen haben. Doch genug hiervon, ich warte auf Ihr Urtheil mit grofser Begierde.

Ein Hauptpunct, worin wir sehr einig zu seyn scheinen, ist doch die Anerkennung der grofsen Wichtigkeit der scandinavischen Literatur. Wir sind jetzt im Begriff Ihnen einen Vorsprung zu thun, ohne unser Verdienst, so wie ohne Ihre Schuld, blos durch einen sehr thätigen Freund, den jetzigen westphälischen Gesandten in Copenhagen. [13] Merkwürdig ist, dass wir uns auch schon eine Abschrift der Blomsturvalla S[aga] bestellt hatten, auserdem lafsen wir aber auch unter andern vorzügl[ich] die Jarl Magus S[aga] copiren [14], worin unstreitig der bekannte Malagis oder Maugis steckt, worin aber auch merkw[ürdige] Anknüpfung[en] d e u t s c h e r Sage vorkommen. Dann hätte ich einmal Lust zu versuchen, diese beiden Sagen auf isländisch drucken zu lafsen, allein wird man so etwas ohne Subscription wagen dürfen? Rathen Sie uns. Auf Abnahme in Dänemark etc. ist schwerlich zu bauen, weil die Magnäaner dergl. Zeug für läppisch ansehen. Die eddischen Lieder haben ihr Schweres, wie leicht aber sind sie gegen die in der Egilssage etc.! (als in Verbindung mit Reinwald [15] treiben Sie doch ja sehr auf seine Ausgabe der cotton[ischen] Ev[angelien]harm[onie].)

Da ein neu aufgetretener Herr Hofstätter in Wien den Lancelot des Ulr[ich] von Z[azikhofen] edirt [16], so werden Sie ihn wohl nicht drucken lassen? oder wie steht es mit jenem? Wollen Sie uns dafür den Reinfried von Br[aunschweig] gehen, so ist es mir nicht eben lieb, weil dieser ein für die Sage unbedeutendes Gedicht ist, fliefsend wohl überall, anziehend nur wenig und selbst da nicht neu u[nd] frisch. Die Beschreibung von Yrkanens Schönheit und dann der Hochzeit stehen zierlich in der mageren Geschichte, aber eine Strophe aus einem schönen Minnelied ist tausendmal mehr. Wer fühlt hier nicht die nothwendige Innigkeit der Form der Minnelieder mit dem Inhalt derselben. In den kurzen ewigen Reimpaaren, ohne Freiheit und Athem, ist alles doch hölzern dagegen. Die etwas interefsantere Reisebeschreibung ist ungezierter, steht aber weit ab von der Ganzheit und Lebendigkeit im Herzog Ernst. Hinten ist meine vorliegende Abschrift

[13] *general graf Hans von Hammerstein.*
[14] *vgl. Wilhelms brief an Jacob aus Halle, 28 aug. 1809, s. 158 f. Altdänische heldenlieder s. 545 — WGrimm Kl. schr. 1 s. 202.*
[15] *auch Grimms standen später im briefwechsel mit Reinwald. vgl. dessen ankündigung in der (Hallischen) Allgemeinen litteraturzeitung nr 117, may 1814, s. 159/160. die ausgabe des Heliand ist nicht erschienen, R. starb am 6 aug. 1815 (Raumer Gesch. s. 330).*
[16] *Altdeutsche gedichte aus den zeiten der tafelrunde. aus handschriften der k. k. hofbibliothek in die heutige sprache übertragen. von Felix Franz Hofstäter. Wien, bey Schaumburg 1811. 2 bände, rec. von JGrimm in den HJdL, vjahrg. 1812, nr 39 s. 620—624.*

defect (in der Mitte tüchtig verwirrt, vermuthl[ich] weil in dem
Original Blätter verbunden stehen, so folgt hinter Marias Erscheinung gleich die Syrene etc.) — ich dachte an einigen Stellen, wo der Ausdruck Aventûre Krone vorkommt, ob der mit dem
fehlenden Schluss verlorene Dichtername wohl der Heinrich von
Türlin wäre; doch muſs ich das aufgeben, da deſsen Gedicht bestimmt zur Tafelrunde gehören soll. p. p. — Ist zu Anfang Ihrer
Sammlung [17] die Aufnahme schlechter Sachen zu entschuldigen
gewesen, so ist es nunmehr anders, da Ihnen die Auswahl des
Guten in so viel Betracht leichter wird. Einen Wigamur könnte
ich Ihnen jetzt nicht verzeihen, ein Reinfried, Apollonius v. Tyr-
l[and] (zumal da keine Holzersparnis dabei möglich ist) würde
mir leid thun, so lange andere beſsere zurückbleiben.

Ich bitte Sie gar sehr, uns über den Plan Ihrer Vorlesungen
etwas umständlicheres zu melden; anfangs glaubte, dass Sie nur
die Nibelungen zum Gegenstand hätten, sehe aber nun, dass Sie
wahrscheinlich eine allgemeine Übersicht des Mittelalters beab-
sichtigen, da Sie Sich über die Schlechtigkeit der melanges und
bibl[iothèque] univ[erselle] d[es] rom[ans] beschweren. Und wird
in Ihrem gedruckten Umriss [18] der ausländ[ischen] Literatur auch
gedacht? Über die helmstädter und wolfenb[üttler] — nunmehr
göttinger Mss. hoffe ich Ihnen bald einmal etwas schreiben zu
können [19]; es geschieht gar wohl, daſs Büsching in Schlesien
wichtige Funde thut [20]; wie das Pantheon wegen seiner Entfernung zu Grund gehen muſs, verstehe ich nicht ganz, bes[on-
ders] da er noch Zeit u[nd] Lust hat, alte Sagen für das Morgenblatt auszuarbeiten, wie neulich die von Hippocrates aus dem
roman du s. greal und dem fabliau.[21] Wenn Sie ihm schreiben,
so empfehlen Sie mich ihm zum dritten mal u[nd] es wäre das
letzte mal, wenn er nicht wieder ein Compl[iment] bestellte, oder
Sie müssten es vergeſsen haben zu melden.

[17] *Deutsche gedichte, s. nr 6.*
[18] *Literarischer grundriss zur geschichte der deutschen poesie von
der ältesten zeit bis in das sechzehnte jahrhundert durch Friedr. Heinr.
von der Hagen und Johann Gustav Büsching. Berlin bei Duncker und
Humblot 1812. xxxii und 576 ss., rec. von JGrimm in den HJdL, v jahrgang 1812, nr 54 s. 649—860. das buch ist von Hagen allein ausgearbeitet (Raumer 342 f). die obige frage ist zu verneinen.*
[19] *Jacob war im juni und juli 1812 in Göttingen, im juni 1811 in
Dresden.*
[20] *Bruchstücke einer reise durch Schlesien und die grafschaft Glatz
im sommer 1809 im Pantheon eine zeitschrift für wissenschaft und kunst.
herausgegeben von dr Johann Gustav Büsching und dr Karl Ludwig
Kannegieſser. erster band. Leipzig bei CSalfeld 1810, heft 2, s. 274—317.
sie erschienen 1813 als buch. Büsching wurde 1811 archivar in Breslau
(Raumer 332); das Pantheon hörte mit dem ersten heft des III bandes auf.*
[21] *Morgenblatt für gebildete stände. v jahrgang 1811. Tübingen,
JGCottasche buchh. 4°. nr 21. 22, den 24. 25 januar 1811, s. 81—82. 85—87:
Erzählungen von dem Hippokrates.*

Leben Sie wohl, und schreiben Sie in der Fortdauer freundlicher Gesinnung einen langen Brief hierher.   Jacob Grimm.

[Nachschrift.] Ihre Ausg[abe] der Nib[elungen][22] ist des
Lobs aller, die es verstehen, gewifs. Wie unerträglich ist das Böt-
tichers[23], der eben auch Hinsbergs schändliche Arbeit[24] meisterhaft nennt, niemals sind Scharfsinn und Gemeinheit, Gelehrsamkeit und Geschmacklosigkeit so beisammen gewesen, als in diesem
Lobineinanderschachteler. Bei der zweiten Auflage sorgen Sie
nur, dafs die viel reicher angewachsenen Varianten unter den
Text kommen, und noch eine Äuserlichkeit, dafs die Strophen
beziffert werden u[nd] nicht nach Fünfern gezählt. Das thun Sie
auch ja in Ihrem Heldenbuch[25] und in allen strophenmäfsigen
Gedichten. Man kann so fast noch genauer allegiren, u[nd] ganze
Strophen sehr leicht, was sonst Mühe macht u[nd] doch oft
nöthig ist.
     So schreiben Sie auch Reinwald, dass er bei dereinstiger
Edition der cott[onischen] Harmonie die Alliteration äuserlich hervorhebt, am besten, wenn man die Buchstabenreime mit anderer
Farbe drucken könnte, wenigstens mufs ein Strich davor. Neulich habe ich die im bei Docen abgedruckten Fragment stehenden
Reime angestrichen, und begreife nun nicht recht, wie Sie die
in der Jen[aer] Lit[teratur-]Z[eitung] ausgehobene Stelle[26] für
mit Fleiss ausgewählt geben, denn im ganzen Stück ist es
ebenso gehalten. — Haben Sie dann Gräters schon vor einigen
Jahren gedruckte Programme über die nordische Königsweise gelesen, deren Titel von Entdeckung, Geheimnis und Schlüfsel dazu
reden?[27]
     [Die fortsetzung auf einem beigelegten blatt fehlt.]

[22] Der Nibelungen lied in der ursprache mit den lesarten der verschiedenen handschriften herausgegeben durch dr Friedrich Heinrich von
der Hagen. zu vorlesungen. Berlin bei Hitzig 1810. XVI, 307, LXXX ss.
8°. zweite auflage. Breslau 1816.
     [23] wo, habe ich nicht gefunden. Jenaer litteraturzeitung?
     [24] gemeint ist wol: Das lied der Nibelungen; umgebildet von Joseph
von Hinsberg (später kgl. baier. oberappellationsgerichtsrat). München,
gedruckt bei Hübschmann. 1812, von welchem 1807—1809 mehrfach proben erschienen waren, vgl. Zarncke, Nibelungenlied³ s. LXXI f. JGrimm
hat es in der Leipziger litteraturzeitung 1816, nr 31, s. 242—244 re-
censiert.
     [25] Der helden buch, herausgegeben durch Friedr. Heinr. von der
Hagen. erster band. Berlin bei JFUnger 1811. gr. 8°.
     [26] nr 174, den 27 julius 1809, s. 182 in Hagens recension von Docens
Miscellaneen nr 172—175, s. 161—192. vgl. Jacobs brief an Wilhelm,
Cassel am 4 august 1809, s. 139. 140.
     [27] JGrimm bat Gräter am 8 august 1810 um die programme über
die isländischen metra; dieser verweist ihn auf seine lyrischen gedichte
(1809) und Bragur VIII — Odina und Teutona I, 1812, wo das zweite
programm zum 6 nov. 1810 widerholt ist: Über eine griechische nachbildung in homerischer sprache und versen der nordischen göttergeschichte:

Skirners fahrt, oder die brautwerbung des gottes Frey. s. 23—45. vgl.
Idunna und Hermode I, *1812, nr* I. 3. 5, *s.* 1—3. 10—11. 17—19: *Vor-*
lesung über die königsweise der Barden und Skalden, ferner nr 43, *s.* 177:
Aesthetische bemerkungen über die königsweise der Barden. erstes heft
= *Programm zur öffentlichen vorlesung am* 6 *nov.* 1807. *Hall bey Schwend,*
I *bogen, Helga-Quida Haddingia scata, h. e. carmen de Helgio, Hadding-*
gorum heroe. Sectio I. *Specimen eddicum codicis Vidaliani, nunquam*
antea typis impressum nec interpretatione illustratum. Quod program-
matis loco in Anniversariis Majestatis Regiae Cal. Jan. MDCCCXI *celebrandis*
publico eruditorum examini subjicit Frid. Dav. Gräter, Halae Suevor.
1811 = *Odina und Teutona s.* 211—224 *(rec. von JGrimm in den HJdL,*
IV *jahrgang* 1811, *s.* 999—1006) *und endlich den briefwechsel s.* 9. 11.
13 *f.* 19.

Litteraturnotizen.

JBAECHTOLD, Aus dem Herderschen hause. aufzeichnungen von
Johann Georg Müller (1780—82). Berlin, Weidmann, 1881.
XXVII und 123 ss. 8°. 2,50 m. [vgl. die berichtigungen und nachträge DLZ 1881 nr 28 sp. 1135 f.] — Baechtold hat sich durch
die publication von Müllers reisetagebuch, welches bisher nur
in fragmenten bekannt und schwer zugänglich war, anspruch
auf unseren dank erworben. es sind schwärmerische bekennt-
nisse eines begeisterten schülers in den blättern ausgesprochen,
und .ein bild deutschen familienlebens entrollt sich vor unseren
augen. Adelbert, Herders jüngstes söhnchen, kriecht etwa auf
allen vieren herbei und strampft mit den füfsen und winkt dem
vater so lange, bis sich seine hochwürden zu ihm auf den boden setzt; oder Caroline liest Goethische gedichte, Herder aber
sitzt neben ihr auf dem kanapee und fängt nach und nach an
etwas zu *schnärcheln.* wir lernen Herders vertrauteren umgang, seine lebensweise, seine spaziergänge und seine ansichten
kennen. überrascht werden wir durch die art, wie Herder
geistererscheinungen bespricht (55), wie er sich fürs geister-
citieren interessiert (51), und würden gerne das éine wissen,
was er Christum fragen wollte. wir sehen die ablehnende
haltung, welche Herder dem adel (109) und dem bofe gegenüber einnahm (55. 87); Müller ist ein genaues thermometer für
die wärme des verhältnisses zu den mafsgebenden Weimaraner
persönlichkeiten, zur herzogin Luise, zu Goethe, zu Wieland ua.
er orientiert uns über Herders lieblinge in der litteratur und
lässt uns manchem nun vergessenen dichter begegnen; ansprechend sind die seiten, welche sich mit der volkstümlichkeit
der kirchenlieder (40 ff) und dem volksliede überhaupt (57)
beschäftigen. alles was Herdern 1780 — 1782 bewegte findet
seinen niederschlag in Müllers auch sprachlich höchst interessanten aufzeichnungen; Hamannschem, Kantschem einflusse ist
Herder noch immer ergeben.

Baechtold hat in einer längeren einleitung über die beziehungen Müllers zum Herderschen hause, zum teil auf un-
gedrucktem materiale fufsend, in angenehmer weise orientiert
und in anmerkungen das verständnis des tagebuches erleichtert.
nur an wenigen stellen fehlt seine helfende tätigkeit zb. s. 32
Lowth Jesaias wol in seinen *praelectiones academicae de sacra
poesi Hebraeorum*. s. 58 Goezens gedichte sind anonym im
3 teile von Schmids Anthologie s. 3—100 gedruckt, das s. 59
citierte führt den titel: Die himmlische und irdische liebe aus
dem p. Ceva (s. 40—50).

Da auch die ausstattung geschmackvoll und die corrector
sorgfältig ist — nur l. s. 111 z. 3 1782 st. 1792; s. 118 z. 3
Hamannsche st. *Herdersche*; s. 121 z. 7 *Cramer* st. *Kramer*;
z. 8 *Hains* st. *Hainbundes* (vgl. Anz. III 196) —, so kann
das büchlein als eine dankenswerte bereicherung unserer litteratur angesehen werden.   R. W. WERNER.

DEUTSCHES WÖRTERBUCH. sechsten bandes siebente lieferung. LOS
bis LUSTIG. bearbeitet von dr MORIZ HEYNE. vierten bandes
erste abteilung u hälfte dritte lieferung. GEHORSAM bis GEIST. bearbeitet von dr R HILDEBRAND. Leipzig, S Hirzel, 1881. à 2 m. —
von den drei männern, die uns seit einer reihe von jahren auf
dem titelblatte des Grimmschen wörterbuches als fortsetzer genannt werden, ist der vortreffliche Weigand vor drei jahren
gestorben und hat neuerdings in Lexer den erwünschtesten
ersatzmann gefunden; von den beiden übrigen bearbeitern ist
es Heyne in Basel, der durch rüstiges vorwärtsarbeiten den
freunden und benutzern des grofsen werkes und ohne zweifel
auch dem verleger die meiste freude bereitet. ich verstehe
Hildebrands tiefeindringende, nahezu erschöpfende und bis auf
die gegenwart abschliefsende darstellung wol zu würdigen: aber
da ich nicht hundert jahre zu leben habe und nicht selbstlos
genug bin, die durch Hildebrands weise gebotene bereicherung
unseres wissens nur dem späteren geschlecht zu gönnen, so
freue ich mich dass Heyne auch der gegenwart schon gedenkt
und in nicht zu grofsen zeitabschnitten heft für heft zum druck
befördert. auf diese oder jene in der übersichtlichen anordnung nun leicht bemerkbare kleine lücke krittelnd hinzuweisen,
dazu empfinde ich keinen drang oder beruf. seien wir vielmehr dankbar für das reichlich gebotene und erinnern wir
uns an das wort des ersten bearbeiters d a s s d a s w e r k a l l e
f r e u e n s o l l. nur einige kleine wünsche mögen hier ausgesprochen werden. bei M Heyne nehmen die belege aus H Heine
einen verhältnismäfsig breiten raum ein. so selbstverständlich
es nun auch erscheint dass Heines gedichte vielfach im Wb.
angeführt werden, so sehr befremdet die ebenfalls starke berücksichtigung seiner prosa. denn diese letztere bietet zum ganz
überwiegenden teile einen widerwärtigen inhalt und enthält

sprachlich kaum eine neue oder eigentümliche wendung, die
in das Wb. aufgenommen zu werden verdiente. also alle ebre
der fleifsigen hand, die Heines schriften mit sorgfalt und augen-
scheinlicher liebe ausgezogen hat, aber Heyne möge gegen diese
beispiele, zumal die prosaischen, recht strenge sein. es würde
ihm gewis nicht schwer werden, sie durch ebenso bezeichnende
aus edleren schriftstellern zu ersetzen. zu wenig hingegen finde
ich das auch sprachlich höchst bedeutsame und einflussreiche
ältere deutsche kirchenlied benutzt. es würde also für die folgenden lieferungen zunächst eine durcharbeitung von PhWackernagels hauptwerke erforderlich sein; für die späteren geistlichen
liederdichter dürfte eine auswahl genügen, Paulus Gerhardt ist
ohnehin schon in sorgfältiger weise für das Wb. ausgebeutet.
endlich noch eins: es ist erfreulich dass nach dem vorgange
Hildebrands für die dichtungen Schillers die mafsgebende ausgabe Goedekes benutzt wird, oder die ersten drucke der einzelnen
stücke; aber auch für die belege aus Schillers prosa ist die beseitigung der unglücklichen und dabei wenig verbreiteten ein-
bändigen quartausgabe ein dringendes bedürfnis. es wird sich
doch in Basel oder anderswo leicht ein helfer finden, der diese
belege nach Goedekes ausgabe bezeichnet.

Hildebrand sagt in seinem schönen buche Vom deutschen
sprachunterricht in der schule' s. 48 (1879), er habe in den
Wörterbuchartikeln ge d a n k e und ge f ü h l 'dem versuch nicht
entrinnen können, die beiden (im sprechen wie im denken)
mit einander kämpfenden richtungen vom leben weg und zum
leben zurück an der entwicklung der sprache ungefähr zu zeichnen.' einen ähnlichen nur noch umfänglicheren versuch weist
seine neueste lieferung vom DWB auf, da von ihren 192 spalten
105 dem worte g e i s t gewidmet sind, ohne dass der artikel
schon zu ende geführt wäre; wir haben somit zu erwarten dass
die nächste von Hildebrand vorbereitete lieferung zum grofsen,
wenn nicht zum grösten teile durch die von und mit dem
worte g e i s t gebildeten ableitungen und zusammensetzungen
eingenommen wird. aber geht dieser überschwang gut ge-
wählter belege, der auf eine noch gröfsere fülle zur auswahl
bereit liegender beispiele zurückweist, nicht schliefslich über
das mafs auch eines grofsen wörterbuches — ganz zu ge-
schweigen des 'familienbuches' — erheblich hinaus? die belege
wie die vermittelnden und verbindenden erörterungen Hildebrands sind gewis gut und schön; aber es ist eben des guten
zu viel. das muss ausgesprochen werden, wenn es auch betrübt dass man gegenüber einer so gründlichen und von grofsem
feinsinn zeugenden arbeit diese grundsätzliche einrede zu erheben genötigt ist. im einzelnen wüste ich kaum etwas zu
tadeln: erfreulich vielmehr ist dass Hildebrand die belege für
die neuere entwicklung des begriffes g e i s t viel mehr aus

unserer classischen schönen litteratur als aus den eigentlichen
philosophen genommen hat, dass also Kant zwar auch zu seinem
recht gekommen ist, dass aber Schiller, Goethe, Herder, die
romantiker ungleich mehr herangezogen sind. ich spreche
auch die hoffnung aus dass in dem noch rückständigen teil
des' artikels der subjective, der objective und der absolute geist
in nicht zu ausgibiger weise aus Hegel belegt werden mögen.
denn ein teil von Hegels philosophischer sprache geht recht
eigentlich, um mit Hildebrand zu reden, 'vom leben weg' und
nähert sich auch für den gebildeten Deutschen, der nicht gerade Hegels system studiert hat, bedenklich einem barbarischen
kauderwelsch, dessen vorführung im DWB füglich entbehrt
werden kann. für die zeit der dreifsiger jahre, die des sogenannten jungen Deutschlands, hat H. mit recht den ernst-
haften vertreter dieser schule, Ludolf Wienbarg, durch zahlreiche belege aus seinen Aesthetischen feldzügen zu worte
kommen lassen, und ebenso woltuend berührt es, gegenüber der von MHeyne getroffenen auswahl der belege, dass in
der ganzen lieferung, wenn ich nichts übersehen habe, nur
drei beispiele aus HHeine entnommen sind. dabei wäre dann
sp. 2647 und 2695 bei dem 'ritter von dem heilgen geist'
kurz zu erinnern gewesen dass Heine den später von Gutzkow
aufgenommenen und verkürzten ausdruck schwerlich erfunden,
sondern in anspielung auf den von dem franz. könige Heinrich III gestifteten ritterorden vom heiligen geist gebraucht hat.
fremdartig schaut mich sp. 2643 das citat 'Luther bei Mützell 28'
an, wo doch zwei zeilen aus Luthers Ein feste burg gemeint
sind. wenn Goethe und Schiller und selbst geringere dichter
aufser nach band und seite einer gesammtausgabe mehrfach
nach dem besonderen titel eines stückes oder nach der anfangs-
zeile eines bekannten gedichtes citiert werden, so verdient auch
Luther bei seinem hauptliede diese auszeichnung; und wenn
einmal rein wissenschaftlich kahl und kühl citiert werden sollte,
so war heute statt Mützells sammlung PhWackernagels Kirchenlied vorzuziehen. — hiermit sei den bearbeitern freudigkeit
zu ihrem werke gewünscht, diesem selbst aber immer tiefer
gehende würkung auf weitere schichten unseres volkes. der
wolverdienten rückhaltlosen anerkennung aller anständigen und
gebildeten freunde der deutschen sprache sind bearbeiter und
verleger des Wörterbuches ja sicher, wie von anfang.

Grofs-Strelitz in Oberschlesien.   ALBERT GOMBERT.

WFIELITZ, Goethestudien. abhandlung zu dem programm des
Wittenberger gymnasiums ostern 1881. 15 ss. 4⁰. — drei
abhandlungen sind in diesen Studien enthalten. die erste begründet die von dem verfasser in seiner sammlung von jugendbriefen Goethes (Berlin, Weidmann, 1880) mitgeteilte erklärung
eines briefes von Goethe an tante Fahlmer; und man kann

dieser conjectur die wahrscheinlichkeit nicht absprechen. mislicher steht es meines erachtens um die in der zweiten abhandlung vorgetragene erklärung einer stelle aus dem Reisetagebuch: die 'holde blume' (DjG III 697) soll die herzogin
Luise von Weimar sein. mir scheint die von Fielitz beigebrachte
parallele aus einem briefe an tante Fahlmer (III 85) nicht
zwingend; im Reisetagebuche muss offenbar ein mädchen gemeint sein, das Goethe in Frankfurt zurückgelassen hat, und
dass Goethe 'mit einem stillen funken, welcher für die herzogin
in ihm glomm', nach Weimar gekommen sei, glaube ich nicht.
in der dritten abhandlung versucht der verfasser die nach dem
Briefwechsel zwischen Goethe und Schiller Goethen angehörigen
verse aus dem prolog zu Wallensteins lager auszuscheiden:
auch hier ist sein resultat nur eine conjectur, aber für die
anordnung einiger briefe in dem citierten briefwechsel ergibt
sich dabei sicheres. umständlicher und breiter als es sonst
seine art ist hat sich Fielitz diesmal wol nur deshalb ausgesprochen, um auch dem laien verständlich zu sein.   J. MINOR.

LGANGHOFER, Johann Fischart und seine verdeutschung des Rabelais. München, Ackermann, 1881. 89 ss. 8°. 1,60 m. —
vergleichung des Fischartschen Gargantua mit dem französischen, eingehender für die ersten zehn capitel, summarisch für
die übrigen, mit einzelnen brauchbaren beobachtungen, aber
unkritisch. G. beschränkt sich auf spätere ausgaben und lässt
bestimmte gesichtspuncte vermissen. Praktik und Catalogus werden nicht untersucht. die übersicht über die litteratur ist unvollständig und zu weitläufig. G. verfährt tendenziös: *Fischart
ist von höherem geistigen range als Rabelais.*   E. SCAMIDT.

RPRÖLSS, Geschichte des neueren dramas. erster band. erste
hälfte. rückblick auf die entwicklung des mittelalterlichen
dramas. das neuere drama der Spanier. Leipzig, Schlicke
(Balthasar Elischer), 1880. 412 ss. 8°. 10 m. — eine
eingehendere besprechung dieses einem tiefgefühlten bedürfnisse entgegen kommenden werkes müssen wir dem plane
dieser zeitschrift gemäfs bis zum erscheinen des dritten bandes,
welcher die geschichte des neueren deutschen dramas enthalten
soll, aufsparen. an sachkenntnis fehlt es dem verfasser auf
dem gebiete der dramatischen litteratur ebenso wenig als an
selbständigem urteile; eher (so viel es scheint) an der nötigen
geduld, die sachen langsam und ruhig heranreifen zu lassen,
denn dieser erste band trägt an vielen stellen den character
tumultuarischer, überstürzter arbeit. den rückblick auf die entwicklung des mittelalterlichen dramas hätte der verfasser getrost
auf ein viertel des verzehrten raumes beschränken dürfen, auch
in seinem eigenen interesse, da er sich in bezug auf die kenntnis mittelalterlicher litteratur und zustände einige arge blöfsen
gibt. für den zweiten teil, die geschichte des spanischen dra-

mas, kamen dem verf. tüchtige vorarbeiten, besonders die des
freiherrn von Schack, zu gute; seine leistung gewinnt dadurch
an solidität, ohne an selbständigkeit viel einzubüfsen. man
kann der fortsetzung des werkes mit interesse entgegen sehen.

                                                    J. MINOR.

NACHFRAGE WEGEN LACHMANNS WOLFRAM.

Das exemplar der ersten ausgabe des Wolfram von 1833,
in das Lachmann seine berichtigungen eingetragen hatte, die von
Haupt für die zweite ausgabe von 1854 verwertet wurden, ist
aus dessen nachlasse durch die antiquare Mayer & Müller in Berlin
(W Französische strafse 38) in unbekannte bände gelangt. es ist
schon in der vorbemerkung zur vierten ausgabe von 1879 s. XLV
der wunsch ausgesprochen dass über den verbleib desselben in
dieser zeitschrift oder in einer anderen des faches nachricht gegeben werden möchte und dass, wenn es sich nicht schon in
einer öffentlichen bibliothek befindet, es · an eine solche übergehen möchte, damit es bei jedem künftigen abdruck benutzt
werden könnte. ich erlaube mir hier den wunsch zu widerholen,
mit der ergebensten bitte an die fachgenossen, dieser nachfrage
die möglichst gröste verbreitung zu geben.

Berlin.   K. MÜLLENHOFF.

BERICHTIGUNGEN.

S. 215 z. 10 f v. u. ist zu lesen: aus dem anfang (besser
der ersten hälfte) des dritten jhs., s. 221 z. 7 v. o.: im Beovulf
vor, und s. 222 z. 9 v. u. ist einzuschalten: griechische autoren
werden (zb. s. 141. 143) in lateinischer übersetzung citiert, was
gewis nicht zu tadeln ist; auch die accente auf griechischen wörtern zb. s. 20 würde jeder hrn L. gerne geschenkt haben, wenn
er nicht s. 321 eine seltsame art der 'berichtigung' eingeschlagen
hätte, einmal durch setzen, dann durch weglassen der lästigen
dinger.

In der nacht vom 22 zum 23 juli starb zu Wien in folge
eines herzschlages JOSEPH HAUPT, custos der k. k. hofbibliothek,
würkliches mitglied der k. k. academie der wissenschaften, geboren
zu Czernowitz am 29 juli 1820. unbestechliche wahrheitsliebe,
uneigennützige gesinnung, reiches wissen zeichneten ihn aus; von
ihm gilt das wort Hartmanns: *an alle missewende stuont sin ére
und sin leben.* jeder rechtschaffene, der ihn gekannt, wird ihm
ein dankbares andenken wahren.

Druck von J. B. Hirschfeld in Leipzig.